# 아동청소년 트라우마 치료
# 전문가가 알아야 할 18가지 치료법

편집자
Markus A. Landolt
Marylène Cloitre
Ulrich Schnyder

# 아동청소년 트라우마 치료
## 전문가가 알아야 할 18가지 치료법

# 아동청소년 트라우마 치료
# 전문가가 알아야 할 18가지 치료법

첫째판 1쇄 인쇄 | 2022년 11월 9일
첫째판 1쇄 발행 | 2022년 11월 21일

지 은 이 Markus A. Landolt, Marylène Cloitre, Ulrich Schnyder
옮 긴 이 배승민, 방수영
발 행 인 장주연
출판기획 임경수
책임편집 이다영
편집디자인 조원배
표지디자인 김재욱
발 행 처 군자출판사(주)
등록 제4-139호(1991. 6. 24)
본사 (10881) **파주출판단지** 경기도 파주시 회동길 338(서패동 474-1)
전화 (031) 943-1888 팩스 (031) 955-9545
홈페이지 | www.koonja.co.kr

First published in English under the title
Evidence-Based Treatments for Trauma Related Disorders in Children and Adolescents
edited by Markus A. Landolt, Marylène Cloitre and Ulrich Schnyder, edition: 1


ISBN 979-11-5955-917-4
정가 30,000원

# 서문

이 책은 편집자와 공저자들이 수년간 협력한 결과로, 아동 청소년 트라우마 관련 질환 치료의 표준 지침서로 제작되었습니다. 심리학자, 정신건강의학과 의사, 심리 치료사 및 기타 임상에서 아동의 트라우마 스트레스와 그로 인한 정신건강 문제의 치료에 대한 이해를 더 하고 싶은 사람을 위한 책입니다. 하나의 치료법만을 소개하는 다른 책과는 달리 이 책은 근거 기반이거나 근거가 어느 정도 지지되는, 현재 사용 가능한 모든 치료법의 개요를 심층적으로 소개합니다. 우리는 이 책이 전 세계에 이러한 치료가 더 보급되도록 촉진하는 역할을 하기를 바랍니다.

이 책을 쓰도록 도와 주신 많은 분들께 감사드립니다. 첫 번째로 우리는 해당 분야의 주요 치료자이자 연구자인 각 장의 훌륭한 저자들에게 깊이 감사드립니다. 저자들은 시간을 잘 지켜주었고 또한 우리 편집부의 피드백과 제안을 잘 받아들여 주었습니다. 또한 이 책을 출판할 기회를 제공하고 출판 과정 내내 지원하여 준 Springer International에 감사드립니다.

그러나 무엇보다도 우리에게 자신들의 이야기를 공유하고, 아동기 트라우마에 대하여 많은 것을 가르쳐 주고 그 영향을 극복하기 위해 어떻게 하였는지 가르침을 준 모든 아동, 청소년과 그들의 가족에게 감사합니다. 이 책을 그들에게 헌정합니다.

스위스 취리히 — Markus A. Landolt
미국 캘리포니아 팔로알토 — Marylène Cloitre
스위스 취리히 — Ulrich Schnyder

# 역자의 말

예상치 못했던 잔인한 폭력의 피해를 겪고 차마 입 밖으로도 낼 수 없는 고통을 온 몸으로 표현하는 분들을 만나면, 치료자 역시 그 어둡고 끔찍한 고통의 맨 얼굴을 마주하게 됩니다. 긴긴 공부와 수련을 거쳤건만, 제가 처음 그 분들의 상처와 고통 속 소리 없는 비명을 듣게 되었을 때 느낀 것은 그저 칠흑 같은 어둠과 막막함이었습니다. 그러다 정신을 차려보니 빛이 없어 보였던 그 곳에서, 최선을 다해 트라우마 피해자분들을 돕고자 고군분투하는 동료들과 선후배들의 노력이 깜깜한 밤하늘 속 가느다란 반딧불처럼 소중하게 빛나고 있음을 알게 되었습니다. 지쳐서 까무룩 빛이 꺼질듯하면 어느새 소중한 빛을 나누어 주는 동료들, 또 고통 속에서도 내적 치유의 힘으로 더 큰 빛을 밝히는 외상 후 성장의 길을 걷고 있는 피해자분들의 빛을 나누어 받은 덕에, 부족한 제가 해바라기센터를 거쳐 지금의 스마일센터까지 지속해서 이 분야 업무를 해올 수 있었습니다.

가장 존경하는 치료자 중 한 분인 방수영 교수님과 함께 번역한 이 책은, 저처럼 처음의 막막함을 느낄 치료자들, 힘겨운 내담자들을 위해 최선을 다하고 있는 이들에게 강력한 근거가 되어줄 빛이 모인 자료로, 트라우마 피해자들을 위해 최전선에서 일하고 있는 전 세계의 학자들과 치료자들의 노력이 모인 책입니다. 이 소중한 자료를 국내에 소개할 수 있게 도와주신 군자 출판사 관련자 분들에게 감사의 인사를 전하며, 이 책이 국내 트라우마 피해 치료자들을 위해 노력하고 있는 모든 분들에게도 든든한 희망의 빛이 되어줄 수 있기를, 피해자분들의 고통을 치유하는 역할에 일조하기를 진심으로 바랍니다.

2022년 여름 배 승 민

# 역자의 말

이 책을 알게 된 것은 2018년 미국 예일대 정신건강의학과 연수시절 CFTSI를 개발한 마란 박사님을 통해서입니다. CFTSI를 포함한 모든 장의 내용이 아동 청소년의 트라우마 치료에 근거기반 치료의 표준적인 지침일 뿐 아니라 함께 각 장마다의 사례를 같이 따라가는 재미마저 있어 읽기 편하게 소개되었으면 하는 바람이 생기게 되었고 군자출판사의 도움으로 지난한 과정을 통하여 드디어 세상에 나오게 되었습니다.

이 책에서는 파트 1에서의 기초와 파트 4에서의 요약 및 결론을 제외하고 파트 2와 3에 걸쳐  총 18개장에 걸쳐 다양한 개입방법을 소개하고 있습니다. 역자들은 [아동청소년의 트라우마 관련 질환의 근거 기반 치료법]이라는 다소 딱딱한 원저의 제목 대신 [아동청소년 트라우마 전문가가 알아야 할 18가지 치료법]이라는 기억하기 좋은 제목을 선정하게 되었습니다.

2014년 세월호 사고 이후 트라우마 치료에 대한 공부와 연구가 부족하다는 것을 깨닫고 노력을 지속해 가는 중에 여러 동료들을 만나게 되었습니다. 이 책의 번역 작업을 함께 하면서 배승민 교수님을 잘 알게 되고 더 존경하게 된 것이 이 작업이 제게 주는 하나의 개인적인 선물이었다고 생각합니다.

번역하는 동안 전 세계적으로는 코비드-19가, 개인적으로도 여러 트라우마가 가까이 있었지만 번역 작업이 그러한 시간을 의미 있게 만들었습니다. 그간의 과정을 지켜봐준 아들 예준과 남편 김상억에게도 감사하고 싶습니다.

이 책을 참고하실 트라우마를 겪는 아이들을 돕고자 하는 치료자들의 마음에도 회복과 치유가 함께 있기를 기원합니다.

2022년 여름 방 수 영

# 목차

## Part I 기초

## Part II 치료적 개입

---

역자주 1) 번역함에 있어, 정신의학에서 진단체계인 정신장애진단 및 통계편람(The Diagnostic and Statistical Manual of Mental Disorders)에서는 Trauma and stress-related disorder를 외상 및 스트레스 관련 장애로 번역하였으나, '외상'이 신체적 외상의 의미와 혼동되기 쉽고, 통상적으로 심리적 외상을 '트라우마'라고 부르는 경향이 있기 때문에 제목의 가독성을 위하여 역자들이 다양한 논의를 한 끝에 이 책에서는 trauma-related disorder를 '트라우마 관련 질환'이라고 표기하였습니다. 따라서 책에서의 '외상'은 주로 심리적 충격을 일으킬 가능성이 있는 사건을, 그리고 그 사건의 심리적 영향은 '트라우마'로 번역하였으며, PTSD와 같은 공식 진단명은 표준 명칭에 따라 외상후 스트레스장애로 표기하였습니다.

역자주 2) 원서에서 강조의 의미로 표기한 이탤릭체는, 필요에 따라 다른 의미로 쓰인 이탤릭체와의 혼동을 줄이기 위해 본 번역서에서는 고딕체로 표기하였습니다.

# 서문

## 배경

신체 학대, 성 학대, 부상, 자연 재해, 전쟁 및 테러와 같은 잠재적인 외상 사건에 대한 노출은 많은 사람들이 예상하는 것보다 훨씬 더 아동과 청소년들 사이에 만연해 있습니다. 세계의 여러 연구에 따르면, 아동 및 청소년 인구의 절반 이상이 성인이 될 때까지 하나 이상의 잠재적인 외상성 사건을 경험한다고 합니다(Copeland 등. 2007; Landolt 등. 2013; McLaughlin등. 2013). 전쟁 중인 국가, 분쟁 후 지역, 대규모 자연 재해 또는 만성적으로 지역 사회 폭력의 영향을 받는 지역에서는 이 수치가 훨씬 더 높아집니다(예: Karsberg와 Elklit. 2012). 이러한 사건에 노출된 아동의 상당수가 다양한 위험 요인에 따라 외상후 스트레스 장애와 같은 외상 관련 심리적 장애를 경험하게 됩니다(Alisic 등. 2014).

연구에 따르면 (특히 어린 나이에, 만성적으로) 트라우마에 노출되어 트라우마 관련 질환이 발생한 경우, 평생에 걸친 정신적, 육체적 건강의 심각한 악화와 관련이 있습니다(예: Kessler 등. 2010; McLaughlin 등. 2012). 결과적으로, 어린 시절의 트라우마와 그 영향은 오늘날 전 세계의 주요 공중 보건 문제입니다. 트라우마에 노출된 아동의 수와 트라우마 관련 질환의 유병률을 줄이기 위해 가장 중요한 것은 트라우마의 예방입니다. 불행히도 최선의 수단을 동원하더라도 모든 아동이 트라우마에 노출되는 것을 막을 수는 없습니다. 개인과 사회에 장기적인 결과를 초래하지 않으려면, 트라우마를 입은 아동을 가능한 한 빨리 찾아 효과적인 방법으로 치료하는 것이 중요합니다.

지난 20 년 동안 트라우마 관련 장애를 앓고 있는 아동과 청소년을 위해 많은 치료 방법이 개발되었습니다. 이 접근 방식들 중 일부는 그 효과가 연구되었지만, 그중 다수는 효과성 검증을 하지 않았거나 아직 검증을 시도하지 않았습니다. 오늘날, 아동청소년을 위한 특정 치료 방법을 설명하는 출판된 책과 논문의 수는 너무 많기 때문에 개요를 파악하려면 압도되지 않기 어렵습니다. 근거 기반evidence-based 또는 최소한 근거 정보 기반evidence-informed의 치료법과 그렇지 않은 것은 무엇입니까? 각기 다른 치료법은 어떻게 작동합니까? 모든 연령과 모든 유형의 트라우마 관련 질환에 유용합니까? 즉, 아동 트라우마 치료에 대한 방대한 문헌 중 지금까지 위의 질문들에 치료자가 답할 수 있게 해주는 다양한 치료 방법을 다룬 포괄적인 개론서는 없었습니다. 임상 심리학자, 정신건강의학과 의사, 심리 치료사 및 다양한 환경에서 트라우마를 입은 아동 청소년과 함께 일하는 다른 전문가들은, 경험적으로 지지되는 다양한 방법들이 제시되고 논의되는 트라우마 관련 질환의 치료 지침서가 필요합니다. 물론 이러한 임상 가이드는 특정 치료 방법의 공식적인 교육을 대체할 수는 없지만, 다양한 접근 방식과 그것을 뒷받침하는 근거들을 심층적으로 설명해줄 수 있습니다. 이 지식을 바탕으로 개별 치료자는 자신의 임상 현장과 치료 대상군에 가장 적합한 방법을 선택하고 정식 훈련을 받을 수 있습니다.

우리가 이 책을 계획하기 시작했을 때, 이 격차를 메우고 가능한 한 많은 이 분야의 선두 주자를 모아 아동과 청소년의 트라우마 관련 질환에 대한 현재의 근거 기반, 그리고 유력한 근거 정보 기반 치료 접근법을 제시하고자 했습니다. 또한 아동기 트라우마가 공중보건 문제라는 것, 효과적인 치료 방법과 그 전달체계가 각각의 환경 조건에 따라 다를 수 있다는 인식을 전달하는 큰 그림의 틀을 제공하는 것이 중요하다고 생각했습니다. 이제 이 책이 그 목표에 도달했다고 확신합니다. 이 책은 아동 및 청소년기의 트라우마를 이해하기 위한 기본 개념과 이들의 트라우마 관련 질환 치료에 대한 현재 지식의 개요를 포괄적으로 다룹니다. 트라우마 관련 질환을 가진 많은 아동들이 여전히 적절하게 또는 전혀 치료를 받지 못하기 때문에, 이 책이 실무자들에게 근거 기반 치료의 보급을 자극할 수 있기를 바랍니다.

## 이 책의 내용

이 책의 I부("기초")는 아동기 및 청소년기 트라우마를 이해하기 위한 배경과 기본 개념을 소개합니다. 첫 번째 장에서는 DSM-5 및 ICD-11을 참조[1] 하여 아동 및 청소년의 트라우마 관련 질환의 진단 범주를 제시합니다. 2장에서는 아동청소년의 트라우마 노출 및 관련 장애 역학의 포괄적인 개요를 다룹니다. 3장에서는 트라우마에 노출된 아동과 외상후 스트레스장애 또는 기타 관련 질환으로 고통받는 상당수의 아동과 그에 맞물린 공중보건 문제를 논의합니다. 4장은 아동청소년의 트라우마 관련 질환에 대한 근거 기반 평가의 개념, 원리 및 표준화된 임상기술을 소개합니다. 이 책의 첫 번째 부분의 마지막 장에서는 현재 아동과 청소년 트라우마 스트레스 질환의 심리적, 생물학적 이론의 개요를 설명합니다(5장).

II부("중재")는 13개의 장으로 구성되어 있으며 이 책의 핵심 부분입니다. 트라우마 관련 질환이 있는 아동 및 청소년에게 현재 시행 가능하고 경험적 근거가 있는 심리 치료들을 제시합니다. 우리는 각 치료법의 개발자가 이 장의 대부분을 썼다는 점이 매우 기쁩니

1) 원저에서는 '출판될 ICD-11'이라고 표기하였으나 이 저서의 출판 이후 ICD-11이 공식적으로 2018년 발행되었음(역자주).

다. 이 부분의 첫 번째 장에서는 현재 조기 개입 현황(6장)의 개요를 소개하고, 그 다음에는 아동에게 현재까지 가장 높은 근거 수준의 조기 개입 접근법인 아동 및 가족의 외상 스트레스 개입(Child Family Traumatic Stress Intervention, CFTSI)을 다룹니다(7장). 복합 트라우마가 있는 아동을 치료하기 위한 새로운 접근법들을 포함하여, 근거 기반과 경험적으로 지지되는 치료적 접근법들 이 뒤이어 제시됩니다. 이들은 외상 초점 인지행동치료(Trauma-Focused Cognitive Behavioral Therapy, TF-CBT; 8장), 인지치료(Cognitive Therapy, CT; 9 장), 청소년을 위한 지속 노출 치료(Prolonged Exposure Therapy for Adolescents, PE-A, 10장), 아동 및 청소년을 위한 내러티브 노출 요법(KIDNET; 11장), 정서 및 대인관계 조절 기술 훈련STAIR 및 내러티브 요법 - 청소년 버전(Narrative Exposure Therapy for Children and Adolescents, Narrative Exposure Therapy for Children and Adolescents, SNT- A; 12장), 안구 운동 민감 소실 및 재처리 치료(Eye Movement Desensitization and Reprocessing Therapy, EMDR; 13장), 애착, 자기 조절과 역량(Attachment, Self-Regulation, and Competency, ARC) 치료 (14장), 아동-부모 정신치료(Child-Parent Psychotherapy, CPT; 15장), 부모-자녀 상호작용치료(Parent-Child Interaction Therapy, PCIT; 16 장) 및 트라우마 체계 치료(Trauma Systems Therapy, TST; 17장)입니다. II부는 아동 및 청소년의 트라우마 관련 질환의 약물학적 치료에 대한 개요로 끝납니다(18장). 치료 접근 방식 간에 일관성을 위해 이 II부의 각 장들은 비슷한 방식으로 구성되어 있습니다. 첫째, 접근 방식의 이론적 토대를 제시합니다. 둘째, 치료 접근법의 임상 적용이 단계적으로, 하나 또는 여러 사례를 통해 설명됩니다. 셋째, 치료를 적용할 때 만날 수 임상적으로 어려운 부분들을 논의합니다. 넷째, 치료 접근법의 효능에 대한 현재까지의 근거가 제시됩니다.

이 책의 III부는 트라우마 관련 질환이 있는 아동 청소년과 관련된 특수 치료 환경인 의료환경(19 장), 거주 및 정신건강의학과 병동 치료(20장), 소년원이나 사법체계(21장), 학교(22장), 분쟁 지역(23장)을 다룹니다.

마지막 장에서는 아동과 청소년의 트라우마 관련 질환의 치료에 대한 현재까지의 정보를 요약하고, 서로 다른 치료 방법의 공통점과 차이점을 설명합니다. 또한 현재 부족한 점과 한계에 대해서도 논의합니다. 이 책은 트라우마 관련 질환이 있는 아이들을 치료하는 데 있어 당면한 과제와 미래에 대한 조망으로 끝납니다.

종합하여, 이 책은 독자에게 아동기 트라우마의 기본 원리에 대한 최신 정보와 함께, 경험적으로 지지되는 특정 치료 방법 및 치료 환경에 대한 심층 정보를 소개합니다. 우리는 이 책이 환자를 보는 치료자에게 유용할 뿐만 아니라 대학 및 임상 훈련 과정 중인 이들에게도 좋은 참고 자료가 되기를 바랍니다.

## 참고문헌

1. Alisic E, Zalta AK, van Wesel F, Larsen SE, Hafstad GS, Hassanpour K, Smid GE (2014) PTSD

rates in trauma-exposed children and adolescents: a meta-analysis. Br J Psychiatr 204:335–340. doi:10.1192/bjp.bp.113.131227

2. Copeland WE, Keller G, Angold A, Costello EJ (2007) Traumatic events and posttraumatic stress in childhood. Arch Gen Psychiatr 64:577–584. doi: 10.1001/ archpsyc.64.5.577
3. Karsberg SH, Elklit A (2012) Victimization and PTSD in a Rural Kenyan youth sample. Clin Pract Epidemiol Mental Health 8:91–101. doi:10.2174/1745017901208010091
4. Kessler RC, McLaughlin KA, Green JG, Gruber MJ, Sampson NA, Zaslavsky AM, Aguilar-Gaxiola S, Alhamzawi AO, Alonso J, Angermeyer M, Benjet C, Bromet E, Chatterji S, de Girolamo G, Demyttenaere K, Fayyad J, Florescu S, Gal G, Gureje O, Haro JM, Hu CY, Karam EG, Kawakami N, Lee S, Lépine JP, Ormel J, Posada-Villa J, Sagar R, Tsang A, Ustün TB, Vassilev S, Viana MC, Williams DR (2010) Childhood adversities and adult psychopathology in the WHO World Mental Health Surveys. Br J Psychiatry J Ment Sci 197(5):378–385. doi: 10.1192/bjp.bp.110.080499
5. Landolt MA, Schnyder U, Maier T, Schoenbucher V, Mohler-Kuo M (2013) Trauma exposure and posttraumatic stress disorder in adolescents: a national survey in Switzerland. J Trauma Stress 26(2):209–216. doi:10.1002/jts.21794
6. McLaughlin KA, Green JG, Gruber MJ, Sampson NA, Zaslavsky AM, Kessler RC (2012) Childhood adversities and first onset of psychiatric disorders in a national sample of US adolescents. Arch Gen Psychiatry 69(11):1151–1160. doi: 10.1001/ archgenpsychiatry.2011.2277
7. McLaughlin KA, Koenen KC, Hill ED, Petukhova M, Sampson NA, Zaslavsky AM, Kessler RC (2013) Trauma exposure and posttraumatic stress disorder in a national sample of adolescents. J Am Acad Child Adolesc Psychiatry 52(8):815–830. doi:10.1016/j.jaac.2013.05.011

# Part I

# 기초

# 아동 및 청소년 트라우마 관련 질환의 진단 스펙트럼

1

Lutz Goldbeck 과 Tine K. Jensen

## 1.1 서론

외상 이후 아동과 청소년이 고통을 겪을 수 있다는 것은, 성인에서와는 달리, 비교적 최근에서야 인식되었습니다. 실제로 Lenore Terr가 Chowchilla 스쿨 버스 납치의 결과에 대한 논문을 발표했을 때(Terr 1983), 과학계와 치료자들은 아동이 외상후 스트레스와 유사한 심각한 문제를 보인다는 것을 믿지 않으려 했습니다(Benedek 1985; Garmezy와 Rutter. 1985). Benedek(1985)는 아동의 발달을 파괴적으로 손상시킬 수 있을 정도의 장기적인 고통을, 특히 성인에 의해 그러한 아동의 트라우마가 초래될 수 있다는 사실을 전문가와 성인이 직면하는 것이 전반적으로 어려울 수 있다고 밝힌 바 있습니다. 이제는 어린 아동과 청소년에게 외상 이후 정신건강의 어려움이 발생할 수 있다는 근거가 늘어나고 있으며 트라우마가 아동과 그의 발달에 미치는 각각의 영향을 보고하는 연구들이 진행되고 있습니다.

## 1.2 트라우마 반응의 발달적 측면

엘렌(1세), 피터(4세), 니클라스(10세), 수잔(17세)은 형제 자매로, 폭력 및 학대 가정에서 자랐습니다. 그들은 이제 모두 위탁 가정에 살고 있습니다. 같은 가정에서 자랐지만 그들의 경험은 꽤 달랐고 위탁 가정에서 지내는 동안 다른 증상이 나타났습니다. 엘렌은 많이 울었고 달래기 어려웠습니다. 피터는 자주 조절이 안될 만큼 떼를 쓰고, 유치원에서 다른 아이들과 어울려 놀기 어려웠고 위탁부모를 신뢰하지 못하는 것처럼 보였습니다. 니클라스는 등교를 거부했습니다. 그는 아버지가 연상되는 수학 선생님이 마음에 들지 않았고 그 선생님 가까이에 있는 것이 겁이 났습니다. 그는 또한 의학적으로 설명할 수 없는 복통이 있었습니다. 위탁 가정에 배정되기 직전, 그는 밤에 소변 실수를 하기 시작했습니다. 수잔은 사려가 깊고 형제들을 잘 돌보는 것처럼 보였습니다. 그녀는 매일 학교에 갔고 숙제를 완벽하게 해야 하며 그렇지 않으면 모두 자신을 이상하게 생각할까 봐 두려워했습니다. 최근에 위탁모는 수잔의 팔에 이유를 모르는 상처를 보았습니다. 수잔은 친구가 많지 않으며 대부분의 시간을 집에서 보냈습니다.

어린 시절에 경험한 트라우마는 그 경험이 아동의 발달을 방해할 수 있기에 특히 해롭습니다. 어린 시절의 트라우마는 최소한 두 가지 근본적 발달과정에 부정적인 영향을 줍니다. 그것은 신경 발달(예: 뇌 및 신경계의 발달)과 심리 사회적 발달(예: 성격 형성, 도덕성의 발달, 대인 관계)입니다(Putnam 2006). 트라우마 증상은 연령대에 따라 다를 수 있으며, 트라우마의 영향을 이해할 때에는 발달적인 측면을 고려해야 합니다.

비정상 발달로 판단해야 할 것은 아동의 나이에 따라 상당히 다릅니다. 사실, 일반적으로 트라우마 반응으로 설명하는 많은 증상은 유아의 수면 장애, 집중력 또는 주의력 결핍, 떼쓰기와 같이 특정 연령에서는 정상발달과 정상범주의 행동으로 간주될 수 있습니다(De Young 등. 2011; Scheeringa 등. 2003). 예를 들어, 부모와 떨어질 때 떼쓰고 힘든 것은 아이가 4세 일때와 14세일 때 매우 다르게 판단됩니다. 아동이 어릴수록 증상이 덜 구체적으로 드러납니다. 매우 어린 아이들에게는 예를 들어, 계속 지나치게 우는 것과 같은 다양한 조절의 어려움이 외상후 스트레스에서 유일하게 관찰되는 증상일 수 있습니다.

**영유아와 미취학 아동**의 경우, 트라우마 후에 분리 불안, 공포증, 심한 떼쓰기, 야뇨증, 과잉 행동 및 수면 장애가 보고됩니다(La Greca 2007; Norris 등. 2002; Scheeringa 등. 2012). 이 아이들은 무력감과 위험이 지속적이라고 인식하고 이전에 습득한 정상 발달이 퇴행할 수 있으며 부모의 침대에서 자고 싶어하거나 혼자 밖에서 놀지 않으려 할 수 있습니다. 놀지 않거나 다양한 형태의 사회적 위축, 부정적인 기분의 증가를 보일 수도 있습니다. 트라우마를 입은 아동은 종종 감정을 조절하기 어렵고 양육자와의 애착 또한 안전하지 않다는 느낌으로 인해 나빠질 수 있습니다.

**학령기 아동**의 경우 반항, 과잉 행동 및 대인관계 문제가 자주 보입니다. 트라우마를 경험한 후 자신이나 타인의 안전에 대해 과도하게 관심을 갖고 불안해할 수 있습니다. 학령기 아동은 종종 일어난 일이 자신의 책임이라고 느끼기 때문에 어린 아이들에 비해 죄책감과 수치심으로 더 힘들어할 수 있습니다. 복통과 두통과 같은 스트레스에 대한 신체 반응도 보고됩니다. 트라우마를 입은 초등학생과 청소년 모두에서 우울증이 높은 비율로 관찰되었으며 교사들은 이들의 집중력과 학업 문제를 보고했습니다(Goenjian 등. 1995; Yule과 Udwin. 1991).

아이들이 **청소년기**에 들어서면서, 정체성 형성, 또래 관계, 부모로부터의 독립과 같은 다양한 새로운 발달 과제를 마주하게 됩니다. 트라우마를 경험하면 이러한 발달 과업이 방해를 받을 수 있습니다. 한 예로 아르메니아 지진 이후의 연구에서는 부모로부터의 독립심 형성을 방해하는 청소년 만성 분리 불안 장애를 보고하였습니다(Goenjian 등. 1995). 청소년은 자신의 정서반응에 대해 과도하게 스스로 의식하고 또래와 다르게 분류되는 것을 두려워 할 수 있으며, 이로 인해 친구와 가족을 멀리 할 수 있습니다(Pynoos 등. 1999). 트라우마를 입은 청소년은 학교 생활에 어려움을 겪고, 다른 청소년보다 성적이 떨어지거나 정학을 당할 위험이 더 높습니다(Lipschitz 등. 1999; Nooner 등. 2012). 자해, 자살 사고, 무모한 행동 및 약물 남용은 아동보다 청소년에게 더 일반적으로 나타납니다(De Bellis. 2001; Nooner 등. 2012; Pynoos 등. 2009; Schmid 등. 2013). 청소년은 복수심이나 세계관의 변화를 드러내기도 합니다(Pynoos등. 1999). 또한 정신 증상은 심각한 아동기 트라우마가 예측 인자인 것으로 밝혀졌습니다(Kelleher 등. 2013).

아동이 증상이나 스트레스를 표현할 수 있는 언어 또는 인지 능력을 항상 가지고 있는 것은 아닙니다. 관찰 가능한 증상 정도가 다르기 때문에 외현화 증상에 비해 내재화 증상이 덜 보고될 수 있습니다. 예를 들어, ADHD 및 불안 장애에 일반적으로 보이는 외현화 증상은 PTSD의 내재화 증상보다 어른들이 잘 관찰할 수 있기 때문에, 치료자가 PTSD 증상을 간과하고 이러한 장애를 치료의 목표로 할 수 있습니다(Cohen과 Scheeringa. 2009). 따라서 아동을 진단할 때에는 외상 사건 노출과 증상들이 나타난 시점 사이의 시간적 선후 관계를 잘 파악해야 합니다. 트라우마 경험 후 새로운 증상의 출현이나 증상의 명백한 악화는 종종 증상과 트라우마 사이의 연관성을 나타내는 좋은 지표로 볼 수 있습니다.

## 1.3 DSM-5와 ICD-11의 분류

경험적 연구(Friedman 2013)의 고찰에 기반하여, 정신장애 진단 통계편람 5판(the fifth revision of the Diagnostic and Statistical Manual of Mental Disorders, 이하 DSM-5)을 개정하면서 외상 및 스트레스 관련 장애(trauma- and stressor-related disorders, 이하 TSRD)의 분류 면에서 두 가지 큰 변화가 있었습니다. 첫째, DSM 체계에서 PTSD는 이전의 불안 장애 분류가 아니라 별도의 범주인 "외상 및 스트레스 관련 장애"에 놓입니다. 둘째, DSM-5에서는 발달학적으로 조정된 진단 기준과 미취학 아동의 PTSD 진단 특정 알고리즘이 생겼습니다. 국제 질병 분류(the International Classification of Diseases, 이하 ICD)

는 개정을 거쳐 2018년에 ICD-11이 출시되었습니다.[1)] ICD-11에 대해 세계 보건기구(the World Health Organization, 이하 WHO) 실무 그룹은 "스트레스 관련 장애"에 대한 새로운 진단 기준의 간결함과 임상적 유용성 전략을 제안했습니다. 제안된 주요 구성 요소는 PTSD 기준을 6가지 핵심 증상으로 제한하고(Brewin 2013; Maercker 등. 2013b; Maercker 등. 2013a), 복합 PTSD[complex PTSD]와 지속 애도장애[prolonged grief disorder]의 새로운 두 질환을 도입하는 것이었습니다. 연령 또는 발달 단계에 따른 증상이 제안되었지만, 새 기준에 대한 현장 연구에는 아직 아동과 청소년이 포함되지 않았습니다. 따라서 발달학적 측면에 대한 고려와 이러한 진단 범주 및 아동과 청소년 기준의 타당성은 여전히 제한적입니다.

DSM-5와 ICD-11을 비교할 때, 두 시스템은 유사하지만 중요한 차이점도 있습니다(**표 1.1 참조**). 두 진단 시스템 모두에서 양육자의 양육 실패로 인한 아동기 부정적 경험과 정의상 밀접하게 관련된 아동기 애착 장애가 포함되어 있습니다. 애착 장애 외에 두 분류 시스템의 나머지 진단 구성은 DSM-5의 새로운 6세 이하 아동의 PTSD 하위 유형을 제외하고는 연령 및 발달 상태와 무관합니다. PTSD와 적응 장애를 구분하는 증상의 촉발 인자로 외상성 경험과 비 외상성 경험을 구별하는 것 역시 DSM-5와 ICD-11에서 공통적입니다.

**표 1.1** DSM-5에서 정의된 TSRD와 ICD-11에서 제안된 스트레스 관련 질환/장애

| DSM-5 진단 | DSM-5 코드 | ICD-11 진단 | ICD-11 코드 |
|---|---|---|---|
| 급성 스트레스장애 | 308.3 | 급성 스트레스 반응 | – |
| 적응장애 | 309.x | 적응장애 | 7B23 |
| 외상후 스트레스장애<br>해리 증상 동반<br>지연되어 표현되는 경우<br>6세 이하 아동의 외상후 스트레스장애 | 309.81 | 외상성 스트레스장애들<br>외상후 스트레스장애<br>복합 외상후 스트레스장애 | 7B20<br>7B21 |
| | | 지속성 애도장애 | 7B22 |
| 반응성 애착장애 | 313.89 | 반응성 애착장애 | 7B24 |
| 탈억제성 사회적 유대감 장애 | 313.89 | 탈억제성 사회적 유대감 장애 | 7B25 |
| 달리 명시된 외상 및 스트레스 관련 장애 | 309.89 | 달리 명시된 스트레스 관련 장애 | 7B2Y |
| 명시되지 않은 외상 및 스트레스 관련 장애 | 309.9 | 명시되지 않은 스트레스 관련 장애 | 7B2Z |

DSM-5와 ICD-11은 각각의 세 가지 장애의 진단과 관련하여 근본적인 차이점을 보여줍니다. DSM-5는 DSM-IV PTSD의 확장 버전으로 구성되어 있지만, ICD-11은 세 가지 공포 반응군 기반의 PTSD 진단과 정서, 정체성, 대인관계등의 어려움과 같은 세 개의 추

1) 현재는 공표되었음(역자주).

가적인 증상군을 포함하는 복합 PTSD를 구별하여 두 개의 PTSD 진단을 구성하였습니다. 둘째, 지속 애도장애(prolonged grief disorder, 이하 PGD)는 ICD-11에서 독립된 범주인 반면 DSM-5에는 포함되지 않았습니다. DSM-5와 ICD-11의 세 번째 차이점은 첫 4주 이내 스트레스 증상을 고려하는 부분입니다. DSM-5에서는 별도의 장애인 급성 스트레스장애(acute stress disorder, 이하 ASD)는 사건 후 4주 이내로 기간을 제한하는 반면, ICD-11은 트라우마 사건 후 첫 며칠에서 몇 주 이내의 급성 스트레스 반응을 정상이라고 명시하였습니다. 두 분류 시스템 모두 4주(DSM-5) 또는 "적어도 몇 주"(ICD-11)로 PTSD 진단을 위해 다소 일관된 최소 기간을 필요로 합니다.

다음으로 주요 진단 범주 및 하위 유형에 대해 설명하고 이를 아동 및 청소년에 적용할 수 있는지에 대해 논의하겠습니다.

## 1.4 급성 스트레스

알리샤는 5살 때 2인이 사망한 큰 교통사고를 어머니와 겪었습니다. 사고 이후, 알리샤는 오빠의 장난감 자동차를 모두 꺼내서 쌓아 올리곤 했습니다. 그런 다음 자동차 더미에 농구공을 던져 방에 흩뜨리고 "이제 모두 죽었어!"라고 말하곤했습니다. 자기 방에서 잠들기를 꺼려했고 며칠간 무서운 꿈을 꾸며 잠에서 깼습니다. 처음 2주 동안 유치원에 가지 않으려 했고 어떤 차도 타지 않으려 했습니다. 서서히 누군가 뒷자석에 그녀와 함께 앉으면 차를 탈 수 있게 되었습니다. 악몽은 사라지고 다시 평소처럼 놀이를 하게 되었습니다.

DSM-5에서 급성 스트레스장애(acute stress disorder, 이하 ASD)는 외상 사건을 경험한 후 즉시 그리고 최대 1개월 동안 발생하는 반응을 말합니다. ICD-11에서 제안된 유사한 용어는 급성 스트레스 반응(acute stress reaction, 이하 ASR)입니다. ASR은 정신 장애로 정의되지 않는 반면 ASD는 정신장애로 정의되어, 두 시스템에서 매우 다르게 개념화됩니다. ASR에서는 증상이 광범위하게 정의되며 증상에 충격과 혼란이 포함됩니다. ASD의 증상군은 PTSD와 유사하며 추가적으로 해리 양상을 더 포함합니다.

트라우마에 노출된 후 단기와 장기 증상 발달을 구별할 필요가 있다는 점에서는 공감대가 형성되어 있는 것 같습니다. 그러나 일부 학자들은 지속적인 아동 성학대 같은 지속적인 만성 트라우마의 경우, 기준이 되는 외상 사건을 특정하기 어려울 수 있으므로 ASD는 단일 사건 트라우마에 가장 적합하다고 주장했습니다.

### 1.4.1 DSM-5의 급성 스트레스장애

ASD의 증상은 핵심 증상이 침입, 부정적인 기분, 해리, 회피 및 각성이라는 점에서

PTSD 증상과 유사합니다(표 1.2). 발달학적 고려 또한 PTSD의 경우와 유사하여, 놀이의 변화는 PTSD의 지표가 될 수 있으나 아동이 트라우마와 관련한 악몽의 내용을 보고하기는 어렵습니다. 성인과 아동 모두 14가지 증상 중 9가지 증상이 진단에 필요합니다. 이 진단 기준으로는 트라우마 이후 심각한 장애를 보이는 많은 아동을 과소 진단할 수 있다는 우려가 있습니다. 4개국의 15개 청소년 연구 데이터를 기반으로 한 메타 분석에 따르면, 아동과 청소년은 트라우마 후 몇 가지 급성 증상을 경험하며 평균 약 40%가 심각한 장애를 경험했습니다. 그러나 (DSM-5보다 1개 적은) 8가지 증상의 임계값을 적용하면 약 12%만이 진단 기준에 해당하였습니다. 임계값을 서너 개의 증상으로 낮추면 민감도가 향상되는 동시에 특이도는 유지되었습니다(Kassam-Adams 등. 2012). 아동에 대한 조기 개입의 필요성을 평가할 때, 치료자는 ASD 진단 기준을 모두 충족하지는 못하더라도 많은 아동이 급성 스트레스 반응과 장애를 경험할 수 있음을 인식해야 합니다.

**표 1.2** DSM-5의 급성 스트레스장애(*아동 진단 기준은 기울임 체로 표기*)와 ICD-11에서 제안된 급성 스트레스 반응

| *DSM-5* (코드 308.3) | | *ICD-11*(코드 7B26) | |
|---|---|---|---|
| A | 실제적이거나 위협적인 죽음, 심각한 부상, 또는 성폭력에의 **노출**이 다음과 같은 방식 가운데 한 가지(또는 그 이상)에서 나타난다.<br>1. 외상성 사건(들)에 대한 직접적인 경험<br>2. 그 사건(들)이 다른 사람들에게 일어난 것을 생생하게 목격함<br>3. 외상성 사건(들)이 가족, 가까운 친척 또는 친한 친구에게 일어난 것을 알게 됨. | A | 위협에의 **노출** |
| B. | **최소 9개 이상의:** | B | 일시적인 감정, 신체, 인지 또는 행동 증상 |
| 침습 증상 | 1. 외상성 사건(들)의 반복적, 불수의적이고, 침습적인 고통스러운 기억. *주의점: 아동에서는 외상성 사건(들)의 주제 또는 양상이 표현되는 반복적인 놀이로 나타날 수 있다.*<br>2. 꿈의 내용과 정동이 외상성 사건(들)과 관련되는 반복적으로 나타나는 고통스러운 꿈. *주의점: 아동에서는 내용을 알 수 없는 악몽으로 나타나기도 한다.*<br>3. 외상성 사건(들)이 재생되는 것처럼 그 개인이 느끼고 행동하게 되는 해리성 반응(예, 플래시백) (그러한 반응은 연속선상에서 나타나며, 가장 극한 표현은 현재 주변 상황에 대한 인식의 완전한 소실일 수 있음). *주의점: 아동에서는 외상의 특정한 재현이 놀이로 나타날 수 있다.*<br>4. 외상성 사건(들)을 상징하거나 닮은 내부 또는 외부 단서에 노출되었을 때 나타나는 극심하거나 장기적인 심리적인 고통 | C | 심한 스트레스에 대한 정상적인 반응 |
| 부정적인 감정 | 5. 긍정적 감정을 경험할 수 없는 지속적인 무능력(예, 행복, 만족 또는 사랑의 느낌을 경험할 수 없는 무능력) | | |

| *DSM-5* (코드 308.3) | | *ICD-11*(코드 7B26) | |
|---|---|---|---|
| 해리증상 | 6. 주변이나 자신에 대한 현실감의 변화(예, 다른 사람의 관점으로 자신을 봄, 멍하거나 시간이 느리게 감<br>7. 외상성 사건(들)의 중요한 부분을 기억할 수 없는 무능력(두부 외상, 알코올 또는 약물 등의 이유가 아니며 전형적으로 해리성 기억상실에 기인) | | |
| 회피 증상 | 8. 외상성 사건(들)에 대한 또는 밀접한 관련이 있는 고통스러운 기억, 생각 또는 감정을 회피 또는 회피하려는 노력<br>9. 외상성 사건(들)에 대한 또는 밀접한 관련이 있는 고통스러운 기억, 생각 또는 감정을 불러일으키는 외부적 암시(사람, 장소, 대화, 행동, 사물, 상황)를 회피 또는 회피하려는 노력 | | |
| 각성 증상 | 10. 수면 교란(예, 수면을 취하거나 유지하는 데 어려움 또는 불안정한 수면)<br>11. (자극이 거의 없거나 아예 없이) 전형적으로 사람 또는 사물에 대한 언어적 또는 신체적 공격성으로 표현되는 민감한 행동과 분노폭발<br>12. 과각성<br>13. 집중력의 문제<br>14. 과장된 놀람반응 | | |
| C. 기간 | 진단기준 B의 증상 기간이 3일에서 1개월 미만이어야 한다.<br>참고: 외상 직후 증상이 통상적으로 발생하나 장애 진단기준에 해당하기 위하여는 최소 3일에서 최대 1개월까지의 증상유지기간이 있어야 함. | D<br>E | 증상은 수일 내에 나타나고, 1주일 혹은 스트레스 요인이 제거된 이후 사라진다. |
| D. 장애 | 장애가 사회적, 직업적, 또는 다른 중요한 기능 영역에서 임상적으로 현저한 고통이나 손상을 초래한다. | F | 증상이 정신질환의 진단 기준을 충족하지 않는다. |
| E. | 장애가 물질(예, 치료약물이나 알코올)의 생리적인 효과나 다른 의학적 상태(예, 경한 외상성 뇌 부상)이나 일시 정신병적 상태로 인한 것이 아니다. | | |

### 1.4.2 ICD-11의 급성 스트레스 반응

ICD-11에는 PTSD 진단에 꼭 사건에서 진단까지의 최소 얼마의 기간이 경과해야 한다는 기준을 제시하지는 않기 때문에, 증상이 충분히 심각하고 장애를 유발하는 경우에는 외상 사건 이후 비교적 조기에 발생하더라도 PTSD 진단을 사용할 수 있습니다. 따라서 급성 스트레스 진단이 필요하지 않다는 논의가 있었습니다. 그러나 급성 스트레스 사건 후 일시적인 임상 역치 이하의 반응을 설명하는 범주가 있는 것이 도움이 될 수 있기 때문에, ICD-11 실무팀은 급성 스트레스 반응을 질병이나 장애와 관련이 없지만 그럼에도 불구하고 사회 심리적 개입의 근거를 제시할 수 있는 상태로 배치하였습니다. ICD-11에서의 ASR은 극도로 위협적이거나 끔찍한 성격의 사건이나 상황에 노출되는 극단적 스트레스 요인에 대해 일시적인 정서, 인지, 신체 및 행동 증상이 발생하는 것으로 서술하고 있습니다(Maercker 등. 2013c). 제안된 증상 중 일부는 멍한 느낌, 혼란스러움, 슬픔, 불안, 분노, 절망, 과잉 행동, 무감각 및 사회적 고립과 빠른 심장 박동, 발한 및 홍조와 같은 불안의 생리적 징후입니다. 증상은 영향을 받은 후 몇 시간에서 며칠 내에 나타나고 노출 후 약 1주일 이내, 또는 위협적인 상황에서 제거된 후 가라앉습니다. 발달학적 측면은 PTSD와 관련된 부분에서만 고려되었습니다.

## 1.5 외상후 스트레스장애

프레드릭은 11 세입니다. 그는 어머니와 함께 아버지의 학대를 피해 방금 이사했습니다. 프레드릭의 아버지는 아내를 때리고 욕설을 하였습니다. 이런 일들은 주로 프레드릭이 잠자리에 들어간 뒤 일어났지만, 다투는 소리를 들을 수 있었습니다. 어느 날 프레드릭이 싸움을 말리러 나갔을 때 아버지가 그를 때렸고 아버지는 그것이 전적으로 프레드릭의 잘못이라고 했습니다. 프레드릭은 이사한 것은 기쁘지만 친구들을 그리워합니다. 악몽에 시달리고 아버지를 생각나게 하는 남자를 보면 매우 겁이 납니다. 아버지에 대해 이야기하거나 구급차를 보는 것을 좋아하지 않습니다. 어머니가 병원에 실려갔던 때를 떠올리게 하기 때문입니다. 아버지가 자신을 때린 이후로 모든 것이 자신의 잘못이라고 느끼고 자신이 나쁜 사람이라고 생각합니다. 학교에서 집중하기 어렵고 항상 안절부절하게 느낍니다.

1980년 DSM-III에 포함된 이후로, PTSD의 정의에 대한 논란이 계속되고 있습니다. PTSD는 뚜렷한 정신 장애로 잘 받아들여지지만, 외상 사건 기준의 필요성과 정의, 특이성, 필요한 증상의 최소 수와 범위에 대해 여전히 논의가 지속되고 있습니다. DSM-5 및 ICD-11 상의 정의의 차이는 PTSD에 대한 서로 다른 개념화가 반영된 것입니다. 아동과 청소년이 성인의 정의대로 PTSD가 발생할 수 있다는 충분한 증거가 있지만 진단 최소 증상 개수를 낮추거나 증상을 아동의 발달 상태에 맞게 조정하는 등, 미성년자에 맞춰 진단 기준을 수정해야 할 필요성에 대하여 논의가 진행 중입니다.

DSM-5는 ICD-11에 비해 외상성 사건을 정의하는 기준 A를 더 명확하게 정의합니다. DSM-5에 정의된 외상성 사건은 다음 중 한 가지 방식으로 실제 또는 위협으로 사망, 심각한 부상 또는 성폭력에 노출되는 것을 특징으로 합니다.

- 사건(들)을 직접 경험합니다.
- 다른 사람에게 발생한 사건(들)을 직접 목격합니다.
- 가까운 가족이나 가까운 친구에게 외상성 사건(들)이 발생했음을 알게 됩니다. 가족이나 친구의 실제 사망 또는 위협의 경우 사건은 폭력적이거나 사고로 인한 것이어야 합

니다.

청소년에게 적용되지 않는 네 번째 조건은 전문가 또는 최초 대응자에 대한 것입니다. DSM-5와는 대조적으로 ICD-11의 저자 중 일부는 노출보다는 증상에 근거하고(Brewin 등. 2009) 단순히 트라우마를 "극도로 위협적이거나 끔찍한 사건(들)"으로 정의할 것을 제안하였습니다. 이것은 개인적인 인식에서 외상성 사건을 정의할 여지를 남깁니다.

DSM-5와 ICD-11 기준을 비교하면 증상의 범위와 수에서 차이가 있습니다(**표 1.3**). DSM-5의 저자는 원래의 공포 불안 장애에 덧붙여 외상후 무감각, 불쾌감, 외현화 및 해리 증상을 포함하여 PTSD를 광범위하게 재개념화하였습니다(Friedman 2014). 총 20개의 개별 증상들이 초기 분석 결과를 기반으로 4개의 증상군으로 분류되었습니다(Elhai와 Palmieri 2011). 대조적으로, ICD-11의 저자는 요인구조의 복잡성(Galatzer-Levy와 Bryant 2013)에 도전하여 PTSD의 가장 중요한 증상으로 침습적 기억을 강조하면서 재경험, 회피 및 인지된 위협의 각 범주 당 2개씩, 6가지 증상을 정의했습니다(Brewin 등. 2009; Maercker 등. 2013b).

**표 1.3** DSM-5의 6세 이상 아동 청소년 외상후 스트레스장애의 임상증상 변이
(학령 전기 아동의 증상은 **표 1.4** 참조)

| | | |
|---|---|---|
| B | 침습과 재경험 | B1 고통스러운 기억: 외상성 사건(들)의 주제 또는 양상이 표현되는 반복적인 놀이로 나타날 수 있다.<br>B2 고통스러운 꿈: 내용을 알 수 없는 악몽으로 나타나기도 한다.<br>B3 해리성 반응: 외상의 특정한 재현이 놀이로 나타날 수 있다. |
| C | 회피 | 학령기의 아동에서 새로운 활동에 대한 참여의 감소, 또는 청소년에서의 발달적 기회를 추구하는 것(예, 데이트하기, 운전하기)에 대한 저항과 관련이 있을 수 있다.<br>회피에 더하여, 아동은 연상물들에 집착할 수도 있다. |
| D | 인지와 감정 | 아동의 생각 또는 감정 표현의 한계 때문에, 기분 또는 인지의 부정적 변화는 우선적으로 기분 변화를 수반하는 경향이 있다. 청소년의 경우, 부정적인 인지가 자신을 향해 스스로를 겁쟁이로 판단하거나 또래로부터 사회적으로 바람직하지 않은 방향으로 적용되어 미래에 대한 열망을 잃을 수도 있다. |
| E | 과각성 | 아동과 청소년의 경우 과민하거나 공격적인 행동이 또래 관계와 학교생활에서 문제를 일으킬 수 있다. 무모한 행동은 자신 또는 다른 사람에게 돌발적인 부상을 일으키거나, 스릴을 찾아 다니거나 또는 위험성이 큰 행동을 하게 할 수도 있다. |

두 진단 시스템 모두 아동기에 맞춰 진단 기준을 조정하는 것이 언급되어 있지만, DSM-5만 미취학 아동을 위한 하위 유형을 따로 제시합니다. 성인에서의 보고와 달리 아동의 경우 특이도보다는 민감도가 부족하다는 우려가 있습니다(Cohen과 Scheeringa. 2009; Carrion 등. 2002; Stein 등. 1997). 예를 들어, 내재화 증상은 보고되지 않아 과소 진단됩니다. 해리증상에 해당하는 플래시백이나 자기 또는 세상에 대한 부정적인 신념처럼 성인에게서

확인된 일부 증상은 어린 아이들에게 발달적으로 부적절하여 진단 기준을 만족하기 어렵습니다. 아동 대상 연구에 따르면 외상성 사건에 노출될 때의 반응과 침습 증상이 드러나는 방식이 아동에서 다르게 나타날 수 있습니다. 아이들은 상당한 기능 장해를 일으키는 분명한 침습과 과각성 증상이 있음에도 회피 증상이 부족해서 진단을 만족하지 못 할 수 있습니다(Smith 등. 2009). 따라서 아동을 대상으로 하는 많은 연구에서 아동의 PTSD 진단에는 대체 진단 기준과 대체 알고리즘을 사용하도록 권장합니다(Meiser-Stedman 등. 2008; Scheeringa 등. 2003; 아래 참조). DSM-5는 DSM-IV의 이전 권장 사항에 따라 아동 특이 증상을 고려했습니다(표 1.3).

### 1.5.1 DSM-5의 PTSD 진단

DSM의 다섯 번째 개정판에서는 PTSD의 정의가 크게 변경되었습니다. 임상적 근거가 불충분한 외상 직후 두려움, 공포 또는 무력감에 대한 이전 A2 기준이 DSM-5에서 삭제되었습니다. 증상의 범위는 DSM-5에서 크게 확장되었습니다. 재경험 증상군은 주로 변경되지 않은 반면 회피 증상군은 내적 및 외부환경에서의 외상 연상물을 회피하는 것만 포함합니다. 이전에 회피 증상군에 포함되었던 정서적 마비를 포함한 인지 및 기분의 부정적인 변화를 다루는 새로운 증상군이 도입되었습니다. 즉 DSM-5는 과도하게 일반화된 부정적인 신념 및 외상 사건의 원인에 대한 왜곡된 인지 같은, PTSD의 발달 및 유지와 밀접하게 관련된 역기능적 인지에 대한 근거를 인정합니다. 새로운 증상군 D에는 또한 기존의 우울 증상과 구별되어야 하는 외상 관련 기분과 감정의 변화가 포함됩니다. 무모하고/또는 자기 파괴적인 행동이 과각성 증상군에 추가되었습니다. 이번 PTSD의 20개의 증상 범주 내에서, 보다 복잡한 증상을 보이는 개인의 임상양상을 수용할 여지가 생겼습니다. 또한 해리 증상 동반이라는 새로운 DSM-5 하위 유형을 통해 이인증(예: 사람들과 동떨어진 느낌) 또는 이현실감(예: 주변을 비현실적으로 느끼는 경험)을 세분화할 수 있습니다.

새로 제안된 DSM-5 기준이 발표된 후 소수의 실증 연구가 수행되었지만 이들 중 극소수만 아동과 청소년을 대상으로 하였습니다. 트라우마를 입은 청소년 및 청년을 대상으로 DSM-IV와 DSM-5를 비교한 한 연구에 따르면, 두 기준 중 어느 것을 사용하던 PTSD 유병률은 크게 다르지 않았고 DSM-5의 4 요인 구조가 적절하였습니다(Hafstad 등. 2014). 그러나 최근 연구에 따르면 침습, 회피, 부정적인 정동, 무감각, 외현화 행동, 불안 각성 및 불쾌 각성의 7 요인 구조가 진단에 더 적합했는데, 이는 트라우마에 대한 아동의 반응이 얼마나 복잡하고 다면적일 수 있는지를 보여줍니다(Liu 등. 2016).

DSM-IV TR의 6세 이상 아동의 PTSD 진단 기준 수정사항이 DSM-5에 유지되었습니다(자세한 내용은 표 1.3 참조).

- 침습 기억은 외상 사건(들)의 주제 또는 양상이 표현되는 반복적인 놀이로 나타날 수 있습니다.

- 외상 사건 이후의 악몽의 내용은 외상을 특정하는 것이 아닐 수도 있습니다.
- 해리 반응(예: 플래시백)은 놀이에서 외상 특정 재현으로 나타날 수 있습니다.

DSM-5의 저자들은 PTSD 증상 기준(Pynoos 등. 2009)의 발달학적 관점의 조정에 대한 포괄적인 제안을 받아들이지 않았습니다. 그러나 미취학 아동의 PTSD 진단을 위한 대체 알고리즘을 정의한 Michael Scheeringa와 공동 저자의 경험적 작업을 기반으로(Scheeringa 등. 1995; Scheeringa 등. 2003; Scheeringa 등. 2011), DSM-5에는 취학 전 아동의 세부 분류preschool subtype of PTSD로 6세 이하 아동에게 조정된 진단 기준을 포함하였습니다(**표 1.4**). 여러 연구에서 외상성 사건에 대한 노출로 인해 임상적으로 심각한 장애가 있는 영유아를 확인하는데 대체 기준이 유용하다는 점을 확인할 수 있었습니다. 이들과 6세 초과 아동 PTSD와의 가장 큰 차이점은, 회피 증상군과 인지 및 기분의 부정적 변화 증상군이 하나로 묶여 6가지 증상 중 적어도 하나를 만족하도록 한 것입니다. 따라서 미취학 아동 기준에서는, 외상후 스트레스 증상 16개 중 4개 이상이 있고 임상적으로 심각한 기능 장애가 있으면 진단을 내릴 수 있습니다.

**표 1.4** DSM-5의 6세 이하 아동의 외상후 스트레스장애 (*아동발달학적 수정 항목은 기울임 체로 표기*)

| | | |
|---|---|---|
| A | 노출 | 외상성 사건(들)에 대한 직접적인 경험<br>그 사건(들)이 다른 사람들, *특히 주 보호자*에게 일어난 것을 생생하게 목격함.<br>외상성 사건(들)이 *부모 또는 보호자*에게 일어난 것을 알게 됨. |
| B | 재경험 | 다음 중 한 가지 또는 그 이상<br>1. 반복적, 불수의적이고, 침습적인 고통스러운 기억(*고통스럽게 나타나야만 하는 것은 아니며 놀이를 통한 재현으로 나타날 수도 있다.*)<br>2. 반복적으로 나타나는 고통스러운 꿈(*꿈의 무서운 내용이 외상성 사건과 연관이 있는지 아닌지 확신하는 것이 가능하지 않을 수 있다.*)<br>3. 해리성 반응(*그러한 외상의 특정한 재현은 놀이로 나타날 수 있다*)<br>4. 연상물에 대한 심리적 고통<br>5. 생리적 반응 |
| C | 회피와 인지의 부정적 변화[a] | 다음 중 한 가지 또는 그 이상<br>1. *활동, 장소 또는 물리적 암시 등을 회피 또는 회피하려는 노력*<br>2. *사람, 대화 또는 대인관계 상황 등을 회피 또는 회피하려는 노력*<br>3. 부정적 감정 상태의 빈도 증가<br>4. 놀이의 축소를 포함하는, 주요 활동에 대해 현저하게 저하된 흥미 또는 참여<br>5. *사회적으로 위축된 행동*<br>6. 감정의 둔마 |
| D | 과각성 | 다음 중 2가지 또는 그 이상<br>1. 민감한 행동과 분노폭발(*극도의 분노발작 포함*)<br>2. 과각성<br>3. 놀람 반응<br>4. 집중력의 문제<br>5. 수면 문제 |

| | | |
|---|---|---|
| E | 기간 | 1개월 이상 |
| F | 장애 | *부모, 형제, 또래 또는 다른 보호자와의 관계 또는 학교생활에서* 현저한 고통이나 손상을 초래한다. |

a 이 증상군은 감정과 기분도 포함함

## 1.5.2 ICD-11의 PTSD 진단

ICD-11 개정작업에 참여한 연구자들의 주요 목표는 PTSD를 세분화하고, 동반 질환을 줄이고, 적어도 성인의 경우 ICD-10의 낮은 진단 역치로 인한 과잉진단의 비판을 극복하고(Brewin 등. 2009) 비전공 치료자가 쉽게 활용할 수있는 간단한 기준을 제공하는 것이었습니다. 제안된 핵심 기준(**표 1.5 참조**)은 두 가지 재경험 증상(플래시백 및/또는 악몽) 중 하나 이상, 인지된 위협으로 정리되는 두 가지 과각성 증상(과각성 및/ 또는 놀람 반응) 중 하나 이상을 포함합니다. 즉 DSM-5와 달리 ICD-11 PTSD는 외상 관련 인지 및 기분 변화를 이 장애의 일부로 간주하지 않습니다. 오히려, 외상 관련 증상의 더 복잡한 범주spectrum를 복합 외상후 스트레스장애complex posttraumatic stress disorder로 정의하고, 여기에서는 PTSD의 6가지 핵심 증상을 넘는 추가적인 감정 및 행동 증상을 포함합니다.

**표 1.5** DSM-5 (6세 이상)과 ICD-11 (모든 연령) 외상후 스트레스장애 진단기준

| *DSM-5* (코드 309.81) | | *ICD-11* 외상성 스트레스장애 | | | |
|---|---|---|---|---|---|
| | | | *PTSD (코드 7B20)* | | *복합 PTSD (코드 7B21)* |
| A | 위협적인 죽음, 심각한 부상, 또는 성폭력에의 **노출**<br>생명에 위협이나 성 폭력에 대한 직접적인 경험/ 목격함.<br>사건(들)이 가까운 사람에게 일어난 것을 알게 됨. | A | 극도로 위협적이거나 무서운 사건(들)에의 **노출** | A | 극도로 위협적이거나 무서운 사건(들)에의 **노출** |
| B | **재경험(한 가지 또는 그 이상)** | 1. | **재경험(한 가지 또는 그 이상)** | 1. | **재경험(한 가지 또는 그 이상)** |
| B1 | 침습적인 기억 | (a) | 생생한 침습적인 기억 | (a) | 생생한 침습적인 기억 |
| B2 | 악몽 | (b) | 악몽 | (b) | 악몽 |
| B3 | 플래시백 | | | | |
| B4 | 상기물에 대한 심리적 고통 | | | | |
| B5 | 생리적 반응 | | | | |
| C | **회피(한 가지 또는 그 이상)** | 2. | **회피(한 가지 또는 그 이상)** | 2. | **회피(한 가지 또는 그 이상)** |
| C1 | 생각 또는 감정 | (a) | 생각과 기억 | (a) | 생각과 기억 |

| *DSM-5* (코드 309.81) | | *ICD-11* 외상성 스트레스장애 | | | |
|---|---|---|---|---|---|
| C2 | 상황 | (b) | 활동 또는 상황 | (b) | 활동 또는 상황 |
| *D* | **인지와 감정의 부정적 변화 (3가지 또는 그 이상)** | | | | |
| D1 | 해리성 기억상실 | | | | |
| D2 | 자신, 다른 사람 또는 세계에 대한 부정적인 믿음 또는 예상 | | | | |
| D3 | 왜곡된 비난 | | | | |
| D4 | 부정적인 감정 상태 | | | | |
| D5 | 흥미 저하 | | | | |
| D6 | 감정의 둔마 | | | | |
| *E* | **각성과 반응성(2가지 또는 그 이상)** | 3. | **감지된 위협(한 가지 또는 그 이상)** | 3. | **감지된 위협(한 가지 또는 그 이상)** |
| E1 | 민감한 행동과 분노폭발 | | | | |
| E2 | 무모하거나 자기파괴적 행동 | | | | |
| E3 | 과각성 | (a) | 과각성 | (a) | 과각성 |
| E4 | 과장된 놀람 반응 | (b) | 놀람 반응 | (b) | 놀람 반응 |
| E5 | 집중력의 문제 | | | | |
| E6 | 수면 교란 | | | | |
| | | | | | |
| | | | | 4. | **정동 조절 문제** |
| | | | | (a) | 민감도 |
| | | | | (b) | 과소 또는 과다 활동성 |
| | | | | 5. | **부정적인 자아 개념** |
| | | | | (a) | 무가치함, 실패, 패배감 |
| | | | | (b) | 수치심, 죄책감 |
| | | | | 6. | **대인관계의 문제** |
| | | | | (a) | 대인관계의 회피 |
| | | | | (b) | 멀리하거나 차단 |
| F | 기간: 1개월 이상 | 기간: 수주 이상 | | 기간: 수주 이상 | |
| G | 현저한 고통이나 손상 | 현저한 고통이나 손상 | | 현저한 고통이나 손상 | |
| **다음의 경우 명시할 것: 해리 증상 동반** | | | | | |
| **다음의 경우 명시할 것: 지연되어 표현되는 경우** | | | | | |

#### 1.5.2.1 ICD-11에서 제안된 PTSD 진단(Maercker 등, 2013b)

"외상후 스트레스장애는 극도로 위협적이거나 끔찍한 사건에 노출된 후 생생한 침습 기억, 회상 또는 악몽의 형태로 트라우마 사건 또는 일련의 사건을 현재에 재경험하는 것을 특징으로 하는 증상들이 발생하는 장애로, 일반적으로 두려움이나 공포와 같은 강하고 압도적인 감정, 강한 신체적 감각, 사건이나 사건들에 대한 생각과 기억의 회피, 사건이나 사건들을 연상시키는 활동, 상황 또는 사람의 회피, 과각성 또는 예기치 않은 소음과 같은 자극에 대한 과장된 놀람반응처럼 현재 증가된 위험의 지속적인 인지를 동반합니다. 증상은 최소한 몇 주 동안 지속되어야 하며 기능에 심각한 손상을 초래해야 진단합니다."

ICD-11의 저자는 아동 청소년에서는 연령에 따른 증상을 고려해야 한다고 간단히 언급하였습니다(Maercker 등, 2013b). ICD-11에서 발달을 고려한 PTSD 수정 제안(First 등, 2015)에는 혼란, 초조, 심한 떼쓰기, 매달리기, 지나치게 울기, 사회적 위축, 분리 불안, 불신, 반복적인 놀이나 그림 그리기 같은 특정 외상의 재현, 분명한 내용은 없는 무서운 꿈이나 야경증, 미래가 단축된 느낌, 충동성이 포함됩니다. 청소년의 경우 자해 또는 빈번한 위험 행동을 언급하였습니다.

성인에서 ICD-10 및 DSM-5를 비교한 연구(Wisco 등, 2016)와 아동 청소년에서 ICD-10 및 DSM-IV(Haravouori 등, 2016; Sachser와 Goldbeck, 2016)를 비교한 연구에서 현저히 낮은 유병률을 보이고 있어 ICD-11 PTSD의 정의가 제한적인데 대한 우려가 있습니다. Haravouori와 동료들(2016)은 학교 총격 사건의 청소년 및 청년 생존자 대상 연구에서 ICD-11의 저자가 제안한 3 요소보다는 재경험과 회피를 하나의 요소로 사용하는 ICD-11 PTSD의 2 요소 모델이 더 적합하다고 보았습니다.

### 1.5.3 ICD-11의 복합 PTSD 진단

아이샤는 14살 때 소말리아에서 왔습니다. 부모님은 살해당했고 할머니의 손에 자랐습니다. 아버지는 매우 폭력적이었고 아이샤와 아이샤의 형제 자매, 그리고 어머니를 때렸습니다. 아버지가 집에 있을 때 항상 무서웠던 기억을 지금도 떠올릴 수 있습니다. 어머니는 매우 우울해서 자녀를 돌보기 어려웠습니다. 부모의 사망 후 할머니는 아이샤와 여동생에게 매춘을 강요했습니다. 그들은 나중에 난민 수용소가 있는 케냐로 도망갔지만, 그곳에서도 아이샤는 강간과 폭력을 당했습니다. 그녀는 마침내 유럽으로 망명할 수 있었습니다. 아이샤는 반복되는 악몽으로 인한 심각한 수면 장애가 있습니다. 그녀는 학대로 인한 플래시백 증상을 겪고 있습니다. 아버지의 폭력이 떠오르는 것들을 피하고 일어난 일에 대해 생각하지 않으려 노력합니다. 그녀는 "꿈꾸는 듯", "멀리 떨어져 있는 듯한" 경험이 있으며, 거주시설의 담당 직원은 아이샤가 과거를 떠올리면 해리증상이 생긴다고 합니다. 학교에서 집중하지 못하고 쉽게 깜짝 놀랍니다. 그녀는 자신에게 일어난 수치스러운 일 때문에 살 자격이 없다고 말했습니다. 자신이 나쁜 일이 일어나는 게 당연한 나쁜 사람인 것처럼 느끼고, 여동생을 학대로부터 보호할 수 없었던 것에 대해 극도로 죄책감을 느낍니다. 그녀는 다른 어른과 친구들로부터 고립되어 지냅니다.

ICD-11 실무자들은 처음으로 복합 PTSD(complex PTSD, 이하 CPTSD)를 진단 체계에 포함시킬 것을 제안했습니다. 외상의 정의는 예를 들어 가정 폭력이나 성적 및 신체 학대와 같이, 아동기 동안 반복되는 외상 경험을 위험 요소로 언급하지만 필수 조건은 아닙니다. CPTSD는 PTSD의 증상뿐만 아니라 정서 조절 장애, 부정적인 자기상 및 대인 관계 장애 증상을 필요로합니다(표 1.5). 현재 ICD-11 CPTSD의 타당성을 뒷받침하는 6개의 성인 대상 연구가 있습니다(Cloitre 등. 2013; Elklit 등. 2014). 그러나 지금까지 아동과 청소년에서 ICD-11 CPTSD를 평가하는 연구는 제한적입니다. 청소년 및 청년을 대상으로, PTSD와 CPTSD를 구별하는 ICD-11 제안을 지지하는 한 개의 연구가 있습니다(Perkonigg 등. 2016).

**제안된 ICD-11 복합 외상후 스트레스장애의 정의 (Maercker 등. 2013b)**

복합 외상후 스트레스장애Complex PTSD는 극도로 위협적이거나 끔찍한 것으로 경험하고 탈출이 어렵거나 불가능한 극단적이고 장기간 또는 반복적인 사건 또는 일련의 사건에 노출된 후 발생할 수 있는 장애입니다(예: 고문, 노예, 대량 학살, 장기간의 가정 폭력, 반복적인 아동 성 또는 신체 학대).

이 장애는 PTSD의 핵심 증상을 특징으로 합니다. 즉, PTSD의 모든 진단 요건이 장애가 진행되는 동안 어느 시점에서 충족되어야 합니다.

거기에 더하여, 복합 PTSD의 특징은 다음과 같습니다.

1. 심각하고 지속되는 감정조절의 문제
2. 외상과 관련된 수치심, 죄책감 또는 실패감에 대해 깊게 지속되는 기분이 동반된, 자신이 약하고 패배했고 또는 무가치하다는 지속적인 믿음
3. 관계를 유지하고 다른 사람과 친밀감을 느끼는 데 지속되는 어려움

장애는 개인, 가족, 사회적, 교육, 직업 또는 기타 중요한 기능 영역에 심각한 손상을 초래합니다.

ICD-11 저자들은 아이들의 퇴행성 및/ 또는 공격적 행동, 또는 청소년의 약물 남용 및 위험한 행동과 같은, 아동 및 청소년 CPTSD의 다양한 비특이적 증상을 언급합니다

(Maercker 등. 2013b). ICD-11의 CPTSD 기준에는 구체적으로 제안된 발달학적 고려사항으로 다음의 내용이 있습니다. "소아 PTSD의 핵심 증상은, 재경험 증상이 반복적인 놀이와 같은 트라우마 특정 재현으로, 감정 조절과 대인 관계의 어려움은 자신이나 타인에 대한 퇴행 및/ 또는 공격적인 행동으로 나타날 수 있다는 점에서 다를 수 있습니다. 청소년기에는 약물 사용, (안전하지 않은 성관계, 위험한 운전 등의) 위험 행동 및 공격적인 행동을 특히 감정 조절 및 대인 관계 문제의 명백한 표현으로 볼 수 있습니다(Cloitre. 2016)."

아동 청소년의 CPTSD 평가를 위해 고안된 증상 기준이나 도구는 아직 개발되지 않았지만 ICD-11이 나온 이후에 가능할 것이라 예상됩니다. 아동청소년의 CPTSD에 대한 초기 경험적 접근 방식은 아동 행동 체크리스트나 아동 우울 척도처럼 통상적으로 내재화 및 외현화 증상을 측정하는 범주의 것들을 사용하였습니다. 그러나, 이러한 도구는 증상을 외상 경험과 시간적으로 연관시키지 않기 때문에 트라우마에 대한 민감도와 특이도가 제한적입니다. CPTSD 진단의 어려움에는, 예를 들어 유아의 분노발작, 청소년의 기분 기복과 같은 정상 발달 문제와 구분하는 것 또는 불쾌감이나 우울증과 같은 소아 기분장애와 외상후 정서 조절 문제를 구분하는 것 등이 포함됩니다.

복합 PTSD라는 새로운 진단의 필요성과 유용성은 여전히 논란 속에 있습니다. 이를 지지하는 연구자들은 PTSD 및 CPTSD가 6개의 필수 증상과 6개의 추가 증상면에서 서로 별개의 증상군이라는 것을 보여주는 연구를 제시합니다. 반대자들은 이러한 복잡한 증상 발현이 별개의 질환이기보다 더 광범위한 증상을 보이는 더 심각한 PTSD를 의미한다고 주장합니다(Resick 등. 2012). 더욱이, DSM-5 PTSD의 비특이적 증상과 유사하게, 외상성 사건(들)과 추가 증상의 시간적 관련성을 결정하는 것은 어려울 수 있습니다. 치료의 적응 기준은 아직 분명하지 않습니다. 청소년을 대상으로 한 일련의 외상 초점 인지행동치료는 제안된 복합 PTSD와 유사한 증상을 보이는 아동청소년에게도 치료 효과가 있음을 보여주었습니다(Cohen 등. 2012). 연구자들은 복합 외상 집단에 대해 필요한 만큼 치료범위를 넓히고 적용할 것을 권장합니다. 아동 CPTSD의 진단기준이 최종적으로 결정되면, 진단 기준의 차이가 치료법 개발이나 선정, 그리고 치료결과에 얼마나 영향을 주는지 알 수 있을 것입니다.

### 1.5.4 PTSD의 공존질환

모든 연령대에서, PTSD가 있는 개인은 우울증, 불안, 약물 남용, 해리, 불쾌감 또는 공격적인 행동이 높은 비율로 동반됩니다(Keane과 Kaloupek 1997). 사회적 기능의 변화도 빈번합니다. 따라서 공존 질환의 존재는 전반적인 진단 분류 시스템이나 특정 PTSD 진단기준의 문제가 아닙니다. 여러 공존질환의 이환율은, 특히 심각한 스트레스 요인에 분리되지 않은 채 장기간 또는 반복적으로 노출된 후 빈번합니다(Cloitre 등. 2009). 특히 성적 및 신체 학대, 심각한 가정 폭력 목격 또는 소년군과 같은 다수의 아동기 부정적 외상 경험은 종종 성인기까지 지속되는 광범위한 내재화 및 외현화 증상과 관련이 있습니다. 이러한 유형의 장기적인 대인 외상의 주요 특징은 개인이 가해자로부터 탈출할 수 없다는 것인데, 이는 전형적인 보호자에 의한 학대와 명백히 같은 상황입니다(Herman 1992). 트라우마와 두려움의 근원이 애착 대상일 때, 아이는 감정을 조절하거나 상황의 의미를 이해하는 데 있어 도움을 받지 못한 채로 지내게 됩니다.

DSM-5(van der Kolk 등. 2009)에서 아동 및 청소년의 발달성 외상장애(developmental trauma disorder, 이하 DTD) 진단을 제안한 저자 집단은, 만성적이고 반복적으로 트라우마를 입거나 학대 받고/또는 방임된 아동의 증상이 감지되지 않거나 트라우마의 결과로 보이지 않기 때문에 PTSD로 진단되지 않으며, 따라서 오진으로 인하여 예를 들어 ADHD 또는 정신병적 장애 치료 약물 같은 부적절한 치료를 받을 가능성을 우려하였습니다. DTD가 적어도 PTSD의 일부 증상과 함께 정서 및 생리적 조절 장애, 주의력 및 행동 조절 장애, 자기 조절 및 대인관계 조절장애의 증상을 포함하도록 제안하였습니다. 일부 아동 치료자들은 국제 설문 조사에서 DTD 기준이 임상적 유용성을 갖고 있으며 PTSD 및 기타 내재화 및 외현화 진단과 구별될 수 있다고 했습니다(Ford 등. 2013). 그러나 분류 체계 개정 당시 DTD 진단 구조를 경험적으로 지지해주는 자료들이 불충분했기 때문에 DSM-5에 이 장애가 포함되지 않았습니다.

## 1.6 애착 장애

피터는 3살입니다. 2살 때 어머니에게 버림받아 위탁 가정에 가게 되었습니다. 사회 복지사가 위탁 가정에 도착했을 때, 피터는 침대에 앉아 있었고 사회복지사의 소통 시도에 반응이 없었습니다. 그의 위탁 부모는 피터와의 관계를 형성하는 것이 어려웠습니다. 다쳐도 달래주기를 원하지 않고 어떤 형태의 신체 접촉도 피했습니다.

반응성 애착 장애와 탈억제성 사회적 유대감 장애 모두, 아동기 적절한 돌봄의 부재가 진단요건에 공통적으로 필요합니다. 이 진단들은 심각하게 사회적으로 방임된 아동에게서 관찰될 수 있으며, 오히려 내재화되기도 하지만 주로 외현화의 증상 양상을 보입니다. 성인에서는 이러한 장애가 보이지 않지만, 품행 장애나 성격 장애와 같은 다른 성인기 만성 정신 장애에 선행하는 것일 수 있습니다. 시설 입소에 대한 기존의 관찰 연구에서는 입원한 아동에서 나타나는 이러한 증상을 병원 우울증 또는 의존성 우울증이라고도 불렀습니다(Spitz 1945). 최근 루마니아 고아들에 대한 종단 관찰 연구에서 Rutter와 동료들(Roy 등. 2004; Rutter와 Sonuga-Barke 2010)은 지속되는 발달 및 기능 문제, 그 중에서도 애착 문제를 지적했습니다. 애착 장애는 DSM 및 ICD의 이전 버전에서 등재되었고 DSM-5 및 ICD-10에서 변경 없이 유지되었습니다. 두 분류 체계 모두 매우 유사한 정의를 사용합니다.

### 1.6.1 반응성 애착 장애

반응적인 애착 행동은 어린 아이들이 기본적인 정서 및 사회적 욕구를 충족시키거나 안정되고 선택적인 관계를 형성할 기회가 부족한 것을 반영합니다. 특히 스트레스를 받았을 때 두드러지는, 보호자의 관심을 유도하거나 보호자에 대한 반응이 부족한 것이 특징입니다. 반응성 애착 장애는 보호자가 안정적인 관계를 기반으로 아동의 특정 욕구를 충족시키지 못하는 것을 말합니다(자세한 진단 기준은 **표 1.6** 참조).

**표 1.6** DSM-5와 ICD-11 반응성 애착 장애의 정의

| DSM-5 | ICD-11 |
|---|---|
| A. 성인 보호자에 대한 억제되고 감정적으로 위축된 행동의 일관된 양식이 다음의 2가지 모두로 나타난다.<br>1. 아동은 정신적 고통을 받을 때 거의 안락을 찾지 않거나 최소한의 정도로만 안락을 찾음.<br>2. 아동은 정신적 고통을 받을 때 거의 안락에 대한 반응이 없거나, 최소한의 정도로만 안락에 대해 반응함. | 명백히 부적절한 양육의 경험과 관련하여 발생하는 유아기의 극도로 비정상적인 애착 행동(예, 심각한 방임, 학대, 기관의 박탈). 적절한 주보호자가 새로 생겨도 아동은 안정, 지원, 양육을 위해 주보호자에게 의지하지 않으며, 성인에게 안전을 추구하는 행동을 거의 보이지 않으며, 안락에 대해 반응이 없거나, 최소한의 정도로만 반응함. 반응성 애착장애는 소아에서만 진단될 수 있으며, 이러한 특성은 5세 이전에 발생한다. |
| B. 지속적인 사회적 감정적 장애가 다음 중 최소 2가지 이상으로 나타난다.<br>1. 타인에 대한 최소한의 사회적 감정적 반응성<br>2. 제한된 긍정적 정동<br>3. 성인 보호자와 비위협적인 상호작용을 하는 동안에도 설명되지 않는 과민성, 슬픔, 또는 무서움의 삽화 | |
| C. 아동의 불충분한 양육의 극단을 경험했다는 것이 다음 중 최소 한 가지 이상에서 분명하게 드러난다.<br>1. 성인 보호자에 의해 충족되는 안락과 자극, 애정 등의 기본적인 감정적 요구에 대한 지속적인 결핍이 사회적 방임 또는 박탈의 형태로 나타남.<br>2. 안정된 애착을 형성하는 기회를 제한하는 주 보호자의 반복적인 교체(예, 위탁 보육에서의 잦은 교체)<br>3. 선택적 애착을 형성하는 기회를 고도로(심각하게) 제한하는 독특한 구조의 양육(예, 아동이 많고 보호자가 적은 기관) | |
| D. 진단기준 C의 양육이 진단기준 A의 장애 행동에 대한 원인이 되는 것으로 추정된다. | |
| E. 진단기준의 자폐스펙트럼장애를 만족하지 않는다. | |
| F. 장애가 5세 이전에 시작된 것이 명백하다. | |
| 다음의 경우 명시할 것:<br>지속성: 장애가 현재까지 12개월 이상 지속<br>현재의 심각도를 명시할 것: 각각의 증상이 높은 수준일 때 고도(severe)로 명시한다. | |

### 1.6.2 탈억제성 사회적 유대감 장애

사라는 4살입니다. 그녀의 어머니는 오랜기간 우울증을 앓아왔으며 사라가 태어난 후 산후 우울증으로 진단되었습니다. 사라의 아버지는 알코올 중독자이고 간헐적으로 사라 모녀와 연락합니다. 사라의 유치원 선생님은 사라가 처음 보는 다른 아이들의 부모에게 달려가 껴안고 종종 입에 뽀뽀를 하는 행동을 걱정합니다. 사라는 또한 그분들의 차에 탄 뒤 집에 함께 가자고 합니다. 다른 부모들은 이에 문제를 제기하고 자신의 아이가 사라와 어울리지 않기를 원합니다.

**표 1.7** DSM-5와 ICD-11 탈억제성 사회적 유대감 장애의 정의

| DSM-5 | ICD-11 |
|---|---|
| A. 아동이 낯선 성인에게 접근하고 소통하면서 다음 중 2가지 이상으로 드러나는 행동 양식이 있다.<br>1. 낯선 성인에게 접근하고 소통하는 데 조심성이 약하거나 없음.<br>2. 과도하게 친숙한 언어적 또는 신체적 행동(문화적으로 허용되고 나이에 합당한 수준이 아님)<br>3. 낯선 환경에서 성인 보호자와 모험을 감행하는 데 있어 경계하는 정도가 떨어지거나 부재함.<br>4. 낯선 성인을 따라가는 데 있어 주저함이 적거나 없음. | 명백히 부적절한 양육의 경험과 관련하여 발생하는 유아기의 극도로 비정상적인 사회적 행동(예, 심각한 방임, 기관의 박탈)이다. 아동은 성인에게 무차별적으로 접근하고, 주의와 경계가 부재하며, 낯선 성인에게 과도하게 친숙한 행동을 보인다. 탈억제 사회적 유대감 장애는 소아에서만 진단될 수 있으며, 이러한 특성은 5세 이전에 발생한다. |
| B. 진단기준 A의 행동은(주의력결핍 과잉행동장애의) 충동성에 국한되지 않고, 사회적으로 탈억제된 행동을 포함한다. | |
| C. 아동이 극단적이고 불충분한 양육 형태를 경험했다(반응성 애착 장애와 동일한 세부 내용). | |
| D. 진단기준 C의 양육이 진단기준 A의 장애 행동에 대한 원인이 되는 것으로 추정된다. | |
| E. 아동의 발달 연령이 최소 9개월 이상이어야 한다. | |

탈억제성 사회적 유대감 장애 역시 아동에 국한되는 질환입니다. 아이가 아는 사람이건 모르는 사람이건 무관하게 성인에게 다가가는, 부적절하고 구분 없는 과도하게 친밀한 사회적 행동 양식이 있습니다(표 1.7).

## 1.7 지속 애도 장애

폴이 13세였을 때 그의 쌍둥이 동생이 자살했습니다. 당시 집에는 폴만 있었고 동생을 발견한 사람도 폴이었습니다. 동생은 당시 아직 살아 있었고, 폴은 그를 살리려고 애쓰면서 구급차를 불렀습니다. 사망한 지 몇 달이 지난 후에도 폴은 여전히 아침에 일어나서 항상 그랬던 것처럼 동생의 방으로 달려가 일어나라고 말합니다. 그는 동생이 죽었다는 것을 받아들일 수 없습니다. 자신의 일부가 사라지고 삶이 결코 같지 않을 것이라고 느낍니다. 동생, 그리고 둘이 했던 모든 일에 대해 끊임 없이 생각하지만, 동생이 죽기 전에 그들이 다녔던 장소들을 피해 전학을 갔습니다. 동생의 자살에 대한 기억이 반복하여 떠오르고 동생의 생명을 구할 수 없었다고 자책합니다. 함께 놀던 친구들을 피하고 그 일로 모든 사람들이 자신을 비난한다고 확신합니다. 폴은 집중력이 떨어지고 공부를 따라가지 못합니다.

애도 반응을 어떻게 특정하여 정의하고 이해할지에 대해 많은 논란이 있지만, 아동 청소년 일부는 상실을 극복을 해야할 트라우마 또는 여러 상실의 맥락에서 경험할 것이라는 공감대가 있습니다(Kaplow 등. 2012; Nader와 Salloum 2011). 특히 애착 대상인 성인의 상실은 아동들에게 치명적입니다. 아동의 상실에 대한 일반적인 반응은 행동 문제, 약물 남용 및 신체적 불편감 외에도 우울증, 불안 및 PTSD 증상 등입니다. 연구에 따르면 아동기에는 불안 관련 증상이, 청소년기에는 우울증상이 더 보이는 것으로 것으로 나타납니다(Kaplow 등. 2012).

상실 후 아이들의 적응은 양육 환경, 그리고 이 환경이 어떻게 애도를 촉진하는 지와 밀접한 관련이 있습니다. 한편으로, 아동의 상실 경험과 가용 가능한 사회적 지원이 밀접히 연관되어 있으므로 아동 연구자들은 부적응적인 애도maladaptive grief가 적응 장애 진단에 적용될 수 있다고 주장했습니다(Kaplow 등. 2012). 반면 성인의 애도 관련 연구자들은 별도의 애도 관련 장애를 제안했는데, 많은 사별자들이 지속 애도prolonged grief (Prigerson 등. 2009) 또는 복합 애도complicated grief (Shear 2011)를 경험한다는 것을 보여주는 연구를 제시했습니다. 또한 아동 및 청소년 유족에 대한 일부 연구의 결과는 지속애도반응이 PTSD 또는 우울증과 구분되는 몇 가지 뚜렷한 특징이 있다는 성인 연구에 근거를 더합니다(Melhem 등. 2013; Melhem 등. 2007; Spuij 등. 2012). 그러한 애도반응은 6개월 이상 지속되는 강렬한 그리움, 사망을 받아들이기 어려움, 상실에 대한 분노, 정체성의 감소, 삶의 공허감, 새로운 관계나 활동에 참여하는 데 어려움을 겪는 것을 말합니다. 그러나 정상 애도 반응을 병리화할 수 있다는 개정작업의 우려와 별도의 진단으로 정의하기에 충분한 근거가 부족하다는 점으로 인해 DSM-5의 부록에 실렸습니다.

DSM-5와 달리, ICD-11에서는 새로운 질환으로 지속 애도 장애를 제안하였습니다. 지속 애도 장애는 그 사람이 속한 문화에서 정상적인 애도 기간보다 오래 지속되는 애도 반응을 의미하며, 증상이 개인의 기능을 방해할 때를 말합니다. 증상은 고인을 심각하게,

지속적으로 보고싶어 하거나 그리워하는 것 그리고 고인에 대한 집착이 포함됩니다. 죽음을 받아들이기 어려움, 자신의 일부를 잃은 느낌, 분노, 죄책감 또는 비난, 상실로 인한 사회 활동에 참여하기 어려움(Maercker 등. 2013b)과 같은 관련한 특징들이 있습니다. 여기에 다음과 같은 발달학적 고려가 함께 제안되었습니다. 아동의 경우 일차적인 애착 대상(예: 부모, 양육자)의 상실은 양육자 역시 잃게 된다는 점에서 그 상실감을 더하기 때문에 애도 반응이 복합적이 될 수 있다는 발달학적 고려가 이 제안사항에 포함될 것입니다. 고인에 대한 갈망은 사별과 관련한 행위를 포함하는 놀이와 행동으로 드러날 수 있습니다.

제안된 ICD-11 지속 애도장애 진단기준

1. 가까운 사람의 애도를 경험
2. 사망 후 6개월 이상 지속되는 심한 그리움/정서적고통
3. 애도가 정상적인 기능을 방해함
4. 애도 반응이 보통의 문화적/종교적인 맥락을 넘어섬. 관련된 특징으로는 사망상황에 집착, 사망에 대한 비탄, 죄책감, 비난, 상실을 받아들이기 어려움, 집착과 회피 사이를 오감, 일상 활동이나 친구 관계를 해나가기 어려움, 위축, 인생무상의 느낌, 감정의 둔마가 포함될 수 있음.

## 1.8 요약 및 조망

현재의 트라우마 및 스트레스 요인 관련 진단 분류 시스템은 아동과 청소년에게 독자적으로 고려되는 범주를 그 중요성에도 불구하고 거의 다루지 않습니다. DSM-5의 취학 전 아동 PTSD, 반응성 애착 장애 및 탈억제성 사회적 유대감 장애는 각각 외상성 사건, 양육자의 지속적이고 심각한 실패 또는 양육 중단을 경험한 아동을 대상으로 정의되었습니다. 대조적으로 급성 스트레스장애, 6세 이상의 PTSD, 최근 정의된 지속 애도 장애는 성인에 대한 진단기준으로 만들어졌으며 아동 및 청소년에게 적용할 때 약간의 발달학적 고려가 필요합니다. 이러한 점에서 아이와 작업하는 치료자는 내면의 상태에 대응하는 행동(예: 플래시백 대신 반복적인 놀이 또는 재현)을 관찰해야 합니다. 성인의 진단기준을 영유아 및 취학 전 아동에게 맞추어 적용하고, 외상과 스트레스 사건 및 상황의 대처를 돕는 일차 양육자의 역할을 필수적으로 고려해야 합니다. 아동 및 청소년 정신적 외상을 다루는 지침에서는, 성인의 진단에 요구되는 전체 증상 스펙트럼의 완전성보다는 심각한 스트레스 증상으로 인한 기능 및 발달 장애를 평가하도록 권고합니다. 현재 ICD-11의 CPTSD 및 지속 애도 장애 진단기준은 발달학적 측면에 대한 연구와 개선이 향후 필요한 반면, DSM-5는 ASD 및 PTSD 진단 기준의 발달학적 측면을 고려한 실마리와 예시를 어느 정도 제시하고 있습니다.

DSM이 연구분야에서 가장 영향력 있는 분류 체계인 반면, ICD는 치료자를 위한 진

단 도구로서 전 세계적으로 점점 더 중요해지고 있습니다. 많은 국가에서 ICD 진단에 따라 진료비를 책정합니다. DSM과 ICD의 트라우마 및 스트레스 요인 관련 장애의 정의 사이에 차이가 상당하다는 점을 고려하여 진단을 보고할 때, 두 주요 진단 분류 체계 중 어느 것을 사용하였는지 명확하게 밝혀야 합니다. 두 분류 체계는 진단명이 같더라도 공통점이 적습니다. DSM-5 및 ICD-11에 대한 진단 역치가 다르기 때문에 치료방법도 같은 원칙으로 적용되지 않습니다. 연구자들이 DSM을 선호하는 반면, 치료자는 ICD 분류 체계의 대안으로 DSM을 선택할 수 없을 수도 있습니다. ICD의 임상적 중요성으로 인해, 새로운 ICD-11 기준을 아동청소년에게 적용하게 될 때에는 치료자에게 아동에 기준을 맞춘 수정안을 제공하는 것이 앞으로 중요할 것입니다.

아동 및 청소년의 PTSD, 복합 PTSD, 지속 애도 장애, 청소년의 트라우마 및 스트레스 관련 장애 유병률에 대해 새로 개정되거나 제안된 진단기준의 결론은 아직 명확하지 않습니다. 아동기 부정적 경험이 성인기에 미치는 해로운 영향이 주요 공중 보건 문제 중 하나이기 때문에, 트라우마에 노출된 아동과 청소년이트라우마 중심 조기개입에 대한 접근성이 매우 중요합니다. 따라서 치료가 필요한 아동 및 청소년을 발견하기 위해 적절하고 민감한 진단 기준과 역치가 필요합니다. 변경된 진단 기준을 사용하기 전에 아동청소년을 대상으로 한 현장 연구에서 검증이 선행되어야 합니다. 이미 확립된 것과 다른 치료가 필요하다는 근거가 있는 경우, 새로운 진단이나 새 진단의 하위 유형이 도입될 수도 있을 것입니다.

해리 증상의 여부에 따른 DSM-5 및 ICD-11 PTSD의 새로운 분류 또는 ICD-11의 복합 PTSD가 외상을 입은 아동 및 청소년에게 유용한 진단이 될지 여부는 아직 관련 연구가 많지 않기에 결론이 나지 않았습니다. PTSD의 새로운 구조를 평가하기 위하여 평가도구의 개발 또는 기존 평가 도구의 수정이 필요합니다. 분과전문의가 아닌 경우, 특히 아동기 기준으로 조정이 필요한 경우에는 ICD-11 복합 PTSD의 12가지 증상 또는 DSM-5 PTSD의 20가지 증상 평가가 매우 어려울 수 있습니다. 따라서 ICD-11에서 아동청소년에 대해 제안한 6개 항목의 PTSD 진단의 적절성과 유용성을 조사하는 것이 중요할 것입니다.

현재 또 새로 제안된 진단 기준의 유효성을 판단하려면, 외상 및 스트레스 요인에 노출된 아동청소년을 대상으로 한 더 많은 역학 및 임상 연구가 다양한 연령 그룹과 다양한 외상 유형에 걸쳐 필요합니다. 서로 다른 연령대에서 다양한 잠재적 외상성 또는 스트레스 사건에 노출된 아동청소년 집단에 대한 경험적 접근과 특히 철저한 행동 관찰을 통해 그들의 외상 및 스트레스 요인과 관련된 증상의 급성 및 만성 패턴과 그 임상적 중요성을 더 잘 결정하고 구별 할 수 있을 것입니다. 아동청소년의 높은 적응력과 신경가소성을 감안할 때, 이들에 대한 장차의 진단 범주는 한 시점의 포괄적인 임상 평가보다는 적응 기간동안의 반복적인 평가가 필요할 수 있습니다. 시간에 따른 증상의 경과가 단 한번의 자세한 평가보다 개입에 더 중요할 수 있습니다. 아동 및 청소년을 위한 진단 기준 및 연령에 적합한 평가 도구의 개발에도 더 중점을 두어야 합니다. 어떤 분류 시스템도 인간의 반응 범위를 완전히 포괄할 수 없으며, 아동 및 청소년을 진단하려면 발달 및 환경적 측면을 신중하게 고려해야 합니다.

## 참고문헌

American Psychiatric Association (2013) Diagnostic and statistical manual of mental disorders, 5 edn. American Psychiatric Publishing, Arlington

Benedek E (1985) Children and psychic trauma: a brief review of contemporary thinking. In: Eth S, Pynoos RS (eds) Posttraumatic stress disorder in children. American Psychiatric Press, Washington, DC, pp. 3–16

Brewin CR (2013) "I wouldn't start from here"– an alternative perspective on PTSD from the ICD- 11: comment on Friedman (2013). J Trauma Stress 26:557–559

Brewin CR, Lanius RA, Novac A, Schnyder U, Galea S (2009) Reformulating PTSD for DSM-V: life after criterion A. J Trauma Stress 22:366–373

Carrion VG, Weems CF, Ray R, Reiss AL (2002) Toward an empirical definition of pediatric PTSD: the phenomenology of PTSD symptoms in youth. J Am Acad Child Adolesc Psychiatry 41:166–173

Cloitre M (2016) Personal communication

Cloitre M, Stolbach BC, Herman JL, Kolk BV, Pynoos R, Wang J et al (2009) A developmental approach to complex PTSD: childhood and adult cumulative trauma as predictors of symptom complexity. J Trauma Stress 22(5):399–408

Cloitre M, Garvert DW, Brewin CR, Bryant RA, Maercker A (2013) Evidence for proposed ICD- 11 PTSD and complex PTSD: a latent profile analysis. Eur J Psychotraumatol 2013 May 15; 4. doi: 10.3402/ejpt.v4i0.207064.

Cohen JA, Scheeringa MS (2009) Post-traumatic stress disorder diagnosis in children: challenges and promises. Dialogues Clin Neurosci 11:91–99

Cohen J, Mannarino A, Kliethermen M, Murray L (2012) Trauma-focused CBT for youth with complex PTSD. Child Abuse Negl 36:528–541

De Bellis MD (2001) Developmental traumatology: the psychobiological development of maltreated children and its implications for research, treatment, and policy. Dev Psychopathol 13:539–564

De Young AC, Kenardy JA, Cobham VE (2011) Diagnosis of posttraumatic stress disorder in preschool children. J Clin Child Adolesc Psychol 40:375–384

Elhai JD, Palmieri PA (2011) The factor structure of posttraumatic stress disorder: a literature update, critique of methodology, and agenda for future research. J Anxiety Disord 25:849–854

Elklit A, Hyland P, Shevlin M (2014) Evidence of symptom profiles consistent with posttraumatic stress disorder and complex posttraumatic stress disorder in different trauma samples. Eur J Psychotraumatol 5

First MB, Reed GM, Hyman SE, Saxena S (2015) The development of the ICD-11 clinical descriptions and diagnostic guidelines for mental and behavioural disorders. World Psychiatry 14:82–90

Ford JD, Grasso D, Greene C, Levine J, Spinazzola J, van der Kolk B (2013) Clinical significance of a proposed developmental trauma disorder diagnosis: results of an international survey of clinicians. J Clin Psychiatry 74:841–849

Friedman MJ (2013) Finalizing PTSD in DSM-5: getting here from there and where to go next. J Trauma Stress 26:548–556

Friedman MJ (2014) Literature on DSM-5 and ICD-11. PTSD Res Q Adv Sci Promot Under Traum Stress 25:1–10

Galatzer-Levy IR, Bryant RA (2013) 636,120 ways to have posttraumatic stress disorder. Perspect Psychol Sci 8:651–662

Garmezy N, Rutter M (1985) Acute reactions to stress. In: Rutter M, Hersov L (eds) Child and adolescent psychiatry: modern approaches, 2 edn. Blackwell, Oxford, pp. 152–176

Goenjian AK, Pynoos RS, Steinberg AM, Najarian LM, Asarnow JR, Karayan I et al (1995) Psychiatric comorbidity in children after the 1988 earthquake in Armenia. J Am Acad Child Adolesc Psychiatry

34:1174–1184
Hafstad GS, Dyb G, Jensen TK, Steinberg AM, Pynoos RS (2014) PTSD prevalence and symptom structure of DSM-5 criteria in adolescents and young adults surviving the 2011 shooting in Norway. J Affect Disord 169:40–46
Haravouori H, Kviiuusu O, Suomalainen L, Marttunen M (2016) An evaluation of ICD-11 posttraumatic stress disorder criteria in two samples of adolescents and young adults exposed to mass shootings: factor analysis and comparisons to ICD-10 and DSM-IV. BMC Psychiatry 16:140
Herman JL (1992) Complex PTSD: a syndrome in survivors of prolonged and repeated trauma. J Trauma Stress 5:377–391
Kaplow JB, Layne CM, Pynoos RS, Cohen JA, Lieberman A (2012) DSM-V diagnostic criteria for bereavement-related disorders in children and adolescents: developmental considerations. Psychiatry 75:243–266
Kassam-Adams N, Winston FK (2004) Predicting child PTSD: the relationship between acute stress disorder and PTSD in injured children. J Am Acad Child Adolesc Psychiatry 43:403–411
Kassam-Adams N, Palmieri PA, Rork K, Delahanty DL, Kenardy J, Kohser KL et al (2012) Acute stress symptoms in children: results from an international data archive. J Am Acad Child Adolesc Psychiatry 51:812–820
Keane TM, Kaloupek DG (1997) Comorbid psychiatric disorders in PTSD. Implications for research. Ann N Y Acad Sci 821:24–34
Kelleher I, Keeley H, Corcoran P, Ramsay H, Wasserman C, Carli V et al (2013) Childhood trauma and psychosis in a prospective cohort study: cause, effect, and directionality. Am J Psychiatry 170:734–741
La Greca AM (2007) Posttraumatic stress disorder in children. In: Fink G (ed) Encyclopedia of stress, 2 edn. Academic Press, New York, pp. 145–149
Lipschitz DS, Winegar RK, Hartnick E, Foote B, Southwick SM (1999) Posttraumatic stress disorder in hospitalized adolescents: psychiatric comorbidity and clinical correlates. J Am Acad Child Adolesc Psychiatry 38:385–392
Liu L, Wang L, Cao C, Qing Y, Armour C (2016) Testing the dimensional structure of DSM-5 posttraumatic stress disorder symptoms in a nonclinical trauma-exposed adolescent sample. J Child Psychol Psychiatry 57:204–212
Maercker A, Brewin CR, Bryant RA, Cloitre M, Reed GM, van Ommeren M et al (2013a) Proposals for mental disorders specifically associated with stress in the International Classification of Disease-11. Lancet 11. doi:10.1016/S0140-6736(12)62191-6
Maercker A, Brewin CR, Bryant RA, Cloitre M, van Ommeren M, Jones LM et al (2013b) Diagnosis and classification of disorders specifically associated with stress: proposals for ICD- 11. World Psychiatry 12:198–206
Meiser-Stedman R, Smith P, Glucksman E, Yule W, Dalgleish T (2008) The posttraumatic stress disorder diagnosis in preschool- and elementary school-age children exposed to motor vehicle accidents. Am J Psychiatry 165:1326–1337
Melhem NM, Moritz G, Walker M, Shear MK, Brent D (2007) Phenomenology and correlates of complicated grief in children and adolescents. J Am Acad Child Adolesc Psychiatry 46:493–499
Melhem NM, Porta G, Walker PM, Brent DA (2013) Identifying prolonged grief reactions in children: dimensional and diagnostic approaches. J Am Acad Child Adolesc Psychiatry 52:599–607
Nader K, Salloum A (2011) Complicated grief reactions in children and adolescents. J Child Adolesc Trauma 4:233–257
Nooner KB, Linares LO, Batinjane J, Kramer RA, Silva R, Cloitre M (2012) Factors related to posttraumatic stress disorder in adolescence. Trauma Violence Abuse 13:153–166
Norris FH, Friedman MJ, Watson PJ (2002) 60,000 disaster victims speak: part II. Summary and implications of the disaster mental health research. Psychiatry 65:240–260
Perkonigg A, Hofler M, Cloitre M, Wittchen HU, Trautmann S, Maercker A (2016) Evidence for two different ICD-11 posttraumatic stress disorders in a community sample of adolescents and young adults. Eur Arch Psychiatry Clin Neurosci 266:317–328
Prigerson HG, Horowitz MJ, Jacobs SC, Parkes CM, Aslan M, Goodkin K et al (2009) Prolonged grief disorder: psychometric validation of criteria proposed for DSM-V and ICD-11. PLoS Med 6:e1000121

Putnam FW (2006) The impact of trauma on child development. Juv Fam Court J 52:1–11
Pynoos RS, Steinberg AM, Piacentini JC (1999) A developmental psychopathology model of childhood traumatic stress and intersection with anxiety disorders. Biol Psychiatry 46:1542–1554
Pynoos RS, Steinberg AM, Layne CM, Briggs EC, Ostrowski SA, Fairbank JA (2009) DSM-V PTSD diagnostic criteria for children and adolescents: a developmental perspective and recommendations. J Trauma Stress 22:391–398
Resick PA, Bovin MJ, Calloway AL, Dick AM, King MW, Mitchell KS et al (2012) A critical evaluation of the complex PTSD literature: implications for DSM-5. J Trauma Stress 25:241–251
Roy P, Rutter M, Pickles A (2004) Institutional care: associations between overactivity and lack of selectivity in social relationships. J Child Psychol Psychiatry 45(4):866–873
Rutter M, Sonuga-Barke EJ (2010) X. Conclusions: overview of findings from the era study, inferences, and research implications. Monogr Soc Res Child Dev 75:212–229
Sachser C, Goldbeck L (2016) Consequences of the diagnostic criteria proposed for the ICD-11 on the prevalence of PTSD in children and adolescents. J Trauma Stress 29:120–123
Scheeringa MS, Zeanah CH, Drell MJ, Larrieu JA (1995) Two approaches to the diagnosis of posttraumatic stress disorder in infancy and early childhood. J Am Acad Child Adolesc Psychiatry 34:191–200
Scheeringa M, Zeanah C, Myers L, Putnam F (2003) New findings on alternative criteria for PTSD in preschool children. J Am Acad Child Adolesc Psychiatry 42:561–570
Scheeringa MS, Zeanah CH, Cohen JA (2011) PTSD in children and adolescents: toward an empirically based algorithm. Depress Anxiety 28:770–782
Scheeringa MS, Myers L, Putnam FW, Zeanah CH (2012) Diagnosing PTSD in early childhood: an empirical assessment of four approaches. J Trauma Stress 25:359–367
Schmid M, Petermann F, Fegert JM (2013) Developmental trauma disorder: pros and cons of including formal criteria in the psychiatric diagnostic systems. BMC Psychiatry 13:3
Shear MK (2011) Bereavement and the DSM5. Omega (Westport) 64:101–118
Smith P, Perrin S, Yule W, Clark DM (2009) Post traumatic stress disorder: cognitive therapy with children and young people. Routledge Chapman & Hall, East Sussex
Spitz RA (1945) Hospitalism: an inquiry into the genesis of psychiatric conditions in early childhood. Psychoanal Study Child 1:53–74
Spuij M, Reitz E, Prinzie P, Stikkelbroek Y, de RC, Boelen PA (2012) Distinctiveness of symptoms of prolonged grief, depression, and post-traumatic stress in bereaved children and adolescents. Eur Child Adolesc Psychiatry 21:673–679
Stein MB, Walker JR, Hazen AL, Forde DR (1997) Full and partial posttraumatic stress disorder: findings from a community survey. Am J Psychiatry 154:1114–1119
Straussner SLA, Calnan AJ (2014) Trauma through the life cycle: a review of current literature. Clin Soc Work J 42:323–335
Teicher MH, Samson JA (2016) Annual research review: enduring neurobiological effects of childhood abuse and neglect. J Child Psychol Psychiatry 57(3):241–266
Terr LC (1983) Chowchilla revisited: the effects of psychic trauma four years after a school-bus kidnapping. Am J Psychiatry 140:1543–1550
van der Kolk B, Pynoos R, Cicchetti D, Cloitre M (2009) [Developmental trauma disorder: towards a rational diagnosis for chronically traumatized children]. Prax Kinderpsychol Kinderpsychiatr. 2009;58:572–586. German.
Wisco BE, Miller MW, Wolf EJ, Kilpatrick D, Resnick HS, Badour CL et al (2016) The impact of proposed changes to ICD-11 on estimates of PTSD prevalence and comorbidity. Psychiatry Res 240:226–233
Yule W, Udwin O (1991) Screening child survivors for post-traumatic stress disorders: experiences from the 'Jupiter' sinking. Br J Clin Psychol 30:131–138

# 아동청소년의 트라우마 및 트라우마 관련 질환의 역학

2

Shaminka Gunaratnam 과 Eva Alisic

얼마나 많은 아동청소년이 잠재적인 트라우마 사건(potentially traumatic events, 이하 PTEs)에 노출될까요? 이 노출은 무작위적으로 발생하는 걸까요, 아니면 특정한 위험 요인이 있을까요? 얼마나 많이, 또 어떤 아동청소년이 트라우마 관련 질환에 걸릴까요? 이 장에서는 최근에 밝혀진 PTEs의 노출, 급성 스트레스장애(acute stress disorder, 이하 ASD), 외상후 스트레스장애(post-traumatic stress disorder, 이하 PTSD)의 예측인자들을 개괄적으로 살펴볼 것입니다. 개정된 최신 정신질환 진단통계편람 5판(Diagnostic and Statistical Manual of Mental Disorders, 5th ed., 이하 DSM-5)에서는 PTSD 진단기준에 기분과 인지 증상을 포함하고, 미취학 아동들 대상의 기준을 신설하였습니다(American Psychiatric Association, 이하 APA; 2013). 과거의 DSM-IV (APA 2000) 기준과 비교할 때, 이는 앞으로 미취학 아동들의 진단률을 높일 가능성이 있습니다. 일반적으로, 비슷한 유형의 트라우마에 노출된 아동청소년 중 일부에서 심각한 증상이나 장애가 발생합니다. 그러므로 인구통계학적, 생물학적, 인지적, 그리고 가족이나 환경의 잠재적 인자들을 살펴보는 것은 질환의 예방, 선별, 평가와 개입 면에서 중요합니다. 또한 여기에서는 연구 결과에 영향을 미칠 수 있는 연구 방법론들의 차이들도 살펴보겠습니다.

## 2.1 잠재적인 트라우마 사건의 노출

### 2.1.1 노출률의 추정

잠재적인 트라우마 사건에 노출되는 것은 아동청소년에게 흔한 일입니다. 아이들이 18세가 될 때까지, 그들 중 많은 수는 사랑하던 누군가를 잃고, 심각한 사고나 폭력, 기타 외상 사건을 겪습니다. 일반 인구를 대상으로 한 미국의 연구에서는 특히 더 높은 노출률을 보였습니다. Copeland와 동료들(2007)은 대규모 연구에서 68%의 청소년이 트라우마에 노출되었고 그들 중 반 이상이 둘 이상의 사건을 겪었다고 보고하였습니다. 이런 경향은 최근에도 유사하게 확인되었는데, McLaughlin과 동료들의 연구(2013)에서는 6,000명 이상의 미국 청소년의 62%에서 외상 사건의 노출을 확인하였습니다. 또 노출된 청소년 중 약 과반수가 한 가지 이상의 사건을 겪은 것으로 나타났습니다. 이 두 개의 미국 연구는 DSM-IV A1 기준을 사용하였습니다. 최근 스위스의 연구(Landolt 등. 2013)에서는 미국 표본과 유사하게 청소년 중 56%가 PTE를 보고했는데, 이는 스위스 연구 표본에 많은 이민자가 포함되었기 때문일 수 있습니다. 대부분의 역학 연구는 청소년이 대상으로, 초등학생 대상의 연구는 매우 드뭅니다. 초등학생 대상의 한 네덜란드의 연구(Alisic 등. 2008)에서는 15%의 노출률이 보고되었는데, 이는 트라우마가 초기 어린 시절의 일반적인 경험이라는 점을 시사합니다.

DSM-IV의 A1 기준 외의 사건(부모의 이혼, 괴롭힘 등)에 대한 노출을 다룬 연구에서는 이보다 더 높은 보고률을 보입니다. 덴마크의 학생 대상 연구(Elklit와 Frandsen 2014; 1088명, 15-20세 대상)에서는 심리적 고통을 느꼈거나 외상성 사건을 1회 이상 경험한 비율이 78%로 나타났고, 적어도 2회 이상 겪은 경우도 거의 60%에 달했습니다. 말레이시아(78%; Ghazali 등. 2014), 그린란드(86%; Karsberg 등. 2012)와 케냐(95%; Karsberg와 Elklit 2012)의 연구에서도 비슷하거나 심지어 노출률이 더 높게 나타났습니다.

결론적으로 적어도 두 명 중 한 명의 청소년이 DSM-IV 진단기준의 PTE에 해당하는 사건에 1회 이상 노출되었다고 보고되며, 이보다 어린 아동의 보고율은 이보다 적습니다. 그러나 개발도상국가의 연구들에 더 주목할 필요가 있습니다. 그 예로, 2012년에 트라우마 스트레스를 주제로 동료 검증을 거쳐 발표된 연구들 중 87%는 고소득 국가를 대상으로 하였고, 이 중 51%가 미국의 연구였습니다(Fodor 등. 2014). 반대로 개발도상국의 트라우마 노출 가능성은 선진국보다 매우 흔한 경향이 있으므로(예; Karsberg와 Elklit 2012), 종종 간과되는 이들 연구에 더 주의를 기울여야 합니다. 특히 미성년 난민들 대상의 연구가 매우 부족합니다. 다음의 몇 단락은 아동청소년들이 겪을 수 있는 특정 유형의 사건들을 다루었습니다.

#### 2.1.1.1 사랑하던 대상의 갑작스러운 상실

미국(McLaughlin 등. 2013), 스위스(Landolt 등. 2013)의 청소년 대상 연구와 네덜란드의 초등학생 대상 연구(Alisic 등. 2008) 결과에 따르면, 이 시기에 가장 흔한 트라우마는 사랑하던 이의 갑작스러운 상실입니다. 특히 부모나 형제의 죽음은 아동청소년이 가장 고통스럽게 느끼는 사건입니다(Melhem 등. 2011). McLaughlin과 동료들의 연구(2013)에서는 총 대상자의 28%가 사랑하는 대상을 갑작스레 잃었습니다. DSM-5에서는 갑작스럽거나 폭력적인 죽음만이 진단기준에 해당하기 때문에, 그 외 유형의 죽음들(예를 들어 장기간의 투병 후의 사망 등)은 연구 통계에 집계되지 않았습니다.

### 2.1.1.2 부상

심각한 사고로 인한 부상은 전 세계적으로 10~19세 집단의 사망 원인 중 주요 원인입니다[World Health Organization(이하 WHO) 2014]. 자주 언급되듯이 이 통계는 "빙산의 일각"으로, 매년 수백만의 아동들이 죽음에 이르지는 않지만 상당히 심각한 부상을 입습니다. 아동에게 가장 흔하게 일어나는 부상들은 교통사고, 익수 사고, 화상과 낙상입니다(WHO 2014). 전반적으로 교통사고가 제일 흔하게 일어나는 잠재적인 트라우마 사건입니다(Elklit와 Frandsen 2014; Ghazali 등. 2014).

모든 부상이 다 심각하거나 트라우마를 유발하지는 않지만, 24시간 이상 입원하는 부상은 보통 이 범주에 해당됩니다(Olsson 등. 2008). 그러나 입원하지 않더라도 응급실에 가야할 정도의 부상에도 아이들은 트라우마 증상을 겪기도 합니다(Bryant 등. 2004). 예를 들어 심각한 부상을 입지 않은 교통사고여도, 아이들은 생명의 위협으로 받아들여 트라우마를 입을 수 있습니다(Meiser-Stedman 등. 2008). 게다가 특히 생명이 위중한 상황에 흔히 일어나는 침습적인 의료적 처치들로 인해 트라우마를 받을 수 있습니다(Marsac 등. 2014).

### 2.1.1.3 폭력

폭력에의 노출 빈도는 축소해서 보고될 가능성이 높은데, 신체 폭력, 특히 성폭력은 신고가 잘 이루어지지 않기 때문입니다(Saunders와 Adams 2014). 이런 점에서, 폭력이나 학대를 목격하거나 겪는 것은 상당히 흔한 일일 수 있습니다(Elklit와 Frandsen 2014; Mohler-Kuo 등. 2014). Finkelhor와 동료들은 4천명의 미국 아동청소년 중, 지난 한 해 동안 성학대 1.4%, 신체학대는 5%가 겪었으며, 15.2%가 어떤 형태로든 학대를 받았고 24.5%는 그런 폭력을 목격하였다고 밝혔습니다(2015). 나이가 들수록 학대와 폭행 노출이 늘어난다는 점을 고려할 때(Finkelhor 등. 2015; Saunders와 Adams 2014), 연구들의 폭넓은 나이 범주가 청소년들의 경험률을 희석했을 가능성이 있습니다. 유병률이 국가별로 다를 수 있고 연구가 부족하지만, 여자 청소년(15-19세)의 경우, 배우자나 연인 사이의 신체적, 성적 폭력의 비율은 각각 아프리카 요하네스버그 36.6%, 나이지리아 이바단 지역 32.8%, 미국 볼티모어 27.7%, 인도 델리 19.4%, 중국 상하이 10.2%로 보고되었습니다(Decker 등. 2014). 스위스에서 청소년을 대상으로 접촉 또는 비접촉성 성학대만을 조사한 연구에서 40.2%의 여자 청소년, 17.2%의 남자 청소년이 적어도 1번 이상의 피해를 겪었다는 결과를 볼 때, 청소년, 특히 여자 청소년들의 위험성이 높습니다(Mohler-Kuo 등. 2014).

### 2.1.1.4 대형 재난

자연 재해, 테러와 전쟁은 지역이 특정된다는 점에서 다른 형태의 트라우마와는 다른 성격을 보입니다. 많은 경우, 지지 자원이 거의 없는 나라에서 가장 심각한 피해가 일어납니다(Neuner 등. 2006). 재난, 테러 및 대규모 분쟁의 노출은 지형 및 사건과의 근접성에 달려 있음에도, 연구는 주로 저소득과 중간 소득 국가들에 비해 이러한 재해가 빈번하지 않은 고소득 국가에서 진행되었습니다. 미국 일반인구에서 확인된 재난의 노출률은 11.1%(Copeland 등. 2007)-14.8%(McLaughlin 등. 2013)입니다. 반대로 2010년도의 아이티 지진은, 국가적인 체계의 문제와 기존의 높은 트라우마 노출을 고려하면 "만성 트라우마를 덮친 급성 트라우마" 였습니다(Gabrielli 등. 2014). 저소득, 중간 소득 국가의 재난 후 연구들은 기본 데이터의 부족으로 인해 재난 전의 트라우마 노출 정도를 확인하기 어렵습니다.

## 2.1.2 노출의 예측인자

### 2.1.2.1 인구학적 예측인자

트라우마의 노출은 나이와 관련이 있습니다. 더 어린 아이들보다 학령기 아이들과 청소년들에게서 PTEs에 노출될 시간이 더욱 많아집니다(Copeland 등. 2007; Finkelhor 등. 2009). 또한 운전과 성생활 및 일부 위험한 활동들도 나이가 들수록 늘어나 외상 사건에 노출될 확률이 더 높아지게 됩니다. 그러나 경험하는 PTEs의 유형들은 발달 단계에 따라 다양할 수 있습니다. 예를 들어 화상은 어린 아이들에게 빈번하게 일어나는 반면(Stoddard 등. 2006), 성적인 트라우마는 큰 아이들에게서 더 위험성이 높습니다(Finkelhor 등. 2015).

이유는 불분명하지만, 전반적으로 남자아동이 여자아동보다 더 많은 외상 사건에 노출됩니다. 최근의 연구들(Elklit와 Frandsen 2014; Haller와 Chassin 2012; Karsberg와 Elklit 2012; c.f. Karsberg 등. 2012)에서 이런 경황이 확인되었지만 일부 연구에서는 이런 경향성이 나타나지 않았습니다(Ghazali 등. 2014; Landolt 등. 2013; Salazar 등. 2013). 그렇지만 외상의 유형에는 성별 간 차이가 있습니다. 특히 남아가 비 성적인 폭력(Atwoli 등. 2014; Finkelhor 등. 2015; Karsberg와 Elklit 2012; McLaughlin 등. 2013; Salazar 등. 2013; Zona와 Milan 2011)과 사고로 인한 부상(예; Landolt 등. 2013; McLaughlin 등. 2013)에 더 높은 빈도로 노출되었습니다. 이 원인은 아마도 여아보다 남아가 더 외향적으로 행동하는 경향 때문일 것으로 추정됩니다(Lalloo 등. 2003). 성적인 트라우마는 이와 반대의 경향을 보입니다(예; Finkelhor 등. 2015; Landolt 등. 2013; McLaughlin 등. 2013; Salazar 등. 2013).

앞서 언급했듯이 외상 사건은 어디에서나 일어날 수 있지만, 노출률은 지역과 관련이 있습니다. 한 나라 내에서도 전체적인 인종보다는 소수 집단, 지역 토박이, 부모의 교육 수준, 가난과 사법 시스템에 보호되는 정도 같은 인구통계학적 특성이 트라우마 노출 경향의 차이와 더 관련이 있었습니다(예; Landolt 등. 2013; McLaughlin 등. 2013; Milan 등. 2013).

### 2.1.2.2 행동적 예측인자

직관적으로 추정되듯이, 외향적인 아동일수록 더 사고의 위험이 높습니다(Lalloo 등.

2003). 추가적으로, 수면의 질이 낮은 어린 아동이 외향성을 보일 가능성이 높고, 이로 인한 사고의 위험이 높아지는 경향이 있다는 연구 결과가 있습니다(Owens 등. 2005). 좀 더 일반적으로 미국의 청소년 대상 연구에서는 행동 장애가 있는 경우 트라우마에 노출될 가능성이 더 높았습니다(McLaughlin 등. 2013). 행동 문제는 남녀에 따라 다른 결과를 초래할 수 있습니다(Haller와 Chassin 2012; Zona와 Milan. 2011). 예를 들어 남자에서는 내재화 증상들이 공격성 폭력 노출에 대한 보호 인자 역할을 했으나 여자에서는 이러한 연관성이 나타나지 않았습니다(Haller와 Chassin 2012). 저자들은 사회적으로 위축된 남자는 공격적인 행동을 한다거나 그런 행동을 하는 사람들과 함께 있을 가능성이 낮을 수 있어, 폭력적인 외상으로부터 어느 정도 보호가 되었던 것으로 추정하였습니다.

#### 2.1.2.3 가족 및 사회환경적 예측인자

가난과 주거 환경은 트라우마가 발생하기 쉬운 조건이 될 수 있습니다. 사회경제적 수준이 낮은 가족 구성원들은 종종 아동을 지도 감독하기 어렵기 때문에, 이런 환경에서 트라우마 노출의 위험이 증가합니다(예; Morrigiello와 House 2004). 가족 구성원의 정신건강과 과거의 양육 문제들 역시 트라우마 노출(Copeland 등. 2007)의 위험을 높이고, 종종 주거 환경 내의 신체적, 성적 학대(Landolt 등. 2013)로 연결됩니다. 외현화 문제 역시 사회경제적 수준이 낮거나 한 부모, 또는 의붓부모 가정에서 더 흔히 보고됩니다(Lalloo 등. 2003; Landolt 등. 2013; McLaughlin. 2013).

아동과 청소년을 좀 더 넓은 범위에서 보면, “일반적인 범주 상태에서 벗어난” 상태의 청소년들에게서 폭력에 노출될 위험이 높아집니다(Milan 등. 2013). 환경 인자를 살펴본 또 다른 연구에서는 가정이나 기관이 아닌 길거리에서 생활하는 아동에게서 신체적, 성적 학대 위험이 가장 높았습니다. 이는 안정적인 거주지와 잠잘 수 있는 안전한 장소가 없다는 것이 그만큼 아이들을 취약하게 만들 수 있다는 의미일 수 있습니다(Atwoli 등. 2014). 도시에 사는 것이 폭행으로 인한 외상(Irie 등 2014)이나 신체적 폭력, 강도, 무기 위협(Elklit와 Frandsen 2014) 등의 특정 트라우마의 위험성과 관련이 있었습니다. 중요한 것은, 과거의 폭력 노출 경험이 향후의 폭력 노출 위험을 예측할 수 있고, 한 유형의 폭력에 노출된 경험이 다른 유형의 폭력 역시 경험하게 될 가능성을 높인다는 것입니다(Finkelhor 등. 2015; Milan 등. 2013).

### 2.1.3 방법론 및 고려할 점

젊은 연령층 중 상당히 많은 수가 아동기에 (잠재적인)트라우마에 노출된다는 것은 명백한 반면, 이 노출의 위험 요인을 확인하는 것은 PTE의 정의, 평가방법 및 표본 특성에 따라 다르게 나타날 수 있습니다. 일부 연구들은 트라우마의 정의를 DSM-5의 기준보다 폭넓게 잡았습니다. 한 예로 Karsberg와 동료들은 외상 사건에 이혼과 예측하지 못한 임신도 포함하였습니다(2012년). 따라서 각 나라와 연구 간의 비교는 상당히 신중하게 해야 합니다. 앞서 언급했듯이, 연구를 시행한 지리적 위치에 따라 노출률과 잠재적 예측 인자 비율이 달라집니다. 또한 노출의 평가도 중요합니다. 예를 들어 Copeland와 동료들은 2007년 청소년 대상 연구에서 일회성이 아니라 반복해서 평가하는 경우 노출률이 상당히 높아지는 현상을 확인하였는데, 이는 어린 아이들의 경우에서도 마찬가지였습니다.

연구의 방법론은 다른 의미로도 결과에 영향을 미칩니다. 그 예로 많은 경우, 어린 아동의 경우에는 부모가 자녀의 트라우마 노출을 대신 보고합니다. 그러나 사건 동안 주 보호자가 함께 있지 않는 경우의 예처럼, 기억력 문제, 정보 제공 당사자의 정신건강이나 지식의 부족 등으로 부모와 자녀의 보고는 상충될 수 있습니다(Finkelhor 등. 2015). 이 영향은 아동의 연령이 높아질수록 더 두드러질 수 있습니다(Saunders와 Adams 2014). 반면 자가 보고의 경우, 쉽게 회상되는 경우도 있으나 일부 기억은 시간이 지나 뚜렷하지 않거나 고통스러운 기억은 더욱 억압되기도 합니다(Finkelhor 등. 2015). 많은 국가에서 전문가의 신고를 의무화하는 것은 폭력과 학대를 밝히고자 하는 연구자와 치료자의 자발적인 의지를 약화시킬 수 있었습니다(Copeland 등. 2007). 그리고 폭력에 대한 문화적인 이해의 차이 역시 신고에 영향을 미칠 수 있는 것으로 나타났습니다(Saunders와 Adams 2014). 결론적으로 전 세계의 트라우마 노출 상황에 대해 좀 더 넓은 시각을 얻으려면, 다양한 지역별, 트라우마 유형별로 동일한 조건의 연구들이 더 필요합니다.

## 2.2 급성 스트레스장애

### 2.2.1 급성 스트레스장애의 유병률 추정

급성 스트레스장애(acute stress disorder, 이하 ASD)는 외상 사건에 노출되고 바로 뒤따르는 시기에 진단되는 주요 트라우마 관련 질환으로, 사건 발생 후 첫 몇 주 사이의 심각한 스트레스 반응을 의미합니다. 이 질환에 대한 연구는 PTSD만큼 충분하지 않아서 아동청소년의 ASD에 대한 정보는 부족한 상태입니다. DSM-5에 따르면 외상 사건 노출 후 한달 이내의 피해자들을 확인하고 평가해야 하는데, 트라우마가 확인되지 않거나(예; 폭력 피해) 가용한 자원이 없는 등(예; 대형 재난 이후)의 상황으로 인해, 이 시기에 증상을 확인하고 평가한다는 것이 항상 가능한 것은 아닙니다. 현재까지 발표된 연구들의 대부분은 병원의 자료를 기반으로 (종종 자연재해나 학대와 관련된) 부상을 대상으로 한 것으로, 대다수 DSM-IV 진단 기준을 적용한 것입니다. 전체적으로 외상 사건에 노출된 아동 청소년에서의 ASD 유병률은 대략 5%(예; Ellis 등. 2009)-50%(예; Liu 등. 2010)로 보고되었습니다. Dalgleish와 동료들은 2008년에 발표한 그들의 연구에서, 267건의 교통사고 생존자(6-17세) 중 9%가 ASD의 진단 기준을 만족했으며, 진단기준 역치 이하 혹은 ASD의 일부 증상을 보이는 군은 23%라고 보고했습니다. 고소득 국가 네 곳(미국, 오스트레일리아, 영국과 스위스)의 1,645명의 아동청소년을 대상의 15개 연구를 병합한 연구가 가장 강력한 근거를 제공했습니다(Kassam-Adams 등. 2012). 저자는 당시 제안된 DSM-5의 기준으로 41%의 아동청소년에게서 임상적으로 유의미한 장애를 확인하였습니다. ASD의 각 증상은 대상 집단의 14-51%에서 나타났습니다. 최종적으로는 DSM-5 ASD 진단에 9개 이상의 증상이 기준이 되었지만, 연구 당시에는 8개 증상이 기준점으로 제안되었습니다. 이 기준으로는 아동청소년의 12%가 해당되었으나, 공존하는 장애 수준을 잘 예측할 수 없었습니다. 따라서 해당 연구의 저자들은 3-4개의 증상을 기준으로 해야 중간 정도의 특이성을 유지하면서 민감도를 올릴 수 있다고 보았습니다.

## 2.2.2 급성 스트레스장애의 예측인자

### 2.2.2.1 인구통계학적 인자

나이, 성별과 인종은 쉽게 확인이 가능한 것으로, 외상 직후 개입과 치료가 필요한 미성년자를 찾는 데 유용할 수 있는 요소입니다. 그러나 연구의 수도 부족하지만, 이런 특성들은 ASD의 예측에 비일관적인 결과들을 보이고 있어 아직 결론을 내리기 어렵습니다.

연령 면에서, 어린 아이들일수록 ASD의 위험성이 높고(Doron-LaMarca 등. 2010; Le Brocque 등. 2010; Saxe 등. 2005a) 더욱 심각한 증상을 보인다고 보고된 바 있습니다(McKinnon 등. 2008). Le Brocque와 그의 동료들(2010)은 어린 아이들일수록 외상 직후 더 심한 증상을 보이지만 회복도 더 빠른 경향을 보인다고 보고하였습니다. 그러나 다른 연구들에서는 나이를 급성 스트레스의 예측인자로 볼 수 있을 근거를 찾지 못했습니다(Bryant 등. 2004; Daviss 등. 2000; Haag 등. 2015; Ostrowski 등. 2011).

ASD 유병률의 성별 간 차이를 본 연구 자료들에 따르면, 남아보다 여아에게서 위험성이 더 높았습니다(Bryant 등. 2004; Doron-LaMarca 등. 2010; Haag 등 2015; Holbrook 등. 2005; Karabekiroglu 등. 2008; Liu 등. 2010). 그러나 어떤 연구에서는 여아의 유병률이 높고 다른 연구들(예; Daviss 등. 2000; Ellis 등. 2009)에서는 그런 차이가 관찰되지 않는지에 대해 관련된 요인들은 아직 밝혀지지 않았습니다.

인종은 연령이나 성별처럼 많이 연구되지 않았습니다. 아직까지 ASD의 예측 인자로써 인종이나 민족의 역할이 시사된 연구는 없습니다(Ostrowski 등. 2011). 사회경제적 수준 면에서 부모의 소득 역시 급성 스트레스를 예측하는 요소가 아닌 것으로 나타났습니다(Ostrowski 등. 2011).

### 2.2.2.2 노출의 특성

"용량-반응 관계", 즉 많이 노출될수록 급성 트라우마 증상을 보일 위험이 높아진다는 몇몇 근거들이 있습니다. 예를 들어 지진 후 부모를 잃은 아동과 재난 지역에 거주하는 아동에게서, 상실을 겪지 않거나 지진에서 떨어진 곳에 사는 아동에 비하여 ASD 가 더 흔합니다(Demir 등. 2010). 지역사회의 자원이 적은 곳일수록 사회공공기반시설이 부족하여 2차 외상과 사망 및 전반적인 스트레스가 높기 때문에 심리적 충격을 더 크게 받을 수 있을 것으로 추정됩니다(Demir 등. 2010).

부상 역시 아동에서 ASD를 예측할 수 있는 인자입니다. 예를 들어 교통사고에 노출된 경우, 병원치료가 필요한 수준의 부상이 있는 아동이 그렇지 않은 경우보다 ASD의 위험성이 높게 나타났습니다(Winston 등. 2005). 게다가 부상에 뒤따르는 통증은 아동의 ASD 증상의 예측인자였습니다(McKinnon 등. 2008; Saxe 등. 2005a). 그러나 부상 자체의 심각성(Bryant 등. 2004; Daviss 등. 2000; Haag 등. 2015; Ostrowski 등. 2011)이나 사고 후의 입원 여부(Bryant 등. 2004)는 ASD의 예측인자가 되지 못했습니다. 화상을 입은 아동의 경우, 화상의 크기는 부모의 ASD 및 심박수 증가와 연관되는 경우에만 ASD의 위험요소로 확인되었습니다(Saxe 등. 2005b).

의도하지 않은 부상이나 의학적 질환의 경우와 비교할 때, 폭행으로 부상을 입은 청소년에서 ASD의 위험성이 더 높았습니다(Hamrin 등. 2004; Holbrook 등. 2005; Meiser-Stedman 등. 2005). 이는 의도적인 외상 사건이 비의도적인 사건에 비해 심리적으로 대처하기 더 어렵다는 주장을 지지하는 결과입니다.

#### 2.2.2.3 인지적, 정서적 예측인자

ASD는 경험한 외상 사건을 부정적으로 해석하고 심각한 부상의 위협이 있다고 지각하는 것과 관련이 있습니다(Ellis 등. 2009). 특히 트라우마를 경험하는 중에 자신이 외상으로 죽을 것이라고 인지했거나 (Ellis 등. 2009; Holbrook 등. 2005) 외상의 결과로 생길 피해에 자신이 취약하다고 인지했던 아동(Salmon 등. 2007)에서 ASD의 위험성이 더 높게 나타났습니다. 인지의 역할은 연령(Salmon 등. 2007) 및 부상의 특성에 따라 다르게 나타났습니다. 화상을 입은 아이들의 경우, 상처에도 불구하고 긍정적인 신체상을 가진 것이 보호인자였습니다(Saxe 등. 2005b). 부상을 입은 아이들은 트라우마의 지각 및 신체적인 면에서의 정보 처리 과정, 자기보고성 기억의 질과 외상 사건 직후의 공포가 ASD와 관련이 있는 것으로 나타났습니다(McKinnon 등. 2008). 또 교통사고 후 아이가 사건과 관련된 죄책감을 느낀 경우 ASD의 예측 인자로 확인되었습니다(Haag 등. 2015).

#### 2.2.2.4 생물학적 예측인자

ASD의 생물학적 예측인자에 대한 연구는 아직 산발적으로만 진행된 수준입니다. 화상을 입은 아동에게서 심박수의 증가가 ASD의 위험 인자로 보이며(Saxe 등. 2005b), 평균 심박수는 화상의 크기와 ASD 증상 간의 연관성을 매개하였습니다(Stoddard 등. 2006).

#### 2.2.2.5 행동적 예측인자

기존의 내재화, 외현화 행동이 부상 후 급성 스트레스를 유발할 수 있습니다(Daviss 등. 2000). 그러나 다른 연구에서는 과거 높은 외현화 지수가 있는 경우에서만 부상을 입은 아동청소년의 초기 트라우마 증상들이 예측되었고, 내재화 지수가 높을 때에는 그런 경향성이 관찰되지 않았습니다(Doron-LaMarca 등. 2010). 후자의 연구에서 성별과 행동의 상호작용이 관찰되었는데, 외현화 행동 지수가 높은 여아가 외현화 행동이 있는 남아보다 더 많은 증상을 경험하였습니다(Doron-LaMarca 등. 2010).

#### 2.2.2.6 가족과 사회환경적 예측인자

보호자와 전반적인 가족 스트레스는 부상 이후 아동의 ASD의 위험인자에 해당합니다(Daviss 등. 2000; Haag 등. 2015; Saxe 등. 2005a, b). 폭행과 교통사고 생존자 연구에서, 부모의 우울증과 걱정이 아동의 급성 트라우마 증상과 관련이 있는 것으로 나타났습니다(Meiser-Stedman 등. 2006). 전반적으로, 사회적인 지지는 아동 PTSD 발병의 보호인자에 해당하나(Langley 등. 2013), 초기 ASD의 발병을 막지는 못하는 것으로 보입니다(Ellis 등. 2009). 잠재적으로, 트라우마 이후 사회적 지지가 효과를 발휘하려면 시간이 다소 필요한 것으로 추정됩니다.

### 2.2.3 방법론 상 고려할 점

내적 경험과 증상은 부모가 알아차리기가 더 어려워서(Doron-LaMarca 등. 2010) 부모와 아동의 보고가 서로 다를 수 있습니다(Kassam-Adams 등. 2006; Meiser-Stedman 등. 2007, 2008). 부모의 ASD가 자녀의 ASD와 관련이 있다는 연구를 고려할 때, ASD가 있는 부모가 아동의 증상을 더 심하게 평가할 수도 있고(Daviss 등. 2000; Haag 등. 2015) 반대로 급성 반응을 정상으로 생각할 수도 있습니다(Meiser-Stedman 등. 2007). 따라서 아동의 외상에 대한 급성기 반응은, 부모와 자녀의 보고를 모두 포함한 연구에서 좀 더 정확히 측정될 가능성이 높습니다.

앞서 언급했듯이 아동청소년 ASD의 연구는 상대적으로 최근에서야 이루어졌고, 초기 연구들은 적절한 설문 도구가 발달되기 전에 진행되었기 때문에, 적합한 도구 없이 진행되거나(Hamrin 등. 2004) 기한을 1달 이내로 하였을 뿐 PTSD 기준을 그대로 쓰기도 하였습니다(Karabekiroglu 등. 2008; Ostrowski 등. 2011). *DSM-IV* 및 *DSM-5*에 ASD 진단기준이 명시되어 있으나, 연구들은 일반적인 급성기 스트레스를 평가하기 위해 "진단 기준 역치 이하 subthreshold"의 증상들을 종합하여 사용하기도 하였습니다(Meiser-Stedman 등. 2005). 특히, 해리 증상기준에 대한 비판으로 인해 연구들마다 ASD의 정의를 다양하게 적용하였습니다. 현재는 '해리'가 ASD의 필수 진단기준에 해당하지 않으며, *DSM-5*는 이 정의들을 통합하여 기준을 적용하였습니다(1장).

# 2.3 외상후 스트레스장애

## 2.3.1 외상후 스트레스장애의 추정 유병률

외상후 스트레스장애(post-traumatic stress disorder, 이하 PTSD)는 아동청소년이 외상 사건에 노출된 후에 주로 고려하게 되는 정신건강 문제입니다. PTE에 노출된 미성년자에서의 PTSD 유병률은 연구마다 다양하게 나타났습니다. 이에 대한 가장 신뢰성 높은 자료는 3,563명의 아동들을 정립된 진단 도구로 평가한 자료를 취합한 메타분석 결과로, 전반적인 PTSD 유병률은 16%로 보고되었습니다(Alisic 등. 2014). 아동청소년은 외상 사건 노출 이후 무작위로 외상후 스트레스를 겪는 것이 아니라, 상대적으로 더 위험성이 높은 특정 집단이 있는 것으로 보입니다(Alisic 등. 2011; Cox 등. 2008; Kahana 등. 2006; Trickey 등. 2012).

## 2.3.2 외상후 스트레스장애의 예측인자

### 2.3.2.1 인구통계학적 예측인자

PTSD의 성별 차이는 상당히 일관되게, 남아보다 여아에게서 유병률이 더 높습니다(Elklit와 Frandsen 2014; Haller와 Chassin. 2012; Karabekiroglu 등. 2008; Karsberg와 Elklit 2012; Landolt 등. 2013; Lavi 등. 2013; McLaughlin 등. 2013). 일부 연구(Ghazali 등. 2014; Milan 등. 2013)에서는 예외적으로 성별 차이가 발견되지 않았으나, 메타 분석의 결론은 전반적으로 여아가 남아보다 PTSD의 가능성이 높다는 것입니다(Alisic 등. 2011, 2014; Cox 등. 2008; Trickey 등. 2012). 그러나 일관된 결과에도 불구하도 전반적인 성별차이에 대한 효과크기는 상대적으로 작기 때문에 특정 외상의 종류에 따라 남녀가 다르게 영향을 받는 것으로 추정하는 의견도 있습니다(Elklit와 Frandsen 2014; Landolt 등. 2013).

연령의 영향은 연구마다 결과가 달랐습니다. 몇몇 근거에 따르면 나이가 들수록 PTSD의 유병률은 증가하며, 한 연구에서는 청소년의 준 임상subclinical PTSD의 평생 유병률이 아동의 경우보다 유의미하게 높게 나타났습니다(Copeland 등. 2007). Nooer와 동료들은 문헌고찰 연구(2012)에서, 전반적으로 아동보다 청소년이 PTSD의 위험이 높다고 주장하였습니다. 그러나 이 연구 결과는 증상을 언어로 표현하는 것이 어려운 나이의 어린 아이들에게 *DSM-IV* 진단기준을 적용하여 생긴 오류일 수 있습니다(Friedman. 2013). 메타분석에서는 외상후 스트레스의 예측인자에 연령은 해당되지 않거나 상대적으로 작은 영향을 미치는 것으로 나타났습니다(Alisic 등. 2011; Cox 등. 2008; Kahana 등. 2006; Trickey 등. 2012). 이렇게 PTSD의 유병률이나 증상의 정도에는 연령의 효과가 나타나지 않았으나, 증상의 패턴은 발달 단계에 따라 다르게 나타날 수 있습니다. 예를 들어 어린 아동일수록 문제 행동을 더 보이고, 청소년들은 죄책감과 수치심을 더 표현할 수 있습니다(Sheeringa 등. 2011).

인종과 소수자 집단은 PTSD나 외상후 스트레스 증상의 전반적 위험성을 예측하는 정도가 무시할 정도이거나 작은 것으로 나타났습니다(Alistic 등, 2011; Trickey 등, 2012). 그러나 연령처럼, 인종 역시 특정 상황에서는 외상후 스트레스와 관련이 있을 가능성이 있습니다. 예를 들어 시카고에 거주하는 아프리카계 미국인은, 백인이나 남미 인종에 비하여 폭력에 노출될 가능성이 높으나 PTSD로 발전할 가능성은 적게 나타나, 이 집단에서 인종의 영향이 있을 가능성을 시사합니다(Milan 등, 2013).

사회경제적 수준도 PTSD의 예측 인자로 고려할 수 있으나, 현재까지의 메타분석 상에서는 0 또는 작은 효과크기를 보입니다(Alistic 등, 2011; Kahana 등, 2006; Trickey 등 2012). 예를 들어 케냐의 청소년 연구에서 부모의 교육이나 하루 식사횟수, 가족 자원과 같은 사회경제적 수준은 외상후 증상을 예측하지 못했습니다(Karsberg와 Elklit, 2012). 하지만 그린랜드의 청소년 대상 연구에서는 아버지의 교육 수준이 낮을 수록 외상후 스트레스를 예측하였습니다(Karsberg 등, 2012).

### 2.3.2.2 예측 인자로서 노출 특성

아동은 비-대인성 외상 사건보다 대인 외상 사건에서 PTSD가 발생하기 쉽습니다. 최근의 메타분석에서 대인 외상 후의 PTSD 유병률은, 비-대인성 외상 사건의 10%(95% 신뢰 구간 6-15%) 보다 높은 25%(95% 신뢰구간 17-36%)였습니다(Alistic 등 2014). 두 유형 내에서 또 다른 차이가 있습니다. 예를 들어 부모에 의한 폭력을 겪은 청소년은 다른 형태의 폭력에 노출된 경우보다 PTSD의 유병률이 높았습니다(Milan 등, 2013). 양 유형 모두 목격자인지, 아니면 직접적인 피해자인가에 따라서도 다른 결과를 보였습니다. 교통사고의 경우, 사고 피해 당사자보다 목격자에게서 내재화 증상이 덜 보고되었습니다 (Tierens 등, 2012). 반대로 Bayarri Fernández와 동료들(2011)은 목격자, 가해자 또는 폭력에 직접 피해자 입장인 아동 모두 비슷한 영향을 받는다고 보고하였습니다.

부상의 심각성이나 노출 정도 같은 트라우마 중증도에 대한 객관적인 평가는 예측인자로서의 근거가 부족합니다(Lavi 등, 2013). 부상을 입은 아이들 대상의 전향적 연구에서 부상의 심각성은 이후의 외상후 스트레스를 예측하지 못했습니다(Alistic 등, 2013). 트라우마의 중등도 평가를 포함한 단면조사연구들의 메타 분석 결과, 트라우마의 중등도는 중간 정도의 효과크기를 보였습니다(Trickey 등, 2012). 그러나 이 효과는 가능한 설명 모델로 해석되지 않는 상당한 이질성을 보였기 때문에, 현재로서는 어떤 상황이나 어느 정도로 중한 트라우마가 외상후 스트레스를 예측할 수 있을지 알 수 없습니다.

### 2.3.2.3 예측 인자로서 과거의 노출 경험

미국 청소년 대상 연구에서 과거 트라우마에 노출된 경험이 PTSD의 예측인자로 나타났고(McLaughlin 등, 2013), 사고 이후의 외상후 스트레스 반응에 근거 있는 예측인자로 확인되었습니다(Cox 등, 2008). 허리케인 카트리나 사건 15개월 후 뉴올리언즈 지역 아동에 대한 정신건강 연구에 따르면, 허리케인의 노출이 아닌, 사회적 지지와 과거 트라우마 노출력이 유의미하게 PTSD를 예측하였습니다. 과거의 트라우마 노출력은 가장 강력한 예측인자입니다(Langley 등. 2013). 이와 비슷하게, 다른 연구에서도 과거의 폭력 노출 경험이 PTSD의 유병률을 높이는 것으로 확인되었습니다(Salloum 등. 2011). 전반적으로 PTE의 수가 늘어날수록 부정적인 정신건강 상태의 비율이 높아지는 것으로 나타나, "용량-반응" 관계의 근거로 볼 수 있습니다(Copeland 등. 2007; Catani 등. 2008; Karsberg와 Elklit 2012; Karsberg 등. 2012; Salazar 등. 2013). 이는 특히 종종 여러 트라우마에 노출되는 난민들에게서 외상후 증상(posttraumatic stress symptoms, 이하 PTSS)의 유병률이 높다는 점에서 그 관련성을 볼 수 있습니다(Neuner 등. 2004). 그러나 많은 다른 예측인자들과 마찬가지로, 여기에도 예외가 있습니다. 허리케인 구스타브에 대한 연구에서, 과거 허리케인 카트리나와 폭력에 노출된 아동은 허리케인 구스타브 이후 PTSS가 더 증가하지 않았습니다(Salloum 등. 2011). 저자들은 이를 외상후 스트레스의 수위가 이미 역치에 도달했거나, 허리케인 구스타브가 이전의 PTE만큼의 트라우마 경험이 아니어서 PTSS를 악화시키지 않았을 수 있다고 보았습니다.

#### 2.3.2.4 예측인자로서 정신과적 과거력

ASD는 아동청소년에게서 장기적인 PTSD의 강력한 예측인자로 지목되었지만(Alistic 등. 2011; Kahana 등. 2006), 예상만큼의 예측력을 보이지는 못했습니다. ASD 아동 모두가 PTSD로 진행되지는 않았고, 모든 PTSD 아동들이 초기에 ASD가 있었던 것도 아니었습니다. Le Brocque와 동료들(2010)은 ASD 환아 중 일부는 초기의 증상들이 가라앉으며 "회복" 경로를 밟고, 다른 아이들은 장기간 증상을 겪으며 "만성화"의 경로를 밟는다는 의견을 제시하였습니다. *DSM-IV* 진단기준은 이런 집단을 적절히 분별해내지 못했기 때문에 더 간소화된 대안적인 ASD 진단기준을 제안되었는데, 이것이 교통사고나 기타 부상에 노출된 취학전 아동(만 2-6세; Meiser-Stedman 등. 2008)과 학령기 아동(만 7-13세; Bryant 등. 2007)에서 *DSM-IV*의 기준보다 PTSD를 더 잘 예측하였습니다. ASD의 대안적인 기준은 해리증상이 필수적인 것은 아니고 *DSM-5* 기준과 좀더 유사합니다. 성인 집단에서는 *DSM-5*의 진단기준으로 ASD에서 PTSD로의 예측률이 더 개선되었는데(Bryant 등. 2015) 아동과 청소년에서도 마찬가지일 것으로 추정됩니다.

더 포괄적으로, 분석결과들을 보면, 기존의 정신병리가 사고 후의 PTSD의 강한 예측인자라는 것이 드러났고(Cox 등. 2008), 아동의 PTSD에 우울과 불안은 조절 예측인자에 해당하였습니다(Alisic 등. 2011; Kahana 등. 2006). 미국의 아동청소년을 대상으로 한 연구에서 과거의 불안(Copeland 등. 2009)과 내재화 장애(McLaughlin 등. 2013) 역시 상당히 PTSD를 예측하는 인자로 각각 지목된 바 있습니다.

#### 2.3.2.5 생물학적 예측인자

아직까지 아동청소년의 외상후 스트레스에 대해 생물학적 관련인자와 예측인자는 밝혀진 것이 매우 적습니다. PTSD와의 관련성 면에서는 코티졸의 변화, 심박수, 노르에피네프린 수치와 인터루킨-6이 가장 많이 연구되었습니다(Kirsch 등. 2011). 성인 대상의 연구와 다르게, 아동에서는 감소가 아닌 코티졸의 상승이 PTSD와 관련이 있었습니다(Pervanidou 등. 2008). 더 세부적으로 보면, 외상 이후 저녁 타액 내 코티졸과 아침의 인터루킨-6가 높은 아동에게서 6개월 뒤 PTSD가 예측되는 연관성을 보였습니다(Pervanidou 등. 2007). PTE 직후 심박수의 증가도 역시 6주, 6개월 뒤의 PTSS를 예측했으나(Neuner 등. 2006) 메타 분석상 효과크기가 작았고(Alisic 등. 2011) 아마도 부모의 PTSS가 매개요인일 것으로 추정되었습니다(Nugent 등. 2007). 그리고 아동에게서 외상 후 노르에피네피네피린 수치의 상승이 PTSS를 예측하였습니다(Kirsch 등. 2011).

#### 2.3.2.6 인지적 예측인자

외상 사건 직후 및 외상 이후 아동의 인지적인 면 모두가 PTSD를 예측합니다. 근거를 뒷받침하는 연구의 수는 적으나, 아동이 PTE 진행 중, 또는 직접적인 여파로 삶이 위협받았다고 느낀 경우 PTSD를 중간에서 강한 수준으로 예측했습니다(Kahana 등. 2006; Meiser-Stedman 등. 2009; Trickey 등. 2012). 교통사고와 폭행 사건 후, 이것을 "영원히 지속될, 고통스러운 변화"로 지각하는 경우 PTSD 증상에 영향을 미치는 것으로 나타났습니다(Meiser-Stedman 등. 2009). 더 일반적으로는 외상 후 사고의 억제가 PTSD와 강한 연관을 보였으나, 앞서 언급했듯 아직 소수의 연구만이 진행되었습니다(Trickey 등. 2012). 최근의 한 연구는 아동 청소년의 PTSD를 예측하는데 있어, 반추하는 생각의 영향이 상당 할 수 있다는 점을 강조하기도 했습니다(Meiser-Stedman 등. 2014). 또한 IQ나 학업성취도가 적거나 중간 정도의 효과크기 정도로 관련이 있다고 보고된 바 있습니다(Trickey 등. 2012).

#### 2.3.2.7 행동적 예측인자

강한 외현화와 내재화 행동은 아동청소년이 단기 또는 장기적으로 트라우마 증상을 보이게 될 위험을 당연히 높입니다. 특히 부상을 입은, 외현화 또는 내재화 성향이 큰 아동은 PTSS로 가지 않는 "탄력적" 경로보다, "회복"이나 "만성화"의 경로로 갈 가능성이 유의미하게 높았습니다(Le Brocque 등. 2010). 도시 청소년의 장기 추적 연구에서 Zona와 Milan(2011)은 폭력 노출 자체가 PTSD와 해리 증상뿐 아니라 내재화, 외현화 증상들을 증가시킨다는 점을 보고하였습니다. 이런 관계성은 다면적일 수 있어, 트라우마 노출이 행동 증상을 증가시키는 동시에 외상후 스트레스를 증가시킨다고 추정해 볼 수 있습니다. 그러나 행동 증상들, 특히 내재화 행동은 외상후 스트레스 증상과 상당한 부분이 중복되기 때문에 이러한 결과를 분명하게 해석하기 어렵습니다.

#### 2.3.2.8 가족과 사회환경적 예측인자

부모의 외상후 스트레스는 아동의 외상후 스트레스의 강한 예측인자로 지목되었습니다(Alisic 등. 2011; Cox 등. 2008; Landolt 등. 2012). 사실 아이들의 초기 외상후 스트레스 증상 역시 부모의 PTSS를 예측하는 요소라는 점에서(Stowman 등. 2015), 이 관계의 양 방향성을 볼 수 있습니다(Sheeringa와 Zeabah 2001). 전반적으로 가족 기능의 문제는 아이의 외상 이후의 증상과 관련이 있고(Trickey 등. 2012), 재정착한 난민 미성년자 대상의 연구에서는 가족으로부터의 분리가 PTSS를 예측하는 요소였습니다(McGregor 등. 2015). 넓은 의미에서 사회적인 지지가 아동청소년의 PTSD에 보호인자이고(Langley 등. 2013), 반대로 낮은 사회적 지지는 아동 PTSD의 상당히 강한 예측인자입니다(Trickey 등. 2012). 그러나 사회적 지지라는 것은 복잡한 관계의 구조이며, 외상 사건 이후 오해를 받거나 타인에게 부담이 될지 모른다는 두려움 때문에 잠재적인 사회적 지지 자원도 이용하지 못하는 경우도 있을 수 있습니다.

### 2.3.3 방법론과 고려할 점

ASD와 마찬가지로, 부모나 보호자가 보고하는 아동의 PTSD 증상은 과장 또는 축소 평가될 수 있습니다(Daviss 등 2000). 학령기 아동에서 PTSD의 예측은, 부모보다는 아동의 보고를 따르는 것이 낫거나(Meiser-Stedman 등. 2007) 아동과 부모의 보고를 종합하는 것이 한쪽의 보고만 사용하는 것보다 정확한 것으로 보고되었습니다(Meiser-Stedman 등. 2008). 게다가 보고 시기도 중요한 요인입니다. 몇몇 연구에서는 일생 동안 트라우마에 노출되었던 것과 현재의 PTSD 여부를 함께 설문했고, 그리고 연구나 대상군에 따라 평가 시기가 달랐습니다(Cox 등. 2008). 예를 들어 투병 중인 미성년자들은 보통 트라우마를 받은 후 몇 년 뒤에나 평가를 받기 때문에, 부상을 입은 사건처럼 사건 발생 바로 몇 개월 내에 평가되는 경우보다 유의하게 PTSD 유병률이 낮습니다(Kahana 등. 2006). 이때 시간이 지날수록 부상을 입은 미성년자의 PTSD 비율은 점차 낮아져, 결과적으로는 투병 중인 미성년자와 비슷한 수준에 이르는 것으로 나타났습니다(Kahana 등. 2006). 종종 단면 연구에서 확인하는 변수들은 인과관계를 확인하기 어렵고, 연구마다 예측 인자의 측정의 일관성이 부족하여 연구들 간의 비교도 어렵습니다(Alisic 등. 2011; KAhana 등. 2006).

## 결론

아동기에 잠재적인 트라우마에 노출되는 일은 상당히 흔합니다. 어떤 사건들, 예를 들어 사랑하는 사람을 잃는 것과 같은 외상 유형은 가장 안전한 지역에서도 얼마든지 일어나는 일입니다. 재난이나 전쟁 같은 다른 형태의 외상 사건은 특정 지역에 한정적이고, 고소득 국가보다 저소득 또는 중간 소득국가에서 좀 더 발생하는 경향을 보입니다. 많은 지역에서, 특히 13세 미만 아동의 트라우마 노출에 대한 연구가 상대적으로 부족합니다. 노출의 중요한 예측인자로 염두에 두어야할 것은, 과거의 노출 경험, 연령(나이가 든 아동일수록 더 많은 외상 사건에 노출될 가능성이 있음), 특정 유형의 외상에서는 성별(사고는 남아, 성적 트라우마는 여아가 많음), 외현화 문제 행동 및 가정환경 내 스트레스 요인의 존재입니다.

아동청소년의 ASD는 상대적으로 잘 알려져 있지 않습니다. 얼마나 많은 아이들이 ASD가 발병하는가에 대해 *DSM-IV* 진단기준으로 가장 잘 평가된 추정치는 9%입니다(준임상군을 포함할 경우 23%; Dalgleish 등 2008). 특히 해리 증상은 ASD를 진단하는 데 있어 문제가 있어 보입니다. 현재의 *DSM-5* 진단기준에서는 더 이상 해리 현상이 필수 기준이 아니므로, ASD에서 PTSD로의 이행을 더 잘 예측할 수 있게 될 것입니다. ASD의 예측인자는 아직 결론에 이르지 않았습니다. 현재 시점에서 (부상의 심각성을 제외한) 노출의 정도, 외상 사건의 의도성, 사건 당시의 인지, 정서와 처리과정, 외현화 행동 및 부모의 우울과 걱정이 일부 연관성을 보여, 이후의 연구가 필요할 영역으로 확인되었습니다.

결론적으로, PTSD는 트라우마에 노출된 아동 청소년 중 상당히 일부에서 발병합니다. 전반적으로 볼 때, 사건 노출 이후 PTSD의 발병을 가장 잘 평가한 자료에서의 유병률은 16%로 확인되었습니다(Alisic 등 2014). 나이, 인종, (약간의 성별 차이가 보고되긴 하였으나) 성별 같은 일반적인 인구통계학적 인자보다, 단순 측정이 어려운 급성 스트레스, 인지적인 해석, 가족 또는 사회적지지, 대인 또는 비-대인성 외상의 특성처럼, 트라우마와 좀 더 긴밀하게 연결된 관련인자들이 PTSD를 더욱 강하게 예측하는 인자로 나타났습니다. 연구마다 약간의 방법론적 차이가 있는데, 특히 트라우마 관련 질환을 확인하는 시점의 차이가 연구들과 트라우마 유형 사이의 직접적인 비교를 어렵게 만듭니다. 그러나 몇 유형이 확인되고 있으며, 특히 인지와 가족 또는 사회적 지지 요인이 추가적으로 연구해야 할 영역으로 보입니다.

트라우마 관련 질환과 증상의 정도는 고정된 상태라기보다 역동적인 형태를 보입니다. 우리는 아동 청소년에서의 외상 노출과 회복의 경로가 어떤지에 대해 이제 막 이해하기 시작한 단계입니다. 앞으로 이 경로를 더욱 충분히 예측하고 이해할 수 있기를 바랍니다.

**요약**

유병률

- 아동청소년기의 트라우마 노출은 상당히 흔한 일입니다.
- 반대로, 외상 사건에 노출된 아동 중 일부만이 급성 스트레스장애(ASD)이나 외상후 스트레스장애(PTSD)로 진행됩니다.
- 모든 ASD가 PTSD로 진행되는 것은 아니며 반대로 모든 PTSD에 ASD가 선행하는 것은 아닙니다.

| 예측인자 |
| --- |
| 여성은 특정 유형의 외상 위험성이 더 높습니다. (예; 성폭력) |
| 아동의 연령이 어릴수록 ASD의 위험성이 높을 수 있습니다. |
| 일반적으로 외상 사건의 심각성에 대한 인식(예를 들어 고의성, 죽음의 위험 등)이 객관적인 중등도보다 더 트라우마 증상을 잘 예측합니다. |
| 삶의 스트레스가 외상 노출 및 이후의 트라우마 증상 모두를 촉발시킬 수 있습니다. |
| 행동 문제는 외상 사건의 노출과 트라우마 질환에 양방향성으로 연결됩니다. |
| 여러 번 외상에 노출된 아동은 트라우마 증상 및 심지어 이후의 트라우마에도 취약해질 수 있습니다. |
| 사회적 지지는 PTSD의 매우 중요한 보호 인자들 중 하나입니다. |

## 참고문헌

Alisic E, van der Schoot TA, van Ginkel JR, Kleber RJ (2008) Trauma exposure in primary school children: who is at risk? J Child Adolesc Trauma 1(3):263–269

Alisic E, Jongmans MJ, van Wesel F, Kleber RJ (2011) Building child trauma theory from longitudinal studies: a meta-analysis. Clin Psychol Rev 31(5):736–747. doi:10.1016/j. cpr.2011.03.001

Alisic E, Zalta AK, Van Wesel F, Larsen SE, Hafstad GS, Hassanpour K, Smid GE (2014) Rates of posttraumatic stress disorder in trauma-exposed children and adolescents: meta-analysis. Br J Psychiatry 204(5):335–340. doi:10.1192/bjp.bp.113.131227

American Psychiatric Association (2000) Diagnostic and statistical manual of mental disorders, 4th edn, text rev. Washington, DC, American Psychiatric Association

American Psychiatric Association (2013) Diagnostic and statistical manual of mental disorders, 5th edn. Washington, DC, American Psychiatric Association

Atwoli L, Ayuku D, Hogan J, Koech J, Vreeman RC, Ayaya S, Braitstein P (2014) Impact of domestic care environment on trauma and posttraumatic stress disorder among orphans in Western Kenya. PLoS One 9(3). doi:10.1371/journal.pone.0089937

Bayarri Fernàndez E, Ezpeleta L, Granero R, de la Osa N, Domènech JM (2011) Degree of exposure to domestic violence, psychopathology, and functional impairment in children and adolescents. J Interpers Violence 26(6):1215–1231

Bryant RA, Creamer M, O'Donnell M, Silove D, McFarlane AC, Forbes D (2015) A comparison of the capacity of DSM-IV and DSM-5 acute stress disorder definitions to predict posttraumatic stress disorder and related disorders. J Clin Psychiatry 76(4):391–397. doi:10.4088/ JCP.13m08731

Bryant B, Mayou R, Wiggs L, Ehlers A, Stores G (2004) Psychological consequences of road traffic accidents for children and their mothers. Psychol Med 34(02):335–346

Bryant RA, Salmon K, Sinclair E, Davidson P (2007) The relationship between acute stress disorder and posttraumatic stress disorder in injured children. J Trauma Stress 20(6):1075–1079. doi:10.1002/jts.20282

Catani C, Jacob N, Schauer E, Kohila M, Neuner F (2008) Family violence, war, and natural disasters: a study of the effect of extreme stress on children's mental health in Sri Lanka. BMC Psychiatry 8:33–42. doi:10.1186/1471-244X-8-33

Copeland WE, Keeler G, Angold A, Costello EJ (2007) Traumatic events and posttraumatic stress in childhood. Arch Gen Psychiatry 64(5):577–584

Cox CM, Kenardy JA, Hendrikz JK (2008) A meta-analysis of risk factors that predict psychopathology following accidental trauma. J Spec Pediatr Nurs 13(2):98–110

Dalgleish T, Meiser-Stedman R, Kassam-Adams N, Ehlers A, Winston F, Smith P, Bryant B, Mayou RA, Yule W (2008) Predictive validity of acute stress disorder in children and adolescents. Br J Psy-

chiatry 192(5):392–393. doi:10.1192/bjp.bp.107.040451
Daviss W, Racusin R, Fleischer A, Mooney D, Ford JD, McHugo GJ (2000) Acute stress disorder symptomatology during hospitalization for pediatric injury. J Am Acad Child Adolesc Psychiatry 39(5):569–575. 10.1097/00004583-200005000-00010
Decker MR, Peitzmeier S, Olumide A, Acharya R, Ojengbede O, Covarrubias L, Gao E, Cheng Y, Delany-Moretlwe S, Brahmbhatt H (2014) Prevalence and health impact of intimate partner violence and non-partner sexual violence among female adolescents aged 15-19 years in vulnerable urban environments: a multi-country study. J Adolesc Health 55(6):S58–S67. doi: 10.1016/j.jadohealth.2014.08.022
Demir T, Demir DE, Alkas L, Copur M, Dogangun B, Kayaalp L (2010) Some clinical characteristics of children who survived the Marmara earthquakes. Eur Child Adolesc Psychiatry 19(2):125–133. doi:10.1007/s00787-009-0048-1
Doron-LaMarca S, Vogt DS, King DW, King LA, Saxe GN (2010) Pretrauma problems, prior stressor exposure, and gender as predictors of change in posttraumatic stress symptoms among physically injured children and adolescents. J Consult Clin Psychol 78(6):781
Elklit A, Frandsen L (2014) Trauma exposure and posttraumatic stress among Danish adolescents. J Trauma Stress Dis Treat 4:2
Ellis AA, Nixon RD, Williamson P (2009) The effects of social support and negative appraisals on acute stress symptoms and depression in children and adolescents. Br J Clin Psychol 48(Pt 4):347–361. doi:10.1348/014466508X401894
Finkelhor D, Ormrod RK, Turner HA (2009) Lifetime assessment of poly-victimization in a national sample of children and youth. Child Abuse Negl 33(7):403–411. doi:10.1016/j. chiabu.2008.09.012
Finkelhor D, Turner HA, Shattuck A, Hamby SL (2015) Prevalence of childhood exposure to violence, crime, and abuse: results from the national survey of children's exposure to violence. JAMA Pediatr. doi:10.1001/jamapediatrics.2015.0676
Fodor KE, Unterhitzenberger J, Chou CY, Kartal D, Leistner S, Milosavljevic M, Nocon A, Soler L, White J, Yoo S (2014) Is traumatic stress research global? A bibliometric analysis. Eur J Psychotraumatol 5. doi: 10.3402/ejpt.v5.23269
Forgey M, Bursch B (2013) Assessment and management of pediatric iatrogenic medical trauma. Curr Psychiatry Rep 15(2):1–9. doi:10.1007/s11920-012-0340-5
Friedman MJ (2013) Finalizing PTSD in DSM-5: getting here from there and where to go next. J Trauma Stress 26(5):548–556. doi:10.1002/jts.21840
Gabrielli J, Gill M, Koester LS, Borntrager C (2014) Psychological perspectives on 'acute on chronic' trauma in children: implications of the 2010 earthquake in Haiti. Child Soc 28(6):438– 450. doi:10.1111/chso.12010
Ghazali SR, Elklit A, Balang RV, Sultan M, Kana K (2014) Preliminary findings on lifetime trauma prevalence and PTSD symptoms among adolescents in Sarawak Malaysia. Asian J Psychiatr 11:45–49. doi: 10.1016/j.ajp.2014.05.008
Haag AC, Zehnder D, Landolt MA (2015) Guilt is associated with acute stress symptoms in children after road traffic accidents. Eur J Psychotraumatol 6. doi: 10.3402/ejpt.v6.29074
Haller M, Chassin L (2012) A test of adolescent internalizing and externalizing symptoms as prospective predictors of type of trauma exposure and posttraumatic stress disorder. J Trauma Stress 25(6):691–699. doi:10.1002/jts.21751
HamrinV, Jonker B, Scahill L (2004) Acute stress disorder symptoms in gunshot-injured youth. J Child Adolesc Psychiatr Nurs 17(4):161–172. Retrieved from http://www.ncbi.nlm.nih.gov/pubmed/15742797
Holbrook TL, Hoyt DB, Coimbra R, Potenza B, Sise M, Anderson JP (2005) High rates of acute stress disorder impact quality-of-life outcomes in injured adolescents: mechanism and gender predict acute stress disorder risk. J Trauma Acute Care Surg 59(5):1126–1130. Retrieved from http://www.ncbi.nlm.nih.gov/pubmed/16385290
Irie F, Lang J, Kaltner M, Le Brocque R, Kenardy J (2012) Effects of gender, indigenous status and remoteness to health services on the occurrence of assault-related injuries in children and adolescents. Injury 43(11):1873–1880. doi:10.1016/j.injury.2012.07.183
Kahana SY, Feeny NC, Youngstrom EA, Drotar D (2006) Posttraumatic stress in youth experiencing ill-

nesses and injuries: an exploratory meta-analysis. Traumatology 12(2):148–161. doi:10.1177/1534765606294562

Karabekiroglu K, Akbas S, Tasdemir GN, Karakurt MN (2008) Post-traumatic stress symptoms in adolescents after two murders in a school: a controlled follow-up study. Int J Psychiatry Med 38(4):407–424. doi:10.2190/PM.38.4.b

Karsberg SH, Elklit A (2012) Victimization and PTSD in a Rural Kenyan youth sample. Clin Pract Epidemiol Ment Health 8:91–101. doi:10.2174/1745017901208010091

Karsberg SH, Lasgaard M, Elklit A (2012) Victimisation and PTSD in a Greenlandic youth sample. Int J Circumpolar Health 71(1). doi:10.3402/ijch.v71i0.18378

Kassam-Adams N, Garcia-Espana JF, Miller VA, & Winston F (2006) Parent-child agreement regarding children's acute stress: The role of parent acute stress reactions. J Am Acad Child Adolesc Psychiatry 45(12):1485–1493.

Kassam-Adams N, Palmieri PA, Rork K, Delahanty DL, Kenardy J, Kohser KL, Landolt MA, Le Brocque R, Marsac ML, Meiser-Stedman R, Nixon RD, Bui E, McGrath C (2012) Acute stress symptoms in children: results from an international data archive. J Am Acad Child Adolesc Psychiatry 51(8):812–820. doi:10.1016/j.jaac.2012.05.013

Kirsch V, Wilhelm FH, Goldbeck L (2011) Psychophysiological characteristics of PTSD in children and adolescents: a review of the literature. J Trauma Stress 24(2):146–154. doi:10.1002/ jts.20620

Lalloo R, Sheiham A, Nazroo JY (2003) Behavioural characteristics and accidents: findings from the health survey for England, 1997. Accid Anal Prev 35(5):661–667

Landolt MA, Schnyder U, Maier T, Schoenbucher V, Mohler-Kuo M (2013) Trauma exposure and post-traumatic stress disorder in adolescents: a national survey in Switzerland. J Trauma Stress 26(2):209–216. doi:10.1002/jts.21794

Landolt MA, Ystrom E, Sennhauser FH, Gnehm HE, Vollrath ME (2012) The mutual prospective influence of child and parental post-traumatic stress symptoms in pediatric patients. J Child Psychol Psychiatry 53:767–774. doi:10.1111/j.1469-7610.2011.02520.x

Langley AK, Cohen JA, Mannarino AP, Jaycox LH, Schonlau M, Scott M et al (2013) Trauma exposure and mental health problems among school children 15 months post-Hurricane Katrina. J Child Adolesc Trauma 6(3):143–156

Lavi T, Green O, Dekel R (2013) The contribution of personal and exposure characteristics to the adjustment of adolescents following war. J Adolesc 36(1):21–30. doi:10.1016/j. adolescence.2012.09.003

Le Brocque RM, Hendrikz J, Kenardy JA (2010) The course of posttraumatic stress in children: examination of recovery trajectories following traumatic injury. J Pediatr Psychol 35(6):637–645

Liu K, Liang X, Guo L, Li Y, Li X, Xin B et al (2010) Acute stress disorder in the paediatric surgical children and adolescents injured during the Wenchuan Earthquake in China. Stress Health J Int Soc Investig Stress 26(4):262–268. doi:10.1002/smi.1288

Marsac ML, Kassam-Adams N, Delahanty DL, Widaman K, Barakat LP (2014) Posttraumatic stress following acute medical trauma in children: a proposed model of bio-psycho-social processes during the peri-trauma period. Clin Child Fam Psychol Rev 17(4):399–411. doi: 10.1007/ s10567-014-0174-2

McGregor LS, Melvin GA, Newman LK (2015) Familial separations, coping styles, and PTSD symptomatology in resettled refugee youth. J Nerv Ment Dis 203(6):431–438. doi:10.1097/ NMD.0000000000000312

McKinnon AC, Nixon RD, Brewer N (2008) The influence of data-driven processing on perceptions of memory quality and intrusive symptoms in children following traumatic events. Behav Res Ther 46(6):766–775. doi: 10.1016/j.brat.2008.02.008

McLaughlin KA, Koenen KC, Hill ED, Petukhova M, Sampson NA, Zaslavsky AM, Kessler RC (2013) Trauma exposure and posttraumatic stress disorder in a national sample of adolescents. J Am Acad Child Adolesc Psychiatry 52(8):815–830. e814

Meiser-Stedman R, Dalgleish T, Glucksman E, Yule W, Smith P (2009) Maladaptive cognitive appraisals mediate the evolution of posttraumatic stress reactions: a 6-month follow-up of child and adolescent assault and motor vehicle accident survivors. J Abnorm Psychol 118(4):778

Meiser-Stedman R, Smith P, Glucksman E, Yule W, Dalgleish T (2007) Parent and child agreement for acute stress disorder, post-traumatic stress disorder and other psychopathology in a prospective study of children and adolescents exposed to single-event trauma. J Abnorm Child Psychol 35(2):191–201.

doi:10.1007/s10802-006-9068-1
Meiser-Stedman R, Shepperd A, Glucksman E, Dalgleish T, Yule W, Smith P (2014) Thought control strategies and rumination in youth with acute stress disorder and posttraumatic stress disorder following single-event trauma. J Child Adolesc Psychopharmacol 24(1):47–51. doi:10.1089/cap.2013.0052
Meiser-Stedman R, Smith P, Glucksman E, Yule W, Dalgleish T (2008) The posttraumatic stress disorder diagnosis in preschool-and elementary school-age children exposed to motor vehicle accidents. Am J Psychiatry 165(10):1326–1337. doi:10.1176/appi.ajp.2008.07081282
Meiser-Stedman RA, Yule W, Dalgleish T, Smith P, Glucksman E (2006) The role of the family in child and adolescent posttraumatic stress following attendance at an emergency department. J Pediatr Psychol 31(4):397–402
Meiser-Stedman R, Yule W, Smith P, Glucksman E, Dalgleish T (2005) Acute stress disorder and posttraumatic stress disorder in children and adolescents involved in assaults or motor vehicle accidents. Am J Psychiatry 162(7):1381–1383
Melhem NM, Porta G, Shamseddeen W, Payne MW, Brent DA (2011) Grief in children and adolescents bereaved by sudden parental death. Arch Gen Psychiatry 68(9):911–919
Milan S, Zona K, Acker J, Turcios-Cotto V (2013) Prospective risk factors for adolescent PTSD: sources of differential exposure and differential vulnerability. J Abnorm Child Psychol 41(2):339–353. doi:10.1007/s10802-012-9677-9
Mohler-Kuo M, Landolt MA, Maier T, Meidert U, Schönbucher V, Schnyder U (2014) Child sexual abuse revisited: a population-based cross-sectional study among swiss adolescents. J Adolesc Health 54(3):304–311. doi:10.1016/j.jadohealth.2013.08.020
Morrongiello BA, House K (2004) Measuring parent attributes and supervision behaviors relevant to child injury risk: examining the usefulness of questionnaire measures. Inj Prev 10(2):114– 118. doi:10.1136/ip.2003.003459
Neuner F, Schauer E, Catani C, Ruf M, Elbert T (2006) Post-tsunami stress: a study of posttraumatic stress disorder in children living in three severely affected regions in Sri Lanka. J Trauma Stress 19(3):339–347. doi:10.1002/jts.20121
Neuner F, Schauer M, Karunakara U, Klaschik C, Robert C, Elbert T (2004) Psychological trauma and evidence for enhanced vulnerability for posttraumatic stress disorder through previous trauma among West Nile refugees. BMC Psychiatry 4(1):34
Nooner KB, Linares LO, Batinjane J, Kramer RA, Silva R, Cloitre M (2012) Factors related to posttraumatic stress disorder in adolescence. Trauma Violence Abuse 13(3):1524838012447698. doi:10.1177/1524838012447698
Nugent NR, Ostrowski S, Christopher NC, Delahanty DL (2007) Parental posttraumatic stress symptoms as a moderator of child's acute biological response and subsequent posttraumatic stress symptoms in pediatric injury patients. J Pediatr Psychol 32(3):309–318. doi:10.1093/ jpepsy/jsl005
Olsson KA, Le Brocque RM, Kenardy JA, Anderson V, Spence SH (2008) The influence of pre- injury behaviour on children's type of accident, type of injury and severity of injury. Brain Inj 22(7–8):595–602. doi:10.1080/02699050802132453
Ostrowski SA, Ciesla JA, Lee TJ, Irish L, Christopher NC, Delahanty DL (2011) The impact of caregiver distress on the longitudinal development of child acute post-traumatic stress disorder symptoms in pediatric injury victims. J Pediatr Psychol 36(7):806–815
Owens JA, Fernando S, Mc Guinn M (2005) Sleep disturbance and injury risk in young children. Behav Sleep Med 3(1):18–31. doi:10.1207/s15402010bsm0301_4
Pervanidou P (2008) Biology of post-traumatic stress disorder in childhood and adolescence. J Neuroendocrinol 20(5):632–638. doi:10.1111/j.1365-2826.2008.01701.x
Pervanidou P, Kolaitis G, Charitaki S, Margeli A, Ferentinos S, Bakoula C, Lazaropoulou C, Papassotiriou I, Tsiantis J, Chrousos GP (2007) Elevated morning serum interleukin (IL)-6 or evening salivary cortisol concentrations predict posttraumatic stress disorder in children and adolescents six months after a motor vehicle accident. Psychoneuroendocrinology 32(8):991–999
Salazar AM, Keller TE, Gowen LK, Courtney ME (2013) Trauma exposure and PTSD among older adolescents in foster care. Soc Psychiatry Psychiatr Epidemiol 48(4):545–551
Salloum A, Carter P, Burch B, Garfinkel A, Overstreet S (2011) Impact of exposure to community vio-

lence, Hurricane Katrina, and Hurricane Gustav on posttraumatic stress and depressive symptoms among school age children. Anxiety Stress Coping 24(1):27–42. doi:10.1080/10615801003703193

Salmon K, Sinclair E, Bryant RA (2007) The role of maladaptive appraisals in child acute stress reactions. Br J Clin Psychol 46(2):203–210. doi:10.1348/014466506X160704

Saunders BE, Adams ZW (2014) Epidemiology of traumatic experiences in childhood. Child Adolesc Psychiatr Clin N Am 23(2):167–184. doi:10.1016/j.chc.2013.12.003

Saxe GN, Miller A, Bartholomew D, Hall E, Lopez C, Kaplow J et al (2005a) Incidence of and risk factors for acute stress disorder in children with injuries. J Trauma Inj Infect Crit Care 59(4):946–953. doi:10.1097/01.ta.0000187659.37385.16

Saxe G, Stoddard F, Chawla N, Lopez CG, Hall E, Sheridan R, King D, King L (2005b) Risk factors for acute stress disorder in children with burns. J Trauma Dissociation 6(2):37–49. doi:10.1300/J229v06n02_05

Scheeringa MS, Zeanah CH (2001) A relational perspective on PTSD in early childhood. J Trauma Stress 14(4):799–815. doi:10.1023/A:1013002507972

Scheeringa MS, Zeanah CH, Cohen JA (2011) PTSD in children and adolescents: toward an empirically based algorithm. Depress Anxiety 28:770–782

Stoddard FJ, Saxe G, Ronfeldt H, Drake JE, Burns J, Edgren C, Sheridan R (2006) Acute stress symptoms in young children with burns. J Am Acad Child Adolesc Psychiatry 45(1):87–93. doi:10.1097/01.chi.0000184934.71917.3a

Stowman S, Kearney CA, Daphtary K (2015) Mediators of initial acute and later posttraumatic stress in youths in a pediatric intensive care unit. Pediatr Crit Care Med 16(4):e113–e118. doi:10.1097/PCC.0b013e31822f1916

Thoresen S, Jensen TK, Wentzel-Larsen T, Dyb G (2014) Social support barriers and mental health in terrorist attack survivors. J Affect Disord 156:187–193. doi:10.1016/j.jad.2013.12.014

Tierens M, Bal S, Crombez G, Loeys T, Antrop I, Deboutte D (2012) Differences in posttraumatic stress reactions between witnesses and direct victims of motor vehicle accidents. J Trauma Stress 25(3):280–287. doi:10.1002/jts.21692

Trickey D, Siddaway AP, Meiser-Stedman R, Serpell L, Field AP (2012) A meta-analysis of risk factors for post-traumatic stress disorder in children and adolescents. Clin Psychol Rev 32(2):122–138. doi:10.1016/j.cpr.2011.12.001

Winston FK, Baxt C, Kassam-Adams NL, Elliott MR, Kallan MJ (2005) Acute traumatic stress symptoms in child occupants and their parent drivers after crash involvement. Arch Pediatr Adolesc Med 159(11):1074–1079. doi:10.1001/archpedi.159.11.1074

World Health Organization (2014) Main messages from the world report [Fact sheet]. Retrieved from http://www.who.int/violence_injury_prevention/child/injury/world_report/Main_messages_englis

Zona K, Milan S (2011) Gender differences in the longitudinal impact of exposure to violence on mental health in urban youth. J Youth Adolesc 40(12):1674–1690. d oi:10.1007/s10964-011-9649-3

# 공중 보건 문제로서의 아동기 트라우마 3

Hilary K. Lambert, Rosemary Meza, Prerna Martin,
Eliot Fearey 와 Katie A. McLaughlin

트라우마에는 자신의 안전에 심각한 위험을 초래하는 사건에 대한 노출, 다른 사람에게 일어난 사건을 목격한 것, 사랑하는 사람이 경험한 이런 종류의 사건들에 대해 알게 되는 것을 포괄합니다(American Psychiatric Association 2013). 역학자료에 따르면 미국 청소년의 1/3에서 1/2이 성 또는 신체 학대를 당한 경험이 있거나 폭력을 목격한 적이 있으며(Copeland 등. 2007; Finkelhor 등. 2005), 거의 2/3가 성인이 되기 전에 외상성 사건을 경험합니다(McLaughlin 등. 2013). 저소득 및 중간 소득 국가(low- and middle-income countries, 이하 LAMICs)에서는 전쟁 및 군사 분쟁과 같은 인도주의적 긴급 상황에 노출된 아동의 트라우마로 인한 사회적 부담이 상당합니다(WHO 2013). 유니세프에 따르면 2014년에 1,500만 명이 넘는 아이들이 중앙 아프리카 공화국, 남 수단, 이라크, 팔레스타인, 시리아 및 우크라이나에서 폭력적인 분쟁에 노출되었습니다. 현재 약 2억 3천만 명의 아이들이 무력 분쟁 국가 또는 지역에 살고 있습니다(UNICEF 2014). 무력 분쟁 중인 지역에 거주하는 아이들은 국내 이주민, 난민이 되며 잔인한 폭력과 죽음을 목격하고 고아, 납치, 고문, 강간 또는 소년병으로 징집될 위험에 노출되어 있습니다(UNICEF 2009). 어린 시기의 외상 노출이 거의 대다수의 정신장애, 신체 질환, 학력 저하, 낮은 사회성 이나 대인관계능력의 문제 등 일생 동안의 부정적인 결과와 관련되어 있다는 점을 고려할 때, 전 세계 아이들이 이러한 외상에 만연히 노출되어 있다는 것은 공중 보건 관점에서 우려되는 점입니다.

이 장에서 우리는 먼저 정신건강, 신체 건강, 학업 및 사회 경제적 결과, 대인 관계 능력 등 아동기 외상의 공중보건학적 영향을 살펴봅니다. 다음으로, 아동기 트라우마 노출과 그로 인한 정신건강 문제의 예방, 그리고 정신보건 자원들이 적은 열악한 환경에서 어떻게 개입하고 치료를 제공할지에 대한 접근방법 등을 포괄하여 아동기 트라우마에 대한 공중보건학적 대응을 다룹니다. 학대(예: 신체 및 성 학대) 및 그 외 형태의 폭력(예: 가정, 학교 또는 지역 사회에서 발생하는 폭력)을 포함한 대인폭력은 비대인적 형태의 트라우마보다 뒤이어 발생하는 정신 건강 문제와 더 강하게 관련되기 때문에(Breslau 등. 1998; McLaughlin 등. 2013), 우리는 주로 대인 관계 폭력과 관련된 트라우마 사건에 중점을 두었습니다.

## 3.1 아동기 외상의 공중보건에 대한 영향

### 3.1.1 정신건강

역학 연구 결과를 보면 아동기 외상과 정신 장애 유병과 관련된 네 가지의 일반적인 특징이 있습니다. 첫째, 외상에 노출된 아동은 노출되지 않은 아동에 비해 평생 정신 장애가 발생할 위험이 현저히 높으며, 외상 노출이 많을수록 평생 정신 장애가 발생할 승산odds도 높아집니다(Green 등. 2010; Kessler 등. 2010; McLaughlin 등. 2010, 2012). 둘째, 아동기 외상에 따른 정신 장애 발생 취약성은 평생 높은채로 지속됩니다. 아동기 외상은 아동기 및 청소년기(McLaughlin 등. 2012)와 성인기(Green 등. 2010; Kessler 등. 2010)의 정신 장애 발생 승산을 높입니다. 셋째, 아동기 외상과 통상적으로 발생하는 정신 장애와의 연관성은 대체로 비특이적입니다. 외상에 노출된 아동은 기분 장애, 불안 장애, 약물 사용 및 파괴적 행동 장애를 일으킬 가능성이 더 높으며 질환 유형마다 이러한 연관성의 강도는 거의 차이가 없습니다(Green 등. 2010; Kessler 등. 2010; McLaughlin 등. 2012). PTSD는 외상에 노출된 아동들에게서 흔히 볼 수 있는 정신병리이지만, 외상 후 발생하는 많은 정신 장애 중 하나 일뿐입니다. 최근 연구 결과에 따르면, 아동 학대와 평생 정신장애 유병과의 연관은 잠재되었던 내재화나 외현화 정신병리에 대한 취약성이 매개하여 전적으로 일어나며, 이러한 잠재되었던 위험요인으로 설명되지 않는 특정 정신 장애에 직접적인 영향을 미치는 것은 아닙니다(Caspi 등. 2014; Keyes 등. 2012). 넷째, 아동기 외상 노출은 미국 및 다국적연구에서 정신 장애 발병의 상당 부분을 설명하는데(Green 등. 2010; Kessler 등. 2010; McLaughlin 등. 2012), 아동기의 외상 노출 유병prevalence이 높다는 것과 아동 외상과 정신병리 발병의 강한 연관성 둘 다를 반영하고 있습니다. 역학 연구 결과를 종합하면 아동의 외상 노출이 정신 병리의 위험을 결정하는 강력한 요인입니다.

PTSD는 아동 트라우마의 결과로 발생하는 정신건강 문제 중 하나입니다. 이 책의 2장에서 조금 더 자세히 살펴보겠으나 선진국의 역학 연구에 따르면, 외상에 노출된 청소년의 7.6-8.8%가 인생의 어느 시점에서 PTSD가 발생하고(Breslau 등. 2004; McLaughlin 등. 2013) PTSD 증상(Copeland 등. 2007)은 그보다 더 많이 발생합니다. PTSD가 발생할 확률은 비대인 형태의 트라우마(예: 사고, 부상 및 자연 재해)보다 대인 폭력일 때 더 높습니다(Breslau 등. 2004; Copeland 등. 2007; McLaughlin 등. 2013). 저소득 및 중간 소득 국가의 아동의 PTSD 유병률 추정치에는 상당한 차이가 있습니다. 전쟁을 경험한 아동에 대한 메타분석에서 PTSD 유병률이 연구 전반에 걸쳐 4.5-89.3%로 보고되었으며, 전체 합산 추정치는 47%(Attanayake 등. 2009)로, PTSD는 전쟁에 노출된 아동에게 특히 흔하다는 것을 시사하였습니다. 이주한 난민 아동에게서도 마찬가지로 PTSD 비율이 높게 관찰되었습니다(Almqvist와 Brandell Forsberg 1997; Thabet와 Vostanis 1999). 트라우마로 인한 부담은 또한 폭력 혹은 종종 고문을 주도하도록 강요당하는 소년병에게서 현저하게 높았습니다. 우간다와 콩고 민주 공화국의 전직 소년병에 대한 연구에 따르면, PTSD 유병률은 35-97 % 범위였습니다

(Bayer 등. 2007; Derluyn 등. 2004). 소년병에게 있어 구타, 폭격 및 고문은 PTSD 및 기타 정신 건강 문제와 밀접한 관련이 있었습니다(Benjet 2010).

아동의 PTSD 발생 가능성은 외상 노출이 늘어남에 따라 증가하고(Copeland 등. 2007; McLaughlin 등. 2013), 다른 유형의 스트레스와 부정적 경험을 겪고 있는 어린이들에게서 더 높습니다(Khamis 2005). 전시에는 외상 경험 자체에 더하여 부모의 상실과 가족의 이주가 아동에게 위험을 누적하는 효과가 있습니다(Macksoud와 Aber 1996; Wolff 등. 1995). PTSD 비율은 거의 모든 형태의 아동기 외상(McLaughlin 등. 2013), 특히 대인간 폭력(Breslau 등. 2004) 이후 남자보다 여자 청소년에서 더 높습니다. 기존에 내재화나 외현화 정신병리가 있는 아이는 외상 노출 후 PTSD가 발생할 가능성이 더 높습니다(Copeland 등. 2007; McLaughlin 등. 2013).

아동기 외상 후 PTSD는 종종 만성적인 경과를 보입니다. 미국인 대상 연구에서 평균 회복 시간은 14.8 개월로 추정되었으며(McLaughlin등. 2013) 독일의 한 연구에서는 PTSD가 있는 청소년 및 청년의 48 %가 최초 평가 후 34 ~ 50 개월 후에도 회복되지 않았습니다(Perkonigg 등. 2005). PTSD로 진단된 아동은 내재화 및 외현화 장애가 추가적으로 발생할 위험이 늘어납니다(Giaconia 등. 1995; Perkonigg 등. 2000).

다양한 문화마다 청소년들의 PTSD 증상 및 외상후 정신 병리가 상당히 다르게 나타납니다(Barenbaum 등. 2004). 예를 들어, 부모를 여읜 탄자니아 청소년들의 정신건강 문제에 대한 질적 연구에서 저자들은 외상 노출과 가장 일반적으로 관련하여 지역에서 가장 흔한 세 가지 문제로 *unyanyasaji(혹사/ 학대), kutopendwa(애정결핍), msongo wa mawazo(스트레스 /과도한 생각)*를 들었습니다(Dorsey 등. 2015). 이러한 문제는 외상후 정신 병리에 대한 서구적 개념과 유사한 행동 문제, 슬픔, 애도, 외로움, 희망 없음 및 스트레스를 포함한 다양한 증상과 결과적으로 관련이 있었습니다. 전통적인 PTSD 진단의 일부가 아닌 "평화결핍" 및 "증오감 증가"와 같은 독특한 증상도 관찰되었습니다(Dorsey등. 2015). 캄보디아의 크메르 젊은이들 사이에서 자신의 감정을 억압하는 것을 특징으로 하는 대처 스타일 또는 잠비아의 HIV 감염 청년들에게서 관찰되는 현지 언어로 "너무 생각이 많아짐" 또는 "정신이 불안정하다"는 증상처럼 서구 개념화에 들어맞지 않으나 다른 문화권에서 흔한 외상 후 정신 병리가 보고되고 있습니다(Kleinman와 Kleinman 1991; Murray 등. 2006).

### 3.1.2 신체 건강

아동기 외상을 경험한 경우, 성인기에 광범위하고 만성적인 신체 건강 문제가 생길 위험이 증가합니다(Felitti 등. 1998; Rich-Edwards 등. 2010). 14개국 성인을 대상으로 한 국가 간 설문 조사에서 일생 중 외상 사건에 노출된 경우 심장병, 고혈압, 천식, 만성 통증 및 위장 문제가 발생할 승산이 높아졌고, 이러한 연관성은 공존 정신병리로는 설명되지 않았습니다(Scott등. 2013). 아동 학대는 심장병 및 당뇨병과 같은 특정 만성 질환(Davis 등. 2005; Widom 등. 2012)뿐만 아니라 성인기의 신체적 불건강과 만성 통증의 발생 위험을 높입니다(Felitti등.

1998; Rich-Edwards 등. 2010). 이러한 연관성의 효과크기는 아동 학대와 정신 장애 사이의 연관성에서와 비슷합니다(Wegman와 Stetler. 2009). 최근의 보고에 따르면 아동기 트라우마는 어린 시절과 청소년기에 시작되는 인생 전반의 만성 신체 문제의 발생 위험을 결정하는 중요한 요소이기도 합니다. 대인 폭력과 관련된 트라우마를 경험한 아동은 통증과 식욕 또는 수면의 변화를 경험하기 쉽습니다(Bailey 등. 2005; Lamers-Winkelman 등. 2012; Stensland 등. 2014). 특히, 아동기 트라우마는 두통(Bailey등. 2005; Stenslan 등. 2014) 및 복통(Bailey 등. 2005)을 포함한 신체 증상(Bailey 등. 2005; Lamers-Winkelman 등. 2012) 및 스스로 건강하지 않다고 느끼는 정도(Annerbäck 등. 2012)와 관련됩니다. 태국-캄보디아 국경에 거주하는 청소년 난민에서 신체 증상 또한 임상적으로 유의미하게 증가한 것으로 보고되었습니다(Mollica 등. 1997). 아동기 트라우마는 여러 연구에서 천식의 발생과 관련이 있습니다(Cohen 등. 2008; Swahn와 Bossarte 2006). 미국 청소년 인구 표본을 활용한 최근 연구에서, 아동기 트라우마와 통증을 수반하는 신체 문제 간의 강한 연관성을 비롯하여, 아동기 트라우마와 수많은 만성 질환과의 연관성을 보고하였습니다(McLaughlin 등. 2016).

또한 PTSD 증상은 단독으로 신체 건강에 영향을 주거나, 아동기 트라우마와 이후의 신체 건강 문제(Schnurr와 Green 2004) 사이를 매개하거나 신체 건강에 관련이 없을 수도 있습니다. PTSD 및 아동기 트라우마가 신체 건강 문제에 영향을 준다는 것을 이해하는 것이 신체 건강 문제를 조기에 발견하고 예방하는데 도움이 됩니다. 예를 들어, 어떤 개인이 신체 건강 문제에 가장 취약한지(예: 어린 시절 외상에 노출된 청소년, PTSD가 있는 청소년 또는 둘 다 경험한 청소년)를 판단하는 것은 누구를 대상으로 예방할지 계획하는데 도움을 줄 수 있습니다. 그러나 대부분의 연구는 신체 건강을 평가할 때 아동기 트라우마나 PTSD를 특정하여 살펴보지 않습니다. 예를 들어, 최근의 메타 분석에 따르면 PTSD가 있는 성인은 PTSD가 없는 성인에 비해 전반적인 건강 상태나 전반적인 의학적 상태 그리고 건강 관련 삶의 질이 더 나쁘고, 통증을 더 경험하고, 심폐기능이 더 나쁘고, 소화기 건강이 좋지 않은 것으로 나타났지만 아동기 트라우마 또는 조기 발병 PTSD가 기여하는 부분은 파악되지 않았습니다(Pacella등. 2013). 청소년에서 어린 시절의 트라우마를 고려하면서 조기 발병 PTSD의 신체 건강 결과를 조사한 연구는 심지어 더 적습니다. 한 연구에 따르면 21세 이전에 발생한 PTSD는 아동기 트라우마를 통계적으로 통제하였을 때에도 심장 질환, 천식, 골관절염, 목 또는 허리 통증 및 두통을 포함한 성인기의 다양한 만성 신체 건강 상태를 예측했습니다(Scott등. 2011). 성인 여성에서 아동학대와 통증 같은 신체적 건강 문제의 연관은 현재의 PTSD 증상들에 의해 매개되었습니다(Lang등. 2006). 대조적으로, 또 다른 연구에서는 성인 여성에서 아동기 신체 또는 성적 학대에 대한 보정 후에 PTSD 증상은 전반적인 건강 상태에 대한 부정적인 인식은 예측했지만 신체 질환의 개수는 예측하지 못했습니다(Cloitre등. 2001). 유사하게 아동기 트라우마에 노출된 청소년은 노출되지 않은 청소년보다 신체 건강이 나쁘다고 느끼고 월 단위의 병결이 더 많았습니다. 그러나 PTSD 유무에는 차이가 없었습니다(Giaconia 등. 1995). 아동기 트라우마, PTSD 및 신체 건강의 복잡한 관계를 풀기 위한 추가적인 연구가 필요합니다.

### 3.1.3 학업 및 사회 경제적 결과

많은 연구에서 아동기 트라우마와 학업 저하 사이의 관련이 있었지만, 일부 보고에서는 이러한 연관이 트라우마와 공존하는 빈곤과 같은 사회적 요인에 의해 설명될 가능성을 시사합니다. 일부 연구에서 아동 학대는 독해 및 수학 기초학력평가 수행 저조(De Bellis 등. 2013), 성적부진(Leiter와 Johnsen 1997), 유급률 증가(Leiter와 Johnsen 1997), 특수 교육 비율 증가(Jonson-Reid 2015), 대졸 가능성을 낮추는 등의 문제와 연관이 있습니다. 비슷하게, 난민으로 스웨덴에 수년간 거주한 이란 어린이의 약 절반은 학업 성적이 좋지 않았고 2/3는 스웨덴어를 구사하기 어려웠습니다(Almqvist와 Broberg 1999). 대조적으로, 다른 연구에서는 아동의 외상과 관련하여 낮은 표준화된 학력평가 성취도(Eckenrode등. 1993), 성적 저하(Lansford 등. 2002; Eckenrode 등. 1993), 유급률 증가(Eckenrode 등. 1993), 낮은 학업 성취도(Boden 등. 2007)를 보였는데, 아동 학대와 관련된 인구 통계학적, 사회 경제적, 가족적 위험 요인을 보정하면 이러한 효과가 상쇄되었습니다. 학업 부진이 아동기 트라우마의 결과인지 또는 양육 환경의 다른 측면의 결과인지 파악하기 위한 연구가 더 필요합니다. 아동기 트라우마와 학업 성취도의 관계는 불확실하지만 아동기에 공존할 수 있는 다른 위험 요인에 대한 보정 후에도 아동기 외상은 높은 실업률(Macmillan과 Hagan 2004; Zielinski 2009), 저소득층 및 극빈층에 빠질 승산 증가(Macmillan 2000; Zielinski 2009), 의료급여 비율증가(Zielinski 2009), 국가 지원을 받을 가능성과 더욱 일관되게 연관이 됩니다(Macmillan과 Hagan 2004). 대조적으로 한 연구에서는 통계 모델에 가족 및 사회적 위험 요인에 대한 공변량을 포함하고 나면 아동학대와 성인기의 사회경제적 수준의 관련성이 유의하지 않았습니다(Mullen 등. 1996). 적어도 여러 연구결과들은 아동의 트라우마가 학업 성취 양상과 향후 사회 경제적 위치에 영향을 미친다는 것을 시사합니다.

조기 발병 PTSD의 학습 및 사회 경제적 성취를 아동기 트라우마와 독립적으로 조사한 연구는 드뭅니다. 한 연구에서 PTSD 유무에 관계없이 아동 학대에 노출된 청소년은 독해 및 수학 능력을 평가하는 표준화된 학업 성취도 평가에서 비슷하게 낮은 성적을 보였으며(De Bellis 등. 2013), PTSD가 아니라 아동 학대가 두 그룹의 학업 성취도를 떨어트리는 공통 분모임을 시사했습니다. 유사하게, 아동기 외상에 노출된 청소년에서 PTSD가 있는 집단과 없는 집단이 대조군보다 고등학교 성적이 낮고 정학과 퇴학을 더 받았지만, 양 집단간의 차이는 없었습니다(Giaconia등. 1995). 아동기 트라우마 및 PTSD를 포함하여 여러 공존하는 위험 요소가 사회 경제적 및 학업적 결과에 미치는 영향을 명확히 하기 위해서는 향후 연구가 더 필요합니다.

### 3.1.4 사회적 기능

아동기 외상은 장기적으로 사회적, 대인 관계에 부정적 결과를 가져옵니다. 성적 학대와 대인 관계의 어려움 사이에 유의한 결과를 보여주는 많은 연구들이 있습니다(Cole

과 Putnam 1992; DiLillo 2001; Rumstein-McKean과 Hunsley 2001). 성적 학대를 받은 아동은 성인기에 종종 가까운 사람에게 피해를 다시 입을 수 있습니다(DiLillo 2001; Follette등. 1996; Rumstein-McKean과 Hunsley 2001). 어린 시절 학대당한 여성은 불안정 애착(Feldman과 Downey 1994), 성적 자극과 안정감에 대한 소통의 어려움(Cole과 Putnam 1992; DiLillo 2001), 성기능 장애(Davis와 Petretic-Jackson 2000; DiLillo 2001; Rumstein-McKean과 Hunsley 2001), 별거 및 이혼율 증가(DiLillo 2001; Rumstein-McKean과 Hunsley 2001) 등 친밀한 관계에 어려움도 보입니다. 더욱이, 아동 학대의 생존자는 부모(예: 학대로부터 보호하지 않은 어머니에게 배신감을 느낌)(Aspelmeier 등. 2007) 및 자녀 관계(예: 양육 능력에 대한 부정적인 인식)에서 문제를 경험합니다(예: Cole과 Putnam 1992; DiLillo 2001). 마지막으로 학대 받은 아동은 바람직한 사회적 상호 작용이 부족하고 또래들로부터 거부 받는 등 또래 관계에서도 많은 어려움을 겪습니다(Haskett과 Kistner 1991; Kim과 Cicchetti 2010). 시에라 리온의 소년병은 전쟁 중 다른 사람을 죽이거나 해쳤던 경우, 대인친화적 행동이 감소(예: 다른 사람과 공유하기)하고 공격성(예: 싸움 걸기)이 높았습니다(Betancourt 등. 2010a, b).

청소년의 사회성에 대한 PTSD만의 영향을 조사한 연구는 거의 없습니다. 한 연구에 따르면 PTSD 없이 아동기 트라우마에 노출된 청소년 집단이나 트라우마에 노출되지 않은 청소년 집단보다, PTSD가 있으면서 아동기 트라우마에 노출된 청소년 집단에서 대인 관계 문제(즉, 의지할 사람의 부재, 의사 소통에 어려움)가 더 심각하여(Giaconia등. 1995), PTSD가 아동 트라우마로 인한 영향을 넘어서서 대인 관계 문제까지 영향을 미친다고 보았습니다.

## 3.2 공중 보건의 대응

현대 공중 보건에서의 접근법은 질병 발병의 예방이라는 궁극적인 목표 하에 질병이나 장애의 가능성을 높이는 사회적, 개인 및 생물학적을 포함하여 여러 수준에서 작동하는 위험 요소를 고려합니다. 트라우마 관련 문제의 경우, 예방 및 개입에 대한 공중 보건의 접근 방식은 트라우마 자체의 본질, 노출된 아동의 특성, 그 가족 및 외상 노출 및 트라우마와 관련된 정신 병리에 기여하는 환경적 요인(예: 동네 안전)과 외상에 노출될 확률과 개입에 영향을 미치는 사회적 요인, 태도 및 특성(예: 대인 폭력에 대한 사회적 용인정도)을 고려합니다. 이러한 유형의 다층적 접근 방식은 트라우마 발생과 후유증 예방을 위한 다양한 전략을 개발하는 공중 보건학적 틀을 만듭니다.

예방은 정신건강 문제, 관련 위험 및 개인, 가족 및 사회에 미치는 영향의 발생률, 유병률, 유병기간 및 재발을 줄이는 것을 목표로 합니다(WHO 2004). 다양한 유형의 프로그램과 접근 방식이 각 예방 수준과 관련되어 있습니다. 보편적 예방은 각 개인의 위험 수준을 기반으로 하지 않고 일반 인구를 대상으로 합니다. 선택적 예방은 문제 발생 위험(예: 아동 트라우마 또는 PTSD)이 평균보다 높은 개인(예: 폭력적인 동네에 사는 어린이 또는 무력 충돌 중인 지역)을 대상으로 합니다. 지시적 예방은 문제나 장애의 조짐이 있는, 작지만 확인 가능한 징후나 증상이 있어 어려움의 가능성이 큰 개인을 대상으로 합니다. 마지막으로 3차 예방에는 후유증을 예방하기위한 치료와 관리가 모두 포함됩니다(**그림 3.1**).

### 3.2.1 외상 노출의 예방

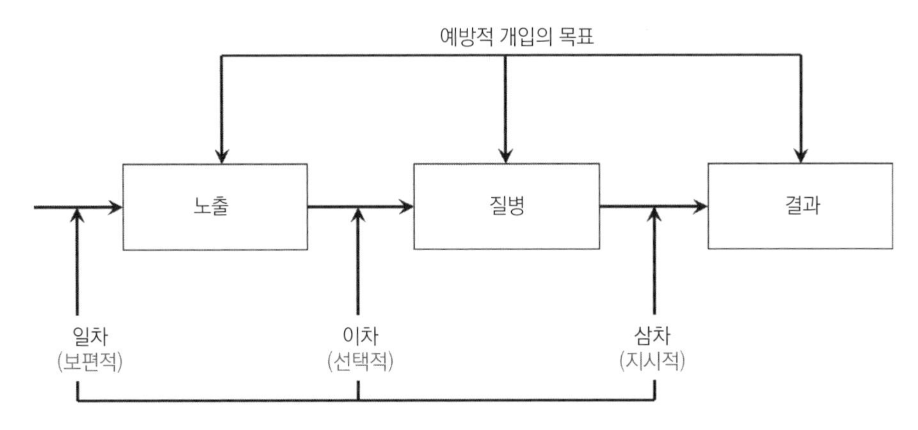


**그림 3.1** 질병예방이 목표임을 명시적으로 보여주는 역학. 일차, 이차, 삼차의 역학에서의 예방적 개입의 세가지 수준의 목표를 보여주고 있음[Costello와 Angold(1995)에서 수정].

공중 보건학적 관점에서, 아동기의 트라우마 노출을 예방하는 것이 전체 인구에 가장 큰 효과를 미칠 수 있습니다. 아동 학대의 위험 요소(예: 빈곤, 모의 약물 남용)가 있는 신생아의 어머니를 대상으로 하는 미국의 Nurse-Family Partnership 같은 가정 방문 프로그램은, 아동 학대를 예방하고 아동 발달의 다양한 영역을 폭넓게 개선하는 데 효과적입니다(Eckenrode 등. 2010; Miller 2015). 이 접근법은 노스 캐롤라이나주 더럼 카운티에서 아동 학대를 방지하기 위해 더럼 가족 단체(Durham Family Initiative, 이하 DFI)의 다른 예방적 개입과 함께 시행되고 있습니다. 아동 학대의 위험 요인이 아동, 부모, 가족, 이웃 및 지역 사회 수준에서 작동한다는 근거를 바탕으로, DFI는 보편적인 선별, 고위험 가족을 위한 조기 개입, 이웃 및 지역 사회 수준의 개입, 이러한 서비스를 제공하기 위한 정부 기관 간의 협력(Dodge등. 2004)을 통해 각 수준에서 위험 요인을 줄이기 위한 예방적 돌봄관리 체계를 만들었습니다. 예를 들어, 각 가정은 가족 갈등을 줄이기 위해 위기 개입 서비스 또는 부모 교육을 받을 수 있습니다. 지역 사회 수준에서 조직된 자원 봉사자들은 고위험 지역에서 사회 복지에 대한 접근성을 높이고, 사회적 지원 및 임시 위탁을 제공하고 사회 서비스 기관 간의 조율을 촉진하고자 할 수 있습니다. 궁극적으로 이러한 유형의 다단계 접근 방식이 아동 학대 및 그 외 형태의 아동기 트라우마를 예방하는데 필요합니다.

아동기 트라우마가 세계적인 현상으로 인식되고 있음에도 불구하고 저소득 및 중간 소득 국가에서 엄격하게 시행된 예방적 연구는 거의 없습니다. 아동 학대의 예방적 개입에 대하여 검토하여 본 결과, 0.6%의 연구가 중간 소득 국가에서 수행되었고 저소득 국가에서는 수행되지 않은 것으로 나타났습니다(Mikton과 Butchart 2009).

### 3.2.2 PTSD와 트라우마 관련 정신병리의 예방

아동기 트라우마에 대한 두 번째 공중 보건적인 접근은, 외상에 노출된 아동의 PTSD 및 그 외 트라우마 관련 정신 병리의 발병을 예방하는 것입니다. 아동 PTSD에 대한 근거 기반 치료(예: 외상 초점 인지행동치료)에 사용하는 기법을 토대로 미국에서 외상 노출 청소년에서 PTSD 발병을 예방하는 효과적인 개입법이 개발되었습니다. 특히 최근 외상성 폭력을 경험한 아동과 그 부모에게 행동 기술 훈련을 제공하는 간단한 4회기 개입이 3개월 후 외상후 스트레스장애와 불안의 발병을 예방했습니다(Berkowitz 등. 2011). 이 개입은 아동과 보호자 간의 의사 소통을 향상시켜 부모가 아동을 더 지지할 수 있도록 하고 심호흡과 같은 외상후 증상 대처법을 제공했습니다. 무력 충돌과 폭력이 흔한 상황에 살고 있는 외상에 노출된 청소년을 위한 학교 기반의 보편적 예방 프로그램이 많이 개발되었습니다(Ager 등. 2011; Gelkopf와 Berger 2009). 이러한 프로그램의 내용은 다양하며 심리교육, 기술 훈련, 회복 탄력성 기반 전략 및 사회적 지지 자원 동원과 같은 기술을 포함합니다. 학교 기반의 개입은 지속적인 테러에 직면한 이스라엘 아동들의 PTSD 증상, 불안 및 기능 장애를 개선하였습니다(Berger 등. 2007).

청소년 PTSD 대상의 여러 선택적 혹은 지시적 접근의 학교 기반 중재 연구에서 중재의 초기 효과 및 유지 효과에 대한 연구 결과는 다양합니다(Constandinides 등. 2011; Hasanovic 등. 2009). 다른 예방적 방법들(예: 재난 직후 정신 건강 문제의 해결을 목표로 하는 심리적 응급처치, 가족 응집력을 유지하는 데 초점을 맞춘 가족 중심 개입, 청소년을 기분 전환 활동 및 집단 활동에 참여시키는 청소년 동아리)이 있지만, 이들 중 상당수는 효과를 뒷받침하는 근거가 제한되거나 성인에게 해가 되는 것이 보고된 요소(예: 디브리핑)가 포함되어 있습니다(Aulagnier 등. 2004). 아동 트라우마의 예방에 관한 문헌이 부족하다는 것은, 아동 청소년의 정신건강 및 기능 회복에 있어 외상의 영향을 예방 또는 감소시키기 위한 예방적인 노력과 개입방법에 대한 추가적인 면밀한 연구에 투자를 더 필요하다는 점을 강하게 시사합니다.

### 3.2.3 트라우마 치료와 세계적인 정신 보건 개입의 간극

근거 기반 치료(Evidence-based treatments, 이하 EBT)는 트라우마에 노출된 아이들을 위해 개발되었으며, 이러한 치료는 PTS 증상 및 기타 내재화 및 외부화 문제를 줄이는 데 효과적입니다(Dorsey 등. 2016). 그러나 전 세계적으로 트라우마 치료가 필요한 대부분의 아이들은 이러한 개입을 받을 수 없습니다. 저소득 및 중간 소득 국가에서는 정신건강 서비스가 필요한 5명 중 4명은 서비스를 받지 못하고 있으며(WHO 2010), 아동과 청소년은 정신건강 서비스에 대한 접근성이 특히 두드러지게 낮습니다(Saxena 등. 2007). 저소득 및 중간 소득 국가에서 EBT에 접근하고 실행하는 데 장애가 되는 요인으로는, 정부 자금의 부족, 정신건강 서비스의 대도시 중앙 집중화, 낙인, 정신건강 전문가의 부족 등이 있습니다(Kieling 등. 2011; Patel 등. 2011). 특히 저소득 및 중간 소득 국가 인구의 많은 부분을 차지하는 아동의 경우 정신건강 종사자가 부족하여 정신건강 서비스에 대한 접근성이 매우 낮습니다.

다른 문화권에서 EBT를 수용할 지 여부는, 저소득 및 중간 소득 국가에서 아동에 대한 서비스를 평가할 때 또 다른 걸림돌입니다(Patel 등. 2011). 무작위 통제된 정신건강관련 임상시험의 10 %만이 저소득 및 중간 소득 국가에서 시행되었습니다(Kieling 등. 2011). 저소득 및 중간 소득 국가에서 아동 트라우마에 대한 서구의 치료법이 얼마나 허용되는 지는 알려져 있지 않습니다. 아동 트라우마와 관련된 문화적으로 특이한 증후군은 자원이 부족한 지역에서 많이 드러났습니다(예: Betancourt 등. 2009). 특정 지역에서 보이는 증후군은 서구의 기분, 불안 및 행동 장애와 유사하지만, 서구 EBT에서는 다루지 않는 문화적으로 특이한 증상도 보입니다. 더욱이 속한 상황의 차이가 치료의 적용 가능성과 효과성에 문제가 될 수 있습니다. 예를 들어, 청소년을 위한 많은 EBT는 보호자가 참여하도록 되어있습니다. 양육자의 참여 가능성과 아동-양육자의 관계가 문화마다 다를 수 있으며(Murray 등. 2013) 이러한 차이가 서구에서 개발된 EBT에는 반영이 안되어 있을 수 있습니다. 적용 가능성에 영향을 미칠 수 있는 다른 상황 요인으로는, 대상자의 문맹률, 언어의 차이, 종교적 신념, 치료자의 성별, 문화적으로 특정한 비유 등입니다(Kaysen 등. 2013; Patel 등. 2011).

이러한 일반적인 치료 장벽 외에도 저소득 및 중간 소득 국가에서 트라우마에 노출된 청소년을 치료하는 데에는 고유한 복합적인 문제가 함께 있습니다. 예를 들어, 난민 캠프에 거주하는 난민 아동은 식량, 물, 의복 등의 기본적인 필요를 해결해야 하므로, 정신건강은 가족의 우선순위에서 밀리게됩니다. 또한 아동의 법적 지위상의 불확실성과 정치적 불안정은 정신 건강 서비스를 지속적으로 제공하거나 이용하기 어렵게 합니다. 보호자가 없는 아동은 종종 착취, 학대, 강제 매춘 또는 아동 노동의 피해자로써 도움을 전달하기 가장 어려운 대상입니다(Reed 등. 2012).

### 3.2.4 세계적인 정신건강의 장벽을 해결하려는 노력

정신건강 전문가 인력의 엄청난 부족을 해결하기 위해, 많은 경우 저소득 및 중간 소득 국가에서는 과업 공유 방식을 사용합니다(Kakuma등. 2011). 과업 공유에는 EBT를 제공하는 데 경험이 없는 요원, 간호사 및 지역 사회 보건 요원과 같은 비전문가가 참여합니다(Patel 등. 2011). 수많은 연구에서 불안, 우울증, 트라우마와 같은 정신건강 문제와 항레트로바이러스 치료 및 산과적 처치와 같은 신체 건강 문제에 대한 과업 공유 방식의 효과성과 타당성을 입증했습니다(Dawson 등. 2013; Kakuma 등. 2011; Shumbusho 등. 2009). 이 접근법은 외상에 노출된 청소년을 치료하는 데 자주 사용된 것은 아니지만, 연구들은 비전문 상담사가 아동 트라우마 치료를 효과적으로 할 수 있다는 것을 보여주었습니다(Ertl 등. 2011; Murray 등. 2013).

저소득 및 중간 소득 국가에서 EBT를 적용하기 위해 DIME(Design, Implementation, Monitoring, and Evaluation) 절차(AMHRG 2013) 같은 다양한 접근 방식이 도입되었습니다. DIME은 외상에 영향받은 사람들에게 치료를 도입하려는 연구자와 조직을 위해 특별히 고안되었습니다. 이 절차는 (1) 지역 정신건강 우선순위를 알기 위한 질적 평가, (2) 문화적으로 적절한 측정방법의 개발/ 적응 및 검증, (3) 해당 문제의 유병률 파악을 위한 인구 기반 평가, (4) 문제 해결을 위한 개입의 설계, (5) 개입방법의 선택, 적응 및 실행, (6) 개입이 미친 영향 평가로 구성됩니다. DIME 절차는 지역에 적합한 평가방법을 개발하고(Bolton 등. 2014), 지역에 적합한 정신건강 문제(예: 우울증 유사 증후군)를 파악하며, 증상 및 원인에 대한 그 지역의 언어를 이해하고(Murray 등. 2006) 지역에서 파악된 심리 사회적 문제에 맞는 치료법을 선택하고 적용하는데 사용됩니다(Murray 등. 2011). DIME 절차를 적용하여 다루는 심리 사회적 문제에는 폭력, HIV 및 부모의 죽음이 포함됩니다(Bolton 등. 2014; Murray 등. 2006; Murray 등. 2015).

### 3.2.5 국제적 개입의 노력

아동 트라우마 치료의 타당성과 효과성에 대한 연구가 저소득 및 중간 소득 국가에서 선진국에 비해 뒤처져 있긴 하지만, 지난 20년 동안 아동 트라우마 치료를 연구하려는 노력이 전세계적으로 증가했습니다. 아동 트라우마 치료 연구는 아프리카의 여러 지역(예: McMullen 등. 2013, Murray 등. 2015, O'Donnell 등. 2014), 아시아(예: Zeng과 Silverstein 2011) 및 유럽(예: Layne 등. 2008)에서 진행되었습니다. 대부분의 연구는 전쟁에 영향 받은 아동(Ertl 등. 2011; McMullen 등. 2013)에 대하여 진행되었고 그보다 적지만 고아(Murray등. 2013; O'Donnell 등. 2014)와 난민(Schauer 등. 2004)을 대상으로도 연구되었습니다. 이러한 치료적 노력의 증가에도 불구하고 많은 연구에서 엄격한 연구 방법[예: 비 무작위 및 사전 사후 설계non-randomized and pre-post designs, Jordans 등. 2009]을 사용하지 않아, 저소득 및 중간 소득 국가에서 아동 트라우마의 다양한 치료에 대해 10건 미만의 무작위 통제 연구가 수행되었습니다. 그러나 타당성 연구와 무작위 통제 연구 결과는 아동 트라우마에 대해 문화적으로 적응된 여러 치료법에 대한 문헌의 증가에 기여했으며, 이들 중 다수는 문화적으로 적합한 심리 사회 문제 확인 방법, 지역적으로 검증된 측정법 개발 및 치료 및 치료 전달 방법 면에서 문화적으로 허용되는 방법을 접목하였습니다(Murray 등. 2015).

특히, 아동 트라우마 치료 면에서 확립된 EBT (Cohen등. 2006)인 외상 초점 인지행동치료(trauma-focused cognitive behavioral therapy, 이하 TF-CBT)는 고아(Murray 등. 2015; O'Donnell 등. 2014), 전직 소년병(McMullen 등. 2013), 전쟁에 영향을 받고 성적으로 착취당한 여자 아이들(O'Callaghan 등. 2013)을 포함한 다양한 트라우마 노출 집단의 정신건강 문제를 줄이는 데 효과적이었습니다. 특히, 이 모든 연구에는 위에서 설명한 DIME 접근 방식을 사용하여 지역 상황에 맞게 치료 및 전달 방법을 적용하였고 일부 경우 TF-CBT는 지역 감독자와 함께 비전문가 상담사에 의해 실행되었습니다(Murray 등. 2015). TF-CBT의 핵심 구성 요소를 유지하면서 적용된 주요 주제는 대가족의 참여, 문화적으로 적절한 이야기 및 비유를 포함, 현지어의 사용, 핵심 문화적 가치를 치료 구성 요소에 포함하는 것이었습니다. 가용 자원이 부족한 지역(Schauer 등. 2004)에서 사용하기 위해 개발된 단기 외상 중심 치료인 내러티브 노출 치료(narrative exposure therapy, NET)도 전직 소년병(Ertl 등. 2011), 스리랑카 쓰나미의 영향을 받은 난민 아동(Catani 등. 2009), 르완다 대량 학살 피해 고아(Schaal등. 2009) 등의 저소득 및 중간 소득 국가에서 효과적이었습니다. 종합하면, 이 새로운 자료들은 유망한 새로운 공중 보건학적 지향점을 가리킵니다. 과업 공유 방식 및 DIME과 같은 접근 방식을 결합하면 치료의 적용가능성, 효과성 및 측정가능성을 높일 수 있으며 궁극적으로 자원이 부족한 지역에서 외상에 노출된 어린이의 정신건강 치료 격차를 해결할 수 있습니다.

## 3.3 결론 및 향후 방향

역학 연구 결과, 전 세계적으로 아동기 트라우마의 유병률이 현저하게 높습니다. 어린 시절의 외상 노출은 흔하게 발생하는 거의 모든 정신 장애의 발병 위험과 평생 동안의 광범위한 만성 신체 건강 위험을 증가시킵니다. 어린 시절의 외상은 또한 사회적, 대인관계면의 문제뿐만 아니라 장기적인 사회 경제 수준의 저하와 일관되게 연관되어 있습니다. 어린 시절의 외상과 학업 성취 사이의 관계는 불분명하며, 좋지 않은 학업 성취가 아동의 외상으로 인한 결과인지 아니면 종종 아동의 트라우마 노출과 함께 발생하는 사회적 요인의 결과인지에 대한 연구가 앞으로 필요합니다. 또한, PTSD는 만성화 경향이 있는 아동기 트라우마의 일반적인 정신건강 문제입니다. 대부분의 연구가 아동기의 트라우마 노출을 고려하지 않아, PTSD가 아동기의 트라우마와 무관하게 신체 건강, 학업, 사회경제 및 대인 관계 문제에 영향을 미치는지 여부는 분명하지 않습니다. 전반적으로 아동기의 트라우마 노출은 전 세계적으로 정신건강 및 기타 삶의 부정적인 문제의 분포를 결정하는 강력한 요인입니다.

따라서 이러한 문제의 해결을 목표로 광범위하게 적용 가능한 개입을 개발하는 것은 공중 보건에 매우 중요합니다. 아동기 트라우마 노출과 관련 정신 병리를 예방하고 치료하기 위한 다층적 개입multilevel interventions의 보급과 실행, 정신건강관련 자원이 제한된 환경에서 효과적인 개입을 위한 조정 및 실행은 아동 트라우마에 대한 공중 보건학적 대응에 있어 중요한 요소입니다. 아동기 트라우마 노출과 그 후유증의 예방 및 치료에 대한 연구의 증가에도 불구하고 저자들은 현재까지의 문헌에서 몇몇 간극을 확인하고 향후 연구 방향을 제안합니다. 첫째, 광범위하게 공중 보건에 영향을 미칠 수 있는 아동기 트라우마 노출과 PTSD 발병 예방을 위한 개입 방법들에 대한 엄격한 검증이 저소득 및 중간 소득 국가에서는 거의 이루어지지 않았습니다. 특히, 아동기 트라우마 발생을 줄이는 것을 목표로 하는 소수의 기존 아동 트라우마 1 차 예방 효과성 연구는 아동기 트라우마 노출 자체가 아닌 부모-자녀 관계, 양육 기술 및 갈등 해결(Khowaja 등. 2016; Oveisi 등. 2010)과 같은 간접적 결과를 측정하여 연구결과의 해석에 한계가 있습니다. 마찬가지로, 자원이 부족한 지역에서 PTSD 예방 연구는 엄격한 연구 설계를 하지 않는 경우가 많습니다(예: 사전 사후 실험 설계). 아동 트라우마 및 PTSD 예방에 대한 향후 연구는 아동 트라우마 또는 정신건강에 대한 문화적으로 검증된 측정방법 및 대조군을 포함한 보다 엄격한 실험 설계를 사용하는 것을 목표로 해야합니다. 둘째, 자원이 부족한 지역에서 아동기 트라우마의 예방 및 치료 효과와 효과에 대한 연구는 여전히 소득이 높은 지역에 비해 뒤쳐져 있습니다. 향후 연구에는 다양한 아동의 일반적인 트라우마를 다루고 적절한 아동에서의 결과를 측정하는 무작위 통제 연구가 포함되어야 합니다. 셋째, 자원이 부족한 지역에서 아동 트라우마 치료의 효과와 타당성에 대한 근거가 늘어나고 있지만, 이들 연구는 주로 전쟁에 영향을 받고 고아가 된 청소년에 초점을 맞춰 특정 형태의 트라우마에 대한 치료 효과성을 이해하는데 그쳤습니다. 또, 치료 전달에 있어 비전문가 보건 요원을 활용하고 기존 학교 및 보건 체계에 정신건강에 대한 치료를 통합하는 것과 같이 가용자원이 부족한 환경에서 이러한 치료의 접근성과 지속 가능성을 높이는 전략을 개발하기 위한 향후 연구가 필요합니다. 종합적으로 이러한 접근법은 아동 트라우마 노출로 인한 공중 보건학적 부담을 줄이는 데 기여할 것입니다.

## 참고문헌

Ager A, Akesson B, Stark L, Flouri E, Okot B, McCollister F, Boothby N (2011) The impact of the school-based Psychosocial Structured Activities (PSSA) program on conflict-affected children in northern Uganda. J Child Psychol Psychiatry Allied Disciplines 52(11):1124–1133

Almqvist K, Brandell-Forsberg M (1997) Refugee children in Sweden: post-traumatic stress disorder in Iranian preschool children exposed to organized violence. Child Abuse Negl 21(4):351–366

Almqvist K, Broberg AG (1999) Mental health and social adjustment in young refugee children 3 1/2 years after their arrival in Sweden. J Am Acad Child Adolesc Psychiatry 38(6):723–730

American Psychiatric Association (2013) Diagnostic and statistical manual of mental disorders, 5th edition (DSM-5). American Psychiatric Press, Washington, DC

Annerbäck EM, Sahlqvist L, Svedin CG, Wingren G, Gustafsson PA (2012) Child physical abuse and concurrence of other types of child abuse in Sweden: associations with health and risk behaviors. Child Abuse Negl 36(7–8):585–595

Applied Mental Health Research Group (2013) Design, implementation, monitoring,and evaluation of mental health and psychosocial assistance programs for trauma survivors in low resource countries: a user's manual for researchers and program implementers. In: Module 1: qualitative assessment. United States: Johns Hopkins University Bloomberg School of Public Health

Aspelmeier JE, Elliott AN, Smith CH (2007) Childhood sexual abuse, attachment, and trauma symptoms in college females: the moderating role of attachment. Child Abuse Negl 31(5):549–566

Attanayake V, McKay R, Joffres M, Singh S, Burkle F Jr, Mills E (2009) Prevalence of mental disorders among children exposed to war: a systematic review of 7,920 children. Med Confl Surviv 25(1):4–19

Aulagnier M, Verger P, Rouillon F (2004) Efficiency of psychological debriefing in preventing post-traumatic stress disorders. Revue D'epidemiologie et de Sante Publique 52(1):67–69
Bailey BN, Delaney-Black V, Hannigan JH, Ager J, Sokol RJ, Covington CY (2005) Somatic complaints in children and community violence exposure. J Dev Behav Pediatr 26(5):341–348
Barenbaum J, Ruchkin V, Schwab-Stone M (2004) The psychosocial aspects of children exposed to war: practice and policy initiatives. J Child Psychol Psychiatry 45(1):41–62
Bayer CP, Klasen F, Adam H (2007) Association of trauma and PTSD symptoms with openness to reconciliation and feelings of revenge among former Ugandan and Congolese child soldiers. JAMA 298(5):555–559
Benjet C (2010) Childhood adversities of populations living in low-income countries: prevalence, characteristics, and mental health consequences. Curr Opin Psychiatry 23(4):356–362
Berger R, Dutton MA, Greene R (2007) School-based intervention for prevention and treatment of elementary-students' terror-related distress in Israel: a quasi-randomized controlled trial. J Trauma Stress 20(4):541–551
Berkowitz SJ, Stover CS, Marans SR (2011) The child and family traumatic stress intervention: secondary prevention for youth at risk of developing PTSD. J Child Psychol Psychiatry 52(6):676–685
Betancourt TS, Borisova II, Williams TP, Brennan RT, Whitfield TH, de la Soudiere M, Williamson J, Gilman SE (2010a) Sierra leone's former child soldiers: a follow-up study of psychosocial adjustment and community reintegration. Child Dev 81(4):1077–1095
Betancourt TS, Brennan RT, Rubin-Smith J, Fitzmaurice GM, Gilman SE (2010b) Sierra Leone's former child soldiers: a longitudinal study of risk, protective factors, and mental health. J Am Acad Child Adolesc Psychiatry 49(6):606–615
Betancourt TS, Speelman L, Onyango G, Bolton P (2009) Psychosocial problems of war-affected youth in Northern Uganda: a qualitative study. Transcult Psychiatry 46(2):238
Boden JM, Horwood LJ, Fergusson DM (2007) Exposure to childhood sexual and physical abuse and subsequent educational achievement outcomes. Child Abuse Negl 31(10):1101–1114
Bolton P, Bass JK, Zangana GAS, Kamal T, Murray SM, Kaysen D, Lejuez CW, Lindgren K, Pagoto S, Murray LK, Ahmed AMA, Amin NMM, Rosenblum M, Van Wyk SS (2014) A randomized controlled trial of mental health interventions for survivors of systematic violence in Kurdistan, Northern Iraq. BMC Psychiatry 14(1):1
Breslau N, Kessler RC, Chilcoat HD, Schultz LR, Davis GC, Andreski P (1998) Trauma and posttraumatic stress disorder in the community: the 1996 detroit area survey of trauma. Arch Gen Psychiatry 55(7):626–632
Breslau N, Wilcox HC, Storr CL, Lucia VC, Anthony JC (2004) Trauma exposure and posttraumatic stress disorder: a study of youths in Urban America. J Urban Health 81(4):530–544
Caspi A, Houts RM, Belsky DW, Goldman-Mellor SJ, Harrington H, Israel S, Meier MH, Ramrakha S, Shalev I, Poulton R, Moffitt TE (2014) The p factor: one general psychopathology factor in the structure of psychiatric disorders? Clin Psychol Sci 2(2):119–137
Catani C, Kohiladevy M, Ruf M, Schauer E, Elbert T, Neuner F (2009) Treating children traumatized by war and Tsunami: a comparison between exposure therapy and meditation-relaxation in North-East Sri Lanka. BMC Psychiatry 9:22
Cloitre M, Cohen LR, Edelman RE, Han H (2001) Posttraumatic stress disorder and extent of trauma exposure as correlates of medical problems and perceived health among women with childhood abuse. Women Health 34(3):1–17
Cohen RT, Canino GJ, Bird HR, Celedón JC (2008) Violence, abuse, and asthma in Puerto Rican children. Am J Respir Crit Care Med 178(5):453–459
Cohen JA, Mannarino AP, Deblinger E (2006) Treating trauma and traumatic grief in children and adolescents. Guilford Press, New York
Cole PM, Putnam FW (1992) Effect of incest on self and social functioning: a developmental psychopathology perspective. J Consult Clin Psychol 60(2):174–184
Constandinides D, Kamens S, Marshoud B, Flefel F (2011) Research in ongoing conflict zones: effects of a school-based intervention for Palestinian children. Peace Conflict J Peace Psychol 17(3):270–302
Copeland WE, Keeler G, Angold A, Costello EJ (2007) Traumatic events and posttraumatic stress in childhood. Arch Gen Psychiatry 64(5):577–584
Costello EJ, Angold A (1995) Developmental epidemiology. In: Cicchetti D, Cohen D (eds) Develop-

mental psychopathology, vol 1: theory and methods. Wiley & Sons, New York
Davis DA, Luecken LJ, Zautra AJ (2005) Are reports of childhood abuse related to the experience of chronic pain in adulthood? A meta-analytic review of the literature. Clin J Pain 21(5):398–405
Davis J, Petretic-Jackson P (2000) The impact of child sexual abuse on adult interpersonal functioning: a review and synthesis of the empirical literature. Aggress Violent Behav 5(3):291–328
Dawson AJ, Buchan J, Duffield C, Homer CS, Wijewardena K (2013) Task shifting and sharing in maternal and reproductive health in low-income countries: a narrative synthesis of current evidence. Health Policy Plan 29(3):396–408
De Bellis MD, Woolley DP, Hooper SR (2013) Neuropsychological findings in pediatric maltreatment: relationship of PTSD, dissociative symptoms, and abuse/neglect indices to neurocognitive outcomes. Child Maltreat 18(3):171–183
Derluyn I, Broekaert E, Schuyten G, De Temmerman E (2004) Post-traumatic stress in former Ugandan child soldiers. Lancet 363(9412):861–863
DiLillo D (2001) Interpersonal functioning among women reporting a history of childhood sexual abuse: empirical findings and methodological issues. Clin Psychol Rev 21(4):553–576
Dodge KA, Berlin LJ, Epstein M, Spitz-Roth A, O'Donnell K, Kaufman M, Amaya-Jackson L, Rosch J, Christopoulos C (2004) The Durham family initiative: a preventive system of care. Child Welfare 83(2):109
Dorsey S, Lucid L, Murray L, Bolton P, Itemba D, Manongi R, Whetten K (2015) A qualitative study of mental health problems among orphaned children and adolescents in Tanzania. J Nerv Ment Dis 203(11):864–870
Dorsey S, McLaughlin KA, Kerns SEU, Harrison JP, Lambert HK, Briggs-King E, Cox JR, Amaya-Jackson L (2016) Evidence base update for psychosocial treatments for children and adolescents exposed to traumatic events. J Clin Child Adolesc Psychol: 1–28
Eckenrode J, Campa M, Luckey DW, Henderson CR, Cole R, Kitzman H, Anson E, Sidora- Arcoleo K, Powers J, Olds D (2010) Long-term effects of prenatal and infancy nurse home visitation on the life course of youths: 19-year follow-up of a randomized trial. Arch Pediatr Adolesc Med 164(1):9–15
Eckenrode J, Laird M, Doris J (1993) School performance and disciplinary problems among abused and neglected children. Dev Psychol 29(1):53–62
Ertl V, Pfeiffer A, Schauer E, Elbert T, Neuner F (2011) Community-implemented trauma therapy for former child soldiers in Northern Uganda: a randomized controlled trial. JAMA 306(5):503–512
Feldman S, Downey G (1994) Rejection sensitivity as a mediator of the impact of childhood exposure to family violence on adult attachment behavior. Dev Psychopathol 6:231–247
Felitti FVJ, Anda MRF, Nordenberg D, Williamson PDF, Spitz MAM, Edwards V, Koss MP, Marks JS (1998) Relationship of childhood abuse and household dysfunction to many of the leading causes of death in adults: The Adverse Childhood Experiences (ACE) Study. Am J Prev Med 14(4):245–258
Finkelhor D, Ormrod RK, Turner HA, Hamby SL (2005) The victimization of children and youth: a comprehensive, national survey. Child Maltreat 10(1):5–25
Follette VM, Polusny MA, Bechtle AE, Naugle AE (1996) Cumulative trauma: the impact of child sexual abuse, adult sexual assault, and spouse abuse. J Trauma Stress 9(1):25–35
Gelkopf M, Berger R (2009) A school-based, teacher-mediated prevention program (ERASE- Stress) for reducing terror-related traumatic reactions in Israeli youth: a quasi-randomized controlled trial. J Child Psychol Psychiatry 50(8):962–971
Giaconia RM, Reinherz HZ, Silverman AB, Pakiz B, Frost AK, Cohen E (1995) Traumas and posttraumatic stress disorder in a community population of older adolescents. J Am Acad Child Adolesc Psychiatry 34(10):1369–1380
Green JG, McLaughlin KA, Berglund PA, Gruber MJ, Sampson NA, Zaslavsky AM, Kessler RC (2010) Childhood adversities and adult psychiatric disorders in the national comorbidity survey replication I: associations with first onset of DSM-IV disorders. Arch Gen Psychiatry 67(2):113–123
Hasanovic M, Srabovic S, Rasidovic M, Sehovic M, Hasanbasic E, Husanovic J, Hodzic R (2009) Psychosocial assistance to students with posttraumatic stress disorder in primary and secondary schools in post-war Bosnia Herzegovina. Psychiatr Danub 21(4):463–473
Haskett ME, Kistner JA (1991) Social interactions and peer perceptions of young physically abused children. Child Dev 62(5):979–990

Jonson-Reid M (2015) A prospective analysis of the relationship between reported child maltreatment and special education among poor children. Child Maltreat 9(4):382–394

Jordans MJD, Tol WA, Komproe IH, De Jong JVTM (2009) Systematic review of evidence and treatment approaches: psychosocial and mental health care for children in war. Child Adolesc Mental Health 14(1):2–14

Kakuma R, Minas H, Van Ginneken N, Dal Poz MR, Desiraju K, Morris JE, Saxena S, Scheffler RM (2011) Human resources for mental health care: current situation and strategies for action. Lancet 378(9803):1654–1663

Kaysen D, Lindgren K, Zangana GAS, Murray L, Bass J, Bolton P (2013) Adaptation of cognitive processing therapy for treatment of torture victims: experience in Kurdistan, Iraq. Psychological Trauma Theory Res Practice Policy 5(2):184–192

Kessler RC, McLaughlin KA, Green JG, Gruber MJ, Sampson NA, Zaslavsky AM, Aguilar- Gaxiola S, Alhamzawi AO, Alonso J, Angermeyer M, Benjet C, Bromet E, Chatterji S, de Girolamo G, Demyttenaere K, Fayyad J, Florescu S, Gal G, Gureje O, Haro JM, Hu CY, Karam EG, Kawakami N, Lee S, Lépine JP, Ormel J, Posada-Villa J, Sagar R, Tsang A, Ustün TB, Vassilev S, Viana MC, Williams DR (2010) Childhood adversities and adult psychopathology in the WHO World Mental Health Surveys. Br J Psychiatry J Mental Sci 197(5):378–385

Keyes KM, Eaton NR, Krueger RF, McLaughlin KA, Wall MM, Grant BF, Hasin DS (2012) Childhood maltreatment and the structure of common psychiatric disorders. Br J Psychiatry J Mental Sci 200(2):107–115

Khamis V (2005) Post-traumatic stress disorder among school age Palestinian children. Child Abuse Negl 29(1):81–95

Khowaja Y, Karmaliani R, Hirani S, Khowaja AR, Rafique G, Mcfarlane J (2016) A Pilot study of a 6-week parenting program for mothers of pre-school children attending family health centers in Karachi, Pakistan. Int J Health Policy Manage 5(2):91–97

Kieling C, Baker-Henningham H, Belfer M, Conti G, Ertem I, Omigbodun O, Rohde LA, Srinath S, Ulkuer N, Rahman A (2011) Child and adolescent mental health worldwide: evidence for action. Lancet 378(9801):1515–1525

Kleinman A, Kleinman J (1991) Suffering and its professional transformation: toward an ethnography of interpersonal experience. Cult Med Psychiatry 15(3):275

Kim J, Cicchetti D (2010) Longitudinal pathways linking child maltreatment, emotion regulation, peer relations, and psychopathology. J Child Psychol Psychiatry 51(6):706–716

Lamers-Winkelman F, Schipper JCD, Oosterman M (2012) Children's physical health complaints after exposure to intimate partner violence. Br J Health Psychol 17(4):771–784

Lang AJ, Laffaye C, Satz LE, McQuaid JR, Malcarne VL, Dresselhaus TR, Stein MB (2006) Relationships among childhood maltreatment, PTSD, and health in female veterans in primary care. Child Abuse Negl 30(11):1281–1292

Lansford JE, Dodge KA, Pettit GS, Bates JE, Crozier J, Kaplow J (2002) A 12-year prospective study of the long-term effects of early child physical maltreatment on psychological, behavioral, and academic problems in adolescence. Pediatr Adolesc Med 156(8):824–830

Layne CM, Saltzman WR, Poppleton L, Burlingame GM, Pašalić A, Duraković E, Musić M, Campara N, Dapo N, Arslanagić B, Steinberg AM, Pynoos RS (2008) Effectiveness of a school-based group psychotherapy program for war-exposed adolescents: a randomized controlled trial. J Am Acad Child Adolesc Psychiatry 47(9):1048–1062

Leiter J, Johnsen MC (1997) Child maltreatment and school performance declines: an event- history analysis. Am Educ Res J 34(3):563–589

Macksoud MS, Aber JL (1996) The war experiences and psychosocial development of children in Lebanon. Child Dev 67(1):70–88

Macmillan R (2000) Adolescent victimization and income deficits in adulthood: Rethinking the costs of criminal violence from a life-course perspective. Criminol 38(2):553–588

Macmillan R, Hagan J (2004) Violence in the transition to adulthood: adolescent victimization, education, and socioeconomic attainment in later life. J Res Adolesc 14(2):127–158

McLaughlin KA, Basu A, Walsh K, Slopen N, Sumner JA, Koenen KC, Keyes KM (2016) Childhood exposure to violence and chronic physical conditions in a national sample of U.S. youth. Psychosom

Med 78(9):1072-1083
McLaughlin KA, Conron KJ, Koenen KC, Gilman SE (2010) Childhood adversity, adult stressful life events, and risk of past-year psychiatric disorder: a test of the stress sensitization hypothesis in a population-based sample of adults. Psychol Med 40(10):1647-1658
McLaughlin KA, Green JG, Gruber MJ, Sampson NA, Zaslavsky AM, Kessler RC (2012) Childhood adversities and first onset of psychiatric disorders in a national sample of US adolescents. Arch Gen Psychiatry 69(11):1151-1160
McLaughlin KA, Koenen KC, Hill ED, Petukhova M, Sampson NA, Zaslavsky AM, Kessler RC (2013) Trauma exposure and posttraumatic stress disorder in a national sample of adolescents. J Am Acad Child Adolesc Psychiatry 52(8):815-830
McMullen J, O'Callaghan P, Shannon C, Black A, Eakin J (2013) Group trauma-focused cognitive- behavioural therapy with former child soldiers and other war-affected boys in the DR Congo: a randomised controlled trial. J Child Psychol Psychiatry Allied Disciplines 54(11):1231-1241
Mikton C, Butchart A (2009) Child maltreatment prevention: a systematic review of reviews. Bull World Health Organ 87(5):353-361
Miller TR (2015) Projected outcomes of nurse-family partnership home visitation during 1996- 2013, USA. Prev Sci 16(6):765-777
Mollica RF, Poole C, Son L, Murray CC, Tor S (1997) Effects of war trauma on Cambodian refugee adolescents' functional health and mental health status. J Am Acad Child Adolesc Psychiatry 36(8):1098-1106
Mullen PE, Martin JL, Anderson JC, Romans SE, Herbison GP (1996) The long-term impact of the physical, emotional, and sexual abuse of children: a community study. Child Abuse Negl 20(1):7-21
Murray LK, Bass J, Chomba E, Imasiku M, Thea D, Semrau K, Cohen JA, Lam C, Bolton P (2011) Validation of the UCLA child post traumatic stress disorder-reaction index in Zambia. Int J Ment Heal Syst 5(1):24
Murray LK, Familiar I, Skavenski S, Jere E, Cohen J, Imasiku M, Mayeya J, Bass JK, Bolton P (2013) An evaluation of trauma focused cognitive behavioral therapy for children in Zambia. Child Abuse Negl 37(12):1175-1185
Murray LK, Haworth A, Semrau K, Singh M, Aldrovandi GM, Sinkala M, Thea DM, Bolton PA (2006) Violence and abuse among HIV-infected women and their children in Zambia: a qualitative study. J Nerv Mental Dis 194(8):610-615
Murray LK, Skavenski S, Kane JC, Mayeya J, Dorsey S, Cohen JA, Michalopoulos LT, Imasiku M, Bolton PA (2015) Effectiveness of trauma-focused cognitive behavioral therapy among trauma-affected children in Lusaka, Zambia : a randomized clinical trial. JAMA Pediatr 169(8):761
O'Callaghan P, McMullen J, Shannon C, Rafferty H, Black A (2013) A randomized controlled trial of trauma-focused cognitive behavioral therapy for sexually exploited, war-affected congolese girls. J Am Acad Child Adolesc Psychiatry 52(4):359-369
O'Donnell K, Dorsey S, Gong W, Ostermann J, Whetten R, Cohen JA, Itemba D, Manongi R, Whetten K (2014) Treating maladaptive grief and posttraumatic stress symptoms in orphaned children in Tanzania: group-based trauma-focused cognitive-behavioral therapy. J Trauma Stress 27(2):664-671
Oveisi S, Ardabili HE, Dadds MR, Majdzadeh R, Mohammadkhani P, Rad JA, Shahrivar Z (2010) Primary prevention of parent-child conflict and abuse in Iranian mothers: a randomized- controlled trial. Child Abuse Negl 34(3):206-213
Pacella ML, Hruska B, Delahanty DL (2013) The physical health consequences of PTSD and PTSD symptoms: a meta-analytic review. J Anxiety Disord 27(1):33-46
Patel V, Chowdhary N, Rahman A, Verdeli H (2011) Improving access to psychological treatments: lessons from developing countries. Behav Res Ther 49(9):523-528
Perkonigg A, Kessler RC, Storz S, Wittchen HU (2000) Traumatic events and post-traumatic stress disorder in the community: prevalence, risk factors and comorbidity. Acta Psychiatr Scand 101(1):46-59
Perkonigg A, Pfister H, Stein MB, Höfler M, Lieb R, Maercker A, Wittchen HU (2005) Longitudinal course of posttraumatic stress disorder and posttraumatic stress disorder symptoms in a community sample of adolescents and young adults. Am J Psychiatry 162:1320-1327
Reed RV, Fazel M, Jones L, Panter-Brick C, Stein A (2012) Mental health of displaced and refugee chil-

dren resettled in low-income and middle-income countries: risk and protective factors. Lancet 379(9812):250–265
Rich-Edwards JW, Spiegelman D, Lividoti Hibert EN, Jun HJ, Todd TJ, Kawachi I, Wright RJ (2010) Abuse in childhood and adolescence as a predictor of type 2 diabetes in adult women. Am J Prev Med 39(6):529–536
Rumstein-McKean O, Hunsley J (2001) Interpersonal and family functioning of female survivors of childhood sexual abuse. Clin Psychol Rev 21(3):471–490
Saxena S, Thornicroft G, Knapp M, Whiteford H (2007) Resources for mental health: scarcity, inequity, and inefficiency. Lancet 370(9590):878–889
Schaal S, Elbert T, Neuner F (2009) Narrative exposure therapy versus interpersonal psychotherapy: a pilot randomized controlled trial with rwandan genocide orphans. Psychother Psychosom 78(5):298–306
Schauer E, Neuner F, Elbert T, Ertl V, Onyut LP, Odenwald M, Schauer M (2004) Narrative exposure therapy in children: a case study 1. Ther 2(1):18–32
Schnurr PP, Green BL (2004) Understanding relationships among trauma, post-traumatic stress disorder, and health outcomes. Adv Mind Body Med 20(1):18–29
Scott KM, Koenen KC, Aguilar-Gaxiola S, Alonso J, Angermeyer MC, Benjet C, Bruffaerts R, Caldas-de-Almeida JM, de Girolamo G, Florescu S, Iwata N, Levinson D, Lim CC, Murphy S, Ormel J, Posada-Villa J, Kessler RC (2013) Associations between lifetime traumatic events and subsequent chronic physical conditions: a cross-national, cross-sectional study. PLoS One 8(11):e80573
Scott KM, Von Korff M, Angermeyer MC, Benjet C, Bruffaerts R, de Girolamo G, Haro JM, Lépine JP, Ormel J, Posada-Villa J, Tachimori H, Kessler RC (2011) Association of childhood adversities and early-onset mental disorders with adult-onset chronic physical conditions. Arch Gen Psychiatry 68(8):838–844
Shumbusho F, van Griensven J, Lowrance D, Turate I, Weaver MA, Price J, Binagwaho A (2009) Task shifting for scale-up of HIV care: evaluation of nurse-centered antiretroviral treatment at rural health centers in Rwanda. PLoS Med 6(10):e1000163
Stensland S, Thoresen S, Wentzel-Larsen T, Zwart JA, Dyb G (2014) Recurrent headache and interpersonal violence in adolescence: the roles of psychological distress, loneliness and family cohesion: the HUNT study. J Headache Pain 15(1):35
Swahn MH, Bossarte RM (2006) The associations between victimization, feeling unsafe, and asthma episodes among US high-school students. Am J Public Health 96(5):802–804
Thabet AAM, Vostanis P (1999) Post-traumatic stress reactions in children of war. J Child Psychol Psychiatry 40(3):385–391
The United Nations Children's Emergency Fund (UNICEF), United Nations, Office of the Special Representative of the Secretary-General for Children, & Armed Conflict (2009) Machel study 10-year strategic review: children and conflict in a changing world. UNICEF, New York
The United Nations Children's Emergency Fund (UNICEF) (2014) With 15 million children caught up in major conflicts, UNICEF declares 2014 a devastating year for children [Press release]. Retrieved from http://www.unicef.org/media/media_78058.html?p=printme
Wegman HL, Stetler C (2009) A meta-analytic review of the effects of childhood abuse on medical outcomes in adulthood. Psychosom Med 71(8):805–812
Widom CS, Czaja SJ, Bentley T, Johnson MS (2012) A prospective investigation of physical health outcomes in abused and neglected children: new findings from a 30-year follow-up. Am J Public Health 102(6):1135–1144
Wolff PH, Tesfai B, Egasso H, Aradomt T (1995) The orphans of Eritrea: a comparison study. J Child Psychol Psychiatry 36(4):633–644
World Health Organization (2004) Prevention of mental disorders: effective interventions and policy options: Summary report. World Health Organization, Geneva
World Health Organization (2010) mhGAP intervention guide for mental, neurological and substance abuse disorders in non-specialized health settings. World Health Organization, Geneva
World Health Organization (2013) Mental health action plan 2013–2020. World Health Organization, Geneva
Zeng EJ, Silverstein LB (2011) China earthquake relief: participatory action work with children. Sch Psy-

chol Int 32(5):498 – 511
Zielinski DS (2009) Child maltreatment and adult socioeconomic well-being. Child Abuse Negl 33(10):666 – 678

# 아동기 트라우마와 애도의 근거 기반 평가: 개념, 원칙 그리고 실제

4

Christopher M. Layne, Julie B. Kaplow 와 Eric A. Youngstrom

## 4.1 트라우마와 사별 경험 평가의 필요성

높은 트라우마 노출률과 평생 이어지는 심각한 영향에 대한 인식이 높아지면서, 치료자를 대상으로 필수 트라우마 역량, 특히 평가 역량(Cook 등. 2014)을 높이는 교육이 필요하다는 국제적인 공감대가 형성되었습니다(Courtois 와 Gold 2009; Weine 등. 2002). 그러나 대부분의 표준적인 평가도구들은 이 중요한 영역을 다루지 않습니다. 흔하게 쓰이는 평가도구에는 **트라우마**의 선별이나 PTSD 증상의 평가가 포함되지 않기 때문에(Achenbach와 Rescorla 2001; Derogatis 1977; Goodman 등. 2000), 위험의 확인과 사례 개념화에 맹점을 만들고 트라우마 정보 기반의 체계적 역량 구축이 어렵습니다(Ko 등. 2008). PTSD의 진단 정확도가 다른 질환들보다는 높은 편이지만(Regier 등. 2012), 아동과 성인 집단 모두 일반적인 임상 면담만으로는 PTSD 진단에 중간 정도의 정확도를 보였습니다(Rettew 등. 2009). 이런 결과들은, PTSD의 가능성이 있는 트라우마에 노출된 청소년 중 상당수가 진단을 받지 못하거나 잘못 진단될 가능성이 있음을 시사합니다.

게다가 핵심적인 평가 역량에는 트라우마뿐 아니라 **애도**grief 역시 함께 다뤄야 한다는 점을 알려주는 근거가 상당합니다. 아동기의 사별은 진료실에 의뢰되는 미성년자들에게서 가장 흔하게 보고되는 외상 사건 또는 극도의 어려움을 유발하는 사건 중 하나로(Pynoos 등. 2014), 일반 인구 집단에서도 상당히 흔하게 발생하는 일입니다. 형제나 부모가 아닌 보호자 등의 매우 가까운 사람과의 사별을 제외하고도, 2011년 전 세계에서 아동기에 한 부모 또는 양부모를 사별한 경험을 한 사람은 1억 5천 1백만 명에 달했습니다(UNICEF 2013). 사랑하는 대상의 사망은 성인과 미성년자 모두에게 가장 흔하면서도 가장 고통스러운 외상 사건입니다(Breslau 등. 2004; Kaplow 등. 2010). 또 애도 반응은 청소년 유족의 경우, PTSD만큼, 또는 그 이상의 수준으로 기능 수행의 문제를 예측하는 요소였습니다(Melhem 등. 2007; Spuji 등. 2012). 이 보고들은 PTSD 만큼 또는 그 이상으로 임상에서 애도를 점점 더 다루게 된다는 것을 시사합니다. 더 구체적으로는, 사별과 트라우마 노출 모두에 대한 평가가 필요하며, 일차적으로 인과성이 있는 위험 인자가 발견될 경우에는 그 각각에 대한 평가(사별 이후의 애도; 외상 사건 노출 이후의 PTSD; 외상성일 수 있는 사별 이후 애도와 PTSD 모두)가 매우 중요합니다.

그럼에도 불구하고 아동기 사별과 그에 동반된 애도 반응을 평가할 수 있는 표준화된 도구는 거의 없습니다. 최근의 도구들도 사별 반응을 선별하지 않거나 이를 부모의 이혼과 수감 같은 일반적인 "상실" 범주에 포함했습니다(Nader와 Layne 2009). **DSM-5**에서 제안된 **지속성 복합 애도 장애**(persistent complex bereavement disorder,이하 PCBD)는 이 평가 상의 문제점에 대한 관심을 불러왔습니다(Kaplow 등. 2012; Kaplow, Layne과 Pynoos 2014). **DSM-5**의 PCBD와 ICD-11에서 제안된 **지속 애도장애**prolonged grief disorder는, 잠재적으로 부적응적인 애도 반응을 주의 깊게 평가해야 할 필요와, 적응 대(vs) 부적응적인 애도 반응[(Kaplow, Layne과 Pynoos 2014; Kaplow와 Layne 2014; Layne 등. 2009)에서 정의와 기본 개념 구조 참조]에 각각 다르게 영향을 미칠 위험 인자, 취약성, 보호 및 촉진 요인들을 탐색해야 할 필요를 강조하고 있습니다. 따라서 트라우마와 관련된 외상후 스트레스 반응을 정확하게 평가하지 못하는 경우와 마찬가지로, 사별과 관련된 부적응적인 애도 반응을 선별하지 않는 것은 위험을 감지하고 사례 개념화를 하는 데 잠재적인 맹점과 틈을 만들게 되고 사별 정보 기반의 체계를 구축할 역량을 줄입니다(Kaplow, Layne과 Pynoos 2014). 결과적으로 외상 사건과 사별을 경험한 미성년자들이 겪고 있는 어려움을 놓치거나 잘못된 진단으로 인해 최선이 아닌, 부적절한 치료를 받게 될 수 있습니다.

## 4.2 근거 기반 평가의 전략과 원칙

잠재적인 트라우마 사건에 노출되거나 사별을 겪은 내담자 모두에게 구조화된 면담과 주변의 정보제공자를 포함하는 심도 깊은 평가를 하는 것은 현실적인 관점에서 비용-효과적이지 않고, 치료에 도움이 되기에는 불충분한 정보들이 전달될 수 있습니다. 실제로 보편적인 심층 평가의 시행은 위양성(과잉진단)의 위험이 높고, 특히 외상 사건과 사별이 드물게 일어나는 환경일수록 이러한 위험에 더욱 취약한 것으로 나타났습니다(Strause 등. 2011). 얄궂게도 과도한 검사는 평가 결과의 정확성을 떨어뜨리고 치료 방법 선정의 질을 낮추며 제한된 자원이 잘못 배치되게 합니다(Kraemer 1992). 이 딜레마의 해결 방법으로 가능한 것은, **근거 기반 평가**(evidence-based assessment, 이하 EBA)의 원칙을 도입하는 것입니다. EBA는 엄격하나 실용적인 방법으로 치료자가 평가도구를 이용하여 임상적인 결정과 치료계획을 세우는 데 도움을 줍니다(Youngstrom 2013). EBA는 당면한 임상 문제에 대해 최선의 가용한 검사도구를 선정하여 이 도구로 가능한 가장 유용한 자료를 얻고, 냉철하게 평가 자료를 적용해서 개별 내담자에게 정보에 입각한 임상적인 결정을 내리게 하는 것을 중요시합니다(Hunsley 2015; Hunsley와 Mash 2007).

이 장의 다음 부분에서 저자들은 보건전문가들이 트라우마를 겪고 애도 중인 아동청소년들을 숙련되게 평가할 수 있도록 EBA의 개념과 원칙, 실제를 보여드릴 것입니다. 적절한 평가법을 선택하고 평가타당성을 높여 진단을 추론하는 것을 포함하는 실제 임상적인 고려점들을 살펴본 뒤, 어떻게 EBA가 초기 평가뿐 아니라 치료 반응의 모니터링과 전반적인 치료 과정 동안 추가적인 중요한 삶의 사건들을 살필 수 있게 하는 지를 다룰 것입니다. 마지막으로 치료자가 평가 자료를 모으고 구조화하여 확인, 통합하고 의미를 부여하게 돕는 임상적인 의사결정 도구인 CHECK Heuristic을 이용한 사례를 통해 사례의 개념화와 개입 계획을 살펴보겠습니다.

## 4.3 임상적인 지혜의 공유: 트라우마와 사별 경험 평가에 대한 흔한 질문과 염려

치료자들은 종종 임상에서 외상 사건을 겪거나 애도 중인 청소년에게 "어떻게 그렇게?"나 "만약에?" 등의 질문으로 트라우마나 사별 경험을 평가하는 것에 부담을 느낍니다. 이 장에서는 외상 사건에 노출되었거나 애도 중인 미성년자들의 평가에 EBA를 적용하는데 자주 제기되는 7개의 질문을 살펴보겠습니다.

### 4.3.1 트라우마나 사별 경험에 대한 평가를 하기 전에, 우리는 어떻게 심리적인 준비를 할 수 있을까요?

인정하건데, 대다수의 진단평가나 위험 선별 과정 프로토콜에서 아동의 증상을 평가하기 위하여 증상들을 유발했을 수 있는 삶의 사건들이나 요인들을 탐색하고 각 영역의 기능들을 상세히 확인하는 과정은 치료자의 마음에 공감과 염려를 불러일으킵니다. 저자들의 경험상 트라우마나 사별과 관련된 사안, 특히 어린 환자가 그 사건이나 상실에 대한 세부적인 사항과 생각, 감정들을 털어놓을 때 치료자의 개인적인 반응이 매우 강렬해질 수 있습니다. 즉, **대리 외상**vicarious traumatization (세계관이나 정체성을 포함한 치료자의 인지적인 참조 틀에 문제가 발생하는 것; Palm 등. 2004)과 **이차적인 외상 스트레스**(트라우마 생존자와 긴밀한 관계를 맺는 개인이 경험하게 되는 정서적인 고통; Figley와 Kleber 1995)를 잘 고려해야 합니다. 이런 부정적인 반응들은, 치료자가 면담 내용에 준비되어 있지 않다고 느끼거나 그들 자신의 트라우마나 상실 경험을 떠올리게 될 때 흔히 나타납니다. 따라서 치료자는 외상 사건을 겪거나 애도 중인 미성년자를 평가하기에 앞서, 고통스럽거나 자극적인 내용을 대면할 때에도 자신이 경청하고 충분히 몰입할 수 있는지 스스로의 역량을 살피며 자기 성찰을 하는 것이 필요합니다.

치료자 본인의 경험과 관계가 없는 내용이더라도 치료자들은 평가 중 아동이 사건에 대해 힘겹거나 괴로운 정보들을 털어놓을 때 어떻게 반응해야 할 지 종종 부담감과 불확실함을 느낍니다(뭐라고 말을 해줘야 하나? 말하면 안 될 게 있나? 나도 눈물이 나면 어쩌지?). 이런 상황일 때, 특히 아동이 자신의 트라우마나 상실의 이야기를 처음 털어놓는 상황이라면 공감적인 경청과 증인의 역할을 하는 것이 평가 과정 중에 가장 중요한, 유일무이한 치료적인 측면이라는 점을 되새기는 것이 필요합니다. 꼭 말로 표현하지 않더라도, 몸짓으로 치료자가 따듯함과 공감을 표현하는 것이 평가 과정을 촉진시키고 아동과의 유대감을 강하게 만드는 데 중요한 역할을 한다는 점을 떠올리면 도움이 될 것입니다. 연구들은 비언어적인 어른-아동 사이의 의사소통(효과적인 눈 맞춤 유지하기, 함께 하고 관심을 보여주는 태도, 따듯함을 전달하는 것, 적절한 웃음 등)이 외상이나 상실 후 아동의 적응적인 심리 기능을 효과적으로 촉진시킨다는 점을 밝혔습니다(Howell 등. 2016; Shapiro 등. 2014).

### 4.3.2 PTSD와 비적응적인 애도를 평가하는 데 적절한 도구를 어떻게 찾을 수 있을까요?

외상 사건을 겪거나 애도 중인 아이들을 위해 특화된 평가법을 찾는 방법 중 하나는 국립 아동 트라우마 스트레스 네트워크의 **평가도구 데이터베이스**Measure Review Database를 이용하는 것입니다(National Child Traumatic Stress Network; https://www.nctsn.org/resources/online-research/measures-review). 이 사이트의 정보는 무료로, 외상 사건과 외상후 스트레스 반응, 애도와 관련 반응들의 평가법을 신뢰도과 타당도에 대한 요약 자료와 평가법에 대한 세부사항과 함께 소개하고 있습니다. 각각의 평가법을 빠르고 효과적으로 비교 분석해볼 수 있고, 명칭과 저자, 각 증상별, 특정 집단별로 찾는 것도 가능합니다.

또 다른 검색을 위해, 본 장에서는 DSM-5의 미취학, 학령기, 청소년 시기의 ASD, PTSD, 비적응적 애도 반응의 평가 도구들을 요약해 도표로 요약했습니다(표 4.1). 가능한 모든 평가법들을 다루는 것은 이 책의 범위 밖이므로, 아동기 트라우마 스트레스 영역에서 가장 널리, 다양한 인구 집단에 적용되는 것들을 중심으로 정리했습니다.

**표 4.1** 아동 청소년의 급성 스트레스, 외상후 스트레스, 애도 반응 평가에 권고되는 도구

| 구조 | 도구 이름 | 평가 형태 | 평가 항목 | 척도 분석 | 참고문헌 |
|---|---|---|---|---|---|
| 트라우마 사건 노출(복합 트라우마 포함) | 트라우마 경험 선별 도구 (Traumatic Experiences Screening Instrument, TESI) | 컴퓨터 이용 자기 보고식 설문지<br>10-12분 소요<br>5단계 난이도 | 부정적 경험 (nonvictimization adversity, 상실 포함) 8종류<br>대인관계성 피해(interpersonal victimization, 정서적 학대 및 방임 포함) 13종류 | 측정-재측정 신뢰도<br>분류-참조 타당도(Criterion-referenced validity)<br>예측 타당도(Predictive validity) | Ford, J.D., Grasso, D.J., Hawke, J., & Chapman, J. F. (2013). Polyvictimization among juvenile justice-involved youths. Child Abuse & Neglect, 37, 788 – .800.<br>Inquiries: Julian Ford<br>jford@uchc.edu |
| 25가지 아동기 경험과 잠재적 트라우마 사건들(복합 트라우마 포함, DSM-5 PTSD의 4가지 증상군, 해리 증상, 트라우마 관련 기능 손상 평가 포함) | 구조화된 트라우마 관련 경험 및 증상 선별 검사 (Structured Trauma-Related Experiences and Symptoms Screener, STRESS) | 만 7-18세<br>자기 보고식 설문지<br>(컴퓨터 작성 가능) | 18세 이전 발생한 DSM-5의 트라우마성 사건(비대인관계, 대인관계성 피해, 성적 피해)과 방임<br>21 항목: 심리적 고통 평가 | 평가자간 일관성<br>분류-참조 타당도<br>수렴 타당도<br>(Convergent validity) | Grasso, D. J., Felton, J.W., & Reid-Quinones, K. (2015) The Structured Trauma-Related Experiences and Symptoms Screener (STRESS): Development and preliminary psychometrics. Child Maltreatment, 20, 214 – 20 .<br>Inquires:<br>Damion Grasso<br>dgrasso@uchc.edu |

**표 4.1** (계속)

| 구조 | 도구 이름 | 평가 형태 | 평가 항목 | 척도 분석 | 참고문헌 |
|---|---|---|---|---|---|
| DSM-IV의 급성 스트레스장애 진단기준(4항목은 주관적인 삶의 위협, 가족, 대처기제를 포함한 관련 요소들 관련 질문) | 아동기 급성 스트레스장애 체크리스트<br>(Acute Stress Checklist for Children, ASC-Kids) | 아동/청소년 자기 보고식 평가(만 8-17세) | 29 항목<br>3점식 리커트 척도(3-point Likert scale) | 1주 이내의 측정-재측정 타당도 =.76<br>내적 타당도 =.86<br>PTSD 증상 평가 수렴 타당도 r =.77<br>DSM-5 기준 타당도 검증<br>영어, 스페인어 축약형 | Kassam-Adams, N. (2006). The acute stress checklist for children (ASC-Kids): Development of a child self-report measure. Journal of Traumatic Stress, 19(1), 129 – 39.<br>Kassam-Adams, N, Gold, J, Montano, Z, Kohser, K, Cuadra, A, Munoz, C, Armstrong, FD. (2013). Development and psychometric evaluation of child acute stress measures in Spanish and English. Journal of Traumatic Stress, 26(1):19 – 27. doi: 10.1002/jts.21782 |
| DSM-5의 PTSD 진단기준<br>트라우마 내용<br>노출 시기와 트라우마 관련 세부 사항을 포함하여 종합적으로 트라우마 확인 | UCLA 아동 청소년용 DSM-5 PTSD 반응 지표<br>(UCLA DSM-5 PTSD Reaction Index for Children and Adolescents) | 아동/청소년 자기 보고식 평가(만 7-18세)<br>보호자 평가형(만 7-18세) | 23항목: 트라우마 유형 선별<br>23항목: 트라우마와 상실 관련 세부 사항<br>32항목: DSM-5 PTSD 증상 + 해리 아형<br>기능 장애<br>5점식 리커트 척도 | DSM-5 기준 타당도 검증 | Pynoos R.S. & Steinberg, A.M. © 2014; The UCLA PTSD Reaction Index for Children and Adolescents, University of California, Los Angeles.<br>Pynoos R.S. & Steinberg, A.M. © 2014; The UCLA PTSD Reaction Index for Children and Adolescents –. Parent/Caregiver Version, University of California, Los Angeles.<br>Licensing available from Behavioral Health Innovations at reactionindex.com<br>Inquiries: Preston Finley HFinley@mednet.ucla.edu |

| | | | | | |
|---|---|---|---|---|---|
| 어린 아동 PTSD 개정된 DSM-5 진단기준<br>트라우마 내용<br>노출 시기와 트라우마 관련 세부 사항을 포함하여 종합적으로 트라우마 확인 | UCLA 어린 아동용 DSM-5 PTSD 반응 지표, 부모/보호자형<br>(UCLA DSM-5 PTSD Reaction Index for Young Children, Parent/Caregiver Version) | 아동(만 6세 이하)의 부모/성인 보호자 | 22항목: 트라우마 유형 선별<br>22항목: 트라우마와 상실 세부 사항<br>19항목: DSM-5 PTSD 증상<br>48 항목: 기능 장애<br>5점식 리커트 척도 | DSM-5 기준 타당도 검증 | Steinberg A, Pynoos R, Lieberman A, Osofsky J, & Vivrette R (in preparation). UCLA DSM-5 PTSD Reaction Index for Young Children (Parent/Caregiver Version).<br>Inquiries: Preston Finley<br>HFinley@mednet.ucla.edu |
| DSM-5 PTSD 진단기준; 트라우마 노출 스크리닝 포함<br>"잠재"적 진단 기준 점수 제시 | 어린 아동용 PTSD 체크리스트<br>(Young Child PTSD Checklist, YCPC) | 만 1-6세 아동의 보호자 보고 | 총 42 항목<br>13항목: 사건 발생, 연령, 횟수<br>29항목: 증상 항목<br>5점식 리커트 척도 | DSM-5 기준 타당도 검증 | Scheeringa, M.S. (2010). Young Child PTSD Checklist. Tulane University School of Medicine.<br>http://tulane.edu/som/departments/<br>psychiatry/ScheeringaLab/<br>manuals-training.cfm |
| DSM-5 PTSD 진단 기준(기준 B, C, D, E와 해리아형 증상군 점수 제공) | DSM-5 아동청소년용 치료자 평가형 PTSD 스케일<br>(Clinician-Administered PTSD Scale for DSM-5 Child/Adolescent Version, CAPS-CA-5) | 아동청소년 대상 반구조화 면담(만 7세 이상) | 30항목<br>중증도 척도[0(없음) - 4(최극단)] | DSM-5 기준 타당도 검증 | Pynoos, R. S., Weathers, F. W., Steinberg, A. M., Marx, B. P., Layne, C. M., Kaloupek, D. G., Schnurr, P. P., Keane, T. M., Blake, D. D., Newman, E., Nader, K. O., & Kriegler, J. A. (2015). Clinician-Administered PTSD Scale for DSM-5 -. Child/Adolescent Version.<br>www.ptsd.va.gov |

**표 4.1** (계속)

| 구조 | 도구 이름 | 평가 형태 | 평가 항목 | 척도 분석 | 참고문헌 |
|---|---|---|---|---|---|
| PTSD DSM-5 진단 기준<br>PTSD 진단 및 어린 아동에 대해 경험적으로 타당하게 보는 평가 기준(PTSD-AA)으로, 기준 C(회피와 둔감화) 7종류 중, 3가지가 아닌 1가지 이상의 증상 충족을 요구 | 미취학 아동용 진단 평가(DIPA)<br>PTSD 모듈<br>(Diagnostic Infant Preschool Assessment(DIPA) PTSD Module) | 보호자 보고<br>반구조화 임상 면담 | 빈도, 기간, 발생, 기능적 장애에 대한 반응 기록 | 측정-재측정 신뢰도(평균 18일)<br>ICC = .87<br>공인 준거 타당도(concurrent criterion validity, referenced to Child Behavior Checklist PTSD scale)<br>kappa = .17 (DSM-IV 기준) - .48(PTSD-AA)까지 | Scheeringa, M.S., & Haslett, N. (2010). The reliability and criterion validity of the Diagnostic Infant and Preschool Assessment: A new diagnostic instrument for young children. Child Psychiatry & Human Development, 41, 3, 299-312.<br>http://tulane.edu/som/departments/psychiatry/ScheeringaLab/manuals-training.cfm |
| DSM-5의 PCBD 제안 기준 | 지속성 복합 사별 장애 체크리스트<br>(Persistent Complex Bereavement Disorder(PCBD) Checklist) | 사별을 겪은 만 8-18세 아동청소년형 자기 보고식 평가 | 39항목<br>5점식 리커트 척도 | 좋은 내용 타당도,<br>분류-참조 및 부가적 타당도 추가 분석 | Layne, C.M., Kaplow, J.B., & Pynoos, R.S. (2014). Persistent Complex Bereavement Disorder (PCBD) Checklist and Test Administration Manual -. Youth Version 1.0. University of California, Los Angeles.<br>Kaplow JB, Layne CM, Oosterhoff B et al. (under review). Test validation of the Persistent Complex Bereavement Disorder (PCBD) Checklist: A developmentally-informed assessment tool for bereaved youth.<br>Licensing:<br>http://oip.ucla.edu/pcbd-checklist-test-license<br>Inquiries: Christopher Layne<br>cmlayne@mednet.ucla.edu |

### 4.3.3 아동청소년에게 가장 적합한 트라우마나 사별에 대한 평가 도구를 고를 때, 어떤 점을 고려해야 할까요?

트라우마나 사별에 대한 아동의 반응을 타당하게 평가하는 데 반드시 고려해야 할 점은, 그 평가도구가 발달학적 요소나 연령의 규준에 맞는지 확인하는 것입니다. 불행히도 아동청소년에게 쓰이는 많은 평가도구들은 원래 성인 대상으로 개발된 것을 단순히 범위를 확장해서 아이들에게도 적용한 것입니다(Hunsley와 Mash 2007). 이렇게 적용하는 것은 물론 편의적인 선택이겠으나 아동기 PTSD와 애도는 성인과 매우 다르게 나타난다는 증거들이 상당히 있고(Kaplow 등. 2012; 본 책자의 1장과 5장 참고), 실제로도 다른 위험요소와 취약성 및 보호 요인에 영향을 받을 수 있습니다(Kalplow 등. 2014; Layne 등. 2009). 발달학적인 관점으로 검사를 구성하고, (성인에 대응되는) 미성년자를 대상으로 하여, 아동 친화적인 예비 문항들로 만들어진 최종 설문은 성인 도구를 연령을 확대해서 사용한 것과 매우 다릅니다(Kaplow, Layne과 Pynoos 2014).

### 4.3.4 극도로 회피하는 아동은 어떻게 평가할까요?

사별한 아동 청소년을 평가하려 할 때, 회피는 다양한 형태로 나타날 수 있습니다. 가장 흔한 형태는 단순히 말하기를 주저하는 것이지만 안절부절 못하고 주제를 계속 바꾸거나 모든 질문에 "몰라요"라고 답하는 형태로 나타날 수도 있습니다. 치료자는 그들에게 일어난 "나쁜 일들"에 대해 말하지 않으려는 아이들을 면담할 때 좌절감을 느낄 수 있지만, 회피나 주저함은 흔하게 나타나는 현상이라는 점을 이해해야 합니다. 이런 면에서 외상후 스트레스나 애도 반응을 평가할 때 아이들에게 친숙한 언어로 된, 표준화되고 발달학적으로 적절한 평가 도구를 쓰는 것이 상당히 도움이 될 수 있습니다(표 4.1). 트라우마를 겪거나 사별한 아이들은 그들이 견디고 있는 일들로 인해 자신이 종종 이상하고 남들과 다르고 비정상적이거나 사회적으로 이질적인 상태라고 느끼는데, 이 때문에 사건에 대해 드러내어 말하기 주저하는 경향이 더 강해질 수 있습니다. 하지만 표준화된 설문지에서 그들의 개인적인 경험들과 유사한 문항들을 보거나 듣게 되면, 그들은 종종 안심하며 "저는 저만 그런 줄 알았어요"라거나 "아마도 내가 미친 건 아닌가 봐요"와 같은 말을 합니다. 좀 더 회피적인 아이의 어려움을 해소하기 위해서, 깊은 대화를 요하지 않는 방식 등 다양한 방식으로 이러한 표준화된 설문을 시행할 수 있습니다. 예를 들어 아이는 굳이 말할 필요 없이, 치료자가 질문을 읽는 동안 자신에게 해당되는 항목에 동그라미 표시만 하는 식으로 상태를 표현할 수 있습니다. 이것은 아이가 낯선 어른을 처음 만난 상황에서 자신의 가장 개인적인 생각과 감정을 언어로 표현해야 한다는 압박감을 줄여 줍니다. 또한 표준화된 질문지는 구조 그 자체가 평가 과정이라 , 내성적이거나 주저하는 미성년자를 상대할 때 흔하게 발생하는 진퇴양난의 상황을 만난 초보 치료자라도 "그리고 또 뭘 물어봐야 하지?" 같은 고민 없이 진행이 가능합니다.

이런 표준화된 질문지 외에도 위축된 아이들의 참여를 끌어내는 데 도움이 되는 또다른 기술들이 있습니다. 평가 도중 몸을 가만히 두지 못하고 안절부절 못하는 아이들의 경우에는 손에 쥘 수 있는 장난감이 도움이 되기도 합니다. 평가 질문에 말로 대답하기 어려워하는 어린 아이들은 치료자가 종이에 선택지로 가능한 답변들을 적은 뒤 이를 이용한 놀이를 활용할 수 있습니다. 즉 예를 들어, 종이마다 '전혀 아님', '조금 그렇다' 등을 써서 바닥에 종이들을 펼쳐 두고, 질문에 맞는 답이 써진 종이로 아이가 점프하게 할 수 있습니다. 대답 대신 "몰라요"만 반복하는 아이라면, "모른다"와 "대답하고 싶지 않다"를 구분하는 것이 도움이 되기도 합니다. 이는 지금 그 주제를 다루는 것이 너무 어렵다는 점을 아이 스스로 치료자에게 말할 수 있도록 돕고, 동시에 이 주제가 아이에게 고통을 주는 영역이라는 점을 알려줍니다. 더 일반적으로, 회피 그 자체가 평가에서 매우 중요한 부분이라는 것을 잘 이해해야 합니다. 아이가 피하는 특정 단어나 주제에 주의를 기울이면, 아이가 가장 힘들어하는 (따라서 치료에 더욱 신경을 써야할) 부분이 외상 사건이나 죽음의 어떤 측면일지에 대해 가설을 세울 수 있습니다.

### 4.3.5 PTSD나 부적응적인 애도 반응은 왜 잘못 진단하기 쉬울까요?

PTSD와 부적응적인 애도는 다른 심리적, 또는 행동 문제에 의해 종종 가려집니다. PTSD가 ADHD와 공존하기도 하지만(Cuffe 등. 1994; Weinstein 등. 2000) PTSD와 해리 증상 모두 집중력 문제로 나타나기도 하고(Kaplow 등. 2008), PTSD가 ADHD로 오진되기도 합니다. 이는 (a) 과행동 vs 과각성, (b) 부주의 vs 회피 또는 해리 증상, (c) 안절부절 못함 vs 재경험 증상들 간의 행동 양상의 구분이 매우 어렵기 때문입니다. 이 증상들이 겹치는 영역(각각 전자는 ADHD, 후자는 PTSD)이 있다는 것은 잠재적 트라우마 사건과 ADHD 의심 증상의 발생 시기를 각각 주의 깊게 평가해야 한다는 것을 강하게 시사합니다. 따라서 3개의 가설, (1) ADHD이고 PTSD가 아니다, (2) ADHD가 PTSD와 공존하거나 기저의 PTSD 증상을 가리고 있다, 반대로 (3) ADHD 유사 증상들이 사실은 PTSD를 반영하는 것이고 ADHD가 아니다, 각각의 경우를 고려하여 평가해야 합니다.

사별을 한 미성년자는 또한 종종 자살 사고를 이유로 치료에 연계됩니다. 하지만 아동청소년이 사랑하던 사람의 죽음 뒤에 자신도 죽고 싶은 소망을 표현하는 것은 매우 흔한 현상이며 이별로 인한 극심한 고통 때문에 영적, 종교적 믿음에 따라 사후에라도 그 대상과 다시 재결합하는 환상reunification fantasies을 겪을 수 있습니다. 더구나 미성년자의 존재론적/정체성에 대한 고민은, 고인 없이는 삶이 공허하고 즐겁지 않으며 의미 없다는 생각을 반영하는 것일 수도 있습니다(Kaplow 등. 2013). 이러한 애도 반응이 언제나 아이의 자살 위험성을 낮추는 요소는 아니지만 자살 사고 이면의 동기를 이해하고 연민할 수 있는 능력을 확인하는 것은 치료 참여, 사례 개념화 및 치료 계획에 꼭 필요한 작업입니다. 실제로 주요 우울 장애에서 보이는 자살 사고와 강한 소망과 고인과 사후에 재결합하려는 등의 소망에서 비롯된 자살 사고에는 다른 치료적 접근법이 필요합니다. 치료자가 강한 애도 반응(Kaplow, Layne, Pynoos 2014)과 자살 사고(King 등. 2013)를 구분하고 정확히 평가하면 아이의 숨겨진 애도를 공감하고 인정해 줄 기회를 갖게 됩니다("네가 얼마나 그를 그리워하는지 알겠어"). 치료자가 애도를 다룰 수 있게 되면 애도 반응을 부주의하게 확대 진단하거나 섣부른 행동(아이가 재결합의 환상을 밝히자마자 안전 계획부터 적용하려 하는 것 등)을 하지 않을 수 있습니다.

### 4.3.6 왜 애도 반응과 트라우마 스트레스 반응을 구분해야 할까요? 이런 구분이 어떤 차이를 만들까요?

사망 상황, 특히 그 죽음이 충격적인 상황에서 일어났다면 외상후 스트레스와 애도 반응이 종종 함께 존재합니다. 이런 외상후 스트레스와 애도 반응 간의 상호작용은 아동의 적응 양상과 경과에 큰 영향을 끼칠 수 있습니다(Kaplow 등. 2012, 2013; Layne 등. 2001, 2008; Pynoos 1992). 특히 이 두 반응이 동시에 존재한다면 각각의 경과가 매우 장기화될 것이라고 예측할 수 있습니다(Nader 등. 1990).

그럼에도 불구하고 아동의 사별에 대한 문헌들은 간혹 외상후 스트레스와 애도 반응의 구조나 개념을 뭉뚱그려 섞거나 본질적으로 같은 영역처럼 다루곤 합니다. 예를 들어 아동기의 외상성 애도 반응을 사망 전후의 상황 때문에 발병한 PTSD의 특수한 형태로 보고, 이 증상들이 필수적인 애도 작업에 참여할 아동의 능력에 방해가 된다고 평가하여 애도 중인 아동을 돕기 위하여 외상 중심 치료의 요소를 주로 적용하는 식입니다(Cohen 등. 2002; Mannarino와 Cohen 2011).

PTSD 증상이 아동의 애도를 다룰 능력을 감소시키거나 방해한다는 점은 저자들도 동의하지만(반대로 애도 반응 역시 아동이 외상후 스트레스 반응을 다룰 능력을 줄이거나 방해할 수 있지만), 검사의 개발자이자 연구자, 훈련된 치료자로서 저자들의 경험상, 부적응적인 애도를 PTSD의 특수한 형태 정도로 보는 것은 경계를 흐리고 혼란을 가중시킵니다. 따라서 저자들은 PTSD와 애도 반응은 개별적으로 구분되나 연관된 구조(같은 사망 사건에서 함께 발생할 수 있는, 예를 들어 **외상성 사별**(사망에 트라우마가 될 만한 요소가 포함된 경우; Kaplow, Howell 등. 2014)일 수도, 또는 각각의 사건들로부터 발생할 수 있는 것(예를 들어 외상 사건**과** 안정된 상황에서의 죽음이 각각 발생한 경우)로 개념화하고 평가해야 한다고 보았습니다(Pynoos 1992).

아동기 트라우마와 아동기 사별 사이에 겹치는 부분들에 대해 개념과 경험적으로 PTSD와 애도의 경계를 확인하고, 아동청소년에게 어려움을 유발하는 PTSD와 애도 반응들의 다양한 교차 방식들에 대해 추가적인 연구가 필요합니다. 비록 초기 단계이지만, 최근의 문헌들은 PTSD 증상들과 애도 반응이 위험 인지, 취약 인자, 보호 인자 및 결과가 각각 다른 구조이므로 이 둘의 구별이 중요하며, 각각 다른 치료 반응성의 근거들을 감안하여 다른 치료 구성이 필요하다고 제안했습니다(Grassetti 등. 2015). 그러므로 외상 사건과 사별을 겪은 미성년자에게 효과적인 치료를 계획하고 구성하려면, PTSD 증상들과 애도 반응을 정확히 평가하고 구분할 줄 아는 치료자의 역량이 필요합니다.

### 4.3.7 객관적으로 트라우마성 사망 상황에 노출되었다고 해서 트라우마 스트레스 반응, 즉 PTSD가 발생할 것이라고 치료자가 가정할 수 있을까요?

답은 '아니오'입니다. 연구와 임상 경험을 통해, 저자들은 특정한 죽음의 형태(암으로 인한 점진적인 사망과 심근경색, 자살 등의 급작스러운 죽음 등)가 외상후 스트레스와 애도 반응에 각각 다르게 연결될 수 있지만, 그것이 일반적인 기대와 다른 방향 일 수도 있다는 사실을 알게 되었습니다. 앞서 언급했듯이 장기간 질병을 앓던 부모가 사망한 상황의 아동은, 심근경색이나 뇌출혈 같은 갑작스러운 부모의 죽음보다 더 높은 외상후 스트레스와 부적응적인 애도 반응을 보이는 것으로 나타났습니다(Kaplow, Howell 등. 2014). 아동의 애도가 보여주는 극적인 다양성만큼, 사랑하는 사람의 죽음이라는 상황의 복잡성은 죽음을 둘러싼 광범위한 사회-환경적 맥락의 평가가 매우 필요합니다. 이런 맥락에는 잠재적인 트라우마 연상물들(사람들의 울음, 병원, 구급차 등)과 상실의 연상물들(고인의 이름, 사진이나 유품 등)뿐 아니라 죽음 그 자체의 트라우마적인 요소(심한 고통, 신체적 약화, 소생시키려는 노력의 실패 등)가 포함됩니다(Kaplow와 Layne 2014; Layne 등. 2006).

한 예로 교통사고로 엄마가 사망한 9세 여아를 평가하기 전에 저자 중 한명인 J.K.는 아동이 뒷좌석에서 어머니의 끔찍한 죽음을 목격했으니 외상후 스트레스 반응이 심각할 것이라고 예상했습니다. 하지만 평가에서 아동이 가장 힘들어하는 것으로 확인된 것은 강렬한 이별로 인한 고통(엄마에 대한 끊임없는 그리움과 갈망)으로 표출되는 부적응적인 애도 반응이었습니다. 아동은 평가 내내 "엄마는 내게 제일 친한 친구였어요. 엄마가 돌아왔으면 좋겠어요. 제발 다시 만나고 싶어요"라고 반복하며 심하게 울고 슬퍼하였습니다. 아동의 극심한 슬픔과 절망은 뚜렷했지만 PTSD 가능성은 보이지 않았습니다. 평가에 따라, 아이의 강점을 강화하고 고인이 된 엄마와의 관계를 아이의 믿음 체계에 맞추어 영적으로 연결하면서, 달라지긴 했지만 추억 속에서 강하고 건강한 연결감을 유지시키는 방향으로 치료 계획을 세웠습니다. 이 경우 어머니의 죽음에 초점을 맞춘 트라우마 내러티브(사고에 대한 자세한 사항을 다루는 것 등)는 도움이 되지 않고 아이의 반응을 받아들여주지 않아 오히려 더 큰 고통을 야기할 위험성이 있습니다. 물론 이 경우에도 PTSD 증상이 나중에 발생하거나 시간이 지나면서 뒤늦게 뚜렷해질 수 있으므로, 치료자는 이를 고려하여 필요시 치료에 통합할 가능성을 염두에 두고 있어야 합니다.

반대의 예로 같은 저자는 암 진단 후 3년간 침습적인 시술을 받으며 투병하던 어머니의 사망을 목격했던 12세 남아를 평가하였습니다. 무엇이 가장 힘들었냐는 질문에 소년은 죽음 자체나 치료를 지켜보는 게 아니라, 늦은 밤 부모가 서로 울면서 대화하던 중 어머니가 흐느끼며 "치료가 소용없다는 걸 알아요. 하지만 난 작별할 준비가 되지 않았다고요." 라고 말하는 것을 문 밖에서 들었던 순간이 가장 힘들었다고 했습니다. 남아는 부모의 고통스러운 울음을 어깨 너머로 들은 그 밤 장면 재경험을 포함한 극심한 수준의 외상후 스트레스를 보고했습니다. 남아의 애도 반응은 병적이지 않은 일반적인 수준이었습니다.

결론적으로 이 사례들은 "(급작스럽거나 폭력적인) 비자연적" 죽음은 당연히 PTSD로 이어진다거나, 또는 "(예상되고 비폭력적인)자연적" 죽음은 아이가 상실에 준비되어 있거나 가족이 준비하도록 도왔을 테니 PTSD이나 다른 부정적인 심리의 위험이 적을 것이라는 예측 대신, 철저한 트라우마와 사별에 대한 평가가 필요하다는 점을 강조합니다. 또 사랑하던 이와 사별한 아이는 PTSD와 부적응적인 애도 반응 모두를 보일 수 있고, 각 반응들이 서로에 의해 더 악화되고 지연될 수 있다는 점을 고려해야 합니다(Pynoos 1992). 트라우마와 사별 정보기반 평가는 어떤 반응이 더 강한지 확인하여 치료 계획을 세우고 가장 효과적인 치료 시작점을 정하는 데 좋은 안내 도구로 활용될 수 있습니다.

## 4.4 EBA가 어떻게 평가 역량을 높여줄 수 있을까요?

지금부터는 EBA의 개념, 원칙과 실행이 외상 사건이나 사별을 겪은 미성년자를 대할 때 어떻게 효율성(정보가 충분하지 않는 시기에 평가하지 않는 것)과 효과성(필요한 정보와 특정 임상적 결정을 내리는 데 적합한 도구를 쓰는 것) 모두를 향상시킬 수 있는지 살펴보겠습니다(Youngstrom 2013). EBA 과정은 4개의 주요 단계로 나누되, 엄격히 분리된 과정이기보다 (각 사례에 적용 가능하고 필요한 만큼 단계를 반복할 수 있는) 유동적인 것으로 간주합니다. 각 단계는 (1) 내담자를 만나기 전 준비, (2) 일반 평가, (3) 심층 평가, (4) 치료와 추적관찰 중의 평가입니다.

### 4.4.1 1단계: 준비(트라우마, 사별 상담에 EBA 적용)

주어진 임상 환경 속에서 EBA의 질과 효과를 최적화하려면, 신중한 준비가 필요합니다. 여기에 보통 몇 시간에서 며칠이 소요되지만, 이 준비 단계는 시간이 지날수록 몇 배의 시간을 절약하고 더 나은 결과를 만들어냅니다. 첫 단계는 주어진 치료 환경에서 가장 흔한 의뢰 이유와 진단을 확인하는 것입니다. 대다수의 의뢰 사유는, 아동청소년이 어떤 외상이나 상실에 노출이 되었는지 여부를 확인하고 그 사건에 아동이 어떻게 반응하고 있는지를 알고자 하는 것입니다. 하지만 많은 경우 이 외상 이력은 추정만 있는 상태이고, 당장 드러난 행동문제들(위험한 행동, 반항, 물질 사용 등)이 주된 내원 사유가 됩니다. 비공식적으로 흔한 의뢰 사유와 진단을 기억나는 대로 정리하거나 의무기록의 표본을 일일이 세어 확인해볼 수도 있으나, 전자 차트를 통해 통계적으로 계산하는 것이 더욱 자세하고 정확합니다.

다음 단계는 이 기본적인 통계자료와 주변의 치료실의 자료들을 서로 비교해 보는 것입니다(Rettew 등. 2009; Youngstrom 등. 2014). 즉 그 지역 치료기관들의 기본 통계 자료보다 더 적은지(과소진단-위음성), 더 높은지(과잉진단-위양성)를 보는 것입니다. 이를 위해 치료

기관에서 관찰된 기초 자료들이 기타 유사한 치료기관과 비교하여 합리적으로 보이는지를 확인해 보아야 합니다. 예를 들면 학교 상담실에서 관찰되는 외상과 사별의 경험률이 비슷한 인구군 대상의 역학 연구 속 비율과 유사한가를 보는 것입니다. 외부 기관 자료와 소속 기관의 비율을 비교해봄으로써 실제 인구 구성의 차이점이 있는지 혹은 선별 과정과 평가 과정 상의 격차, 또는 연계 과정 상의 차이점이 있는지를 볼 수 있습니다. 다양한 인구집단에서 보고된 자료들을 살펴보면, 외상 사건과 사별(그리고 이에 연관된 외상후 스트레스와 비탄 반응)이란 많은 임상 현장에서 매우 흔하게 만나게 되는 일이므로 위험을 선별하는 체계적인 과정이 필요하다는 점을 알 수 있습니다(Breslau 등. 2004; Courtois와 Gold 2009; Kaplow 등. 2010).

마지막으로 선택한 평가 도구와 지침이 우리의 치료 환경에서 만나는 가장 흔한 노출과 상황들을 평가하기에 유용하고 타당한 도구인지 확인해야 합니다(효과적인 평가법의 확인과 선택 정보는 4.2 참조). 또, 가장 흔한 상황들의 리스트를 작성해두면 임상 평가에서 필수인 감별진단이나 가능한 공존 질환들을 고려하는 데 도움이 됩니다. 이런 점검이나 구조적인 면담이 없다면 치료자가 적어도 한 사례 당 하나 이상의 진단을 놓치게 되므로 결과적으로 공존질환이 과소평가될 수 있습니다(Jensen-Doss 등. 2014; Rettew 등. 2009).

### 4.4.2 2단계: 트라우마, 사별과 관련된 고통에 대한 일반 평가

가장 흔한 임상적인 문제를 자료화해두면 일반적인 평가 과정에도 도움이 됩니다. 예를 들어 의뢰의 흔한 이유가 외상후 스트레스**'와'** 애도 반응에 대한 의심이라면 합리적인 방침은 두 구조를 다루는 넓은 범위의 평가를 활용하는 것입니다(즉 사별과 PTSD - Elhai 등. 2013; Foa 등. 2001, 사별과 PCBD - Layne, Kaplow와 Pynoos 2014).

앞서 살펴보았듯이 가장 흔히 쓰이는 평가도구들은 트라우마나 사별을 다루지 않기 때문에, 이들의 위험인자에 대해 체계적인 평가를 포함하는 것을 추천합니다. 여기에는 내담자가 가까운 누군가를 잃거나 외상 사건을 겪은 적이 있는가를 묻는 언어화된 문항으로 구성된 표준화된 체크리스트(Gawande 2010)부터, 충격적 사건과 상실의 다양한 형태를 다루는 체계적인 선별 도구까지 있습니다(Pynoos 등. 2014; 표 4.1). 다양한 범위의 외상과 사별 중심 선별 도구들은, 치료자가 **위험 요소들의 세트**(누적된 외상 사건들과 상실들의 수, 축적된 부정적 영향들, 발달 전반에 걸쳐 일어나는 일련의 상황들)를 확인하고 구체적으로 확인하여 다룰 수 있게 도와줍니다(Layne, Briggs-King 등. 2014). 예를 들어 Pynoos와 동료들(2014)은 미국의 병원에 의뢰된 대규모 연구 참여자들의 외상 이력Trauma History Profile에서, 아동청소년 시기 전반에 적용 가능한 5개의 독립된 위험 요소 세트(위험요소, 발생 연령, 발생과 재발의 아동기와 청소년기의 패턴)를 확인했습니다. 해당 위험 요소 세트들을 확인하는 작업은, 치료자가 내담자에게 다른 형태의 외상 역시 발생할 가능성이 높다는 점을 깨닫게 합니다. 첫 번째 세트는 방임, 정서적 학대와 역기능적인 보호자, 가정폭력 그리고 신체폭력이 포함되며, 종종 함께 발생하고, 발달 상 초기(만 0-5세)에 일어날 가능성이 높은 것들입니다. 반대로 4번째 위험 요소 세트인 성학대, 성추행/강간, 신체 학대는 비교적 발달의 후기(만 6-17세)에 발생하는 경향을 보입니다.

발달에 따른 유병률의 역학과 아동기 외상과 상실이 매우 다양한 형태로 초기에 시작한다는 것에 대한 지식은 적어도 세 가지 면에서 외상 및 사별 정보기반 평가 역량을 높여줍니다. 첫 번째는, 각 발달 시기에 어떤 외상과 상실 경험이 가장 흔한 지 알려주므로, 치료자가 해당 연령의 아동청소년을 평가할 때 어느 유형의 사건에 가장 방심하지 말고 위험 요소를 선별해야 할 지를 알게 해 줍니다. 두 번째로 어떤 외상들 함께 발생할 가능성이 높은 지 알게 되므로, 한 가지 형태의 외상이 확인되면 (시기적으로 어느 것이 먼저든, 함께 일어났던, 또는 연이어 일어났던) 같은 세트 내의 다른 것의 가능성도 높음을 알리는 **위험 표지자**risk marker의 역할을 하여 선별에 도움이 됩니다(Layne 등. 2009). 이런 위험 표지자는 하나의 위험 요소라도 발견되면 그 전체 세트의 다른 위험 인자들에도 주의가 필요함을 강조해주어 위험 선별능력을 높여줍니다. 세 번째로 특정 유형의 외상 사건이나 상실이 일어나는 평균 연령대를 알면, 다른 위험 요소가 차후 발생하거나 동시에 발생할 경향과 함께, 발달에 따라 앞으로 일어날 상황들을 예측하는 데 도움이 됩니다. 예를 들어 4번째 위험요소 세트에서 성학대는 성폭력/강간과 신체 학대 전에 발생할 가능성이 높으므로, 성학대를 예방하는 조기 개입이 이후에 순차적으로 발생할 수 있는 위험 상황들을 막을 최적의 행동이라는 점을 강조해 줍니다.

### 4.4.3 3단계: 트라우마와 사별 맥락에서의 개인 심층 평가

외상이나 사별 같은 위험 인자 노출을 평가한 뒤, 치료자는 이런 사건들에 대한 흔한 반응들뿐 아니라 이에 관련된 임상적인 기능문제를 체계적으로 면밀하게 평가하는 단계로 넘어가야 합니다. 사실 정의상 PTSD, PCBD 같은 트라우마나 스트레스 요인과 관련된 질환은 일차 병인(원인)의 기원(과거의 트라우마나 사별)이 생물학적, 사회학적인 환경면에서 개인의 외부에 있기 때문에, 강한 생물학적인 경향을 보이는 다른 정신질환(양극성장애, 조현병 등)과 차이가 있습니다. 이런 원인의 차이로 인해, 임상적인 상당한 고통과 손상의 원인, 유지, 악화 또는 완화에 영향을 미치는 요소들을 찾기 위해 최대한 생태학적인 평가를 하는 것이 중요합니다.

생태학적인 평가에는 잠재적인 관련 요소들의 체계적인 탐색이 필요합니다(Layne 등. 2009; Layne, Steinberg 등. 2014). 이 요소들은 다음과 같습니다:

(1) **원인적 위험 요소**(성학대, 신체학대, 사별 등)와 **촉진 요소**(건강한 애착관계)를 포함하여, 적응에 직접 원인적으로 기여하는 요소
(2) 상호작용 매개 요소. **취약 요소**들과 **보호요소**들이 포함된 매개 요소(아래의 the Double Check Heuristic을 시각적 보조도구로 사용)
- 취약 요소들은 원인적 위험 요소와 상호작용하여 부정적인 결과에 더 악영향을 미

치고 **악화**시킵니다. 예를 들어 강간 사건(위험 요소) 후의 취약한 가족의 지지(취약 요소)는 PTSD 증상들(부정적인 결과)을 더 악화시킵니다.

- 취약 요소들은 또한 원인적 위험 요소와 상호작용하여 긍정적인 결과에 부정적인 영향을 **강화**시킬 수 있습니다. 만약 강간(위험 요소) 후 또래의 거부(취약 요소)가 이어졌다면 자존감(긍정적인 결과)을 떨어뜨릴 수 있습니다.
- 보호 요소들은 원인적 위험 요소와 상호작용하여 부정적인 결과에 미칠 영향을 **완충**하거나 완화시킵니다. 즉 교통사고(위험 요소) 후 또래들의 사회적 지지(보호 요소)가 있다면 PTSD 증상들(부정적인 결과)을 감소시킬 수 있습니다.
- 마찬가지로, 보호 요소들은 긍정적인 결과에 원인적 위험 요소가 미칠 부정적인 영향을 **줄일 수** 있습니다. 예를 들어 힘들었던 사망 사건(위험 요소)에 대한 부모-자녀 간의 의사소통(보호 요소)은 아동이 적응적인 방향(긍정적 결과)으로 애도할 수 있는 역량을 지켜줄 수 있습니다.

(3) **매개 요소들**(트라우마 연상물, 상실 연상물, 2차적인 어려움들)은 원인적 위험 요소들이 이후의 결과들[PTSD, PCBD]로 이어지도록 하여, 시간이 지나도 고통이 유지되거나 악화되게 합니다(Kaplow 등. 2012; Kaplow와 Layne 2014; Layne 등. 2006).

매개 요소들은 위험행동들과 원인적 위험 요소들(가령 아동기 신체, 정서 학대 등), 이전의 발달상 기능적인 문제들로 구성되어 특정 발달 과정 중 함께 발생하거나 누적되고(청소년기 초기의 물질 사용) 이후의 발달 과정에 연쇄적인 위험 요소들로 이어져 눈덩이가 불어나듯 진행(후기 청소년기의 중독과 위험한 운전)될 수 있습니다(Layne, Greeson 등. 2014). 따라서 초기 개입의 기회를 만들려면 외상 노출과 공존하는 위험 행동들을 모두 선별해야 합니다(Layne, Greeson 등. 2014).

이론상의 원인적 위험 인자와 그에 의한 실제 결과의 관계 사이에 차이가 있다는 근거들을 고려하여 외상이나 사별을 겪은 아동의 주변 상황을 평가할 때에는 명확한 개념과 정확한 평가가 꼭 필요합니다. 예를 들어 최근의 연구에 따르면 장기간의 투병 후 부모가 사망한 경우의 자녀는 부모가 급사한 경우보다 외상후 스트레스와 부적응적인 애도를 겪을 가능성이 높았습니다(Kaplow, Howell 등. 2014). 또 전쟁을 겪은 아동에 대한 연구에서, 전쟁 노출의 형태(삶의 위협, 신체의 상해, 외상성, 물질적 손실)가 전쟁 4년 후의 PTSD와 우울 증상에도 영향을 미친다는 점, 그리고 트라우마 연상물, 대인관계 문제 및 실존적인 문제들 등의 다양한 영향들이 중재 요인이라는 점이 밝혀졌습니다(Layne 등. 2010). 이러한 결과들을 볼 때 아동기의 원인적 위험 인자들은 기능적으로 서로 교환 할 수 있는 것이 아니라는 점을 알 수 있습니다. 게다가 단순한 합산식(각각의 아동기 부정적인 경험을 더하고 점수가 클수록 위험성이 크다고 보는 것) 개념은 가장 적절하게 개입할 지점을 찾게 해주는 원인 정보들 및 어떤 경로를 증상이 진행되었는지(부모-청소년 간 갈등, 사건 연상물들 등) 등, 임상적으로 활용 가능한 정보들을 놓치게 합니다(Layne, Briggs-King 등. 2014).

3단계에서는 PTSD, 연관된 상태들, 환경적인 취약성과 보호 인자에 중점을 둔 반구조화, 또는 구조화 진단 면담 등의 더욱 적극적인 도구를 사용합니다(Sheehan 등. 1998). 이런 방법들은 구조화되지 않은 면담보다 신뢰도가 높고(Garb 1998), 진단과 치료적 결정에 있어 정확도도 높여줍니다. 어떤 치료자들은 치료적 관계가 깨질까 두려워 구조화된 면담을 피하려 합니다. 하지만 이는 근거 없는 걱정입니다. 오히려 환자들은 종종 구조화된 접근을 더 선호하며 그들과 상황을 치료자가 더욱 통합적으로 이해해준다고 받아들입니다(Bruchmuller 등. 2011; Suppiger 등. 2009). 반구조화된 면담은 외상후 스트레스나 애도 반응의 임상 형태에 영향을 줄 수 있는 발달(Kaplow 등. 2012; Kaplow와 Layne 2014)과 문화적인 요인(Contractor 등. 2015)을 다룰 때 치료자가 더 융통성을 발휘할 수 있는 부가적인 장점이 있습니다. 이 평가 단계에서 진단적 면담과 자기평가 설문은 임상적 진단과 치료적 목표를 정하는 데 정보를 주고 돕는 상호보완의 기능을 합니다.

EBA의 기본 원칙에 맞게, 치료 계획의 추가 요소로 내담자의 가치와 소망의 통합이 포함됩니다. 내담자의 가치와 소망의 통합은, 내담자가 가장 우선시하는 것이나 가장 큰 문제라고 느끼는 것을 묻는 등의 (내담자 중심 또는 내담자 주의의) **개별적** 정보들과 표준화된 평가로 얻어지는 보다 규준 참조적[norm-referred], **보편적** 내담자가 정보를 통합하려는 EBA의 최근 경향과 일맥상통하는 것입니다. 이런 통합적인 접근법은 내담자 참여와 내담자에게 뚜렷한 의미가 있는 치료적 결과를 얻는 데 있어 각 방법의 상호보완적인 장점을 추구하는 것입니다(Weisz 등. 2011). 청소년의 발달적 요인과 문화 그리고 개인의 삶의 경험이 고통과 장해, 그리고/또는 적응이 어떻게 드러나는지에 큰 영향을 줄 수 있다는 점에서 트라우마나 사별을 겪은 청소년의 평가시 내담자의 가치에 민감해지는 것이 매우 적절합니다(Kaplow 등. 2012). 그들의 고통에 대한 반응의 원인과 최선의 해결책에 대한 내담자들의 신념은 또한 매우 다양하며, 평가와 치료에 참여하려는 내담자들의 의지에도 영향을 미칩니다. 내담자의 신념에 따라 질문과 평가 도구들을 사용한다면 치료적 관계의 질과 치료 순응도를 높여 치료 성공률을 매우 높일 수 있습니다(Yeh 등. 2005). 한 예로, 외상 사건이나 사별을 겪은 가정 중 많은 수가 그들의 종교적, 영적인 믿음에 의지하여 그들의 부정적인 경험의 의미를 찾습니다. 이 때 가족들이 각자의 개인적인 영적 믿음을 나눌 수 있는 질문과 도구들을 이용해서 결과를 서로 공유하면, 공감적인 인정감을 주고 치료적 동맹을 강화하는 데 도움이 되었습니다(Howell 등. 2015).

### 4.4.4 4단계: 치료 기간 및 추적관찰 시기의 평가

심층 평가에서 트라우마나 사별과 관련된 임상적 문제가 발견되어 치료의 중심이 되었다면, 그 뒤 평가의 목적은 치료 과정과 호전 정도를 평가하는 것으로 전환됩니다(Youngstrom과 Frazier 2013). 과정 평가에는 트라우마 연상물이나 관련 반응들을 지속적으로 확인하는 등과 같은 숙제를 내담자가 잘 따라하고 있는지 살펴보는 것이 포함됩니다. 기술의 발전 덕에 이제 내담자가 수행할 활동에 대한 알림을해 자동으로 스케줄대로 설정하고 점검할 수 있게 되었습니다. 진행상황에 대한 다양한 평가도구로 간단하고도 민감하게 변화를 평가할 수 있게 되어 내담자가 치료적 진행상황을 모니터링할 수도 있습니다(Wells 등. 1996; Beidas 등. 2015). 긴 평가척도는 매 회기마다 쓰기 부담스럽지만, 주기적으로 유의미한 변화 여부를 평가하는 데 쓸 수 있습니다. 간단하게라도 매 회기마다 진행 상황을 평가하면 긍정적인 결과의 가능성을 높이고, 내담자가 기대했던 성과를 못 얻었을 때에도 진단과 치료적 계획을 재정립할 귀중한 단서를 찾을 수 있습니다. 내담자가 목표를 달성할 경우, 종결 계획에 모니터링 단계를 포함하여 필요할 경우 추가 회기나 재치료를 할 수 있게 해주어야 합니다. 사별과 관련된 기념일 반응, 발달상의 주요 사건, 또는 트라우마를 연상시키는 상황들을 확인하고, 이들을 어떻게 다룰지 명확한 계획을 세워야 치료 성과를 유지할 수 있습니다(Lambert 2010).

## 4.5 Double Checks Heuristic을 활용한 평가 자료 이해

EBA의 역량을 중시하는 임상 트레이닝에서는 심층 임상평가 시에 여러 임상적인 추론 전략의 사용을 권장합니다(Hoge 등. 2003). 첫 번째 전략은 한 가지 이상의 임상적인 가설이나 설명을 염두에 두는 것입니다. 이 전략은 지지와 반대 증거 모두를 점검하여 선호도에 따른 편향을 줄이는 역할을 합니다. 이는 특히 임상적으로 공존 질환이 많고 임상적으로 "여러 진단에 다 해당"(예를 들어 내담자가 PTSD**와** 우울증**과** 불안을 모두 갖고 있는 경우)된다고 진단하는 것이 적절한 내담자들이 있을 수 있는 임상 세팅에서 유용합니다.

두 번째로 사용가능한 전략은 최근 제안된 **Double Checks Heuristic**(Layne, Steinberg 등. 2014)이라는 평가 자료, 사례 정리, 치료 계획을 위한 임상 추론과 개념화 도구입니다. 발견법heuristic은 임상 이론에 따라 각 평가 자료를 가설 상의 역할에 따라 정리하고, 과학적 정보에 기반한 사례 개념화 과정을 만들고자 하는 노력에서 개발된 것입니다(Christon 등 2015). 모델의 각 역할(보호 인자, 취약 인자, PTSD 같은 부정적 결과 등)은 타당한 근거가 분류되어 들어있는 개념적 상자로 대표됩니다. 발견법에서는 내담자를 그들의 환경적 생태 안에서 체계적으로 개념화 하고, 각종 근거들을 각각의 가설에 해당되는 모델의 개념적 상자에 분류하여 넣습니다. 즉 처음에는 자료를 모아 적절한 임상적 이론을 개념화하는 데 초점을 맞추고, 논리적으로 뒤이어 각 개념적 상자에 관련된 개입의 목표들을 확인하여 치료 계획을 세웁니다(**그림 4.1**).

이 Double Checks Heuristic에는 EBA를 촉진하는 5개의 강점이 있습니다. 첫 번째로, 치료자가 다양한 평가 자료를 통합적으로 풀어내고 정리하여 다양한 인자들로 구성된 복잡한 생태 상황을 이해할 수 있게 해줍니다. 두 번째로, 부정적인 면들(위험인자들, 취약인자들, 부정적 결과들, 방해인자/경계들) 뿐 아니라 긍정적인 면들(증진 인자들, 촉진/촉매적 인자들, 긍정적인 결과들, 보호 인자들)의 강점 역시 같은 비중으로 균형 있게 점검하는 것을 강조하므로, 긍정적인 아동 발달과 심리를 치료적으로 활용하거나 결과로 평가할 수 있게 합니다(Layne 등. 2009). 세 번째로, (위험 인자들과 취약 인자들을 구분하는)이해, (자료들을 각각의 개념적 정리함에 분류하는) 분석, (각각의 개념적 정리함을 통합하여 임상적인 이론, 가설을 세우고 치료 계획을 세우는) 합성과 (각 증거들로 가설을 검증하는) 평가를 포함하는, 고난이도의 인지적 처리과정을 통해 임상적인 추론 기술을 강화해 줍니다(Anderson 등. 2001). 네 번째로, 치료자가 각 개념적 상자와 관련하여 무엇을 이루고 싶은지 고려하게 하여, 사례 개념화를 치료적 계획으로 전환할 수 있게 합니다. 특히 이 방법은 개입 위치intervention foci (개입하고자 하는 개념적 상자, 예를 들어 보호 인자들), 개입 목표intervention objectives (얻기 원하는 것, 예를 들어 사회적 지지를 활용하여 트라우마 연상물들에 인한 고통 줄이기 등), 실행 요소들practice elements (어떻게 원하는 바를 얻 을 것인가, 예를 들어 내담자에게 사회적 지지를 구하는 기술을 가르치기 등)을 통해 치료적 개입 계획을 원활히 짤 수 있게 합니다(Saltzman 등. 2017). 마지막으로, 치료자가 통합적으로 생각하여 모델 각각의 요소들을 협동적으로 수행하게 할 전략을 세울 수 있게 합니다. 예를 들어 아이가 필요로 할 때 대면 상담이나 전화 면담(촉진 요소)을 할 수 있는 경우, 강력한 사회적 지지 체계(증진 요소)의 이득을 볼 수 있습니다.

집단 지도감독 상황에서(깊이 있는 사례토론 시간이 부족할 때) 새로운 치료자와 치료자팀은 이 모델의 단순형인 CHECKS Heuristic(**그림 4.2**)을 이용하는 것이 도움이 될 수 있습니다. 이 CHECKS는 각각 C[*what caused the problem?* 무엇이 이 문제를 일으켰는가?(원인적 위험 인자)], H[*what might help the problem to get better?* 무엇이 문제의 해결을 돕겠는가(보호 인자)?], E[*what might exacerbate the problem?* 무엇이 문제를 더 악화시키겠는가?(취약 인자)] C[*what is the most pressing consequence?* 무엇이 가장 최악의 결과인가?(부정적 결과)], K[*what are the key intervention objectives?* 무엇이 치료에 가장 중요한 목표인가?(치료의 최우선 과제)]와 S[*how do we know whether treatment is successful?* 치료의 성공을 우리가 어떻게 알 수 있는가?(치료 진행의 모니터링)]로 구성됩니다. 다음 단락에서 CHECKS 발견법이 어떻게 평가 시기 전반, 사례개념화 시기부터 이후 위험 인자, 보호인자들 및 취약인자들을 확인하는 관리감독까지 쓰이는지를 살펴볼 것입니다.

요약하면 EBA는 임상적인 추론을 더욱 정확하고 균형 잡힌 상태로 통합적이고 정량화가 가능하게 합니다. 즉 앞서 언급한 발견법과 기술들을 이용하여 치료자가 평가 자료를 조직, 구성하여 통합적으로 고려하고, 가능성들을 평가하여 적절한 임상 이론을 세울 수 있게 합니다.

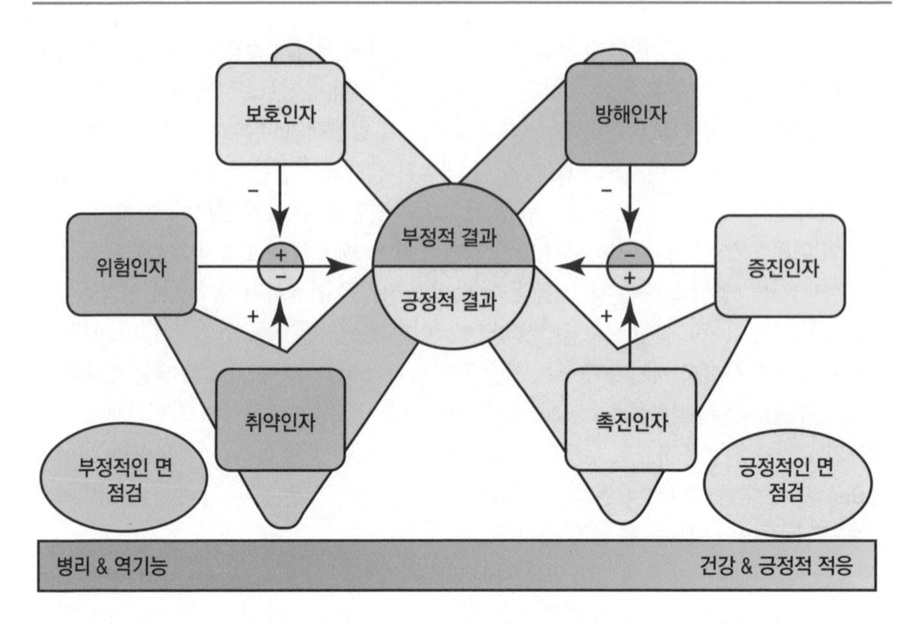


**그림 4.1** Double Checks Heuristic(Layne, Steinberg 등 2014). 결과에 영향을 미치는 위험 인자와 증진 인자의 직접적 효과에 대한 값(+ 또는 -)은 결과값의 기능(긍정 대 부정)에 따라 변합니다. 반대로, 보호 및 방해 인자는 이들의 직접적인 영향을 줄이고 취약과 촉진 인자는 직접적인 영향들을 강화합니다.

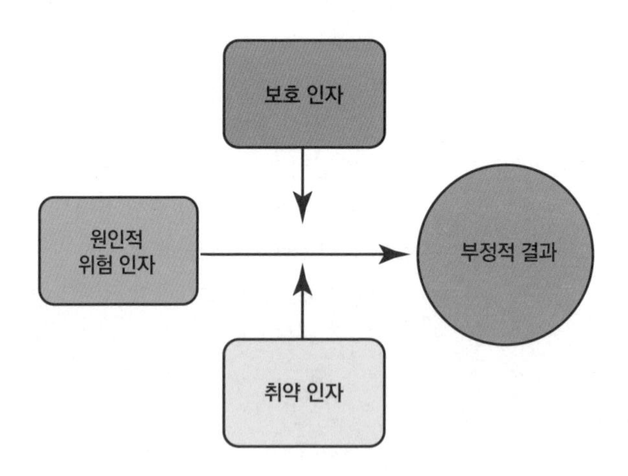


**그림 4.2** CHECKS Heuristic 법

## 4.6 사례: EBA 원칙을 이용하여 트라우마 정보 평가하기

민디는 15세 백인 여자 아이로 최근 2달간 성적이 급격히 떨어지고 자주 결석하며 숙제를 하지 않는다는 이유로 학교 상담선생님에 의해 정신건강의학과 외래에 의뢰되었습니다. 학교 상담선생님과 2번째 만났을 때, 민디는 두 달 전 제일 친한 친구의 형제에게 성폭행을 당한 후 학업에 집중할 수가 없다고 털어놓았습니다. 상담선생님은 이를 즉시 신고하였고 수사가 진행되었습니다. 선생님에게 민디는 (이혼한) 부모에게 사건 직후 그 사실을 알렸었다고 했습니다. 민디에게 부모님의 반응을 묻자 "아빠(크레이그)는 화가 엄청 나서 가해자가 감옥에 갈 때까지 마음을 놓을 수 없다고 했어요. 또 저를 사랑하고 다시는 이런 일이 일어나지 않게 하겠다고 말해주었어요. 하지만 엄마는 심하게 화를 내면서 제가 무언가 가해자를 자극했을 것이라고 하더군요. 제가 그렇게 딱 붙는 티셔츠를 입고 다니면 안 된다면서요."

초기 평가에서 치료자는 민디의 어머니 재니스를 만나 비밀유지가 제한적인 상황을 설명하고 발달학적, 정신사회적 과거력을 들은 뒤 현 문제에 대한 어머니의 관점을 좀 더 이해하는 시간을 가졌습니다. 재니스는 "학교에서 민디의 태도 문제라면 아주 지긋지긋해요.", "제가 뭘 더 해줄 수 있을지 모르겠어요."라고 말했습니다. 또 그녀는 딸의 성폭력 사건이 정말 속상하지만 민디가 "연상의 남자애들에게 애교를 부리는 것에 대해 이번 기회에 뭔가 좀 배울 것"이라고 생각한다고 했습니다. 재니스는 "당시 딸이 저항했다고 하지만 걔는 언제나 남의 관심을 끌려고 하는 아이에요. 그러니 내가 애 말을 믿기는 어려워요."라고도 덧붙였습니다. 세부적으로 딸의 학교 문제가 시작된 시기에 대해 질문하자 재니스는 8개월 전 자신의 어머니, 민디의 할머니가 사망한 직후 문제가 시작되었다는 것과 성폭력 사건 이후 계속 악화되어왔다는 것을 기억해냈습니다. "엄마의 죽음은 우리 모두에게 너무도 힘든 일이었어요. 엄마는 내가 이혼했던 4년 전부터 함께 살았어요. 딸에게는 그녀가 또 다른 엄마인 셈이었지요. 딸은 언제나 나보다 내 엄마와 대화하는 걸 더 좋아했어요."라고 말한 뒤, 재니스는 "몇 주 전 아이가 저에게 할머니가 아닌 엄마가 죽었어야 했다며 악을 쓰더군요."라며 눈물을 흘렸습니다. 면담의 마지막 부분에 치료자는 어머니에게 민디의 여러 발달 상 정신사회적 기능 영역과 애도 반응을 포함한 여러 영역의 평가를 하게 했습니다(강점난점 설문지 the Strengths and Difficulties Questionnaire).

민디의 어머니를 만난 후 치료자는 민디를 따로 만났습니다. 그녀는 약간 불안하고 안절부절 못하고 있었지만 동시에 예의 바르고 다소 의기소침해 보였습니다. 이곳에 왜 오게 되었는지 묻자 민디는 "아마도 제가 학교 수업을 망쳐서일거 같아요."라고 답했습니다. 치료자는 민디가 학교에서 어려움을 겪고 있는지 잘 이해하고 싶지만 그보다 무엇이 그녀를 괴롭히는지 듣고 그녀를 더 잘 이해하는 것이 자신의 직업이라고 말해주었습니다. 또 자신은 나쁜 일을 겪은 청소년들이 그 이야기를 하도록 돕고 무섭거나 불쾌한 사건을 겪은 아이들이 보일 수 있는 다양한 반응들을 다룰 수 있도록 돕는 사람이라고 설명했습니다. 초기의 대화 이후 민디는 조금 편안해지고 약간 안심한 듯 보였습니다.

치료자는 비밀 유지의 한계를 말하고 평가를 시작하였습니다. 민디가 다칠 가능성이 있다면 부모님 또는 기관에 이를 알려야 한다고 말하자 민디는 곧바로 "그건 걱정 안 하셔도 돼요. 제게 일어난 일은 이미 모두 알고 있어요. 학교 상담선생님이 선생님에게 다 말한 것도 알고 있고요."라고 말했습니다. 치료자는 민디에게 그녀 자신의 표현으로 무슨 일이 일어났는지 듣고 그녀의 경험을 더 잘 이해하고 싶다고 말했습니다. 민디는 잠시 주저하다가 "전 성폭행을 당했어요. 하지만 거기에 대해 말하고 싶지 않아요. 곧 재판이 있는데 거기서 증언해야 한다고 하더라고요. 저는 그냥 다 잊고 그 일을 마음 속에서 지워버리고 싶어요."라고 짧게 대답했습니다. 치료자는 민디가 사건에 대해 생각하거나 말하기를 강하게 피하고 싶어한다는 점을 확인하고 만약 원치 않는다면 자세한 내용을 말할 필요가 없다고 설명해주었습니다. 또 아이들은 종종 그들이 겪었던 것에 대해 이야기한 뒤에 기분이 좀 나아지곤 하는데, 말로 표현하는 것이 좀 더 편안해지려면 시간이 더 걸릴 수도 있다고 말하며 안심시켰습니다.

이후 치료자는 민디의 발달과 정신사회적 과거력에 대해 간단히 임상적인 면담을 했습니다. 민디는 부모가 몇 년 전 이혼했고, 여전히 아빠와 사이가 좋지만 그가 멀리 이사 갔기 때문에 자주 보지 못하고 자신은 현재 엄마와 10살인 여동생과 같이 살고 있다고 했습니다. "여동생과 저는 정말 친해요. 제가 이렇게 계속 화가 나 있는 상태인 게 동생 입장에서는 힘들 것 같아요. 여동생은 절 좋아하고 무엇이든 함께 하고 싶어 하거든요. 하지만 동생은 지금 또래들이 절 험담하고 페이스북에서 따돌리는 걸 보고 왜 이런 상황이 벌어진 건지 이해를 못하고 있어요."라고 민디는 덧붙였습니다. 민디는 사건 이후 가장 친했던 친구(사라)와 다른 학교 친구들이 자신이 지나갈 때마다 욕을 하고("걸레" 등등), 페이스북에 자신을 비꼬고 비난하는 내용을 올리며("네가 원하지 않았던 척 하지마" 등) 사물함에 경멸하는 말을 붙여 놓는다고 했습니다. 그것이 얼마나 힘들었을지에 대해 치료자가 공감의 표현을 하자, 민디는 "그게 사실 제이크가 한 짓보다도 더 끔찍할 정도예요. 애들이 절 놀릴 때마다 일어났던 일이 떠오르고 속이 뒤집힐 거 같은 느낌이 시작되어요. 마치 제가 어디에 가든지 함정에 빠진 것 같아서, 그냥 제 뇌를 꺼버리고 싶어져요. 저는 원래 학교에 가는 걸 좋아하는 편이었는데 이제는 너무 싫고 집에만 가고 싶어져요."라고 말했습니다.

이후 치료자는 UCLA PTSD Reaction Index(RI)에서 트라우마 과거력 부분을 골랐습니다. 놀랐거나 불편했던 다른 사건이 있었는지 묻자 민디는 8개월 전 할머니가 심장마비로 갑자기 사망한 일을 말했습니다. 치료자가 그에 대해 좀 더 말해달라고 하자, 민디는 사건 이후 할머니가 더 그리워졌다고 말하며 "엄마보다 할머니가 절 더 잘 이해해주었을 거예요. 할머니라면 절대 제 잘못처럼 대하지 않으셨을 거예요."라고 했습니다. PTSD RI에 표시된 대로, 치료자는 무엇이 지금 민디에게 가장 괴로운 사건인지 생각해보게 했습니다. 민디는 "전 계속 할머니를 그리워하고 있지만, 제이크가 제게 한 일은 아무리 그 생각을 밀어내려 해도 멈출 수가 없어요. 그러니 아마도 그것(성폭력 사건)일 거 같아요."라고 대답했습니다. 남은 평가 시간 동안 민디는 "나는 일어났던 사건을 떠올리게 하는 사람들, 장소나 물건들로부터 멀리 있으려고 노력한다", "다시는 다른 사람을 믿지 못할 것 같다는 생각이 든다", "내가 원하지 않을 때에도 일어난 일에 대해 자꾸 떠오르는 불쾌한 생각들, 이미지들과 소리들이 있다", "일어난 일에 대해 수치스럽고 죄책감이 든다" 와 같은 PTSD 증상들이 대다수의 시간 동안 있다고 표시했습니다.

다음으로 치료자는 민디에게 일어났던 사건에 대해 조금 더 이야기해줄 수 있는 지 물었습니다. 민디는 6학년 때부터 사라와 가장 친했고 여러 번 사라의 집에서 잠을 잤었다고 말했습니다. 하지만 이번엔 그녀가 이전에 몇 번 본 적 없었던 사라의 오빠인 제이크가 대학 파티 후 새벽 1시쯤 집에 오면서 평소와 다른 상황이 되었다고 했습니다. 그가 왔을 때 사라는 잠들어 있었고 민디는 사라의 2층 침대 중 아래층에서 막 잠이 들려던 참이었습니다. 제이크는 사라의 침실에 들어와 민디를 툭툭 치더니 "같이 놀 생각이 있는"지 물었다고 합니다. 민디가 너무 졸립다고 하자 제이크는 옆에 앉더니 민디에게 옆으로 가라고 했다고 합니다. 그의 입에서는 술 냄새가 났고 말도 어눌했습니다. 민디가 비키기를 거부하자, 제이크는 "잠깐 나쁜 여자애가 되는 거야, 긴장 풀라고"하면서 옷을 벗기 시작했습니다. 그리고 그는 그녀의 몸 위에 올라가 민디의 입을 손으로 막으며 강간했습니다. 민디는 저항하려 했지만 그의 힘이 너무나 셌다고 말했습니다. "그때 저는 숨이 막히거나 죽을 거라는 생각이 들었어요. 그의 손이 제 코와 입을 다 막아서 거의 숨을 쉴 수가 없었거든요." 라고 말했습니다. 민디는 당시 사라가 잠에서 깨어 무슨 일이 일어나고 있는 것인지 분명 알고 있었을 거라고 확신한다고 했습니다. "사라가 그를 막지 않았다는 걸 믿을 수가 없어요. 내가 그런 상황을 원했을 거라고 그녀가 생각할 이유가 없어요, 그녀는 내가 성경험이 없고 진정한 남자친구를 만날 때까지 기다리고 있다는 걸 알고 있었어요. 결국 그가 행위를 멈추고 방을 떠난 뒤, 저는 몇 시간이나 울었지만 그녀는 그냥 잠든 척했어요. 제 생각에 그녀는 진실을 알고 싶지 않은 것 같아요."

다음날 아침 사라는 아무 일도 없었던 것처럼 행동했다고 합니다. 민디가 제이크가 강제로 성관계를 했다고 말하자 사라는 "우리 오빠가 그랬을 리가 없어, 왜 이래, 민디. 네가 우리 오빠한테 관심이 있다고 말했었잖아."라고 답했습니다. 민디는 사라의 집으로 엄마를 불렀고 그 이후 사라와 말을 하지 않고 있다고 했습니다. 다음은 민디의 말입니다.

> 믿었던 누군가가 그렇게 저에게 등을 돌린다는 것은 너무 큰 상처예요. 전 언제나 그녀를 의지할 수 있을 것이라고 믿었는데, 이제 그녀는 저의 적이에요. 자기 오빠가 감옥에 가길 원하지 않는다는 것은 알지만 모든 것이 제 잘못인 것처럼 해서 벗어나려고 하는 것처럼 보여요. 제 생각에 그녀는 절 끊임없이 괴롭혀서 제가 증언을 못할 정도로 겁에 질리게 하려는 것 같아요. 하지만 솔직히 말해서 더 이상 나빠질 수 없다고 생각해요.

치료자가 민디에게 피하게 되는 특정 사람, 장소나 대상이 있는지 묻자, 그녀는 학교에서 예전에 제일 친하던 애들을 만나면 단순히 멀리서 보이기만 해도 자신이 강간당했다는 것이 떠올라서 "공황"상태 같은 느낌이 든다고 했습니다. 또 학교에서 다른 학생들로부터 무례하고 경멸의 말을 들으면 그날 밤의 나쁜 기억이 다시 떠오른다고 했습니다. 마지막으로 민디는 체육 수업의 이완 운동 시간에 있었던 일을 말해주었습니다. 선생님이 "긴장을 풀어relax"라는 말을 하자마자 강간할 때 제이크가 계속해서 "그냥 긴장 풀어just relax"라고 말했던 기억이 홍수처럼 밀려왔습니다.

최근 민디가 할머니를 잃은 일을 감안하여 지속성 복합 사별장애(Persistent Complex Bereavement Disorder, 이하 PCBD) 질문지를 작성했습니다. 설문 중 눈의 띄는 민디의 반응은 그녀가 할머니의 죽음에 책임이 있다고 느끼는 것이었습니다. "제가 그렇게 엄마와 다투지 않았더라면 할머니가 그렇게 스트레스를 많이 받지 않았을 것이고, 그럼 아마도 심장마비가 일어나지 않았을 거에요." 치료자는 민디의 우울 증상을 확인하기 위해 단축형 정서와 기분 질문지Short Mood and Feelings Questionnaire도 시행하였습니다. 민디는 "나는 다시는 좋아질 수 없을 것 같다", "적절하게 생각하거나 집중하는 것이 어려워졌다", "외롭다"의 3가지 항목이 대다수의 시간에 해당된다고 표시하였습니다. 마지막으로 민디의 트라우마와 사별의 이력과 어머니와 친구들로부터 지지가 없다고 느끼는 상황 및 여러 PTSD 증상과 우울 증상을 감안하여, 치료자는 자살 사고 설문the Suicidal Ideation Questionnaire을 추가하였습니다. 민디는 여기에서 9가지 항목을 표시하며 "지금 나쁜 상황이라는 것은 알지만, 저는 절대 자살하지 않을 거예요. 동생을 남겨둘 수 없어요, 동생은 할머니마저 떠났으니 제가 더 필요한 상태예요."라는 말을 하였습니다.

평가를 마치며 치료자는 민디에게 평가 내용들을 종합해 보고, 결과에 따라 무엇이 가장 민디를 위한 계획일지 찾아본 뒤 다시 만나자고 하였습니다. 치료자는 민디가 생각과 느낌을 포함하여 매우 소중한 이야기를 들려준 것에 대해 존중의 표현하고, 혹시 질문이 있는지 물었습니다. 민디는 "정말 다른 애들에게도 이런 일이 일어나나요? 저는 저만 운이 없거나 이상하거나 뭔가 그런 줄 알았어요."라고 말했습니다. 치료자는 운이 없거나 다른 아이들과 다르다는 느낌이 드는 것이 성폭력 사건 이후 흔한 반응이고, 자신이 그런 비슷한 경험과 기분을 느꼈던 많은 다른 아이들에게 도움을 주었기 때문에, 민디 역시 분명히 도울 수 있을 거라고 생각한다고 말해주었습니다.

### 4.6.1 CHECKS Heuristic을 이용한 민디의 사건 개념화

1. **무엇이 문제를 일으켰나(caused)?** *목표: 원인적 위험 인자(들)의 확인*

   치료자는 어머니와 아이의 임상 면담과 UCLA PTSD RI 중 자가보고 트라우마 이력 부분을 통해, 민디가 성폭력 사건과 조모의 갑작스러운 사망이라는 두 가지의 트라우마 가능성 사건을 겪었다는 것을 확인하였습니다. 이를 통해 치료자는 이런 사건들 이후 일어날 수 있는 가장 흔하거나 가능성 있는 결과(즉 PTSD와 PCBD)를 고려하여, 이후 이 주요 결과를 적절하게 평가할 도구를 선별하였습니다.

2. **무엇이 주요 결과인가(consequences)?** *목표: 주요 원인적 위험 인자에 노출되어 일어난 주요 원인 결과(들)의 확인*

   민디의 PTSD RI 결과에 따라, PTSD의 진단기준에 해당하는 것이 확인되었습니다. 그리고 PCBD의 전체 기준을 다 만족하지는 않았으나 민디가 상당히 많은 수의 PCBD 항목을 체크한 점으로 보아 그녀는 상황으로 인한 고통(그 죽음에 자신의 책임이 있다고 느끼고 그 죽음을 막을 수 있었을 방법을 떠올림 등)뿐 아니라 분리됨으로 인한 고통(할머니가 너무 그리워서 가슴이 아프다 등)을 겪고 있었습니다(Kaplow 등, 2013). 단축형 정서 기분 질문지Short Mood and Feelings Questionnaire에서 임상적인 우울증의 주요 위험 요소는 보이지 않았습니다. 임상 면담과 부모 보고형 강점난점설문지(parent-report version of the Strengths and Difficulties Questionnaire, 이하 SDQ)에서는 부주의, 사회적 위축, 그리고 또래에 의한 따돌림 등의 다른 문제들이 확인되었습니다. SDQ에서 확인된 민디의 강점은, 타인의 감정을 배려하고 어린 아이들에게 친절한 것이었습니다. 민디가 PTSD 진단에 해당함에 따라 치료자의 사례 개념화에서는 주요 문제로 PTSD에 초점을 맞추었습니다.

3. **무엇이 문제 해결을 도울 수 있을까(help)?** *목표: 가능성 있는 보호 인자(원인적 위험 인자의 영향을 줄일 수 있는 것들)의 확인*

   민디가 여동생의 충격이 매우 클 것이기 때문에 자살을 고려하지 않는다는 점을 감안할 때, 여동생과의 관계가 보호 인자일 수 있습니다. 또 그녀가 아버지와 이야기하는 것을 편하게 생각하기 때문에, 서로 규칙적으로 연락할 수 있다면 그가 중요한 지지 자원이 될 수 있을 것입니다. 사건에 대해 치료사와 개방적으로 이야기하는 민디의 자발성은, PTSD 증상을 줄이는 데 도움이 되는 정더 많은 정서적인 표현을 하는 방식의 대처를 보여주고 있는 것일 수 있습니다. 임상 인터뷰 중, 민디는 그림 그리기를 좋아하고 언젠가 화가가 되고 싶다며, 그녀의 그림 몇 점을 이미 지역 미술상이 구매했다는 점을 언급하였습니다. 민디의 예술적 재능은 자신의 고통과 비탄을 표현하는 창의적인 출구로써 도움이 될 수도 있습니다.

4. **어떤 요소들(내적과 외적 모두)이 문제를 더 악화시킬 수 있을까(exacerbate)?** *목표: 잠재적인 취약 요소들(원인적인 위험 인자의 영향을 더 강화시키는 환경 내 요건들)*

   치료자는 평가를 통해 민디의 PTSD 증상을 악화시킬 수 있는 많은 내적, 외적인 잠재적 취약 요소들을 확인하였습니다. 외적으로는 사회적 환경 면에서, 가설상의 취약 요소는 그녀의 엄마가 지지적이지 않다는 민디의 인식과 (특히 부모의 이혼 이후 그녀의 정서적 지지의 가장 주요 자원이었던) 외할머니의 죽음, 교내 따돌림, 그리고 사건 이후 자신의 오빠 편을 들면서 잃게 된 가장 친한 친구가 해당됩니다. 어머니가 스스로 보고한 부적응적인 애도 반응 역시 높았기 때문에, 어머니의 부정적 애도가 아마도 그녀가 민디를 지지하지 못하도록 영향을 미쳤을 수도 있습니다. 사회적 환경에서 추가적인 취약 요소는, 학교에서 민디가 친구들과 마주칠 때마다 반복적으로 외상 사건을 떠올린다는 점과, 학교와 페이스북에서 자신을 헐뜯는 언급을 듣거나 보는 것이 해당됩니다. 가설상 민디의 내적인 취약 요소는 자기 비난에 초점을 맞추고 있는 부적응적인 인지왜곡과 성폭력 사건으로 인해 자신에게 "불운"이 따라다닌다는 느낌입니다.

5. **무엇이 치료적 목표의 핵심인가(key)?** *목표: 사례 개념화를 하고 통합된 평가 자료를 바탕으로 치료 계획 세우기*
평가 결과에 근거하여, 치료자는 트라우마, 애도와 청소년기 동안 그들 간의 상호작용(Saltzman 등, 2018)을 다룰 몇 개의 주요 치료 목표를 확인합니다. 이는 다음과 같습니다. (1) PTSD 증상 줄이기; (2) 부적응적인 애도 반응, 특히 분리 및 상황과 관련된 고통 줄이기(Kaplow 등 2013); 그리고 (3) 적응적인 학교 관련 행동(수업 듣기, 숙제 완료하기 등)을 늘리기.
치료자는 또한 치료적으로 교정 가능한 취약 인자, 즉 바뀔 수 있는 것들을 줄이고 보호인자를 강화하기 위한 몇 가지 현실적인 부분을 확인하였습니다. 이는 다음과 같습니다:
   ① 민디가 매일 겪는 트라우마의 연상물, 고통으로 인한 증상들, 사회적 어려움을 다루고 학교에서의 수행을 잘 하도록 지지해줄, 그녀와 엄마 사이의 적응적이고 지지적인 부모-자녀 관계 촉진
   ② 외상후 스트레스 반응, 애도 반응과 사회적 어려움을 다루는 데 도움이 되는 표현적인 방어기제, 특히 예술가로서의 능력을 강화하기
   ③ 민디의 어머니가 학교 상담사와 학교 선생님들에게 민디의 잠재적인 트라우마 연상물들을 알려, 노출을 예방하고 학교에서의 행동과 수행을 향상시킬 수 있도록 돕기
   ④ 인지행동 전략으로 자기비난이나 자기혐오적 표현들이 포함된 부적응적인 생각들을 줄이기
   ⑤ 민디와 아버지의 지지적인 관계를 강화하여, 사건과 연상물로 인한 고통을 필요할 때마다 이야기 나눌 수 있는 추가적인 안전한 대상자로서의 역할을 강화하기. 게다가 민디의 아버지는 컴퓨터를 잘 다루므로, 딸에게 온라인 공간에서 어떻게 자신을 잘 보호할 수 있는지를(보안 세팅, 폭력 신고 등) 알려줄 수 있습니다.
   ⑥ 민디가 고인이 된 할머니와 연결된 느낌을 건강한 방식으로 보고, 이 독특하고 중요한 관계를 강점으로 연결 지을 수 있게 하기
6. **치료가 효과가 있는가? 그렇다면 왜, 아니라면 왜 아닌가(successful)?** *목표: 치료 진행 과정을 모니터링하고, 치료적 변화의 가설상의 기전(치료의 활성화된 부분)을 확인하기*
   치료자는 치료기간 동안 치료의 경과를 확인하고 필요할 때마다 과정을 조정하기 위해, 규칙적으로 평가를 반복할 것입니다. 그리고 치료적 변화 기전의 가설 상, 치료 계획에서 목표로 삼았던 취약 요소와 보호 요소들을 모니터링할 것입니다. 이 과정은 치료자가 개입할 곳을 효과적으로 다루고 있는지 확인해주는 역할도 합니다. 그리고 이런 모니터링 과정에서 충분한 치료가 진행되고 있지 않다면, 치료자는 치료의 성공 기회를 높이고자 문제 해결을 위한 추가적인 개입 목표(취약 요소 등)를 확인하고 CHECK Heuristic으로 돌아가는 것을 포함하여 치료과정을 적절하게 조정할 것입니

다(Lambert. 2010). 최종적으로, 치료자는 치료 중 다른 문제 가능성이나 치료 도중 만나게 되는 고통의 근원 등을 계속 탐색하는 경계 과정을 치료와 통합적으로 진행하게 됩니다. 만약 이런 것들이 감지된다면 그에 따라 치료 계획을 조정합니다.

## 결론

이 장에서는 트라우마와 애도가 종종 동시에 일어날 수도 있으며, 각각 다른 원인적 위험 인자와 취약 요소, 보호요소 및 결과들의 조합을 가질 수 있다는 점을 고려하여 외상과 사별 중심 EBA가 필요하다는 점을 살펴보았습니다. 또한 EBA 원칙과 방법들이 외상 사건과 사별을 겪은 미성년자의 평가에 가장 현실적인 도구일 수 있다는 점을 강조합니다. 저자들은 EBA가 효율성과 효과성 모두를 극대화한 평가를 능숙하게 할 수 있게 해준다는 점을 포함하여, 외상 사건과 사별을 경험한 미성년자 치료의 수준을 높이는 희망적인 방법이라고 제안합니다. 이를 위해 어떻게 EBA가 위험 인자의 선별부터 임상 평가, 사례 개념화, 치료 계획, 치료 반응의 모니터링, 치료 후 적응의 모니터링까지 전체적인 치료의 틀을 안내하고 정보를 주는지 설명하였습니다. 그리고 각각 다른 유형의 평가 자료들을 조직화하는 데 필요한 발견법 heuristic 개념을 소개하고, 어떻게 사례 개념화, 치료계획, 치료 반응의 모니터링과 치료 결과 평가에 이를 활용할 수 있는지를 사례를 통해 살펴보았습니다.

## 참고문헌


Achenbach TM, Rescorla LA (2001) Manual for the ASEBA School-Age Forms & Profiles. University of Vermont, Burlington

Anderson LW, Krathwohl D, Airasian P, Cruikshank KA, Mayer RE, Pintrich P, Rathers J, Wittrock C (2001) A taxonomy for learning, teaching, and assessing: a revision of bloom's taxonomy of educational objectives, Complete edn. Longman, New York

Beidas RS, Stewart RE, Walsh L, Lucas S, Downey MM, Jackson K, Mandell DS (2015) Free, brief, and validated: standardized instruments for low-resource mental health settings. Cogn Behav Pract 22:5–19

Breslau N, Peterson EL, Poisson LM, Schultz LR, Lucia VC (2004) Estimating posttraumatic stress disorder in the community: lifetime perspective and the impact of typical traumatic events. Psychol Med 34:889–898

Bruchmuller K, Margraf J, Suppiger A, Schneider S (2011) Popular or unpopular? Therapists' use of structured interviews and their estimation of patient acceptance. Behav Ther 42(4):634–643

Christon LM, McLeod BD, Jensen-Doss A (2015) Evidence-based assessment meets evidencebased treatment: an approach to science-informed case conceptualization. Cogn Behav Pract 22:36–48

Cohen JA, Mannarino AP, Greenberg T, Padlo S, Shipley C (2002) Trauma. Violence Abuse 3(4):307–328

Contractor AA, Claycomb MA, Byllesby BM, Layne CM, Kaplow JB, Steinberg AM, Elhai J (2015) Hispanic ethnicity and Caucasian race: relations with posttraumatic stress disorder's factor structure in clinic-referred youth. Psychol Trauma 7(5):456–464

Cook JM, Newman E, The New Haven Trauma Competency Group (2014) A consensus statement on trauma mental health: the new haven competency conference process and major findings. Psychol Trauma Theor Res Pract Policy 6:300–307

Courtois CA, Gold SN (2009) The need for inclusion of psychological trauma in the professional curriculum: a call to action. Psychol Trauma Theory Res Pract Policy 1:3–23

Cuffe SP, McCullough EL, Pumariega AJ (1994) Comorbidity of attention deficit hyperactivity disorder and posttraumatic stress disorder. J Child Family Stud 3(3):327–336

Derogatis L (1977) SCL-90: administration, scoring, and procedures manual for the revised version. Johns Hopkins University School of Medicine, Baltimore

Elhai JD, Layne CM, Steinberg AM, Brymer MJ, Briggs EC, Ostrowski SA, Pynoos RS (2013) Psychometric properties of the UCLA PTSD Reaction Index Part II: Investigating factor structure findings in a national clinic-referred youth sample. J Trauma Stress 26:10–18

Figley CR, Kleber RJ (1995) Beyond the "victim": secondary traumatic stress. In: Kleber RJ, Figley CR, Gersons BPR (eds) Beyond trauma: cultural and societal dynamics. Plenum, New York, pp. 75–98

Foa EB, Johnson KM, Feeny NC, Treadwell KR (2001) The child PTSD Symptom Scale: a preliminary examination of its psychometric properties. J Clin Child Psychol 30:376–384

Garb HN (1998) Studying the clinician: judgment research and psychological assessment. American Psychological Association, Washington, DC

Gawande A (2010) The checklist manifesto. Penguin, New York

Goodman R, Ford T, Simmons H, Gatward R, Meltzer H (2000) Using the Strengths and Difficulties Questionnaire (SDQ) to screen for child psychiatric disorders in a community sample. Br J Psychiatry 177:534–539

Grassetti SN, Herres J, Williamson AA, Yarger HA, Layne CM, Kobak R (2015) Narrative focus predicts symptom change trajectories in group treatment for traumatized and bereaved adolescents. J Clin Child Adolesc Psychol 44:933–941

Hoge MA, Tondora J, Stuart GW (2003) Training in evidence-based practice. Psychiatr Clin North Am 26:851–865

Howell KH, Barrett-Becker EP, Burnside AN, Wamser-Nanney R, Layne CM, Kaplow JB (2016) Children facing parental cancer versus parental death: the buffering effects of positive parenting and emotional expression. J Child Family Stud 25:152–164

Howell KH, Shapiro DN, Layne CM, Kaplow JB (2015) Individual and psychosocial mechanisms of adaptive functioning in parentally bereaved children. Death Stud 39:296–306

Hunsley J (2015) Translating evidence-based assessment principles and components into clinical practice settings. Cogn Behav Pract 22:101–109

Hunsley J, Mash EJ (2007) Evidence-based assessment. Annu Rev Clin Psychol 3:29–51

Jensen-Doss A, Youngstrom EA, Youngstrom JK, Feeny NC, Findling RL (2014) Predictors and moderators of agreement between clinical and research diagnoses for children and adolescents. J Consult Clin Psychol 82:1151–1162

Kaplow J, Hall E, Koenen K, Dodge K, Amaya-Jackson L (2008) Dissociation predicts later attention problems in sexually abused children. Child Abuse Negl 32:261–275

Kaplow JB, Howell KH, Layne CM (2014) Do circumstances of the death matter? Identifying socioenvironmental risks for grief-related psychopathology in bereaved youth. J Trauma Stress 27(1):42–49

Kaplow JB, Layne CM (2014) Sudden loss and psychiatric disorders across the life course: Toward a developmental lifespan theory of bereavement-related risk and resilience. Am J Psychiatry 171(8):807–810

Kaplow JB, Layne CM, Pynoos RS (2014) Persistent Complex Bereavement Disorder as a call to action: using a proposed DSM-5 diagnosis to advance the field of childhood grief. Trauma Stress Points 28(1) http://sherwood-istss.informz.net/admin31/content/template.asp?sid=35889&ptid=1686&brandid=4463&uid=0&mi=3773102&ps=35889

Kaplow JB, Layne CM, Pynoos RS, Cohen JA, Lieberman A (2012) DSM-V diagnostic criteria for bereavement-related disorders in children and adolescents: developmental considerations. Psychiatry 75(3):243–266

Kaplow JB, Layne CM, Saltzman WR, Cozza SJ, Pynoos RS (2013) Using multidimensional grief theory to explore effects of deployment, reintegration, and death on military youth and families. Clin Child

Fam Psychol Rev 16:322–340

Kaplow JB, Saunders J, Angold A, Costello EJ (2010) Psychiatric symptoms in bereaved versus non-bereaved youth and young adults: a longitudinal, epidemiological study. J Am Acad Child Adolesc Psychiatry 49:1145–1154

King CA, Ewell Foster C, Rogalski K (2013) Teen suicide risk: a practitioner guide to screening, assessment, and care management. Guilford, New York

Ko SJ, Ford JD, Kassam-Adams N, Berkowitz SJ, Wilson C, Wong M, Brymer MJ, Layne CM (2008) Creating trauma-informed systems: child welfare, education, first responders, health care, juvenile justice. Prof Psychol Res Pract 39:396–404

Kraemer HC (1992) Evaluating medical tests: Objective and quantitative guidelines. Sage, Newbury Park

Lambert MJ (2010) Prevention of treatment failure: the use of measuring, monitoring, and feedback in clinical practice. American Psychological Association, Washington, DC

Layne CM, Beck CJ, Rimmasch H, Southwick JS, Moreno MA, Hobfoll SE (2009) Promoting "resilient" posttraumatic adjustment in childhood and beyond: "unpacking" life events, adjustment trajectories, resources, and interventions. In: Brom D, Pat-Horenczyk R, Ford J (eds) Treating traumatized children: risk, resilience, and recovery. Routledge, New York, pp. 13–47

Layne CM, Briggs-King E, Courtois C (2014) Introduction to the Special Section: Unpacking risk factor caravans across development: Findings from the NCTSN Core Data Set. Psychol Trauma Theory Res Pract Policy 6(Suppl 1):S1–S8

Layne CM, Greeson JKP, Kim S, Ostrowski SA, Reading S, Vivrette RL, Briggs EC, Fairbank JA, Pynoos RS (2014) Links between trauma exposure and adolescent high-risk health behaviors: findings from the NCTSN Core Data Set. Psychol Trauma Theory Res Pract Policy 6(Suppl 1):S40–S49

Layne CM, Kaplow JB, Pynoos RS (2014) Persistent Complex Bereavement Disorder (PCBD) checklist – youth version 1.0. University of California, Los Angeles

Layne CM, Olsen JA, Baker A, Legerski JP, Isakson PA, Duraković-Belko E, Dapo N, Campara N, Arslanagić B, Saltzman WR, Pynoos RS (2010) Unpacking trauma exposure risk factors and differential pathways of influence: predicting post-war mental distress in bosnian adolescents. Child Dev 81:1053–1076

Layne CM, Pynoos RS, Saltzman WR, Arslanagić B, Black M, Savjak N, Popovi T, Durakovi E, Mu M, Campara. N, Djapo. N, Houston R (2001) Trauma/grief-focused group psychotherapy: school-based postwar intervention with traumatized Bosnian adolescents. Group Dyn Theory Res Pract 5:277

Layne CM, Saltzman WR, Poppleton L, Burlingame GM, Pašalić A, Duraković E, Musić M, Campara N, Dapo N, Arslanagić B, Steinberg AM, Pynoos RS (2008) Effectiveness of a school-based group psychotherapy program for war-exposed adolescents: a randomized controlled trial. J Am Acad Child Adolesc Psychiatry Child Adolesc Psychiatry 47:1048–1062

Layne CM, Steinberg JR, Steinberg AM (2014) Causal reasoning skills training for mental health practitioners: promoting sound clinical judgment in evidence-based practice. Train Educ Prof Psychol 8:292–302

Layne CM, Warren JS, Saltzman WR, Fulton J, Steinberg AM, Pynoos RS (2006) Contextual influences on post-traumatic adjustment: retraumatization and the roles of distressing reminders, secondary adversities, and revictimization. In: Schein LA, Spitz HI, Burlingame GM, Muskin PR (eds) Group approaches for the psychological effects of terrorist disasters. Haworth, New York, pp. 235–286

Mannarino AP, Cohen JA (2011) Traumatic loss in children and adolescents. J Child Adolesc Trauma 4:22–33

Melhem NM, Moritz G, Walker M, Shear MK, Brent D (2007) Phenomenology and correlates of complicated grief in children and adolescents. J Am Acad Child Adolesc Psychiatry 46(4):493–499

Nader KO, Layne CM (2009, September) Maladaptive grieving in children and adolescents: discovering developmentally-linked differences in the manifestation of grief. Trauma Stress Points 23(5):12–16

Nader K, Pynoos R, Fairbanks L, Calvin F (1990) Children's PTSD reactions one year after a sniper attack at their school. Am J Psychiatry 147:1526–1530

Oosterhoff B, Kaplow JB, Layne CM (in press). Trajectories of adolescent binge drinking in trauma-exposed youth differentially predict subsequent adjustment in emerging adulthood. *Translational issues in psychological science*

Palm KM, Polusny MA, Follette VM (2004) Vicarious traumatization: potential hazards and interventions for disaster and trauma workers. Prehosp Disaster Med 19:73–78

Pynoos RS (1992) Grief and trauma in children and adolescents. Bereavement Care 11:2–10

Pynoos RS, Steinberg AM, Layne CM, Liang LJ, Vivrette RL, Briggs EC, Kisiel CL, Habib M, Belin TR, Fairbank J (2014) Modeling constellations of trauma exposure in the National Child Traumatic Stress Network Core Data Set. Psychol Trauma Theory Res Pract Policy 6(Suppl 1):S9–S17

Regier DA, Narrow WE, Clarke DE, Kraemer HC, Kuramoto SJ, Kuhl EA, Kupfer DJ (2012) DSM-5 field trials in the United States and Canada, part II: test-retest reliability of selected categorical diagnoses. Am J Psychiatry 170:59–70

Rettew DC, Lynch AD, Achenbach TM, Dumenci L, Ivanova MY (2009) Meta-analyses of agreement between diagnoses made from clinical evaluations and standardized diagnostic interviews. Int J Methods Psychiatr Res 18:169–184

Saltzman WR, Layne CM, Pynoos RS, Olafson E, Kaplow JB, Boat B (2018) Trauma and Grief Component Therapy for Adolescents: A Modular Approach to Treating Traumatized and Bereaved Youth. Cambridge University Press

Shapiro D, Howell K, Kaplow J (2014) Associations among mother-child communication quality, childhood maladaptive grief, and depressive symptoms. Death Stud 38:172–178

Sheehan DV, Lecrubier Y, Sheehan KH, Amorim P, Janavs J, Weiller E, Hergueta T, Baker R, Dunbar GC (1998) The Mini-International Neuropsychiatric Interview (M.I.N.I.): the development and validation of a structured diagnostic psychiatric interview for DSM-IV and ICD-10. J Clin Psychiatry 59:22–33

Spuji M, Prinzie P, Zijderlaan J, Stikkelbroe Y, Dillen L, de Roos C, Boelen PA (2012) Psychometric properties of the Dutch inventories of prolonged grief for children and adolescents. Clin Psychol Psychother 19:540–551

Straus SE, Glasziou P, Richardson WS, Haynes RB (2011) Evidence-based medicine: how to practice and teach EBM, 4 edn. Churchill Livingstone, New York

Suppiger A, In-Albon T, Hendriksen S, Hermann E, Margraf J, Schneider S (2009) Acceptance of structured diagnostic interviews for mental disorders in clinical practice and research settings. Behav Ther 40(3):272–279

UNICEF (2013) Statistics by area/HIV/AIDS: orphan estimates. http://www.childinfo.org/hiv_ aids_orphanestimates.php

Weine S, Danieli Y, Silove D, Van Ommeren M, Fairbank JA, Saul J (2002) Guidelines for international training in mental health and psychosocial interventions for trauma exposed populations in clinical and community settings. Psychiatry 65:156–164

Weinstein D, Staffelbach D, Biaggio M (2000) Attention-deficit hyperactivity disorder disorder and posttraumatic stress disorder: differential diagnosis in childhood sexual abuse. Clin Psychol Rev 20(3):359–378

Weisz JR, Chorpita BF, Frye A, Ng MY, Lau N, Bearman SK, Hoagwood KE (2011) Youth top problems: using idiographic consumer-guided assessment to identify treatment needs and to track change during psychotherapy. J Consult Clin Psychol 79:369–380

Wells GM, Burlingame GM, Lambert MJ, Hoag MJ, Hope CA (1996) Conceptualization and measurement of patient change during psychotherapy: development of the outcome questionnaire and youth outcome questionnaire. Psychother Theory Res Pract Train 33:275–283

Yeh M, Hough RL, Fakhry F, McCabe KM, Lau AS, Garland AF (2005) Why bother with beliefs? Examining relationships between race/ethnicity, parental beliefs about causes of child problems, and mental health service use. J Consult Clin Psychol 73(5):800–807

Youngstrom EA (2013) Future directions in psychological assessment: combining evidence-based medicine innovations with psychology's historical strengths to enhance utility. J Clin Child Adolesc Psychol 42(1):139–159

Youngstrom EA, Choukas-Bradley S, Calhoun CD, Jensen-Doss A (2014) Clinical guide to the evidence-based assessment approach to diagnosis and treatment. Cogn Behav Pract 22:20–35

Youngstrom EA, Frazier TW (2013) Evidence-based strategies for the assessment of children and adolescents: measuring prediction, prescription, and process. In: Miklowitz DJ, Craighead WE, Craighead L (eds) Developmental psychopathology, 2 edn. Wiley, New York, pp. 36–79

# 아동 청소년의 외상성 스트레스 질환의 심리적, 생물학적 이론 배경

5

Julian D. Ford와 Carolyn A. Greene

## 5.1 서론

아동 및 청소년의 외상성 스트레스장애를 평가하고 치료하기 위해 치료자는 이러한 장애의 원인, 경과 및 관련(위험 및 보호) 요인을 개념화하는 데 지침이 되는 이론적 틀이 필요합니다. 따라서 이 장에서는 아동기 외상성 스트레스장애에 대한 주요 심리 생물학적 이론 전반을 소개합니다. 이 장은 주요 이론의 간략한 역사로 시작하여 뒤이어 트라우마 스트레스 이론을 개발하는 데 기여한 과학적 연구를 요약하였습니다. 그런 다음 학습/조건화, 인지/ 정보 처리, 대인 관계/ 자원, 발달 및 세대 간 전승 이론 등 아동 및 청소년 외상성 스트레스장애의 주요 이론을 다룹니다. 이 장은 아동기 외상성 스트레스장애의 임상 평가 및 치료에 대한 이론들의 의의에 대한 논의로 마무리합니다.

## 5.2 외상성 스트레스장애의 이론적 모델의 출현에 대한 간단한 역사

외상성 스트레스장애에 대한 최초의 이론은 전투 후 군인(예: 군인의 심장soldier's heart)과 철도 직원(예: 철도 척추 증후군railway spine syndrome)에서 보인 정신적 쇠약에 대한 **생리의학적** 이해를 위해 150년 이상 전에 형성되었습니다. 다음으로, 정신분석학의 출현과 함께 **정신역동 이론**이 등장했는데, 처음에는 어린 시절의 성 학대로 인한 정서적 갈등에 초점을 맞추고 이후에는 성격과 정서적 고통에 대한 잠재적인 심리적 취약성에 초점을 맞췄습니다. 20세기 초반부터 중반까지 행동주의가 영향력을 행사하기 시작하면서, 1980년 외상후 스트레스장애PTSD에 대한 최초의 공식 코드화와 동시에 외상성 스트레스장애의 개념화에 대한 공포에 대한 연구에 고전적 및 조작적 조건화의 원리에 기반한 학습 이론이 적용되었습니다.

불안과 기분 장애에 대한 인지 행동 이론은 20세기 중반에 개발되었으며, 인지적 탐색과 오류를 이러한 질환의 원인과 유지에 행동 조건화 과정과 병행하는 경로로 삼은 **인지** 이론을 트라우마 스트레스장애의 학습 이론 모델을 보완하고 확장하는 데 빠르게 적용하였습니다. 정보 처리 학문의 발전은 트라우마 스트레스장애에서 변화된 **정보 처리**(예: 감각/지각 및 언어 처리, 작업 기억, 절차 및 삽화성/서사 기억)**의** 잠재적 기전을 인식하는 개념 모델을 사용하여 학습 및 인지 이론을 정교화하였습니다. 1980년대에 연구가 진행되면서 이론과 관련된 세 가지 영역에서 핵심적인 이해가 있었습니다. 그것은 (1) 외상성 스트레스장애에서 정보 처리의 변동과 관련된 뇌 구조 및 기능의 잠재적 변화, (2) 불안, 공포, 우울증 및 공격성과 관련된 뇌와 신체의 신경 화학적 측면, 및 (3) 외상성 스트레스장애에 있어 원인과 결과로 작용할 수 있는, 외상성 스트레스장애 및 스트레스 관련 후성 유전학적 변화에 대한 유전학적 위험 및 보호 인자입니다. 그 결과 1990년대에 트라우마로 바뀐 정보처리과정과정에 대한 **생물학적** 이론이 등장했으며 새로운 연구를 통해 지속적으로 개선되고 있습니다.

또한 지난 50년 동안의 신체, 심리 건강의 사회적 결정 요인에 대한 연구가 외상성 스트레스장애에 대한 사회 생태학적 이론의 발전에 영향을 미쳤습니다. 이것은 정신 역동 및 가족 체계 이론을 정신병리학 및 아동기 외상성 스트레스장애의 **대인 관계** 이론interpersonal theories으로 바꾸는 큰 자극이 되었습니다. 사회 및 지역 사회 심리학자와 공중 보건 학자에 의한 사회적 지원과 사회 경제적 자원 및 스트레스 요인에 대한 관련 연구는 이와 병렬적인 외상성 스트레스장애의 사회적 결정 요인 모델인 자원 보존 이론conservation of resources theory을 만드는데 기여했습니다.

단일 이론만으로는 아동기 외상성 스트레스장애의 원인과 지속되는 이유를 완전히 설명 할 수 없습니다. 그러나 종합해 보면, 기존의 다양한 이론적 모델들은 치료자가 아동과 청소년(및 그 가족들과 사회적 지지망)이 외상성 스트레스장애에서 회복하기 위하여 평가하고 치료 대상으로 삼아야 하는 과정을 이해하는데 강력한 개념 및 도구가 됩니다.

## 5.3 아동의 외상성 스트레스 이론의 발달에 기여한 과학적 연구

아동 청소년의 외상성 스트레스장애는 정의상 외상성 스트레스 노출에 따른 정신병리적 후유증입니다. 연구에 따르면 아동의 외상성 스트레스장애의 원인과 경과는 외상성 스트레스 이론을 경험적인 근거로 하기 위해 고려해야 하는 복잡한 생물 심리 사회적 요인과 관련이 있습니다.

우선, 외상성 스트레스 요인에 노출되어 발생한 다양한 조합으로 유발되는 많은 후유증이 있습니다. PTSD에는 침투적 재경험, 회피, 인지/ 감정 변화, 과각성(수면 문제, 공격성, 자해 및 무모한 행동 포함) 및 해리의 다양한 증상이 속합니다. 외상성 스트레스 요인에 노출된 아동은 불안, 공포증, 우울, 파괴적 행동(주의력 결핍, 충동, 반항성 도전, 비행 포함), 학습, 식사/체중, 성적 행동, 중독, 정신증상, 조증 및 자살(1 장 참조) 등 심각한 문제가 발생할 위험이 있다는 발견이 추가되면서 양상이 더욱 복잡해집니다. 외상성 스트레스장애 이론은 PTSD와 겹치지만 훨씬 그것을 넘어설 수 있는 장애의 발생 또는 악화를 포함하여 아동 청소년의 외상성 스트레스 요인 노출로 인한 다방면의 임상적 후유증을 설명할 수 있어야 합니다.

PTSD는 또한 외상성 스트레스 요인에 노출된 후 몇 개월 또는 몇 년 동안 본격적으로 나타나지 않기도 하는 등 매우 다양한 경과를 보이고, 증상은 시간이 지남에 따라 강도와 빈도에 변화가 있습니다(Andrews 등. 2007). 외상에 노출된 많은 아동은 PTSD로 진단할 만한 충분한 증상 및 장해를 경험하지 않고 치료 없이도 개선되거나 증상이 없어지는 것처럼 보이는 PTSD 삽화를 경험합니다. 다른 경우에는 만성 및 중증 PTSD가 생겼으나, 증상이 악화되기도 하지만 비교적 관해되는 시기가 있을 수도 있습니다. 따라서 이론은 PTSD의 원인뿐만 아니라 아동 및 청소년의 (PTSD를 포함하되 이에 국한되지 않는) 외상성 스트레스장애의 경과의 잦은 기복에 대하여, 그리고 어떤 경우에는 만성적이고 다른 경우는 일시적인지를 알려줄 수 있어야 합니다(Schnurr 등. 2004).

셋째, 외상성 스트레스 요인에 노출된 많은 아동 청소년은 PTSD 또는 기타 트라우마 관련 장애의 발병 없이 무증상이거나 정신 병리에 의한 장애가 생기지 않거나 저항력이 있는 것처럼 보이고, 외상 관련 장애가 발생하는 이들도 회복력이 있을 수 있어 재발없이 나중에 완전히 회복될 수도 있습니다(Layne 등. 2008). PTSD에 대한 몇 가지 위험 및 보호 요인이 경험적으로 확인되었습니다(2장 참조). 이들은 외상성 스트레스장애를 일으키지 않지만, 대신 외상성 스트레스 요인에 노출된 후 장애가 나타날 가능성에 영향을 줍니다. 이론은 외상성 스트레스 요인에 대한 아동의 노출과 외상성 스트레스장애의 발달 또는 지속성 (및 회복) 사이의 관계에 대한 중재자 또는 중재자로서의 위험 및 보호 요인의 기제를 알려주어야 합니다.

넷째, 외상성 스트레스 요인에 대한 아동의 급성(트라우마 직후, 즉 사건 중 혹은 몇 시간 이내 또는 며칠 후) 반응의 특성이 외상후 스트레스 증상(Birmes 등. 2003; Kumpula 등. 2011) 및 지속적인 PTSD(Miron 등. 2014)의 위험을 예측하는 것으로 밝혀졌습니다.

마지막으로, 많은 연구에서 아동 및 청소년의 외상성 스트레스장애는 외상성 스트레스 요인에 대한 노출의 강도 또는 "총량dose" 및 관련된 아동기 부정적 경험(예: 부모의 정신건강 또는 약물 남용 문제)에 의해 예측되고 연관되는 것으로 드러났습니다(Cloitre 등. 2009; D' Andrea 등. 2012). 외상성 스트레스 요인의 몇 가지 특징은 가장 심각한 즉각적인 스트레스 반응 및 외상성 스트레스장애 발생 가능성 증가와 관련이 있는 것으로 나타났습니다(표 5.1).

**표 5.1** 외상성 스트레스장애 발생 위험을 키우는 스트레스 요인

| |
|---|
| 다른 사람이나 집단에 의해 저질러진 의도적인 신체 또는 성적 폭력(가정, 전쟁 또는 지역사회 폭력, 테러 공격 또는 고문 등) |
| 취약계층의 안전과 권리를 보호할 책임이 있는 개인 또는 단체의 배신(양육자나 종교인의 신체 또는 성적 학대 등) |
| 극단적 폭력이나 파괴에 의한 피해자의 신체, 개인 또는 주택의 침해(전쟁 만행, 강간, 재해로 인한 가정 및 공동체의 파괴 등) |
| 사람들의 자존감과 거부할 의지를 망가뜨리는 강요(신체와 정서 학대, 가정 폭력, 고문 등) |
| 대인 관계 및 사회적 상호 작용으로부터 장기간의 완전한 격리(독방에 갇힌 전쟁 포로, 납치 피해자 또는 학대 아동) |
| 외상성 스트레스 요인의 노출 혹은 당면한 노출이 임박한 상황에서 불확실성이 장시간 또는 많이 반복됨(만성적인 학대와 폭력 또는 조기 사망 또는 폭력적인 가족, 전쟁 지역이나 재해 발생 가능 지역) |
| 외상성 스트레스원들의 다중 동시 또는 순차적 발생[다중 피해poly-victimization] |

차이점도 많지만, 이러한 높은 외상성 스트레스 요인들은 몇 가지 공통된 특징을 공유합니다. 여기에는 개인의 생존에 대한 직접적 또는 대리적 위협이 되는 **실제 또는 임박한 죽음, 심각한 신체적인 사적 영역과 정체성의 침해(예: 성폭행, 고문)를 경험하는 것**이 포함되며 광범위한 트라우마 스트레스장애의 생물학적 기반(De Bellis와 Zisk 2014; McLaughlin 등. 2015; Suzuki 등. 2014; Teicher와 Samson 2016; Van Dam 등. 2014)이 될 수 있는 일련의 생물학적 적응을 불러일으킵니다. 두 번째 공통 분모는 훈련이나 사전 경고(예: 응급 구조 대원, 군인) 또는 과거나 현재의 경험(예: 반복되는 학대 또는 가정 폭력이나 지역 사회 폭력의 피해자)(Foa 등. 1992)에 의해 준비된 사람에게서조차 심지어 발생하는 **예측 불가능성과 통제 불가능성** 그리고 결과적인 무력감(Pivovarova 등. 2016)입니다. 셋째, 여러 유형의 위험, 피해 및 희생을 수반하는 복수의 스트레스 요인에 대한 노출은 외상성 스트레스장애의 가능성과 심각성을 증가시키는 경향이 있습니다. 이를 **다중 피해**poly-victimization라고 합니다(Turner 등. 2016). 넷째, **다른 인간의 의도적인 행동의 결과**로 인한 스트레스 요인, 특히 그러한 사람들이 책임과 권위가 있는 지위일 때(예: 성인 가족, 양육자, 종교적 지도자, 교육자, 코치) 두려움뿐만 아니라 아동의 감정 조절 능력(Bradley 등. 2011; Dvir 등. 2014; Valdez 등. 2014)과 1 차 애착 관계(Feldman과 Vengrober 2011; Kim 등. 2011; Levendosky 등. 2011)에 대한 안정감을 해치는 배신감 및 불신감이 유발됩니다. 성인도 스트레스 요인이 사회적인 계약의 위반(예: 집단 학살, 전쟁 잔학 행위, 고문, 배우자나 연인 사이의 폭력 , 성폭행, 제도적 폭력, 착취 등)으로 근본적인 신뢰를 배신하는 상황일 때 외상성 스트레스장애로 이어질 가능성이 가장 높습니다.

더 복잡한 문제는, 연구에서 심각하거나 생명을 위협하는 폭력, 부상, 위법, 착취, 상실이 아닌 상대적으로 평범한 스트레스 요인을 겪고도 아이들에서 외상성 스트레스장애의 증상이 나타날 수 있다는 것을 시사합니다(Copeland 등. 2010; Verlinden 등. 2013). 따라서 외

상성 스트레스장애 이론은 생존을 위협하지 않는 스트레스 요인이 어떻게 아이들이 자신(즉, 피해당함, 무력, 보호받지 못함), 다른 사람과 세상(즉, 최소한 신뢰할 수 없으며 최악의 경우 부분적으로 예상, 예방 또는 대처할 수 없는 위협)을 경험하는 방식에 매우 큰 심리 생물학적 변화를 초래하는지를 설명해야 합니다.

요약하자면, 연구들에서 외상성 스트레스 요인의 특성뿐만 아니라 생존에 대한 근본적인 위협에 직면했을 때 무력감이나 배신감의 부작용을 증폭하거나 완화하는 위험 및 보호 요인에 따라 스트레스 요인은 다양한 형태일 수 있으며 광범위한 외상성 스트레스장애로 이어질 수 있습니다. 외상성 스트레스 요인이 어떻게 삶을 바꾸는 생물 심리 사회적 변화로 이어질 수 있는지 설명하기 위해 다양한 이론이 정립되었습니다.

## 5.4 공포 조건화와 학습 이론

행동주의 이론에서는 고전적(반응적) 및 조작적(도구적) 조건화라는 두 가지 형태의 학습의 산물인 지속적인 공포 반응의 결과가 외상성 스트레스장애라고 합니다(Foa 등, 1989). 공포반응의 고전적 조건화는 중립적 자극과 매우 혐오스러운 자극이 결합하는 것입니다. 아동이 충격적인 사건을 경험할 때, 아동의 안전과 생존에 대한 감각을 위협하는 사건의 많은 혐오적인 측면이 있습니다(예: 무섭고 혼란스러운 언어 및 비언어적 행동, 심각한 부상이나 폭행의 신체적 충격과 고통). 트라우마를 입은 아동이 유사한 행동 또는 신체적 단서를 만나면, 객관적인 위험이나 해가 없더라도 유사한 공포 반응이 유발될 수 있습니다. 더욱이, 외상 사건 그 자체는 위험하지 않으나 트라우마를 일으키는 해로운 요소와 공존하여 위협감 또는 공포감이 주입되는 많은 상황적 자극이 포함됩니다. 따라서 해롭지 않거나 즐거운 청각, 시각, 후각, 미각, 특정 시각, 장소 또는 다른 사람의 행동과 같은 명백히 중립적이거나 긍정적인 자극이 아동의 현재 상황에 맞지 않지만 트라우마 사건에서 경험한 생존의 위협감이나 공포감과 비례하는 공포 반응을 유발할 수 있습니다. 따라서 아동기 PTSD는 트라우마에 의한 생존의 위협[즉, 무조건적(자동적, 선험적) 혐오감을 유발하는 무조건 혐오 자극)]경험과 연관되어 전에는 중립적이었던 조건화된 자극에 의해 유발되는 조건화된 반응인 명백하게 비합리적인 공포의 결과로 이해할 수 있습니다. 따라서 잠재적으로 PTSD의 침습적인 재경험 및 과각성 증상을 고전적으로 조건화된 공포로 설명할 수 있습니다.

PTSD의 두가지 행동 이론 중의 두 번째 요소는 조작적 조건화입니다. 고전적 조건화에서 가정된 직접 직접 자극- 반응(stimulus-response, 이하 S-R) 기전과 달리, 조작적 조건화에서는 행위에 따른 결과에 대한 반응으로 행위의 가능성 또는 빈도의 증가(stimulus-response-consequences, 이하 S-R-C)가 일어납니다. 원하는 결과(강화물, 예: 가족이나 동료의 인정 또는 지지, 즐거움, 안정감 또는 성취감)를 얻거나 피하고 싶은 결과(예: 비판, 거부, 박탈, 무력감, 육체적 고통 또는 잠재적인 트라우마 위협이나 해로움)를 피하기 위해 행동을 학습하거나 수정합니다. 성 학대를 겪은 아동은 고전적 조건화의 결과로 신체 또는 정서적 접촉과 친밀감에 대해 혐오감을 느낄 뿐만 아니라 조작적 조건화의 결과로 특히 성적 접촉으로 이어질 수 있는 사람, 장소, 상황, 심지어 생각, 감정이나 더 일반적인 신체적, 정서적 접촉이나 친밀감도 피하는 법을 배울 수 있습니다. 따라서, 조작적 조건화로 외상 사건을 기억하게 하는 단서의 회피 및 사회적 위축과 감정의 둔마와 관련된 PTSD 증상을 설명할 수 있습니다.

그러나 S-R 및 S-R-C 공포 조절 및 회피 학습 이론은 PTSD의 증상을 완전히 설명할 수 없습니다. PTSD의 DSM-III 및 DSM-IV 진단에서 무감동증, 분노, 심인성 기억 상실증 및 플래시백 증상은 조건화된 반응뿐만 아니라 인지 처리(예: 개인의 핵심 신념 및 의식적 정보처리 능력)에 중대한 변화를 수반하는 것으로 나타났습니다. 그 결과 기본적인 의미에 대한 개인의 지각을 반영하는 신념의 변화를 설명할 이론이 필요하게 되었습니다(Foa 등. 1989). DSM-5에서 PTSD에 대해 제안된 확장된 증상 집합은 핵심 믿음, (두려움뿐만 아니라) 매우 다양한 감정 조절의 어려움과 고통, 자책과 남 탓, 자해, 무모하거나 공격적인 행동 등의 문제를 명시적으로 확인하여 공포 조절 이론을 넘어 이 확장된 제안의 타당성을 높였습니다. 따라서 PTSD의 인지 이론은 행동 조건화 이론의 틈을 메우기 위해 개발되었습니다.

## 5.5 인지와 정보 처리 이론

아동의 외상성 스트레스장애에 대한 인지 이론은 외상성 스트레스 요인의 노출로 인하여 근본적인 신념이나 도식(예: 세상이 위험한 장소이고, 사람은 위험하고 신뢰할 수 없고, 자신이 힘이 없고 망가졌다는 정신적 표상) 및 이러한 근본적인 신념의 기초가 되는 기본 인지 과정(예: 기억, 계획성, 문제 해결)이 변화될 수 있다고 가정합니다(Brewin과 Holmes 2003). 도식은 사람들이 감각, 지각, 감정 및 궁극적으로 인지적 수준에서 경험하는 것을 이전 경험으로 알던 것과 맞추기 위해 사용하는 필터 또는 "청사진"입니다(Dalgleish 2004). 외상성 스트레스 요인에 노출된 경험은 가장 일반적으로 유지되는 도식(안전, 신뢰, 자신감 등)과 모순되는 경향이 있으며, 잠재적으로 자기, 대인관계 및 세계에 대한 기본 가정이 급격히 변하게 됩니다. 그러나 도식은 상대적으로 변화하지 않으려 하기 때문에 심리적 트라우마에 의해 제공된 모순적인 정보는 "활성 기억active memory"으로 부르며 기존 도식과 별도로 격리될 수 있다는 가설이 세워졌습니다(Horowitz 1997). 많은 PTSD 증상에서 트라우마 전 도식과 트라우마 관련 신념 사이의 모순이 분명합니다. 위험, 배신, 무력함, 준비되지 않음의 외상 관련 인식과 안전, 신뢰, 자기 효능감 에 기반한 도식 사이의 대조로 인해 외상 기억을 침습적으로 혹은 외상 사건을 떠올리게 하는 연상물에 대한 반응으로 재경험을 하는 것이 고통스럽게 됩니다. 회피 증상은 트라우마 관련 정보가 "활성 기억"을 침해하지 않도록 의식에서 멀어지게 하려는 인지 및 행동적 시도로 만들어 집니다. 과각성 및 과잉경계 증상은 추가적인 외상 노출을 예견하고 대비하고자 하는 인지적 시도가 신체적, 정신적 상태로 드러난 것입니다. 마지막으로, 최근 진단에 추가된 인지 및 감정 변화의 PTSD 증상 은 외상 노출 후 핵심 도식 및 관련 감정의 변화를 직접적으로 나타낸 것입니다.

그러나 신념과 도식은 외딴 인지로 구성된 섬처럼 분리되지 않습니다. 대신, 그들은 서로 연결된 ("연관된") 인식, 감정 및 생각의 "연관 네트워크"를 형성합니다. 연관 네트워크의 개념을 통합한 인지 도식 이론의 확장은 외상성 스트레스장애가 고통스럽거나(주로 불안 또는 분노) 또는 사라진 (무감각한) 감정과, 그에 상응하는 사람과 세상이 위험하고 자아는 무력하거나 비효율적이라는 핵심 근본적 신념을 중심으로 구성된 외상 침투 도식(또는 해석)의 구조화된 네트워크를 설명하기 위해 개발되었습니다(Tryon 1998). 어떤 인지 이론은 PTSD를 공포 기반 인식의 연관 네트워크를 포함하는 것으로 구체적으로 설명합니다(Ehlers와 Clark 2000). 이 공포 네트워크 인지 이론은 부정적인 인식이 관여하여 변화된 도식에 더불어 자서전적 기억을 PTSD의 주요한 인지적 측면으로 봅니다.

뒤이은 인지 이론은 PTSD가 인지 자체뿐만 아니라 외상에서 살아남은 사람의 인지적 **정보 처리**의 근본적인 변화에 어떻게 관여할 수 있는지 고려하여 개념을 만들었습니 다. 외상성 스트레스장애의 이중 처리 이론은 PTSD와 관련된 두 가지 정보 처리 모드가 있다고 가정합니다(Brewin 2014). 첫 번째 정보 처리 모드는 삽화적(즉, 내러티브, 자서전적)이며 주로 언어를 매개로 합니다. 정보 처리의 두 번째 형태는 감각을 통한 인지로, 감각 및 신체 반응의 형태로, 대부분 자동으로 무의식적으로 선정, 저장, 회상하는 기억입니다. 삽화적 및 감각적 정보 처리는 독특하고 상호보완적이며 이 둘이 합쳐져 삶의 경험들이 완전하고 의미 있는 기억이 됩니다. 이중 처리 이론의 가정은 외상성 스트레스 요인으로 인해 감각적 모드가 지배적이 되고 삽화적 처리가 약해지는 불균형이 만들어진다는 것입니다. 인지 이론을 더 정교화하여 이러한 PTSD의 인지 이론을 "SPAARS" 이론적 틀에 통합하였습니다(Dalgleish 2004). PTSD는 도식[schema, S], 명제(예: 기본 신념 또는 인식, propositions, P) 를 포함한 **언어적** 정보 처리(Brewin의 삽화적 처리와 유사)와 **비언어적** 정보 처리(예: 감각-지각 지식, A, 즉 Brewin의 감각적 처리와 유사)의 변화를 포함합니다. 이 세 가지 정보 처리 양식이 트라우마 스트레스 요인에 노출되어 변경되면, 개인의 연관 표상 체계[associative representational systems] (ARS)도 그에 따라 바뀐다는 가설 입니다.

사회 학습 이론은 인간 행동의 행동 조건화와 인지 이론을 통합하기 위해 50여 년 전에 정립되었습니다. 사회인지 이론은 자기 관련 도식과 행동, 인지 및 감정에 대한 환경적 요구의 영향을 조절하는 데 작동하는 자기 효능감, 즉 "원하는 결과를 얻기 위해 행동 과정을 구성하고 실행"하는 능력에 대한 신념을 강조하는 사회 학습 이론이 확장된 것입니다(Waldrep와 Benight 2008, p. 604). 스트레스 요인에 효과적으로 대처할 수 있는 능력에 대한 신념인 "대처에 대한 자기 효능감"이라는 특정 형태의 자기 효능감은 부정적인 평가와 PTSD 사이의 연관성을 위해 제안되고 경험적으로 입증되었습니다(Cieslak 등. 2008). 자신을 비효율적인 대처자로 보는 사람은 스트레스 요인에 대처할 수 있는 능력에 더 자신이 있는 (즉, 높은 대처 자기 효능감이 있는) 사람보다 트라우마로 바뀐 인지 도식에 의해 더 심각한 PTSD 증상을 보였습니다. 따라서 특히 대처와 관련된 자기 효능감에 대한 핵심 신념은 PTSD를 평가하고 치료하는 데 핵심 요소일 수 있습니다.

일련의 이론은 어린 시절의 외상성 스트레스장애가 주의집중력 및 인지적 회피(즉, 외상 사건을 연상시키는 생각을 피하는 것)의 문제와 기억 및 도식의 변경을 포함한다는 사실에 기반을 둡니다. 불안 장애 연구를 통해 **위협에 대한 주의 편향**이 PTSD에 기여하는 잠재적 인지적인 작동기제라는 것이 밝혀졌습니다(Iacoviello 등. 2014). 위협에 대한 주의 편향은 잠재적인 위협을 인식하거나 인식을 피하는데, 또는 위협에 대한 인식을 피하는 데 주의를 기울이는 경향을 뜻합니다(Pine 2007). 이 두 가지의 주의 편향은 과잉경계(즉, 위협에 주의를 기울이는 편향) 및 회피(즉, 위협 인식을 피하려는 편향)의 PTSD 증상과 일치합니다. 심각한 트라우마를 입은 청소년 및 성인 대상의 한 연구에 따르면, PTSD를 가진 사람들은 위협과 관련된 자극에 주의를 기울이는 경향이 더 많았고, 이 위협에 대한 주의 편향이 공포자극에 대한 학습과 학습 소거와 관련한 실험연구에서 강렬한 신체적 각성(놀람 반응)과 관련된다는 점을 발견했습니다(Fani 등. 2012b). 이 연구에서 PTSD가 있으면서 위협에 대한 주의 편향을 보인 성인은 또한 독특한 뇌 활성 패턴을 보였습니다(Fani 등. 2012a). 이들은 뇌의 "실행기능" 영역(배측 전전두엽 피질)의 활성도가 더 높았고, 이는 그들이 주의를 기울이기 위해 (개인이 지나치게 경계하는 경우 예상되는 것과 유사하게) 의식적으로 노력하고 있음을 시사합니다. 또한 위협에 주의를 기울이는 것을 회피할 때 PTSD를 가진 성인은 뇌의 "감정 처리" 영역, 복측 전전두엽 피질 및 전측대상피질이에서 더 높은 수준의 활성화를 보였습니다.

## 5.6 생물학적, 유전적 이론

인지이론이 말하는 PTSD의 정보 처리, 연관 네트워크 및 도식의 트라우마와 관련한 변화는 뇌 구조 및 기능의 생물학적 변화가 PTSD에 어떻게 기여하는지에 대한 궁금증을 불러일으킵니다. 아동기 PTSD에 대한 신경 영상 연구(De Bellis와 Zisk 2014; Morey 등. 2016)와 아동 학대 및 가정 폭력 생존자(Teicher 와 Samson 2016) 연구 결과를 통해 아동의 뇌 구조 및 기능의 변화가 성인 PTSD과 다르다는 점을 알 수 있는데, 일반적으로 아동기의 뇌 발달에 대해 알려진 것과 같은 아동과 성인 간의 인지 및 행동 차이를 반영합니다(예: 아동의 미성숙한 주의력, 충동 조절 및 실행 기능).

트라우마를 입은 아동 뇌의 구조적 통합성, 크기 및 신경 활성화 패턴에 관한 연구 결과들이 상이함에도, 신경 영상 연구를 통해 세 가지 주요 뇌 영역 사이의 활성화 장애로 인한 아동기 PTSD의 이론적 모델을 세울 수 있습니다. 이 영역들은 (1) 감정 조절 및 실행 기능(예: 내측 및 배측 전두엽 피질), (2) 스트레스 반응성 및 정서적 고통(예: 편도체 또는 섬엽), (3) 지각 및 인지 정보(예: 시상, 선조체 및 해마)의 선별 및 조직화에 해당하는 부위 입니다. PTSD의 신경 생물학 연구는 뇌의 화학적(예: 세로토닌 및 카테콜아민과 같은 신경 전달 물질; 신경 펩티드, 신경 펩티드Y 등) 변화에 대한 근거를 제공하고, 뇌의 내부적 의사 소통 및 자기 조절 시스템의 화학적 변화가 특히 어린 시절에 외상을 경험했을 때 PTSD에서 뇌 구조 및 활성도의 변화에 작용하는 것을 보여줍니다(Opmeer 등. 2014; Southwick 등. 1999). 따라서 PTSD의 생물학적 이론은 외상성 스트레스 요인에 노출되면 자기 보호 및 적응 (즉, 스트레스 반응성 및 기분 관리)을 담당하는 뇌의 (전기적 및 화학적)신경망이 감작되면서 장애가 발생한다고 가정하며, 아동의 "학습 두뇌"는 주로 위협에 대한 경계 및 회피 또는 피해가 발생한 과거 경험을 상기하는 데에만 집중하는 "생존 두뇌"로 전환됩니다(Ford 2009, p. 35).

PTSD에 대한 신경 영상 및 신경 생물학적 연구에서는 유전학이 핵심 역할을 한다고 봅니다. 예를 들어, 편도체에서 스트레스 반응성에 관여하는 뇌 화학 물질인 신경 펩티드 Y (NPY)의 생성에 관여하는 유전자형은 뇌의 경보센터인 편도체의 활성도를 높이고 뇌의 스트레스 반응을 조정하는 부위들 중 하나인 대상 피질의 활동도를 낮추는 것으로 나타났는데(Opmeer 등. 2014), 이는 어린 시절 정서 학대의 이력이 있는 사람들에게만 해당되었습니다. 따라서, 개인이 어린 시절에 트라우마 스트레스 요인에 노출된 경우, 개인의 유전적 소인으로 인해 스트레스 반응성과 잠재적으로 PTSD 가능성이 증가할 수 있습니다. 가족 및 쌍둥이 연구는 PTSD가 "유전적" 일 수 있음을 시사(즉 선천적, 유전적 차이로 인해 사람들이 PTSD에 걸릴 소인이 있음)합니다(Guffanti 등. 2013; Liberzon 등. 2014; Sumner 등. 2014; White 등. 2013; Wolf 등. 2014). PTSD의 잠재적 유전 가능성은 같거나 유사한 유전적 소인을 공유하는 사람들이 자동으로 또는 불가피하게 PTSD가 발병하는 것을 의미하지는 않습니다. 단지 동일한 유전자의 일부 또는 전부를 공유하는 쌍둥이 또는 가족 구성원 중 하나가 PTSD가 나타날 때, 그러지 않은 경우에 비하여 다른 쌍둥이 또는 가족 구성원도 PTSD가 발생할 가능성이 커집니다. 이것이 실제로 유전적 소인의 결과인지 또는 다른 관련 요인(예: 공통의 가족 환경)의 결과인지 여부는 확실하지 않으며, PTSD와 잠재적으로 관련된 광범위한 유전적 변이(다형성)가 확인되었지만 단일 후보 유전자 다형성에 대한 우연인 결과를 피하려면 게놈 전반에 대한 연구가 필요합니다(Koenen 등. 2013). 그럼에도 불구하고 아동기 외상 노출의 부작용에 대한 유전적 취약성은 (1) 트라우마 스트레스 요인에 대한 추가 노출, (2) PTSD, (3) 기타 정신 병리(예: 우울증, 자살) (Enoch 등. 2013; Kohrt 등. 2015), (4) 인생 전반에 걸치거나(Nusslock과 Miller 2016) 세대 간 전승되는(Bowers와 Yehuda 2016) 외상 경험의 부작용을 설명할 수 있는 삶의 경험의 결과로 인한 유전자 발현의 변화의 위험 증가를 포함하여 여러 형태로 나타날 수 있습니다.

다양한 심리적 프로세스(예: 기억, 기분, 중독)와 관련된 유전자가 PTSD와 잠정적으로 관련된 것으로 보여지지만, 가장 일관된 근거는 PTSD에 신체의 말초 스트레스 반응 시스템, 즉 시상 하부-뇌하수체-부신의 "스트레스"와 관련한 화학물질(예, 아드레날린, 코티솔)과 신체 각성을 조절하는 자율신경계(예: 심박수, 혈압, 근육 긴장)가 관여한다는 것입니다(Koenen 등. 2013). 심리 생리학 연구에서 PTSD에서는 신체적 각성의 낮은 수준과 높은 수준의 극단이 모두 확인되었습니다(Bauer 등. 2013; Marinova와 Maercker 2015). 정신 생리학, 신경 생물학 및 유전학 연구를 통합하여 PTSD의 기초가 되는 "공포 부하" 이론 가설이 정립 됩니다(Norrholm 등. 2015). 공포 부하는 스트레스 요인에 생물학적으로 공포로 반응하는 개인의 경향이며, 이는 학습 이론(즉, 트라우마 노출 후 만성적 두려움에 대한 고전적 조건화 및 사회적 학습의 가능성 증가) 및 인지 이론(즉, 편향된 주의 및 정보로 인하여 반복적인 침습 기억과 과각성을 초래하는 처리과정)과 일치합니다.

## 5.7 대인관계/가용자원 이론

외상성 스트레스 요인은 어린이들과 그들의 가족들이 안전, 건강, 그리고 복지를 위해 의존하는 자원들을 방해하거나, 타협시키거나, 심지어 파괴할 수도 있습니다. 이러한 자원들(즉, "개인이 가치 있게 평가하거나 다른 자원을 획득하는 수단의 역할을 하는 대상, 개인적 특성, 조건 또는 에너지", Walter 등, 2008, p. 157)은 또한 외상성 스트레스 요인의 심리, 물리적 부정적 영향을 예방하거나 완화할 수 있는 중요한 완충제 역할을 합니다. 객관적 자원에는 주택, 음식, 차량, 의류 및 기술 등이 포함됩니다. 개인적 자원은 자존감, 자기 효능감, 신체적, 심리적 어려움 등입니다. 조건적 자원에는 관계, 사회적 연결, 민족의 문화 단체 소속 및 사회 경제적 지위가 포함됩니다. 에너지 자원은 시간, 전기, 연료, 그리고 돈이 해당됩니다. 자원 보존 이론은 자원 손실이 자원 획득보다 더 두드러지며, 따라서 사람들의 자원에 대한 접근성을 감소시키는 외상성 스트레스 요인의 잠재적으로 강력하고 지속적인 영향(예: 가정과 지역사회를 파괴하는 재해, 근본적인 신뢰와 분리에 대한 상실을 초래하는 학대, 집이나 양육자로부터의 분리)을 가정합니다. 이 이론은 트라우마적 역경에 노출되는 것을 예방하고 회복하려면 주요 자원이 고갈되거나 접근할 수 없는 바로 그 시점에 자원의 투입을 늘리거나 접근이 필요하다고 가정합니다. 따라서, PTSD는 정서적 스트레스와 고통을 줄이기보다 점진적으로 더 고갈되거나 접근할 수 없는 자원들이 늘어나는 악순환을 초래하는 자원의 급격한 감소로 이해될 수 있습니다. 아동이 학교나 또래집단에서 가정폭력이나 집단 따돌림 등으로 정신적 충격을 받았을 때 그 여파로 모든 영역의 자원이 예전보다 부족해질 가능성이 높습니다. 집이나 학교는 더 이상 안전한 장소가 아닐 수 있으며, 두려움과 슬픔뿐만 아니라 잠재적으로 배고픔, 질병에 대한 취약성, 그리고 수면 문제로 이어질 수 있습니다. 자존감, 자기 효능감, 신뢰와 협력 능력은 지속되는 감정적 상처의 결과로 줄어들 수 있습니다. 가족, 학교, 공동체의 소중한 구성원으로서 아동의 안전은 심각하게 훼손될 수 있습니다. 또한 삶을 즐기고, 배우고, 성취하며, 성장하고 성숙하는 데 이용 가능했던 시간과 육체적 에너지는 두려움에 대처하거나 치료 또는 재활 서비스에 빼앗길 수 있습니다. 따라서, PTSD는 위협과 두려움뿐만 아니라 안전을 되찾고 위험과 부상으로부터 회복하기 위해 가장 필요할 때 필수적인 자원의 손실을 동반합니다.

사회적 지지는 아동이 외상성 스트레스 요인을 경험할 때 종종 단절되거나 줄어드는 핵심 자원입니다. 사회적 지지는 정서적, 정보를 주는 또는 가시적 지원의 형태일 수 있으며 친족 관계(배우자, 가족, 친척), 가족 외의 비공식 네트워크(친구, 이웃, 동료), 바로 곁에서 지원하는 외부 사람들(자선 단체, 전문 서비스 제공자)과 같은 특정 자원과 연결될 수 있습니다. 대부분의 경우, 사회적 지지는 적절한 지원이 가능하고 필요하면 도움이 된다는 개인의 주관적 해석에 의해 가늠됩니다. 또한 사회적 지지는 타인으로부터 받는 실제적인 도움(사회적 지원을 수용)이나 잠재적인 사회적 지원의 원천 네트워크와의 관계에 있는 개인의 친밀성과 위치(사회적 소속감) 측면에서 객관적으로 측정될 수 있습니다. 자기효능감과 사회적 지원은 밀접하게 연관되어 있는데, 자기 확신이 높은 사람은 사회적 지원을 구하고 받을 확률이 높으며, 사회적 지지망이 강한 사람은 효과적으로 스트레스 요인을 느끼고 대처할 가능성이 높습니다.

## 5.8 발달학적 트라우마 이론

외상성 스트레스 요인 노출의 영향은 선천적으로 미성숙한 아이의 생물학적, 심리적 발달과 불가분의 관계이며 잠재적으로 매우 파괴적입니다. 따라서 외상성 스트레스 요인에 노출된 아이들은 PTSD나 관련 증상뿐만 아니라 일생동안 정신과 신체 건강에 있어 격차, 결손 혹은 한계를 경험할 수 있습니다. (a) 감정 조절, (b) 실행 기능[즉, 주의력, 학습, 문제 해결 및 작업(단기), 선언적 (언어), 서술적(자전적) 기억], (c) 인격 발달의 형성 및 통합 그리고 (d) 관계(애착)을 포함한 여러 주요 생물심리사회 영역에서 외상성 스트레스 요인에 대한 노출이 아동 발달에 미치는 악영향은 잘 알려져 있습니다. 정서 조절의 어려움은 유년기의 외상성 스트레스 요인 노출과 관련된 핵심 발달 장애로 확인되었습니다(D' Andrea 등. 2012). 감정 조절은 신체와 자아의 통합성을 자동적이거나 또는 자기성찰적(예, 인지적으로)으로 관찰하고 유지하는 것을 포함합니다.

정서 조절은 처음에는 고통(울음)과 쾌락(시각적 주의, 미소)에 대해 일어나는 비교적 자동적인 반응으로 유아기에 시작됩니다(Perry 등. 2016). 유아가 가볍고 짧은 공포에 반복적으로 잘 대처한다면, 자기 조절이 향상됩니다. 아기가 무서운 자극과 맥락에 노출되는 정도를 적정하게 조절하도록 도와주는 안정적인 보호자의 존재는 유아가 공동 조절을 경험함으로써 자기 조절을 배울 수 있도록 하는 안정 애착의 중요한 원천입니다(Evans와 Porter. 2009). 특히 유아와 양육자 간의 안정 애착 관계를 방해하거나 손상시키는 외상성 스트레스로 인하여 영아가 두려움이나 관련 고통을 경험할 때 신체 조절법을 배우는 중요한 발달 이정표를 달성하지 못하게 한다면 어려움이 지속될 수 있습니다(Moutsiana 등. 2014).

만 2세와 3세에 뇌 구조의 지속적인 급속 성장을 통해 아이는 뚜렷한 목표와 기대, 감정을 가진 분리된 개인으로서의 자신과 타인에 대한 인식을 키울 수 있습니다. 외상 사건이 발생하여 특히 그들에 대한 돌봄이 위태로워지면, 유아의 신경과 신경화학 회로는 스트레스 반응성으로 조직화되기 쉬우며, 극심한 정서적 고통(예: 수치심 마비, 공감의 부재, 공격 행동으로 표현되는 분노)이 지속되는 상태를 초래하고, 내면화되거나 외현화된 감정을 표현하거나 조절할 능력과 충동을 억제하고, 명확하게 생각하고, 목표를 설정하고 달성하며, 관계에 대한 신뢰와 협력을 하는 능력에 손상이 생깁니다(Dackis 등. 2015; Kim-Spoon 등. 2013).

중기 아동기와 청소년 전기에서, 외상 후 발생하는 감정과 충동의 조절이상은 광범위한 내제화(예: 우울증, 고소공포증, 공황, 강박, 사회 불안, 공포증, 해리성 장애), 외현화(예: 적대적 반항이나 행동 장애, 주의력 또는 충동 조절 장애, 조증/양극성 장애), 그리고 신체심리적 문제(예: 섭식 장애, 성문제, 수면 장애)로 나타납니다. 이러한 문제들은 결국 성공적인 발달과 학교나 교외 활동, 친구관계와 가족관계에 대하여 성공적인 발달과 수행을 달성하는데 어려움을 가져옵니다. 청소년기의 감정 조절의 어려움은 약물 사용이나 인격 장애, 법적, 학교, 가족 및 공동체 영역의 심각한 문제(예: 감금, 무단결석, 십대 임신, 조직 연루, 자살)를 동반하여 훨씬 더 복잡 해질 수 있습니다. 따라서 외상성 스트레스장애는 즉각적으로 심각한 증상을 일으킬 수 있을 뿐만 아니라 감정 조절과 같은 기본적인 능력의 발달을 저해하여 아이의 삶 전체의 과정을 바꿀 수 있습니다(Nusslock과 Miller 2016).

## 5.9 세대간 전승 이론

아동과 청소년 발달에 있어 가족 관계의 강력한 영향과 부모의 PTSD 중증도가 아동 외상후 고통과 연관이 있다는 경험적 발견(Lambert 등. 2010)이 시사하는 점은 가족 및 세대 간 역할을 다루지 않는 아동 외상성 스트레스장애 이론은 불완전할 수 있다는 것입니니다. 아동기에 성, 신체, 그리고/또는 정서 학대의 경험은 성인기 대인관계에서 재피해(Classen 등. 2005; Messman과 Long 1996) 및 친밀한 파트너 폭력(Barrett 2010; Lilly 등. 2014; Widom 등. 2014)의 위험이 증가하는 것과 관련이 있습니다. 따라서 어릴 때 학대를 겪은 부모의 자녀 역시 폭력 및 기타 부정적인 삶의 사건에 노출될 위험이 높아지는 것이 놀라운 일이 아닙니다(Collihaw 등. 2007). 또한 아동학대 피해자와 친밀한 파트너 폭력이 있을 때(Bidara 등. 2016; Jouriles 등. 2008) 아동학대 가해 위험이 높아진다는 증거도 있습니다. 따라서 그들 자신의 삶에서 학대나 폭력을 경험한 부모의 자녀들은 외상성 스트레스에 노출되면 잠재적인 트라우마 사건에 노출될 가능성이 더 높고 만일 (자녀가) 외상성 스트레스를 경험한다면 외상성 스트레스장애에 걸릴 가능성도 더 높습니다. 실제로 부모의 PTSD의 영향은 매우 커서, 부모가 PTSD 증상이 있는 경우 아동이 트라우마에 노출되지 않아도 정서조절 곤란, 불안과 우울증, 일반적인 행동장애에 걸릴 위험이 더 큰 것으로 나타났습니다(Enlow 등 2011; Leen-Feldner 등. 2013). PTSD가 있는 성인의 자녀는 트라우마에 노출되면 외상후 스트레스 반응이 일어날 가능성이 더 높습니다(Chemtob 등. 2010; Leen-Feldner 등. 2013). 또 부모의 PTSD 중증도는 자녀의 외상후 고통 및 반응정도와 관련이 있습니다(Lambert 등. 2014; Morris 등. 2012).

부모의 감정 조절(또는 조절 문제)은 외상성 스트레스장애의 세대 간 전달을 하는 것으로 여겨집니다. 자신의 감정을 조절할 수 있는 부모는 감정 경험의 적응적 표현과 관리의 역할 모델이 될 수 있고(Bariola 등. 2011), 아이가 고통받을 때 적응적 감정 조절 기술을 사용하게 도울 준비가 더 되어 있습니다(Morris 등. 2007). 반대로, 정서 조절이 잘 되지 않는 부모들은 트라우마로 인한 고통에서 회복하는 데 필요한, 정서적 고통에 지지적이고, 교육적이며, 공감적인 반응을 하거나 주지 못하는 경향이 있으며, 고통과 감정 조절 장애를 악화시킬 수 있는 반응적 감정 반응을 아동에게 부주의하게 본보기로 보여주는 경향이 있습니다(Compas 등. 2001; Pears와 Fisher 2005; Shipman 등. 2007; Valiente 등. 2007).

PTSD의 세대 간 전승의 한 가지 가능한 경로는 부모의 훈육 스타일과 양육 행동입니다. 어린시절 학대를 경험한 부모가 신체 학대를 할 가능성이 더 높다는 세대 간 학대의 순환에 대해서는 논란이 있지만(Thornberry 등. 2012), 아동 학대를 경험한 부모 중 대다수는 학대를 하지 않습니다(Berlin 등. 2011). 그럼에도 학대를 겪은 부모의 자녀가 정신건강이 나쁠 위험이 더 크며 수많은 연구에서도 이 연관성을 설명할 다른 양육 행동을 찾아보았습니다(Bailey 등. 2012; Chemtob와 Carlson 2004; Ehrensaft 등. 2015; Rijlaarsdam 등. 2014; Ruscio 2001). 유년기 성적 학대는 허용을 매우 많이, 권위는 덜 보여주는양육과 연관되며 이로 인하여 일정한 구조, 지도 및 일관된 훈육을 어렵게 하는 것으로 나타났습니다(DiLillo와 Damashek 2003; Ruscio 2001). 정서 및 신체 학대의 과거력이 있는 엄마는 자녀에게 심리적 통제를 더 하는 것으로 나타났습니다(Zalewski 등. 2013). 부모 자녀 PTSD의 다른 가능한 세대간 연결고리에는 양육 스트레스(Barrett 2009; Pereira 등. 2012; Steele 등. 2016), 낮은 양육 자신감(Bailey 등. 2012; Cole 등. 1992; Ehrensaft 등. 2015), 따스함이 부족한 부모(Barrett 2009), 관계의 소원함, 영역침범 또는 예측할 수 없는 극단을 넘나드는 것이 해당됩니다(Driscoll과 Easterbrooks 2007; Moehler 등. 2007).

또한, 아동학대의 성인 생존자들이 자녀와 혼란형 애착이 될 위험이 있기 때문에, 아동 트라우마의 경과에 애착 체계의 성질이 중요한 요소일 수 있습니다(Berthelot 등. 2015; Lyons-Ruth와 Block 1996). 마찬가지로 학대 아동은 비학대 아동보다 보호자와 불안정하고 비정상적인 애착이 될 가능성이 더 높습니다(Cichetti와 Toth. 1995; Cook 등. 2005). 이러한 부적당한 유대관계는 트라우마를 입은 가정에서 아동이 심리적 고통을 겪을 위험을 높입니다(Shapiro와 Levendosky. 1999). 반대로, 안정 애착은 충격적인 경험을 직면했을 때 회복력을 증진시키는 데 도움이 되는 보호 요인이 될 수 있습니다(Shapiro와 Levendosky. 1999). Alink와 동료들(2009)의 학대 및 비학대 아동 연구에서, 학대 아동이 비학대 경험 아동에 비해 감정 조절 척도에서 낮은 점수를 받았는데, 이는 불안정한 애착 스타일을 가진 아동에게만 해당되었습니다. 즉 안정 애착형의 아이들에게 학대는 감정 조절에 영향을 미치지 못했습니다. 따라서 부모-자녀의 안정 애착 관계는 학대에도 불구하고 아이의 정서 정서조절능력을 유지하거나 회복하기에 충분한 안전 및 보호를 제공할 수 있습니다.

만성 스트레스, 공격성 또는 무질서한 상호작용 패턴을 보이는 가정 환경(Morris 등. 2007; Repti 등. 2002)도 보호자가 외상 후 지지적으로 반응하는데 방해되고(Nelson 등. 2009) 트라우마로부터 아동의 회복을 지원하는 일상, 관계, 가족의 대처 자원과 같은 가족 처리 과정을 잠식하는(Kiser와 Black 2005), 아동 청소년 외상성 스트레스장애의 위험 요인입니다(Trickey 등. 2012). 정신적 충격을 받은 도시 청소년들 대상의 연구에 따르면, 재경험과 회피 증상이 높은 것은 가족 일상에 가치를 더 낮게 두는 것과 관련이 있 었고, 반면에 감정 및 행동 문제가 낮은 것은 가족 구조, 정서적 지원, 가족 조직력이 더 높은 것과 관련이 있었습니다(Kiser 등. 2010).

마지막으로, 외상을 경험한 아동이 회복 탄력적인 경과를 보이도록 돌보는 지지적 관계와 효과적인 양육이 갖는 보호 역할을 인식하지 않고서는 세대 간 계승 이론에 대한 논의가 끝나지 않을 것입니다(Howell 2011). 위에서 언급했듯이 안전한 부모-자녀 애착은 트라우마의 영향을 완충할 수 있습니다(Alink 등. 2009; Shapiro와 Levendosky. 1999). 이와 관련하여, 어머니가 자녀의 고통을 민감하게 보듬고 적절한 감정으로 반응하며 지지적이고 차분히 있어주는 능력은 어린 자녀의 회복 탄력적인 경과와 연관됩니다(Feldman과 Vengrober 2011). 청소년들에게는 가족의 지지가 폭력 노출 후 심리적 영향을 완충하는 것으로 밝혀졌습니다(Kliewer 등. 2001).

## 결론

외상성 스트레스장애의 이론은 사람들이 외상성 스트레스 요인에 노출된 후 어떻게 적응하는지에 대한 과학 및 임상 지식을 풀어낸 것입니다. 외상후 적응에는 생존에 기반한 형태의 **학습**(예: 고전적으로 조절된 두려움 또는 불안), **인지**(예: 과잉 경계, 인지된 무력감), **기억**(예: 침습적 재경험) 및 **행동적 대처**(예: 회피, 반응성 공격)가 포함됩니다. 이론은 또한 변화된 생리적 상태(예: 과각성, 해리) 및 외상성 스트레스장애의 - 만성적인 경과를 증폭시키고 증가시킬 수 있는 - 부산물로서 **개인 관계/ 자원**의 변화(예: 분리, 사회적 지원 감소)를 설명하기 위해 정립 되었습니다. 아동기의 외상성 스트레스 요인(특히 학대 또는 다른 형태의 피해 관련)이 아동의 인지, 행동, 생리학 및 관계 발달에 미치는 영향을 설명하기 위해 발달 외상 이론이 추가로 개발되었습니다. 아동 외상성 스트레스장애의 세대 간 전승 이론은 부모의 외상성 스트레스장애와 감정 조절 장애가 어떻게 자녀의 발달에 악영향을 미치고 아동 외상성 스트레스장애의 위험을 증가시킬 수 있는지 설명합니다. 이러한 아동 외상성 스트레스장애 이론은 이 책에 제시된 트라우마를 입은 아동을 위한 치료 개입의 발전에 중요한 역할을 했습니다. 행동 치료는 학습 이론을 적용하여 트라우마를 입은 아이들이 과거 외상에 대한 기억과 기억에 반응하는 방법을 배우고 두려움과 불안을 줄이고 자신감과 희망을 회복 할 수 있도록 개입을 구성하였습니다(예: 트라우마 기억 노출). 인지 치료는 트라우마를 입은 아동에게 외상 관련 신념을 극복하고 외상 기억을 일관된 개인 내러티브로 변환할 수 있는 새로운 사고 방식을 제공합니다. 대인 관계 치료는 트라우마를 입은 아이와 가족이 트라우마로 인한 정서적, 영적 거리감에 맞서고 추가 트라우마를 예방할 수 있는 지원 관계를 발전시키는 데 도움이 됩니다. 마지막으로, 발달학적인 트라우마 치료법[예: ARC(14장), SPARCS, STARNST, TARGET(21장) 또는 TST(17장) 참조]은 정신적 충격을 받은 아동에게 부모/양육자가 아동과 함께 생물심리사회적 자기 조절 능력(특히 감정조절)을 개발하고 회복시켜 건강한 세대간 관계와 아동청소년의 발달을 회복하게 합니다(Ford 등. 2013). 따라서 이론은 근본적으로 이 책의 다음 장들에서 설명하는 외상성 스트레스장애를 가진 아이들을 위해 경험적으로 뒷받침되는 치료법을 만들고, 다듬고, 보급하는 필수 작업에 정보를 제공하고 인도할 수 있습니다.

## 참고문헌


Alink LRA, Cicchetti D, Kim J, Rogosch FA (2009) Mediating and moderating processes in the relation between maltreatment and psychopathology: mother-child relationship quality and emotion regulation. J Abnorm Child Psychol 37:831–43

Andrews B, Brewin CR, Philpott R, Stewart L (2007) Delayed-onset posttraumatic stress disorder: a systematic review of the evidence. [Electronic Electronic; Print]. Am J Psychiatry 164(9):1319–26

Bailey HN, DeOliveira CA, Wolfe VV, Evans EM, Hartwick C (2012) The impact of childhood maltreatment history on parenting: a comparison of maltreatment types and assessment methods. Child Abuse Negl 36:236–46. doi:10.1016/j.chiabu.2011.11.005

Bariola E, Gullone E, Hughes EK (2011) Child and adolescent emotion regulation: the role of parental emotion regulation and expression. [Research Support, Non-U.S. Gov't Review]. Clin Child Fam Psychol Rev 14(2):198–212. doi:10.1007/s10567-011-0092-5

Barrett B (2009) The impact of childhood sexual abuse and other forms of childhood adversity on adulthood parenting. J Child Sex Abus 18:489–512. doi:10.1080/10538710903182628

Barrett B (2010) Childhood sexual abuse and adulthood parenting: the mediating role of intimate partner violence. J Aggress Maltreat Trauma 19(3):323–46. doi:10.1080/10926771003705205

Bauer MR, Ruef AM, Pineles SL, Japuntich SJ, Macklin ML, Lasko NB, Orr SP (2013) Psychophysiological assessment of PTSD: a potential research domain criteria construct. Psychol Assess 25(3):1037–43. doi:10.1037/a0033432

Berlin LJ, Appleyard K, Dodge KA (2011) Intergenerational continuity in child maltreatment: mediating mechanisms and implications for prevention. Child Dev 82(1):162–76

Berthelot N, Ensink K, Bernazzani O, Normandin L, Luyten P, Fonagy P (2015) Intergenerational transmission of attachment in abused and neglected mothers: the role of trauma-specific reflective functioning. Infant Ment Health J 36(2):200–12. doi:10.1002/imhj.21499

Bidarra ZS, Lessard G, Dumont A (2016) Co-occurrence of intimate partner violence and child sexual abuse: prevalence, risk factors, and related issues. Child Abuse Negl 55:10–21. doi:10.1016/j.chiabu.2016.03.007

Birmes P, Brunet A, Carreras D, Ducasse JL, Charlet JP, Lauque D et al (2003) The predictive power of peritraumatic dissociation and acute stress symptoms for posttraumatic stress symptoms: a three-month prospective study. Am J Psychiatry 160(7):1337–9. doi:10.1176/appi.ajp.160.7.1337

Bowers ME, Yehuda R (2016) Intergenerational transmission of stress in humans. Neuropsychopharmacology 41(1):232–44. doi: 10.1038/npp.2015.247

Bradley B, DeFife JA, Guarnaccia C, Phifer J, Fani N, Ressler KJ, Westen D (2011) Emotion dysregulation and negative affect: association with psychiatric symptoms. J Clin Psychiatry 72(5):685–91. doi:10.4088/JCP.10m06409blu

Brewin CR, Holmes EA (2003) Psychological theories of posttraumatic stress disorder. Clin Psychol Rev 23(3):339–76

Brewin CR (2014) Episodic memory, perceptual memory, and their interaction: foundations for a theory of posttraumatic stress disorder. Psychol Bull 140(1):69–97. doi: 10.1037/a0033722

Chemtob CM, Carlson JG (2004) Psychological effects of domestic violence on children and their mothers. Int J Stress Manag 11(3):209–26. doi:10.1037/1072-5245.11.3.209

Chemtob CM, Nomura Y, Rajendran K, Yehuda R, Schwartz D, Abramovitz R (2010) Impact of maternal posttraumatic stress disorder and depression following exposure to the September 11 attacks on preschool children's behavior. Child Dev 81(4):1129–41

Cicchetti D, Toth SL (1995) A developmental psychopathology perspective on child abuse and neglect. J Am Acad Child Adolesc Psychiatry 34(5):541–65

Cieslak R, Benight CC, Caden Lehman V (2008) Coping self-efficacy mediates the effects of negative cognitions on posttraumatic distress. Behav Res Ther 46(7):788–98. S0005-7 967(08)00069-7 [pii] 10.1016/j.brat.2008.03.007

Classen CC, Palesh OG, Aggarwal R (2005) Sexual revictimization: a review of the empirical literature. Trauma Violence Abuse 6(2):103–29. doi:10.1177/152483005275087

Cloitre M, Stolbach BC, Herman JL, van der Kolk B, Pynoos R, Wang J, Petkova E (2009) A developmental approach to complex PTSD: childhood and adult cumulative trauma as predictors of symptom complexity. J Trauma Stress 22(5):399–408. doi:10.1002/jts.20444

Cole PM, Woolger C, Power TG, Smith KD (1992) Parenting difficulties among adult survivors of father-daughter incest. Child Abuse Negl 16:239–49

Collishaw S, Dunn J, O'Connor TG, Golding J, Avon Longitudinal Study of Parents and Children Study Team (2007) Maternal childhood abuse and offspring adjustment over time. Dev Psychopathol 19:367–83

Compas BE, Connor-Smith JK, Saltzman H, Thomsen AH, Wadsworth ME (2001) Coping with stress during childhood and adolescence: problems, progress, and potential in theory and research. Psychol Bull 127(1):87–127

Cook A, Spinazzola J, Ford J, Lanktree C, Blaustein M, Cloitre M et al (2005) Complex trauma in children and adolescents. Psychiatr Ann 35(5):390–8

Copeland WE, Keeler G, Angold A, Costello EJ (2010) Posttraumatic stress without trauma in children. Am J Psychiatry 167(9):1059–65. doi:10.1176/appi.ajp.2010.09020178

Dackis MN, Rogosch FA, Cicchetti D (2015) Child maltreatment, callous-unemotional traits, and defensive responding in high-risk children: an investigation of emotion-modulated startle response. Dev Psychopathol 27(4 Pt 2):1527–45. doi:10.1017/S0954579415000929

Dalgleish T (2004) Cognitive approaches to posttraumatic stress disorder: the evolution of multirepresentational theorizing. [Review]. Psychol Bull 130(2):228–60. doi:10.1037/0033-2909.130.2.228

D'Andrea W, Ford JD, Stolbach B, Spinazzola J, van der Kolk BA (2012) Understanding interpersonal trauma in children: why we need a developmentally appropriate trauma diagnosis. Am J Orthopsychiatry 82(2):187–200. doi:10.1111/j.1939-0025.2012.01154.x

De Bellis MD., Zisk A (2014) The biological effects of childhood trauma. Child Adolesc Psychiatr Clin N Am 23(2):185–222, vii. doi: 10.1016/j.chc.2014.01.002

DiLillo D, Damashek A (2003) Parenting characteristics of women reporting a history of childhood sexual abuse. Child Maltreat 8(4):319–33. doi:10.1177/1077559503257104

Driscoll JR, Easterbrooks MA (2007) Young mothers' play with their toddlers: individual variability as a function of psychosocial factors. Infant Child Dev 16:649–70. doi:10.1002/icd.515

Dvir Y, Ford JD, Hill M, Frazier JA (2014) Childhood maltreatment, emotional dysregulation, and psychiatric comorbidities. Harv Rev Psychiatry 22(3):149–61. doi:10.1097/HRP.0000000000000014

Ehlers A, Clark DM (2000) A cognitive model of posttraumatic stress disorder. Behav Res Ther 38(4):319–45

Ehrensaft MK, Knous-Westfall HM, Cohen P, Chen H (2015) How does child abuse history influence parenting of the next generation. Psychol Viol 5(1):16–25

Enlow MB, Kitts RL, Blood E, Bizarro A, Hofmeister M, Wright RJ (2011) Maternal posttraumatic stress symptoms and infant emotional reactivity and emotion regulation. Infant Behav Dev 34(4):487–503

Enoch MA, Hodgkinson CA, Gorodetsky E, Goldman D, Roy A (2013) Independent effects of 5′ and 3′ functional variants in the serotonin transporter gene on suicidal behavior in the context of childhood trauma. J Psychiatr Res 47(7):900–7. doi:10.1016/j.jpsychires.2013.03.007

Evans CA, Porter CL (2009) The emergence of mother-infant co-regulation during the first year: links to infants' developmental status and attachment. Infant Behav Dev 32(2):147–58. doi:10.1016/

j.infbeh.2008.12.005
Fani N, Jovanovic T, Ely TD, Bradley B, Gutman D, Tone EB, Ressler KJ (2012a) Neural correlates of attention bias to threat in post-traumatic stress disorder. Biol Psychol 90(2):134–142. doi:10.1016/j.biopsycho.2012.03.001
Fani N, Tone EB, Phifer J, Norrholm SD, Bradley B, Ressler KJ et al (2012b) Attention bias toward threat is associated with exaggerated fear expression and impaired extinction in PTSD. Psychol Med 42(3):533–43. doi:10.1017/S0033291711001565
Feldman R, Vengrober A (2011) Posttraumatic stress disorder in infants and young children exposed to war-related trauma. J Am Acad Child Adolesc Psychiatry 50(7):645–58. doi:10.1016/j. jaac.2011.03.001
Foa EB, Steketee G, Rothbaum BO (1989) Behavioral/cognitive conceptualizations of post- traumatic stress disorder. Behav Ther 20(2):155–76
Foa EB, Zinbarg RE, Rothbaum BO (1992) Uncontrollability and unpredictability in post- traumatic stress disorder: an animal model. Psychol Bull 112(2):218–38
Ford JD (2009) Neurobiological and developmental research: clinical implications. In: Courtois CA, Ford JD (eds) Treating complex traumatic stress disorders: an evidence-based guide. Guilford Press, New York
Ford JD, Blaustein M, Habib M, Kagan R (2013) Developmental trauma-focused treatment models. In: Ford JD, Courtois CA (Eds.), Treating complex traumatic stress disorders in children and adolescents: Scientific foundations and therapeutic models. Guilford Press, New York:261–76
Guffanti G, Galea S, Yan L, Roberts AL, Solovieff N, Aiello AE et al (2013) Genome-wide association study implicates a novel RNA gene, the lincRNA AC068718.1, as a risk factor for post-t raumatic stress disorder in women. Psychoneuroendocrinology 38(12):3029–38. doi:10.1016/j.psyneuen.2013.08.014
Horowitz MJ (1997) Stress response syndromes: PTSD, grief, and adjustment disorders, 3 edn. Jason Aronson, Lanham
Howell KH (2011) Resilience and psychopathology in children exposed to family violence. Aggress Violent Behav 16:562–9
Iacoviello BM, Wu G, Abend R, Murrough JW, Feder A, Fruchter E et al (2014) Attention bias variability and symptoms of posttraumatic stress disorder. J Trauma Stress 27(2):232–9. doi:10.1002/jts.21899
Jouriles EN, McDonald R, Slep AMS, Heyman RE, Garrido E (2008) Child abuse in the context of domestic violence: prevalence, explanations, and practice implications. Violence Vict 23(2):221–35
Kim J, Cicchetti D (2010) Longitudinal pathways linking child maltreatment, emotion regulation, peer relations, and psychopathology. J Child Psychol Psychiatry 51(6):706–16
Kim K, Trickett PK, Putnam FW (2011) Attachment representations and anxiety: differential relationships among mothers of sexually abused and comparison girls. J Interpers Violence 26(3):498–521. doi:10.1177/0886260510363416
Kim-Spoon J, Cicchetti D, Rogosch FA (2013) A longitudinal study of emotion regulation, emotion lability-negativity, and internalizing symptomatology in maltreated and nonmaltreated children. Child Dev 84(2):512–27. doi:10.1111/j.1467-8624.2012.01857.x
Kiser LJ, Black MM (2005) Family processes in the midst of urban poverty: what does the trauma ltierature tell us? Aggress Violent Behav 10:715–750. doi:10.1016/j.avb.2005.02.003
Kiser LJ, Medoff DR, Black MM (2010) The role of family processes in childhood traumatic stress reactions for youths living in urban poverty. Traumatology (Tallahass Fla) 16(2):33–42. doi:10.1177/1534765609358466
Kliewer W, Murrell L, Mejia R, de Torres Y, Angold A (2001) Exposure to violence against a family member and internalizing symptoms in Colombian adolescents: the protective effects of family support. J Consult Clin Psychol 69(6):971–82. doi:10.1037/AW22-006X.69.6.971
Koenen KC, Duncan LE, Liberzon I, Ressler KJ (2013) From candidate genes to genome-wide association: the challenges and promise of posttraumatic stress disorder genetic studies. Biol Psychiatry 74(9):634–36. doi:10.1016/j.biopsych.2013.08.022
Kohrt BA, Worthman CM, Ressler KJ, Mercer KB, Upadhaya N, Koirala S et al (2015) Cross- cultural gene- environment interactions in depression, post-traumatic stress disorder, and the cortisol awakening response: FKBP5 polymorphisms and childhood trauma in South Asia GxE interactions in

South Asia. Int Rev Psychiatry 27(3):180–96. doi:10.3109/09540261.2015.1 020052
Kumpula MJ, Orcutt HK, Bardeen JR, Varkovitzky RL (2011) Peritraumatic dissociation and experiential avoidance as prospective predictors of posttraumatic stress symptoms. J Abnorm Psychol 120(3):617–27. doi:10.1037/a0023927
Lambert SF, Nylund-Gibson K, Copeland-Linder N, Ialongo NS (2010) Patterns of community violence exposure during adolescence. Am J Commun Psychol, 46(3–4):289–302. doi: 10.1007/s10464-010-9344-7
Lambert JE, Holzer J, Hasbun A (2014) Association between parents' PTSD severity and children's psychological distress: a meta-analysis. J Trauma Stress 27(1):9–17. doi:10.1002/jts.21891
Layne C, Beck C, Rimmasch H, Southwick J, Moreno M, Hobfoll S (2008) Promoting 'resilient' posttraumatic adjustment in childhood and beyond. In: Brom D, Pat-Horenczyk R, Ford JD (eds) Treating traumatized children: risk, resilience, and recovery. Routledge, London
Leen-Feldner EW, Feldner MT, Knapp A, Bunaciu L, Blumenthal M, Amstadter AB (2013) Offspring psychological and biological correlates of parental posttraumatic stress: review of the literature and research agenda. Clin Psychol Rev 33:1106–33
Levendosky AA, Bogat GA, Huth-Bocks AC, Rosenblum K, von Eye A (2011) The effects of domestic violence on the stability of attachment from infancy to preschool. J Clin Child Adolesc Psychol 40(3):398–410. doi:10.1080/15374416.2011.563460
Liberzon I, King AP, Ressler KJ, Almli LM, Zhang P, Ma ST et al (2014) Interaction of the ADRB2 gene polymorphism with childhood trauma in predicting adult symptoms of posttraumatic stress disorder. JAMA Psychiat 71(10):1174–82. doi:10.1001/jamapsychiatry.2014.999
Lilly MM, London MJ, Bridgett DJ (2014) Using SEM to examine emotion regulation and revictimization in predicting PTSD symptoms among childhood abuse survivors. Psychol Trauma Theory Res Pract Policy 6(6):644–51
Lyons-Ruth K, Block D (1996) The disturbed caregiving system: relations among childhood trauma, maternal caregiving, and infant affect and attachment. Infant Ment Health J 17(3):257–75
Marinova Z, Maercker A (2015) Biological correlates of complex posttraumatic stress disorder: state of research and future directions. Eur J Psychotraumatol 6:25913. doi: http://dx.doi. org/10.3402/ejpt.v6.25913
McLaughlin KA, Peverill M, Gold AL, Alves S, Sheridan MA (2015) Child maltreatment and neural systems underlying emotion regulation. J Am Acad Child Adolesc Psychiatry 54(9):753– 62. doi:10.1016/j.jaac.2015.06.010
Messman TL, Long PJ (1996) Child sexual abuse and its relationship to revictimization in adult women: a review. Clin Psychol Rev 16(5):397–420
Miron LR, Orcutt HK, Kumpula MJ (2014) Differential predictors of transient stress versus posttraumatic stress disorder: evaluating risk following targeted mass violence. Behav Ther 45(6):791–805. doi:10.1016/j.beth.2014.07.005
Moehler E, Biringen Z, Poustka L (2007) Emotional availability in a sample of mothers with a history of abuse. Am J Orthopsychiatry 77(4):624–8. doi:10.1037/0002-9432.77.4.624
Morey RA, Haswell CC, Hooper SR, De Bellis MD (2016) Amygdala, hippocampus, and ventral medial prefronta cortex volumes differ in maltreated youth with and without chronic posttraumatic stress disorder. Neuropsychopharmacology 41(3):791–801. doi:10.1038/npp.2015.205
Morris AS, Silk JS, Steinberg L, Myers SS, Robinson LR (2007) The role of the family context in the development of emotion regulation. Soc Dev 16(2):361–88. doi:10.1111/j.1467-9507.2007.00389.x
Morris AS, Gabert-Quillen C, Delahanty D (2012) The association between parent PTSD/Depression symptoms and child PTSD symptoms: a meta-analysis. J Pediatr Psychol 37:1076–88
Moutsiana C, Fearon P, Murray L, Cooper P, Goodyer I, Johnstone T, Halligan S (2014) Making an effort to feel positive: insecure attachment in infancy predicts the neural underpinnings of emotion regulation in adulthood. J Child Psychol Psychiatry 55(9):999–1008. d oi:10.1111/ jcpp.12198
Nelson JA, O'Brien M, Blankson AN, Calkins SD, Keane SP (2009) Family stress and parental responses to children's negative emotions: tests of the spillover, crossover, and compensatory hypotheses. [Research Support, N.I.H., Extramural]. J Fam Psychol 23(5):671–9. doi:10.1037/a0015977
Norrholm SD, Glover EM, Stevens JS, Fani N, Galatzer-Levy IR, Bradley B et al (2015) Fear load: The psychophysiological over-expression of fear as an intermediate phenotype associated with trauma re-

actions. Int J Psychophysiol 98(2 Pt 2):270–5. doi:10.1016/j.ijpsycho.2014.11.005
Nusslock R, Miller GE (2016) Early-Life adversity and physical and emotional health across the lifespan: A neuroimmune network hypothesis. Bio Psychiat 80:3–32. doi: 10.1016/j.biopsych.2015.05.017
Opmeer EM, Kortekaas R, van Tol MJ, van der Wee NJ, Woudstra S, van Buchem MA et al (2014) Interaction of neuropeptide Y genotype and childhood emotional maltreatment on brain activity during emotional processing. Soc Cogn Affect Neurosci 9(5):601–9. doi:10.1093/scan/ nst025
Pears KC, Fisher PA (2005) Emotion understanding and theory of mind among maltreated children in foster care: evidence of deficits. Dev Psychopathol 17(1):47–65
Pereira J, Vickers K, Atkinson L, Gonzalez A, Wekerle C, Levitan R (2012) Parenting stress mediates between maternal maltreatment history and maternal sensitivity in a community sample. Child Abuse Negl 36:433–7. doi:10.1016/j.chiabu.2012.01.006
Perry NB, Swingler MM, Calkins SD, Bell MA (2016) Neurophysiological correlates of attention behavior in early infancy: implications for emotion regulation during early childhood. J Exp Child Psychol 142:245–61. doi:10.1016/j.jecp.2015.08.007
Pine DS (2007) Research Review: A neuroscience framework for pediatric anxiety disorders. J Child Psychol Psychiat 48(7):631–48
Pivovarova E, Tanaka G, Tang M, Bursztajn HJ, First MB (2016) Is helplessness still helpful in diagnosing posttraumatic stress disorder? J Nerv Ment Dis 204(1):3–8. doi:10.1097/ NMD.0000000000000416
Repetti RL, Taylor SE, Seemant TE (2002) Risky families: family social environment and the mental and physical health of offspring. Psychol Bull 128:330–66
Rijlaarsdam J, Stevens GW, Jansen PW, Ringoot AP, Jaddoe VWV, Hofman A et al (2014) Maternal childhood maltreatment and offspring emotional and behavioral problems: maternal and paternal mechanisms of risk transmission. Child Maltreat 19(2):67–78
Ruscio AM (2001) Predicting the child-rearing practices of mothers sexually abused in childhood. Child Abuse Negl 25:369–87
Schnurr PP, Lunney CA, Sengupta A (2004) Risk factors for the development versus maintenance of posttraumatic stress disorder. J Trauma Stress 17(2):85–95. doi:10.1023/B:JOTS.0000022614.21794.f4
Shapiro D, Levendosky A (1999) Adolescent survivors of childhood sexual abuse: the mediating role of attachment style and coping in psychological and interpersonal functioning. Child Abuse Negl 23(11):1175–91
Shipman KL, Schneider R, Fitzgerald MM, Sims C, Swisher L, Edwards A (2007) Maternal emotion socialization in maltreating and non-maltreating families: implications for children's emotion regulation. Soc Dev 16(2):268–85. doi:10.1111/j.1467-9507.2007.00384.x
Smith CP, Freyd JJ (2014) The courage to study what we wish did not exist. J Trsauma Dissociation 15(5):521–6. doi:10.1080/15299732.2014.947910
Southwick SM, Paige S, Morgan CA 3rd, Bremner JD, Krystal JH, Charney DS (1999) Neurotransmitter alterations in PTSD: catecholamines and serotonin. [Review]. Semin Clin Neuropsychiatry 4(4):242–8. doi:10.153/SCNP00400242
Steele H, Bate J, Steele M, Dube SR, Danskin K, Knafo H et al (2016) Adverse childhood experiences, poverty, and parenting stress. Can J Behav Sci 48(1):32–8. doi:10.1037/cbs0000034
Sumner JA, Pietrzak RH, Aiello AE, Uddin M, Wildman DE, Galea S, Koenen KC (2014) Further support for an association between the memory-related gene WWC1 and posttraumatic stress disorder: results from the Detroit Neighborhood Health Study. Biol Psychiatry 76(11):e25– e26. doi:10.1016/ j.biopsych.2014.03.033
Suzuki A, Poon L, Papadopoulos AS, Kumari V, Cleare AJ (2014) Long term effects of childhood trauma on cortisol stress reactivity in adulthood and relationship to the occurrence of depression. Psychoneuroendocrinology 50:289–99. doi:10.1016/j.psyneuen.2014.09.007
Teicher MH, Samson JA (2016) Annual research review: enduring neurobiological effects of childhood abuse and neglect. J Child Psychol Psychiatry 57(3):241–66. doi:10.1111/jcpp.12507
Thornberry TP, Knight KE, Lovegrove PJ (2012) Does maltreatment beget maltreatment? A systematic review of the intergenerational literature. Trauma Violence Abuse 13(3):135–52
Thornberry TP, Henry KL, Smith CA, Ireland TO, Greenman SJ, Lee RD (2013) Breaking the cycle of maltreatment: the role of safe, stable, and nurturing relationships. J Adolesc Health 53(4 Suppl):S25–S31

Trickey D, Siddaway AP, Meiser-Stedman R, Serpell L, Field AP (2012) A meta-analysis of risk factors for post-traumatic stress disorder in children and adolescents. Clin Psychol Rev 32:122-38

Tryon WW (1998) A neural network explanation of posttraumatic stress disorder. J Anxiety Disord 12(4):373-85

Turner HA, Shattuck A, Finkelhor D, Hamby S (2016) Polyvictimization and youth violence exposure across contexts. J Adolesc Health 58(2):208-214. doi:10.1016/j.jadohealth.2015.09.021

Valdez CE, Bailey BE, Santuzzi AM, Lilly MM (2014) Trajectories of depressive symptoms in foster youth transitioning into adulthood: the roles of emotion dysregulation and PTSD. Child Maltreat 19(3-4):209-18. doi:10.1177/1077559514551945

Valiente C, Lemery-Chalfant K, Reiser M (2007) Pathways to problem behaviors: chaotic homes, parent and child effortful control, and parenting. Soc Dev 16(2):249-267. doi:10.1111/j.1467-9507.2007.00383.x

Van Dam NT, Rando K, Potenza MN, Tuit K, Sinha R (2014) Childhood maltreatment, altered limbic neurobiology, and substance use relapse severity via trauma-specific reductions in limbic gray matter volume. JAMA Psychiat 71(8):917-25. doi:10.1001/jamapsychiatry.2014.680

Verlinden E, Schippers M, Van Meijel EP, Beer R, Opmeer BC, Olff M et al (2013) What makes a life event traumatic for a child? The predictive values of DSM-Criteria A1 and A2. Eur J Psychotraumatol 4. doi:10.3402/ejpt.v4i0.20436

Waldrep E, Benight CC (2008). Social cognitive theory. In Reyes G, Elhai JD, Ford JD (Eds.), Encyclopedia of psychological trauma. John Wiley & Sons, Hoboken, New Jersey:604-6

Walter K, Hall B, Hobfoll S (2008) Conservation of resources theory. In G Reyes JD.Elhai JD Ford (Eds.), Encyclopedia of psychological trauma. John Wiley & Sons, Hoboken, New Jersey:157-9

White S, Acierno R, Ruggiero KJ, Koenen KC, Kilpatrick DG, Galea S et al (2013) Association of CRHR1 variants and posttraumatic stress symptoms in hurricane exposed adults. J Anxiety Disord 27(7):678-83. doi:10.1016/j.janxdis.2013.08.003

Widom CS, Czaja SJ, Dutton MA (2014) Child abuse and neglect and intimate partner violence victimization and perpetration: a prospective investigation. Child Abuse Negl 38:650-663. doi:10.1016/j.chiabu.2013.11.004

Wolf EJ, Mitchell KS, Logue MW, Baldwin CT, Reardon AF, Aiello A et al (2014) The dopamine D3 receptor gene and posttraumatic stress disorder. J Trauma Stress 27(4):379-87. doi:10.1002/jts.21937

Zalewski M, Cyranowski JM, Cheng Y, Swartz HA (2013) Role of maternal childhood trauma on parenting among depressed mothers of psychiatrically ill children. Depress Anxiety 30(9):792-9

# Part II

# 치료적 개입

# 트라우마에 노출된 아동청소년을 위한 예방적인 조기 개입

6

Alexandra C. De Young 과 Justin A. Kenardy

## 6.1 서론

정신질환, 특히 아동기부터 발생하는 질환을 예방한다는 것은 일생 동안 한 개인의 고통과 사회적 비용을 최소화하고자 하는 것입니다. 이런 예방적 개입에는 1차(즉 질병/부상의 발생을 예방하려는 목적), 2차(질병/부상의 영향을 초기에 줄이려는 목적), 3차(진행되는 질병/부상의 영향을 최소화하려는 목적)의 3종류가 있습니다. 예방적 조기 개입이란 2차 개입의 일종으로, 질환이 만성화되는 위험을 줄이거나 예방하고 한 개인이 가능한 빨리 자신의 원래 기능 수준으로 돌아갈 수 있게 하는 것이 그 목적입니다.

PTSD는 다른 많은 질환들과는 달리, 보통 명확한 원인이 있고 증상이 만성화되기 전 개입이 가능한 치료 최적의 시기(보통 3개월)가 있습니다. 따라서 PTSD는 예방적 조기 개입 프로그램을 적용하는 것이 특히 좋은 대상 질환입니다. 게다가 아동기 동안 잠재적 트라우마 사건들(potentially traumatic events, 이하 PTEs)에 노출되는 것은 매우 흔하며, 적어도 1/2-2/3의 아동이 만 16세 전까지 적어도 1개 이상의 외상성 사건(학대, 가정폭력의 목격, 심각한 질환이나 손상, 자연재해나 테러 등)을 겪습니다(Copeland 등. 2007; Landolt 등. 2013). 물론 대다수의 아이들은 이를 잘 다루어 내거나 상대적으로 초기에 빨리 회복이 되지만, 약 15.9%는 임상적으로 유의한 PTSD로 발전합니다(Alisic 등. 2014). 아동의 증상이 진단 기준을 모두 충족하지는 않더라도 그 증상들은 스트레스를 매우 유발하고 매일의 일상에 기능적인 손상을 일으킵니다(Carrion 등. 2002). 연구 결과, 치료 없이 방치된 PTSD 증상들(PTSD symptoms, 이하 PTSS)은 만성적으로 악화되어 아이들을 정상 발달선상에서 상당히 멀어지게 만들고, 신체 건강에도 가시적인 영향을 줍니다(Le Brocque 등. 2010; Nugent 등. 2015). PTSD에 있어 공존질환은 예외가 아니라 일반적인 것으로(예를 들어 아주 어린 아이들은 분리 불안, 적대적 반항 행동과 공포증, 좀 더 나이든 아이들의 경우에는 우울증, 물질 남용과 불안), 트라우마를 겪은 후 새로운 질환이 발병하기 전에도 PTSS는 종종 존재하며(Davis와 Siegel 2000; De Young 등. 2012), 이러한 다른 질환들이 잘못된 치료의 초점이 되기도 합니다.

아동기 PTSD의 치료에서 외상 초점 외상 초점 인지행동치료(Trauma-focused cognitive behavioral therapy, 이하 TF-CBT)는 확실한 치료 효과의 근거가 있지만, 많은 이유로 인해 아동청소년 PTSD 환자 중 극소수만이 적절한 정신사회적 지원을 받게 됩니다. 개입이 권유되었거나 직접 연계된 뒤에도 조기 종결되는 비율 역시 높습니다(Australian Centre for Posttraumatic Mental Health 2013). 이런 점들을 감안할 때, 공중 보건적 측면에서 아동기 트라우마 후 PTSS가 지속되는 것을 예방하려면 조기 발견과 개입이 상당히 중요합니다. 본 장에서는 (1) 위험에 처한 아동을 확인하는 데 고려할 사항들과 예방적 조기 개입 프로그램의 시기와 내용 제공에 도움이 될 PTSD의 핵심 이론 및 개념 모델을 살펴보고 (2) 기존의 예방적 조기 개입들을 소개하고 (3) 대상 집단에 조기 개입을 할 때 고려할 사항들과 어려움들을 점검하며 (4) 일회성 외상 사건에 대한 예방적 조기 개입의 실증적인 근거를 검토할 것입니다.

예방적 조기 개입의 정의는 문헌들마다 매우 다양합니다. 본 장의 목적을 위해 저자는 '예방적 조기 개입'을 잠재적인 트라우마 사건PTE 노출 후 첫 4주 이내에 시행되는 개입으로 그 목적이 (1) PTE가 트라우마성 사건(들)이 되거나 그 외의 2차적인 PTE들(예; 상처를 입은 뒤 의학적 치료를 받을 정도가 되는 것 등)에 노출되는 것을 예방하는 것, (2) 급성, 지속성 PTSS의 강화와 기타 부정적인 심리적 반응을 예방하는 것으로 정의하였습니다. 예방적인 개입은 보편, 선택 또는 지시적universal, selective, indicated 접근법으로 분류됩니다. 트라우마 문헌에서 **보편적 개입**은 PTE에 노출된 모든 이들을 대상으로 합니다. **선택적 개입**들은 PTSS가 증가했지만 그 외의 위험 요인들(예; 기존의 정신병리, 트라우마 이력, 부족한 사회적 지지체계, 부모의 고통)은 없는 아이들, 지시**적 개입**들은 심각한 정서적 고통과 부정적인 장기 예후의 추가적인 위험 요소들이 있는 아이들이 그 대상입니다.

대인 또는 만성 트라우마(성/신체 학대, 가정폭력, 전쟁 등)를 겪은 아이들의 확인과 치료에는 복합적인 요소들이 동반된 경우가 많고, 이들이 만성화될 때까지 종종 그 문제들이 확인되지 않기 때문에, 이 장에서는 중증 질병이나 부상, 자연재해, 한 번의 폭행이나 테러와 같은 일회성 외상 사건 이후의 조기 개입에 대해서만 논의하겠습니다.

## 6.2 조기 개입의 이론적 배경 및 개념적인 모델들

이 장에서는 부정적인 예후의 가능성이 있는 아동 및 가족들을 조기에 선별하는 데 사용할 수 있는 주요 증거 기반 개념 모델을 검토할 것입니다. 이 모델들은 의료 트라우마, 재난 및 테러 후 급성기 동안 예방적 조기 개입의 시기와 목표를 결정하는 데에도 도움이 됩니다.

### 6.2.1 아동 정신사회적 예방 보건 모델(Pediatric Psychosocial Preventive Health Model, 이하 PPPHM)

PPPHM 모델(Kazak 2006)은 사회생태학 관점에서 생물정신사회적 시스템을 이용하여 의료 환경 속의 아동과 가족에게 필요한 예방적 개입의 유형과 수준 결정을 돕는 것입니다. Kazak(2006)은 결핍 기반의 접근deficit-based approach에서 역량 기반 체계competence-based framework로의 중대한 전환을 제시하였습니다. 이 모델은 부상이나 중증 질환에 노출된 아동과 가족들 대다수가 역량을 갖고 있으며 급성기 의료 상황과 이후의 치료에 잘 적응하며 대응할 수 있다고 가정합니다. 더 나아가 급성 시기에는 일부 스트레스 증상이 정상이며, 심지어 상황에 따라 적응적인 현상이라고 간주하고(Kazak 2006) 다만 이 중 소수가 취약한 위험 인자들이나 상황으로 인해 유의미한 수준의 정서적 고통을 겪거나 악화된다고 봅니다. 따라서 PPPHM 모델은 인간 반응의 자연스러운 다양성을 고려하여 필요한 도움의 수준을 평가하기 위해 보편적, 선택적 그리고 지시적 개입의 공공 보건 예방 틀을 통합하여 적용합니다.

이 모델에서(그림 6.1) **보편적** 개입은 의료보건환경 속 대다수의 가족들이 그 대상으로, 회복탄력성이 높거나 일부 어려움을 겪어도 잘 대처하는 경우를 말합니다. 이 경우에는 가족들에게 일반적인 지지와 그들의 역량을 지원해 줄 정보를 제공하고, 모든 아동과 부모에게 위험 인자나 급성기 정서적 고통의 징후들에 대한 선별 평가를 하도록 권고합니다. **선택적** 개입은 급성기 정서적 고통의 징후가 보이거나 위험인자가 분명한 가족들을 대상으로 합니다. 이 때에는 특정 증상들을 줄이고, 이러한 정서적 고통의 수위를 주기적으로 관찰(예; 주요 변화 시기마다 선별평가를 반복)하는 형태의 조기 개입을 권고합니다. 이 모델의 최상위 대상군은 **임상/치료군**으로, 유의미하고 지속적인, 또는 악화되는 정서적 고통을 호소하는 경우를 대상으로 하며, 전문가의 심리적 개입과 지원을 필요로 합니다.

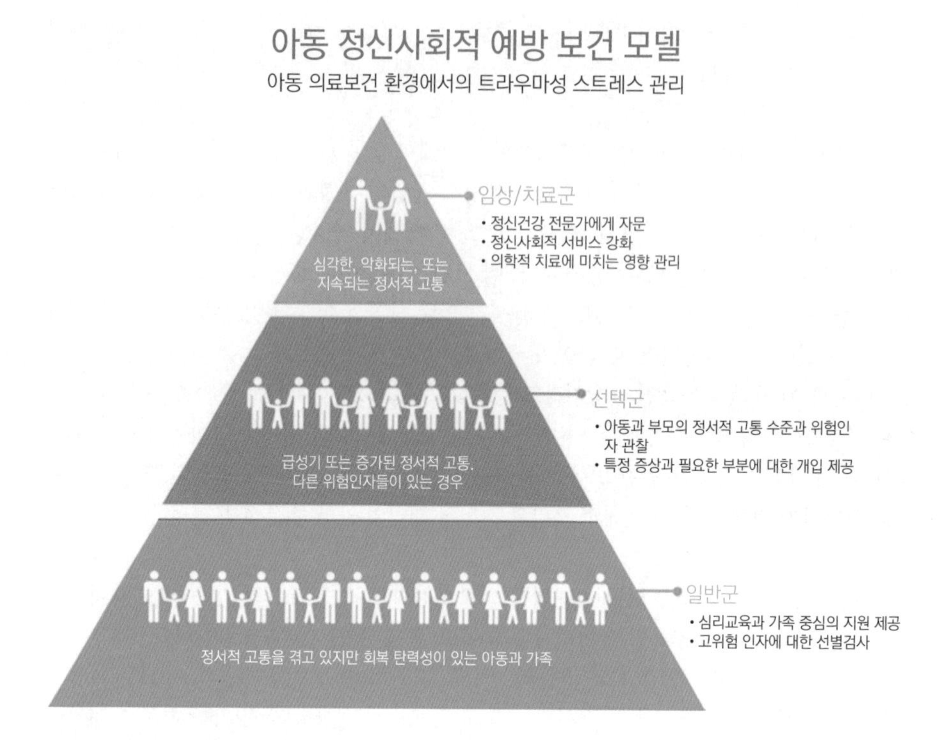


**그림 6.1** 아동 정신사회적 예방 보건 모델(Pediatric Psychosocial Preventive Health Model) (Reproduced with permission from the Center for Pediatric Traumatic Stress (CPTS) at Nemours Children's Health System © 2011. All rights reserved. PPPHM은 어떠한 목적으로든 문서화된 허가 없이 복사/복제할 수 없습니다. 허가를 위한 연락처: Anne Kazak, PhD ABPP [anne.kazak@nemours.org])

### 6.2.2 아동 의료 외상 스트레스 통합모델(Integrative Model of Paediatric Medical Traumatic Stress, 이하 PMTS)

PMTS 모델은 부상이나 질병, 치료 과정 전반에 걸쳐 정상 및 문제가 발생한 아동과 가족의 반응 모두를 이해하기에 유용한 틀입니다(Kazak 등 2006). PMTS의 정의는 "아이와 가족들이 통증, 상처, 의학적 처치, 침습적이거나 두려운 치료적 경험에 대해 보이는 심리적이고 신체적인 반응들"입니다(Health Care Toolbox: Basics of trauma-informed care 2013). PMTS 모델은 의학적 트라우마 회복의 주요 3 단계에 맞는 평가와 치료를 소개하는 좋은 안내 자료로, 지난 10여 년간의 연구에서 발견된 유의미한 결과들을 바탕으로 최근 업데이트되어 **Integrative Trajectory Model of Pediatric Medical Traumatic Stress** (Price 등. 2015)로 명칭이 개정되었습니다. 이 모델은 아동과 가족의 적응을 다음의 세 단계로 봅니다: I 단계(트라우마 직후단계), II 단계[급성기 의학적 처치단계(초기, 지속, 진행)], 그리고 III 단계[치료 지속 단계 또는 처치 후 퇴원(장기) 단계]. I 단계의 목표는 트라우마 정보기반 돌봄을 제공하고 위험인자를 선별하여 PTE의 주관적 경험을 수정하는 것입니다. II 단계는 위험인자를 선별하고 외상성 스트레스를 예방하거나 줄이는 데 목표를 둡니다. 마지막 III 단계 개입의 목표는 임상적으로 유의미한 수준의 외상성 스트레스를 선별하고 치료하는 것입니다. 개정된 모델은 주관적인 판단(예; 개인적으로 삶의 위협으로 느낀 것)이 PMTS의 예측에 중요한 역할을 한다는 점을 강조합니다. 개정 모델에서는 회복탄력성, 회복형, 만성형 및 악화형 PMTS로 네 형태의 회복 방향을 통합하여 시간에 따라 각각 다르게 나타나는 심리적 반응 패턴을 설명합니다. 특히 이 모델은 가족들의 반응과 대처가 아동의 예후에 영향을 미치는 점을 매우 강조합니다.

### 6.2.3 PTSD의 생물심리사회적 모델

최근 Marsac와 동료들(2014)은 지속형 PTSS가 발생하고 지속되는 부분에 특히 중점을 둔 가설로 급성기 의료 처치 직후의 트라우마 시기에 초점을 맞춘 새로운 생물심리사회적 모델을 제안하였습니다. 이 모델은 고위험 아동을 조기에 식별하고 예방적 개입과 임상적인 보살핌에 대한 정보 제공을 목표로 하며 생물학적, 심리적, 그리고 사회적/환경적 요소에 대한 이론들과 함께 경험적인 증거들로 밝혀진 기타 위험 요인들을 통합하였습니다. 이 모델의 첫 단계는 트라우마 바로 직전 시기로 주요 생물학적(아동의 유전적 성향, 성별, 연령), 심리적(기존 정서적 기능), 그리고 사회적/환경적(아동의 트라우마 이력, 가족 기능, 지역사회의 지지 자원, 문화) 요소들을 통해 어떤 아동들이 PTSD의 위험성이 가장 높은지, 그리고 추가적인 관찰이나 지원이 필요한지를 확인합니다. 다음의 트라우마 직후 시기는 이 모델의 중점 시기로, 생물학적(초기 기억, 호르몬 반응. 심혈관계 반응), 심리적(아동의 초기 PTSS, 인지적 인식, 대처기제), 그리고 사회/환경적(트라우마의 중증도, 의학적 치료팀의 지원, 지역사회의 지지, 부모의 PTSS와 인식 및 부모의 대처기제 지원) 변수들 간 또는 내적으로 가능성이 있는 관계들을 고려하여 위험 평가와 개입의 목표를 정합니다. 마지막으로 트라우마 후 시기의 PTSS에 영향을 미치는 인자들로 신체적 손상의 회복(생물학적), 비 PTSS성 정서 반응들(심리적), 그리고 부모의 대처기제 지원과 지역사회의 지지(사회적)를 다룹니다. 이 모델은 아직 초기 단계로 검증이 필요하나 확고한 경험적, 임상적 증거들을 기반으로 하고 있으므로 향후 희망적인 연구 대상이라고 볼 수 있습니다.

### 6.2.4 자연 재해의 개념적 모델

La Greca, Vernberg와 동료들(La Greca 등. 1996; Vernberg 등. 1996)은 자연재해에 대한 아동의 반응을 예측하는 통합적인 개념 모델을 만들었습니다. 이 모델은 기존의 학설, 연구와 저자의 임상적 경험들을 바탕으로 하여 실증적인 지지를 받고 있습니다. 이 모델은 아동의 PTSD 가능성을 높이거나 낮추는데 영향을 미칠 수 있는 요소 들, 즉 (1) 외상 사건 노출(지각된/실제 생존의 위협, 상실, 붕괴), (2) 아동의 개별적 특성(성별, 연령과 인종), (3) 재난 이후 회복 환경의 특징(삶의 중대한 사건 유무와 사회적 지원에의 접근성), 그리고 (4) 대처 기술(긍정적인 대처, 비난과 분노, 희망적 사고와 사회적 위축)의 4가지 요소를 다룹니다. 이 모델은 재난 직후의 급성기 단계에서 좋은 사회적 지지 자원으로의 접근성을 개선시키거나 긍정적인 대처 기제를 북돋는 등 잠정적인 목표들을 다룹니다.

Vernberg(2002)는 또한 재난 후 개입을 재난 노출의 시작과 끝의 시간 순서를 고려한 시스템으로 개념화하였습니다. 각 단계들의 개입은 장기적인 심리적 어려움을 줄이거나 예방하기 위해 보통 보편적, 선택적 그리고 지시적 범주로 나누어집니다. **충격 전**preimpact, **충격**impact 그리고 **반동**recoil 단계의 보편적 개입은 재난과 관련된 안전과 대처기제, 사실 기반의 정보들에 대해 지속적으로 소통하는 것입니다. 선택적 개입은 심리적 응급 처치psychological first aid를 활용하며, 지시적 개입은 급성기 고통과 장애를 겪고 있는 개인을 대상으로 합니다. **충격 바로 직후 단계**immediate postimpact phase 시기에는 보편적 개입에 주로 초점을 맞추어 위기에 대응하며 역할과 일상으로의 회복과 재난에 대한 정확한 정보와 심리적 필요에 맞춘 심리교육을 제공합니다. 이 시기 선택적 개입은 급성 스트레스 반응에 대한 평가와 단기 개입, 심리적 응급 처치가 포함됩니다. 지시적 개입은 고위험 PTSD 아동을 대상으로 집중적인 치료적 접근을 하는 것입니다. 회복기recovery와 재건reconstruction 단계에서의 보편적 개입은 정신건강에 대한 심리교육과 가용 가능한 자원들, 매뉴얼화된 학교 기반 교육과정의 제공입니다. 이 시기 선택적 개입은 PTSS를 지속적으로 갖고 있는 아동들을 선별하고 치료하는 것이며, 지시적 개입은 고위험군을 대상으로 종합적이고 통합적으로 개입하는 것입니다.

## 6.3 PTSD 아동 대상의 예방적 조기 개입법

일회성의 아동기 외상 사건 노출 후, (1) 초기의 충격 이후 이차적인 PTE들을 최소화하고, (2) 사건 이후 지속적인 외상성 스트레스가 발현되는 것을 예방하고 회복시키며 회복 탄력성을 촉진하기 위하여, 경험적으로 검증된 예방적 조기 개입 자료들과 프로그램들이 상당히 많이 개발되어 있습니다. 이런 개입들은 대다수 학령기 아동청소년들의 의학적 외상성 스트레스를 대상으로 합니다. 앞서 살펴본 것들을 바탕으로, 여기에서는 사건 당시와 의학적 치료 후 급성기, 충격 직후 및 단기 회복과 재난 후 재건 시기 동안 적용할 수 있는 보편, 선택, 지시적의 근거 기반 예방 개입법을 요약하고자 합니다. 최신 가이드라인에서 디브리핑debriefing와 약물치료는 재난 이후의 아동에 대한 예방 개입법에 해당하지 않으므로(Australian Centre for Posttraumatic Mental Health 2013; NICE 2005) 여기에서 다루지 않습니다.

## 6.4 보편적 개입(Universal Approaches)

### 트라우마 정보기반 돌봄관리(Trauma-Informed Care)

다치거나 자연재해 등의 외상 사건에 노출된 뒤에는 많은 PTE들(아픈 의학적 처치들, 보호자로부터의 분리, 위치 이동 등)이 뒤따릅니다. 따라서 사건 당시, 예방적 일반 개입의 첫 번째 목표는 추가적인 PTE를 최소화하거나 예방하는 것 그리고 안전과 통제감을 높이는 것입니다(Kazak 등. 2007). 이를 위해 트라우마 정보기반의 돌봄관리를 제공하여 PTE에 대한 아동과 부모의 주관적인 경험을 교정합니다(Marsac 등. 2015). 병원에서의 트라우마 정보기반 돌봄관리는, 트라우마가 어떻게 환자와 가족들, 그리고 치료팀에 영향을 미칠 수 있는 지를 의료인이 이해하고, 의료적 처치가 트라우마가 되거나 트라우마 반응을 유발하는 것을 최소화하고 기존의 스트레스 및 위험 요인들, 정서적 고통감과 가족 문제들을 평가하고 다루어, 긍정적인 회복을 위한 안내와 정서적 지지를 제공하는 것을 뜻합니다(Marsac 등. 2015).

미국 국가 아동 트라우마 스트레스 네트워크(US National Child Traumatic Stress Network, 이하 NCTSN)의 병원 트라우마 전문가 집단^Medical Trauma Working Group^에서는 **"D–E–F" 프로토콜**이라는, 의료적 처치 중 급성기 단계의 소아환자들에게 제공할 수 있는 트라우마 정보기반 돌봄관리를 개발하였습니다(Stuber 등. 2006). 이 D-E-F 모델은 심리적 고통을 줄이고^reduce Distress^ 정서적 지지를 제공하고^Emotional support^ 가족을 돕는 것^remember Family^을 목표로 합니다. 즉 신체적 응급 처치의 ABC(기도, 호흡, 순환; airway, breathing, circulation)처럼, 아동을 대하는 의료인 모두에게 다음을 권고합니다.

- D (distress): 불안과 걱정되는 점들을 확인하고, 충분히 절차를 준비하고 효과적으로 통증을 조절할 것이라는 점을 확실히 전달하고, 애도와 상실감에 대해 물어봅니다.
- E (emotional support): 필요한 정서적 지지와 장애물을 확인합니다.
- F (family): 가족들의 고통과 회복을 어렵게 만드는 문제들을 다룹니다.

의료환경에서 소아 환자에게 유용한 자원들과 D-E-F 프로토콜에 대한 추가적인 정보는 http://www.healthcaretoolbox.org/에 있습니다.

### 심리적 응급처치(Psychological First Aid, PFA)

심리적 응급처치(Psychological First Aid, 이하 PEA)는 최근 자연재난이나 테러 공격에 노출된 아동과 성인들을 돕는 정신건강 및 재난 현장 종사자들을 위해, 근거기반의 모듈형 접근 형태로 개발된 것입니다. Psychological First Aid Field Operations Guide (Brymer 등 2006)는 미국 국가 아동 트라우마 스트레스 네트워크^NCTSN^와 미국 PTSD 센터(UN National Center for Posttraumatic Stress Disorder, 이하 NCPTSD)가 협력하여 모든 연령을 대상으로 초기의 정서적 고통을 줄이고 단기/장기 적응력을 촉진하기 위해 개발하였습니다. 긍정적인 적응을 향상시키기 위한 다음의 5개의 기본 원칙이 있고, PFA 전략과 기술이 포함되어 있습니다; (1) 안전감 향상, (2) 안정화 촉진 기술, (3) 자기 및 공동체의 효능감 촉진, (4) 연결 격려하기, (5) 희망 불어넣기(Brymer 등, 2006). PFA는 각각 특정한 목표가 있는 중심활동core actions 8개의 모듈로 구성되어 있으며 이들의 권고사항과 개입기술은 다음과 같습니다(Brymer 등, 2006).

1. 만남과 참여contact & engagement - 침입적이지 않고 연민을 표현하는 방식으로 반응하며 첫 만남을 시작하기
2. 안전과 안심safety & comfort - 현재와 앞으로의 안전을 확보하고, 신체적, 정신적 지지를 제공하기
3. 안정화stabilisation - 감정에 압도된 이들을 진정시키고 현실감각을 일깨우기
4. 정보 수집information gathering - 바로 필요한 것들을 확인하고, 당장의 관심이 필요한 문제들에 대한 정보를 수집하며 고위험군들을 관찰하기. 잠재적인 위험과 회복탄력성 요인들의 확인
5. 실질적인 지원practical assistance - 현실적으로 지금 필요한 것들을 확인하고 활동 계획에 따라 우선순위에 맞춰 지원
6. 사회적 자원과 연결connection with social support - 일차적인 지지를 제공할 수 있는 구성원들을 알려주고 연결시켜주어 스트레스를 줄이기
7. 대처 기술 정보information on coping support - 스트레스 반응들과 정서적 고통을 줄이는 대처기제들에 대한 심리교육을 제공하고, 적응적으로 기능하도록 격려하기
8. 통합 서비스에 연계linkage with collaborative services - 앞으로 필요할 수 있는 서비스들을 대상자에게 알려주거나 연계하기

PFA 안내 매뉴얼은 학교에서도 마찬가지로 적용할 수 있습니다. PFA와 PFA 학교 안내 매뉴얼PFA for Schools Field Operations Guides, 온라인 교육 과정은 http://www.nctsn.org/content/psychological-first-aid에서 확인할 수 있습니다.[1]

**마음건강 회복 기술훈련**(Skills for Psychological Recovery)[2]

마음건강 회복 기술훈련(Skills for Psychological Recovery, 이하 SPR)은 미국 국가 아동 트라우마 스트레스 네트워크NCTSN와 미국 PTSD 센터NCPTSD가 재난 이후 회복 상황에서의 2차 현장 안내서로 개발한 것입니다(Berkowitz 등, 2010). PFA와 유사하게 SPR 역시 증거기반 모듈 형식의 개입으로, 정신건강 전문가와 재난 후 회복 지원 종사자들로 하여금 다양

1) 국내에서는 '심리적 응급처치: 현장실무자들을 위한 가이드'로 번역되어 있습니다(역자주).
2) 국내에서는 국가트라우마센터(www.nct.go.kr)에서 무료로 교육하고 있습니다(역자주).

한 상황(학교, 의원, 병원, 지역사회 센터, 가정 등)에서 전 연령대를 대상으로 적용 가능하도록 구성되어 있습니다. SPR은 지지적으로 면담하는 접근형태보다 기술을 쌓는 2차 예방 모델을 기반으로 하며, 그 목적은 정서적 고통을 다루고 재난 후의 스트레스와 역경에 대응할 수 있도록 기술을 향상시키는 것입니다. SPR은 다음의 6가지 부분으로 구성됩니다:

1. 정보 수집과 우선적으로 처리할 것들을 돕기(예; 1차적인 우려 사항을 확인하고 활동 계획 짜기)
2. 문제 해결 기술 쌓기
3. 긍정적인 활동 촉진하기
4. 반응을 다루기(예; 호흡, 쓰기 훈련, 유발 요인을 미리 준비하기 등)
5. 건강한 생각 촉진하기(예; 도움이 안 되는 생각들을 도움이 되는 것으로 대체하기 등)
6. 건강한 사회적 관계들을 재건하기(예; 사회적 지원 체계로의 연계)
   한 번에 한 기술들을 가르치는 형태로 이용할 수도 있지만, 이상적으로는 재난 생존자가 여러 번 참여하도록 합니다. SPR 현장 안내서와 온라인 트레이닝 프로그램은 http://www.nctsn.org/content/skills-psychological-recovery-spr. 에서 확인할 수 있습니다.

### 회복을 위한 학교 중심 트레이닝(School-Focused Training for Recovery)

교사는 외상 사건 발생 후, 아이들에게 필수적인 지지를 제공하는 면에서 특수하고도 최적의 위치에 있습니다. 학교 상황에서 회복 촉진의 목적으로 개발된 많은 정보 기반의 외상후 정신건강 자료들이 있습니다(Le Brocque 등. 2016). 하지만 이 프로그램은 심리적인 회복을 돕는 정보를 담은 자료일 뿐 아니라 교사나 그 외 교내에서 아이들의 돌봄을 담당하는 이들을 직접적인 대상으로 하여 포괄적으로 적용하는 형태입니다(Le Brocque 등. 2016). 회복을 위한 학교 중심 트레이닝 프로그램은 검증된 자료들을 바탕으로, (1) 아이들의 외상 후 반응을 이해하기, (2) 잠재적인 트라우마 사건 이후 회복을 촉진하기 위한 교사와 학교의 역할, (3) 추가적인 돌봄이 필요한 아동을 확인하는 기술 및 도구들과 그 돌봄을 제공하는 방법들, (4) 자기 돌봄(Le Broucque 등. 2016)으로 구성되어 있습니다. 자료와 매뉴얼은 www.som.uq.edu.au/childtrauma/post-disaster-resources/for-teachers에서 확인 가능합니다.

### 선별검사와 대기관찰(Screening and Watchful Waiting)

대다수의 아이들은 시간이 지나며 증상이 감소합니다. 따라서 현대의 안내서들은 외상 사건 발생 후에 '대기관찰' 시간을 두거나 좀 더 침습적인 심리적 개입을 하기 전에 관찰을 하도록 권고합니다(Australian Centre for Posttraumatic Mental Health 2013; NICE 2005). 선별검사는 위험 요인을 계속 관찰할 필요가 있거나 더 통합적인 평가 혹은 치료를 의뢰할 필요가 있는 아동과 부모를 확인하는 데 있어, 가장 간단하면서도 비용대비 효과적인 방법입니다(Australian Centre for Posttraumatic Mental Health 2013; NICE 2005). 선별검사는 단계별 돌봄 개입 모델에서 보통 첫 번째 단계에 포함됩니다. PTSD의 선별과 평가 도구는 March, De Young, Dow와 Kenardy (2012)의 자료를 참고합니다.

### 정보 제공(Information Provision)

보편적 예방적 개입에서는 흔히 아동과 보호자의 외상성 스트레스 증상들을 예방하거나 줄이기 위해, 또 긍정적인 회복을 촉진하기 위한 목적으로 심리교육을 제공합니다. 이 과정은 단계별 돌봄 모델에서 보통 첫 시작 단계에서 제공되며, 모든 아동과 가족에게 적합합니다. 지금까지 다양한 집단을 대상으로 하는 정보기반 개입법들이 다양한 형태(구두 토론, 인쇄물, 자발적인 웹사이트, 상호적인 온라인 게임 형태 등)로 개발되어 있습니다(Cox 등. 2010; Kenardy 등. 2008; Marsac 등. 2011). 제공되는 정보는 질적으로 우수하며 트라우마의 종류와 개인별, 맞춤형으로 제공될 수 있어야 합니다(Australian Centre for Posttraumatic Mental Health 2013). 제공되는 정보에는 보통 다음의 것들이 포함됩니다.

- 흔하게 일어날 수 있는 반응들에 대한 심리교육 및 정상화
- 기존/새로운 대처 기제의 강화
- 사회적 지지자원의 활용도를 높이도록 격려하기
- 추가적인 지원이 필요한 경우를 나타내는 신호들
- 향후 지원을 받을 수 있는 곳을 찾는 방법 알려주기

정보 제공 개입의 장점은 일반적으로 비용이 많이 들지 않고 많은 자원과 지원을 필요로 하지 않고, 보호자, 형제, 의료인 및 교사 모두에게 필요한 것을 다루면서도 해를 끼칠 가능성이 적다는 것입니다. 하지만 연구에 따르면 이 정보 제공 개입은 초기에 정서적 고통이 심한 아동들을 대상으로 할 때 최적의 효과를 보이며 전달 비용과 부담을 줄인다고 합니다(Kassam-Adams 등. 2011; Kenardy 등. 2015). 다양한 외상을 대상으로, 검증된 정보를 제공하는 개입법들은 다음 웹사이트들에서 확인할 수 있습니다. CONROD http://www.conrod.org.au/cms/resources-and-tools/child-traumaresearch-unit; After the Injury, https://www.aftertheinjury.org/; The National Child Traumatic Stress Network, http://www.nctsn.org/trauma-types; Phoenix Australia, http://phoenixaustralia.org/ & KidTrauma, www.kidtrauma.com.

## 6.4.1 선택/지시적 개입

선택/지시적 예방 개입법은 선별검사 등을 통해 지속적인 트라우마 반응의 고위험군으로 확인된 아동을 대상으로 하며, 일반적으로 단계별 돌봄 접근법의 두번째 단계에서 진행됩니다(Kazak 등. 2006). 최근의 가이드라인은 TF-CBT 기반의 조기 개입이 외상 사건 이후 급성기 단계에 효과적이라고 제안하고 있습니다(Australian Centre for Posttraumatic Mental

Health 2013). 한 메타분석 연구에서 지시적 조기개입은 여러 회기로 진행하고 다음의 내용을 포함하도록 권고했습니다(Kramer & Landolt 2011).

- 심리교육
- 긍정적인 대처 기제 촉진
- 부모 개입
- 트라우마 관련 연상물들에 안전하게 노출하기

조기 개입에 부모가 참여하는 것이 성공적인 결과의 핵심 요소 일 수 있습니다. 아동 및 가족 외상 스트레스 개입(The Child and Family Traumatic Stress Intervention, 이하 CFTSI; Berkowitz 등. 2011)은 4회기로 구성된 보호자-아동의 예방적 조기 개입법으로, 만성 PTSD의 예방에 효과적인 것으로 확인되었습니다. 이 개입법은 선별검사상 고위험군인 아이를 대상으로, 사건 발생 후 30일 이내에 제공하는 것입니다. 여기에서는 (1) 감정, 증상 및 행동들에 대한 보호자와 아이 사이의 소통을 증진시켜, 아이에 대한 보호자의 지지를 향상시키고 (2) 아동과 보호자 모두에게 증상 조절에 적응적인 대처를 돕는 지시적 행동 전략을 제공합니다. CFTSI에 대한 추가적인 정보는 7장을 참조합니다.

## 6.5 특정 상황과 어려움들

외상 사건에 노출된 아동에게 조기 개입을 시도할 때, 의료인들이 염두에 두어야할 상황과 어려움들은 상당히 다양합니다. 이들 각각에 대해 다음과 같이 살펴보겠습니다.

### 6.5.1 발달단계

미취학, 아동 및 청소년기 모두 비슷한 형태의 트라우마 증상들을 보이기도 하지만, 외상 사건을 처리하고 반응하는 방식은 연령과 발달적 성숙도에 따라 다릅니다. 특히 초기 아동기와 청소년기는 전 생애 중 가장 중요하고도 취약한 시기입니다. 따라서 외상 사건 이후의 반응과 조기 개입이 필요한 부분에 아이의 나이와 발달 단계가 어떤 영향을 미칠 수 있는지 이해하는 것이 중요합니다. 여기에서는 에릭슨의 심리사회적 발달 모델(Erikson 1950)을 기반으로, 각 발달 단계별로 고려해야할 중요한 점들을 설명하겠습니다.

**영아와 걸음마 시기 유아**(0-2세)

영아들은 특히 양육을 담당하는 보호자에게 의존하고, 신체적 접촉, 편안함, 음식, 수면과 주의를 필요로 합니다. 이 시기 발달 단계에서 가장 주요한 과제는 주보호자와의 안정적인 애착입니다. 그러나 외상 이후에는 부모가 아동이 필요로 하는 것을 챙기고 긴밀한 관계를 유지하는 것이 매우 어려울 수 있는데, 이것이 아동이 자신을 보호해줄 부모의 역량을 신뢰하는 데 큰 영향을 미치게 됩니다. 게다가 영아는 통증이나 강한 감정을 표현하거나 감당할 능력이 매우 미약하므로, 안전과 안정감을 되찾고 감정을 조절하는 데 부모에게 크게 의존할 수밖에 없습니다. 또 이 시기는 분리 불안과 낯선 이에 대한 불안이 나타나는 때입니다. 따라서 영아와 걸음마 시기 유아는 보호자로부터 떨어지는 것에 더욱 민감하고 놀라기 쉬우며 의료인에게도 공포감을 느끼므로, 외상 후 초기에는 부모로부터 분리될 가능성을 최대한 줄여야 합니다. 걸음마 시기는 자율성을 획득하고 새로운 기술을 배우는 데 노력하는 시기입니다. 이 시기 유아들은 외상 사건 이후 퇴행하거나 새로운 발달 과제를 느리게 습득하게 될 수 있습니다. 언어적 표현력이 아직 부족한 시기이므로, 평가와 개입은 부모와 함께 진행되어야 합니다.

### 미취학시기 아동 (3-5세)

이 시기에는 타인의 생각과 감정을 점점 인식할 수 있기 때문에, 가족들이 사건에 대해 어떻게 반응하는지 눈치 채고 민감해질 수 있습니다. 미취학 시기 아이들은 사건의 원인에 대해 잘못된 가정이나 마술적 사고를 할 가능성이 높습니다("내가 나쁜 아이라 홍수가 난 거야", "이렇게 치료를 받는 것은 내가 잘못 해서 벌받는 거야" 등). 또 알아낸 사실을 지나치게 일반화하거나 파국적으로 받아들이기 쉽습니다("병원에 오는 모든 아이들은 죽어", "세상에 안전한 곳이란 없어" 등). 더구나 어린 아이들은 특정 사건 이면의 이유(통증을 동반하는 치료의 필요성)를 이해하기 어렵습니다. 또 이 시기 아이들은 어떤 상실이 영구적이라는 것을 이해하는 것이 좀 더 어려울 수 있습니다. 그리고 제한적인 의사소통 기술 때문에 본인들을 힘들게 하는 것이 무엇인지를 설명하지 못하고, 부모가 왜 고통스러워 하는지 이해를 못할 수 있습니다. 따라서 외상 사건에 대한 어린 아이들의 반응은 행동화로 나타나는 경향이 있으므로, 이 시기 아이들이 받은 트라우마의 영향 평가에는 행동을 직접 관찰하고 부모의 보고를 취합하는 것이 가장 좋습니다. 미취학 아동들은 아직도 무섭거나 스트레스를 받는 경험에 대처할 때 어른들에게 매우 의존적이므로, 이 시기 개입은 주로 부모를 대상으로 하게 됩니다. 그러나 놀이나 이야기 기법, 이완 요법 같은 일부 기술들은 미취학 시기라도 좀더 나이가 든 아이들을 대상으로 시행할 수 있습니다.

### 초등학생(6-11세)

외상 이후, 아동은 흔히 통제감을 잃고 압도되어 사건을 걱정하고 일어난 일에 대한 두려움이 생깁니다. 학령기 아동은 많은 대처 기술을 갖고 있지만, 이 상황이 얼마나 심각한지에 대해서는 여전히 어른들의 태도를 관찰해서 판단하고 그들의 반응을 모방합니다. 관찰한 것과 어른의 말이 일치하지 않으면 설명 들은 말을 무가치하게 여기기도 합니다. 그리고 현실적인 정보가 부족하면 그 빈 공간을 상상으로 채우기도 합니다. 이 시기 개입은 아동을 대상으로 하되(인쇄물, 이야기 책, 대처 기술 교육 등), 평가 및 치료 과정에 부모도 참여시키는 것이 중요합니다.

**청소년**(12-18세)

청소년은 사건 당시나 이후의 본인의 감정적인 반응을 스스로 인식할 수 있습니다. 이 연령대에서 일어나는 PTSD 반응들은 독립과 정체성 형성과 관련된 정상 발달의 상태와 혼동이 될 수도 있습니다. 이 시기에는 사회적 지지와 또래 관계가 매우 중요한데, 트라우마에 두 영역 모두 영향을 받을 수 있습니다. 청소년들은 자신을 또래와 비교하면서, 특히 자신이 또래들에 비해 '비정상'이 되어 달라졌거나 친구들 무리에서 배제될까 걱정할 가능성이 높습니다. 게다가 외상 사건은 그들의 안전감을 흔들고 독립, 사생활, 통제감과 소속감 등 이 시기에 필요한 모든 것에 어려움을 만들 수 있습니다. 평가와 개입 과정에서 부모의 참여는 여전히 중요하지만 개입의 초점은 청소년 이어야 합니다. 웹 기반 도구들로 개입하는 것이 이 연령대에게는 특히 유용할 수 있습니다.

### 6.5.2 아동의 회복에서 부모의 역할

부모는 아동이 외상 사건에 반응을 잘 하는데 중요한 역할을 하므로, 평가와 개입과정에도 참여해야 합니다. 연구에 따르면, 자녀의 외상 노출 이후 보호자들 역시 PTSD, 우울, 불안 같은 심리적 후유증을 겪습니다(De Young 등. 2014). 이러한 부정적인 심리적 반응들은 아이의 회복 과정에도 해로운 영향을 끼치고, 부모-자녀 관계와 가족 관계 및 기능을 악화시켜 결과적으로 아동의 발달에 중대한 영향을 미치고 트라우마 증상이 지속되게 합니다(De Young 등. 2014). 아이의 트라우마 증상에 부모의 심리적 반응이 미치는 부정적 영향과 부모의 정서적 고통을 함께 고려하면, 부모의 정서적 어려움을 파악하고 치료해야 할 중요한 이유를 알 수 있습니다.

따라서 부모의 스트레스를 선별하고, 앞서 언급한 보편적 또는 선별적 개입을 제공하는 데 그들을 참여시키는 것이 중요합니다. 부모의 스트레스가 심한 상태라면, 우선적으로 부모를 치료의 목표로 하거나 부모에게 별도의 자원을 연계하는 것이 가장 좋은 선택일 수 있습니다. 게다가 아동은 치료기관을 찾고 치료에 접근하는 데 부모에게 의존해야 하므로, 치료 과정에서 부모를 참여시키고 이를 유지하는 것이 필수입니다(Australian Centre for Post-traumatic Mental Health 2013). 부모에게 아동의 치료의 중요성을 이해하고 치료를 유지하도록 동기를 유발하고, 권고된 적절한 전략을 사용하도록 격려해야 합니다. 어린 아동의 부모는 그들이 보통 개입의 대상이므로 그들의 참여도가 특히 더 중요합니다.

### 6.5.3 사건의 종류와 위협의 인식

외상 사건에 대한 아동의 반응은, 사건의 성격에 영향을 받을 수 있습니다. 예를 들어 (안전하게 대피할 수 있었던) 홍수나 천천히 일어난 범람을 겪은 아동은 재산의 손실이나 집을 잃는 것에 대한 반응이 더 강하고 재난 이후 우울, 애도 또는 사회적인 위축을 겪을 가능성이 높습니다. 반대로 갑작스러운 범람이나 파괴로 자신이나 가족의 안전이 위험에 처한 아이들이라면 외상후 스트레스 증상, 불안, 안전에 대한 위협 등의 반응들을 보일 가능성이 높습니다.

### 6.5.4 실현가능성, 시기 및 윤리적 고려점

PTSD 치료 면에서 가장 논쟁점이 되는 것 중 하나는 조기 개입의 적절한 시기입니다. 외상 사건을 겪은 이들의 대다수는 잘 적응하거나 첫 몇 달 이내로 전문적인 도움 없이 회복한다는 것은 잘 알려진 사실입니다(Le Brocque 등. 2010). 그러나 사건 직후 필요한 자원을 사용할 수 없거나 아이 또는 가족들의 고통이 너무 커서 심리적 회복 과정에 집중할 수 없는 등의 이유로 현실적으로 치료적 개입을 할 수 없는 경우도 종종 있습니다. 더구나 다수의 가족과 외상후 돌봄 체계가 스트레스를 선별하는 적절한 방법을 모르거나 적절한 수준의 치료적 개입으로 연결할 자원이 없는 경우도 있습니다. 선별도구는 위험 요인 또는 공존 문제들의 선별 모두를 위한 것일 수 있습니다. 위험 요인의 선별은 지속적인 문제들이 발생할 위험 요소들을 찾기 위한 것이고 반면 공존 문제의 선별은 가능성 있는 진단명들을 확인하고자 하는 것입니다. 조기 개입 상황에서는 이러한 구분이 중요하므로 효과적인 선별 도구, 특히 위험 요소 선별도구의 개발과 타당성 검증을 위한 더 많은 연구가 필요합니다.

선별 검사와 개입에서 최적의 시기는 명확하지 않지만 공존 문제의 선별은 자연 회복기를 고려할 때 재난 발생 한 달 또는 그 이후에 시행하는 것이 신뢰할 수 있다고 간주됩니다. 그러나 의료인이 있는 상황이라면 사건 직후 고위험군 아이와 가족을 확인하고 바로 필요한 자원을 제공하는 것이 더 적절할 것입니다. 반대로 퇴원 후 자녀가 신체적으로 회복한 뒤 더 이상 내원하기를 원하지 않거나 재난 후 회복과 재건 과정에만 지나치게 몰입한 가족이라면 추적관찰을 하기 훨씬 어렵습니다. 이때 적용 가능한 한 가지 방법은 보통 쉽게 접근이 가능한 사건에 가까운 초기 시기에 아이를 선별하고 여기에서 고위험군으로 확인된 경우를 차후 재선별(가령, 사건 후 한 달 이후 등)하는 것입니다(March 등. 2015). 효과적으로 선별검사를 했다 해도 다양한 개입을 선택할 수 있는 자원서비스에 고위험군 아동을 연계하는 것이 쉽지 않은 상황일 수도 있습니다. 이럴 때 선별검사부터 한다면 문제 해결의 방법이 없어 아이와 가족의 고통을 더 가중시킬 우려가 있습니다.

## 6.6 연구와 근거

최근 몇 년간 PTSD의 예방적 조기 개입법의 효과성 평가에 대한 연구가 많이 시행되었습니다. 하지만 아동, 특히 대형 재난을 겪은 6세 미만의 아동에 대한 조기 개입의 효과와 실현가능성은 근거가 제한적이고 결과 역시 복합적으로 나타났습니다(Kramer와 Landolt 2011; La Greca와 Silverman 2009). 그럼에도 불구하고 외상을 겪은 아동을 대상으로 하는 조기 개입의 과학적 근거는 여전히 희망적이기에 간단히 살펴보고자 합니다. 표 6.1은 일회성 외상 사건 이후 미성년자를 대상으로 개발된 보편적 및 선택적/지시적 조기 개입들입니다.

PFA, SPR, 회복을 위한 학교 중심 훈련School-Focused Training for Recovery은 상당한 근거 및 이론을 바탕으로 하고 있으나 재난 후 환경에서의 연구를 수행하기에는 여러 제한점들이 있어 진행된 무작위 통제 연구가 없는 상태입니다. 그러나 이들 프로그램들은 제공자들에게 희망적이고 수용 가능하며 효과적인 도구들로 평가되고 있습니다(Allen 등. 2010; Forbes 등. 2010; Le Brocque 등. 2016). 최신 가이드라인에서는 PFA가 모든 연령대의 아이에게 적용 가능하며, 다양한 외상 사건 이후 즉각적인 개입에 상당히 유용한 것으로 제안되었습니다(Australian Centre for Posttraumatic Mental Health 2013).

외상 사건 이후의 선별검사는 광범위하게 권고되는 것으로, 미취학 시기를 포함한 아동청소년 시기에 적용 가능한 다양한 선별 검사 도구들이 개발되어 있습니다(Kramer 등. 2013; March 등. 2012). 그러나 아이들을 대상으로 하는 선별 프로그램의 현실성과 유용성에 대한 연구는 매우 부족합니다. Charuvastra와 동료들(2010)은 자살 사건 이후, 학교에서의 선별 후 연계 프로그램을 시도했습니다. 저자들은 추가적인 치료가 필요 없는 아동의 선별에 교내에서의 직접적인 선별검사가 현실적이고 효과적이며 아동, 부모 및 학교 관련자들도 이를 잘 받아들였다고 보았습니다. 또다른 학교 기반 선별 프로그램은 홍수 발생 4개월 이후에 대규모로 시행된 것으로 임상적으로 유의미한 수준의 스트레스를 겪고 있는 아이들을 확인하고 치료로 연계하는 데 도움이 되었고, 부모들 역시 선별 검사 과정에 매우 만족한 것으로 보고되었습니다(Poulsen 등. 2015). 2015년에 March 등은 부상을 입은 아이들 대상으로, 여러 병원에서 대규모로 선별 도구의 현실성과 유용성을 평가하였습니다. 아이들과 부모들은 이 선별 과정을 잘 받아들였고, PTSD를 겪고 있는 아이를 잘 선별하여 치료로 연계하였습니다. 검사의 회수율이 낮아서 프로그램 효용성 평가 결과의 해석에는 제한점이 있지만 재선별과정이 진단 평가가 필요한 아이들의 수를 줄인다는 중요한 사실을 확인하였습니다. 즉 재선별과정이 상당한 시간과 비용을 절감해주므로 앞으로의 선별 검사 프로그램에서는 이를 고려할 필요가 있습니다.

Kenardy와 동료들이 시행한 2개의 연구에서는, 부상 사고 발생 2주 이내에 시행되는 정보 기반의 보편적 예방적 개입이 1개월(Kenardy 등. 2008)과 6개월(Cox 등. 2010) 후 아동의 불안 증상을 감소시키고, 6개월 후 부모의 낮은 PTSS와 연관성이 있는 것으로 나타났습니다(Kenardy 등. 2008). Cox와 동료들이 개발한 웹 기반 조기 개입(http://conrod.org.au/cms/kidsaccident-web-site) 무작위 대조 연구에서는 사건 직후 심한 스트레스를 호소하는 아이들(7-16세)에게서 가장 개입의 효과가 높았습니다(Kenardy 등. 2015). 특히 초기에 높은 스트레스를 보고한 아이들 중 조기개입을 한 군은 6개월 시점에 평가한 결과 큰 폭으로 PTSS가 감소했는데, 대조군은 오히려 PTSS 증상이 악화된 것으로 나타났습니다. 초기의 스트레스가 높지 않았던 경우는 양쪽 그룹 모두에서 큰 변화가 관찰되지 않았습니다. 이 결과는 전달과정의 비용과 노력을 고려할 때, 급성 스트레스 반응을 보이는 아동만을 목표로 개입하는 것이 가장 적절할 수 있다는 것을 의미합니다(Kenardy 등, 2015).

반대로 부모 대상의 웹 기반 심리교육에 대한 무작위 대조 연구에서는 6주 뒤의 추적 관찰 때 부모의 지식 수준이나 PTSS 면에서 유의미한 효과가 나타나지 않았습니다(Marsac 등, 2013). 최근 급성기 의료 처치 후 학령기 아동의 PTSS를 예방하고자 새로운 형태로 개발된 자발적인 대화형 웹 기반 게임 프로그램에 대해서도 시범적으로 무작위 통제 연구가 시행되었습니다(Kassam-Adams 등, 2015). 예비 연구 결과, 이 개입법은 전달 면에서 실현 가능하고 아이들의 참여를 잘 이끌어내며 PTSS를 감소시키는 효과 크기 역시 희망적인 것으로 나타났습니다. 다만 12주째에는 양 그룹간 PTSS의 유의미한 차이가 관찰되지 않았습니다.

현재까지 1회의 조기개입으로 PTSS를 감소시킬 수 있는지를 검증한 연구는 없습니다. 그러나 Zehnder와 동료들은 교통사고를 겪은 청소년기 전 아동(7-11세)를 대상으로 한 그들의 1회성 개입이 우울 증상과 행동 문제를 줄이는 데 효과적이었다고 보고했습니다(Zehnder 등, 2010).

아동을 대상으로 지시적 예방적 개입을 평가한 무작위 통제 연구는 현재까지 3개로, 한 연구만이 조기 개입인 CFTSI가 잠재적 트라우마 사건 이후의 PTSD 진단과 증상을 줄이는 데 효과가 있다고 보고했습니다(Berkowitz 등, 2011). 다른 2개의 연구는 부상을 입은 아동에게 2회기의 지시적 예방 조기 개입을 한 것에 대한 연구로, PTSD의 감소에 효과를 확인하지 못했습니다(Kassam-Adams 등, 2011; Kramer와 Landolt 2014). 6세 미만 다친 아동을 대상으로 조기 개입을 한 프로그램에 대한 유일한 연구(Kramer와 Landolt 2014) 역시 안타깝게도 아동의 PTSD, PTSS 또는 행동 문제를 줄이는 면에서 효과를 확인하지 못했습니다.

요약하면, 비고의성 사고 이후의 트라우마 반응을 예방하는 데 있어 조기 개입은 일부 희망적인 결과들이 있으나 아직 확신할 수 있는 단계는 아닙니다. 모든 조기 개입은 심리교육을 포함하고 있지만, 그 형태와 전달시기, 회기 수와 내용에 있어 차이가 많았습니다. 고위험군 대상의 PTSD 지속 예방을 위한 개입의 최적 시기와 개입 강도를 결정하려면, 추가적인 연구들이 더 필요합니다. 또한 심리적으로 긍정적인 효과를 일으키는 데 가장 중요한 부분(들)을 확인하고, 위험군 선별에 가장 최적인 시기와 도구를 찾는 연구도 필요합니다. 마지막으로 어린 아동의 PTSD 예방 면에서 조기 개입의 효과를 검증하기 위한 통제 연구가 더 필요합니다.

## 6.7 요약 및 임상적 의의

전 연령대의 아이들은 일상적으로도 외상 사건에 노출되고 일생에 걸쳐 심리적, 신체적, 사회적으로 심각한 단기/장기적인 영향을 받으며 이로 인한 비용이 발생하고 있습니다. 자녀와 부모의 트라우마 반응을 예방하거나 완화시키는 것은 명백히 많은 장점이 있지만 지금까지 살펴보았듯이 특히 미취학 시기 아이들에게 재난이나 테러 사건을 대상으로 하는 근거기반 개입법에 대한 연구가 매우 부족합니다. 여기서 살펴본 개념적 모델과 연구들을 바탕으로, 일회성 외상 사건에 노출된 소아를 위한 예방적 조기 개입으로서 잠정적인 권고 사항은 다음과 같습니다:

1. 아이와 가족의 2차 PTE 가능성을 최소화하기 위해, 가능한 한 트라우마 정보 제공기반의 지원을 제공하는 것이 필수이다.
2. 예방적 조기 개입 프로그램은 연령에 적절하고 발달 상황에 민감하여야 하며, 프로그램의 전 기간에 걸쳐 부모를 참여시키고 지지해주어야 한다.
3. 개입은 (이상적으로는 재선별 과정을 포함한) 선별검사와 스트레스가 심각하게 높은 대상자들에게 개별 자원을 제공하는 형태의 단계별 접근이어야 한다. 하지만 모든 선별 및 개입 프로그램은 필요할 때 적절한 치료로 연계가 가능해야 한다.
4. 개입 프로그램에는 심리교육과 기존의 능력을 지지하는 데 초점을 맞추고 대처 기술을 가르치고 사회적 지지망의 확충이 포함되는 것이 개입의 효과를 높이는 것으로 보인다.
5. 디브리핑debriefing과 약물 치료는 권고되지 않는다.
6. 선별과 조기 개입 프로그램의 적기와 기간, 개입 자료들의 내용들을 결정하기 위해, 특히 만 6세 이전의 어린 아이들을 대상으로 하는 양질의 연구가 필요하다.

**표 6.1** 일회성 외상 사건 발생 후 미취학, 아동 및 청소년 대상 PTSD 예방을 위한 일반적 및 선택적/대상별 조기 개입법 요약

| 저자/년도 | 외상 | 참여 인원 수 | 연령 | 치료 | 시기 | 연구 방법 | 평가 | 결과 |
|---|---|---|---|---|---|---|---|---|
| *일반적 예방 개입* | | | | | | | | |
| Kassam-Adams 등. (2015) | 의료 트라우마 | 72 | 8–12 | 심리교육: 자발적 형태의 웹 기반 대화형 게임 | 2주 내 | 무작위 대조 연구: 개입 vs 대기 대조군(TAU) | 6, 12 18 주<br>도구: CPSS, PedsQL | 집단 간, 6주 또는 12주째의 PTSS 변화가 관찰됨<br>12주째에는 집단 간 유의미한 차이가 없음 |
| Marsac 등. (2013) | 비고의성 사고 | 100 | 6–17 | 심리교육: 웹 기반 정보 제공 | 60일 내 | 무작위 대조 연구: 개입 vs 대조군 (TAU) | 6주<br>도구: PKQ-R, PCL-C/PR, PCL, CPSS | 6주차 평가에서 집단 간 부모의 지식 수준 및 PTSD의 차이가 없음 |
| Zehnder 등. (2010) | 교통사고 | 99 | 7–16 | 1회기: 심리학자가 사건의 재구성, 판단의 확인 및 심리교육 진행 | 10일 차 | 무작위 대조 연구: 개입 vs 대조군 (TAU) | 2, 6개월<br>도구: IBS-KJ, CAPS-CA, CDI, CBCL | PTSS나 기타 증상의 차이는 없음.<br>미취학 아동의 우울 증상과 행동 문제에 효과 |
| Cox 등. (2010) | 비고의성 사고 | 53 | 7–16 | 심리교육: 웹 기반 및 소책자 정보 제공 | 2–3주 차 | 무작위 대조 연구: 개입 vs 대조군 (TAU) | 4–6주, 6개월<br>도구: TSCC-A, IES-R | 개입군에서 불안이 더 많이 감소함. 소아나 부모의 PTSS는 유의미한 차이 없음 |
| Kenardy 등. (2008) | 비고의성 사고 | 103 | 7–15 | 심리교육: 인쇄물 정보 제공 | 72시간 | 대조군(2차 병원) | 1, 6개월<br>도구: CIES, SCAS, IES, DASS | 개입군에서 PTSS의 차이는 보이지 않으나 1개월 차의 아동 불안, 6개월 차에 부모의 침입 증상과 PTSS 가 더 크게 감소하였음 |
| *대상별 예방 개입* | | | | | | | | |

| 저자/년도 | 외상 | 참여 인원 수 | 연령 | 치료 | 시기 | 연구 방법 | 평가 | 결과 |
|---|---|---|---|---|---|---|---|---|
| Kramer와 Landolt(2014) | 교통사고, 화상 | 108 | 2-16 | 심리학자가 CBT 2회기 진행:<br>1. 사건의 재구성, 심리교육, 일반적인 대처기제<br>2. 특정 대처 기제 | 1회기: 사건 후 1-2주째<br>2회기: 사건 후 2-4주째 | 무작위 대조 연구: 개입 vs 대조군(TAU) | PTSD 고위험군 선별: 사건 후 5-19일 째<br>선별도구: PEDS-ESor CTSQ<br>평가: 3, 6개월차<br>평가 도구: PTSDSSI, CAPS-CA, CBCL, CDI | 미취학 아동의 경우 개입 효과가 보이지 않음.<br>7-16세 집단에서는 3개월 시점에서 개입군이 내재화 문제가 유의미하게 적었고 침입 증상도 다소 적게 나타남. |
| Kassam-Adams 등.(2011) | 비고의성 사고 | 85 | 8-17 | 간호사나 사회사업가가 2회기 진행:<br>1. 가장 큰 걱정의 확인, 정서적 고통 다루기, 지지적 질문, 심리교육 워크북<br>2. 경과와 걱정, 지지자원, 연계 점검 | 1회기: 병원 내에서(평균 3일)<br>2회기: 퇴원 후 2주 이내(평균 23일) | 시범 무작위 대조 연구: 개입 vs 대조군(TAU) | PTSD 고위험군 선별: 사건 후 2주 내<br>선별도구: STEPP, CPSS, CES-D<br>평가: 6주, 6개월차<br>평가 도구: CPSS, CES-D, PedsQL | 두 집단 모두 증상이 호전되었으나 6개월 시점에 10%는 여전히 PTSD 진단에 해당함<br>집단 간 PTSD, 우울 중증도 또는 HR-QOL간의 주요한 차이가 없음 |

| 저자/년도 | 외상 | 참여 인원 수 | 연령 | 치료 | 시기 | 연구 방법 | 평가 | 결과 |
|---|---|---|---|---|---|---|---|---|
| Berkowitz 등. (2011) | 다양한 잠재적 트라우마성 사건 | 106 | 7–17 | 치료자가 자녀–보호자 4회기 진행:<br>1. 부모: 심리교육, 보호 역할, 스트레스 요인 평가<br>2. 자녀와 부모: 증상에 대한 평가와 의논, 심리교육, 1–2개의 문제 영역에 대한 기술 모듈<br>3. 자녀: 평가, 점검 및 연습<br>4. 자녀와 부모: 평가, 점검, 연습, 연계 | 30일 내 | 무작위 대조 연구: 개입 vs 대조군 | PTSD 위험도 선별은 30일내<br>평가: 3개월<br>선별도구: PCL–C<br>평가도구: PTSD–RI, TSCC | 치료군에서 유의미하게 PTSD 진단이 적고 트라우마, 불안 수치가 낮았음 |

참조: CAPS-CA 치료자 작성 소아청소년 PTSD 스케일, CBCL 소아행동 체크리스트, CBT 인지행동치료, CDI: 소아우울척도, CIES 소아 사건충격척도, CPSS 소아 PTSD 척도, CTSQ 소아 트라우마 선별 설문지, DASS 우울 불안 스트레스 척도, HR-QOL 건강 관련 삶의 질, IBS-A-KJ ASD용 인터뷰, IES 사건충격척도, PCL PTSD 체크리스트, PCL-C/PR 부모 작성형 소아 PTSD 체크리스트, PEDS-ES 소아 정서적 고통 척도 - 조기선별용, PedsQL 소아 삶의 질 척도, PK_-R 개정판 부모 지식 설문지, PTSD-RI UCLA PTSD 척도, PTSDSSI PTSD 영아와 어린 아동을 위한 반구조화 인터뷰와 관찰기록, PTSS 외상후 스트레스 증상들, STEPP PTSD 조기 예측인자 선별 도구, TSCC-A 소아 트라우마 증상 체크리스트-A

## 참고문헌

Alisic E, Zalta AK, van Wesel F, Larsen SE, Hafstad GS, Hassanpour K, Smid GE (2014) Rates of post-traumatic stress disorder in trauma-exposed children and adolescents: meta-analysis. Br J Psychiatry 204(5):335–40. doi:10.1192/bjp.bp.113.131227

Allen B, Brymer MJ, Steinberg AM, Vernberg EM, Jacobs A, Speier AH, Pynoos RS (2010) Perceptions of psychological first aid among providers responding to Hurricanes Gustav and Ike. J Trauma Stress 23(4):509–13. doi:10.1002/jts.20539

Australian Centre for Posttraumatic Mental Health (2013) Australian guidelines for the treatment of acute stress disorder and posttraumatic stress disorder. ACPMH, Melbourne

Berkowitz S, Bryant R, Brymer M, Hamblen J, Jacobs A, Layne C, et al (2010) Skills for psychological recovery: field operations guide. National Center for PTSD and National Child Traumatic Stress Network. Los Angeles, California, USA

Berkowitz S, Stover CS, Marans SR (2011) The Child and Family Traumatic Stress Intervention: secondary prevention for youth at risk of developing PTSD. J Child Psychol Psychiatry 52(6):676–85. doi:10.1111/j.1469-7610.2010.02321.x

Brymer M, Jacobs A, Layne C, Pynoos RS, Ruzek J, Steinberg A, et al (2006) Psychological first aid: field operations guide, 2nd edn. National Child Traumatic Stress Network, Los Angeles, CA, USA. Retrieved from: www.nctsn.org and www.ncptsd.va.gov.

Carrion VG, Weems CF, Ray R, Reiss AL (2002) Toward an empirical definition of pediatric PTSD: the phenomenology of PTSD symptoms in youth. J Am Acad Child Adolesc Psychiatry 41(2):166–73

Charuvastra A, Goldfarb E, Petkova E, Cloitre M (2010) Implementation of a screen and treat program for child posttraumatic stress disorder in a school setting after a school suicide. J Trauma Stress 23(4):500–3. doi:10.1002/jts.20546

Copeland WE, Keeler G, Angold A, Costello E (2007) Traumatic events and posttraumatic stress in childhood. Arch Gen Psychiatry 64(5):577–84. doi:10.1001/archpsyc.64.5.577

Cox CM, Kenardy JA, Hendrikz JK (2010) A randomized controlled trial of a web-based early intervention for children and their parents following unintentional injury. J Pediatr Psychol 35(6):581–92

Davis L, Siegel LJ (2000) Posttraumatic stress disorder in children and adolescents: a review and analysis. Clin Child Fam Psychol Rev 3(3):135–54

De Young AC, Hendrikz J, Kenardy JA, Cobham VE, Kimble RM (2014) Prospective evaluation of parent distress following pediatric burns and identification of risk factors for young child and parent posttraumatic stress disorder. J Child Adolesc Psychopharmacol 24(1):9–17. doi:10.1089/cap.2013.0066

De Young AC, Kenardy JA, Cobham VE, Kimble R (2012) Prevalence, comorbidity and course of trauma reactions in young burn-injured children. J Child Psychol Psychiatry 53(1):56–63. doi:10.1111/j.1469-7610.2011.02431.x

Erikson EH (1950) Childhood and society. Norton, New York

Forbes D, Fletcher S, Wolfgang B, Varker T, Creamer M, Brymer MJ et al (2010) Practitioner perceptions of Skills for Psychological Recovery: a training programme for health practitioners in the aftermath of the Victorian bushfires. Aust N Z J Psychiatry 44(12):1105–1111. doi:10.3 109/00048674.2010.513674

Health Care Toolbox (2013) Basics of trauma-informed care. Children's Hospital of Philadelphia website. Retrieved from: http://www.healthcaretoolbox.org/

Kassam-Adams N, Felipe Garc í a-España J, Marsac ML, Kohser KL, Baxt C, Nance M, Winston F (2011) A pilot randomized controlled trial assessing secondary prevention of traumatic stress integrated into pediatric trauma care. J Trauma Stress 24(3):252–9. doi:10.1002/jts.20640

Kassam-Adams N, Marsac ML, Kohser KL, Kenardy JA, March S, Winston FK (2015) Pilot randomized controlled trial of a novel web-based intervention to prevent posttraumatic stress in children following medical events. J Pediatr Psychol 41(1):138–48. doi:10.1093/jpepsy/ jsv057

Kazak AE (2006) Pediatric Psychosocial Preventative Health Model (PPPHM): research, practice, and collaboration in pediatric family systems medicine. Fam Syst Health 24(4):381–95. doi:10.1037/1091-7527.24.4.381

Kazak AE, Kassam-Adams N, Schneider S, Zelikovsky N, Alderfer MA, Rourke M (2006) An integrative model of pediatric medical traumatic stress. J Pediatr Psychol 31(4):343–55

Kazak AE, Rourke MT, Alderfer MA, Pai A, Reilly AF, Meadows AT (2007) Evidence-based assessment, intervention and psychosocial care in pediatric oncology: a blueprint for comprehensive services across treatment. J Pediatr Psychol 32(9):1099–110. doi:10.1093/jpepsy/ jsm031

Kenardy JA, Cox CM, Brown FL (2015) A web-based early intervention can prevent long-term PTS reactions in children with high initial distress following accidental injury. J Trauma Stress 28(4):366–9. doi:10.1002/jts.22025

Kenardy JA, Thompson K, Le Brocque RM, Olsson K (2008) Information-provision intervention for children and their parents following pediatric accidental injury. Eur Child Adolesc Psychiatry 17(5):316–25

Kramer DN, Hertli MB, Landolt MA (2013) Evaluation of an early risk screener for PTSD in preschool children after accidental injury. Pediatrics 132(4):e945–e951. doi:10.1542/ peds.2013-0713

Kramer DN, Landolt MA (2011) Characteristics and efficacy of early psychological interventions in children and adolescents after single trauma: a meta-analysis. Eur J Psychotraumatol 2:7858. doi:10.3402/ ejpt.v2i0.7858

Kramer DN, Landolt MA (2014) Early psychological intervention in accidentally injured children ages 2–16: a randomized controlled trial. Eur J Psychotraumatol 5. doi:10.3402/ejpt.v5.24402

La Greca AM, Silverman WK (2009) Treatment and prevention of posttraumatic stress reactions in children and adolescents exposed to disasters and terrorism: What is the evidence? Child Dev Perspect 3(1):4–10. doi:10.1111/j.1750-8606.2008.00069.x

La Greca AM, Silverman WK, Vernberg EM, Prinstein MJ (1996) Symptoms of posttraumatic stress in children after Hurricane Andrew: a prospective study. J Consult Clin Psychol 64(4):712–23. doi:10.1037/0022-006x.64.4.712

Landolt MA, Schnyder U, Maier T, Schoenbucher V, Mohler-Kuo M (2013) Trauma exposure and posttraumatic stress disorder in adolescents: a national survey in switzerland. J Trauma Stress 26(2):209–16. doi:10.1002/jts.21794

Le Brocque R, De Young A, Montague G, Pocock S, March S, Triggell N, Rabaa C, Kenardy J (2016) Schools and natural disaster recovery: the unique and vital role that teachers and education professionals play in ensuring the mental health of students following natural disasters. Journal of Psychologists and Counsellors in Schools, 1–23. doi: 10.1017/jgc.2016.17 (in press).

Le Brocque RM, Hendrikz J, Kenardy JA (2010) The course of posttraumatic stress in children: Examination of recovery trajectories following traumatic injury. J Pediatr Psychol 35(6):637–45

March S, De Young AC, Dow B, Kenardy JA (2012) Assessing trauma-related symptoms in children and adolescents. In: Beck GJ, Sloan DM (eds) The Oxford handbook of traumatic stress disorders. Oxford University Press, New York

March S, Kenardy JA, Cobham VE, Nixon RD, McDermott B, De Young A (2015) Feasibility of a screening program for at-risk children following accidental injury. J Trauma Stress 28(1):34–40. doi:10.1002/jts.21981

Marsac ML, Hildenbrand AK, Kohser KL, Winston FK, Li Y, Kassam-Adams N (2013) Preventing posttraumatic stress following pediatric injury: a randomized controlled trial of a web-based psychoeducational intervention for parents. J Pediatr Psychol 38(10):1101–11. doi:10.1093/ jpepsy/jst053

Marsac ML, Kassam-Adams N, Delahanty DL, Widaman KF, Barakat LP (2014) Posttraumatic stress following acute medical trauma in children: a proposed model of bio-psycho-social processes during the peri-trauma period. Clin Child Fam Psychol Rev 17(4):399–411. doi:10.1007/ s10567-014-0174-2

Marsac ML, Kassam-Adams N, Hildenbrand AK, Kohser KL, Winston FK (2011) After the injury: initial evaluation of a web-based intervention for parents of injured children. Health Educ Res 26(1):1–12. doi:10.1093/her/cyq045

Marsac ML, Kassam-Adams N, Hildenbrand AK, Nicholls E, Winston FK, Leff SS, Fein J (2015) Implementing a trauma-informed approach in pediatric health care networks. JAMA Pediatr 170(1):70–7. doi:10.1001/jamapediatrics.2015.22061-8

NICE (2005) Post-traumatic stress disorder (PTSD): the management of PTSD in adults and children in primary and secondary care. NICE Clinical Guideline 26 Available at http://guidance.nice.org.uk/ CG26.

Nugent NR, Goldberg A, Uddin M (2015) Topical review: the emerging field of epigenetics:informing models of pediatric trauma and physical health. J Pediatr Psychol 41(1):55–64. doi:10.1093/jpepsy/

jsv018
Poulsen KM, McDermott BM, Wallis J, Cobham VE (2015) School-based psychological screening in the aftermath of a disaster: are parents satisfied and do their children access treatment?J Trauma Stress 28(1):69–72. doi:10.1002/jts.21987
Price J, Kassam-Adams N, Alderfer MA, Christofferson J, Kazak AE (2015) Systematic review: a reevaluation and update of the Integrative (Trajectory) Model of Pediatric Medical Traumatic Stress. J Pediatr Psychol 41(1):86–97. doi:10.1093/jpepsy/jsv074
Stuber ML, Schneider S, Kassam-Adams N, Kazak AE, Saxe G (2006) The medical traumatic stress toolkit. CNS Spectr 11(2):137–142 Retrieved from http://europepmc.org/abstract/MED/16520691
Vernberg EM (2002) Intervention approaches following disasters. In: Greca AML, Silverman WK, Vernberg EM, Roberts MC (eds) Helping children cope with disasters and terrorism. American Psychological Association, Washington
Vernberg EM, La Greca AM, Silverman WK, Prinstein MJ (1996) Prediction of posttraumatic stress symptoms in children after Hurricane Andrew. J Abnorm Psychol 105(2):237–248. doi:10.1037/0021-843X.105.2.237
Zehnder D, Meuli M, Landolt MA (2010) Effectiveness of a single-session early psychological intervention for children after road traffic accidents: a randomised controlled trial. Child Adolesc Psychiatry Ment Health 4:7. doi:10.1186/1753-2000-4-7

# 아동 및 가족의 외상 스트레스 개입 7

Carrie Epstein, Hilary Hahn, Steven Berkowitz 와 Steven Marans

## 7.1 이론적 토대

아동 및 가족 외상 스트레스 개입(The Child and Family Traumatic Stress Intervention, 이하 CFTSI)은 예일 아동 연구 센터 내 아동 폭력 외상 센터에서 개발된 단기의 근거 기반 외상 중심 정신건강 치료입니다. CFTSI는 학대, 폭력 및 기타 잠재적인 외상 사건을 겪은 어린이 및 가족의 외상 현상을 20년 이상 자세히 관찰하고 학습한 산물입니다. 또한 CFTSI 모델의 개발자는 정신건강, 사회 사업, 공중 보건, 법 집행, 아동 복지, 소아과 및 응급 의학, 그리고 모든 단계에서 어린이와 가족에게 서비스를 제공하는 기타 직업을 포함한 여러 분야의 동료로부터 많은 것을 배웠습니다.

1990년대 초부터 Yale Childhood Violent Trauma Center의 치료진은 사법 기관 및 아동 보호 서비스 단체와 협력하여 신체 및 성 학대, 방임, 가정 폭력, 살인, 살인-자살, 성폭행, 자살, 교통 사고, 학교 총격 사건, 테러, 비행기 추락 사고, 주택 화재 및 허리케인 등 트라우마 사건의 영향을 받는 2만 명 이상의 어린이 및 성인에 대응해 왔습니다. 이 작업의 일환으로 치료진은 급성, 현장 개입 및 장기 임상 치료를 맡았고 외상 사건의 영향을 받은 어린이와 가족을 위한 치료를 조율했습니다. 이 작업을 통해 지지를 해주어야 할 보호자가 종종 아동의 증상을 알아차리지 못한다는 사실을 포함하여 트라우마 반응의 세부 사항을 더 깊이 인식하게 되었습니다. 이 광범위하고 종종 확장되었던 임상 연구를 통해, 이 아이들이 홀로 고통받았을 뿐만 아니라 장기적인 외상후 스트레스장애의 위험이 크다는 것이 점점 분명해졌습니다. 수많은 외상 피해 아동과 가족을 대상으로 한 직접적인 임상 관찰과 위험 및 회복력에 대한 연구 외에도 발달 및 인간 기능에 대한 정신 분석, 행동 및 인지 이론 등이 CFTSI의 이론적 배경이 되었습니다.

### 7.1.1 외상 상황과 이후의 시기들

외상 상황은 개인이 예상치 못한 압도적인 위험을 경험하거나 신체 및 / 또는 정서적 안전에 대한 즉각적인 위협을 경험하는 것으로 정의되며 (1) 무력감과 통제력 상실의 주관적인 경험 (2) 위험과 불안을 줄이기위한 일반적인 방법이 작동하지 않음 및 (3) 자극에 대한 정서, 인지 및 행동적 반응을 손상시키는 신경생리학적 조절 이상을 일으킵니다.

외상후 반응은 세 단계로 나뉩니다. 각 단계의 임상 현상은 적절한 임상 반응에 대한 기준을 제시합니다:

- **급성기**acute phase는 외상 사건 이후의 즉각적인 시기(수 분에서 수 시간)를 의미합니다. 종종 아동의 외상 노출에 동반되어 따라오는 혼란스러운 외부 환경 때문에 사고, 정서 및 생리의 갑작스런 조절 이상 증상이 악화됩니다. 따라서 급성 외상acute traumatization 현상은 즉각적인 개입으로 고위험 아동 및 가족을 식별하는 데 초점을 맞추고 즉각적으로 안정화를 제공하고 추가 지원의 우선순위를 정하는 데 중점을 둡니다.
- **외상 직후 단계**peritraumatic phase는 외상 사건 이후 며칠에서 몇 주 이내를 말합니다. 급성기 동안 아동에게 나타났던 혼란스러운 조절 이상의 정도는 외상 직후 단계에 이르러 신경생리학적 변화를 반영하는 보다 체계적인 징후와 증상을 보여줄 뿐만 아니라 수반되는 무력감, 통제력 상실 및 고립감을 되돌리려는 노력으로 이어집니다. 이 단계에서는 증상이 확고해져서 장기간 형성되는 외상후 장애 및 증상의 일부가 되기 전에, 증상을 더 잘 통제하고 숙달할 수 있게 돕고 더불어 조기 개입 기회를 아동과 보호자에게 제공합니다.
- **외상후 단계**posttraumatic phase는 외상 사건 이후 몇 달을 의미합니다. 이 단계에서 트라우마 증상은 확고해지고 발달 경과상 변화를 초래할 회복의 실패를 반영하여 자아, 세계 및 타인에 대한 기능적 적응과 견해와 성격 구조를 형성하는 데 영향을 미치게 됩니다 (Foa와 Meadows 1997).

이 장에서는 조기 개입의 기회인 외상 직후 단계 및 이 단계의 트라우마 반응의 임상 현상에 적용되는 치료 모델 인 CFTSI의 개발에 초점을 맞출 것입니다.

### 7.1.2 외상 직후 단계의 증상

외상 직후 기간의 증상은 신경생리학적, 정서적, 인지적, 행동적 조절의 지속적인 이상을 반영하며, 원래의 실제 위험이 지속되고 있다는 인식에 대응하는 조직적 자기 보호의 시도로도 볼 수 있습니다(Marans 2013; Southwick과 Charney 2012). 그러나 증상 자체는 일상 생활에 해야 할 것들을 잘 수행하는 데 필수적인 통제력, 예측 가능성 및 질서를 상실하는 경험을 지속시킵니다. 따라서 증상은 꾸준한 발달 과제에 위협이 되고 기능 습득 면에서 기존의 약점에 어려움이 더해질 수 있습니다. 예를 들어, 회피적인 아동은 자율성과 개인의 성취감 발달에 중요한 사회적 상호 작용 및 활동에 참여하지 못할 수 있습니다. 마찬가지로, 침습적인 사고와 과각성으로 인해 학교에서 집중할 수 없는 아동은 현실과 내면의 자기 효능감 모두 뒤쳐질 수 있습니다. 위축, 과민성 및 불안은 사회적 지지가 회복에 중요한 시기에 친밀한 관계를 방해할 수 있습니다. 발생한 고통에 더하여 외상 직후 기간 증상의 정도와 중증도가 장기적인 외상후 장애를 예측한다는 점에도 주의를 기울여야 합니다(Ozer 등. 2003). 따라서 이 단계에서 하는 개입은 다음과 같은 몇 가지 중요한 역할이 있습니다. 즉, (1) 아동과 가족이 증상 반응을 조절 할 수 있도록 돕고 (2) 고통 및 현재의 적응과 앞으로의 발달에 있어 방해물을 줄이고 (3) 장기적으로 형성되는 외상후 증상의 지속 또는 발생을 줄이는 것입니다(Marans 2013).

### 7.1.3 핵심 위험 및 보호 인자

증상의 정도와 회복 혹은 장기적 장애의 발생 정도에 영향을 주는 여러 위험요소가 있습니다(2 장 참조). 이러한 요인에는 특정 사건에 대한 물리적 근접성(Pynoos 등.1987), 정서적 근접성(즉, 아동 또는 아동과 가까운 사람을 목표로 했던 위협 또는 위협의 정도), 기존 심리적 취약성(Breslau 등. 1998), 이전의 외상 경험(Davidson 등.1991), 아동의 고통을 보호자가 인지 못 함, 가족 및 기타 사회적 지지 부족(Hill 등.1996; Ozer 등. 2003) 등이 포함됩니다. 이러한 요인들 중, 외상 후 좋지 않은 결과 예측의 주요 인자 중 두 가지는 (1) 아동의 외상후 고통을 보호자가 인지 못 함(Hill 등. 1996; Kliewer 등. 2004)와 (2) 사회적(예, 가족) 지지의 부재입니다(Trickey 등. 2012). 사회적 지지와 소통은 아이들이 외상 경험을 다루도록 돕는 데 중요한 것으로(Salmon 와 Bryant 2002) 장기적인 외상후 장애 예방에 핵심적인 보호 요소로 잘 알려져 있습니다(Ozer 등. 2003; Trickey 등. 2012).

아이들이 혼자서만 있으면서 트라우마 반응을 말로 표현하지 않으면, 행동이 그들의 증상을 표현하는 유일한 수단일 수 있습니다. 회복을 위해서는 아동에게 삶에서 가장 중요한 지지 자원인 보호자로의 인정과 이해가 필요합니다. 그러나 보호자는 종종 자녀의 외상 경험과 그에 따른 증상 및 행동 간의 연관성을 인식하지 못합니다(Kassam-Adams 등. 2006; Shemesh 등. 2005). 아이들은 자신의 외상성 스트레스 반응과 감정을 인식하고, 말하고, 소통하는 데, 그리고 외상성 스트레스 반응을 줄이기 위한 대처 전략을 배우고 적용하는 데 도움이 필요합니다. 아동은 이러한 노력에 있어 적절한 지지 자원으로 보호자를 의지할 수 있지만 보호자 역시 자녀의 외상 반응을 관리하는 데 도움이 되는 교육, 지원 및 실제적인 기술이 필요할 수 있습니다.

CFTSI는 주요 위험 및 보호 요인에 대해 알려진 사항을 고려하여 다음과 같은 사항에 중점을 둡니다. (a) 자녀의 외상후 반응과 보호자 자신의 반응에 대한 보호자의 이해를 높이고 (b) 아동의 스스로에 대한 외상후 반응 관찰 및 인식을 높이고 (c) 아동의 증상에 대한 아동 및 보호자 사이의 의사 소통을 용이하게 하며 (d) 트라우마 반응에 대하여 아동과 보호자가 능숙하게 대처할 수 있도록 대처전략을 교육하고 (e) 외상후 및 이전에 미처 몰랐던 기존 장애 모두에 대한 장기 치료의 필요성을 평가합니다.

## 7.2 임상에서의 CFTSI

### 7.2.1 개관 및 목적

CFTSI는 펜실베니아 대학의 Perelman 의대의 Steven Berkowitz, Yale 대학의 Yale Child Study Center의 Carrie Epstein 및 Steven Marans가 함께 개발한 5-8회기의 근거 기반, 외상 직후 시기의 정신건강 치료 모델입니다. 이 모델은 외상 경험 후 아동의 외상 증상을 줄이고 PTSD 및 관련 장애를 줄이거나 막는 데 효과가 입증되었습니다(Berkowitz 등. 2011). CFTSI는 외상 직후 시기에 7세 이상 아동으로 대상을 특정하여 개발되었습니다. CFTSI는 매뉴얼화 되어 있고(Berkowitz 등. 2012) 표준화된 훈련 프로토콜이 있습니다. 유아(3-6세)용 CFTSI 치료 프로그램(Marans 등. 2014), 최근 위탁 보육 중인 어린이를 위한 프로그램도 개발되었습니다(Epstein 등. 2013). 이 장 끝의 **표 7.1**에 내용, 참가자, 기간 및 회기 시간을 포함한 CFTSI 회기에 대한 기본 개요가 안내되어 있습니다.

CFTSI는 구조와 진행 속도에 세심한 주의를 기울이면서, 외상후 경험의 혼돈, 통제불능 및 고립 대신 구조화, 언어적 소통 및 보호자의 인지, 보호자와의 친밀함을 경험하는 기회로 대체하는 것을 목표로 합니다. CFTSI는 아동과 비가해 보호자와 시행하며, 아동의 외상성 스트레스 반응에 대한 아동과 보호자 간의 의사 소통을 늘리는 데 초점을 맞추고 외상성 스트레스 증상을 줄이고 자기 조절을 증진하기 위한 임상적 전략을 갖게 합니다. 이러한 방식으로 CFTSI는 조기에 증상을 감소시킬 기회를 줄뿐만 아니라, 증상의 감소 및 숙달을 통해 아동과 보호자의 통제력이 회복하도록 돕습니다. CFTSI는 또한 필요할 때 적절하게 보다 장기적인 치료 및 다른 정신 건강에 대한 개입을 안내합니다.

CFTSI는 최근 충격적인 사건을 겪은 아동에게 적합합니다. CFTSI가 도움이 될 수 있는 아동을 선별하기 위해, 표준화된 간략한 외상 중심 평가 도구로 아이가 보고하는 외상 증상과 별도의 보호자의 보고를 받아 확인합니다. 아이들의 증상과 반응의 강도는 외상 직후 시기 동안 매우 다양할 수 있습니다. 이러한 이유로, 그리고 CFTSI는 초기 치료 모델이기 때문에, 아동이나 보호자가 새로운 외상 증상을 보이거나 최근의 사건 후 기존 증상(들)의 악화를 보고한다면, CFTSI를 적용하는 것이 적절할 수 있습니다. CFTSI에서 비가해 보호자의 참여는 필수로, 아래에서 논의하겠습니다.

**표 7.1** CFTSI 회기 개요

| CFTSI 회기 | 참가자 | 시점 | 기간 | 설명 |
|---|---|---|---|---|
| 선별 | 치료자<br>보호자<br>아동 | 신체 학대나 성학대가 공개된 이후 가장 빠른 시점 | 1시간 | 임상 면담 시 보호자 및 아동에게 각각 아동의 트라우마 증상 수준을 평가하는 표준화된 도구를 사용 |
| 1회기 | 치료자<br>보호자 | 선별 이후 가능한 빨리 시행 | 1시간 | 트라우마 및 트라우마 증상에 대한 심리 교육 제공<br>보호자의 트라우마 이력 및 트라우마 증상을 표준화된 외상 증상 평가 도구로 평가<br>아동의 트라우마 이력 및 증상을 표준화된 도구로 보호자와 면담하여 평가<br>사례 관리 및 치료 조율에 대한 문제 해결 |
| 2회기 | 치료자<br>아동 | 1회기 이후 1주 이내 시행 | 1시간 | 트라우마 및 트라우마 증상에 대한 심리 교육 제공<br>아동의 트라우마 이력 및 증상을 표준화된 도구로 아동과 면담하여 평가 |
| 3회기 | 치료자<br>보호자<br>아동 | 2회기 이후 1주 이내 시행 | 1시간 | 외상 병력 및 외상 증상에 대한 보호자와 아동의 보고를 비교하여 논의 시작<br>임상 개입의 초점이 될 특정 외상 반응을 확인하여 알려주고 대처 전략을 소개 |
| 4회기 | 치료자<br>보호자<br>아동 | 3회기 이후 1주 이내 시행 | 1시간 | 의사 소통 시도를 찾아 격려하고 지지함<br>아동 증상 재평가<br>대처 전략 연습, 노력 지원 |
| 5회기 | 치료자<br>보호자<br>아동 | 4회기 이후 1주 이내 시행 | 1시간 | 4회기와 동일한 형식<br>진행 상황을 검토하고 추가 사례 관리 또는 치료 요구 사항을 확인 |
| 사후 평가 | 치료자<br>보호자<br>아동 | 5회기와 같은 날 시행 | | 임상 면담 시 보호자 및 아동에게 각각 아동의 트라우마 증상 수준을 평가하는 표준화된 도구를 사용<br>보호자의 트라우마 증상을 표준화된 외상 증상 평가 도구로 평가<br>대상자의 만족도 조사 완료 |

* 1시간은 1 면담 시간(client hour)

앞서 설명하였듯이, 외상 경험은 통제감과 예측 가능성의 결핍 및 혼돈감을 포함하는데, 촉발되는 외상 사건이 끝난 후에도 줄어들지 않고 지속될 수 있습니다. 이러한 증상 자체도 기존의 트라우마에 의한 통제력의 상실 및 조절 장애를 지속시킵니다. CFTSI는 질서와 예측 가능성을 제공하고, 트라우마에 의한 조절 장애에 대해 조절력을 얻고 통제할 수 있는 전략을 갖게 하여 고통스럽고 불안한 반응에 대안을 제공합니다. CFTSI의 고도로 구조화된 형식은, 외상적인 상황의 중심인 인지, 정서, 신체 및 행동의 조절 장애를 정확하게 다루 기 위해 개발되었습니다. CFTSI 모델은 표준화된 임상 평가 도구를 사용하여 아동과 보호자가 외상 증상을 더 알아채고, 더 논의하고, 숙달되게 다룰 수 있도록 하는데 중점을 두고 임상 상황에서의 대화를 촉진합니다. 이러한 방식으로 CFTSI는 트라우마 조절 장애에 의한 결핍들을을 상쇄하도록 돕습니다.

### CFTSI 모델의 예시: 미아의 사례

아래에 설명된 사례는 아동보호기관(Child Advocacy Center, 이하 CAC)에서 CFTSI를 받은 수천여 건 중 하나의 사례입니다. 아동보호기관은 법 집행 기관과 아동보호전문기관 조사관이 범죄(신체 및/또는 성 학대 포함)의 피해자로 의심되는 아동과 법의학 면접을 하고 관찰할 때와 아동과 비가해 가족 구성원이 지지, 위기 개입, 정신건강 및 의료 치료 의뢰를 받을 때, 아동 친화적이고 안전하며 중립적인 장소에서 시행하기를 권장합니다. 프로그램 내에서 내부적으로 또는 정신건강 치료를 제공하는 CAC의 협력 기관에서 아동과 가족을 치료하는 CAC 체계에서 CFTSI는 효과적으로 적용되어 왔습니다.

미아는 아버지에게 신체 학대를 받은 11세 소녀입니다. 미아의 부모는 여러 해 동안 별거했고 미아는 어머니와 살지만 주말은 아버지와 지냈습니다. 남들에게 말하면 형제들도 다치게 할거라는 위협에 겁을 먹고 미아는 아버지의 학대 증거를 감쪽같이 숨겼습니다. 그러나 주말에 아버지를 만난 이후 학교 교직원이 미아의 심한 멍을 발견하고 아동 보호 서비스에 연락하여 미아를 CAC로 데려갔습니다. CAC의 법적 면담에서 미아는 아버지가 자신을 구타했다고 밝혔습니다.

학대 보고 이후, CAC는 미아가 더 이상 아버지와 함께 지낼 수 없으며 어머니 레지나와 항상 생활해야 한다고 결정했습니다. 레지나는 학대 사실에 속상해 했지만, 갑자기 미아를 혼자 돌보게 된 것에 대한 원망을 분명히 드러냈습니다. 네 자녀를 둔 미혼모인 레지나는 이미 미아의 정신과 치료에 따른 부담에 압도되어 좌절하고 있었습니다.

임상 면접 형식으로 표준화된 트라우마 증상 평가 도구를 사용하여, 트라우마 증상에 대한 치료 전 설문을 미아와 레지나에게 각각 시행하였습니다. 미아는 임상적으로 유의미한 수준의 증상을 보고한 반면 그녀의 어머니는 미아가 비교적 적은 증상을 보인다고 보고했습니다. 예상되는 추가적 부담에 대한 어머니의 고통과 분노로 인해 어머니와 딸의 증상 보고 사이의 불일치가 야기되었을 수 있습니다. 이 불일치는 또한 어머니가 딸의 증상을 충분히 인식하지 못하고 딸의 감정을 적절히 이해하지 못하고 있는 상황을 보여주는 것일 수도 있습니다.

### 7.2.2 1 회기: 보호자 단독 회기

CFTSI의 첫 번째 회기에서 치료자는 주 보호자와 개별적으로 만나, 외상 및 일반적인 외상 스트레스 반응을 교육하고 외상 후 아동에게서 흔히 나타나는 현상들을 논의합니다. 이 논의 중 외상 경험과 마찬가지로 외상에 의한 증상 또한 계속해서 상실된 통제력의 결핍된 예측가능성을 느끼게 하기 때문에 CFTSI는 통제감을 회복하기 위한 전략에 초점을 맞춘다고 설명합니다. 그 뒤 치료자는 전체적인 회기를 소개하고 증상들에 대한 의사 소통과 반응을 관리하는 기술이 증상의 감소를 가져오게 되는 이유를 설명합니다.

1회기에서 트라우마에 대한 심리 교육을 하지만 이후의 회기에서도 관찰되는 사안을 심리 교육의 주제와 다시 연결할 기회가 많다는 점을 분명히 하는 것이 중요합니다. 트라우마에 대해 기존에 다룬 내용으로 돌아가고 그것을 참조하여, 치료자는 보호자 및 아동과 공유하는 기준 틀을 확립합니다. 이는 CFTSI, 특히 치료 동안 외상 증상을 줄이는 데 초점을 맞춘 대처 전략을 제시하기 위한 맥락의 역할을 합니다.

1회기 중 치료자는 표준화된 외상 증상 평가 도구로 보호자의 외상 증상을 간략히 평가합니다. 이것은 보호자가 그들 자신을 위한 치료가 언제 필요할지 알아차리게 하는 데 도움이 될 뿐만 아니라 자녀의 증상을 다룰 때 보호자의 증상이 영향을 줄 수 있다는 점을 알게 하는 데에도 도움이 됩니다. 사례 관리 설문지는 가족에게 영향을 미치는 외부 스트레스 요인에 대해 논의하고 적절한 지역사회 자원을 연결할 수 있게 해줍니다. 그런 다음 치료자는 아동의 외상 이력을 포함하여 아동의 발달력을 파악합니다. 구조화한 논의를 위해 표준화된 접근 방식으로 치료자는 아동의 외상 증상 수준에 대한 보호자의 생각을 확인합니다. 아동의 증상에 대한 보호자의 정보를 모으면서 치료자는 보호자가 어떻게 이러한 증상을 알게 되었는지를 보호자와 함께 탐색합니다(즉, 보호자가 증상을 관찰했는가? 아동이 보호자에게 자신의 증상을 알렸는가?). 이것은 또한 보호자가 아동의 트라우마 경험의 전체 범위와 영향을 인식하지 못하는 경우가 드물지 않다는 것을 전달할 수 있는 기회가 됩니다. 이런 논의는 치료자가 보호자의 관찰 능력과 증상에 대한 현재의 보호자-아동 사이의 의사 소통의 수준을 사전에 평가하는 데 도움이 될 수 있습니다.

**미아의 사례: 1회기**

CFTSI를 시작할 때 레지나가 자녀를 도울 수 있는 방법을 이해하려면 많은 지원이 필요하다는 것이 분명했습니다. 레지나가 표현한 분노와 원망 외에도 그녀는 자신이 상당히 압박감을 느낀다고 했습니다. 그녀는 또한 현재 아동 보호전문기관이 개입한 자신의 삶이 이제 "남들에게 모든 것이 다 공개된 상태open book" 같다며 부정적인 느낌을 표현했습니다. 동시에 레지나는 딸을 지지해 주고 싶다고도 말했습니다. 이 마지막 감정의 표현은 CFTSI 치료의 시작에서 이 어머니를 참여시키는 데 결정적으로 중요한 순간이 되었습니다.

처음에 치료자에게 레지나는 무감각하고 거리감이 있으며 미아의 편이 되어주거나 진정한 지지 자원은 아닌 모습이었습니다. 그러나 치료자는 레지나가 미아가 심각한 외상 증상에서 회복하는 데 도움이 될 역량이 있다는 가능성을 쉽게 포기하지 않았습니다. 대신, 치료자는 첫 번째 CFTSI 회기에서 레지나에게 온전히 초점을 두고 그녀가 왜 이렇게 공감이 부족한지를 파악하는 구조화된 기회로 삼았습니다. 레지나는 치료자가 자신의 이야기를 들어주는 것에 고마워하는 듯 했고 치료자는 그 뒤로 그녀가 더 공감할 수 있도록 이끌 수 있었습니다. 이 과정에서 레지나는 미아의 트라우마 경험에 공감하고 딸의 정서적 안녕에 더 관심을 기울이게 되었습니다.

트라우마 심리 교육은 미아의 경험에 대한 레지나의 인식이 깊어지도록 해주었습니다. 처음에 레지나는 자신 역시 구타가 일상화된 가정에서 자랐고 그럼에도 부정적인 영향을 받지 않았다면서 체벌의 피해를 축소했습니다. 그러나 트라우마에 대한 일반적인 이야기를 나눈 뒤, 레지나는 심각한 신체 학대 경험이 딸에게 어떻게 여러 면에서 부정적인 영향을 미칠 수 있는지 생각할 수 있게 되었습니다. 레지나는 미아가 말한 신체 반응(심장이 빨리 뜀, 복통 등), 정서 반응(우울, 불안), 행동 반응(혼자 있으려고 함, 식사나 수면 장애), 인지 반응(학대 공개와 관련한 죄의식)과 학대 사이의 연관성을 인지할 수 있었습니다.

1회기의 심리 교육은 트라우마와 트라우마 증상이 가족 전체에 미치는 영향을 레지나가 더 잘 이해할 수 있도록 해주었습니다. 이 논의는 레지나가 남편에 대한 분노와 원망의 감정을 좀 더 직접적으로 표현하고 이러한 감정이 미아에게 어떻게 이동하고 방향이 왜곡되어 있었는지를 인식할 수 있는 계기가 되었습니다. 그 결과 레지나는 초기의 둔감한 상태에서 딸의 경험에 대한 이해가 늘어나는 변화를 보이게 되었습니다.

### 7.2.3 2회기: 아동 단독 회기

CFTSI의 두 번째 회기에서 치료자는 개별적으로 아동과 만나 1회기와 유사한 방식으로 트라우마에 대한 교육을 하고 사건 이후에 일반적으로 경험할 수 있는 반응을 검토하는 것으로 시작합니다. 다시 심리교육에 대한 틀을 만들고 여기에 기반을 두어, 치료자는 왜 아동이 치료를 받게 되는지, CFTSI의 근거, 그리고 치료의 목표가 무엇인지에 대해 이야기할 수 있는 기회를 갖습니다. 이러한 방식으로 치료자는 아동이 외상후 경험을 정리할 수 있도록 돕고 트라우마로 인해 영향을 받는 아동과 가족 모두에게 중요한 구조를 제공합니다.

논의 과정에서 표준화된 도구로 치료자는 아동으로부터 외상 이력 정보를 얻고 외상 증상 수준에 대한 아동의 이해를 점검합니다. 치료자는 논의 중 아이가 보호자 또는 다른 사람과 자신의 외상 증상에 대해 소통한 적이 있는지 알아봅니다. 아동이 평가한 자신의 외상 이력과 트라우마 증상 및 보호자가 이야기한 내용을 3회기 때 모두 함께 검토하고 이야기할 것이라는 점을 아동에게 납득시킵니다. 치료자는 보호자에게 감정과 증상을 이야기하는 것이 보호자가 아동을 도울 방법을 파악하는 데 도움이 될 것이라고 설명합니다. 아울러 치료자는 아동의 증상을 줄이고 통제감을 높이는 데 다음 회기 때 시행할 대처전략이 도움이 될 것이라고 강조합니다.

**미아의 사례: 2회기**

CFTSI 2회기를 시작할 때 미아는 경계심과 불안을 보였습니다. 자신의 외상 증상을 평가하는 질문에 대해 미아는 잦은 악몽과 침습적인 생각뿐 아니라 불안감, 강한 놀람 반응, 집중력 저하로 어려움을 겪고 있다고 했습니다. 미아는 때때로 슬픔, 깊은 외로움, 그리고 자신이 모든 것을 잘못하고 있다는 믿음에 압도당한다고 했습니다. 미아는 자신이 다른 때에는 짜증이 나고 매우 예민하다고 했습니다. 미아는 학대를 밝힌 것에 대해 상당히 자책하고 죄책감을 느끼며 후회하고 있었습니다. 미아는 아버지에 대한 양가적인 감정을 표현했습니다. 미아는 아버지에게 화가 났지만 그 상황이 슬펐다고도 했습니다.

### 7.2.4 3회기: 아동 보호자 공동 회기

CFTSI 3회기는 아동과 보호자가 함께 아동의 외상 이력과 증상에 대해 각각 보고한 관찰과 반응을 검토, 비교, 대조합니다. 이 회기의 목표는 아동과 보호자 간 트라우마 반응에 대한 이야기를 시작함으로써 보호자의 지지를 늘리고 아동이 반응과 감정에 대해 보다 효과적으로 소통할 수 있게 도우며, 아동 경험에 대한 보호자의 인식을 높이는 것입니다. 이 회기에서 아동과 보호자는 "기록을 비교"하고 아동의 외상성 스트레스 증상과 고통의 정도에 대한 서로의 시각을 더 잘 이해할 수 있는 기회를 갖습니다.

이 회기 동안 치료자는 일반적인 외상 반응을 검토하면서 아이와 보호자 사이의 논의를 시작합니다. 그런 다음 치료자는 아동의 외상 이력과 증상에 대한 아동과 보호자 각각의 보고를 살펴보고, 반응을 비교하며, 내용을 살펴봅니다. 이의 일환으로 치료자는 아동과 보호자 서로가 상대방의 증상을 관찰하고 인지함으로써 아동이 겪는 어려움에 대한 의사소통을 증가시킬 방법을 탐색합니다. 치료자는 아동의 증상이 언제 그리고 어떤 상황에서 발생하는지 더 알아차리게 독려하는데, 여기에는 증상을 일으키는 트라우마 연상물들 trauma reminders에 대한 인식이 들어갑니다. 여기서의 목표는 언제 증상이 발생하는 지 예상하고, 더 쉽게 인식하도록 하는 것입니다. 이는 증상을 관리하고 줄이기 위한 첫 번째 단계로, 증상에 대한 통제력을 아동과 보호자에게 돌려주는 것입니다. 이 과정의 일환으로, 치료자는 민감하게 그리고 직접적인 방식을 강조하여 아동과 보호자가 증상이 생길 때 새로운 방식으로 소통하도록 돕습니다. 이에 따라 치료자는 불안, 침습적인 생각, 공격적이거나 반항적인 행동, 우울하게 혼자 있으려는 것, 수면 문제 등과 같은, 임상적 개입의 초점이 될 가장 우려스럽고 구체적인 외상 증상을 구분하게 돕습니다. 다음으로, 치료자는 증상을 줄이고 아동이 최적의 통제감을 느끼는 수준으로 돌아갈 수 있게 도와 줄 대처 전략을 소개합니다. 전략에는 가족이 일상을 재정립하도록 돕는 것뿐만 아니라 휴식 및 스트레스 관리 기술, 정서 조절 기술, 인지 처리 기술, 행동 수정 기술을 배우는 것을 포함할 수 있으며, 종종 효과적인 양육 기술 교육이 함께 제공됩니다. 확인된 증상을 관리하고 숙달하기 위해 사용될 구체적인 대처 기술과 전략을 소개한 후, 치료자는 아동과 보호자가 이를 회기 중

해보게 합니다.

**미아의 사례: 3회기**

이전의 CFTSI 회기에서, 미아는 어머니가 자신에게 비지지적이고 비판적인 반응을 보일 것을 걱정하는 등 다음에 있을 공동 회기에 대한 불안을 드러냈습니다. 3회기를 하기 위해 미아와 레지나가 방에 들어와 소파에 앉았을 때, 그들 사이의 분명한 물리적 거리감이 있었습니다. 미아의 어머니는 소파에 딱딱하게 앉은 채로 딸에 대한 따스함을 보이지 않았고, 미아는 자신의 무릎을 내려보며 불안해 했습니다. 치료자는 방 안의 긴장감을 알아채고, 아동과 보호자는 종종 속상한 증상과 감정을 이야기하는 것에 부담을 느낀다고 짚어주며 회기의 목표를 검토하는 것으로 회기를 시작했습니다. 그리고 치료자는 모녀가 미아의 외상 이력과 증상에 대해 각각 무엇을 보고했는지를 이야기하며, 그들이 어디에서 비슷한 수준의 증상을 보고했고 일치하지 않는 부분은 어디인지를 언급했습니다. 미아와 레지나 둘 다 이 접근 방식에 잘 반응했고 논의에 참여하였습니다. 미아의 가장 우려되는 몇몇 증상을 함께 확인한 후, 치료자는 이러한 증상 중 가장 문제가 되는 증상을 줄이는 것을 목표로 하는 대처 전략을 소개했습니다.

레지나가 처음에는 적극적으로 참여하려고 했지만, 치료자가 대처 전략을 소개하자 이 과정에 참여하는 데 대한 짜증스러움을 다시금 분명히 표현했습니다. 호흡 집중 기법을 알려주고 이를 연습하도록 권하자, 레지나는 "내가 호흡에 집중해야 하냐"며 한심하다는 반응을 보였습니다. 치료자는 이에 굴하지 않고 유머를 사용하여 공감하고 레지나의 참여를 독려하기 위해 아이의 회복에 있어 그녀의 중요성을 상기시켰습니다. 레지나는 이 기법의 진정 효과를 스스로 경험하고 이에 대하여 말하며 놀라워했습니다. 미아가 비슷한 효과를 말한 순간 꽤 오랜만에 두 사람이 공감과 안도감, 공동의 성취감을 나눴습니다. 치료자가 심상유도와 점진적인 근육 이완법과 같은 추가적인 대처 전략을 소개할 것이므로, 이는 모녀가 공유하게 될 일련의 긍정적인 상호작용 중 첫 번째가 될 것입니다. 결과적으로 둘 사이는 긴장감이 훨씬 줄어들었고, 미아는 자신의 안녕을 위해 어머니가 참여하고 어머니로부터 외상 증상을 극복하고 회복하는 데 중요한 지지를 받는 경험을 했습니다.

### 7.2.5 4회기: 아동 보호자 공동 회기

CFTSI 4회기에서는 치료자가 아동 및 보호자와 다시 만나 지난 주의 경험을 논의하고 인지된 외상 증상에 대해 서로가 소통하도록 돕습니다. 치료자는 아동과 보호자 모두의 관점에서 아동의 증상을 재평가하는데, 아이의 보고를 먼저 확인한 뒤, 보호자의 보고를 확인합니다. 치료자는 이전 회기에서 다루고 연습했던 대처 전략을 아이와 보호자가 사용하였는지, 그리고 효과가 있었는지 확인합니다. 이러한 논의를 바탕으로 치료자는 대처 전략의 수정을 제언하거나 혹은 아동의 증상을 경감시키기 위한 추가적인 방법을 도입합니다.

**미아의 사례: 4회기**

4회기에서 레지나는 이전 회기보다 감정이 훨씬 풍부한 상태로 미아와 연결되어 있었습니다. 사실, 그녀는 이제 드러내놓고 딸을 지지하고 격려하고 있었습니다. 치료자가 저번 주보다 미아의 증상이 줄었는지를 묻자, 미아의 어머니는 몇 가지 효과적이었던 의사소통 사례, 대처 전략을 연습한 시간, 함께 보냈던 즐거운 시간 등을 자랑스럽게 이야기했습니다. 미아는 덜 불안해 보였고 어머니와 치료자 모두와 눈을 더 자주 마주보았습니다.

### 7.2.6 5회기: 아동 보호자 공동 회기, 사례 종결 및 권고 사항 포함

CFTSI의 마지막 회기는 4회기와 동일한 구조로, 회기 마지막에 종결 결정을 내리고 다음 단계를 논의하는 것이 핵심적인 추가요소 입니다. 4회기와 마찬가지로 치료자가 아동과 보호자를 만나 지난 주의 경험을 다루고 외상 증상의 현재 상태를 평가합니다. 치료자는 아동의 외상 증상을 보호자가 동일하게 파악한 경우들이 소통이 개선된 결과라는 점을 짚어주고 지지하며, 이전 회기에서 논의된 대처 전략을 검토하고, 필요한 경우 아동의 외상 반응을 더 줄이기 위한 추가 전략을 소개합니다. 또한, 치료자는 추가적인 외상 중심 치료 또는 CFTSI에서 발견된 기존에 확인되지 않은 진단에 대해 치료가 필요한지 여부를 평가합니다. 추가적인 치료가 필요한 경우 권고사항이나 계획을 세웁니다.

#### CFTSI 사후 평가

5회기에서 종결을 계획할 때에는 그 시점의 아동 증상을 근거로 하지만 CFTSI의 마무리 시점에는 초기에 했던 설문지를 다시 시행합니다. 치료자와 가족 모두에게 외상후 반응이 성공적으로 다루어 졌는지 확인하고, 남아있는 문제나 추가 개입이 필요한 영역을 알아보는 데는 전후의 설문 평가의 비교가 유용합니다. 또한 사전 사후 평가를 비교하는 것은 치료자, 지도감독자 및 관련 기관에서 치료 효과를 검토하는 데 중요한 역할을 하고 추가적인 조치가 필요한 어려움을 확인하는 데 도움이 될 수 있습니다. 또한, 보호자들은 대상자 만족도 조사를 작성하여 CFTSI의 다양한 요소들이 어느 정도 도움이 되었는지를 점검합니다.

**미아의 사례: 5회기**

지난 CFTSI 회기 이후 미아의 증상이 현저하게 감소되었습니다. 증상 조절을 더 잘 하게 되면서, 미아는 이제 계속되는 자기 비난의 생각/느낌에도 집중할 수 있게 되었습니다. 치료자는 미아가 원래의 외상 경험에서 비롯된 통제력의 상실이라는 감각에 대한 대안으로 자기 비난에 초점을 두었을 가능성을 제시하였습니다. 서서히 미아는 통제감을 회복하고 무력감을 되돌리기 위해 자기 비난이라는 틀린 방법을 사용하고 있었다는 것을 깨닫기 시작했습니다. 즉 만약 학대가 미아의 잘못이라고 가정하면, 실제로는 통제할 수 없었던 상황이지만 자신이 통제할 수 있었을 것이라는 환상을 품을 수 있습니다. 미아는 이 역시 감정이 소모되는 전략이라는 것을 인식할 수 있었습니다.

자신에 대한 왜곡된 관점을 더 넓게 깨달으면서 미아는 자기 비난의 반복적이고 침습적인 생각을 개선하는 데 도움이 되는 전략을 더 잘 받아들일 수 있게 되었습니다. 특히, 이 과정에서 미아의 어머니는 딸에게 몸을 돌려 팔로 안아주며 "미아, 네 잘못이 아니야. 나는 널 사랑하고 널 돕기 위해 여기 있어."라고 말하며 지지해주었습니다. 이 진심 어린 말로 미아는 눈에 띄게 안정되었습니다. 이 상호작용 이후 미아는 훨씬 더 마음을 열었고 자기 비난의 침습적인 생각을 포함한 걱정과 증상 등을 어머니에게 이야기할 수 있었습니다.

사례 종결과 권고가 포함된 CFTSI 5회기를 완료한 후 치료자는 원래의 증상 설문을 다시 하여 미아의 외상후 증상 상태를 최종 평가했습니다. 미아와 어머니 모두 미아의 증상이 현저하게 감소했다고 보고했고 증상들은 이제 임상적으로 유의미한 수준 이하에 해당하였습니다. 그들은 함께 성취한 결과를 확인하고 매우 기뻐했습니다. 어머니에게 자신이 짐일 뿐이라는 생각에서 벗어나 소통의 길이 열린 미아는 이제 어머니를 도움과 응원의 원천으로 경험할 수 있었습니다.

다음의 문제 해결에 더 많은 시간이 필요한 경우 회기가 추가됩니다.

(a) 대처전략의 도입으로 보호자의 외상 증상 관리 및 감소 지원
(b) 초반에 아이에게 덜 지지적인 보호자를 참여시키는 것(예: 아동에게 화가 난 경우, 사건에 대해 아이에게 책임을 지우는 등)
(c) 인지적 제한이나 발달 지연이 있는 아동 또는 보호자가 임상 작업의 초점을 온전히 참여하고 확실히 이해하게 하기
(d) 보호자와의 대화를 꺼리는 아동의 트라우마 스트레스 반응이나 발생할 수 있는 기타 문제에 대한 우려 해소

### 7.2.7 치료자의 자격

CFTSI는 정신건강 임상 분야의 석사, 박사 또는 정신건강의학과 의사가 시행합니다. CFTSI 훈련은 치료자는 이미 트라우마 및 외상 반응, 아동 발달 및 내담자와 관계를 맺는 기술에 대한 교육을 받았다는 가정 하에 진행합니다.

## 7.3 특정 상황과 어려움들

CFTSI를 성공적으로 하기 위해서는 치료자가 CFTSI와 같은 급성기의 단기 개입을 수행할 때 발생할 수 있는 어려운 점을 인식하고 직면할 수 있어야 합니다. 이 중 몇 가지를 아래에 소개합니다.

### 7.3.1 보호자와 트라우마 증상에 대해 이야기하기를 주저하는 아동

아동이 보호자와 트라우마 증상에 대해 소통하는 것을 망설이는 것은 드문 일이 아닙

니다. 일부 아동들은 자신의 증상을 표현함으로써 원하지 않던 소심함, 무력감, 궁핍감이 드러나는 것을 걱정합니다. 다른 아동들은 자신의 증상을 다루면, 이미 충격적인 사건에 영향을 받은 보호자에게 더 부담을 줄 것이라고 걱정할 수도 있습니다. 또 다른 아동들, 특히 청소년들은 자신의 증상에 대해 소통하는 것을 의존성의 반영으로 여기고, 청소년기의 자율성과 독립성을 향한 일반적인 노력과 반대의 상황이라고 느낍니다. 이 같은 아이들은 심지어 보호자에게 화, 분노, 침습적인 과보호 그리고 심지어 선행 사건들에 대한 비난을 포함한 많은 반응들을 투사할 수도 있습니다.

CFTSI 모델은 이러한 가능성을 여러 가지 방법으로 미리 고려합니다. 보호자와 첫 회기를 진행한 치료자는 사건에 대한 보호자의 초기 태도, 아동의 증상, 그리고 아동에 대한 인식 정도를 가늠하게 됩니다. 이후의 CFTSI 회기에서는 치료자가 아동 자신의 증상 경험을 검토할 기회와 보호자의 반응을 걱정하는지를 아동에게 직접 질문할 기회를 갖습니다. 이러한 맥락에서 치료자는 3회기에서 아동의 증상과 걱정을 보호자가 잘 알게 되는 것이 고립감을 줄이고 고통스러운 증상을 잘 다루기까지 보호자가 지지적인 한 팀으로 역할을 잘 하도록 하는 이점이 있다는 점을 아이와 이야기합니다. 치료자는 아동의 걱정을 회피 증상의 일부로도 고려해볼 수 있습니다. 즉, 보호자와 증상을 다루는 것을 꺼리는 것이 아동이 자신의 증상을 인식하고 반영하는 것을 피하기 위한 시도인지, 또는 보호자의 반응이 정말 걱정할 만한지를 검토해 볼 수 있습니다. 두 경우 모두 CFTSI 과정 속에서 치료자가 아동 및 보호자와 함께 작업하며 이러한 걱정의 근원을 파악하고 줄이도록 노력합니다. CFTSI의 세 번째 회기에서 치료자는 아동이 보호자에게 이러한 걱정을 드러내어 말하도록 도와서 아동과 보호자 모두 아동의 행동과 증상에 기여하는 주요 요소들을 인식할 수 있게 돕습니다. 이 주요 요소에는 보호자의 부정확한 기대와 혹은 실제 반응으로 인한 아동-보호자의 소통을 막는 실제 반응들, 그리고 고통스러운 증상을 다룰 수 있도록 아동을 지지할 수 있는 보호자의 역량이 포함될 수 있습니다.

### 7.3.2 트라우마 경험이 있는 보호자

많은 CFTSI 사례에서, 보호자들은 아이가 압도된 사건과 동일한 선행 사건으로 트라우마를 겪은 바 있습니다. 이런 상황에서 어떤 이들은 아이들을 지지하기 위해 그들 능력의 최고치를 끌어낼 수 있습니다. 그러나 다른 사람들은 자신의 외상으로 인한 조절 문제를 감당할 수 없고, 따라서 아동의 증상이나 감정에 덜 집중하거나, 때로는 자신의 반응과 아동의 것을 구별하지 못할 수도 있습니다. 마찬가지로, 아동의 외상 사건이 보호자 자신의 과거 트라우마에서 비롯된 반응을 불러올 수도 있습니다. 많은 경우, 과거와 현재의 경험 사이의 무의식적 연결 때문에 보호자가 자신의 고조된 감정과 자녀의 감정을 구별하기 어려울 수 있습니다. 보호자의 고통과 그 근원이 인지되고 다뤄지지 않으면 필요 이상으로 그들이 고통을 겪게 될 수 있을 뿐만 아니라 보호자로부터의 정서적 안정, 예측 가능성 및 지지가 가장 필요한 시기에 반대로 아이를 지속적인 불안감에 노출시킬 수도 있습니다.

CFTSI는 첫 회기에서 보호자 자신의 트라우마 개념을 검토한 후, 아동과 성인 모두 동일하게 나타나는 트라우마 영향이 어떤 것인지 소개하여, 트라우마를 겪은 보호자와 치료를 시행하는 어려움을 처리합니다. 치료자는 표준화된 평가 도구를 사용하여 보호자 본인의 현재 증상을 확인합니다. 이를 통해 치료자는 이전의 외상 사건 및 만성적인 증상의 가능성을 고려하여 이러한 증상의 맥락을 살필 기회를 얻게 됩니다. 이 설문의 목적은 두 가지입니다. (1) CFTSI 참여로부터 얻을 수 있는 것 외에 보호자의 증상 해결에 유용할 수 있는 중재 전략을 결정하기(필요 시 보호자의 치료 의뢰), (2) 보호자가 자신의 반응이 자녀의 반응 경험과 반응에 어떻게 영향을 미칠 수 있는지를 더 명확하게 인식하도록 돕는 것입니다. 이러한 목표를 염두에 두고, 아동과의 합동 회기 준비 시 혹은 진행 중 보호자와의 개별 면담을 추가적으로 잡을 수 있습니다. 자신의 외상후 반응을 인지하면, 자녀의 증상을 관찰하거나 꾸준히 지켜보고 반응하는 능력이 향상되고, 결국 자신의 트라우마로 인한 조절 문제의 해결에 도움이 필요한 지에 대한 인식을 높일 수 있습니다. 많은 경우, 아동을 위한 대처 기술을 보호자가 배우고 연습하는 것이 보호자에게도 도움이 됩니다.

### 7.3.3 분노하고 아동을 비난하는 보호자

외상성 사건 자체가 생긴 것에 대하여 아동에게 화를 내고, 심지어 아동을 비난하는 보호자들을 치료자들은 드물지 않게 볼 수 있습니다. 이는 특히 아동의 경험에 대한 보호자의 인식과 지지를 향상시키고 강조하는 것이 치료 성공의 기초인 CFTSI에서 어려운 문제가 될 수 있습니다. 아동의 필요와 도움이 되지 않는 보호자의 비지지적인 태도 사이의 불일치를 마주할 때, 치료자는 다양한 반응을 경험할 수 있습니다. 의식적인 인식과 통제 없이는, 치료자의 좌절감과 불편함 같은 인간적인 반응이 CFTSI의 기본 목표와 접근 방식을 훼손할 수 있습니다. 예를 들어, 치료자는 보호자에게 좌절감을 느끼거나, 아이를 변호하거나, 보호자에게 설교하는 식으로 무심코 분노를 표출할 수 있습니다. 마찬가지로, 치료자는 보호자의 생산적인 참여를 기대할 수 없다고 성급하게 판단할 수 있습니다. 어느 쪽이든, 보호자가 CFTSI에 참여할 수 있는 역량과 동기를 방해하는 것이 무엇인지를 살펴보는 것이 치료자의 의무입니다.

이를 위해 치료자는 먼저 아동과 동일시하여 생기는 임상적 시야의 제한과 편견의 정도를 인식할 수 있어야 합니다. 치료자가 자신의 잠재적으로 취약한 부분을 인식하고 관찰할 수 있을 때, 치료자의 위치로 되돌아갈 가능성이 커집니다. 즉, 한 걸음 물러나 보호자가 아이에게 하는 분노와 혹은 비난의 근원을 찾아볼 수 있습니다. 예를 들어, 아동의 증상으로 인하여 보호자 자신의 외상후 경험이 상기되거나 외상후 증상이 유발되었을 수 있습니다. 마찬가지로, 아동의 행동 증상이 사건 이후 극적으로 손상된 보호자의 효능감과 통제감에 대한 도전으로 여겨져 보호자가 화를 내고 비난하는 것일 수 있습니다. 이와 같이 충격적인 사건을 촉발시킨 것에 대해 화를 내고 아이를 탓하는 것은 통제력 상실과 무력감에 대한 자신의 근원적이고 지속적인 통제 불능과 무력감을 되돌리려는 보호자의 무의식적인 시도일 수 있습니다.

이러한 문제를 해결하기 위해 CFTSI 치료자는 보호자의 외상후 반응과 외상 이력, 아동의 발달 및 외상 이력에 대한 구조화된 평가를 토대로, 화를 내고 비난하는 보호자의 태도에 대해 논의할 수 있습니다. 첫 회기에서 보호자가 이러한 태도를 확실하게 고수할 때, 치료자가 이러한 문제를 보다 충분히 살펴보기 위해 보호자와 추가적인 면담을 고려하는 것이 종종 도움이 됩니다. 이 면담의 목적은 이러한 태도에 기여하는 요소들과 이 요소들이 어떻게 아동과 보호자 모두의 회복을 방해할 수 있는지에 대한 보호자의 인식과 이해를 높여 아동에게 도움이 되지 않는 반응이 자동적으로 나오는 것을 줄이는 것입니다. 보호자가 힘들어하는 아동의 만성적인, 기존의 어려움을 찾아내는 것이 공감적인 관계를 구축할 기회를 줄 수 있습니다.

보호자가 자신의 외상후 증상이 어떻게 아동의 회복에 영향을 미칠 수 있는지를 인지하도록 도움으로써, 보호자가 자신과 아동의 반응 차이를 더 잘 인식하고 아동의 필요를 더 잘 해결하게 할 수 있습니다. 이러한 차이를 인식하는 것은 또한 보호자의 자기 관리 역량을 향상시킬 수 있습니다. 때때로 보호자 본인의 치료가 필요하다는 점을 다루는 것이 CFTSI에 부모가 잘 참여하게 하는 데 중요한 역할을 합니다.

## 7.4 CFTSI 모델에 대한 연구

임상적 개입에 대한 연구는 많은 의문을 확인할 기회가 됩니다. 무작위 시험에서 효과를 입증하는 것도 중요하지만 실제 환경에서의 효과 입증도 중요합니다. 또한, 어떤 요소가 치료 작용의 중심 체계인지 이해하는 것이 중요합니다. CFTSI 연구 전략은 이 모든 문제를 해결하기 위해 노력할 것입니다. 현재까지 CFTSI의 근거 기반의 개발은 무작위 임상시험과 지역사회 CFTSI 사례의 의무기록 분석을 포함하여 몇 가지 방법론적인 접근법을 취해 왔습니다. 지금까지의 연구에 기초하여 CFTSI는 미국 약물 남용 및 정신건강 서비스국[Substance Abuse and Mental Health Services Administration's, SAMHSA]의 국립 근거 기반 프로그램과 치료법 목록[National Registry of Evidence-based Programs and Practices, NREPP]과 캘리포니아 주의 아동복지 근거기반 자료집[the California Evidence-Based Clearinghouse for Child Welfare]에 포함되었습니다.

### 7.4.1 무작위 대조 시험

2007년부터 2009년까지 시행된 무작위 통제 연구[RCT]에 병원 기반 아동 학대 프로그램 또는 경찰서에서 의뢰 받거나 잠재적 트라우마 사건 후 소아 응급실에 내원한 7-17세 참가자가 참여했습니다(Berkowitz 등. 2011). 아동과 부모는 PCL-C (PTSD Checklist-Civilian) (Weathers 등. 1994)를 사용하여 전화 또는 직접 선별되었고, 보호자나 아동 중 한 명이 적어도 하나 이상의 PTSD 증상을 보일 경우 연구 대상자에 포함되었습니다. 대상자는 블록

디자인 무작위 추출법으로 CFTSI 군 또는 비교군에 배정하였습니다. CFTSI군(N = 53)은 당시 프로토콜이었던 4 회기 CFTSI를 시행 받았습니다.[1] 비교군(N = 53)은 심리 교육과 개별 보호자 및 아동 단독 면담만이 아니라 아동 및 보호자가 함께 하는 면담을 포함하여 프로토콜화된 4단계 개입을 받았습니다. 분석은 개입 직후와 개입 3개월 후 PTSD의 진단에 초점을 맞췄습니다. PTSD는 UCLA의 DSM-IV PTSD 반응 지수로 평가였습니다(Pynoos 등. 1998). 로지스틱 회귀 분석을 수행하여 치료 종료 후(N = 82)에 PTSD 진단의 그룹별 차이를 검사하면서 새로운 외상 가능성이 있는 사건을 통제했습니다. CFTSI는 전체 PTSD 진단을 만족할 승산odds을 65%, 역치 이하 진단 승산을 73% 낮췄습니다(**그림 7.1**). PTSD는 이산 변수로 처리하였습니다. 로지스틱 회귀 분석에서 두 집단 모두 트라우마가 발생할 수 있는 새로운 사건을 통제했습니다. 연구자들은 0.345의 승산비를 보고하였습니다. 따라서, CFTSI를 받은 청소년은 비교 조건의 청소년보다 3개월 추적 관찰에서 PTSD에 걸릴 승산이 65% 낮았습니다. 후속 분석에서는 효과 크기가 0.4 ($p < .03$)로 나타났습니다(Carla Stover, 개인적인 대화, 2011년 6월).

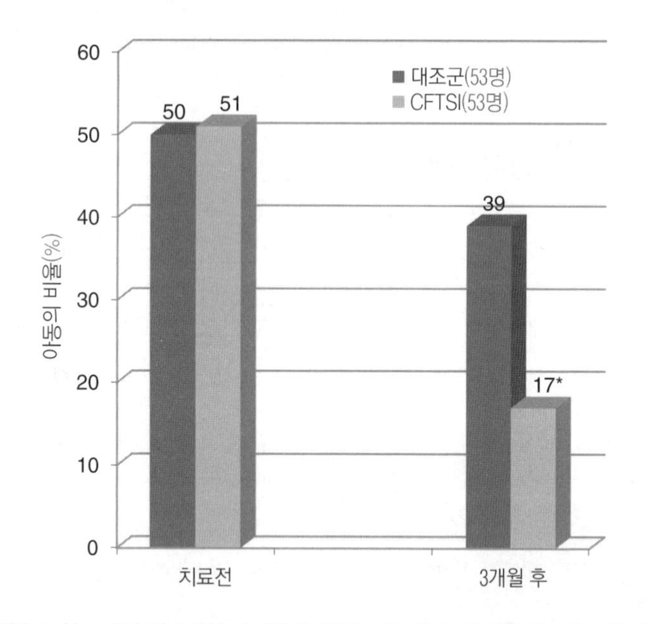


**그림 7.1** 치료 시작 및 3개월 시점에서 PTSD 진단 기준에 해당하는 아동의 비율

1) 무작위 시험에서 사용한 원래 모델은 4회기로 구성되었으며, 필요시 아동, 보호자 또는 두 사람의 추가적인 요구를 다루기 위해 2~3개의 회기를 추가할 수 있었습니다. 이 초기 버전의 CFTSI에서는 현재의 2회기와 3회기를 같은 날에 진행하였습니다. CFTSI가 더 광범위한 임상적 환경에 사용되면서, 치료자들은 이 두 회기를 별도의 날에 진행하면 현실적인 문제가 줄어든다는 점을 알게 되었습니다. 그 결과 CFTSI는 현재 5~8회 회기로 구성됩니다.

### 7.4.2 의무기록 분석 연구

무작위통제연구 외에 CFTSI에 대한 두 가지 추가 연구로 뉴욕시의 Safe Horizon CACs에서 완료된 CFTSI 사례의 의무기록 분석 연구가 있습니다. 첫 번째 연구(Oransky 등. 2013)는 보호자의 PTSD 증상을 통제하면서 잠재적인 트라우마 사건에 대한 아동 노출, 아동 PTSD 및 기분 증상, 아동 기능 장애에 대한 보호자와 아동 보고 일치도를 조사했습니다. 두 연구의 대상자는 성 학대로 사법시스템에 등록된 후 CFTSI를 완료한 114명의 아동-보호자입니다. 참여 보호자는 주로 어머니(N = 99)였으며, 일부는 보호자가 아버지(N = 6) 또는 다른 가족(N = 9)이었습니다. 아동의 PTSD 증상은 아동 PTSD 증상 척도(Child PTSD Symptom Scale, 이하 CPSS; Foa 등. 2001)의 파트 I으로 측정했고 기능 장애는 파트 II로 측정하였습니다. 기분 증상은 the Short Mood and Feelings Questionnaire (MFQ)로 평가하였습니다(Angold와 Costello. 1987). 잠재적인 트라우마 사건 노출과 관련된 설문은 Trauma History Questionnaire (THQ)로 측정하였고 보호자의 PTSD 증상은 PCL-C로 평가하였습니다(Weathers 등. 1994). 연구 시작 시점에서 아동은 보호자에 비해 PTSD와 기분 증상을 상당히 높게 보고하였고 일치도는 아동이 보고한 기능 장애($p < .001$)뿐만 아니라 PTSD 및 우울증 증상($p < .05$)과 유의한 양의 상관관계가 있었습니다. 또한 연구자들은 보호자 PTSD 증상 심각도가 아동 PTSD 증상, 우울증 증상 심각도 및 청소년 기능 장애에 대한 보호자 보고와 유의한 양의 관계가 있음을 발견했습니다(Oransky 등. 2013).

두 번째 의무기록 분석 연구는 성 학대 이후 CAC 환경에서 CFTSI의 결과를 조사했습니다(Hahn 등. 2015). 이 연구는 개입 직후 트라우마 스트레스 증상의 감소를 보여주는 RCT 연구 결과가 실제 환경에서도 입증되는지를 보았습니다. 또한, 치료 시작 시 아동과 보호자의 증상 유형과 CFTSI의 효과를 조사하여 누구에게 CFTSI가 가장 유익한지를 분석하였습니다. 개인정보를 삭제한 뉴욕시의 Safe Horizons CAC에서 완료된 114건의 CFTSI 사례 의무기록에서 데이터를 추출하였습니다. CPSS (Foa 등. 2001)에 대한 대응표본 T 검정 결과 CFTSI 전후 아동 외상 스트레스 증상 사이에 유의한 차이를 발견했습니다[$t(117) = 11.07$, $p < .001$](**그림 7.2**). CPSS에 의해 측정된 아동의 증상 심각도에 대한 보호자와 아동 각각의 설문 결과는 아동의 외상 스트레스 증상 심각도 면에서 보호자와 아동의 설문 일치도 변화를 평가하기 위해 치료 전후 값을 비교하였으며, 아동은 보호자보다 더 높은 수준의 외상 스트레스 증상을 보고했습니다[$t(106) = 3.55$, $p < 01$]. 프로그램 후 아동 외상 스트레스 증상 심각도에 대한 아동과 보호자의 설문 결과에서는 유의미한 차이가 발견되지 않았습니다. 아동의 치료 전 증상 심각도[CPSS]와 THQ (Berkowitz와 Stover 2005)를 사용하여 측정된 외상 이력은 CFTSI 이후의 증상 심각도와 유의미한 양의 관련이 있는 반면(둘 다 $p \leq .01$), PCL-C (Weathers 등.1994)를 사용하여 평가된 보호자의 사전 PTSD 증상은 아동의 사후 증상 심각도와 관련이 없었습니다. 이 결과는 보호자가 외상후 증상을 보이는 경우, CFTSI가 아동의 증상발생의 자연적 경과를 막을 수 있다는 것을 보여줍니다(Hall 등. 2006; Kassam-Adams 등. 2006; Nugent 등. 2007; Shemesh 등. 2005). 아동의 외상 직후 시기 스트레스 증상

과 아동의 외상 후 회복 과정에 대한 CFTSI 모델의 고유한 구성 요소와 작용 체계를 이해하려면 추가 연구가 필요합니다(Shemesh 등, 2005).

의무 기록 분석 연구의 한계는 잘 알려져 있지만, 이러한 의무 기록 분석은 실제 환경에서 시행될 때 CFTSI 모델과 특히 외상후 증상 및 보호자-자녀 의사소통에 의미 있는 영향을 미치는 모델에 대한 중요한 근거를 제공합니다. Safe Horizon의 CAC에서 CFTSI의 실행가능성을 입증하고 평가함으로써 지역사회 프로그램에 효과적인 CFTSI를 구축하기 위한 절차가 시작되기를 희망합니다.

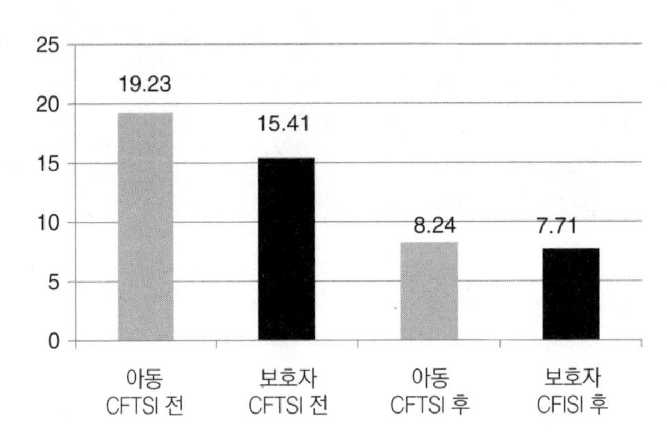


**그림 7.2** 아동과 보호자의 CFTSI 전 후 CPSS 점수

### 7.4.3 개방 시험

추가적인 대규모 무작위 시험은 개입의 근거를 입증하는 데 매우 귀중하지만, 여기에는 임상시험의 연구비가 든다는 점이 상당한 걸림돌입니다. 이 때 CFTSI 연구진은 치료의 보급과 시행 과정에서 검증할 기회가 있다는 것을 알게 되었습니다. CFTSI는 표준화된 증상 평가를 임상 개입의 필수 부분으로 포함하고 있으며, 외상을 입은 아동과 가족에게 유사한 지원과 구조를 제공하기 위하여 치료자에게 자료와 구조를 제공합니다. 따라서 CFTSI 프로토콜을 적용하면 자동적으로 연구자가 개입에 대해 지속적으로 분석할 수 있는 정보가 자동으로 산출되게 됩니다.

CFTSI 지역 지속가능성 프로젝트The CFTSI Site Sustainability Project, CSSP는 기관들이 CFTSI 모델을 이행하는 것을 지원하는 동시에 모델의 근거를 지속적으로 개발할 수 있도록 하는 체계로 만들어졌습니다. 기관들은 임상 훈련 시 CSSP에 참여하도록 요청받습니다. CFTSI 제공자는 웹 기반 데이터 수집 플랫폼을 실시간으로 활용하여 CFTSI의 모든 사례에 대해 제한된 인구 통계 정보와 개입 전 증상 정보를 입력하고 개입을 시작하는 모든 사례에 대해 제한적인 추가 정보를 입력합니다. 두가지 역할을 하기 위해, 개념화된 CSSP는 사용자를 위한 질 관리 시스템으로 작동하면서, 다양한 치료 환경에서 완료되는 많은 수의 CFTSI 환자에 대한 데이터 수집 체계를 연구자에게 제공합니다. 시스템에 입력된 모든 정보는 CFTSI 모델을 스크린하고 적용하는 과정에서 수집됩니다. 이 정보는 매월 해당 기관에 보고되고 지속적인 질 개선 과정의 일부로 활용되는 자료를 만드는 데 사용됩니다. 또한, 시스템은 임상 개입의 의도된 경로를 따라 모델에 대한 충실도를 지원하도록 설계되었으며 치료자에게는 증상 평가 시 자동화된 점수 채점과 그래프 결과, 지도감독자에게는 모델 시행 현황 피드백, 기관장에게는 참여자 만족도 결과를 포함한 기관 수준의 CFTSI의 효과 데이터를 제공하여, 모든 관련자들에게 적절한 이득을 제공하여 참여하는 기관을 지원합니다.

동시에, 임상 개입을 시행하면서 자연스럽게 얻어지는 비식별화된 내담자 정보를 수집함으로써, CFTSI 연구자는 상당한 수의 사례에 대한 사전, 사후 및 후속 데이터를 검토하고 궁극적으로 **CFTSI가 작동하는가?**를 넘어 **여러 다른 환경과 인구집단에서도 CFTSI가 얼마나 잘 작동하는가?**로 질문을 확장할 기회를 갖습니다. 이를 통해 종종 대상자 자격 기준 면에서 매우 까다롭고 엄격한 프로토콜로 인해 중요성을 입증하는 탁월함에도 실제 환경에서의 적용 면에서는 효과가 크게 감소되는 무작위 대조 시험 방법론의 주요 약점을 보완할 수 있습니다.

### 7.4.4 미래 방향

무작위 대조 시험 및 의무기록 분석 방법론으로 추가 연구를 진행하는 것 외에도 CSSP 및 CFTSI 연구에 대한 공개 시험은 단기 치료 모델이 도입되는 실제 환경에서 현재의 근거 기반을 확장할 수 있을 것으로 기대됩니다. 모든 CFTSI 사례에 대해 표준화된 측정을 사용하고 임상 데이터를 중앙 집중식 CSSP에 입력함으로써, 결과와 효능을 지속적으로 다룰 뿐만 아니라 CFTSI의 치료 체계에 대한 세부 사항과 아동과 가족을 위한 조기 외상 중심 치료의 시행에서 어려움을 탐색할 기회를 제공할 것입니다.

임상 모델의 훈련에 대한 수요가 지속적으로 증가하고 있는 것은 트라우마 사건 이후 아동과 보호자를 담당하는 기관장과 정신 건강 전문가들 사이에 CFTSI에 대한 열기가 매우 높음을 보여줍니다. CSSP는 CFTSI 모델을 평가하고 더욱 개선하는 역할 외에도 이러한 전담 정신건강 전문가 팀들이 기관 내에서 CFTSI 적용을 선택하고 유지하는 업무를 수행할 때 이를 지원합니다.

## 참고문헌

Angold, A., Costello, E. J., Messer, S. C., Pickles, A., Winder, F., & Silver, D. (1995). The development of a short questionnaire for use in epidemiological studies of depression in children and adolescents. International Journal of Methods in Psychiatric Research, 5, 237–49.

Berkowitz S, Epstein C, Marans S (2012) The child and family traumatic stress intervention implementa-

tion guide for providers. Childhood Violent Trauma Center, New Haven, CT.
Berkowitz S, Stover CS (2005) Trauma history questionnaire parent and child version. Questionnaire. Childhood Violent Trauma Center, New Haven, CT.
Berkowitz S, Stover CS, Marans S (2011) The child and family traumatic stress intervention: secondary prevention for youth at risk of developing PTSD. J Child Psychol Psychiatry 52(6):676–85. doi:10.1111/j.1469-7610.2010.02321.x
Breslau N, Kessler RC, Chilcoat HD, Schultz LR, Davis GC, Andreski P (1998) Trauma and posttraumatic stress disorder in the community: the 1996 detroit area survey of trauma. Arch Gen Psychiatry 55(7):626–32
Davidson JR, Hughes D, Blazer DG, George LK (1991) Post-traumatic stress disorder in the community: an epidemiological study. Psychol Med 21(3):713–21
Epstein C, Marans S, Berkowitz S (2013) The child and family traumatic stress intervention treatment application for children in foster care. Childhood Violent Trauma Center, New Haven, CT
Foa EB, Johnson KM, Feeny NC, Treadwell KR (2001) The child PTSD symptom scale: a preliminary examination of its psychometric properties. J Clin Child Psychol 30(3):376–384. doi:10.1207/s15374424jccp3003_9
Foa EB, Meadows EA (1997) Psychosocial treatments for posttraumatic stress disorder: a critical review. Annu Rev Psychol 48:449–480. doi:10.1146/annurev.psych.48.1.449
Hahn H, Oransky M, Epstein C, Smith Stover C, Marans S (2015) Findings of an early intervention to address children's traumatic stress implemented in the child advocacy center setting following sexual abuse. J Child Adolesc Trauma 1–12. doi: 10.1007/s40653-015-0059-7
Hall E, Saxe G, Stoddard F, Kaplow J, Koenen K, Chawla N, Lopez C, King L, King D (2006) Posttraumatic stress symptoms in parents of children with acute burns. J Pediatr Psychol 31(4):403–412. doi:10.1093/jpepsy/jsj016
Hill H, Levermore M, Twaite J, Jones L (1996) Exposure to community violence and social support as predictors of anxiety and social and emotional behavior among African American children. J Child Fam Stud 5(4):399–414
Kassam-Adams N, Garcia-Espana JF, Miller VA, Winston F (2006) Parent-child agreement regarding children's acute stress: the role of parent acute stress reactions. J Am Acad Child Adolesc Psychiatry 45(12): 1485–1493. doi: 10.1097/01.chi.0000237703.97518.12 00004583- 200612000- 00011 [pii]
Kliewer W, Cunningham JN, Diehl R, Parrish KA, Walker JM, Atiyeh C et al (2004) Violence exposure and adjustment in inner-city youth: child and caregiver emotion regulation skill, caregiver- child relationship quality, and neighborhood cohesion as protective factors. J Clin Child Adolesc Psychol 33(3):477–87
Marans S (2013) Phenomena of childhood trauma and expanding approaches to early intervention. Int J Appl Psychoanal Stud 10(3):247–66. doi:10.1002/aps.1369
Marans S, Epstein C, Berkowitz S (2014) The child and family traumatic stress intervention treatment application for young children. Childhood Violent Trauma Center, New Haven, CT
Nugent NR, Ostrowski S, Christopher NC, Delahanty DL (2007) Parental posttraumatic stress symptoms as a moderator of child's acute biological response and subsequent posttraumatic stress symptoms in pediatric injury patients. J Pediatr Psychol 32(3):309–18. doi:10.1093/ jpepsy/jsl005
Oransky M, Hahn H, Stover CS (2013) Caregiver and youth agreement regarding youths' trauma histories: implications for youths' functioning after exposure to trauma. J Youth Adolesc 42(10):1528–42. doi:10.1007/s10964-013-9947-z
Ozer EJ, Best SR, Lipsey TL, Weiss DS (2003) Predictors of posttraumatic stress disorder and symptoms in adults: a meta-analysis. Psychol Bull 129(1):52–73
Pynoos R, Frederick C, Nader K, Arroyo W et al (1987) Life threat and posttraumatic stress in school-age children. Arch Gen Psychiatry 44(12):1057–63
Pynoos R, Rodriguez N, Steinberg AM, Stuber M, Frederick C (1998) The UCLA PTSD reaction index for DSM IV (Revision 1). Univerity of California/Trauma Psychiatry Program, Los Angeles
Salmon K, Bryant RA (2002) Posttraumatic stress disorder in children. The influence of developmental factors. Clin Psychol Rev 22(2):163–88
Shemesh E, Newcorn JH, Rockmore L, Shneider BL, Emre S, Gelb BD et al (2005) Comparison of parent and child reports of emotional trauma symptoms in pediatric outpatient settings. Pediatrics

115(5):582–589. doi:10.1542/peds.2004-201
Southwick SM, Charney DS (2012) Resilience: the science of mastering life's greatest challenges. Cambridge University Press, New York
Trickey D, Siddaway AP, Meiser-Stedman R, Serpell L, Field AP (2012) A meta-analysis of risk factors for post-traumatic stress disorder in children and adolescents. Clin Psychol Rev 32(2):122–38. doi: http://dx.doi.org/10.1016/j.cpr.2011.12.001
Weathers F, Litz B, Herman D, Huska J, Keane T (1994) The PTSD checklist-civilian version (PCL-C). National Center for PTSD: Boston, MA

# 외상 초점 인지행동치료

# 8

Matthew D. Kliethermes, Kate Drewry 와 Rachel Wamser-Nanney

## 8.1 이론적 토대

외상 초점 인지행동치료(Trauma-Focused Cognitive Behavioral Therapy, 이하 TF-CBT ; Cohen 등. 2006a)는 외상 사건에 노출된 아동청소년을 위해 가장 널리 사용되고 보급된 치료법입니다(Cohen 등. 2010). TF-CBT는 외상을 겪고 외상후 스트레스장애PTSD, 우울증 및 행동 문제 등의 중요한 트라우마와 관련된 어려움을 보이는 3-18 세의 아동청소년에게 적합합니다. TF-CBT는 아이 및 보호자의 개별 회기뿐 아니라, 트라우마 대처의 맥락에서 보호자와 아동 간의 관계를 돕기 위한 아동-보호자 공동 회기를 포함하는 구성 요소 기반 치료 모델입니다. 지난 25년 동안 TF-CBT가 검증되어왔는데, 현재까지 진행된 연구들의 결과 다양한 발달 단계, 문화를 가진, 다양한 외상 사건을 경험 한 아이들에게 TF-CBT는 효과가 있는 것으로 나타났습니다. 실제로 TF-CBT는 어린 시절의 트라우마를 치료하는 모든 개입법들 중 가장 광범위한 경험적 근거를 축적해왔으며(Cohen 등. 2010), 미국 약물 남용 및 정신건강 서비스국The US Substance Abuse and Mental Health services Administration, SAMSHA 2015의 대표 프로그램이기도 합니다.

명칭에서 알 수 있듯이 TF-CBT는 인지 행동 치료입니다. 그러나 TF-CBT는 여러 면에서 "하이브리드" 스타일의 치료법입니다. 즉 주로 인지행동치료의 원칙 하에 트라우마에 민감한 중재 기술을 결합하여 진행하지만, 트라우마를 겪은 아동과 가족의 다양한 요구를 가장 잘 다루고자 애착, 발달 신경 생물학, 가족, 동기 부여 및 인본주의 이론 전부가 함께 적용됩니다(Cohen 등. 2006a). 이 장에서는 앞으로 아동의 트라우마 관련 증상들을 다루는 데 TF-CBT의 이론적 기초와 CBT의 치료적 원칙이 어떻게 적용되는지 살펴보겠습니다.

### 8.1.1 스트레스 관리

초기의 TF-CBT는 외상 관련 기억에 노출될 것에 대비하여 아이를 준비시키려는 목적으로, 스트레스 접종 요법stress inoculation therapy, SIT (Meichenbaum. 1985) 같은 스트레스 관리 모델에서 시작되었습니다. TF-CBT치료 기간 전반에 걸쳐 진행될 외상 처리를 견딜 수 있도록, 스트레스와 트라우마에 대한 교육뿐 아니라 이완요법, 감정조절, 인지 기술 등이 포함된 스트레스 관리 기술이 치료 초기 회기에 진행됩니다. 트라우마에 대한 교육은 외상 사건의 노출과 그에 대한 반응을 정상화하고, 외상 처리의 원리를 전달합니다. 이완 요법은 외상을 처리하는 동안 아이가 정서적, 생리적 각성을 더 잘 조절할 수 있게 합니다. 감정조절과 인지적인 대처 기술 훈련은 아동이 외상 사건과 일상 생활에서 경험한 감정과 생각을 더 잘 인식, 표현하고 조절할 수 있게 돕습니다. 초기 TF-CBT의 구성은 트라우마에 대해 이야기하는 점진적인 노출 과정으로 시작하며, 아동이 자신의 외상 경험을 간접적으로 처리하는 데 필요한 스트레스 관리기술을 배우게 하는데 이것이 바로 TF-CBT의 중요한 요소입니다.

TF-CBT의 스트레스 관리는 마치 아동이 자전거를 타기 전에 준비하는 것과 같은 과정입니다. 실제로 자전거를 타기 전에 아동은 페달, 운전 및 브레이크에 대한 기초를 배우고 헬멧과 보호구처럼 필요한 안전 장비를 합니다. 또 아동은 도로 규칙과 안전하게 자전거를 타는 법을 배웁니다. 무턱대고 아동을 자전거에 태워 "좋아, 이제 달려!"라고 하는 대신, 아동이 잘 준비되면 자전거타기에 대한 아동과 보호자의 불안을 줄이고 성공 가능성은 높아집니다.

### 8.1.2 트라우마 내용물의 점진적 노출

TF-CBT의 핵심 원리는 점진적 노출의 사용입니다(Cohen 등. 2006a). 점진적 노출은 트라우마의 연상물과 기억에 대한 노출을 점진적으로 늘려가며 강도를 높이는 것입니다. TF-CBT의 모든 회기에서 트라우마를 다룹니다. 치료 초기에는 아동의 트라우마 연상물을 확인하고 그것에 어떻게 대처할 것인지 계획을 세웁니다. 트라우마 내러티브 중 아이가 덜 불편해 하는 부분부터 묘사하는 것으로 시작하여 점점 힘들게 느끼는 내용을 순서대로 다루게 하므로, 아동은 결국 트라우마 관련 내용에 대한 반응에 스트레스를 좀 덜 느끼게 됩니다. 스트레스를 성공적으로 다루게 되면, 외상성 기억, 연상물과 강력한 정서적 또는 신체적 반응 사이의 연결이 무너지며, 아동은 자신이 외상성 기억을 극복하고 통달했다고 느끼게 됩니다. 점진적인 노출은 또한 아동이 자신의 트라우마에 대하여 생각하거나 말하는 것이 안전하게 이루어질 수 있다는 점을 배우게 합니다.

아동에게 트라우마의 내용을 "홍수"처럼 노출시키는 것에 비해, **점진적** 노출은 큰 장점을 갖고 있습니다. 트라우마에 연관된 내용에 서서히 점진적으로 노출을 시도하면, 아이의 대처 자원들이 압도되지 않게 됩니다. 반대로 압도적인 트라우마의 내용에 아동을 노출시키는 것은, 회기 중 아동의 증상을 악화시키거나 또는 부적응적인 대처 전략(예: 해리, 자해, 약물 남용)에 빠지게 할 수 있습니다. 이는 어느 방향이든 외상성 기억과 현재의 고통 사이의 정신적 연결을 끊는다는 목표 달성에 도움이 되지 않습니다.

홍수 요법에 비하여 점진적 노출의 가치는 다시 자전거 타기를 배우는 상황으로 생각해볼 수 있습니다. 처음에는 자전거 타기를 두려워하던 아동도, 한번 무사히 타는 데 성공하면 두려움이 없어지기 시작합니다. 그런 다음 아동은 자연스럽게 점점 더 도전적으로, 스트레스 없이 자전거를 타게 됩니다. 반대로, 자전거를 처음 배우는 날 부모가 가파른 언덕 아래로 밀었다가 아동이 바닥에 크게 충돌하는 경험을 했다면, 자전거 타기에 대한 공포는 줄지 않거나 더 커져 다시 자전거를 타려 시도하기가 더 힘들게 될 것입니다. TF-CBT의 노출 작업도 이러한 "충돌"을 막기 위해 점차적으로 진행됩니다. 잘 발달된 대처 기술을 갖추게 되면 점진적 노출에 아이와 보호자가 압도될 가능성이 줄어들게 됩니다.

### 8.1.3 인지적 개입

인지 기반 개입은 TF-CBT의 또 다른 핵심 기전입니다. 자신(예: 자기 비난, 무능), 타인(예: 아무도 믿을 수 없어)과 세상(예: 세상은 위험한 곳이야)에 대한 부정적, 또는 부정확한 믿음은 보통 트라우마와 관련되어 있습니다(Brewin 및 Holmes 2003). 인지 이론에 따르면, 이런 류의 믿음은 PTSD 증상, 우울, 불안과 공격 또는 자기 파괴적 행동 등 여러 부정적인 결과로 이어질 수 있습니다(Beck 1976). TF-CBT에서의 인지적 개입은 인식을 관찰하고 보다 정확하고 건강한 신념을 개발하는 아이의 능력을 키워, 이러한 어려움을 예방하거나 개선하는 데 사용됩니다(Cohen 등. 2000).

자전거 타기의 비유로 돌아와서, 성공적으로 자전거 타기를 배운 아동도 언젠가 넘어져 무릎을 다칠 수 있습니다. 그럴 경우 아동은 자신의 능력을 의심하고 자전거를 타지 않으려고 하게 될 수도 있습니다. 이럴 때 부모가 아동에게 그동안 항상 자전거를 잘 탔었다는 점을 상기시켜주면, 아동은 자신감을 되찾고 자전거를 다시 탈 수 있을 것입니다. 마찬가지로 트라우마 역시, 남성에 의한 성 학대를 받은 아동의 경우 모든 남성이 위험하거나 믿을 수 없는 존재라는 믿음으로 불안을 느끼고 앞으로도 남자를 피하려 할 수 있습니다. TF-CBT의 인지 개입은 아동이 이러한 생각이 자신의 감정과 행동에 미치는 영향과 인지 왜곡을 깨닫게 하며 자신의 감정과 믿음을 되돌아볼 능력을 키워 줍니다.

### 8.1.4 보호자의 참여

TF-CBT가 본질적으로는 아동을 중심으로 하지만, 보호자가 자녀에게 미치는 중대한 영향, 특히 트라우마에 대처하는 모델로써의 역할을 중요시합니다. TF-CBT에서 보호자의 참여는 두 가지 이유에서 중요합니다. 첫째, 트라우마를 겪은 아동은 종종 부모를 주의 깊게 관찰하면서 어떻게 반응할지를 결정합니다. 아이들은 보호자의 태도에서 트라우마에 적응적으로 비적응적으로 반응하는 법 모두를 배웁니다(Deblinger와 Heflin 1996). 이상적으로 치료에 보호자를 참여시킬 때에는 적응적인 대처 전략의 사용은 늘리고 부적응적인 대처 전략의 사용을 줄이는 데 중점을 둡니다. 둘째, 보호자가 적응적으로 기능하는 것이 아이들의 트라우마 관련 증상에 상당히 긍정적안 효과를 미친다는 점이 밝혀졌습니다(Cohen과 Mannarino 2000). 따라서 TF-CBT에 보호자를 참여시키는 것은 회복의 핵심 기제에 해당합니다(Cohen 등. 2006a).

보호자 참여의 주요 목적은, 보호자가 아동을 효과적으로 양육할 능력을 향상시키고, 점진적 노출의 필요성을 인식시키며, 아동의 외상과 관련된 보호자 본인의 정서적 고통과 인지적 왜곡을 다루는 것입니다. 이를 통해 보호자는 외상에 대한 대처 면에서 아이에게 더 효과적인 모델이 되고, 자녀를 잘 지지해줄 수 있게 됩니다. 보호자는 효과적인 양육 기술과 스트레스 관리법을 배우고, 점진적인 노출에 참여하며, 트라우마와 관련된 인지적 오류를 찾아 교정합니다. 한 예로, 치료자는 보호자에게 아동이 외상성 기억을 "직면"하도록 돕는 것이 중요하다는 점을 교육하고, 아동의 트라우마 처리를 돕는데 필요한 기술(예: 공감적 경청)을 연습하게 합니다. 또 치료자는 보호자가 공동 회기에서 이러한 기술을 사용하도록 지도해서 치료가 끝난 후에도 보호자가 그 기술을 잘 쓸 수 있도록 합니다. 아동과 보호자는 정기적으로 부모 – 자녀 공동 회기에 참석하면서, 부모는 트라우마 반응을 다루기에 적응적인 의사소통과 대처 기술의 모델 역할을 하고 아동의 회복을 돕도록 정서적으로 지지하는 시간을 갖습니다.

자전거 타기의 비유로 다시 돌아와서, 아동에게 자전거 타기를 가르칠 때 보호자 역시 아동이 넘어지거나 잘 탈 수 있을지에 대해 걱정하는 마음이 들 수 있습니다. 이 불안은 보호자가 가르치기를 미루거나, 아동이 독립적으로 자전거를 타도록 손을 놓는 것을 주저하게 만들 수 있습니다. 또 아동 역시 보호자의 걱정을 느끼고 불안해져 자전거 타기를 피하려 들 수 있습니다. 반대로, 보호자가 아동에게 자전거를 타는 것을 보여주고, 아동의 능력을 믿는다는 점을 전달하고, 차분한 태도로, 아동이 주저할 때는 격려의 말을 외치며 옆에서 함께 뛰어 주면 성공 확률이 높아집니다. 특히 불안이 심한 보호자라면 아동에게 효과적인 모델이 되기 위해 외부의 도움이 필요할 수도 있습니다. 아동에게 자전거 타기를 잘 가르친 경험이 있는 다른 보호자들과 이야기를 나누고 가장 효과적이었던 특정 기법들을 배우는 것이 그들에게 도움이 될 수 있을 것입니다.

## 8.2 TF-CBT를 어떻게 하는가

### 8.2.1 TF-CBT 모델의 개요

TF-CBT 모델은 PRACTCE로 요약되는 아홉 개의 요소로 구성되어 있습니다: 심리교육psychoeducation 및 양육parenting, 이완relaxation, 정서 표현 및 조율affective expression and modulation, 인지

적 대처cognitive coping, 트라우마 내러티브와 처리trauma narrative and processing, 실제 연습in vivo mastery, 부모-자녀 합동 회기conjoint parent-child sessions, 그리고 미래의 안전과 발달을 강화하기enhancing future safety and development (자세한 내용은 Cohen 등. 2006a 참조). PRACTICE 라는 약어는 또한 치료 중이나 후에 아이와 가족, 치료자 모두에게 이 기술들의 가치를 상기시켜 줍니다. PRACTICE의 구성 요소들은 트라우마의 유형 전반에 걸쳐 일관되게 적용되지만, TF-CBT의 가치는 유연성과 창의성입니다. 따라서, 각 구성 요소들을 아이의 특성(나이, 관심사, 강점 및 어려움 등)과 경험한 외상의 유형(들)에 맞게 조정합니다. 회기는 구조화되어 있어서, 각 회기마다 치료자는 자녀와 보호자(들)을 각각 만나 그들에게 TF-CBT의 해당 내용을 나란히 전달합니다. 보호자는 효과적인 양육 기술의 사용을 늘리기 위한 추가적인 개입을 받습니다. TF-CBT의 전 과정은 외상 중심으로, 모든 회기에 외상 사건과 관련된 내용을 노출합니다. 기술의 완벽한 숙달을 요구하는 것은 아니지만, 아이들은 다음으로 넘어가기 전에 각 구성요소에서 유의미한 성과가 있어야 합니다. 각 요소를 마무리할 때는 치료자가 아이와 보호자와 함께 완수한 과정을 되돌아보는 공동 작업을 하도록 격려합니다. 치료자는 치료의 길이와 속도를 유연하게 결정할 수 있습니다. 그러나 일반적으로 TF-CBT 회기는 아이와 보호자 각각의 개별 시간을 포함하여 50-60분 동안 진행됩니다. 기본적인 TF-CBT 회기는 8-16회로, 1/3의 시간은 안정화 기술, 1/3은 트라우마 이야기 구성과 처리, 그리고 마지막 1/3은 공동 작업과 실제 연습, 안전을 다룹니다. 본 장에서의 예시 같은 일부 복합 트라우마의 경우는 약 절반의 시간을 안정화 기술에 쏟고 1/4은 트라우마 이야기 구성과 처리, 1/4은 공동 회기, 실제 연습, 안전으로 분배하여 치료가 16-24회기 정도로 이어질 수 있습니다.

## PRACTICE 구성 요소 개요

- **심리교육**Psychoeducation은 첫 번째 구성 요소로, 치료적 참여를 강화하고 낙인을 줄이며 트라우마 관련 내용에 회피하지 않는 것을 본받도록 보여주는 핵심 요소입니다. 심리교육은 트라우마 중심의 평가를 시행한 뒤, 피드백 시간에 시작됩니다. 보호자와 아동은 트라우마에 대한 정보(유병율, 흔하게 일어나는 인구 집단 유형, 흔한 오해들 등)뿐 아니라 PTSD, 정서나 행동 문제, 죄책감과 수치심 같은 흔한 트라우마 반응들에 대해 안내받습니다. 치료자는 다룰 내용을 각 내담자에 맞게 조정하고, 아동의 트라우마 반응이 나타난 평가 결과들을 포함시킵니다. 아동의 진단 정보는 솔직하면서도 전문 단어가 남용되지 않는, 쉽게 이해할 수 있는 방식으로 전달되어야 합니다. 예를 들어, PTSD의 재경험과 회피 증상은 트라우마에 대한 불쾌한 연상물로 설명하여, 이런 불쾌한 정서적 고통 때문에 아동이 연상물들을 피하려 하는 것이라고 전달합니다. 트라우마에 관련한 반응을 정상화하는 것은 매우 강력한 개입입니다. 치료자는 트라우마가 어떻게 보호자들에게도 영향을 주는지를 다룹니다. 일부 보호자에게는 아동이 외상 사건을 드러내 알렸다는 것이 실제 트라우마가 됩니다. 게다가 학대 아동의 보호자

들 중 다수는 학대가 밝혀진 뒤 대인 관계에서 부정적인 일을 경험합니다(예: “그가 당신의 딸을 학대한 걸 어떻게 모를 수가 있어요?” 등). 어떤 보호자는 아동의 외상으로부터 보호자 자신의 회복을 도와주는 보호자 개인에 대한 치료가 도움이 될 수도 있습니다. 보호자에게 치료를 권고하는 것은 세심하게, 처벌의 개념이 아니라 아동이 트라우마를 입었다는 것이 얼마나 고통스러운지를 인정하며 전달되어야 합니다. 또 치료자는 TF-CBT 모델의 전체적인 개요를 설명합니다. 외상 사건에 노출된 아동과 보호자에게 TF-CBT의 경험적인 근거들을 포함한 심리교육은 희망을 심어줄 수 있습니다. 마지막으로, 아동과 보호자 모두 아동이 겪은 특정 외상 유형에 대한 정보를 받아야합니다. 가령 성 학대를 겪은 아동은 성 학대의 의미, 유병율, 생존자들이 일반적으로 경험하는 감정과 생각들을 배우는 것이 도움이 될 수 있습니다. 이는 특정 외상 유형을 이해하게 하고, 아이의 반응을 정상화하며, 아이가 트라우마를 직접 다룰 수 있게 점진적으로 노출시켜주는 역할을 합니다. 이때 다룬 내용들은 차후의 인지 처리에도 쓰일 수 있습니다.

- **양육 기술 훈련**Parenting training 역시 치료 초기부터 시작하여 치료 전반에 걸쳐 시행됩니다. 부모의 지지와 효과적인 양육은 외상 사건을 겪은 아동의 회복에 중요한 예측변수이고(Cohen과 Mannarino 2000; Deblinger 등. 1996), 부모는 종종 외상 이후 시작되거나 강화된 아동의 문제 행동을 다루는 것을 힘들어 합니다. TF-CBT에서는 칭찬, 선택적 주의, 타임 아웃, 보상 강화 프로그램(칭찬 스티커 등), 효과적인 명령 및 결과 등의 양육기술을 중요하게 봅니다. 성공적인 치료를 극대화하기 위해, 아동 행동에 대한 중요한 정보를 얻고자 기능적 행동 분석을 시행할 수 있습니다. 보호자와의 개별 회기 중, 치료자는 보호자와 이 기술을 연습하는 역할극을 하거나, 특정 행동 예시를 논의할 수 있습니다. 부모-자녀 공동 회기 동안, 치료자가 이 기술들을 보호자에게 본보기로 시연할 수도 있습니다.
- **이완**Relaxation 기술은 스트레스와 외상 관련 자극들에 유발되는 신체의 생리적 반응을 줄이는 데 도움이 됩니다. 이 과정은 보통 정상과 외상성 스트레스 반응 사이의 차이점을 알아보는 것부터 시작하여, 아동이 이완 요법의 원리를 이해할 수 있게 합니다. 치료자와 아동은 외상 관련 자극들이 제시된 시나리오를 포함해서, 이완 기술이 필요한 상황들을 확인합니다. 사람마다 효과적인 이완전략이 다르므로 치료자와 아동이 자신만의 “대처 도구 상자”를 위해 집중 호흡법, 마음 챙김, 명상, 심상기법과 점진적 근 이완 같은 다양한 이완 기술들을 다루어 보아야 합니다. 어떤 아동은 전통적인 이완 활동들보다 운동, 요가 또는 음악 듣기, 예술 또는 원예와 같은 활동들에 관심을 보입니다. 보호자 또한 자신의 스트레스를 관리하고 자녀의 기술을 강화할 수 있는 이완 기술을 배웁니다.
- **정서 표현 및 조율**Affective expression and modulation은 아동이 감정, 특히 트라우마 관련 감정(수치심, 분노, 공포, 무력감 등)을 식별할 수 있는 능력을 키워줍니다. 외상 사건에 노출된 아동은 종종 알아차리고 표현하거나 다루는 것이 매우 어려운, 압도적이고 고통스

러운 감정을 느낍니다. 여기서 치료자는 모든 감정이 옳고 정당하다는 점을 강조하면서, 아이가 다양한 감정을 알아차리고 이름 붙이며 표현할 수 있게 돕습니다. 이러한 정서 인식 및 표현을 위한 활동으로는 게임, 감정 제스처 놀이, 책, 예술 치료 기법들이 있습니다. 치료자는 아동이 트라우마 연상물과 감정을 연결할 수 있게 돕습니다. 아동은 자신의 감정을 좀더 효과적으로 다루는 "도구상자"로 쓸 수 있도록 긍정적인 혼잣말self-talk, 생각 멈추기와 문제 해결 같은 기술들을 배웁니다.

- **인지적 대처**Cognitive coping는 아동이 자신의 생각을 인식하고, 생각, 감정 및 행동 사이의 관계를 이해할 수 있는 능력을 키워줍니다. 여기에서 아동은 자신의 생각을 인식하는 법부터 배웁니다. 어린 아이에게는 생각을 "우리의 뇌가 나에게 하는 말"로 묘사하거나, 스무고개, 아이가 생각하고 있는 숫자 맞추기, 떠오르는 노래 부르기 등의 게임으로 알려줄 수 있습니다. 그리고 아동은 생각과 감정을 구별하는 법을 배웁니다. 치료자는 아동의 발달과 흥미에 맞는 이야기로, 생각, 감정 및 행동 사이의 관계를 보여주는 인지적 삼각형을 설명합니다. 이 과정 속에서 치료자는 생각을 바꾸면 감정과 행동을 바꿀 수 있다는 점을 반복해서 알려주어야 합니다. 치료자는 인지 왜곡의 예시로, 발달 상태에 맞는 흑백논리나 극단적인 생각의 예를 들 수 있습니다. 이 기술로 부정확하거나 도움이 되지 않는 트라우마 관련 인식들에 의문을 제기하고 교정할 수 있습니다.
- **트라우마 내러티브 및 처리**Trauma narration and processing는 아이가 겪었던 외상의 특정 유형에 초점을 두어 점진적노출의 형태로 다룹니다. 치료자는 보호자와 아이에게 점진적 노출의 원리를 설명하며 시작합니다. 그 뒤에, 아이에게 트라우마 서술 이야기(내러티브)의 형식을 알려줍니다. 트라우마 내러티브의 형식은 다양할 수 있습니다. 어떤 아이들은 자신의 경험을 이야기 책으로 쓰고 그리는 것을 선택하고, 다른 아이들은 사건을 시간순서대로 정리하는 타임라인을 만들거나, 상황극이나 인형극을 하거나 시로 표현합니다. 여기에서의 목표는, 아동이 치료적 관계 속에서 안전과 지지를 경험하며 자신의 외상 기억을 상세히 말하여 고통스러운 감정으로부터 기억을 분리하는 것입니다. 최종 결과물보다는 이 과정 자체가 중요합니다. 아동이 한 번 외상 사건에 대해 기본적인 이야기 틀을 완성하면, 치료자와 아동은 이것을 함께 검토하면서 세부적인 상황들과 함께 트라우마 동안 아동이 겪었던 생각과 느낌들을 덧붙여 갑니다. 아동이 트라우마 처리 과정에서 압도되지 않도록, 또 트라우마 처리에서 기대되는 과정으로서 다룰 수 있는 수준의 스트레스 정도를 알기 위해서, 트라우마 내러티브를 완성하는 동안 아이가 느끼는 스트레스 정도를 관찰합니다.

  아동이 트라우마를 직접 표현한 뒤, 치료자는 아동을 도와 부정확하거나 도움이 되지 않는 트라우마와 관련된 인지 왜곡과 생각을 확인하고 분석하고 수정합니다. 종종 이러한 왜곡들은 아동이 트라우마 내러티브를 이야기하고 처리하는 과정 중에 드러나고 아이와 의미를 찾아가는 토론이나 활동들을 해보면서 나타나는 경우들도 있습니다. 흔한 트라우마 관련 인지 왜곡에는 자기 비난, 위험의 과대 평가, 또는 자신이 트라우마로 인해 망가졌다고 생각하는 것 등이 있습니다. 왜곡된 생각이 확인되면, 치료자는 소크라테스식 질문, 책임감의 원형 파이 차트, 또는 가장 친한 친구 역할 놀이 등의 인지적 처리 기술들을 통해 아동이 그것들을 탐구하고 수정하도록 돕습니다.

아동이 트라우마 내러티브를 이야기하고 처리를 하는 동안, 보호자 또한 회기에서 치료자와 직접 트라우마에 대해 이야기합니다. 임상적으로 필요한 만큼, 치료자는 아동의 트라우마 내러티브나 결과물들을 개별적으로 보호자와 검토합니다. 이 구성 회기의 마무리 시간에 보통 아이들은 공동 회기 중 보호자로부터 지지를 받으며 이야기를 공유하고, 트라우마와 관련한 건강한 인지를 강화합니다.

- **실제 연습**In vivo mastery은 (개에게 공격당했던 아이가 모든 개를 무서워하는 경우 등) 실생활 속의 무해한 트라우마 관련 자극을 다루고 아이들의 역기능적인 회피성 행동을 줄이는 데 도움이 됩니다. 아이들은 실제 환경에서 점진적인 노출 방법으로 외상 관련 자극의 "두려움에 직면"하는 법을 배웁니다. 노출 계획은 공포 자극에 따라 노출 양을 최대한 점진적으로, 상세하게 짜야 합니다. 이러한 노출은 보통 치료실 밖에서 이루어지게 되기 때문에, 아이가 성공하려면 보호자가 이러한 치료 계획에 적극적으로 동의하고 참여하는 것이 중요합니다.
- **부모-자녀 공동 회기**Conjoint parent-child sessions는 대부분의 TF-CBT 구성에 포함되는 것으로, 바람직한 의사 소통과 부모의 지지를 촉진하도록 설계되었습니다. 이 회기에서 아동과 보호자는 TF-CBT에서 배운 기술을 연습하고 외상 사건에 대해 보다 터 놓고 대화하게 됩니다. 공동 회기 시간 60분 중 치료자가 각각 15분씩 아이/보호자에게 할애하고 이후 나머지 30분은 아이 및 보호자와 함께 진행합니다. PRAC 공동 회기 중 보호자와 아동, 치료자는 재미있고 가족적인 분위기 속에서 배운 기술들을 살펴봅니다. 가령, 심리교육 빙고 게임을 통해 심리교육 내용을 복습할 수 있습니다.
- **미래의 안전과 발달을 강화하기**Enhancing future safety and development는 보통 TF-CBT를 마무리할 때, 아동과 보호자가 앞으로 미래의 스트레스에 안전하게 대처하는 데 필요한 기술을 제공하기 위한 것입니다. 이 요소는 (아래의 사례에서 보이는 상황처럼) 즉각적인 안전 문제가 있을 경우에는 더 치료 초기에 적용되기도 합니다. 우리는 아동이 결코 다시 피해를 입지 않을 것이라고 확신할 수는 없지만, 아동의 준비된 상태를 강화하고 또 다른 피해 위험을 줄일 수 있는 개인 안전 기술을 가르칠 수는 있습니다. 아이는 치료자와의 역할극 속에서 개인 안전 기술을 연습할 수 있습니다. 아이가 겪은 외상의 유형 및 발달 단계에 따라 성교육, 건강한 vs 건강을 해치는 관계, 폭력 예방 등의 요소들을 보통 이 시간에 다룹니다. 치료자는 또 약물 사용이나 성 관계 같은 위험 행동들에 대해서도 아동에게 가르칠 수 있습니다. 보호자는 데이트, 약물 문제처럼 앞으로 일어날 수 있는 잠재적인 상황을 생각해보고, 트라우마 정보를 기반으로 보호자로서의 반응들을 발전시키도록 격려받습니다. 또한 치료자는 아동과 보호자가 가능성이 있는 트라우마 연상물을 생각해보고 그에 대처할 방법을 계획하도록 돕습니다. 마지막으로, 치료자는 치료 과정에서 배운 기술과 진행 상황을 검토하고, 보호자와 아동이 치료를 종결할 준비를 하도록 합니다.

### 8.2.2 사례

제니는 어머니와 새아버지와 함께 살고 있는 14세 혼혈 여아입니다. 제니는 0세에서 5세 시기에 친부모 사이의 가정폭력, 5-8세 동안 계모에 의한 심한 정서적 학대, 계모의 큰 아들로부터 성기 삽입을 포함한 여러 차례의 성 학대(8세), 친아버지의 마약 관련 혐의로 인한 투옥(12세-현재) 및 특히 5학년 때 심했던 학교에서의 괴롭힘 등 여러 외상 사건을 겪었습니다.

치료를 시작하면서 치료자는 제니와 어머니와 함께 임상 면담과 트라우마 중심 평가를 진행했습니다. 평가 결과, 제니는 PTSD의 주요 증상(빈번한 플래시백, 트라우마 연상물로 유발되는 심리적 고통, 트라우마 연상물의 회피, 심각한 과각성)과 우울, 사회적 불안이 있었습니다. 제니와 어머니는 이러한 증상들이 계모(5-8세 시기)와 함께하면서 시작되었지만 이어진 따돌림으로 악화되었다고 보고했습니다. 제니는 대부분의 시간을 자기 방에서 혼자 지내고, 대다수의 사회적 상호 작용을 피했습니다. 만성적인 정서적 고통으로 인해 제니는 종종 자해나 마리화나 사용 같은 다양한 부적응적인 대처 전략으로 감정을 조절하려 했습니다. 제니는 TF-CBT에 참여하기 전에 많은 치료자들을 만났었고, 자살 사고와 (깨진 유리잔으로 다리를 그은) 자해로 여러 번 병원에 입원했습니다. TF-CBT 담당자는 지속적인 자해 문제를 고려해볼 때, TF-CBT를 적용하기에 우려되는 부분을 논의했습니다. 하지만 제니는 겪고 있는 PTSD 증상을 해결하고자 하는 강한 의지를 보였고 자해를 끊고자 하는 의지가 있었습니다. 제니와 치료자는 자해를 계속하지 않고 각 회기 때마다 자해에 대한 평가를 할 것이라는 안전 계약을 하고 의료적 처치가 필요한 자해가 재발할 경우에는 충분한 안전과 안정성이 회복될 때까지 TF-CBT 진행이 중단될 것이라는 데 동의했습니다.

**심리교육**Psychoeducation 치료자는 평가 과정에서 심리교육을 시작했습니다. 평가에 대한 피드백을 전달하고 치료 계획을 논의하면서 치료자는 제니와 어머니가 제니의 정서, 행동상의 어려움과 과거의 외상 경험을 연결할 수 있도록 도와주었습니다. 특히, 치료자는 제니가 어린 시절 내내 만성적인 트라우마와 스트레스에 노출된 것이 자기 조절 능력, 특히 감정 조절 능력에 영향을 미쳤다는 점을 짚어주었습니다. 다음 세 회기 동안 TF-CBT 치료자는 이를 "생존 뇌survival brain"의 개념으로 제니와 어머니에게 설명했습니다. 제니는 생존 뇌 상태에 "갇혀" 있는 상태로 외상후 스트레스 반응을 개념화하는 것을 배웠습니다. 즉, 현재 실제로는 죽음의 위협을 받고 있지 않지만, 제니의 뇌는 마치 지금도 그런 상황 속인 것처럼 반응하는 것입니다. 제니는 종종 다툼(새아버지와 종종 논쟁을 벌임), 도피(방에 틀어박혀 있거나 물질 남용), 얼어붙음(사회적 상황에서 멈춰 있기), 자포자기(친구를 사귀려는 시도를 멈추고 학교 숙제에 노력을 기울이지 않음), 도움을 외치기(cry for help, 자살 위협이나 자해, 엄마에게 매달리기 등) 등의 "살아 남으려는 생존 반응survival response"을 보이고 있었습니다.

치료자는 제니와 어머니 각각과 개별적으로 심리교육을 진행한 뒤, 모녀 사이의 트라우마에 초점을 둔 소통을 촉진하기 위해 합동 시간을 갖는 형태로 전형적인 TF-CBT 회기를 진행하였습니다. 제니는 처음에는 어머니 회기시간에 따로 대기실에서 기다리는 것을 매우 꺼려했고, "사람들이 날 쳐다본다"며 공황발작이 올 거 같다고 했습니다. 제니는 치료자와 어머니와 함께 있거나 치료실 옆 비어 있는 방에 있게 해달라고 요구했습니다. 치료자는 제니에게 이것이 바로 위험의 증거가 없는데도 그녀의 뇌가 위험 상황처럼 작동하는 "생존 뇌"의 예시 상황이라고 설명해 주었습니다.

아동과 보호자가 함께 하는 심리교육 시간에 제니와 어머니는 일반적인 트라우마의 발생 및 영향뿐 아니라 제니가 겪은 특정한 외상 사건의 영향과 발생에 초점을 맞춘 질문으로 이루어진 "트라우마 퀴즈" 게임을 했습니다. 이 활동은 신나고 즐거운 방식으로 모녀 사이의 협력과 소통을 촉진해 주었습니다. 제니는 이에 대해 TF-CBT를 시작하기 전에는 어머니와 이런 주제로 긍정적인 대화를 나눌 수 있을 거라고는 절대 믿지 못했을 것이라고 언급했습니다.

**양육**Parenting 양육 교육 역시 평가 과정 중에 시작되어 치료 전반에 걸쳐 진행됩니다. 평가 도중 어머니와 치료자는, 그동안 어머니가 시도했던 다양한 행동 관리 전략과 그에 대한 제니의 반응에 대해 이야기를 나누었습니다. "생존 뇌"의 개념은 또한 제니가 어머니와 계부와의 상호 작용 중에 보였던 정서적, 행동적 문제를 이해하는 것을 도와주는 데 활용되었습니다. 즉 결과로 위협하기, 분노의 표현, 판단하는 말 같이 흔한 양육 방법들이 제니에게는 일종의 "방아쇠"로 작용하거나 이전의 외상 사건을 연상시키는 순간이 되어 트라우마 반응을 일으키게 했다는 점을 논의하는 것으로 이어졌습니다. 초기의 한 회기에서 어머니는 제니가 폭발할 때 낮고 차분한 목소리와 인정과 공감을 보이는 단계적 진정 전략들을 연습했습니다. 치료자는 공동 회기에서 어머니가 이 전략을 사용해 보도록 격려하고 집에서 사용해본 전략들을 치료 시간마다 점검했습니다.

**이완**Relaxation 제니의 심각한 조절장애와 자해의 과거력 때문에 치료자는 이 구성요소에 4회기를 할애했습니다. 제니는 이전에 트라우마에 초점을 맞추지 않는 치료를 받으며 여러 형태의 이완요법을 시도했지만 도움이 되지 않았습니다. 치료자는 생존 뇌에 갇혀 있을 때, 제니의 신체 역시 생존 반응에 매달려 이완의 정 반대 상태에 머물러 있기 때문에 이완 기술이 필요하다고 알려주었습니다. 치료자는 이완 기술이 "생존 뇌의 전원을 끄는" 방법 중 하나라고 설명했습니다. 이전에 제니가 했던 이완 요법이 성공하지 못했던 이유 중 하나는 그녀가 자신의 각성 수준을 깨닫고 있지 못했기 때문일 것이라고 치료자는 생각했습니다. 즉 이완 기술을 사용할 필요성을 깨닫지 못했거나, 이미 극단적으로 각성된 상태에서 시도했기 때문에 이완에 실패했을 것입니다. 치료자는 제니에게 현재 정서적 고통의 정도(0-10, 10은 극심한 고통을 의미)와 통제감의 정도(0-10, 10은 자제력 상실을 의미)를 파악하는 수정판 주관적인 고통 단위(Subjective Unit of Distress Scale, 이하 SUDS) 평가법을 알려주었습니다. 제니는 단순히 스트레스 수준을 확인하는 것만으로도 자기 조절감이 늘어났다고 말했습니다. 치료자는 제니가 현재 쓰는 이완 기술을 탐색했습니다. 제니는 이완과 명상을 위해 아로마와 심상 요법을 쓰고 있다고 했습니다. 그래서 치료자는 제니에게 감각 기반의 이완 전략(예: 향초, 라바램프)과 좀더 전통적인 기법인 호흡에 집중하기, 마음 챙김 및 점진적인 근 이완법을 함께 사용할 것을 권했습니다.

치료자는 보호자 회기에 어머니에게도 이완 요법의 원리를 설명하고 제니에게 가장 효과가 있었던 기법이 어머니에게도 익숙해지게 하였습니다. 이완요법의 마무리 시간에는 공동회기 때 제니가 어머니에게 자신이 배웠던 마음챙김 전략을 알려주고 이를 함께 연습해보는 시간을 가졌습니다. 모녀는 이 활동을 집에서 어떻게 해볼 지 이야기하였습니다.

**정서 표현과 조율**Affect expression and modulation 제니는 "감정 단어" 어휘가 잘 발달되어 있었고, 자신의 감정을 인식하고 표현하는데 상당한 강점을 갖고 있었습니다. 그녀는 감정을 피하기보다 감정에 "푹 빠지는" 경향을 보였습니다. 따라서 치료자는 제니가 "생존 뇌"에서 감정의 역할을 이해하도록 돕는 데 집중했습니다. 두 번의 회기를 마친 뒤, 제니는 감정의 주요 기능이 환경을 이해하게 하고 타인과 소통하도록 돕고 행동에 동기를 부여하는 것이라는 점을 배웠습니다. 그녀는 비교적 무해한 현재의 사건이 어떻게 예전의 외상 사건과 비슷해서 생존 뇌의 상태와 감정을 유발하는 지 이해하기 시작했습니다. 제니는 그동안 이러한 감정에 대해, 마리화나나 자해 같은 부적응적인 대처로 반응해왔습니다. 치료자와 제니는 감정은 행동없이 견딜 수 있는 것이고, 결국 시간이 지나면 사라진다는 점을 이야기했습니다. 제니는 지난 회기에 연습한 이완 요법과 함께 이 "감정을 견디는 능력 키우기" 기술을 연습했습니다. 또한 주변 환경을 바꾸고, 감정 상태에서 벗어날 수 있는 활동(산책 등)에 초점을 맞추는 행동 전략을 만들었습니다.

이 두 회기 동안, 치료자는 어머니에게도 자녀의 감정에 이름을 붙이고 타당한 방식으로 그녀의 감정을 받아들이는데 집중하는 "감정 코칭"을 가르쳤습니다. 제니의 어머니는 처음에는 자신의 감정에만 초점을 맞추거나 방어적이 되거나 비난하는 등, 새로운 형태의 상호 작용을 받아들이기 어려워했습니다. 치료자는 어머니가 이러한 패턴을 깨닫도록 돕고 제니의 감정에 공감적으로 반응하는 것을 연습할 수 있도록 역할극을 통해 연습하였습니다. 어머니는 점점 이 과정에 능숙해졌고, 공동 회기에서도 이를 성공적으로 사용하여 친아버지가 감옥에서 나올 시기가 다가오는 것에 대한 제니의 감정에 잘 주의를 기울여주었습니다.

**인지적 대처**Cognitive coping 치료자는 제니의 많은 어려움이 외상 사건과 관련된 부정확하고 도움이 안 되는 믿음에 그녀가 사로잡혀 있기 때문이라는 점을 고려하여, 이 구성 요소에 4회기를 배정하였습니다. 제니는 자주 자신이나 타인에 대해 부정적인 믿음을 표현하곤 했습니다. 종종 자신이 어떤 면에서 쓸모 없거나 부족하다고 말했고, 타인은 약탈적이거나 신뢰할 수 없다고 했습니다. 이러한 믿음들은 제니의 과거 트라우마들에 연관된 것이지만,

현재의 가족과 또래 관계에 영향을 미치고 있었습니다. 치료자는 제니가 생각, 감정과 행동 사이의 연결을 이해할 수 있도록 인지의 삼각형cognitive triangle의 개념을 소개했습니다. 예를 들어, 제니는 종종 사람들이 위험하다는 생각이 들어 심각한 불안을 느끼고 그로 인해 주변인들로부터 더욱 거리를 두려고 하고 있다는 점을 깨달았습니다.

치료자는 또한 제니의 감정적 추론과 독심술 경향을 짚어, 사고 오류의 개념을 설명했습니다. 제니는 숙제로 사고 기록지thought records를 사용하여, 생각을 관찰하고 궁극적으로 사고의 오류를 시험하고 교정하는 연습을 시작했습니다. 제니의 믿음이 사건의 가장 부정적인 해석에 초점을 맞추는 경향이 있기 때문에, 치료자는 "생각 저울thought balancing"이라는 용어를 이용하여 가능한 모든 정보를 포함하여 "균형"을 잡을 필요가 있다는 점을 강조했습니다. 예를 들어, 제니는 공부를 잘 하기에는 "난 충분하지 않다"는 생각이 자주 든다고 했습니다. 이런 결론을 내린 것에 대해, 제니는 어려운 숙제에 고전하던 특정 상황과 선생님이 자신에게 "부진하다"고 말했던 일에 초점을 맞추었습니다. 제니는 최근 여러 과제에서 높은 점수를 받았던 것, 어떤 학생들이나 때로는 학업이 어려울 수 있다는 점 같은 다른 "증거"에 주의를 기울여 과거의 생각에 "균형"을 맞추었습니다. 이를 통해 제니는 최근의 숙제에는 어려움이 있지만, 대체적으로는 학업을 잘 하고 있다는 생각의 균형을 맞출 수 있었습니다.

그 동안 어머니도 제니가 배운 인지 개념과 기술을 배웠습니다. 그녀는 자신의 경험에 대해 인지의 삼각형과 생각 저울을 적용하는 것을 연습했습니다. 치료자는 어머니에게 제니가 집에서도 생각 저울을 하는 것을 돕도록 격려했고, 공동 회기 시간에 제니가 최근의 생각의 오류를 확인하고 생각 균형의 과정을 해 나갈 수 있게 어머니가 제니를 격려하도록 했습니다.

제니가 갖고 있는 많은 믿음이 과거의 트라우마와 관련된 것으로 보였지만, 치료자는 이 시점에서 트라우마 관련 왜곡("계모가 나를 학대한 것은 내 잘못이야" 등)을 적극적으로 확인하고 교정하지 않았습니다. TF-CBT에서 트라우마와 관련된 믿음의 인지 재구조화는, 이상적으로는 아동이 트라우마 내러티브를 완성할 때까지 미뤄집니다. 이것은 더 정확하고 유용한 믿음을 개발하기에 앞서, 치료자가 아이의 외상 경험을 최대한 이해할 수 있게 해 줍니다.

**안전 및 미래의 발전을 강화하기**Enhancing safety and future development 안전이나 안정성 면에서 중대한 문제가 발생할 경우에는 더 일찍 이 요소를 시작하긴 하지만, 일반적인 TF-CBT의 진행에서 안전과 미래의 발달의 촉진은 최종 요소에 해당합니다. 이 시점에서 제니는 새아버지와의 갈등이 증가했는데, 그가 제니를 비하하는 말을 하자 그녀가 몸싸움을 시도할 만큼 상황이 격앙되었습니다. 제니는 점점 더 우울해졌고 TF-CBT를 시작한 뒤로는 처음으로 자해를 했습니다. 제니는 일주일간 입원했고 약물도 조정되었습니다. 그 후 제니의 우울 증상은 크게 줄어서 더 이상은 자해 충동을 느끼지 않는다고 보고했습니다.

퇴원 후 제니의 치료가 다시 시작되었습니다. 그러나 치료 초기에 안전계약으로 정했던 것처럼 TF-CBT의 일반적인 진행은 중단되고 안전 영역이 치료의 우선순위가 되었습니다. 약 1개월 동안, 회기마다 제니의 현재 안정 상태를 평가하고 전 회기에 배운 대처기제를 재검토하며 TF-CBT를 재개해도 될 지에 대한 평가에 중점을 두었습니다. 새 약물 처방이 제니에게 상당한 도움이 되고 있다는 점이 분명했고, 그녀의 어머니와 새아버지도 가정 내에서 갈등을 줄이기 위해 노력했습니다. 제니는 TF-CBT를 다시 시작하고 싶어했고 자해를 했지만 치료 초기의 구성요소들이 도움이 되었다고 강조했습니다. 어머니 역시 제니가 퇴원 후 우울 증상이 줄어들면서 더 잘 지내는 것 같다고 언급했습니다. 그래서 치료자는 자살 사고와 자해 충동을 자주 모니터링하면서 TF-CBT를 다시 시작하였습니다.

TF-CBT를 재개하면서 치료자는 이전에 배운 인지 대처 기술을 간략히 검토했습니다. 공동 회기에서 제니와 어머니는 제니가 최근 보였던 생각의 오류를 다루면서 기존의 믿음에 반대되는 증거를 탐색하며 균형 잡힌 믿음을 만들어갔습니다. 제니는 TF-CBT의 나머지 기간 동안 생각을 점검하는 숙제를 하며 인지적 대처 기술을 지속적으로 연습했습니다. 그녀는 어머니와의 논쟁하다 들었던 생각("엄마가 나를 사랑하지 않아")을 스스로 교정하는 등, 이 기술들을 독립적으로 적용하기 시작했습니다. 치료자는 제니가 트라우마 내러티브 및 처리의 구성요소에서 필요한 직접적인 점진적 노출을 시도하기에 PRAC 기술을 충분히 익혔다고 판단했습니다.

**트라우마 내러티브와 처리**[Trauma narration and processing] 제니의 외상 과거력의 복잡성을 감안해서, 치료자는 제니와 함께 과거의 외상 사건들을 포함하여 중요한 사건들의 시간순서도(타임라인)를 만들기로 했습니다. 이 방법은 각 사건의 세부 내용을 다루지 않고도 아이의 현재 기능에 영향을 미친 모든 사건들을 포함하여 트라우마 서술 처리를 할 수 있게 해줍니다. 또 시간순서도는 치료자가 트라우마 노출의 강도를 점진적으로 높일 수 있게 합니다. 이 때 외상 사건에 대해 일반적인 이야기부터 시작해서, 점점 더 정서적으로 고통스러운 특정 사건의 세부적인 내용을 다루는 방향으로 진행합니다.

제니는 여섯 번의 회기 동안 계모의 정서적 학대와 계모 아들의 성 학대가 가장 정서적으로 고통스러운 외상이라는 점을 알아냈습니다. 치료자는 제니가 각 사건들을 이야기할 때 더욱 자세히 처리할 수 있도록, 세부 감각적인 사항과 외상의 정서적, 인지적 경험에 초점을 맞추게 도왔습니다. 제니는 처음에는 이 과정을 괴로워했고, SUDS "8" 또는 "9" 정도의 정서적 고통을 보고했습니다. 이런 정서적 고통이 발생하자 치료자는 제니에게 그 정서적 고통이 "생존 뇌"의 정상적인 반응임을 상기시켜주고, 대처 기술을 이용해서 뇌의 "생존 반응"을 진정시키도록 격려했습니다. 필요한 경우, 제니는 이러한 기술(들)을 시도하기 위해 짧은 휴식을 취한 뒤 트라우마 노출과 처리 과정을 재개했습니다. 이 과정의 마무리 단계에서, 제니는 트라우마 처리 시간이 상당히 길어도 단지 약하거나 중간 정도의 고통을 느끼며 잘 견딜 수 있었습니다.

시간순서도를 구성하고 정서적, 성적 학대 경험을 자세히 처리하는 동안, 두 가지의 인지적 주제가 많은 경험에 걸쳐 일관되게 나타난다는 점이 분명해졌습니다. 제니는 자신은 쓸모 없는 존재이고, 타인은 본질적으로 위험하다는 끈질긴 믿음을 만들어 왔습니다. 치료자는 이러한 주제와 관련된 인지 처리 작업을 시작했습니다. 그녀는 시간순서도의 다양한 사건들이 이러한 믿음에 어떻게 영향을 미쳤는지 탐색했습니다. 예를 들어, 제니의 무가치함에 대한 느낌은 계모의 정서적 학대에 대한 반응이었습니다. 제니는 자신과 다른 사람들에 대한 부정적인 믿음이 과거의 트라우마의 부산물이며 넓은 맥락에서 정확하지 않다는 점을 깨닫게 되었습니다. 이것은 결국 제니가 두 가지의 균형 잡힌 믿음을 만들 수 있게 했습니다. 제니는 "사람들이 나를 무가치한 존재라고 믿게 만들려고 했지만, 나 자신에 대한 나의 견해는 그들의 의견에 근거할 필요가 없다"고 결론을 내렸습니다. 또한 "어떤 사람들은 내 인생에서 나를 해치려고 했지만, 많은 사람들이 그러지 않았다. 나는 모든 사람을 두려워할 필요가 없다."고 말했습니다.

이 구성 요소를 진행하는 동안, 치료자는 어머니에게 제니가 만든 트라우마 내러티브 내용을 공유하고, 트라우마를 언급할 때 어떻게 적절하게 지지해지고 공감해줄 것인지를 다루었습니다. 어머니는 이 과정을 힘들어 했습니다. 그녀는 제니가 겪은 가정 폭력과 정서적 학대에 대해 상당히 죄책감을 느꼈습니다. 어머니는 딸이 겪고 있는 정서적 고통에 공감하기보다, 그런 경험에 어떻게 더 효과적으로 대처할지에 대해서만 말하고 싶어했습니다. 그녀의 사건에 대한 자신의 책임 수준에 대한 믿음 역시 인지적 처리를 하게 되었습니다. 이 작업은, 결과에 대한 **책임감**과 결과를 **후회하는** 것 사이의 차이점을 인식하고, 어머니가 딸에게 덜 방어적으로 반응하도록 해주었습니다. 내러티브 진행과 처리가 끝난 후, 제니는 공동 회기에서 자신의 시간순서도와 "배운 점"을 어머니와 공유했습니다. 어머니는 공동 트라우마 내러티브 회기에서 제니의 트라우마 경험에 공감적 증인으로서 함께 하며 지지해 주었습니다.

**실제 연습**In Vivo mastery 실제 연습 부분은 특히, 제니가 사회 불안으로 어려움을 겪고 있었으므로 더 유용했습니다. 실제 노출은 사회적 상호작용, 특히 낯선 이들이 여럿 있는 상황에서 제니가 보이는 회피 증상을 극복하기 위해 치료 초기에서부터 사용되었습니다. 제니는 초기에 치료자가 어머니와 개별 면담을 할 동안, 자신을 대기실이 아닌 치료실 근처의 빈 방에 있게 해달라고 요구했습니다. 치료자가 어머니를 만나는 동안, 치료자는 제니가 점점 더 긴 시간 동안 대기실에 있어보도록 격려했습니다. 시간이 지남에 따라, 제니는 스트레스가 거의 없이 대기실에서 30분 정도 기다릴 수 있게 되었습니다. 그녀의 사회 불안을 더 다루기 위해 치료자는 제니에게 일상생활에서 안전하게 있을 수 있는 외부의 장소들을 탐색해보는 숙제를 주었습니다(예; 카페에 앉아있기). 어머니는 이 과정에서 중요한 역할을 했습니다. 예를 들어, 그녀는 처음에는 제니와 함께 카페에 있다가, 딸로부터 점점 멀어져 나중에는 건물 밖에 있었습니다. 제니는 마침내 최대 30분 정도는 일부 공공 장소에 있을 수 있게 되었습니다. 트라우마 내러티브 구성 후에 추가적인 실제 노출 작업은 필요하지 않았습니다.

**미래의 안전과 발달을 강화하기**Enhancing Safety and Future Development TF-CBT의 전 과정 중 안전 문제에 지속적으로 주의를 기울였지만, 치료자는 치료의 종결 시점에 다시 이 주제를 다루었습니다. 여기서의 초점은, 현재의 우려를 다루기보다 제니가 앞으로 현재 수준의 안전과 안정성을 어떻게 유지할 것인지에 대한 논의로 전환되었습니다. 4회기 동안, 치료자는 상당한 시간을 들여 친밀한 관계와 교사나 고용주로부터의 비판 등 앞으로 제니가 경험할 수 있을 잠재적인 유발 상황들을 확인했습니다. 제니는 미래의 상황에서 치료 초기에 숙달한 기술들을 사용할 계획을 세웠습니다. 제니의 인지 오류 경향을 감안하여, 치료자는 그동안 제니가 배웠던 인지적 대처 기술들에 초점을 맞추어 꾸준히 스스로의 생각을 확인하고 균형을 맞추는 것이 중요하다는 점을 강조하였습니다. 제니는 자기 방에 인지의 삼각형 그림을 걸고, 정기적으로 생각을 점검하기로 했습니다. 또 필요에 따라 효과적으로 자신을 대변할 수 있도록 자기주장과 대화 기술을 쌓으려 매우 노력했습니다. 치료자는 어머니에게 발생 가능한 양육 상황의 문제들(데이트, 물질 남용, 제니와 새아버지 사이의 갈등 등)을 잘 생각해보고, 이러한 상황에 적용 가능한 트라우마 정보를 기반으로 한 양육법(협상, 발달상 적절한 제한 설정 등)을 개발하도록 격려했습니다.

치료가 끝날 무렵, 제니와 어머니는 제니의 외상에 관련된 어려움의 정도를 다시 평가하였습니다. 모녀 모두 제니의 PTSD와 우울 증상이 현저하게 줄었다고 보고했습니다. 어머니는 딸이 학교에서 잘 지내고 집에서도 혼자 있는 시간이 줄었다고 했습니다. 제니는 지속적인 플래시백이나 침습적 생각을 경험하지 않고, 자신이나 타인에 대한 부정적인 생각도 줄었다고 했습니다. 또 더 이상 자해 생각이 나지 않고, 마리화나 역시 상당히 줄였다고 말했습니다. 모든 PRACTICE 구성 요소를 마치고, 제니의 기능이 호전된 것을 감안 할 때 모녀와 치료자는 제니가 성공적으로 TF-CBT를 마쳤다고 보았습니다. 제니와 어머니는 TF-CBT 기간 동안 이룬 제니의 발전을 축하하는 "졸업" 회기를 가졌습니다. 어머니는 제니가 이룬 것들에 대한 자랑스러움을 표현했습니다. 무엇보다도 제니가 자신에 대해 자부심을 표현하고 미래를 직면할 능력을 갖추었다는 강한 믿음을 표현했습니다.

## 8.3 특정 상황과 어려움들

### 8.3.1 보호자의 참여 부족

앞서 언급했듯이, 보호자의 참여는 TF-CBT의 필수 요소입니다. 이상적인 TF-CBT 환경에서 치료자는 치료 시간의 약 절반을 보호자 개별 회기와 주기적인 보호자-자녀의 공동 회기로 배정합니다. TF-CBT 관련 연구에서도 보호자가 참여할 때 치료가 더 효과적인 것으로 나타났습니다(Cohen 등. 2006a). 보호자의 참여는 아이들의 외현화와 우울 증상들의 현저한 감소와 연관성을 보일 뿐 아니라(Deblinger 등. 1996), 양육의 효과를 높이고 보호자의 트라우마 관련 증상과 우울 증상도 줄였습니다(Cohen 등. 2004a). 불행하게도 많은 TF-CBT

담당자는 보호자를 참여시키고 동기를 부여하는 데 어려움을 겪습니다(Hanson 등. 2014.). 보호자가 효과적으로 동참하지 않는 이유는, 치료자가 보호자를 참여시키는 것의 중요성을 깨닫지 못했거나 보호자가 경험한 견고한 장벽 때문에 치료에 동참할 역량이 제한되었기 때문일 수 있습니다.

문헌에서는 아동의 정신건강 서비스의 이용 시 가족의 참여에는 현실적(교통의 부재나 다른 아이를 돌봐야 하는 경우)이거나 인식(치료에 대한 부정적 시각 등)의 장벽이 있다고 기술하고 있습니다(Gopalan 등. 2010). McKay와 동료들은 치료자가 치료 전 통화와 첫 회기에서 단단한 인식의 장벽이 있는 경우 직접 다루고 해결할 수 있도록 보호자 동참 전략 매뉴얼을 개발했습니다(Macay와 Bannon 2004). 무작위 연구 결과, TF-CBT에 참여한 아이와 위탁 가정의 보호자에게 추가적으로 치료 참여에 대한 개입을 시행한 경우 치료의 조기 종결 가능성이 낮아지는 것으로 나타났습니다(Dorsey 등. 2014). TF-CBT 치료자는 보호자의 참여를 위해, 첫 통화나 대면 면담시에 근거 기반 참여 전략을 사용해볼 수 있습니다.

물론 참여의 궁극적인 목표는, 보호자가 단순히 치료 시간에 오는 것만이 아니라 치료 과정과 새 전략의 적용에 적극적으로 협력하고 치료 권고에 협조하는 것입니다. 따라서 다른 전문가들로부터 비난받거나 판단의 대상이 되었다고 느꼈을 가능성이 높은 보호자와의 작업을 위해, 그들을 경청하고 존중하며 인정해주는 시간이 필요합니다. 참여도를 높이기 위한 일환으로, Macay는 연계 사유와 다를 지라도 보호자가 아동에 대해 가장 걱정하고 있는 점을 확인해보는 것을 추천했습니다(Macay와 Bannon 2004). 그럴 경우 지목된 걱정들(수면 문제, 행동 문제, 학교 거부 등)을 다룰 수 있는 구체적인 전략이나 자원을 치료 초반에 알려주거나 TF-CBT 치료 중에 다룰 것이라고 강조해줄 할 수 있습니다.

### 8.3.2 초기 구성 요소에서 점진적 노출의 부족

초기 치료 구성 중 점진적 노출이 충분히 진행되지 않는 것은 흔히 발생하는 장애물 중 하나입니다. 경험이 적은 치료자는 이 모델이 흔히 기술 쌓기P-P-R-A-C와 트라우마 중점T-I-C-E 영역으로 각각 반으로 완전히 나뉜 구성이라고 잘못 생각할 수 있습니다. 사실, 이 치료법은 전 형태가 외상에 초점을 맞추고 있으며 각 회기 마다 트라우마 연상물에 대한 점진적인 노출이 포함되어 있습니다. 예를 들어, 심리 교육 단계에서 치료자는 "그 일"보다 "가정 폭력"처럼 정확한 이름으로 아이가 경험한 특정 트라우마 유형을 짚어주며 유병율, 후유 증상 등의 기본적인 정보를 알려줍니다. 전달되는 정보는 발달 수준에 적절하고 참여를 북돋는 방식으로 전달되므로, 아이는 트라우마 기억을 활성화하면서도 심리적 고통을 겪지 않고 대신 트라우마 기억과 안전과 응원의 느낌을 새로 연결 짓기 시작하게 됩니다(Cohen 등. 2012). 점진적인 노출을 통해 아이는 치료의 시작 단계에서부터 자신이 트라우마의 연상물을 직면할 때 더 강해질 수 있다는 것을 배우게 됩니다.

P-P-R-A-C 구성 요소를 진행하는 동안 점진적 노출을 충분하게 하지 않을 경우 치료

자는(종종 자기도 모르게 또는 무의식적으로) 아동의 트라우마 회피를 강화시키게 됩니다. 이것은 트라우마 내러티브 진행 및 처리를 할 시점에 아동의(그리고 치료자의) 작업을 훨씬 더 어렵게 만듭니다. 점진적인 노출로 "천천히" 하지 않으면, 아동은 트라우마 연상물이 감당할 만하고 안전하고 도움이 되는 활동으로 다룰 수 있다는 것을 경험하고 배울 기회를 가질 수 없습니다. 내러티브 진행과 처리를 완료하는 것이 아동에게는 상당히 거대한 작업처럼 느껴져서, 시작하기를 꺼리거나 더 천천히 하려고 필요 이상으로 치료 기간을 지연시킬 수도 있습니다. 치료를 약화시키는 요소는 흔하기 때문에 TF-CBT를 시작하는 많은 아이들은 종종 그들이 감당하지 못하는 이유들로 치료를 마치지 못합니다. 치료를 조기 종결하는 이들은 트라우마 서술 처리를 시작하거나 끝맺지 못하기 때문에, 그들에게는 P-P-R-A-C 구성 요소에서 진행한 점진적 노출이 치료 환경에서 경험하는 유일한 노출이 됩니다.

### 8.3.3 주간 위기

이번 주의 위기사건들(crises of the week, 이하 COW)은 TF-CBT의 또 다른 장애 요소입니다. 치료자가 계속 COW를 챙기느라 점진적 노출이나 기술 숙달을 못 다루게 되면 치료의 연속성과 진행을 방해하여 치료 효과를 약화시킵니다(Cohen 등. 2006a). 따라서 치료자는 가족의 우려와 현실적인 요구 때문에 치료를 늦추거나 회피를 강화하지 않도록 대응하며 임상적인 판단력과 창의성을 발휘해야 합니다. 아동이나 보호자가 치료 중 상당한 스트레스(사랑하는 사람의 죽음이나 이사 등)를 겪을 때, 치료자는 치료적 관계를 위해 지지적으로 경청해주는 것이 보통 적절합니다(Cohen 등. 2010). 이러한 상황은 (특히 스트레스 원인이 트라우마와 관련된 문제일 때) 심리교육을 보강하고 대처 기술 사용 및 이의 일반화를 강화하는 데에도 이용할 수 있습니다(Cohen 등. 2010). 따라서 가능하다면 COW는 P-P-R-A-C 과정의 목표에 장애물보다 치료적인 재료로 활용하도록 합니다.

다른 경우, 치료자가 아동이나 보호자의 COW (학교 관련 문제, 관계가 깨진 것 등)을 다루기 위해 치료의 시작이나 마무리 시점에 약간의 시간(10분이나 15분 이하)을 할애해 볼 수 있습니다. 다시 강조하건대, 치료자는 이전 구성 요소에서 다룬 개념과 기술을 살펴하고 강화할 방법을 찾아야합니다. 대안적으로 치료를 마치기 전 몇 분 간 치료자가 가족을 지역 사회 자원에 연계해볼 수 있습니다. 핵심은 치료자가 치료 모델의 트라우마 중심 관점에서 벗어나는 시간을 최소화해야 한다는 것입니다. COW가 너무 중대한 상황이거나 주제에서 벗어나서 회기 중 트라우마 관련 주제를 다루기 어려울 지경이라면, 다른 치료적인 접근법을 고려해야 합니다(Cohen 등. 2010).

## 8.4 연구와 임상적인 근거

TF-CBT의 초기 효과에 대한 자료는 성 학대 피해 아동 대상의 개입법에 관한 연구들을 개발자가 독립적으로 진행했던 1990년대 초반으로 거슬러 올라갑니다(Cohen과 Mannarino 1993; Deblinger 등. 1990). 지난 20여 년 간 TF-CBT는 어린 시절 트라우마를 겪은 이들을 대상으로 하는 첫 번째 순위의 치료법으로써 트라우마에 노출된 아이들 대상의 치료 중 가장 많은 연구가 누적되어 있습니다(Cohen 등. 2010). 수많은 무작위 대조 연구를 통해 TF-CBT는 미국(Cohen 등. 2004a, b)을 포함한 전 세계(Murray 등. 2013; O'Callaghan 등. 2013)에서 다양한 외상 사건에 노출된 3-17세 아동청소년에게 트라우마의 영향을 줄이는 데 효과적이라는 것이 입증되었습니다. TF-CBT는 기존의 일반 치료법(Deblinger 등. 1996), 간접적인 지지 치료(Cohen과 Mannarino 1996), 소아 중심 치료(Cohen 등. 2004a, b), 치료 대기군(King 등. 2000)보다 우월한 치료 성과를 보였고, 배우자와 연인 사이의 폭력을 포함하는 다양한 외상 사건(Cohen 등. 2011)과 외상성 애도(Cohen 등. 2004b, 2006b)의 부정적인 영향을 완화하는 데에도 효과를 보였습니다.

중요한 것은, 이 치료법이 외상 사건에 노출된 후 일어나는 무수한 부정적 영향들을 다룰 수 있다는 것입니다. TF-CBT를 받은 아이들은 불안, 우울, 성적 문제, 해리, 수치심 및 PTSD 증상들이 호전되었습니다(Cohen과 Mannarino 1996; Cohen 등. 2004a, b). 보호자들 역시 TF-CBT의 도움을 받았고, 학대와 관련된 스트레스가 감소하고 양육 기술이 개선되었으며 지지적인 부모자녀 상호작용도 늘어났다고 보고했습니다. 더구나 치료 효과는 1년 뒤의 추적관찰에서도 여전히 유지되는 것으로 나타났습니다(Cohen과 Mannarino 1997; Deblinger 등. 2006). 최근의 메타 분석 결과, TF-CBT는 치료 직후와 종결 1 년 후에도 PTSD, 우울증 증상 및 행동 문제를 유의하게 개선시켰습니다(Carey와 McMillen 2012).

요약하자면 TF-CBT는 외상 사건을 겪고 관련 증상을 줄이고자 하는 3-18세 아동청소년에게 "1차" 치료로 간주되는 효과적인 치료법입니다. TF-CBT는 수많은 지역 협력자들의 노력으로 지역 사회에 널리 보급되었습니다(Cohen과 Mannarino 2008). 이 치료법의 효과를 뒷받침하는 근거는 계속 늘어나고 있지만, 이에 대한 연구들은 아직 진행중입니다. 좋은 반응을 예측하는 변수와 TF-CBT가 가장 효과적인 대상군 선별을 위한 연구가 필요합니다. PRACTICE 중 각 구성 요소의 최적의 시기와 분량을 찾는 연구들이 TF-CBT를 효과적인 진행에 새로운 통찰력을 줄 수 있습니다. 각 PRACTICE 구성 요소별 필요성을 나누어 분석하는 연구 역시 유용할 것입니다. 마지막으로 TF-CBT를 보급에 필요한 노력들을 고려하여, 이 모델을 배우는 최적의 방법과 새롭게 치료를 시작하는 치료자가 이 모델을 충분히 정확하게 진행할 수 있도록 지원할 방법에 대한 연구가 필요합니다.

## 참고문헌

Beck AT (1976) Cognitive therapy of the emotional disorders. Penguin, New York

Brewin CR, Holmes EA (2003) Psychological theories of posttraumatic stress disorder. Clin Psychol Rev 23:339–76

Cary CE, McMillen JC (2012) The data behind the dissemination: a systematic review of trauma- focused cognitive behavioral therapy for use with children and youth. Child Youth Serv Rev 34(4):748–57

Cohen JA, Mannarino AP (1993) A treatment model for sexually abused preschoolers. J Interpers Violence 8:115–31

Cohen JA, Mannarino AP (1996) A treatment outcome study for sexually abused preschool children: Initial findings. J Am Acad Child Adolesc Psychiatry 35:42–50

Cohen JA, Mannarino AP (1997) A treatment study for sexually abused preschool children: outcome during a one-year follow-up. J Am Acad Child Adolesc 36:1228–35

Cohen JA, Mannarino AP (2000) Predictors of treatment outcome in sexually abused children. Child Abuse Negl 24:983–994

Cohen JA, Mannarino AP (2008) Disseminating and implementing trauma-focused CBT in community settings. Trauma Violence Abuse 9:214–26

Cohen JA, Mannarino AP, Berliner L, Deblinger E (2000) Trauma-focused cognitive behavioral therapy: an empirical update. J Interpers Violence 15:1203–23

Cohen JA, Deblinger E, Mannarino AP, Steer RA (2004a) A multi-site, randomized controlled trial for children with sexual abuse-related PTSD symptoms. J Am Acad Child Adolesc Psychiatry 43:393–402

Cohen JA, Mannarino AP, Knudsen K (2004b) Treating childhood traumatic grief: a pilot study. J Am Acad Child Adolesc Psychiatry 43:1225–33

Cohen JA, Mannarino AP, Deblinger E (2006a) Treating trauma and traumatic grief in children and adolescents. The Guildford Press, New York

Cohen JA, Mannarino AP, Staron VR (2006b) A pilot study of modified cognitive-behavioral therapy for childhood traumatic grief (CBT-CTG). J Am Acad Child Adolesc Psychiatry 45:1465–73

Cohen JA, Bukstein O, Walter H, Benson RS, Chrisman A, Farchione TR, Hamilton J, Keable H, Kinlan J, Schoettle U, Siegel M, Stock S, Medicus J, AACAP Work Group On Quality Issues (2010) Practice parameter for the assessment and treatment of children and adolescents with posttraumatic stress disorder. J Am Acad Child Adolesc Psychiatry 4:414–430

Cohen JA, Mannarino AP, Iyengar S (2011) Community treatment of posttraumatic stress disorder for children exposed to intimate partner violence: a randomized controlled trial. Arch Pediatr Adolesc Med 165:16–21

Cohen JA, Mannarino AP, Deblinger E (eds) (2012) Trauma-focused CBT for children and adolescents: treatment applications. Guilford Press, New York

Deblinger E, Heflin AH (1996) Treating sexually abused children and their nonoffending parents: a cognitive behavioral approach. Sage, Thousand Oaks, CA

Deblinger E, McLeeer SV, Henry D (1990) Cognitive behavioral treatment for sexually abused children suffering post-traumatic stress: preliminary findings. J Am Acad Child Adolesc Psychiatry 29(5):747–52

Deblinger E, Lippman J, Steer R (1996) Sexually abused children suffering posttraumatic stress symptoms: initial treatment outcome findings. Child Maltreat 1:310–21

Deblinger E, Mannarino AP, Cohen JA, Steer RA (2006) A follow-up study of a multisite, randomized, controlled trial for children with sexual abuse-related PTSD symptoms. J Am Acad Child Adolesc Psychiatry 45(12):1474–84

Dorsey S, Pullmann MD, Berliner L, Koschmann E, McKay M, Deblinger E (2014) Engaging foster parents in treatment: a randomized trial of supplementing trauma-focused cognitive behavioral therapy with evidence-based engagement strategies. Child Abuse Negl 38: 1508–20

Gopalan G, Goldstein L, Klingenstein K, Sicher C, Blake C, McKay MM (2010) Engaging families into child mental health treatment: updates and special considerations. J Can Acad Child Adolesc Psychiatry 19:182–96

Hanson RF, Gros KS, Davidson TM, Barr S, Cohen J, Deblinger E, Mannarino AP, Ruggiero KJ (2014) National trainers' perspectives on challenges to implementation of an empirically- supported mental health treatment. Adm Policy Ment Health Ment Health Serv Res 41:522–34

King NJ, Tonge BJ, Mullen P, Myerson N, Heyne D, Rollings S et al (2000) Treating sexually abused children with posttraumatic stress symptoms: a randomized clinical trial. J Am Acad Child Adolesc Psychiatry 39:1347–55

McKay MM, Bannon WM Jr (2004) Engaging families in child mental health services. Child Adolesc Psychiatr Clin N Am 13(4):905–21

Meichenbaum D (1985) Stress inoculation training. Pergamon Press, New York

Murray LK, Dorsey S, Skavenski S, Kasoma M, Imasiku M, Bolton P et al (2013) Identification, modification, and implementation of an evidence-based psychotherapy for children in a low- income country: the use of TF-CBT in Zambia. Int J Ment Heal Syst 7:24

O'Callaghan P, McMullen J, Shannon C, Rafferty H, Black A (2013) A randomized controlled trial of trauma-focused cognitive behavioral therapy for sexually exploited, war-affected Congolese girls. J Am Acad Child Adolesc Psychiatry 52(4):359–69

Substance Abuse and Mental Health Services Administration (SAMHSA) (2015) SAMHSA's national registry of evidence-based programs and practices. Retrieved 29 Oct 2015, from http:// www.nrepp.samhsa.gov/

# 아동청소년 PTSD의 인지치료 9

Sean Perrin, Eleanor Leigh, Patrick Smith, William Yule,
Anke Ehlers 와 David M. Clark

## 9.1 이론적 토대

이 치료는 Ehlers와 Clark(2000)의 PTSD 모델, 경험적 근거 및 저자들의 임상 경험을 발달학적으로 적용하였습니다. 이 모델의 핵심은 외상성 사건이 과거에 일어났음에도 불구하고 현재 위험하다고 경험하는 것으로, 이것은 두 근원으로부터 기인합니다.

- 첫째, 트라우마의 최악의 순간은 잘 기억이 떠오르지 않으며 사건 내에서 그리고 사건 전후의 경험/정보의 맥락 내에서 부적절하게 통합됩니다. 이것은 PTSD환자들이 트라우마를 엉뚱하게 결합된 방식으로 기억하는 효과를 가져옵니다. 최악의 순간을 떠올릴 때, 그때 들었던 인상이나 예측을 바로잡을 수 있는 다른 정보에 접근하기는 어려울 수 있습니다. 즉, 이러한 순간들의 기억은 그 사람이 지금 알고 있는 사실로 수정되지 않았습니다. 사건이 발생하는 동안 감각적 처리가 우위에 있기에, PTSD환자의 외상 기억은 사건의 가장 고통스러운 시각-감각적요소(통증, 피를 목격, 사랑하는 사람의 비명 소리)로 많이 채워집니다. 개인이 외상 기억을 활성화하는 외상 관련 자극을 감지하는 문턱이 낮기 때문에(지각적 점화효과priming) 침습 증상이 빈번합니다. 여기에는 어떤 식으로든 트라우마와 의미 있게 연계되지 않는 특정 색, 소리, 냄새, 취향 또는 신체 감각 같은 공통된 감각 특성만 공유하는 자극들이 해당됩니다.

- 현재 느끼는 위협감의 두 번째 근원은 그 트라우마와 그 결과에 대해 대다수가 위협적이라고 하는 정도를 넘어서는 개인특이적(개인별) 해석(개인적 의미)입니다. 그러한 해석에는 외상 사건의 빈도를 과대평가하거나, 트라우마의 원인에 대해 잘못된 믿음을 가지거나(과도한 죄책감) 트라우마 당시 자신의 반응을 부정적으로 평가하는 것(약함, 수치심, 당혹감)이 포함될 수 있습니다. 또한 엉클어진 기억의 성질로 말미암아 이러한 의미가 수정되지 않았기 때문에, 트라우마의 특정 순간(나는 죽을 것이다, 나는 사랑하는 사람들을 다시는 볼 수 없을 것이다)에 있어 일어나지 않을 것이지만 '그대로

얼어붙은 믿음'도 포함되어 있습니다. 예를 들어 침습 증상을 자기 자신의 마음에 대한 통제력 상실로 여기거나, 자신이 영구적으로 망가져 더 이상 역경에 대처할 수 없다는 신호로 해석하거나, 트라우마가 일어나게 한 것에 대한 처벌로 여기는 등, PTSD의 의미와 관련된 증상에 대해 매우 흔한 해석들이 여기에 해당합니다.

빈번한 PTSD 증상, 현재의 위협감 및 트라우마와 연관된 해석은 트라우마의 침습 현상을 억제하고, 사건에 대해 생각/말하지 않으려고 하며, 트라우마를 떠올리게 하는 것을 피하고, 과각성 및 트라우마의 원인에 대하여 반복하여 생각하는 등의 다양한 역기능적 대응전략을 불러옵니다. 그러한 전략은 의도적이거나 습관적일 수 있고, 트라우마에 대한 해석이 나름 의미있게 연결되고 단기적인 증상을 완화시키기도 하여 종종 개인에 따라 이치에 맞는 것처럼 느낄 수 있습니다. 불행히도 이러한 전략은 의도하지 않은 결과를 가져옵니다. 과각성 및 억제는 외상성 침습증상의 빈도를 증가시킬 수 있습니다. 회피는 외상에 대한 해석 오류를 정정하지 못 하게 하고, 외상 기억을 잘 떠올려 비자발적인 외상 기억의 활성화되는 것을 줄일 수 있게 하는 것을 방해할 수 있습니다.

아동에게 이 모델을 적용할 때, 부모가 갖는 외상(및 이에 대한 자녀의 반응)에 대한 해석이 자녀가 외상으로부터 회복하도록 돕는 데에 중요한 역할을 합니다. 아이가 PTSD로 고통받는 것을 보면서, 부모들은 자녀가 영구적으로 달라졌고 (아이 혹은 부모의) 강렬한 감정을 다룰 수 없다는 신념을 갖게 되었을 수 있습니다. 부모에게서 공통적으로 볼 수 있는 것은 그들이 자녀의 트라우마에 대한 책임이 있다는 것, **또한** 자녀가 앞으로 더 큰 해를 입기 쉽다는 두가지 신념입니다. 그러한 신념으로 인하여 부모들이 아이를 **과잉보호**하거나, 따라다니거나 확인하고, 아이의 활동범위가 외상 전으로 돌아가는 것을 막고 트라우마에 대한 대화나 사건을 떠올리게 하는 것들에 대한 직면을 방해하고, 앞으로의 나쁜 일이 생길 가능성에 대한 두려움을 표현하게 될 수 있습니다. 이러한 과보호(그리고 불안의 모델링)는 아이가 트라우마에 대해 이야기하고, 사건을 떠올리게 하는 것들에 직면하며 외상에 대한 해석이 맞는지 테스트할 기회를 줄일 수 있습니다. 부모가 자신의 반응을 보이지 않으려고 최대한 노력해도 아이는 부모의 반응을 통해 모든 것이 더 나빠졌고 그들(아동)에게 잘못이 있다는 추가적인 증거로 받아들일 수도 있습니다.

## 9.2 아동 청소년의 PTSD에서 인지치료를 어떻게 하는가

### 9.2.1 이 모델에서의 치료 목표

Ehlers와 Clark (2000)이 개발한 PTSD 모델은 인지 치료 접근법에서 초점을 맞추는 명확한 치료 목표가 있습니다. 첫째, 외상 기억은 구체적으로 표현되고 조리 있게 설명되어야 합니다. 둘째, 외상과 그 결과에 대한 문제적 해석problematic appraisals을 발견하여 교정하여야 합니다. 셋째, 도움이 되지 않는 인지 및 행동 전략은 버려야 합니다. 또한 아동청소년과 함께 작업할 때 PTSD의 인지치료에는 부모나 양육자와의 작업이 포함될 수 있습니다. 그들은 공동 치료자로 참여할 수도 있고 트라우마 및 그 영향에 대한 믿음과 그들의 양육 방식을 수정하는데 도움이 될 더 많은 작업이 필요할 수도 있습니다.

### 9.2.2 치료의 구성요소들

치료의 구성요소는 PTSD 모델(Ehlers와 Clark, 2000)에서 기인하며 유연하고 발달 수준을 고려한 방식을 적용합니다. 그들은 회기별 요소가 정해져 있는 방식을 따르지 않습니다. 구성요소는 모델에서 기인한 치료 목표를 다루기 위해 필요한 경우 치료 내내 사용됩니다. PTSD에 대한 다른 접근법과 달리, 이 치료법은 재경험 증상이나 연상물에 수반하는 감정동요를 줄이기 위한 이완, 긍정적인 자기 대화 또는 다른 종류의 불안 조절 훈련을 포함하지 않습니다. 그러한 개입은 PTSD에 대한 다른 CBT 개입의 한 부분으로 유용성이 입증되었지만, 치료 시작 시 아이와 부모에게 제시된 인지 모델에 역행하는 것으로 볼 수 있습니다. 가족과 공유할 수 있는 구성 요소와 자료에 대한 자세한 설명은 Smith 등(2010)의 자료에서 확인할 수 있습니다.

**심리 교육**Psychoeducation 첫 번째 치료 회기에서 아동과 주로 부모들은 PTSD에 대해 일반적인 정보를 얻게 됩니다. 그런 다음 왜 어떤 아동은 다른 아동보다 더 오래 증상이 지속되는지를 설명하기 위해 인지 모델을 사용합니다. 첫째, 외상성 침습이 '지금 여기'의 특성을 보이는 것 혹은 뚜렷한 이유 없이 감정적으로 되는 것이 왜 PTSD의 특징인지를 강조하면서 아이의 증상을 검토합니다. 둘째로, 아동이 외상성 침습과 감정동요를 처리하기 위해 사용해 온 전략을 확인하고, 이러한 전략이 가벼운 불쾌감을 주는 경험에 대처하는 데에는 유용할 수 있지만, 증상을 지속하게 했을 가능성을 인식하게 합니다. 셋째, 이 치료에는 트라우마를 완전히 처리하고 증상을 지속시키는 특정요소를 뒤집는 것이 포함된다고 설명합니다. 아이가 모델을 이해할 수 있도록 우리는 아래의 사례에서 Ehlers와 Clark(2000)가 설명한 찬장과 퍼즐 은유를 사용합니다. PTSD 및 치료에 대한 연령에 적합한 정보도 서류 형태로 제공됩니다.

**일상 복귀**Reclaiming Your Life 1회기나 2회기에서는, 트라우마 이후에 그로 인한 두려움이나 지나치게 경계하는 부모 때문에 아동이 포기한, 재미있거나 사회적 연결과 의미 있는 활동을 아동과 부모로부터 확인합니다. 이런 활동에서 물러나는 것은 아동의 삶에서 외상을 더 부각시키고, 트라우마에서 벗어나지 못하고 그대로 머물게 할 수 있다고 설명합니다. 아동은 부모의 지지와 더불어 치료 초기부터 일상적인 활동을 찾아내고, 사회적 연결을 위한 새로운 통로를 탐색하도록 격려 받습니다. 치료자는 트라우마에서 앞으로 나아가는 감각을 증진시키기 위해 치료 내내 이 주제로 돌아갑니다.

**재현**reliving 심리 교육과 일상 복귀 회기 이후, 아동은 외상의 문제적 의미와 연결된 트라우마 기억 속의 순간들에 접근할 수 있게 심상을 다시 경험하도록 도움을 받습니다. 필요한 경우, 아동은 정신적 외상에 대한 내러티브를 적어보는 것으로 초반 경험initial living에 도움을 받을 수 있습니다. 어린 아동들에게는 만화나 이야기가 있는 스토리 보드를 사용할 수 있는데, 아이가 이것을 완성하도록 치료자가 돕습니다. 재현의 사용은 지속 노출(Prolonged exposure, 이하 PE)에서의 다시 경험하기(PE, 10장 참조)와 겹치지만 중요한 방법에서 다릅니다. PE에서와 같이, 다시 경험하는 것이 어려울 수 있고 속상하거나 겁내는 것은 당연하고, 그런 반응은 그것들이 기억에 작용하면서 줄어들 것이라고 아동에게 설명합니다. 재현 전이나 도중에 이완이나 불안 조절 전략을 비롯한 어떤 지시도 하지 않습니다. 두려움/불안 때문에 진행하기를 꺼리는 경우, 치료자는 공감해주고 아동이 자신의 감정을 이야기하도록 격려하며, 인지 모델의 맥락 안에서 이러한 것들을 정상적인 것으로 만듭니다. 그리고 아동이 처음부터 1인칭 현재 시제로 사건의 처음부터 다시 안전하다고 느끼는 시점까지 트라우마에 대해 이야기하도록 합니다. 재현하는 동안 치료자는 아이들에게 그들이 보고, 냄새 맡고, 들을 수 있는 것과 그들이 생각하고 느끼는 것을 말하도록 합니다. 표준 PE와는 달리, 치료자는 아이에게 외상 경험을 반복적으로 말하도록 요구하지 않습니다. 첫 번째 재현을 계속하기보다는, 혼란스럽거나 서술적 명확성이 결여된 외상 기억 영역과 정서적인 '취약점hotspot'을 포함하는 영역을 발견하는 것이 주된 초점입니다. 트라우마 기억의 이러한 측면들은 때때로 단지 재현 기법을 통해서 유익한 방식으로 변할 수 있지만, 인지치료의 다른 기법들에 의해서도 직접적인 치료 대상이 됩니다. 정서적 취약점을 찾을 때, 치료자들은 특히 스트레스를 많이 받는 것 같거나 아이가 일부분을 놓치거나 기억을 더듬는 것처럼 보이는 내러티브 지점에서 아동에게 더 많 은 세부사항과 의미를 끌어냅니다. 치료자는 아이들이 보고, 느끼고, 생각하는 것을 서술하는 중에 특히 단편적이고, 혼란스럽거나, 불편한 마음이 드는 부분을 묘사하고, 보통 그 순간에 동반되는 부정적인 해석을 찾을 수 있도록 '다시 감아서' 또는 '테이프를 멈추게' 요구할 수 있습니다. 재현 기법을 진행한 다음 아동과 치료자는 작성해둔 내러티브(또는 만화나 이야기가 있는 그림) 초안을 수정할 수 있습니다.

**인지 재구성**Cognitive Restructuring 치료자와 함께(혹은 숙제로) 탐색적인 재현을 하는 것 만으로도 아동의 외상과 관련한 해석이 종종 변화할 수 있습니다. 그러나 인지치료에서 치료자는 아동이 외상 및/또는 그들의 반응에 대한 개인 특유의 해석을 찾도록 돕는 데 상당한 시간을 할애합니다. 치료자, 부모 및/또는 친구, 행동적 실험, 자극 식별 또는 현장 방문을 통해 더 정확한 정보를 얻고 부적응적 해석을 수정합니다.

**트라우마 기억의 재구성**Updating the Trauma Memory 내러티브의 취약점은 종종 두려운 결과에 대한 해석(다시는 어머니를 볼 수 없을 것이라고 생각한다) 또는 생리적인 감각이나 행동이 자신에게 주는 의미를(나는 차에서 내리려고 발버둥치는 어머니 를 보며 얼어붙었고, 어머니를 도와주지 않은 겁쟁이다) 동반합니다. 이러한 해석은 기억이 활성화될 때 현재에 침습하여 현재의 위협감 및 다른 강렬한 감정 반응(예: 죄책감, 분노, 혐오감)을 불러올 수 있습니다. 치료자는 이러한 취약점을 아이와 함께 재현reliving의 외부에서 논의하고, 그들이 회복에 통합되게 대안적이고 더 기능적으로 해석하도록 돕고 나서 그것을 재현에 통합합니다. 이는 취약점을 상상으로 재현하는 동안 큰 소리로 말하거나 내러티브 대본의 관련 지점에 기록함으로써(예: 다시는 걷지 못할 것으로 생각되지만 **이제는 걷게 될 것이라는 것을 알게 됨**) 아이에게 트라우마 내러티브에 새로운 정보를 포함하도록 하여 달성됩니다. 우리는 인지 재구성이 이러한 방식으로 기억에 통합된다면 훨씬 더 강력하다는 것을 알게 되었습니다. 치료자는 감정을 알아채도록 돕고, 사건 기록 및/또는 그리기와 같은 외상 기억을 재구성하기 위한 이미지 기법(예: 다른 관점에서 정보를 수집하기 위해 사고 현장 위로 날아가는 것)을 사용하고 부모 또는 신문/경찰로부터 수집한 정보를 사용할 수 있습니다(자세한 것은 Smith 등. 2010 참고).

**촉발요인들**Trigger**과 작업하기 자극 구분**Stimulus Discrimination 이 모델의 주요 특징은 (색깔, 소리와 같은 정교하지 않은 수준의 자극도 포함하여)외상 경험을 떠올리게 되는 비슷한 자극들이 트라우마가 다시 일어나고 있는 것처럼 하여 트라우마 기억을 쉽게 촉발할 수 있다는 것입니다. 인지치료는 이 문제를 다루기 위해 독특한 방법을 씁니다. 먼저 치료자와 아동은 원치 않는 침습을 유발하는 다양한 자극을 탐정처럼 확인합니다. 종종 이러한 자극은 트라우마와 명확한 연결성은 없지만 단지 지각적 유사성(예: 외상 상황에 존재하여 트라우마와 다른 관계가 없는 무해한 것의 일부임에도 기억을 촉발하는 색이나 소리)일 수 있어 의외이기도 합니다. 둘째, 아동이 이러한 촉발인자에 맞서 트라우마 기억이 활성화될 수 있도록 한 다음, 현재에 머물어 있는 것을 의식하는 동시에 기억과 같지 않은 현재의 모든 것에 의식적으로 집중하도록 도움을 받습니다. 우리는 이것을 **'그때 대 지금'** 기술이라고 부릅니다. 이것은 처음에 치료자의 지시에 따라 수행한 뒤 숙제로 연습합니다.

**현장 방문**Site Visit 외상 기억을 변화시키는 또 다른 매우 중요한 기술은 현장 방문입니다. 트라우마 현장으로 돌아가는 것은 (그렇게 하는 것이 안전할 때) 아동이 트라우마가 끝난 것을 알게 되는 유용한 방법입니다. 현장에 처음 방문할 때 치료자가 함께 하며 대개 부모도 같이 갑니다. 트라우마가 끝났다는 깨달음에 이르는데 도움이 되도록, 아동이 현장에 있는 동안 트라우마를 상기한 뒤 사건 이후 달라진 것을 모두 둘러보고 주목해 보게 합니다. 현장을 다시 방문하는 것은 종종 외상 기억의 핵심에 따라오는 외상 관련 해석을 수정하는 데 도움이 되는 매우 귀중한 정보가 됩니다.

**부모 작업**Parent Work 어린 아동들의 부모는 항상 치료에 참여하는데, 그들이 각 회기에 어느 정도로 참여하는지는 임상적 필요에 따라 다릅니다. 청소년들은 부모 없이 치료를 받을 수 있고, 부모가 참여할 지 여부를 상의하여 결정합니다. 모든 부모들에게 심리 교육과 치료내용을 알려주어야 합니다. 부모가 아동이 트라우마에 대해 말하도록 압박하거나 회피 행동을 즉시 못 하게 하는 것 등을 지양해야 합니다. 대신 아이들이 전에 좋아하던 활동을 할 수 있도록 돕고, 숙제를 완수하도록 하고 그리고 나중에 현장 방문 때 아이와 동행하도록 부모를 독려합니다. 치료 기간 동안, 회기가 끝날 때 부모가 치료실에 들어와 아동의 경과와 일상 복귀 활동들에 대하여 논의합니다. 특히 아동이 어리거나 심각한 분리 불안을 가지고 있는 경우, 부모-자녀 공동 회기를 자주 하고 부모가 치료에 더 참여할 수도 있습니다. 부모가 트라우마에 대해 말하는 것에 본보기가 되어주고, 트라우마에 대한 보다 정확한 정보를 제공하고, 트라우마의 원인과 결과를 아동이 다르게 해석해 보도록 돕고, 그리고 부모가 아이를 안전하게 지킬 수 있을 때 공동 회기가 도움이 될 수 있습니다.

일부 부모들은 트라우마 연상물에 매우 동요하고 자녀 앞에서 극단적인 표현을 참거나 광범위하게 과잉보호하지 않는 것을 어려워 하기도 합니다. 그러한 상황에서 치료자는 부모들을 개별적으로 만나 그 문제들을 다루고, 그들을 트라우마 반응의 일부로 공감하는 관점을 갖도록 합니다. 부모와 형제자매는 PTSD에 대해 선별평가를 받고 필요한 경우 치료에 의뢰되어야 합니다. 그러나 아동의 치료를 부모 본인들의 치료를 시작/완료할 때까지 연기할 필요는 없습니다. 우리의 경험에서 PTSD가 있는 아동들은 부모나 형제들이 PTSD가 있음에도 불구하고 임상적으로 중요하고 지속적인 치료 이득을 얻는 경우가 많았습니다. 또한 부모가 갖고 있는 외상 관련 문제적인 해석과 과잉보호는 아동의 증상이 치료로 개선되고 트라우마 연상물에 직면하려는 아동의 의지가 커짐에 따라 종종 감소합니다.

### 9.2.3 치료의 구조

단일 외상 사건에 의한 PTSD 증상의 인지치료는 일반적으로 60-90분 동안, 매주마다, 10-12회 회기로 구성됩니다. 외상 기억 처리와 치료실 밖에서의 행동 시험 및 현장 방문 작업이 필요할 때 추가적인 부모 작업이 필요할 때에는 회기가 더 길어집니다. 첫 번째 치료 회기는 공동의 사례 개념을 도출하고 치료 목표가 합의되며 PTSD 증상이 정상화되는 인지적 과정입니다. 후속 회기에는 (유연하게 시행되는) 일상 복귀, 취약점의 재발견 및 식별, 트라우마 기억의 인지 재구성 및 수정, 촉발요인들 작업하기, 외상이 일어난 현장 방문 및 부모 작업이 포함됩니다. 마지막 회기는 재발 방지의 일환으로 아동과 함께 '치료 과정'을 자세히 정리합니다.

### 9.2.4 사례

#### 평가

제니(11세)는 PTSD와 기분저하의 치료를 위해 사회복지과에서 의뢰되었습니다. 그녀의 부모는 둘 다 신체와 정신 건강 문제로 사회복지 서비스를 받고 있었고 어머니는 학습장애가 있었습니다. 제니가 7살이었을 때, 알코올 중독으로 인해 어머니가 의식을 잃고 쓰러지는 것을 보았습니다. 제니가 119에 전화했고 구급차가 와서 제니와 어머니를 병원으로 데려갔습니다. 할머니가 제니를 병원에서 데려갔고 제니의 아버지가 어머니를 간병하는 동안 제니는 할머니와 다른 친척들 사이를 오가며 3개월을 보냈습니다. 어머니가 건강을 찾은 뒤 제니는 부모님에게로 돌아왔지만 할머니와 주말을 보냈습니다.

제니는 모든 치료 회기를 시작할 때 경과를 관찰하는 데 사용되는 두 가지 질문지, 즉 8개 항목의 Children's Revised Impact of Event Scale(CRIES-8, Yule 1997)과 9항목의 Patient Health Questionnaire, Adolescent Version(PHQ-A; Johnson 등. 2002)을 작성했습니다. 치료 시작, 중간, 종료 시 제니는 25개 항목의 Posttraumatic Cognitions Inventory, Child Version(cPTCI; Meiser-Stedman 등. 2009)도 완료했습니다.

### 사례 개념화

면담을 바탕으로 제니는 PTSD(만성)와 주요 우울증(중등도)의 DSM-IV와 ICD-10 기준을 만족했습니다. PTSD와 우울증은 임상적 범위에 해당하였습니다. cPTCI에서 제니는 외상이 두려움 증상을 만들었고, 삶의 모든 면에 영향을 미쳤으며, 이제는 상처에 더 취약하고 대처할 수 없다고 느낀다는 강한 믿음을 적었습니다. 사건에 대한 기억은 어머니가 숨막혀 하며 바닥에 부딪히는 소리, 사이렌 소리와 의사들의 대화, 그리고 바닥과 병원 침대에서 의식을 잃은 상태의 어머니의 모습들로 가득 차 있었습니다. 제니는 일련의 사건을 순서대로 떠올리는 것이 어려웠습니다. 침습적 이미지는 기침, 사이렌, 건강하지 않아 보이는 사람들과 같은, 광범위하게 짝 지은 단서에 의해 무의식적으로 촉발되었습니다.

치료 과정에서 몇 가지 중요한 해석들이 확인되었습니다. 우선 엄마가 숨이 막혀 쓰러 지는 것을 보고 제니는 '엄마는 죽고 나는 영원히 혼자가 될 거야'라는 생각이 들었습니다. 둘째, 구급차를 불렀을 때 제니는 당시 잠시 머리가 하얗게 된 것처럼 느끼며 '나는 할 수 없어. 아무도 날 이해하게 할 수 없어, 그리고 엄마는 나 때문에 죽을 거야'라고 생각했습니다. 셋째로, 제니는 어머니가 위독하다는 의료진의 말을 들었을 때 어머니가 죽을 것이라고 믿었고 다시는 어머니를 보지 못할 것이라고 생각했습니다. 제니는 부모님의 건강과 안전에 대한 두려움과 부모님을 보호하는 것에 대한 과도한 책임감을 지나치게 일반화시켰습니다(내가 항상 잘 살펴야 해). 밤에는 부모님이 살아있는지 확인하기 위해, 낮에는 부모가 과음하지 않는지 확인하고자 집을 뒤졌습니다. 제니는 자신의 PTSD 반응을 부정적으로 해석했습니다(나는 더이상 잘 해낼 수 없어). 회피는 이 감정들을 점검하는 것을 방해했고, 그로 인해 증상들이 지속되었습니다. 가족 요인에는 제니의 아버지가 그 사건에 대해 말하기를 회피하는 것이 해당되었습니다. 이 사례에 대한 인지 모델은 아래와 같습니다. 사례 개념화는 내담자와 함께 만들고 공유되므로 사례 개념화의 요소가 연령에 적합하게, 구체적으로 설명되는 것이 중요합니다(그림 9.1).

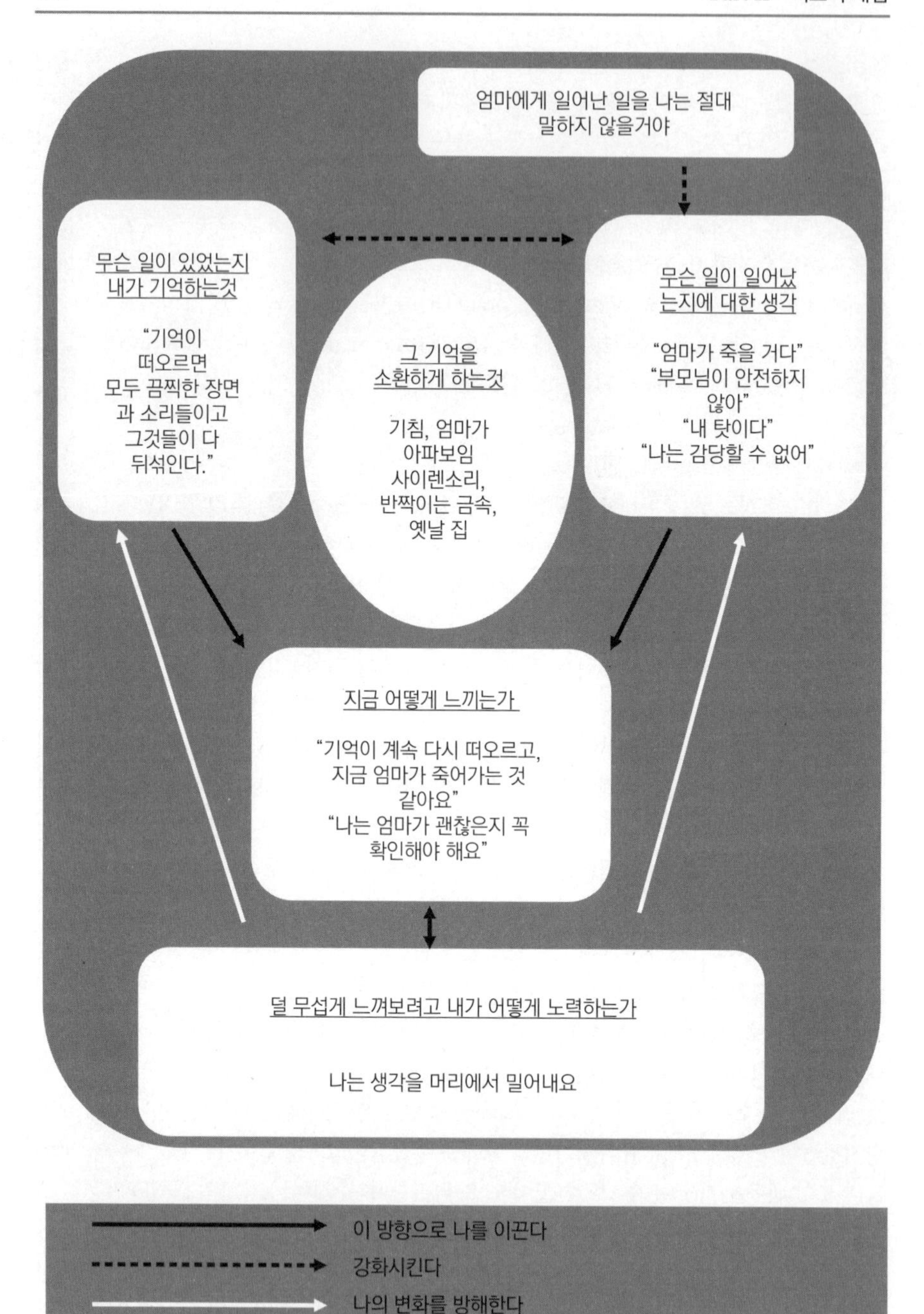


**그림 9.1** Ehlers 와 Clark (2000)의 PTSD 인지 모델을 제니에게 적용

### 치료 경과

초기 사례개념화에는 여러 치료적 목표가 설정되었습니다. 첫 번째는 기억에서 연결되지 않은 부분을 줄이기 위해 사건에 대한 정보를 수집하는 것이었습니다. 두 번째는 사건과 그 영향에 대한 해석을 확인하고 트라우마 기억을 재구성하는 것이었습니다. 세 번째는 역기능적 대처 전략을 파악하고 중단하는 것이었습니다. 네 번째는 제니의 치료를 지원하기 위해 가족들과 함께 작업하는 것이었습니다. 제니는 아버지가 자주 아픈 아내를 돌보기 위해 집에 있어야 했기 때문에 보통 제니의 할머니가 방과 후 치료 시간에 데려왔습니다. 하지만 부모도 두 번째 회기에 참석할 수 있었고, 그들은 제니가 트라우마의 영향을 극복하도록 도울 수 있는 방법들을 논의하기 위해 개별적으로 만났습니다.

**1-2회기** 이 회기들의 초점은 심리 교육과 일상 복귀로, 부모와 할머니도 참여했습니다. 심리교육에서 제니는 심지어 경찰과 구급대원들도 PTSD에 걸린다는 것을 배웠습니다. 이것은 제니를 놀라게 했고 자신의 PTSD 증상이 자신이 나약하고 더 이상 스트레스에 대처할 수 없다는 것을 의미한다는 믿음을 바꾸는데 도움을 주었습니다. 그리고 치료자는 제니의 개별 시간에서 그녀가 트라우마 기억에 대처하기 위해 현재 사용 중인 전략들을 확인하고 이들이 어떻게 역효과를 일으킬 수 있는지를 제니가 깨닫게 도왔습니다. 이것은 치료사의 머리 위에 앉아 있는 밝은 분홍색 토끼의 이미지를 떠올린 뒤 생각하지 않으려고 노력하는 사고 억제 연습으로 이루어졌습니다. 제니는 실험이 시작되자마자 분홍색 토끼만 생각난다며 웃었습니다.

일상 복귀 부분에서, 제니는 매일의 활동이 매우 한정되어 있다고 했습니다. 그녀는 학교에 갔다가 부모 근처에 있기 위해 귀가했습니다. 집에서 제니는 자기 방에서 문을 열어둔 채로 책을 읽었고, 종종 부모님의 안부를 확인하러 방 밖으로 나왔습니다. 그녀는 방과 후에 재미있는 일을 하라는 할머니의 권유를 종종 거부했습니다. 주말에 할머니와 있으면 부모의 안전에 대한 생각만 떠오르고 부모를 보거나 전화하고 싶었기 때문에 집중하기가 힘들었습니다. 소크라테스식 질문을 통해 제니는 부모님을 항상 안전하게 지켜야할 책임이 자신에게 있다는 강한 신념과 이로 인해 방과 후 활동에 참석하거나 친구들의 초대에 응할 수 없다는 것을 확인했었습니다. 제니는 활동 수준이 낮은 것과 기분 저하 사이의 연관성을 인식하도록 도움을 받았고, '기분을 괴롭게 하는 것을 퇴치하기beating the mood bully' 방법을 시도하기로 했습니다. 부모, 할머니, 사회복지사 및 학교로부터의 정보를 얻어, 주중과 주말에 할 수 있는 활동들을 많이 찾았습니다. 이러한 활동들은 일련의 행동 실험으로 설명되었는데, 제니는 (시작하기 위해) 어른들의 지지를 받으며 활동에 참여하고 이것이 기분에 미치는 영향을 시험했습니다.

마지막으로, 치료자는 외상성 침습에 대한 회피 떨쳐버리기 기법을 소개했습니다. 치료자는 숙제로 침습 증상을 역을 통과하려는 기차로 생각하라고 안내했습니다. 열차가 다가올수록 다소 시끄럽고 무섭고 승강장이 흔들릴 수 있지만, 그냥 통과하는 것을 지켜보며 멈추려 들지 않는 게 최선입니다. 이 숙제는 다음 회기에 시행할 내용인 트라우마를 완전히 처리하고 유지 요소를 뒤집는 다음 핵심 포인트에 연결됩니다. 자발적으로 트라우마 기억을 활성화하고 정교하게 다듬는 치료가 진행된다는 점을 설명하기 위해, 내용물이 마구 느슨하게 던져지고 뒤섞여 문이 닫히지 않는 찬장을 시각화하도록 했습니다. 문을 닫으려고 애쓰는 것(기억을 억누르는 것과 유사)은 다시 갑자기 문이 튀어나오기 때문에 효과가 없습니다. 다만 문을 열고 내용물을 모두 꺼내 분류한 뒤 제자리에 두어야(트라우마 기억을 재구성하는 것과 유사) 문을 제대로 닫고 그 상태를 유지할 수 있게 됩니다.

**3-9회기** 매 회기는 PTSD와 우울증에 대한 짧은 설문과 숙제 검토로 시작됩니다. 제니는 부모와 조부모가 알아봐주는 활동들에 대한 참여를 서서히 늘려가고 있었고, 부모와 조부모와 더 가까워졌고 기분이 좋아지기 시작하는 것을 느꼈습니다. 그녀는 친구들과 함께 방과 후 활동을 하고 싶어했습니다.

이 회기의 주요 초점은 외상 기억을 재구성하는 것이었습니다. 제니는 재현reliving의 개념을 접하고, 재현을 하는 동안 겪게 될 불안감에 대처할 수 없을 거라는 두려움을 표현했습니다. 재현을 하는 동안 너무 무서워져서 통제력을 잃고 방에서 뛰쳐나와 결국 병원에 입원할 것이라는 예측의 형태로 형성된 두려움에 대해 치료자의 도움을 받았습니다. 제니는 믿음을 10점 만점에 8로 평가했습니다(10 = 완전히 믿음). 치료자는 제니의 두려움을 인정하여주고 정상화시켰습니다. 제니는 처음의 재현 회기에서 자신의 예측이 맞는지 시험해 보는 것에 동의했습니다.

제니는 1인칭 시점으로 첫 재현을 시작했고 대부분을 현재 시제로 유지했습니다. 자신의 불안감을 10점 척도(10 = 최고 불안 수준)로 평가하도록 하였고 치료자가 이러한 평가를 도표로 작성했습니다. 외상에 대한 첫 번째 기술은 단편적이고 상당히 감각적인 세부 사항들로 이루어졌습니다. 재현을 한 후 제니는 매우 불안해했지만, 실제로 방에서 뛰쳐나오거나 의자에서 일어나지 않았고, 결국 병원에 입원하지도 않았다는 것을 알게 되었습니다. 제니는 게다가 재현 후 치료자와 함께 앉아 이야기를 나누면서 자신의 불안감이 가라앉았다는 것을 알아차렸습니다. 만약 다시 재현을 반복한다면 '통제력을 잃고 미쳐버릴'지 예측해 보라고 제니에게 요청했을 때, 그녀는 그 믿음을 0/10 (재해석)으로 평가했습니다.

이 첫 번째 재현 후에, 제니는 부모에게 전화하고 싶은 충동을 느꼈습니다. 제니는 이 충동이 트라우마 기억으로 활성화된 현재의 위험한 느낌과 연결된 것이라는 점을 치료자의 도움으로 알아차릴 수 있었습니다. 또한 때때로 부모를 확인하려 하는 것이 침습 증상을 유발한다는 것도 치료자의 도움으로 이해할 수 있었습니다. 치료자는 현재의 위험한 느낌이 트라우마 기억에 대한 추가적인 작업을 통해 어떻게 감소되는지 설명했고, 이것은 부모에 대한 걱정을 줄이는 데 도움이 되어 부모에 대한 확인을 멈추고 집에서 벗어나 친구들과 더 많은 시간을 보낼 수 있게 해줄 것이라고 말했습니다(**도움이 되지 않는 전략 포기하기**).

제니는 트라우마 내러티브를 적는데 도움을 받았고 이것을 치료실의 칠판에 붙였습니다. 제니는 떠올릴 수 있는 외상의 양이 많다는 점에 놀랐지만, 구급차가 도착하는 데 얼마나 걸리는지 등 사건의 양상에 불분명한 부분이 있었습니다. 제니의 할머니를 회기에 참여시켜 기억의 공백을 메우는 데 도움이 되는 새로운 정보를 얻었고, 구급차가 15분 안에 왔다는 것을 알게 되었습니다.

치료자는 제니에게 트라우마 내러티브를 보고 최악의 순간 또는 가장 무서운 순간을 파악해보게 했습니다. 그런 다음 치료자는 다른 색깔로 이러한 부분을 다시 쓰고 잠재적인 '취약점hot spot'을 구분하였습니다. 여기에서 세 개의 취약점이 드러났습니다. (1) 엄마가 숨이 막혀 쓰러지는 소리를 듣고 부엌 바닥에 쓰러진 채로 있는 것을 보고 죽었다고 믿었을 때, (2) 응급 구조대에 전화를 걸어 상황을 제대로 설명하기 힘들었고 그 때문에 엄마가 죽을 거라고 생각했을 때, (3) 병원에서 병원 직원들이 엄마가 매우 위독한 상태라고 하는 말을 엿듣고, 엄마가 곧 사망할 것이고 엄마가 죽는다면 그것은 자신의 잘못이라고 받아들였을 때입니다. 이 분석은 제니가 외상 기억에 얼마나 더 정확한 정보가 통합되는지를 확인할 수 있도록 양식에 작성하였습니다(표 9.1).

그런 다음 각 취약점을 차례로 작업했습니다. 첫 번째 취약점은 제니가 엄마를 부엌 바닥에서 발견했을 때 사망했다는 해석이었습니다. 이 해석을 수정하기 위해 제니에게 최근에 엄마와 함께 보낸 시간을 설명해보도록 했습니다. 그리고 나서 제니와 엄마가 함께 있는 최근 사진을 휴대폰으로 찍고 회기에서 이것을 보도록 하였습니다. 첫 번째 취약점에 대한 두 번째 해석은 엄마의 소리와 숨을 멈춘 것처럼 보이는 상황에서 엄마가 죽었다고 해석한 것입니다. 병원의 의사 중 한명이 회기에 참여하여, 제니에게 엄마에게 있었던 일을 명확한 사실관계에 따라 자세히 이야기하였습니다. 이것은 엄마가 내는 소리가 아직 숨이 붙어 있고 살아 있을 때 나오는 것이라는 것을 제니가 이해하는 데 도움이 되는 정보를 주었습니다(**재해석**).

**표 9.1** 외상 전후 해석의 기록

| 상황 | 당시 내가 한 생각 | 느낌 (0-10) | 지금 내가 아는 것 새 정보 | 느낌 (0-10) |
|---|---|---|---|---|
| 엄마가 숨이 막히고 쓰러진 것을 듣고 봄 | 엄마는 죽을 거고 나는 영원히 혼자가 될 거야 | 무서움 10 | 엄마는 살았고, 그리고 나는 엄마와 앉아서 숙제와 좋아하는 책에 대해 이야기하는 것을 좋아한다. 엄마가 내는 소음은 엄마가 여전히 숨쉬고 살아있다는 표시야. | 안심 10 |
| 구급차를 부르려 노력함 | 난 할 수 없어, 나는 누구도 이해시키지 못해, 그리고 엄마는 나 때문에 죽을 거야 | 무서움 10<br>무력감 10 나에게 분노 10 | 엄마는 살았고 여전히 살아있다. 나는 당시에 매우 용감했고 7세 아동이 할 수 있는 이상으로 했다. 나는 엄마의 목숨을 살리는 걸 도왔다. | 안심 8<br>자부심 8 |
| 병원 직원이 엄마가 '위독한 상태'라고 한 말 | 엄마는 곧 죽을 거고 나는 다시는 엄마를 보지 못 할 거야 | 무서움 10<br>슬픔 10<br>외로움 8 | 엄마는 살았어. '위독한 상태'는 매우 아픈 사람에 대하여 말하는 의학용어야. 그 말은 곧 죽는다는 뜻이 아니고 많은 도움이 필요하다는 거야. | 안심 8 |

첫 번째 취약점을 중심으로 이렇게 재해석한 후, 제니에게 작성한 내러티브에 새로운 정보를 빨간색 펜으로 추가하게 했습니다. 그리고 나서 그녀와 엄마의 최근 사진이 띄워진 휴대폰을 다리 위에 올려놓고 앉아 그 이미지를 떠올려 보도록 했습니다. 그리고 제니는 '엄마가 죽을 것 같아…'라는 그녀의 해석을 확인하기 위해 취약점을 크게 읽었고, 곧이어 새로운 정보를 특정하여 '.. 그리고 엄마는 죽지 않았어. 엄마는 매우 아팠지만, 회복되었고, 우리는 함께 앉아서 책과 수업에 대해 이야기하는 것을 좋아해.'라고 큰 소리로 말했습니다.

두 번째 취약점인 '나는 할 수 없어, 나는 누구도 이해시키지 못해, 그리고 엄마는 나 때문에 죽을 거야'라는 해석을 재구성하는 것이 중요했습니다. 먼저, 치료자는 제니에게 구급차를 제대로 부를 수 있었는지, 그리고 그녀의 어머니가 생존하였는지 질문했습니다. 제니는 맞다고 했지만, 여전히 응급 구조대원에게 전화로 확실히 말할 만큼 자신이 제대로 대처하지 않았다고 생각했습니다. 치료자는 제니에게 사건 당시 자신이 몇 살이었는지, 현재 동갑내기 아동을 알고 있는지 생각해보고 말하도록 요청했습니다. 제니는 항상 뛰어 놀고 싶어하는 활달한 어린 여자 사촌을 떠올렸습니다. 치료자는 그 7살의 사촌동생이 구급차에 전화를 걸어 증상을 상의하고 응급 상황을 관리할 수 있을 것이라고 예상할 수 있는지 물었습니다. 이 관점을 받아들여 제니는 자신이 한 일이 매우 용감했고 자신이 어머니의 목숨을 구했을지도 모른다는 것을 깨달을 수 있었습니다. 이 정보는 그녀의 기록 양식에 기록되었습니다(표 9.1). 치료자는 다시 한번, 제니가 이 새로운 정보를 그녀가 작성한 내러티브에 추가할 수 있도록 돕고, 다리 위에 놓아둔 어머니의 사진과 함께 큰 소리로 말함으로써 트라우마 기억은 업데이트 되었습니다. '나는 응급 구조대원과 통화를 하고 있는데, 아무도 이해시킬 수 없고, 엄마는 나 때문에 죽을 것이라고 생각한다…그런데 이제는 구조대원이 나의 말을 잘 이해했고 구급차가 와서 엄마가 죽지 않았단 걸 알아'

세 번째 취약점에서 제니는 '위독한 상태'라는 용어는 어머니가 사망할 거란 뜻이고 이는 자신의 잘못일 것이라고 생각했습니다. 치료자는 제니에게 어머니가 살아있다는 사실을 확신하기 위해 최근 어머니의 모습을 떠올리도록 용기를 북돋았습니다. 병원의 의사가 회기에 참여했고 제니에게 '위독한 상태'는 어머니가 매우 아프다는 것을 의미하지만 반드시 사망한다는 뜻이 아니라고 설명했습니다. 이 새로운 정보는 제니의 트라우마 기억의 취약점에 통합되었습니다. '나는 의사가 위독하다고 말하는 걸 듣고, 엄마가 죽을 것이라고 생각하지만, 이제 위독하다는 것은 엄마가 매우 아팠다는 뜻이고 엄마가 죽지 않았다는 걸 나는 안다.'

6번째 회기 즈음에, 치료자는 제니에게 트라우마와 관련된 믿음의 정도(PTCI)를 다시 측정해보도록 했습니다. 치료자는 채점한 다음 제니와 함께 개별 항목을 살펴보았습니다. 증상의 해석에 상당한 변화가 있었는데, 더 이상 자신이 영구적으로 부정적인 방향으로 바뀌었거나, 미래가 자신에게 무섭거나 부정적인 결과만 가져다 준다거나, 자신이 나쁜 일이 일어나지 않도록 대처하거나 예방할 수 없다는 것을 믿지 않게 되었습니다. 그러나 제니는 여전히 위험에 대해 경계할 필요가 있다는 다소 강한 믿음을 가지고 있었고, 이 믿음은 만약 그녀가 부모의 안전과 안녕을 살피지 않는다면 그들에게 나쁜 일이 일어날지도 모른다는 걱정과 연결되었습니다. 치료자와 제니는 이 걱정이 트라우마 직후부터 시작되었고 그 사건에 대해 자연스러운 반응이라는 사실을 이야기했습니다. 제니는 현재 어머니를 돕는데 관여된 모든 사람들과 지원들, 그리고 그 사건 이후 지원의 수준이 실제로 어떻게 증가했는지를 알아보는데 도움을 받았습니다. 트라우마가 있었을 당시 어머니에 대한 확인이 얼마나 적절했는지에 대해 이야기했지만, 지금도 (반복적으로) 그렇게 하는 것은 어머니를 오히려 걱정하게 하고 트라우마에서 앞으로 나아가지 못하게 하는 것일 뿐이라는 것을 이야기했습니다. 다시 한번 부모의 안전을 확인하는 것이 정말로 부모를 더 안전하게 하거나 자신의 걱정을 덜어주었는지 생각하거나 시험해보도록 격려를 받았습니다.

매 치료시간이 끝날 때마다 제니의 할머니가 참여하여 진행상황과 숙제에 대해 논의했습니다. 여기에는 제니와 할머니가 제니의 삶을 되찾기 위해 가능한 즐거운 활동들을 찾도록 돕는 것이 포함됐습니다. 또한 제니가 트라우마 연상물을 피하거나 부모의 안전을 확인하는 것과 같은 도움이 되지 않는 행동을 포기하는 것에 대해 논의했고, 이것들을 행동 실험의 형태, 즉 엄마를 확인하는 것이 그녀의 걱정을 더하거나 줄여주었는지를 실험하는 형태로 계획될 것입니다.

**10회기** 외상 기억을 처리하는 데 상당한 진전이 있었고, 연결이 안된 것들이 줄었으며 외상 후 해석들이 확인되고 재구성되고, 더 정확한 해석이 기억에 통합되었습니다. 제니는 이제 과거의 트라우마에 대해 더 강한 감각과 고통 없이 꾸준한 속도로 자신의 트라우마 내러티브를 진행할 수 있었습니다. 이 회기가 진행되는 동안, 외상성 침습의 빈도는 급격히 감소했지만 여전히 약간의 침습, 고통, 회피(또는 확인)로 몇몇 과거를 떠올리게 하는 것들에 반응했습니다. 따라서 이 회기의 초점은 촉발인자(트라우마 연상물)와 현장 방문 계획이었습니다.

첫 번째 단계는 촉발인자를 찾기 위해 잔존하는 침습이 생기는 장소와 시간을 신중하게 파악하는 것이었습니다. 제니는 촉발인자가 감각적이고 감지하기 어려운 것이기 때문에 셜록 홈즈처럼 되라는 격려를 받았습니다. 제니는 병원, 구급차, 사이렌, 기침 소리, 들것, 반짝이는 금속(제니는 어머니가 누워있던 들것 금속 부분의 머리 높이 위치에 있었습니다), 그리고 사건이 발생했던 집을 선택했습니다.

두 번째 단계는 촉발인자와 외상 기억의 '연결 끊기'였습니다(자극 식별stimulus discrimination). 이를 위해 제니는 먼저 '그때'(트라우마가 발생한 때)와 '지금'을 구별하는 법을 배웠습니다. 다음으로 침습을 의도적으로 유발하고, 제니가 '그때 대 지금Then versus Now'의 구분을 할 수 있도록 작업하였습니다. 예를 들어, 제니는 어머니의 병원 침대의 금속 가드레일을 연상시키는 빛나는 금속 조각을 집에서 가져왔습니다. 치료자는 제니에게 그것을 잡고 바라보며 병원 침대에 누워 있는 어머니의 모습이 마음속에 떠오른 뒤 그 모습을 설명하게 했습니다. 즉 제니가 손에 든 빛나는 금속 조각과 병원 침대의 가드레일 사이의 유사점/차이에 대해 설명하도록 했습니다. 제니는 즉시 그 차이를 알아차렸습니다. '내 손에 있는 금속은 작은 배관일 뿐이지 가드레일이 아니에요. 나는 내 치료자와 진료실에 앉아있어요. 밖은 화창하고요. 나는 밤에 병실의 엄마 침대 옆에 앉아 있는 것이 아니에요.'

숙제로서 제니에게 트라우마를 연상되거나 침습 증상이 있을 때마다 이 '그때 vs 지금Then versus Now' 연습을 하도록 독려했습니다. 또한 제니가 치료자, 할머니와 함께 '그때 대 지금' 연습을 반복할 수 있도록 다음 회기에 사건이 발생했던 집에 가보는 현장방문을 하는 것을 논의했습니다(**현장 방문**). 제니는 그렇게 할 준비가 되었다고 말했고 할머니와 함께 방문 계획을 세웠습니다.

**11회기** 계획대로 치료자는 제니의 예전 집 바깥에서 제니와 그녀의 할머니를 만났습니다. 제니는 연상물에 대하여 했던 숙제를 예로 들며 다음처럼 말했다고 했습니다. '내가 엄마에게 일어났던 일을 생각했기 때문에 방금 기분이 나빠진 거야. 이제 다시 그런 일은 없을 거야. 엄마는 이제 괜찮아.' 그 후 치료자는 제니에게 트라우마 기억을 활성화한 다음, 집 바깥과 거리를 둘러보고 그때와 지금 사이의 유사점/차이점에 주목하도록 했습니다. 제니는 커튼이 바뀌었고, 집 맞은편에 작은 놀이터가 만들어졌고, 새로운 꽃들이 심어져 있는 것을 알아챘습니다. 제니는 사건이 있던 날 밤 구급차와 경찰차가 주차되어 있던 자리에 이제는 자동차들이 주차되어 있는 것을 확인했습니다. 사건이 있던 날 밤이 얼마나 어두웠는지와, 길거리에 있는 사람들이 그 소동을 모두 지켜보고 있었다는 것을 말했습니다.

지금은 행인 몇 명을 빼고는 거리가 텅텅 비어 있었고 여전히 불이 꺼져 있었습니다. 제니는 구급차가 도착한 후 잠시 동안 서서 어머니가 차에 실리는 것을 지켜봤다고 기억했습니다. 들것이 많이 움직였는데도 어머니가 전혀 움직이지 않았었다는 것을 알아챘습니다. 어머니가 틀림없이 죽었고 다시는 집에 돌아오지 않을 것이라고 생각했습니다. 우리는 제니가 지금 알고 있는 것에 대해 이야기했습니다. 어머니는 사실 의식이 없었던 것 뿐이고, 들것에 단단히 묶여 움직일 수 없었습니다. 엄마가 입원해있는 동안 가족 모두가 이사를 했기 때문에, 그녀의 엄마가 이 집으로 돌아오지 않을 것이라는 것도 제니는 이제 알고 있습니다. 제니는 엄마가 죽지 않았고 최근에도 자신이 엄마와 재미있는 시간을 보냈다는 것을 이제 압니다.

제니는 집 밖에 서서 그 사건을 떠올릴 때 아직도 방금 일어난 일이거나 현재 다시 일어나고 있는 일처럼 느껴지는지 질문을 받았습니다. 제니는 이 장소에서 어머니에게 정말 끔찍한 일이 일어났다는 느낌이 들었지만 과거의 일이고 어머니가 지금 집에서 자신을 기다리고 있다는 것을 알고 있다고 말했습니다. 치료자는 제니가 치료를 시작할 때와 지금 트라우마에 대해 이야기할 때 감정의 차이를 설명하도록 요청했습니다. 제니는 그날이 인생에서 가장 끔찍하고 두려운 날이었지만 지금 생각해보면 다시 이런 일이 일어나고 있거나 어머니를 확인할 필요가 있다는 생각은 들지 않았다고 말했습니다. 치료자와 제니의 할머니는 제니의 놀라운 경과에 대해 말했습니다. 우리는 제니의 경과를 공식적으로 검토하고 후속 면담을 계획하기 위해 치료실에서 한 번 더 만나기로 했습니다.

**12회기 (치료 종료)** 제니는 PTSD (CRIES-8)와 우울증(PHQ-A) 및 cPTCI의 간단한 설문을 작성했습니다. 치료자는 또한 DSM-5의 PTSD와 주요 우울증 증상에 대해 물었습니다. 제니는 더 이상 두 장애의 기준을 충족하지 못했습니다. PTSD와 우울증의 자가 보고 수치도 정상 범위였습니다. 그런 다음 치료자는 제니에게 치료 전, 회기별 및 치료 후 자기보고식 설문지 점수를 비교한 그래프를 보여주었습니다. 치료자는 제니가 막 완성한 cPTCI 항목 중 몇 가지를 다시 살펴보면서 트라우마에 대한 자기비난과 영구적인 손상을 입었고 그녀가 안 좋은 일에 취약하다는 믿음이 모두 더 나은 방향으로 변했다는 것을 보여주었습니다.

증상 자료를 검토하고 나서 제니가 트라우마로부터 자신의 삶을 되찾기 위해 어떤 일을 했는지에 대한 논의로 이어졌습니다. 제니는 부모님과 떨어져 집에 있을 수 있고 부모님들을 확인해야 한다는 지속적인 압박감을 느끼지 않아도 된다고 했습니다. 지속적으로 거슬리는 생각이 들거나 부모님에게 계속 연락하고 싶은 마음이 들지 않으니, 학교에 가고 친구들, 조부모와 시간을 보내는 것이 더 좋게 느꼈습니다. 더 이상 악몽을 꾸지 않기 때문에 바쁜 하루를 보낸 후 밤에 잠자리에 드는 것을 기다렸습니다.

대화는 제니가 치료에서 배운 것으로 넘어갔습니다. 제니는 생각을 머릿속에서 밀어내는 것이 효과가 없었고, 부모를 계속 확인하는 것은 상황을 더 악화시킬 뿐이라고 말할 수 있었습니다. 제니는 이제 어머니에게 일어난 일은 자신의 잘못이 아니며 7살치고는 어머니가 쓰러지던 날 믿을 수 없을 정도로 자신이 용감했다는 것을 강하게 느꼈습니다. 제니는 학교와 친구들뿐만 아니라 자신에게도 더 자신감을 느꼈습니다. 치료자는 제니가 치료에서 배운 것을 '미래를 위한 청사진'에 적는 것을 도왔습니다. 치료자는 제니에게 만약 다시 침습 증상이 생기거나 부모님을 확인하고 싶은 충동을 느낀다면, 어떻게 이 청사진을 사용하여 배운 것을 상기시킬 수 있는지 설명하였습니다.

이때가 치료를 종결하기에 좋은 시기라는데 의견이 모아졌습니다. 이어 제니의 할머니가 치료실에 오셔서 치료를 시작한 이후 무엇이 변했는지에 대한 할머니의 생각을 들려달라고 부탁했습니다. 할머니는 제니가 완전히 새로운 사람 같다고 했습니다. 할머니는 제니가 요즘처럼 자신감이 넘치고 독립적이거나 잘 웃었던 기억이 없다고 했습니다. 할머니는 이제 제니가 집안일을 먼저 돕겠다고 하고 함께 할 수 있는 재미있는 것들을 해보자고 한다고 했습니다. 할머니는 제니의 부모님이 제니의 발전을 매우 기뻐하고 자랑스러워한다고 말했습니다. 어떤 우려가 도중에 발생한다면 치료실에 연락할 수 있게 하고, 6개월 후 제니나 가족이 함께 경과를 검토할 계획을 세웠습니다.

### 가족작업에서의 몇 가지 추가 의견

제니에 대한 첫 번째 평가 후, 제니의 아버지와 상의하여 치료자는 PTSD의 개별 치료를 위해 아버지를 성인 치료자에게 의뢰했습니다. 그는 이 과정 내내 지지적인 도움을 받았습니다. 게다가 두 부모 모두 치료가 시작될 무렵에 가족 회기에 올 수 있었습니다. 부모는 그 트라우마가 제니에게 그리고 제니의 양육에 어떤 영향을 주었는지에 대해 질문을 받았습니다. 부모 모두 제니가 치료자에게 보고한 증상의 정도에 놀랐는데, 제니가 트라우마에 대해 얼마나 많은 생각을 하고 있는지 (그리고 아직도 마음이 불편한지) 말하지 않았기 때문입니다. 그러나 그들은 제니가 트라우마 이전보다 자신감이 부족해 보이고, 그들을 따라다니며 집밖을 나서기를 꺼려하는 것을 매우 잘 알고 있었습니다. 이러한 행동에 대한 그들의 반응은 자신들은 괜찮다고 제니를 안심시키고 친구, 할머니와 더 많은 시간을 보내도록 격려하는 것이었습니다. 이를 통해 치료자와 제니의 부모는 PTSD의 과각성 증상과 제니가 지닌 부모님이 중병에 걸릴 것이라는 지나치게 일반화된 두려움에 대해 논의했습니다.

부모는 제니가 과각성을 극복하고 자신감을 되찾을 수 있도록 어떤 일이든 기꺼이 시도하겠다고 했습니다. 그래서 우리는 제니가 어떻게 일련의 실험을 해보도록 할지 논의했는데, 그 실험을 통해 제니가 본인의 확인 행동이 자신에게 불안을 일으키고 부모가 그들 스스로의 건강을 관리할 능력이 있다는 것, 부모가 자신들의 건강에 대해 제니를 안심시켜주는 것을 가로막는다는 것을 알게 되었습니다. 예를 들어, 제니는 부모님이 약을 복용했는지 확인하기 위해 종종 부모의 약봉지를 확인했습니다. 부모는 약장을 구매하고 부모가 그 열쇠를 관리하기로 했습니다. 일단 이 약장이 설치되자, 제니는 치료자에게 부모가 자신이 챙기지 않아도 정기적으로 각자의 약을 복용하고, 이제 덜 걱정되고 덜 불안하다고 말했습니다.

'내가 옆에 있지 않으면 부모님이 아플 것이다'이라는 제니의 믿음을 목표로 추가적인 행동실험이 계획되었습니다. 여기에는 집 밖으로 동네 가게와 친구를 만나러 가는 일련의 여정이 포함되었습니다. 제니는 여정을 짧게 줄이거나 부모에게 휴대전화(문자)로 연락하고 싶은 충동을 참았고 부모는 전화나 집에서 그들의 안녕을 제니에게 알려주는 것을 자제했습니다. 대신 그녀의 부모는 제니가 건강 이외의 문제에 대해 이야기하고, 놀고, 친구나 가족과 시간을 보낸 것에 대해 칭찬하곤 했습니다. 개별 회기에서 제니에게 이 실험에 대하여 묻자, 부모님은 그들을 위한 적절한 지원 체계가 있고 자신이 그들을 지속적으로 확인할 필요가 없었다고 말했습니다. 제니는 부모와 함께 하는 시간을 더 즐기고 친구들과 조부모와 즐거운 활동을 하기 시작했습니다.

### 결과

제니는 11살 소녀로 심각하고 만성적인 PTSD와 중등도의 2차 우울증으로 인해 치료를 시작했습니다. 첫 만남에서 그녀는 나이보다 성숙해 보였고 위축된 상태였습니다. 그녀는 다른 사람들, 특히 부모에 대한 책임감을 느껴 재미있는 활동에 참여하는 것을 스스로 용납하지 못했습니다. 제니는 12주 동안 다양한 치료 요소들을 잘 참여했고 그 결과 더 이상 PTSD나 우울증의 진단 기준을 충족하지 않았습니다. 제니는 이제 방과 후 동아리와 학교 연극에도 참여하고 있었습니다. 이러한 효과는 사전에 계획되어 있었던 6개월 뒤의 후속 면담에서도 유지되었습니다.

직접적인 우울증 치료는 최소한으로 하고, 성격 및 사건의 결과로 생긴 우울한 부정적, 트라우마 관련 해석을 수정하기 위한 인지적 재구성을 포함하여 기분 좋은 활동의 빈도를 증가시키는 몇 가지 기술(일상복귀)이 주로 사용되었습니다. 우리의 경험상 트라우마 기억의 재구성과 트라우마 관련 해석의 수정이 침습 기억의 현저한 감소로 이어질 것이고, 이는 결과적으로 트라우마 관련 신념이 더욱 약화되고 기분, 수면, 활력 및 집중력 향상으로 이어질 것이라고 기대했습니다. 제니는 동반된 우울증과 부모의 신체/정신적 건강 문제로 알 수 있는 심각한 심리사회적 어려움에도 불구하고 PTSD에 특화된 치료에 매우 잘 반응했습니다. 부모와 보호자들의 참여와 지속적인 지원은 제니의 회복에 모두 중요했습니다.

## 9.3 특정 상황과 어려움들

안전, 가족 환경 및 사전 동의/의논 문제는 정신건강의 어려움을 가진 모든 아동과 PTSD가 있는 아동에 대한 치료 결정에 영향을 미칩니다. 안전은 항상 주요 관심사이며, 자녀나 부모가 극단적인 자해 행위를 계획한(혹은 최근에 시도한) 증거가 있거나, 가족 내에서 지속적인 폭력/학대가 있거나, 다른 근원으로부터 아동에게 즉각적인 위해가 발생할 위험이 있거나, 정신증의 증상이 나타나고 치료되지 않은 증거가 있는 경우에는 추가적인 평가와 치료가 필요합니다. 외상 기억과 연상물에 대한 작업이 불안을 야기할 수 있지만, 그러한 절차는 외상의 특성이 성적이거나 사랑하는 사람의 죽음을 수반하는 것이어도 본질적으로 안전합니다. PTSD의 인지 행동 치료에 경험이 있는 지도감독자의 감독 하에, 증상에 대한 통상적인 관찰과 함께 여기에 설명된 절차를 주의 깊게 사용하면 아동의 상태가 악화될 가능성이 매우 낮습니다.

부모에 의해 치료 회기에 마지못해 **끌려오는** 아동이라면 PTSD의 증상을 완전히 극복하지 못할 것이라는 점이 독자들에게는 분명할 것입니다. 치료자나 부모가 트라우마에 대해 이야기하라고 거듭 충고하거나 트라우마 연상물을 들이대어 아동을 회복하게 할 수도 없습니다. 아동이 치료 자체와 치료를 받는 것에 대한 친구들의 편견의 가능성에 높은 예기불안을 느낄 수 있다는 것을 예상해야 합니다. 이러한 두려움을 치료자가 인정하고 정보, 공감, 지지를 사용하여 다루어야 합니다. 우리 사회의 영웅들(응급구조요원, 군인, 운동 선수들)에게도 PTSD 증상이 발생하고 그들도 치료를 받는다는 것을 알게 되면 자신이 이상하거나 나약하다는 낙인이 찍히는 두려움을 줄일 수 있습니다. 치료에 동참하게 하는 것은 연령에 맞는 은유를 현명하게 사용하여 촉진될 수 있는데, 이를 통해 아동이 자신의 속도로 이동하면서 트라우마 기억의 조각들을 맞추는 것이라는 점을 이해하도록 도울 수 있습니다. 아이가 트라우마를 겪은 후 잃어버린 삶의 즐거운 면들을 떠올리고 치료와 함께 그것들이 다시 돌아올 것을 상상하게 도우면 동기가 더욱 강화될 수 있습니다.

**나이와 발달상의 어려움** 간혹 아동 정신건강전문가들도 '인지치료'라는 용어를 들으면 어린 아이나 발달장애인의 경우 해석을 이해하거나 언어적 변화 기법의 적용이 매우 어려울 거라 짐작합니다. 그러나 나이나 발달장애의 유무가 우선되는 문제가 아니라는 것이 우리의 경험입니다. 치료자가 그들의 언어를 차용하고 치료의 속도를 조절하여 아이들이 그들의 생각의 내용에 접근하고 묘사하는 것을 돕고, 생각과 기능의 다른 측면들 사이의 연결을 끌어내고, 특정한 믿음을 고수하는 데 드는 비용/이득을 고려하는 것이 기술입니다. 아이가 증상을 유지하는 데 기여하고 있는 외상 관련 해석을 찾는 데 도움이 되도록 cPTCI의 항목들을 큰 소리로 읽어보게 할 수 있습니다. 아주 어리거나 말을 잘 하지 못하는 아동들은 장난감, 만화, 스토리보드 등을 사용하여 아동이 트라우마의 세부 사항을 확인하고, 해석을 수정하고, 트라우마 기억에 새로운 정보를 추가할 수 있도록 도울 수 있습니다. 때때로 더 어리거나 언어가 덜 발달된 아이들은 치료자보다 부모와 더 기꺼이 대화하려 합니다. 이러한 경우 부모가 회기에 참여하여 공동 치료사의 역할을 하도록 격려합니다.

**상황적 및 공존 질환 문제** PTSD는 흔히 가정과 학교에서 공존 질환과 광범위한 어려움을 야기하지만 종종 치료자들은 PTSD보다 우울증이나 가족 문제와 같은 2차 장애의 치료를 우선시 하고 PTSD를 치료없이 두기도 합니다. 마찬가지로 특정 증상(예: 학교 거부, 자해, 약물 사용) 및/또는 해결되지 않은 의료 문제나 망명 관련 문제가 종종 아동의 PTSD 치료를 배제하게 하는 것으로 간주됩니다. 하지만 앞의 사례가 보여주듯이, 중대한 공존 질환이나 심리사회적 역경이 성공적인 결과를 막는 것은 아닙니다. 저자들의 경험상 심각한 건강 문제나 난민 수용소, 전쟁 이후/재난 환경에 있는 아이들, 통역사와 함께 진행해야 하는 경우나 국내에 임시로 머물고 있는 난민들에게도, 종종 아주 사소한 변형만으로 이 치료를 성공적으로 시행하였습니다.

**부모의 정신병리** 치료자들이 때때로 제기하는 또 다른 우려는 부모가 PTSD, 불안, 우울증의 심각하고 치료되지 않은 증상을 가지고 있을 때 아동의 PTSD를 성공적으로 치료할 수 있는지 여부입니다.

부모의 증상이 아동의 PTSD 발병과 PTSD 증상의 심각성에 중요한 위험 요소라는 상당한 증거가 있습니다. 그러나 트라우마의 심각성, 트라우마 관련 믿음, 반추, 생각의 억제는 어린이의 PTSD의 위험과 심각성에 훨씬 더 강한 역할을 합니다. 현재 부모에게 증상이 있다는 것이 아동이 외상 중심 인지 행동 치료에서 유의미하고 지속적인 회복을 방해한다는 것을 암시하는 무작위 통제 연구 근거는 없습니다. 우리의 경험에 따르면, 아이의 PTSD(및 동반 증상)의 성공적인 치료가 종종 부모 자신의 증상의 현저한 감소와 보다 광범위한 가족 기능의 향상과 관련이 있습니다. 그럼에도 불구하고 각각 사례에서 가족 요소를 평가할 필요가 있고 치료가 필요한 부모는 개별 치료를 받거나 스스로 치료자를 찾도록 합니다.

마지막으로, 근거 기반 인지 행동 접근법에 익숙한 치료자들은 급성 공존 질환 문제로 초점을 옮길 때에도 PTSD에 대한 새로운 치료가 필요하다거나 PTSD 작업을 포기할 필요는 없다는 것을 인식해야 합니다. 이러한 PTSD 특정 치료를 구성하는 개입에는 심리교육, 일상적인 증상 모니터링, 활동 계획, 인지 재구성, 회피 감소 기법, 부모 훈련 및 법적 작업이 포함되며, 이 모든 것이 광범위한 내재화 및 외현화 문제에 대한 근거 기반 접근법의 기초를 형성합니다. 이 치료법은 규범적이고 회기별 접근법이 아니라 유연하고 발달에 민감한 방식으로 적용되는 이론과 경험이 지지하는 구성 요소들의 모음입니다. 그럼에도 불구하고 우리는 치료자가 공존 질환을 다루기 위해 하나 이상의 다양한 구성 요소를 생략하는 것을 권장하지는 않습니다. 오히려 상황적 어려움(학교 시험/공휴일 전후 회기 스케줄 조정) 또는 공존 질환(학교 거부)에 대처하기 위해 개입 사이의 간격을 늘리거나 줄일 수 있습니다. 마찬가지로, 치료자가 PTSD에 계속 초점을 맞추는 동안 부모, 교사, 사회복지사는 동반 질환의 치료를 진행할 수 있습니다.

## 9.4 연구 근거

이 치료를 뒷받침하는 모델을 지지하는 상당한 근거가 있습니다. Ehlers와 Clark(2000) 모델에서 예측된 바와 같이, 일련의 연구에서 외상 기억, 외상 직후peri-traumatic 해석 및 역기능적인 인지 전략의 측면이 아동의 PTSD의 발달과 심각도에 대한 중요한 위험 요소라는 것을 발견했습니다(예를 들어 Ehlers 등. 2003; Meiser-Stedman 등. 2007, 2009, 2014; Salmond 등. 2010; Stallard 2003). 차량 폭탄에 노출된 청소년을 대상으로 한 최근의 종적 연구에서 Duffy 등(2015)은 Ehlers와 Clark 모델에 의해 명시된 인지적 요인이 PTSD 예측에 크게 기여하고 증상에서 가장 큰 비율의 변인을 차지한다는 것을 발견했습니다. 부모의 외상 관련 해석이 자녀의 PTSD 증상에 미치는 영향은 충분히 추정되지 않았지만 부모의 PTSD 증상 및 과잉 보호가 아이의 PTSD 발병 위험을 증가시킬 수 있다는 근거가 있습니다(Trickey 등. 2012).

현재의 치료법을 직접 지지하는 근거는 단일 사건 트라우마 사건에서 DSM-IV PTSD의 일차 진단 하에 의뢰된 아동 및 청소년(8-18세)을 대상으로 한 무작위 통제 연구에서 찾을 수 있습니다(Smith 등. 2007). 치료군 아동의 92%가 치료 후 PTSD 진단에 해당되지 않았고, 치료 대기군에서는 42%에 불과했으며, 이러한 이득은 6개월 추적에서도 유지되었습니다. 게다가 PTSD 증상의 변화는 cPTCI에 의해 측정된 외상 관련 믿음의 변화에 의해 매개되었습니다. 3-8세 아동의 치료에서 PTSD에 대한 인지적 접근법의 효과를 조사하는 무작위 통제 연구가 현재 진행 중입니다(Dalgleish 등. 2015). 성인에서의 무작위 통제 연구는 이 치료법이 대기 목록, 자가 치료, 외상에 초점을 맞추지 않은 반복 평가 및 치료에 비하여 PTSD 진단과 PTSD의 심각성 및 관련 증상의 현저하고 지속적인 감소를 가져온다는 것을 보여줍니다(Duffy 등. 2007; Ellers 등. 2003, 2014). 외상 관련 해석의 추가적 변화는 이 치료를 받고 있는 성인의 일주일 후의 PTSD 증상의 변화를 예측하는 것으로 밝혀졌습니다(Klein 등. 2012).

## 참고문헌

Dalgleish T, Goodall B, Chadwick I, Werner-Seidler A, McKinnon A, Morant N, Schweizer S, Panesar I, Humphrey A, Watson P, Lafortune L, Smith P, Meiser-Stedman R (2015) Trauma- focused cognitive behaviour therapy versus treatment as usual for post-traumatic stress disorder (PTSD) in young children aged 3 to 8 years: A randomised controlled trial. Trials 16:116

Duffy M, Gillespie K, Clark DM (2007) Post-traumatic stress disorder in the context of terrorism and other civil conflict in Northern Ireland: randomised controlled trial. BMJ 7604:1147

Duffy M, McDermott M, Percy A, Ehlers A, Clark DM, Fitzgerald M, Moriarty J (2015) The effects of the Omagh bomb on adolescent mental health: a school-based study. BMC Psychiatry 15:18

Ehlers A, Clark DM (2000) A cognitive model of posttraumatic stress disorder. Behav Res Ther 38(4):319–45

Ehlers A, Clark DM, Hackmann A, McManus F, Fennell M, Herbert C, Mayou R (2003a) A randomized controlled trial of cognitive therapy, a self-help booklet, and repeated assessments as early interventions for posttraumatic stress disorder. Arch Gen Psychiatry 10:1024–32

Ehlers A, Hackmann A, Grey N, Wild J, Liness S, Albert I, Deale A, Stott R, Clark DM (2014) A randomized controlled trial of 7-day intensive and standard weekly cognitive therapy for PTSD and emotion-focused supportive therapy. Am J Psychiatry 3:294–304

Ehlers A, Mayou RA, Bryant B (2003b) Cognitive predictors of posttraumatic stress disorder in children: results of a prospective longitudinal study. Behav Res Ther 41(1):1–10

Johnson JG, Harris ES, Spitzer RL, Williams JB (2002) The patient health questionnaire for adolescents: validation of an instrument for the assessment of mental disorders among adolescent primary care pa-

tients. J Adolesc Health 3:196–204
Kleim B, Grey N, Wild J, Nussbeck FW, Stott R, Hackmann A, Clark DM, Ehlers A (2012) Cognitive change predicts symptom reduction with cognitive therapy for posttraumatic stress disorder. J Consult Clin Psychol 3:383–93
Meiser-Stedman R, Dalgleish T, Smith P, Yule W, Glucksman E (2007) Diagnostic, demographic, memory quality, and cognitive variables associated with acute stress disorder in children and adolescents. J Abnorm Psychol 116:65–79
Meiser-Stedman R, Smith P, Bryant R, Salmon K, Yule W, Dalgleish T, Nixon R (2009) Development and validation of the Child Post-Traumatic Cognitions Inventory (CPTCI). J Child Psychol Psychiatry 50(4):432–40
Meiser-Stedman R, Shepperd A, Glucksman E, Dalgleish T, Yule W, Smith P (2014) Thought control strategies and rumination in youth with acute stress disorder and posttraumatic stress disorder following single event trauma. J Child Adolesc Psychopharmacol 24:47–51
Salmond CH, Meiser-Stedman R, Glucksman E, Thompson P, Dalgleish T, Smith P (2010) The nature of trauma memories in acute stress disorder in children and adolescents. J Child Psychol Psychiatry 5:560–70
Smith P, Perrin S, Yule W, Clark D (2010) Post traumatic stress disorder: cognitive therapy with children and young people. Routledge, Lonndon
Smith P, Yule W, Perrin S, Tranah T, Dalgleish T, Clark D (2007) Cognitive behavioral therapy for PTSD in children and adolescents: a preliminary randomized controlled trial. J Am Acad Child Adolesc Psychiatry 46(8):1051–61
Stallard P (2003) A retrospective analysis to explore the applicability of the Ehlers and Clark (2000) cognitive model to explain PTSD in children. Behav Cogn Psychother 31:337–45
Trickey D, Siddaway AP, Meiser-Stedman R, Serpell L, Field AP (2012) A meta-analysis of risk factors for post-traumatic stress disorder in children and adolescents. Clin Psychol Rev 32(2):122–38
Yule W (1997) Anxiety, depression and post-traumatic stress in childhood. In: Sclare I (ed) Child psychology portfolio. Windsor, NFER-Nelson

# PTSD 청소년의 지속 노출 치료 10

Sandy Capaldi, Laurie J. Zandberg 와 Edna B. Foa

## 10.1 이론적 토대

청소년을 위한 지속 노출 치료(Prolonged exposure therapy for adolescents, 이하 PE-A; Foa 등. 2008)는 폭넓게 연구되고 경험적으로 검증된 성인 치료 프로토콜(Foa 등. 2007)을 청소년 대상으로 수정한 것입니다. 이 치료는 PTSD의 발생, 유지와 자연 회복 및 노출 치료 시 증상의 호전을 돕는 요소들에 대한 이해의 토대인 정서 처리 이론(Emotional Processing Theory, 이하 EPT; Foa와 Kozak 1986; Foa 등. 2006)을 기반으로 합니다. EPT는 공포 같은 감정들이 행동의 청사진 역할을 하는 인지 구조(즉, 정보 네트워크)로서 기억을 대변한다고 간주합니다. 공포 구조fear structure는 '곰' 같은 공포 자극과 그와 관련된 신체 반응(예: 땀, 떨림), 자극에 관련된 의미("곰은 위험하다") 및 반응("땀이 난다는 건 내가 두려워하고 있다는 거야")들의 표상들이 포함된 특정 유형의 인지 구조입니다. 이러한 공포 구조가 현실적인 위협에 대한 것이면 효과적인 대응을 하게 할 것입니다. 예를 들어, 곰(공포 자극)이 다가온다면 공포 구조가 활성화되고 공포 자극의 의미("곰은 위험하다")가 반응(땀이나 떨림)이 야기될 것입니다. 따라서 EPT는 감정의 인지 구조에 감정뿐 아니라 감정에 관련된 반응 및 의미를 불러오는 자극의 의미 표상이 포함되어 있다고 봅니다. 하지만 이 공포 구조의 요소가 잘못된 것이거나 비현실적이라면 공포 구조가 병리적이 되어 무해한 자극에도 공포와 회피 반응을 유발하게 됩니다.

EPT에 따르면, 외상성 기억은 외상 사건 중에 존재했던 자극, 사건 도중의 반응(두려움, 수치심, 죄책감, 분노)과 이러한 자극과 반응의 의미를 포함하는 특정 인지 구조입니다. PTSD 기저의 트라우마 기억 구조는 위험이라는 의미와 잘못 연결된 수많은 자극들을 포함합니다. 예를 들어, 성폭행을 당한 청소년은 가해자와 유사한 외모의 남성이나 작고 닫힌 공간 같은 무해한 자극에도 위험이라는 의미를 연관 지을 수 있습니다. 그 결과로 PTSD를 겪고 있는 사람은, 세상이 전부 위험하다고 인식할 확률이 높습니다. 또 외상 사건 도중이나 이후에 동반되는 개인의 반응은 흔히 무능함이라는 의미("나는 내 친구를 구하는데 실패했어", "내 PTSD 증상은 내가 약한 인간이라는 의미야")와 연결됩니다. 세상은 완전히 위험한 곳이고 나는 무능하다는 이 두 가지 인식이 PTSD 증상을 유지시킵니다.

PTSD 증상은 외상 사건 직후에 매우 흔하게 나타나지만 대부분은 치료하지 않아도 시간이 지남에 따라 증상이 감소합니다. EPT는 개인이 사건과 관련된 생각과 감정들을 느끼며 타인과 외상의 내용을 공유하고 외상이 연상되는 상황에 직면하기를 거듭하면서 외상성 기억이 일상생활 중 반복하여 활성화되며 자연적으로 회복한다고 봅니다. 이러한 경험은 세상이 완전히 위험하고 개인이 완전히 무능하다는 인식과 불일치하는 정보를 제공합니다. 그러나 PTSD가 있는 사람은 외상 사건과 관련된 생각, 감정 및 상황을 회피하기 때문에, 기억의 활성화를 방해하고 공포 구조의 병적 요소를 바꿀 수 있는, 불일치한 정보의 통합이 일어나기 어렵게 됩니다.

예를 들어 어린 시절 성 학대를 경험한 여자 청소년이 가해자와 유사한 체형의 가진 모든 남성을 피하는 경우, 그러한 남성의 대다수가 안전한 사람이라는 점을 결코 배울 수 없습니다. 또, 일어난 일에 대한 생각을 피함으로써 기억은 종종 조각조각 나고 제대로 언어화 되지 않으며 자신에게 학대에 대한 책임이 있다는 잘못된 생각을 의심하지 않을 것입니다. 회피 행동은 일시적으로는 고통을 줄여주어 비슷한 상황에서 습관이 되므로 부정적 강화가 됩니다. 회피는 단기적으로 고통을 줄여주지만 반면에 공포 구조의 병적 요소를 조정할 경험을 막아서 PTSD를 지속시킵니다.

효과적인 PTSD 치료는 공포 구조의 병적 요소를 수정하고 자연스러운 회복을 촉진시켜 병적인 반응을 줄여줍니다. 이를 위해서는 두 가지 조건이 필요합니다. 첫째, 공포 구조는 반드시 활성화되어야 합니다(즉, 두려운 자극에 접근해야 합니다). 둘째, 공포 구조의 비현실적인 요소와 모순되는 새로운 정보를 사용하여 이를 통합해야 합니다. 이 새로운 학습(또는 정서적 처리)이 진행되어야 병적인 반응을 불러오던 자극이 더 이상 영향을 주지 못하게 됩니다.

PE-A의 목표는 환자가 외상에 대해 이야기하도록 격려하면서 정서적인 처리를 촉진하는 것입니다. 이 과정에서 외상 기억을 다시 불러와 재검토하고(상상 노출) 트라우마 연상물에 대해 객관적으로 안전한 상황에 접근하도록 하여 실제 생활에서 연습(실제 노출)을 하게 됩니다. 안전하지만 사건과 관련해서 피하던 생각, 감정, 상황들을 의도적으로 직면하면, 병적인 공포 구조를 활성화하면서 잘못된 요인들이 교정적인 경험을 통해 수정되게 됩니다. 반복적으로 외상성 기억을 재검토하면 사건에 대한 생각과 관련된 불안을 줄여주고, 일어났던 일들을 조직화하여 더 잘 이해할 수 있게 되어, 대상자가 잘못된 인식(예를 들어 내가 무능해서, 혹은 내 책임으로 일어났다는 의미의 행동들)을 찾고 그 모순을 알게 됩니다. 실생활에서 과거 잘못된 위험으로 인식되던 트라우마 연상물이나 상황들에 직면하면, 회피의 습관을 깨고 그러한 상황들이 위험하지 않다는 인식을 하면서 내담자들 스스로 자신이 극복할 수 있다는 자신감이 높아지고 PTSD 증상들이 줄어들게 됩니다.

## 10.2 청소년을 위한 지속 노출 치료법

청소년을 위한 지속 노출 치료법(PE-A; Foa 등. 2008)은 모든 유형의 트라우마로 발생한 PTSD 증상을 목표로 하는 매뉴얼화된 증상 중심의 치료법입니다. 여기에는 치료 회기에 내담자용 워크북을 사용합니다(*Prolonged Exposure Therapy for PTSD: Teen Workbook;* Chrestman, Gilboa-Schechtman과 Foa 2008). PE-A는 12-18세의 청소년을 대상으로, 4단계(치료 전 준비, 심리교육 및 치료 계획, 노출, 재발 방지/치료 종결)로 구성되어 있으며 각 단계는 특정 치료 작업 또는 목표를 위한 7개의 모듈로 되어 있습니다. 개인 치료 형태로 진행되지만 유연하게 적용 가능하기 때문에 청소년의 발달 단계에 맞게 부모나 보호자를 회기 중 일부에 포함시키거나 치료 전 준비 단계를 선택적으로 할 수 있고 한 모듈을 한 회기 이상에서 완료될 때까지 반복할 수 있도록 회기 길이도 다르게 진행할 수 있습니다. 일반적인 치료 과정은 총 10-15 회기로, 매주 각 60-90분의 회기로 진행됩니다.

**사례**

벨라는 14세 소녀로, 어머니, 계부와 의붓자매(16세)와 함께 살고 있습니다. 그녀는 현재 온라인 학교의 8학년으로, 2년 전 정서 지원 교실emotional support classroom에 있었습니다. 벨라의 어머니가 치료를 권유하였는데 벨라는 과거에 8 살 때 친부의 자살 시도, 10 세에 교통 사고, 11 세 에서 13 세까지 오빠에 의한 성폭력 피해를 겪었습니다. 벨라는 6개월 전 학교 상담교사에게 성폭력을 밝힌 직후 자살 생각을 이유로 입원을 했습니다. 그녀는 입원 이후부터 정기적으로 정신과 약물을 처방 받아 복용하고 있었습니다. 그녀는 평가 당시 심각한 PTSD 증상과 중등도의 우울 증상을 보고했습니다. 벨라는 또한 성폭력이 시작된 이후 발모광trichotillomania 증상을 겪고 있었는데 2년 전 등교를 거부하면서부터 증상이 점점 더 악화되어 결국 온라인 수업을 받고 있습니다. 평가 도중, 벨라와 어머니 및 치료자는 PTSD가 벨라의 주요 문제이고 우울과 발모광은 PTSD로 인한 이차적인 증상이며, 가장 스트레스가 되는 트라우마는 성폭력이라는 점에 동의했고 벨라는 PE-A에 참여하기로 했습니다.

### 10.2.1 단계 1: 치료 전 준비pretreatment preparation

치료 전 준비 단계는 두 개의 모듈(동기 면담 및 사례 관리)로 구성됩니다. 치료를 방해할 수 있는 요소들이 있을 경우 영향을 받지만, 이 단계는 일반적으로 1-2회기가 소요됩니다. 동기 면담 모듈은 청소년의 동기와 치료에 참여하려는 의지를 확인하고, 만약 동기가 부족하다면 이를 격려하도록 설계되었습니다. 사례 관리 모듈에서는(기존의 정신건강 또는 기타 문제들 등) 치료의 장애물뿐 아니라 치료에 대한 부모의 동참 수준, 비밀 유지의 한계 및 추가적인 위험에 대해 평가합니다.

### 사례

첫 회기에서 벨라에게 왜 지금 치료를 찾게 되었는지, 치료 시작에 대해 어떻게 느끼는지, 그리고 치료에 대한 그녀의 동기에 대해 물었습니다. 벨라는 여기 온 것이 자기 생각이 아니라 어머니의 간곡한 부탁 때문이었고, 기분이 좀 나아졌으면 좋겠지만 사실 치료가 도움이 될 지는 잘 모르겠다고 말했습니다. 치료에 대한 벨라의 양가감정 때문에 벨라와 치료자는 트라우마가 그녀의 삶에 미치는 영향(더 많이 두려워하고 자주 아픈 느낌이 들고 머리카락을 뽑는 것 때문에 학교를 가기 어려우며 친구들과 자신이 어딘가 다르다는 느낌을 받고 어머니 역시 자신을 더 과잉보호 하는 것)과 치료가 그런 면에서 도움이 될 가능성이 있다는 점에 대해 이야기를 나누었습니다. 벨라에게 치료로 인해 잠재적으로 잃을 수 있는 것들이 있을지를 묻자, 치료로 증상이 호전될 경우 그동안 받았던 특별 대우나 남들의 배려를 잃을 수 있을 것 같다고 했습니다. 치료자와 벨라는 이 특별 대우를 포기하는 것의 장점과, PTSD 증상을 줄이는 것이 기존의 특별 대접보다 더 큰 이득일지에 대해 이야기했습니다. 그리고 치료의 장 단점 목록을 만들었습니다. 벨라는 완성된 목록을 살펴본 뒤, 단점보다 장점이 더 많다고 했습니다. 치료자는 벨라에게 치료 동기가 있는지를 다시 물어보았고 벨라는 장점이 단점보다 훨씬 더 많기 때문에 치료를 기꺼이 시도하겠다고 했습니다.

회기 시간이 아직 더 남아있었기 때문에 치료자는 벨라의 현재 가족 상황과 다른 스트레스 요인, 치료에 잠재적인 다른 장애물들에 대해 물으며 사례 관리 모듈을 진행했습니다. 벨라는 어머니와 계부와는 관계가 좋지만, 자신의 아들이 성폭행을 했다고 믿지 않는 친부와는 사이가 나쁘다고 말했습니다. 벨라의 부모는 이혼했고 벨라는 아버지와 거의 만나지 않았습니다. 벨라의 오빠는 성폭력 혐의 조사 후, 치료를 위해 청소년 구금 시설에서 지내고 있었습니다. 또 오빠의 치료자와 가족들이 몇 달 내에 자신과 오빠를 만나게 할 계획이라고 했습니다. 당시 벨라나 어머니는 벨라의 오빠를 다시 만날 계획이나 궁극적인 목표가 무엇인지 정확히 알지 못했지만, 벨라는 이 계획을 긍정적으로 받아들이고 있다고 했습니다. 벨라는 그 계획이 오빠가 석방되고 나서 어디에서 거주할 지를 정하는 것과 관련이 있다고 생각했고 다시는 오빠와 같이 살고 싶지 않았지만, 친부가 오빠와 같이 사는 것은 긍정적으로 보고 있었습니다. 치료자가 벨라에게 어머니가 치료에 참여하는 것이 어떨지를 물었을 때 그녀는 어머니가 성폭력의 자세한 내용을 모르기를 원했습니다. 치료자는 각 회기의 일부 시간은 치료의 진행과 우려점을 어머니와 논의하는데 쓰일 것이며, 어머니에게 심리교육 자료와 일반적인 상황을 알려드릴 것이라고 설명했습니다. 벨라는 어머니가 매번 회기에 정기적으로 참여하는 것은 원하지 않았으나 필요시 참석하는 것은 괜찮다고 했습니다. 벨라는 어머니가 일을 해야하기도 하지만 어머니 역시 매번 같이 참여하기를 원하지는 않을 것이라고 했습니다. 벨라와 치료자는 이에 동의하고 평가 당시 비밀 보장의 제한이 되는 경우로 안내했던 대로 일말의 위해나 위험 행동(자살/타살의 생각, 자해, 물질 사용이나 기타 남용)이 있을 경우 어머니에게 알린다는 점에 대해 이야기를 나누었습니다.

그 뒤 치료자는 자살, 자해, 물질 사용과 기타 위험한 행동에 대한 위험성 평가를 시행하였습니다. 벨라는 자신이 그 어느 것에도 해당되지 않는다고 부인했습니다. 치료자와 벨라는 전에 입원했던 일을 다루며 당시 가족이 성폭력 사건을 알게 되었으니 더 이상 살 수 없다고 느꼈던 것에 대해 이야기했습니다. 당시에 벨라는 자살에 대해 생각했지만, 시도하지 않고 어머니에게 털어놓았습니다. 벨라가 과거 자살 생각을 했던 적이 있었으므로, 치료자와 벨라는 앞으로 자살 생각이 들 경우 하기로 동의한 특정 행동(어머니에게 말하기, 음악감상이나 친구를 부르거나 스케이트 보드 타기 등의 즐거운 활동하기, 치료자에게 연락하기)의 목록을 작성하여 위기 대처 계획을 세웠습니다. 이 회기는 치료자와 벨라, 어머니가 다 같이 모여, 어머니가 얼마나 치료에 참여할지 의논하고 위기 대처 계획을 같이 검토하며 마무리하였습니다. 어머니는 추가적인 치료의 장벽으로, 벨라의 탈모 증상과 밤 늦게까지 깨어있는 대신 낮에 자는 문제 패턴으로 인해 외출이 어려운 점을 이야기하였습니다. 이러한 어려움들에 대한 계획을 세우고, 회기에서 검토했던 위기 대처 계획을 매일 검토하는 숙제를 확인하며 회기를 마쳤습니다.

### 10.2.2 단계 2: 심리 교육 및 치료 계획 수립

2단계는 3개의 모듈(치료 근거, 정보 수집 및 일반적인 트라우마 반응)로 구성되며, 일반적으로 2-3 회기가 소요됩니다. 이 단계에서 치료자는 피하기보다 공포요소들을 대면해야 하는 이유, 외상 사건 후 문제가 지속되도록 영향을 주는 요인들과 청소년들이 일반적으로 경험하는 트라우마 반응들을 다룹니다.

**모듈 1: 치료 근거** 이 모듈의 목표는 내담자에게 치료 구조와 치료의 근거를 소개하고 호흡 훈련 기술을 가르치는 것입니다. 이 모듈의 목표는 심리교육이지만 대화식 토론 형태로 구성되어 있습니다.

**사례**

이 회기는 숙제를 검토하는 것으로 시작했습니다. 벨라는 그동안 위기 대처 계획을 검토하고 심지어 목록에 즐거운 활동을 몇 가지 더 추가해왔습니다. 숙제를 잘 해온 것을 칭찬한 뒤 치료자는 벨라와 치료의 원리에 대해 이야기했습니다. 치료자는 외상 직후에는 그에 대해 반응하기 힘든 게 일반적이지만, 외상과 관련된 생각과 상황을 계속 회피하는 것은 부분적으로 악몽과 수면 문제 같은 PTSD 증상을 만들고 지속되게 한다고 설명했습니다. 치료자는 PTSD 증상이 계속되는 주요한 이유를 (1) 외상과 관련된 생각, 감정 및 상황의 회피와 (2) 도움이 되지 않는 생각과 믿음의 존재의 두 가지로 설명했습니다. 치료자는 회피가 고통을 줄이는데 오직 단기적으로만 도움이 되며 장기적으로는 오히려 외상후 반응을 극복하기 더 어렵게 만든다는 점을 분명히 했습니다. 그리고 PTSD에 존재하는 2종류의 회피를 목표로 치료 중에 사용할 기술인 기억 이야기 하기(반복해서 기억하고 외상에 대하여 말하기)와 실생활 실험(안전하지만 피했던 상황들을 직면하도록 격려하기)에 대해 이야기를 나누었습니다. 벨라는 이 치료의 원리를 이해하고 자신이 겪었던 일을 그 예시로 언급했습니다. 그녀는 10살 때 교통사고 후 차에 타는 것을 무서워했는데, 어머니가 조금씩 점점 더 먼 곳으로 운전을 시도하는 방식으로 다시 차를 탈 수 있게 해주었습니다. 그녀는 처음에는 매우 놀라고 사고 생각에 불편했지만, 차에 있는 것이 점점 편안해지면서 훨씬 쉬워졌다고 했습니다. 치료자는 치료가 어떻게 진행되는지에 대해 벨라가 이해를 잘 하고 있다는 점을 칭찬하고, 남은 치료 시간 동안 모듈 2를 진행하였습니다.

**모듈 2: 정보 수집** 이 모듈의 목표는 트라우마 면담을 완성하는 것으로, 치료자를 위한 PE-A 안내서에 기술되어 있습니다(Prolonged Exposure therapy for Adolescents with PTSD: Emotional Processing of Traumatic Experiences; Foa 등, 2008). 트라우마 면담은 치료자와 청소년이 주 외상 사건index trauma를 정하고, 발생한 트라우마의 시작과 끝 지점을 찾고 트라우마에 대한 도움이 되지 않는 믿음들을 찾을 수 있게 해줍니다.

**사례**

이 모듈의 목표는, PE-A 치료자 안내서 내용 대로 트라우마 면담을 마무리하는 것입니다. 치료자는 벨라에게 현재 가장 고통스럽게 느끼는 외상 사건에 대해 간단히 말해달라고 요청하는 것으로 트라우마 면담을 시작했습니다. 곧바로 벨라는 그 동안 여러 트라우마를 겪었지만, 오빠에 의한 성폭력이 가장 최악이었다고 말했습니다. 치료자는 치료를 위해 일어난 사건들 중 하나에 초점을 맞출 것인데, 가장 고통이 심한 사건을 대상으로 하는 것이 가장 효과적이고 효율적이라고 설명해 주었습니다. 오빠가 벨라를 부적절하게 만지거나 밤에 그녀의 방에 몰래 들어온 일들이 많았지만, 한번은 그가 행동의 수위를 높여 강간을 시도했습니다. 그 일이 벨라에게는 가장 정서적 충격을 주었기 때문에, 치료자는 벨라가 표현할 수 있는 한 최대한 그날의 일을 자세히 말해보도록 했습니다. 치료자는 사건 당시와 이후에 벨라의 기분이 어땠는지, 그 사건으로 상처가 나지는 않았는지, 그리고 그 일로 인해 그녀의 믿음이 변한 것이 있는지를 물었습니다.

트라우마 면담을 마친 후 치료자는 벨라에게 호흡을 천천히 할 수 있게 도와줄 호흡 훈련을 가르쳤습니다. 치료자는 벨라가 집에서 연습할 수 있도록 녹음하며 3, 4분 정도의 호흡 훈련을 반복하였습니다. 이 회기 벨라의 숙제는 PTSD 지속 노출 치료: 십대를 위한 워크북(Chrestman 등, 2008)의 해당 장을 읽고, 호흡 훈련 녹음 부분을 듣고 하루에 3번씩 호흡 훈련하는 것입니다.

**모듈 3: 일반적인 트라우마 반응** 이 모듈의 목표는 내담자가 경험하고 있는 트라우마 반응을 확인하고, 많은 사람들이 외상 사건 이후 비슷한 반응들을 보인다는 것을 설명하는 것입니다. 이것은 내담자가 자신의 반응이 일반적이고 PTSD를 겪는 사람들에게는 이해할 수 있는 것들이며 개인적으로 자신이 잘 대처하지 못했다는 증거나 고칠 수 없는 손상을 입은 것이 아니라는 점을 알게 하려는 것입니다. 이런 논의는 상호 소통형으로 진행되며 논의의 진행 중에 그들이 경험하고 있는 반응들을 써보도록 합니다.

**사례**

숙제를 검토한 후, 치료자는 벨라가 외상 사건을 겪은 뒤 스스로 어떻게 달라졌다고 느끼는지를 물으며 논의를 시작했습니다. 벨라는 공포와 불안감이 늘었고, 벼랑 끝에 서있는 것 같고 재경험 증상(침입적인 생각, 악몽과 플래시백)을 겪고 있으며, 외상 관련 생각이나 상황들을 피하고 감정적으로는 멍하면서도 분노, 죄책감, 수치심, 자제력을 잃는 느낌과 함께 자신과 세상에 대한 생각이 바뀌었으며 희망이 없다고 느낀다고 했습니다. 치료자는 이러한 벨라의 변화가 외상 경험 후의 일반적인 반응에 해당한다는 것을 알려주고, 이러한 변화들이 어떻게 외상 경험과 관련되어 있는지 벨라가 이해하도록 도왔습니다. 벨라는 외상 사건 이후 그러한 변화를 겪는 것이 자기 혼자만이 아니라는 것을 아는 것만으로도 왠지 기분이 좀 나아졌다고 말했습니다. 그리고 남은 시간 동안 치료자는 모듈 4로 진행을 이어갔습니다.

### 10.2.3 3 단계: 노출

3단계는 실생활 실험, 트라우마 기억 이야기하기 및 최악의 순간으로 구성된 세 개의 모듈로 진행되며 일반적으로 7-10 회기가 필요합니다. 이 단계는 트라우마의 정서적 처리를 위한 2가지 조건인 청소년이 그들의 두려움을 피하는 대신 직면하도록 격려하고, 이러한 노출 경험이 (피하던 상황이 사실 안전하고, 그들이 무너지지 않고도 트라우마에 대해 말할 수 있다는 것 등) 교정 정보를 줄 것이라고 안심시키기에 초점을 맞춥니다.

**모듈 4: 실생활 실험** 이 모듈의 목표는 실생활 실험의 원리를 다루고, 실생활 실험의 완수 절차를 설명하고, 회피 상황의 위계순위를 설정하고, 실생활 실험 숙제를 위해 내담자를 준비시키는 것입니다. 때때로, 실험에서는 특정 상황에서의 코치나 도움, 또는 실험 수행 과정에 필요(쇼핑몰에 운전하여 데려가기 등)로 인해 부모의 참여가 필요합니다.

**사례**

치료사는 트라우마 연상물을 피하는 것이 일시적으로는 기분을 나아지게 하지만, 하고 싶은 것들 역시 못하게 되어 결국은 기분을 나쁘게 만든다는 실생활 실험의 근거를 설명했습니다. 실생활에서 실험을 해봄으로써 벨라는 그 상황을 경험할 기회를 얻고 과학자처럼 증거를 수집하여 실제로 그 상황이 안전한지 여부를 알 수 있게 될 것입니다. 치료자는 벨라에게 트라우마 경험 때문에 위험하다고 느껴지는 상황을 시험할 뿐, 실제로 위험한 상황을 연습하지는 않을 것이라고 안심시켰습니다. 또 치료자는 실생활 실험이 벨라의 증상을 줄여주는 이유도 설명해주었습니다(회피하는 습관을 깨고, 상황에 익숙해지면서 시간이 지날수록 불편함도 줄어들며, 그 상황이 실제로는 안전하다는 점을 알게 되고, 불안도 시간이 지나며 잦아드는, 영원한 것이 아니라는 것과 자제력을 느끼게 돕고 자신에 대해서도 좀더 낫게 느낄 수 있게 됨).

치료자와 벨라는 "스트레스 온도계"의 0에서 10점 척도(0은 아무 불편감이 없는 정도, 10은 인생에서 최악의 불편감을 느꼈을 때)를 이용해서 불편감의 정도를 측정하는 것에 대해 이야기를 나누었습니다. 치료자는 스트레스 온도계를 이해시키기 위해, 벨라가 각각 0, 5, 10점에 해당한다고 느낄 수 있는 상황의 예를 찾았습니다. 그리고 함께 벨라가 회피하던 상황들을 찾아 실생활의 위계 순위를 만들었습니다. 순위 목록표를 작성한 뒤, 벨라는 각 해당 상황이 불러오는 스트레스 정도를 표기하였습니다. 아래의 표는 벨라의 위계 순위 목록입니다.

이 회기의 마지막 파트는 숙제에 초점을 맞추었습니다. 이 회기의 숙제는 워크북의 해당 장을 읽고 회기 녹음본을 듣고 호흡 재훈련을 하루에 3번하기입니다. 또 첫 실생활 실험 두 가지도 숙제가 되었습니다. 벨라는 그동안 읽기를 피했던 성폭력 피해 여자 아이에 대한 책을 하루 30분씩 읽는 것, 오빠가 쓰던 것과 같은 향수를 근처에 두고 30분씩 있어보는 것을 숙제로 하는 것에 동의했습니다.

| 스트레스 온도계 수치 | 실생활 실험 |
|---|---|
| 10 | 집에서 문을 잠그지 않고 샤워하기 |
| 9 | 어두울 때 내 방에 혼자 있기 |
| 9 | 오빠의 사진 보기 |
| 7 | 집에서 화장실 문을 잠그지 말고 사용하기 |
| 7 | 밤에 혼자 집 2층에 머무르기 |
| 7 | 쇼핑몰에서 다른 사람들이 뒤쪽에 앉아있는 자리의 앞쪽 의자에 엄마와 함께 앉기 |
| 6 | 집에서 혼자 1층에 있기 |
| 5 | 공공 장소에서 어깨너머로 뒤를 바라보지 않고 걷기 |
| 5 | 오빠가 쓰던 종류의 향수 맡기 |
| 4 | 성폭력에 대한 책 읽기 |

**모듈 5: 기억 이야기하기** 모듈 5의 목표는 내담자와 트라우마 기억 이야기의 근거에 대해 다루고, "기억 말하기memory talk(또는 상상 노출)"에 참여하고, 이것이 외상성 기억을 처리하는 데 도움이 된다는 것을 이야기하는 것입니다. 이 모듈은 다음 모듈로 이동하기 전에 연속 회기로 반복하며, 보통 2~5 회기가 소요됩니다. 기억 말하기의 가장 흔한 형태는 상상 노출imaginal exposure로, 트라우마 기억에 접근하며 이루어지는데, 내담자의 발달 단계에 따라 다양한 방법을 쓸 수 있습니다. 내담자가 기억을 언어화하지 못하는 경우, 쓰거나 그리기 같은 다른 방법들을 이용할 수도 있습니다. 기억 말하기의 각 회기의 목표는 내담자로 하여금 20-40분간 반복해서, 최대한 자세하게 기억을 떠올리도록 하는 것입니다. 각 회기에서 기억 이야기가 완료되면, 회기 내에 다룬 기억 말하기 내용만이 아니라 외상 사건 그 자

체에 대한 내담자의 생각과 감정에 대해서도 치료자와 이야기를 나누며 트라우마를 정서적으로 처리하는 시간을 가져야 합니다. 이러한 논의를 통해, 청소년은 외상에 대한 다른 관점을 고려해 보기 시작할 수 있습니다("일어난 일은 내 잘못이 아니다" 등). 각 회기마다 기억 말하기를 녹음하고, 녹음한 것을 내담자가 다시 들어보도록 합니다.

**사례**

이 회기는 숙제 검토로 시작했는데, 벨라는 성공적으로 시도한 첫 두 개의 실생활 실험을 보고했습니다. 그녀는 성폭력에 대한 책을 읽기 시작했고 오빠가 쓰던 향수 샘플의 향을 가까이에 두는 것을 각각 3-4번씩 연습했습니다. 그녀는 둘 다 처음보다 마지막 시도가 더 쉬웠다고 보고했습니다. 치료자는 벨라가 기울인 노력을 칭찬하고, 외상기억을 이야기하는 것의 원리에 대해 다뤘습니다. 치료자는 외상 사건을 떠올리는 것을 피하고 싶은 충동이 정상이라는 점을 짚으면서도, 동시에 그에 대해 생각하지 않으려고 노력하는 것이 그것을 더 쉽게 만들어주지 않는다는 점을 짚어주었습니다. 치료자는 과거 기억을 다시 말하는 목적은, 일어난 일을 정리하고 소화할 수 있게 해 주는 것이며, 이를 통해 너무 압도되거나 혼란스럽게 느끼지 않게 하려는 것이라고 설명해 주었습니다. 치료자는 벨라에게 외상 기억을 말하며 그에 대해 생각해보는 것과 그것을 실제로 겪는 것은 매우 다른 일이라는 점, 그리고 그것을 말한다고 무너지지 않는다는 점을 깨닫게 해줄 것이고, 자신이 능숙하며 강인한 사람이라는 점을 깨달을 수 있게 해줄 것이라고 말해주었습니다.

치료자는 벨라에게 어떻게 트라우마 기억을 이야기하면 되는지 방법을 안내해 주었습니다. 눈을 감고 약 30여분 간 사건의 시작과 끝까지 이야기하는데, 시간이 다될 때까지 필요한만큼 서사를 반복해서 이야기하도록 하였습니다. 그리고 기억과 감정적으로 연결되기 위해, 사건을 현재형으로 말하고 가능한 최대한 많은 세부적인 내용, 즉 사건 동안의 생각과 감정, 감각들을 포함해서 말하도록 설명하였습니다. 그동안 치료자가 벨라의 감정 온도계를 5분마다 체크하고, 충분히 외상성 기억에 연결되도록 세부적인 것을 끌어낼 질문을 할 수도 있다고 설명했습니다. 벨라는 주저하며 천천히, 조심스럽게 기억을 이야기하기 시작했고 25분간 이야기를 이어갔습니다. 이 시간 동안 그녀는 기억 이야기를 2번 반복하였습니다. 그녀의 감정은 전반적으로 덤덤했고, 마치 사건 보고서의 내용 같이 거의 아무런 감정이 드러나지 않았습니다. 즉 사건의 기본적인 사항들은 이야기하는 반면, 사건에서 가장 어렵게 느껴지는 부분, 특히 오빠가 그녀에게 했던 말이나 성폭력을 시도할 때 했던 행동들에 대해서는 생략하거나 빨리 넘겼습니다. 이 회기가 트라우마 기억 이야기로는 첫번째 시간이었기 때문에, 치료자는 더 자세한 사항들을 캐묻지 않고 지지적인 태도로 벨라의 노력을 북돋아주었습니다. 벨라의 감정온도계 수치는 8로 시작하여 6으로 끝났습니다.

기억 말하기를 마치고, 치료자는 벨라와 토론을 통해 트라우마를 다루었습니다. 치료자는 먼저 벨라가 트라우마 이야기를 한 용감함을 축하하며 칭찬했습니다. 그리고 이야기 경험에 대해 다루며, 두번째 말할 때 전체적으로 조금이나마 그것이 쉬워졌는지와 함께, 트라우마와 그 영향에 대한 벨라의 생각과 믿음들을 탐색했습니다. 벨라는 트라우마에 대해 수치심과 죄책감을 느꼈고, 친오빠가 사건의 가해자이므로 자신 역시 마치 "괴물"인 것처럼 느껴진다는 점, 자신이 아무에게도 그것을 말하지 않아서 일이 그렇게까지 진행된 것이 자기의 잘못같다고 했습니다. 치료자는 벨라가 이러한 감정을 말할 수 있게 하고 공감해주었지만, 그녀의 생각을 바꾸려 하지는 않았습니다. 이 트라우마 처리과정 후, 치료자는 새로운 실생활 실험을 논의하며 벨라에게 녹음한 기억 말하기듣기와 매일의 실생활 실험을 포함한 숙제를 정해주었습니다.

이 모듈은 세 번 더 반복하여 진행되었습니다. 세 회기의 각 시작마다, 치료자는 벨라의 숙제를 확인했습니다. 벨라는 거의 매일 실생활 실험을 연습했고, 불안 위계 리스트 중 점점 높은 위계 항목 방향으로 완수해 갔습니다. 또한 그녀는 거의 매일 이전 회기에서 진행했던 기억 이야기의 녹음본을 들었습니다. 각 회기에서 숙제를 검토한 뒤, 벨라는 20~40 분 동안 기억 이야기를 했습니다. 치료자는 그녀가 좀더 감정적으로 기억에 접근할 수 있도록 사건의 더 자세한 세부 사항을 말하게 격려했습니다. 기억 이야기를 하는 동안, 벨라는 여전히 스스로를 잘 통제하고 있었지만 무덤덤한 정서적 태도는 사라져갔습니다. 그녀는 결코 울음을 터뜨리거나 감정을 쏟아내지 않았습니다. 이야기 중 그녀의 스트레스 온도계의 최고 수치는 6번째 회기에서 4까지 떨어졌습니다. 각 회기에서의 기억 이야기를 한 뒤, 치료자는 벨라에게 과정이 어땠는지 질문하고 벨라가 사건에 대한 생각과 감정을 이야기하도록 이끌어가면서 트라우마 처리를 진행했습니다. 여기에서는 트라우마에 대한 벨라의 죄책감이 치료의 초점이 되었습니다. 특히 벨라는 이 모든 것을 수년간 지속되어왔던 일이었음에도 더 일찍 상황을 밝히지 않았던 자신의 탓으로 여기고 있었습니다. 이 모듈의 첫 회기에 치료자는 벨라의 죄책감의 이유와, 사건을 밝힌 후에 이 감정이 그녀에게 어떤 영향을 미쳤는지 질문하며 이야기를 나누었습니다.

**모듈 6: 최악의 순간** 내담자가 트라우마 기억의 습관화[1]를 경험하기 시작하면, 정서 처리 과정을 강화하기 위해 치료자와 청소년은 함께 기억 중 가장 정서적 고통이 큰 부분, "최악의 순간" 작업을 시작하게 됩니다. 이 모듈은 보통 2~5회기의 기억 이야기하기(모듈 5) 후에 시작되며, 치료의 종결을 준비하며 재발 방지 개념을 소개하기 전까지 3단계의 나머지 시간 동안 반복합니다. 최악의 순간 모듈은 이전 모듈과 구조가 동일하며(숙제 검토, 20-40분간의 기억 이야기, 처리, 다음 숙제 내기) 기억 이야기가 전체 외상 기억 중 가장 최악의 순간인 작은 부분에 초점을 맞춘다는 차이만 존재합니다.

이 모듈의 첫 번째 회기에서, 치료자는 내담자가 사건의 전 기억을 되살려 이야기하는 동안 주제를 좁혀 그 기억 중 최악의 순간에 초점을 맞추도록 합니다. 치료자와 청소년은 함께 (스트레스 온도계 수치와 청소년의 주관적인 보고를 근거로) 최악의 순간을 고르고, 내담자에게 그 부분에 집중하여 기억 이야기하기를 진행합니다. 이 때 20~40 분간 필요한 만큼 "최악의 순간"을 반복합니다. 하나 이상의 최악의 순간이 있다면, 기억 이야기는 제일 힘든 것에 집중하여 반복하며 처리한 뒤, 어려움의 정도 순위에 따라 순차적으로 작업

1) 자극이 반복되며 그에 대한 반응이 점차 줄어드는 현상 (역자주)

합니다. 기억 중 최악의 부분에만 집중하는 것은, 내담자에게 그 순간 어떤 일이 일어났었는지 좀더 면밀하고 자세하게 살펴보게 하고, 만의 하나 아직도 회피하고 있는 세부 사항들을 찾아볼 기회가 됩니다. 또한 이는 한 회기에서 가능한 한 많이 기억 이야기하기를 반복하게 하여, 트라우마의 최악의 부분조차 최대한 습관화가 일어나도록 촉진해 줍니다.

**사례**

숙제를 검토한 뒤, 치료자와 벨라는 트라우마 기억 중 최악의 순간을 고르고, 어떻게 최악의 순간을 더 자세히 말하는 것이 그녀를 도울 수 있는지 이야기를 나누었습니다. 벨라는 단 하나의 최악의 순간으로 오빠가 자신의 머리 위로 베개를 누르며 강간하려 했던 순간을 선택했습니다. 치료자는 기억 이야기에서 바로 그 부분에 초점을 맞추어서, 한 회기 내에 최대한 많이 반복을 할 것이라고 설명했습니다. 이전 회기와 마찬가지로, 기억 이야기를 마친 뒤 그 기억을 처리하는데 시간을 할애했습니다.

벨라는 이 모듈을 4회기로 마쳤습니다. 이 회기 동안 벨라는 점점 난이도가 높은 실생활 실험과 기억 이야기 녹음 파일 듣기 숙제를 꾸준히 했습니다. 회기 중 최악의 순간에 대한 기억 이야기를 완성하는 동안, 치료자는 벨라가 그 최악의 순간을 더욱 자세히 이야기할 수 있도록 격려했습니다. 치료자는 벨라에게, 오빠가 그녀를 강간하려 할 때 느꼈던 감정과 떠오른 생각들과 그 순간의 신체적인 감각에 대해 물으며, 각 순간순간 일어났던 일들을 벨라가 더 자세히 이야기할 수 있도록 도왔습니다. 벨라는 강간을 시도하던 순간의 오빠의 신체 행동들을 묘사하는 것을 특히 더 어려워했지만, 결국 이에 대해 큰 소리로 말해내었습니다. 기억 이야기 동안 드러나는 그녀의 표정과 신체 언어를 볼 때, 벨라는 지속적으로 그 기억에 감정적으로 연결되어 있었지만, 내내 그녀는 자제력을 잃지 않았고 무너지거나 울지 않았습니다. 그녀의 스트레스 온도계 수치는 첫 최악의 순간 회기에서는 최고 9점에 달했으나 마지막 회기에는 3까지 떨어졌습니다.

기억을 처리하는 동안, 치료자는 벨라에게 죄책감과 관련한 질문을 하는데 집중하였는데, 그것은 사건이 처음 발생했을 때 왜 알리지 않았는지에 대한 이유나 정당화할 수 있는 것이 있는지 벨라가 생각해볼 수 있게 도와주었습니다. 가장 도움이 되었던 대화는 오빠가 당시 어떤 사람이었는지, 가족 간의 관계가 어땠는지에 대한 질문에서 시작되었습니다. 이 대화를 통해 벨라는 오빠가 아주 어렸을 때부터 폭력적인 행동과 분노발작으로 가족을 좌지우지했으며, 그에게 대항했다가는 오빠나 항상 그의 편이었던 아빠가 응징한다는 것을 알고 있었다는 점을 연결시켰습니다. 벨라는 이를 통해 사건이 발생한 순간부터 그 뒤의 언제라도 자신이 폭력을 밝히지 못한 진정한 이유가 있었다는 것을 깨닫기 시작했습니다. 그녀는 마침내 더 일찍 사건을 밝히지 못했던 자신에 대한 죄책감을 내려놓을 수 있었고, 대신 처음으로 오빠에 대한 분노를 느끼기 시작했습니다. 벨라는 이런 상황에서 화를 느끼는 것이 정상이므로 그 감정을 인정하고 받아들이도록 격려 받았지만, 곧이어 오빠에게 연민을 느끼기 시작하면서 그 분노를 내려놓고, 그녀를 학대하게 만들었던 그의 어려움이 무엇이든 간에 그가 받고 있는 치료가 그것을 극복하는 데 도움이 되기를 바라게 되었습니다.

### 10.2.4 단계 4: 재발 방지/치료 종결

**모듈 7: 재발 방지** 청소년의 기능이 충분히 호전되고, 트라우마 기억을 떠올리는 것이 더 쉬워지고 PTSD 증상이 만족할 만큼 줄어들면 다음 모듈을 시작합니다. 모듈 7의 목표는 잠재적인 미래의 촉발 요인를 찾고 내담자가 이러한 요인들을 다룰 수 있도록 그동안 배운 도구들을 확인하는 것입니다.

사례

최악의 순간에 대한 4회기 후, 벨라는 실생활 실험의 거의 대부분을 완수했고 더 이상 성폭력에 대한 생각이나 감정을 피하지 않으며, PTSD 증상들이 상당히 줄어들었습니다. 벨라와 치료자는 치료가 마무리 단계이므로 재발 방지 구성단계를 진행하기로 결정했습니다. 벨라에게는 오빠와의 재회가 이 모듈에서의 최우선 주제가 되어 2회기 동안 진행되었습니다. 이 회기 중 치료자와 벨라는 재회 과정, 그 과정에 대한 그녀의 참여 의지, 그리고 그녀의 기대에 대해 이야기를 나누었습니다. 재회 과정은 점진적으로, 편지 교환과 전화 통화부터 시작하여 지도 감독하에 방문하는 것으로 진행될 예정이었습니다. 출소 후 그녀의 오빠가 머물 곳은 아직 정해지지 않았습니다. 벨라는 자신의 삶에 다시 오빠가 있길 바란다고 했습니다. 그녀는 그로부터 그녀에게 폭력을 저지른 이유에 대한 답을 듣고 싶다고 말했습니다. 치료자와 그녀는 답을 들을 수 있을지와 그것이 그녀에게 만족스러울 수 있을지에 대해 이야기를 나누었습니다. 벨라는 학대가 자신의 잘못이 아니라는 것을 치료를 통해 배웠던 것을 통해서, 왜 오빠가 자신을 학대했는지에 대한 답이 없을 수 있다는 점을 이해할 수 있었습니다. 그녀는 또한 점진적인 재결합 과정이 실생활 실험 숙제와 비슷하다고 보았고, 따라서 이 역시 성공할 수 있을 것이라고 자신감을 내비쳤습니다. 재결합 과정의 시작은 치료가 종결되고 몇 달 뒤로 계획되어 있기 때문에, 그 때 벨라가 필요하다면 향후 추가 회기를 가질 수 있다고 안내받았습니다.

**모듈 8: 최종 회기** 이 회기에서 내담자는 마지막으로 기억을 되돌려보는데, 최근 회기의 초점이었던 최악의 순간만이 아니라 전체 기억을 되살려 이야기합니다. 치료 시작 때와 비교하여 지금 현재 청소년이 어떻게 느끼고 있는지를 비교하여 다룹니다. 실생활 실험의 위계 순위에서 다루었던 항목들의 순위를 다시 매기고, 순위에 변화가 있으면 이를 논의합니다. 이 대화에는 치료에서 가장 도움이 되었던 부분과 가장 덜 도움이 되었던 부분을 확인하는 것도 포함됩니다. 마지막으로 청소년이 선택한 기념 활동으로 마무리합니다.

사례

벨라의 마지막 회기에서 그녀는 치료 시간에 다루었던 모든 트라우마 기억을 말했고, 스트레스 온도계의 최고 수치는 3이라고 했습니다. 그리고 치료를 시작하기 전 자신이 그 사건에 대해 얼마나 압도되고 혼란스러웠는지, 그리고 어떻게 지금은 그것이 자신의 잘못이 아니라는 점을 알게 되었는지, 그리고 과거에는 그 사건에 대해 말할 때 얼마나 극도로 자신의 선택지가 없다고 느꼈었는지를 털어놓았습니다. 벨라는 전반적으로 자신이 더 안전하다고 느끼며 걱정하지 않는다고 했습니다. 실생활 실험의 위계순위를 재평가하자 모든 항목이 3 이하로 줄어든 것이 확인되었습니다. 벨라는 상황들을 직면하고 연습했던 것이 이러한 변화를 이끌어냈다는 점을 이해했습니다. 벨라는 치료에서 일어났던 일을 이야기했던 것이 가장 도움이 되었고, 거의 근소한 차이로 그 다음으로 도움이 된 것은 실생활에서 자신의 두려움을 마주했던 것이었다고 말했습니다. 벨라와 치료자는 치료에서 배운 기술을 앞으로 어떻게 활용할지에 대해 이야기를 나누었습니다. 벨라는 종결을 축하하는 활동으로 치료자와 어머니와 함께 간식을 나누어 먹기로 결정하고 회기에 어머니를 초대하였습니다. 간식을 먹으며 그들은 벨라의 발전과 그녀의 어머니가 눈치챈 변화들에 대해 이야기했습니다. 치료자는 벨라가 이룬 성공들을 강조하는 성취 증명서를 전달했습니다. 이 회기는 오빠와 다시 만날 예정인 상황을 고려해, 필요하다면 다시 만날 계획을 세우며 마무리되었습니다.

## 10.3 특정 상황과 어려움들

청소년과 PE-A를 진행할 때, 다양한 문제들을 만날 수 있습니다. 다음은 가장 일반적으로 발생하는 문제의 종류들입니다. 첫 번째 난제는 PE-A 적합성 평가에서 발생합니다. PE-A는 PTSD 증상에 대한 치료법이지 트라우마 자체에 대한 치료가 아니라는 점이 중요합니다. 따라서 PTSD 증상을 세심하게 평가하는 것이 매우 중요합니다. PTSD 증상이 있으면서 그것이 청소년의 생활에 지장을 초래하는 경우, 그 증상이 치료의 최우선 목표 대상이 되는 것도 매우 중요한 부분입니다. 공존하는 문제들이 있다면 그 공존 질환들은 PTSD 증상보다 2차적일 때만 PE-A가 최적의 치료법이 될 수 있습니다. PE-A치료의 적합성 면에서 PTSD 진단기준을 완전히 충족시키는 것이 필수가 아니라는 점에도 주목해야 합니다. 해당 청소년이 준임상 수준의 PTSD(가령 재경험, 회피와 증가한 각성 증상들은 진단 기준에 맞지만, 인지/정서 증상은 전체 진단기준을 충족하지 않는 경우)를 겪고 있어도 그 증상들이 고통을 유발하고 일상생활을 방해하는 주요 문제라면 여전히 PE-A가 적절한 치료법일 수 있습니다.

PE-A는 자살 또는 타해의 임박한 위험, 심각한 자해, 약물로 조절이 안되는 정신증상을 보이거나 폭력의 위험이 매우 높은 환경에 살고 있는 청소년에게는 권장되지 않습니다. 이러한 상황이나 공존질환은 다른 치료법들과 마찬가지로 PE-A를 시작하기 전에 확인되고 안정화되어야 합니다. 또, 다른 질환이 청소년에게 더 큰 기능적인 방해가 되고 있다면, 이 질환이 PE-A의 시작 전에 다루어져야 합니다. 이러한 면들을 고려하여, 치료 전이나 치료 동안 면담과 자기보고식 임상 설문지를 통한 주의 깊은 평가가 매우 중요합니다.

청소년이 외상 사건을 충분히 기억하고 있는지 확인하는 것 역시 중요합니다. 사건의 시작, 중간 및 끝이 존재하는 충분한 기억을 시각화하고 묘사할 수 있어야 합니다. 머리를 다쳤거나 물질에 중독된 경우, 또는 해리성 기억상실이 있어 해당 청소년이 전체 상황을 기억하지 못하는 경우에도, 기억 못하는 부분 전후의 상황을 기억할 수 있다면 PE-A를 적용해 볼 수 있습니다. 이렇게 짧게 단절된 형태로 기억되는 외상 기억도 PE-A를 진행하기에 충분할 수 있습니다.

PE-A를 할 때 자주 발생하는 또 다른 어려움은 트라우마 작업에 초점을 맞추고 유지하는 것입니다. PTSD를 겪고 있는 청소년은 법적인 참여나 법원 출석, 위탁 시설 생활, 신체 상해를 다루거나 가족이나 지지적인 지인들의 상실 등, 종종 그들의 외상과 관련된 다른 생활 스트레스를 만나게 됩니다, 이러한 스트레스는 청소년이 치료에 참여하는 데 방해가 될 수 있습니다. 이러한 스트레스 요인들의 영향력을 줄이는데 강력한 치료 동맹이 도움이 될 수 있습니다. 치료와 기법들의 원리를 제공하고, 흔한 반응들에 대해 토론하는 것 같은 PE-A 기법들이 좋은 치료적 관계를 맺기 위한 기초 작업에 도움이 됩니다. 또한 치료자는 트라우마 작업에 초점을 유지하는 것이 이러한 다른 스트레스 요인들에 주의를 돌리는 것보다 매우 도움이 된다는 것을 기억하고 있어야 합니다. 그러나 이는 이러한 스트레스 상황들을 무시하라는 의미가 아니며, 각 회기 마지막 10-15분 정도를 따로 할애해서 다룹니다. 물론, 직면한 위기나 피해의 위협이 있을 경우에는 즉시 1, 2 회기를 할애하여 다루어야 할 수도 있습니다.

치료자가 청소년의 발달 수준에 잘 맞추어 치료를 진행하는 것 역시 중요합니다. PE-A는 치료적 개념을 설명하는데 역할 극, 이야기나 게임을 활용하거나 트라우마 기억 이야기 하기에 글쓰기나 그리기를 이용하는 등, 치료적 기법을 유연하게 적용할 수 있습니다. 그리고 PE-A의 모듈 형식은 청소년의 집중 정도에 따라, 각 회기에서 단일 또는 여러 모듈을 적용하며 더 짧거나 긴 회기로 진행할 수 있는 형태입니다. 치료자는 치료 근거를 이해시키고 받아들이게 하기 위해 청소년의 발달 수준에 적합한 단어와 예시를 선택하도록 주의해야합니다. PE-A가 12 세 미만의 어린이에게도 적용되어왔지만, 아직 이 연령대에는 검증되지 않았다는 점에도 주의를 요합니다.

PE-A 시행에서는 부모의 참여도 역시 어려운 부분일 수 있습니다. 부모가 치료의 원리를 이해하고, 자녀가 자신의 두려움을 대면하기 위해 노력하는 것을 지지해주는 것도 중요하지만, 청소년은 종종 부모로부터의 독립과 사생활을 지키는 문제로 어려움을 겪습니다. PE-A는 부모에게 심리 교육 자료를 제공하고, 청소년이 부모의 참여 수준을 선택하도록 하여 이러한 목표들을 다루어 나갑니다. 지지적인 부모의 동참이 이상적이지만, 어떤 청소년들은 부모와의 관계가 복잡하거나 소원해졌을 수도, 부모의 참여가 아예 없을 수도 있습니다. 발달 수준도 부모의 참여를 고려할 때 중요하게 보는 부분입니다. 가령, 아직 어린 십대는 실생활 실험에 부모의 도움이 필요할 수 있습니다(예: 운전하여 쇼핑몰에 데려가기 등). 어떤 경우에는 부모가 청소년의 회피를 더 조장하기도 하므로, 실생활 실험의 원리를 교육하고, 포함되어야 할 위계 항목들에 대한 정보를 얻는 것이 중요할 수도 있습니다.

기억 말하기를 하는 것도 어려운 부분일 수 있습니다. 청소년이 자신의 외상 사건을 이야기하며 괴로워할 것이라는 점은 예상되는 일이고, 사실 이것이 그들이 기억에 잘 접근하고 있다는 신호이기도 하지만 간혹 과하게 몰입하는 경우가 발생합니다. 기억을 이야기하는 동안의 과도한 몰입은 청소년이 더 이상 그 기억을 학습 촉진의 형태로 처리하고 있지 못한다는 신호로, 극도의 감정적 고통이나 심각한 해리 형태로 나타납니다. 이런 상황이 발생하면 눈을 뜨게 하거나 기억을 글로 쓰도록 해보는 등의 방식으로 몰입 정도를 조절할 수 있게 청소년을 도와주어야 합니다. 기억 회상 상황에서의 몰입 상태가 낮은 것 역시 특히 문제가 될 수 있습니다. 내담자가 정서적으로 기억에 닿을 수 없을 때 몰입 상태가 낮게 됩니다. 이럴 경우 역시 치료자의 임무는 내담자가 기억을 되살리는 데 몰입의 정도를 조절할 수 있도록 돕는 것입니다(코칭, 역할극, 치료적 원리를 반복해주거나 사건의 세부 사항을 묻는 등).

## 10.4 연구와 임상적인 근거

성인 PTSD의 치료로 PE의 유용성을 지지하는 연구 문헌들은 매우 많습니다. PE는 20여년 이상 연구와 임상 양면에서 연구되어 왔으며, 다양한 외상 유형(Powers 등. 2010)에 이차적인 PTSD 증상들을 상당히 많이, 빠르게 감소시키고, 치료 후 10여년까지도 이러한 효과를 유지하는 것으로 보고되었습니다(Resick 등. 2012). PE는 PTSD 증상들뿐 아니라 우울과 일반적인 불안(Power등. 2010), 분노(Cahill 등. 2003), 죄책감(Resick 등. 2002) 및 사회적 기능의 개선(Markowitz 등. 2015)과 신체 건강(Rauch 등. 2009)면에서도 유의미한 호전 효과를 보였습니다. 이러한 연구 결과들을 토대로, 많은 치료 가이드라인들이 PTSD에 PE와 노출 기반 치료의 사용을 권고하고 있습니다(Institute of Medicine (2008), National Institute for Health and Care Excellence (2005)).

청소년들 대상의 PE-A의 연구들은 그 수가 적기는 하나, 이 치료가 다른 치료보다 효과적이고 우수함을 보여주었습니다. 예를 들어, 무작위 대조 연구에서 PE-A는 단일 외상 사건으로 인한 PTSD를 겪는 청소년들에게서 PTSD 및 우울증의 심각도를 줄이고 전반적인 기능 수준을 향상시키는 데 단기 역동적 심리치료(time-limited dynamic psychotherapy, 이하 TLDP)보다 우월한 것으로 나타났습니다(38명, 12–18세; Gilboa-Schechtman 등. 2010). 치료 후, PE-A 환자의 73.7%는 최종 기능이 양호한 기준에 해당하였고(TLDP는 31.6%), 68.4%는 더이상 PTSD의 진단 기준을 충족시키지 않았습니다. 이러한 증상의 개선은 6개월과 17개월의 추적 관찰에서도 유지되었습니다.

또다른 무작위 대조 연구에서는 PE-A와 치료 관계의 정립과 일상 스트레스의 문제 해결에 초점을 둔 지지적 상담인 내담자 중심치료(client-centered therapy, 이하 CCT)를 비교했습니다. 이 연구에 참여한 참가자들은 지역 사회의 정신건강 클리닉 치료에 참여한 성폭력으로 인한 PTSD를 겪는 여성 청소년들이었습니다(61명, 13-18 세; Foa 등. 2013).

치료 후, CCT보다 PE-A를 받은 청소년에게서 PTSD와 우울증 증상이 더 많이 줄고 전반적인 기능이 더 크게 개선되었습니다. 게다가 PE-A를 받은 청소년의 83.3%는 치료 후 더 이상 PTSD의 진단 기준에 해당하지 않았습니다(CCT의 경우 54%). Gilboa-Schechtman과 동료들(2010)의 연구 결과에서도 일관되게, PE-A치료 후의 증상변화는 12개월 뒤의 추적관찰에서도 유지되었습니다. 추가 연구가 필요하지만, 현재까지의 근거들은 청소년 PTSD의 치료에 PE-A의 적용을 지지하고 있으며, 2011년 California Evidence-Based Clearinghouse for Child Welfare에서는 PE-A를 치료 프로그램 중 가장 높은 순위로, 연구 근거가 충분한 프로그램으로 지목하였습니다.

## 참고 문헌


Cahill SP, Rauch SA, Hembree EA, Foa EB (2003) Effect of cognitive-behavioral treatments for PTSD on anger. J Cogn Psychother 17:113–31. doi:10.1891/jcop.17.2.113.57434

California Evidence-Based Clearinghouse for Child Welfare (2011) Retrieved 27 Jan 2016, from http://www.cebc4cw.org/program/prolonged-exposure-therapy-for-adolescents/detailed

Chrestman K, Gilboa-Schechtman E, Foa EB (2008) Prolonged exposure therapy for PTSD: teen workbook. Oxford University Press, New York

Foa EB, Chrestman K, Gilboa-Schechtman E (2008) Prolonged exposure therapy for adolescents with PTSD: emotional processing of traumatic experiences. Oxford University Press, New York

Foa EB, Hembree EA, Rothbaum BO (2007) Prolonged exposure therapy for PTSD: emotional processing of traumatic experiences therapist guide. Oxford University Press, New York

Foa EB, Huppert JD, Cahill SP (2006) Emotional processing theory: an update. In: Rothbaum BO (ed) Pathological anxiety: emotional processing in etiology and treatment. Guilford Press, New York, pp. 3–24

Foa EB, Kozak MJ (1986) Emotional processing of fear: exposure of corrective information. Psychol Bull 99:20–35. doi:10.1037/0033-2909.99.1.20

Foa EB, McLean CP, Capaldi S, Rosenfield D (2013) Prolonged exposure vs. supportive counseling for sexual abuse-related PTSD in adolescent girls: a randomized controlled trial. JAMA 310:2650–7. doi:10.1001/jama.2013.282829

Gilboa-Schechtman E, Foa EB, Shafran N, Aderka IM, Powers MB, Rachamim L, Rosenbach L, Yadin E, Apter A (2010) Prolonged exposure versus dynamic therapy for adolescent PTSD: a pilot randomized controlled trial. J Am Acad Child Adolesc Psychiatry 49:1034–42. doi:10.1016/j.jaac.2010.07.014

Institute of Medicine (2008) Treatment of posttraumatic stress disorder: an assessment of the evidence. National Academies Press, Washington, DC

National Institute for Health and Care Excellence (2005) Retrieved 2 Dec 2016, from https://www. nice.org.uk/guidance/CG26/chapter/1-Guidance#the-treatment-of-ptsd

Markowitz JC, Petkova E, Neria Y, Van Meter PE, Zhao Y, Hembree E, Lovell K, Biyanova T, Marshall RD (2015) Is exposure necessary? a randomized controlled trial of interpersonal psychotherapy for PTSD. Am J Psychiatry 172:430–40. doi:10.1176/appi.ajp.2014.14070908

Powers MB, Halpern JM, Ferenschak MP, Gillihan SJ, Foa EB (2010) A meta-analytic review of prolonged exposure for posttraumatic stress disorder. Clin Psychol Rev 30:635–41. doi:10.1016/j.cpr.2010.04.007

Rauch SAM, Grunfeld TEE, Yadin E, Cahill SP, Hembree E, Foa EB (2009) Changes in reported physical health symptoms and social function with prolonged exposure therapy for chronic posttraumatic stress disorder. Depress Anxiety 26:732–8. doi:10.1002/da.20518

Resick PA, Nishith P, Weaver TL, Astin MC, Feuer CA (2002) A comparison of cognitive- processing therapy with prolonged exposure and a waiting condition for the treatment of chronic post-traumatic stress disorder in female rape victims. J Consult Clin Psychol 70:867– 79. doi:10.1037/0022-

006X.70.4.867
Resick PA, Williams LF, Suvack MK, Monson CM, Gradus JL (2012) Long-term outcomes of cognitive-behavioral treatments for posttraumatic stress disorder among female rape survivors. J Consult Clin Psychol 80:201–210. doi:10.1037/a0026602

# 아동청소년의 내러티브 노출치료(KIDNET) 11

Maggie Schauer, Frank Neuner 과 omas Elbert

## 11.1 내러티브 노출 치료(Narrative Exposure Therapy, 이하 NET)의 이론적 토대

아동과 청소년은 경고 반응이나 다른 강한 방어적인 연쇄반응을 불러오기에 충분할만큼 강력한 부정적인 사건에 반복적으로 노출될 경우 트라우마를 입습니다(Schauer와 Elbert 2010). 만약 애착 대상으로 인해 고통과 두려움에 떨게 된다면 그 영향이 정신건강에 더욱 파괴적인데, 이는 보호자는 원래 그 반대인 안전, 안심과 안정을 주는 존재여야 하기 때문입니다. 한 가지 유형의 부정적인 경험을 한 아이들은, 가정 안팎에서 정서 방임, 사회적 거부, 신체 또는 성적 학대를 포함한 다른 형태의 스트레스 역시 종종 겪습니다.

심각한 스트레스를 여러 번 경험하면, 트라우마와 관련된 고통이 쌓여(Neuner 등. 2004; Schauer 등. 2003) 생존자가 성인이 될 때까지 취약하게 만듭니다. 결과적으로, 어린 시절의 부정적 경험으로 인해 암묵적 기억에 영구적인 변화가 일어난 이들이 새로운 트라우마 경험을 하게 될 때 가장 파괴적인 충격을 받게 됩니다.

심각하고 종종 지속적인 스트레스를 겪은 아동 생존자들의 내러티브는 엄청난 고통과 슬픔을 담고 있습니다. 이 아동들은 필사적으로 정서적 친밀감과 의미를 찾으려고 합니다(Schauer 등. 2004, 2005; Onyut 등. 2005; Catani 등. 2009; Hermenau 등. 2011). 복합적이고 복잡한 트라우마의 생존자에게 트라우마 기억으로부터 능동적인 분리가 포함된 안정화 기법이나 우연히 떠오른 트라우마에만 집중하게 하는 치료법, 또는 고립된 트라우마 사건을 치료의 목표로 선택하는 것 등은 전체적인 고통을 줄이는 효과를 증명하지 못했습니다. 이러한 치료법들은 신경과 후성유전적인 구조에 일어난 부적응적인 변화를 조정하기에 충분하지 않고, 기능적으로 발달하도록 방향을 되돌리지도 못합니다(Lindauer 2015; Jongh과 Broeke 2014; Neuner 2012; Beutel과 Subic-Wrana 2012; Elbert와 Schauer 2014).

인생선[lifeline]이 끊긴[broken] 사람에게는, 트라우마 기억뿐 아니라 전체 인생을 드러내어 서술적 재구성을 할 수 있는 포괄적인 접근이 필요합니다. 아동청소년이 자신의 삶의 이야기를 반영하고 정신적인 충격은 물론 힘이 되었던 삶의 경험들도 처리할 수 있게 지지와 격려가 필요합니다. **내러티브 노출 치료**(NET; Schauer 등. 2005, 2011)는 충격적인 경험과 다른 자극적인 사건들을 통합한 자전적 서술을 공들여 만드는 것에 초점을 맞춥니다. KIDNET (Narrative exposure therapy for children and adolescents, 이하 KIDNET)은 학대, 사회적 불이익 및/또는 반복되는 조직적인 폭력의 경험과 같은 충격적인 트라우마에 여러 번, 지속적으로 노출된 아동청소년을 위해 만들어졌습니다. 가장 충격적인 사건을 중심으로, 발생순서와 시간순서대로 이야기를 서술하는 것은, 심각하고 복잡한 트라우마 사건으로 고통받는 어린이에게도 충분히 상당한 안도감을 주고 개인의 기능을 회복하게 해줄 수 있습니다(Catani 등. 2009; Ruf 등. 2010). 스토리텔링은 아이를 키우는 여러 문화에서 보편적인 것입니다. 상상적 노출과 함께 하면, 트라우마 연쇄고리의 의미와 기원을 맥락 속에서 알 수 있게 될 것입니다(Ruf와 Schauer 2012). 이러한 증언식 접근법으로, NET은 가정 내와 전쟁에서의 아동학대를 문서화하는 것도 목표로 하고 있습니다.

정신적 충격을 받은 사람은 기억의 조율 기능을 잃게 됩니다. 그들의 자서전적인 이야기들은 맥락이 없이 단편적으로 보입니다(예; Brewin 등. 2010). 따라서 KIDNET의 핵심 구성요소는, 외상성 사건마다 적절한 공간적, 시간적 맥락(**어디서** 그리고 **언제** 그 일들이 일어났는가)을 연결하는 것입니다. KIDNET에서는 이 자전적 정보를 "콜드 메모리cold memory[1)]"라고 합니다(Elbert와 Schauer 2002). 이 기억은 언어로 접근이 가능하기 때문에 소통과 재해석이 가능하고, 이를 통해 사건의 의미가 조정될 수도 있습니다. 콜드 메모리는 핫 메모리hot memory[2)]에 맥락을 부여하는 의식적 경험의 자료를 담고 있는데, 이는 각성을 유발하는 경험의 감각적, 인지적, 감정적인 흔적들입니다. 트라우마 관련 질환에서 핵심 문제는, 핫 메모리가 언제, 어디서 그 경험이 일어났는지를 포함한 적절한 연결을 잃고, 그 결과로 곧 닥칠 듯한 위협과 무력감을 느끼게 되는 것입니다. 이는 지속적인 외상후 스트레스, 불안 및 우울증으로 이어져(Brewin 등. 2010; Brewin 2014; Schauer 등. 2011), 결국 아이들의 애착추구 체계를 지나치게 활성화합니다. 이 맥락을 벗어난 "핫 메모리"로 인해 감정을 적절히 조절하는 능력과 탐구하고 배우려는 동기가 위태롭게 됩니다(**표 11.1**).

감정을 각성시키는 사건들은 함께 묶여 연결된 상세한 감각 및 지각 이미지를 불러옵니다(Shauer 등. 2011). 예를 들어 감성적인 첫 키스 같은 각성 기억은, 어쩌다 맡은 **향수의 향기** 같은 감각적인 단서나 즐거운 기대로 **두근거리는 심장** 같은 생리적인 반응에서 의해서도 활성화 될 수 있습니다. 감각과 감정 외에도, 핫 메모리는 '내가 좋은 남자와 사귀고 있는 건가?', '부모님이 나에게 화내실 거야…' 같은 인지적인 요소도 포함합니다. 트라우마 경험 면에서, 핫 메모리는 과거 장면의 특징들 역시 포함할 수 있습니다: 총 소리, 화약 냄새(감각적 요소), 두려움과 공황(감정), 무력감에 대한 생각(인지), 땀, 심장의 두근거림(생리적 기억). 정신적 충격을 받은 생존자들의 경우, 이러한 기억은 자신의 의지로는 접근할

1) 잘 정리된 기억을 의미합니다(역자주)
2) 정리되지 않은 기억을 의미합니다(역자주)

수 없으며, 충격적인 순간 자체와 관련된 플래시백과 악몽의 재료가 됩니다. 경험이 늘어남에 따라, 점점 더 많은 감각 요소들이 기억과 연결되고("공포 네트워크" 현상) 그에 따라 트라우마의 핵심 감정(공포, 무력, 흥분)이 활성화될 가능성을 높이는 단서로 작용합니다. 이 핫 메모리의 네트워크는 서로 다른 시간, 다른 장소에서 겪은 경험들이 만든 것이므로 공동의 콜드 메모리를 공유하지 않습니다. 결과적으로 스트레스 요인에 대한 노출이 늘어날수록 공포 네트워크는 점점 더 커지는 반면, 이러한 핫 메모리는 공간 및 시간적인 정보에 대한 연결을 잃습니다(Shauer 등, 2011). 어떤 단서가 핫 메모리를 불러올 때 이들은 사건과의 연결은 없이 오직 지금 여기에서의 경험으로 잘못 존재하게 됩니다.

이러한 콜드 메모리의 결핍은 빈번한 극도의 각성이나 악몽, 플래시백 현상을 일으킵니다. 아이들은 사건들을 다시 겪고, 반복에 반복을 거듭하며 되새깁니다. 따라서 내러티브 노출 치료에서 생존자는 치료자의 도움을 받아, 감정적인 각성 경험에 초점을 맞춰 자신의 삶의 이야기를 시간순서대로 구성합니다. 트라우마 경험과 연관되어 얽힌 부분이 일관성 있는 서술로 바뀌고, 그로 인해 과거에 끌어내졌던 감정과 인지들 안에 사실이 새겨지면서 기억이 지금 여기에서 활성화되어 핫과 콜드 메모리의 내용이 다시 연결됩니다(표 11.1). 공감적 이해, 적극적 경청, 일관성, 그리고 무조건적인 긍정적 관점이 치료자 자세의 핵심 요소입니다.

**표 11.1** 핫/ 콜드 메모리

| 콜드 메모리(맥락: 삽화적 사건의 시간과 장소) | 핫 메모리(감각-인지-감정-생리학적 반응) |
|---|---|
| 추상적이고 유연한, 맥락에 맞는 표상representation | 경직되고 감각에 기반한 표상 |
| 언어로 접근 가능 - 의사소통, 재해석 및 그로 인한 삶의 목표 변화를 지지함 | 비자발적으로만 접근되고, 플래시백과 악몽의 근간인 세부적인 감각 및 지각 이미지 |
| 자발적 및 비자발적으로 떠올렸을 때 활성화될 수 있는, 뚜렷한 의식적 경험 자료들을 포함 | 기억은 연상적이고 맥락에 맞지 않아서, 트라우마의 순간들을 현재 다시 겪고 있는 듯 경험함 |
| 정보를 적절한 공간적, 시간적 맥락에 따라 배치할 수 있다 - **타인 중심의 관점** | **자기 중심의 관점** |

Brewin과 동료들(2010; Brewin 2014)은 추상적이고 유연하며 맥락에 맞는 표현과 경직되고 감각에 기반한 표현에는 인지심리학과 신경과학 상 뚜렷이 별개인 신경학적 토대가 있다는 근거를 보여주었습니다. 후자의 경우, 우선적으로 고차원의 인지 조절 보다는 직접적으로 지각에 관여하는 뇌 영역(예를 들어 표상을 담당하는 뇌)이 관여합니다. 해마 같은 영역의 관여가 부족할 경우, 맥락이 없는 기억으로 남아 현재에 반복하여 일어나는 상황으로 경험하게 됩니다. 맥락이 있는 표상은 자발적으로든 비자발적으로든 떠올리고 활성화될 수 있는 의식적 경험의 기록들로, 의사소통과 재해석 및 그로 인한 삶의 목표의 수정을 지지해 줍니다. 이 체계는 정보를 적절한 공간적, 시간적 맥락에 맞게 배치할 수 있습니다. 언어 표현은 기억의 표상representation을 계획에 따라 떠올려

재구조화하고 낮은 수준의 감각 기반 기억과 그에 상응하는 표상을 재구성할 수 있는 능력을 뒷받침해줍니다.

이런 방식에서는 겹겹이 쌓인 개인의 트라우마 역사에서 전 생애 중 가장 충격적이었던 경험을 서술하기 위해 특정 단일 사건을 선택할 필요가 없습니다. 그보다 오히려 아이들이 그들의 삶을 전체적으로 받아들이고 자전적 이야기의 주인일 권리를 다시 찾을 수 있게 돕습니다. KIDNET은 기준이 되는 트라우마index trauma에 초점을 맞추는 대신 인생을 전체적으로 보는 관점을 가집니다. 자연 재해이든 인간의 잔인함의 결과이든, 심각한 트라우마 사건은 세상에 대한 기본적인 가정과 삶을 우리가 통제하고 있다는 우리의 기대를 시험합니다. 성장하는 인간으로서 아동이 따뜻함과 공감이 보장된 치료적인 만남을 경험하면 이야기를 서술하는 동안 정서적 네트워크가 활성화되고 애착의 상처를 치유할 수 있습니다. KIDNET은 아동이 그들의 허상들을 쫓아낼 수 있도록 도와줍니다. 아동은 자신의 이야기 안에 좋은 것과 나쁜 것을 볼 줄 아는 관점을 갖고, 회복을 돕는 어른의 정서적 지지를 경험하고 트라우마에서 치유되기 위해 그들의 생각과 감정을 말로 표현할 수 있습니다. 치료적 중립 대신 KIDNET은 생존자에 대한 옹호와 아동의 권리를 고취합니다.

## 11.2 KIDNET을 어떻게 하는가

전통적인 내러티브 노출 치료적 접근(Shauer 등. 2005)은 세 부분으로 구성되며 KIDNET도 동일합니다(자세한 내용은 Schauer 등. 2011 참조).

KIDNET 치료계획의 개요

- 파트 1: **평가와 심리교육:** 외상 사건 체크리스트를 포함한 구조화된 진단 면담 후 1-2회기(각 90여분) 동안 아동과 보호자를 위한 간단한 심리 교육
- 파트 2: **인생선 작업:** 인생선에 매우 강렬한 긍정적, 부정적인 삶의 사건들을 자전적 연대기 순으로 배치(한 회기 내 약 90-120분 동안 수행)
- 파트 3: **내러티브 노출:** 외상성 사건의 심상 노출을 포함한 전체 인생 이야기를 시간순서대로 서술(90분 회기, 회기 수는 인생선 작업 후 결정해야 하며, 일반적으로 5-10회), 치료가 끝나면 마지막 회기에서 증언 전체를 다시 읽고 모든 목격자와 생존자가 문서에 서명하거나 미래의 희망과 소망의 상징물을 포함한 최종적인 인생선을 배열합니다. 생존자(및 비가해 부모)에게 인생 스토리를 전달합니다.

## 11.2.1 파트 1: 평가와 심리교육

### 11.2.1.1 단계1 (부모 없이, 미취학 아동 및 초등학교 아동을 위한 선택적 단계)

유대감을 형성하고 아이의 마음에 즉시 떠오르는 것 - 암묵적인 감각 기억("핫 메모리")을 평가합니다.

아이와 유대감rapport을 쌓기 위해서는 아이에게 그림을 그려보게 하거나 작은 장난감을 갖고 놀게 하는 것이 도움이 되는 경우가 많습니다. 그림을 그려보게 했을 때, 트라우마를 입은 아이는 종종 연관된 트라우마 기억의 이미지를 보여줍니다. 즉, 그림은 다양한 트라우마 경험의 요소들을 결합하고, 때로는 판타지 세계의 괴물들과 섞입니다.

치료자는 자신을 다음과 같이 소개합니다.

> 나는 OO 선생님이야. 나는 (병원, 대학, 학교 등)의 심리학자(의사, 간호사, 사회복지사 등)란다. 나는 진짜 나쁜 일(예: 전쟁, 강간, 강제이주, 고문, 학살, 사고 등)을 겪은 아이들을 돕고 무슨 일이 있었는지 기록하기 위해 왔어. 네가 경험한 것과 나쁜 일들이 일어났을 때 아이들이 느끼는 고통에 대해 이야기하기 전에, 지금 당장 마음에 떠오르는 것이나 널 불편하게 하는 것에 대한 그림을 그려줄 수 있을지 궁금해.

치료자는 아이와 정서적 접촉을 긴밀하게 유지하며 아이가 그린 그림이나 보이는 것을 언어화합니다. 아이가 분명하게 나쁜 경험과 관련된 것을 보여주면 치료자는 아이에게 일어난 나쁜 일에 대해 더 알고 싶다고 말합니다. 단계 2(체크리스트)는 사람들이 나쁜 경험을 많이 할 수 있다는 점을 알려주면서, 무엇이 아이를 화나게 하고 혹시 여전히 괴롭히고 있는지 알면 좋을 것이라고 설명하며 진행합니다. 아이가 트라우마와 관련이 없을 것 같은 그림을 그리면, 치료자는 이 역시 받아들이고 아이에게 그림의 내용을 물어보며 관심을 보인 뒤 2단계로 진행합니다.

### 11.2.1.2 단계 2(필수 단계): 사건 체크리스트 포함, 구조화된 진단 면담 (부모없이)

KIDNET은 트라우마에 관련된 것들을 밝히는 데 단계적 접근을 적용합니다. 치료 초기에 트라우마의 생존자들은 보통 그들의 트라우마 경험을 상기시키는 것을 피하려 합니다. 그러나 단순히 항목 목록에 해당 여부를 말하거나, **언제** 그리고 **어디서** 사건이 발생했는지 등을 지목하는 것은 대부분 가능합니다. 타인 중심의 관점(콜드한 사실cold facts과 맥락 정보를 묻는 외부 관점)은 아이가 통제력을 느끼고 압도되지 않게 합니다. 꼼꼼하고 참여적인 임상 면담(평가)이 필수이며 치료 관계를 수립하는 과정의 시작입니다.

여기에서 저자들은 아이가 가족의 안밖에서 겪었을 수 있는 트라우마 경험과 다른 스트레스 요인을 평가하는 데 체크리스트를 사용할 것을 권고합니다. 전형적인 사건의 경우, "소아 학대 및 학대 연대기 노출(pediatric Maltretment and Abuse Chronology of Exposure, 이하 pedi-MACE; Iselle 등. 2016)은 모든 연령대의 학생들에게 유용한 도구입니다. 도입 항목에서는 가정의 응집과 생활 환경에 대한 정보를 얻습니다. 그리고 나서 아동이 어떤 부정적인 사회적 상황을 경험했는 지에 대해 "예" 또는 "아니오"로 응답하게 합니다. 가능한 시간과 자원에 따라 경험은 일생 중 특정 기간에 한정합니다[정규 교육 단계(유치원, 초등학교 등), 거주지(고향, 난민 캠프 등) 또는 기타 적절한 기준치]. 다른 시기에 했던 비슷한 경험도 확인할 수 있습니다. 아이에게 인생에서 나쁜 순간만 있었던 것이 아니라는 것을 상기시키는 긍정 문항도 목록에 있습니다. pediMACE는 전형적인 부정적인 경험 목록으로, 이러한 방식으로 (치료자에게 "알려진")아동의 경험을 정상화하고 외상성 스트레스 요인에 대한 반응을 정당화해줍니다. 척도는 트라우마 치료에 적합한 다음과 같은 대인관계 사건을 질문합니다: 부모 정서폭력(같이 사는 성인), 부모 신체폭력(같이 사는 성인), 형제자매 정서폭력(같이 사는 아동), 형제자매 신체폭력(같이 사는 아동), 정서적 방임, 신체적 방임, 대인간 폭력 목격(같이 사는 성인), 형제자매에 대한 폭력 목격(같이 사는 아동), 또래간 학대(육체적 및 정서적), 성폭력 및 부모상실 등입니다.

구조적이거나 공동체적 폭력과 혹은 자연재해와 같은 다른 트라우마 경험에 추가로 노출된 아동의 경우 해당 체크리스트를 사용해야 합니다. 아동이 스트레스 경험을 보고하면 UCLA 아동 PTSD Reaction index(DSM-5 버전: Pynoos와 Steinberg 2013)을 적용해야 합니다. 우울 증상과 자살경향성 또한 항상 고려되어야 합니다.

*사례*: 15세의 T는 섭식 장애로 인해 학교 심리학자의 권유로 소아 정신과 병동에 오게 되었고, 그곳에서 외래 클리닉으로 연계 되었습니다. 처음 내원 당시에 T는 명백한 저체중 상태였습니다. 그녀의 학교 성적은 작년 한 해 동안 인지와 기억력, 학습기능의 저하로 나빠졌고, 점점 더 많이 결석하기 시작했습니다. 그녀는 선생님들과 급우들에게 까칠했고 대마초를 사용했으며 함께 하는 활동에는 관심이 없었습니다. 그녀는 어머니와 같이 클리닉에 왔는데 T의 어머니는 치료진들에게 친밀감을 드러내며 매우 감정적이었고 치료 가능성에 대해 지나치게 고마워하였습니다. T의 어머니는 경계성 성격장애를 앓고 있었고 가끔 다른 기관에서 심리치료를 받고 있었습니다.

사건 체크리스트를 보면 T는 유치원에 다닐 때 어머니로부터 여러 차례 홀로 방치됐었고 그 후에는 이혼한 아버지로부터 성폭행을 당한 것으로 드러났습니다. 게다가 어머니의 불안정한 삶 때문에, 그녀의 어린 시절 동안 여러 번 이사를 했습니다. 그녀는 또한 심각한 자동차 사고를 겪었습니다. 구조화된 면담을 통하여 T는 PTSD, 우울증, 대마초 사용 장애(의증) 진단을 받았습니다.

#### 11.2.1.3 단계 3(필수 단계, 비가해 보호자와 함께): 심리교육

KIDNET에서 심리교육은 치료 기간동안 계속되면서 경험의 틀을 제공하고, 증상의 이해를 돕고 치료의 근거가 됩니다. 보통은 짧게 반복하면서 어려운 부분에 초점을 맞춥니다. 평가를 마친 후 아동과 보호자에게 트라우마 반응에 대하여 개방적이고 투명하게 설명합니다. 트라우마 체크리스트를 소개하고 트라우마가 개인과 가족과 지역사회에 미친 영향을 아는 것이 왜 도움이 될 지 설명하고, 그들이 왜 괴로운 사건에 의해 고통받으며 이에 대하여 무엇을 할 수 있는지 알려줍니다. 이는 가족이 증상에 대한 통제감을 되찾고 변화에 대한 희망을 갖게 합니다.

치료자는 연령과 교육 수준에 적합한 언어로, 의학 또는 과학적 용어를 사용하지 않고 증상을 자세히 설명합니다.

예:

네가 겪은 많은 일 이후에 대부분의 어린이들은 불쾌한 기분이 들어. 이 후폭풍은 외상후 반응으로 알려져 있단다. 우리의 마음과 몸은 위험한 걸 알아차리고 기억하게 만들어졌는데, 왜냐하면 많은 무서운 일들이 일어날 때 안전하려면 주변에서 무슨 일이 일어나고 있는지 주의 깊게 잘 살피는 것이 좋기 때문일 거야. 살아남기 위해 생긴 전략은 네 자신의 일부가 되었지만, 너도 잘 알듯이 널 아프게 하고 너무 피곤하게 만들어.

KIDNET을 소개하는 심리교육 부분은 다음과 같습니다:

인생에서 두려웠거나 다쳤던 순간으로부터 생긴 끔찍한 기억을 성공적으로 조절하려면, 이러한 예전의 일에 접근할 수 있어야 해. 우리가 함께 네가... (사건)을 경험했을 때 느꼈던 생각, 감정, 몸의 감각을 살펴보고 싶어. 네가 너의 인생 이야기를 하는 것과 이것들을 적을 수 있게 내가 도와줄게. 차근차근 이런 안 좋은 순간들을 살펴보면, 그것들은 힘을 잃고 그것이 원래 있었어야 할 곳에 남아 있게 될 거야: 과거에 네게 생겼던 일들을 우리는 아동권리 침해라고 말한단다. 누구도 아이를 때리거나 해쳐서는 안돼.

청소년들은 그들의 트라우마 경험과 치료 계획에 대한 명확하고 충분한 설명이 필요합니다(보호자가 있는 자리에서 제공 가능). 청소년을 대상으로 한 심리교육의 예:

그런 끔찍한 경험을 겪은 사람들이 밀어내려고 아무리 애를 써도 기억은 되돌아오지. 낮 동안, 그리고 밤에는 꿈 속에서 생활에 끼어들어. 갑자기 화가 나거나, 겁을 먹거나, 현실과 동떨어진 기분이 들 수 있어. 이 모든 것은 '이유'를 알지 못한 채 일어나지. 끔찍할 정도로 무서운 순간엔 우리 마음은 무엇이 일어나고 있는지 알아챌 수 없단다. 너무 과하거든. 우리는 빨리 반응해서, 그리고 할 수 있다면 살아남기 위해 매우 각성이 되거나 쓰러질 듯 느낄 수도 있지만, 이 순간에는 이러한 정보를 처리할 시간이 없단다. 하지만, 우리의 기억은 이 모든 것을 이해하고, 소화하고, 뭉치기 위해 나중에 이 감정들과 조각들을 끄집어내지. 그러한 감정, 장면들, 그리고 몸의 감각을 다시 체험하는 것은, 우리의 마음이 이 끔찍한 사건을 이해할 수 있게 해보려고 처리하려 노력하고 있다는 것을 알려주는거야 - 왜냐하면 이것이 살아가면서 꼭 필요하기 때문이지.
우리가 지금 하려는 것은 치료 중 이 곳에 그들의 자리를 만들려는 거야. 우리는 함께 그것을 살펴봐서 그 존재의 공포의 힘이 없어지게 해보려고 해.

나이가 어린 아이들을 위해 치료자는 기억을 "정리하기"에 대하여 은유를 사용할 수 있습니다. 물건들이 튀어나오기 때문에(침습) 꺼내지 않게 되는 '꽉 찬 옷장'의 물건을 분류하고 잘 접어 넣는 것이나, 감염되어서 닿으면 아픈 상처를 덮어두지 말고 노출하여 소독한 뒤 낫게 되는 과정과 같은 것을 예시로 빗대어 치료를 이해하게 설명할 수 있습니다. 때로는 아동의 공포 네트워크의 연관성(Schauer 등, 2011)과 다양한 감각 요소(시각, 청각, 촉각 등), 생각, 감정, 신체 반응 및 의미가 서로 어떻게 연결되어 있는지를 심리교육 시간에 그려서 보여주는 것이 도움이 될 수 있습니다.

심리 교육은 다음과 같은 결과를 도출해야 합니다.

- 그들의 고통에 대해 도움이 되는 설명
- 치료 중 발생할 일과 그들 자발적인 참여에 대한 명확한 이해
- KIDNET 진행 과정에서 그들에게 기대되는 것에 대한 설명
- 아동이 치료에 대해 가질 수 있는 질문들에 대한 답변

학령기 아이들에게는 왜 충격적인 일을 이야기하는 것이 그 사람의 고통을 극복하는데 도움이 되는지, 증언하는 것이 아동에 대한 인권 침해를 기록하고 존엄성을 획득하는데 중요한 단계인지를 설명하는 것이 중요합니다.

*사례 기술(이어서)*: T의 경우, T의 어머니는 딸이 어렸을 때 겪었던 성적 학대에 대해 몰랐던 것이 명백했습니다. 우리는 T와 함께 이 정보를 어머니에게 어떻게 알리고 싶은지 꼼꼼히 준비했습니다. 그 후, 어머니를 면담실에 들어오게 했습니다.

심리교육 단계 동안 우리는 진단 면접에서 찾아낸 것을 아이와 T의 어머니에게 설명했고, 아동의 스트레스에 따른 반응과 T의 현재 행동을 정상화 하였습니다. 그후에 우리는 외상 중심 치료계획에 대한 보호자의 동의를 확인하고 KIDNET의 개념과 치료의 원리를 자세히 안내했습니다.

T의 어머니는 딸이 밝힌 이야기를 받아들이기 위해 자신의 치료자와 이 문제를 논의하는데 동의했습니다.

### 11.2.2 파트 2(KIDNET의 특징인 부분): 인생선

다음 회기(보호자의 참여 없이 약 90분 정도 소요)에서는 아이 개인의 인생을 멀리서 바라보는 관점(조감도)으로 타임라인에 표시합니다. 이 단계는 다른 사람의 관점에서 진행되면서, 인생의 경험을 시간 순서에 맞춰 상징으로 구성해보면서 단편화된 기억을 구조화하는 데 도움이 됩니다.

끈이나 리본 뭉치을 바닥이나 (신체적으로 장애가 있는 아동들의 경우) 탁자 위에 놓고 아동이 이것을 펼치게 합니다. 끈의 한쪽 끝은 "탄생"을 나타내고, 펴진 선 자체는 삶의 과정을 나타내며, 다른 한 쪽 끝은 앞으로 다가올 미래를 나타내도록 말아 올려 둡니다. 치료자의 도움을 받으며, 아동은 일생 동안 중요한 감정적 사건들의 기억을 나타내는 자연물들을 **인생선**에 놓기 시작합니다**(그림 11.4)**. 이러한 방식으로 그들은 체계적으로 모든 기억에 남는 자전적인 사건들을 조직합니다(Schauer 등. 2011; Schauer와 Ruf-Leuschner 2014): "돌"은 부정적인 상태valence의 순간(예: 두려움, 공포, 슬픔, 상실)을 나타내고 "꽃"은 긍정적인 상태의 순간(예: 기쁨, 사랑, 성취, 중요한 인물들)을 나타냅니다. 또한, 뚜렷한 역동을 나타내는 두 가지 상징이 더 있습니다: 폭력적인 행동(범법행위, 싸움, 비행, 살인, 전투와 같은 **폭력이나 탐욕적인 공격 행동 등**)을 적극적으로 나타내는 막대기와, 아이가 원한다면 상실을 경험한 순간을 의미하는 촛불(예, **애도**).

치료자는 바닥에 배치되는 것을 공감적으로 언어화하고, 상징에 적합한 이름(제목, 묘사)을 찾으며, 이 작업을 하면서 콜드 메모리 시스템이 활성화되고 상황별 정보가 추가되는지 확인하는 과정을 함께 합니다. 예를 들면 "무슨 일이 있었니?"(예: 병원에서 돌아가신 어머니), "언제 이런 일이 일어났었니? 그 때 네 나이는 몇 살 이었니?", "이게 어디에서 일어난 거야?"와 같은 질문으로 함께 합니다. 인생선 작업 중에는 핫 메모리 정보는 확인하지 않습니다. 각각의 사건들을 이런 식으로 명확하게 구성하는 데에 치료자의 섬세한 격려가 필요합니다.

**인생선** 연습은 90분의 한 회기로 완료하고 회기를 간략히 검토합니다. 치료사는 완성된 인생선의 사진을 찍거나 색연필로 종이에 그림을 그리게 하고 표지의 내용(제목, 나이/년, 장소)을 메모할 수 있습니다.

*사례 기술(이어서)*: 치료자는 T의 탄생을 상징하는 꽃을 생명줄의 시작 부분에 놓았습니다. (다른 모든 기호는 내담자가 직접 배치합니다.) T는 어머니(이름), 아버지(이름), 오빠(이름과 나이)가 있는 가정에서 태어났고 그들은 (도시 이름)에서 살았다고 설명했습니다. T는 그녀가 많이 사랑했던 오빠를 위해 꽃을 놓았습니다. 3세 시점에는 가정폭력 목격을 의미하는 돌이 놓였습니다. T가 5살 때에 부모님이 이혼했고 T는 학대하는 아버지와 주말을 보내야 했습니다. 그녀는 그를 만나야 했을 때 울었던 것을 기억했습니다. T는 이 때 처음으로 성폭행을 당했던 것과 이후 뚜렷이 기억하는 두 번의 추가적인 폭행에 대해 돌을 놓았습니다. 그리고 나서, 학교에서의 즐거운 추억을

의미하는 꽃을 놓았고 T의 가족이 외국으로 이사할 때 친구들과 헤어진 것에 대해 돌을 놓았습니다. 이어 T가 많이 사랑했던 두 마리의 개에 대해 꽃 두 송이를 놓고, 이후 10세가 되던 해 어머니와 다시 다른 나라로 이사가며 개와 헤어졌기에 두 개의 돌을 배치했습니다. 차에 치었을 때 또 다른 돌(돌, 11세). 때때로 T는 아버지와 공휴일을 함께 보내야 했습니다. 아버지는 딸에게 아동 포르노를 접하게 하고 딸에게 매춘을 시켰습니다. T는 당시의 나이 별로 그러한 폭력적인 사건들의 개별적인 기억과 날짜들마다 큰 돌들을 놓았습니다. T가 12살이었을 때부터 오빠와 함께 대마초를 하기 시작했습니다. 또 다른 돌은 1년 후 경찰이 오빠를 체포하기 위해 집에 왔을 때를 나타내는 것이었습니다. 13살 때, T는 폭력조직에 들어갔고 그들은 주유소와 거리의 노인들을 털기 시작했습니다(막대기). T는 이 나이의 매우 감정적인 순간에 대해 돌을 놓았습니다. 그녀의 어머니는 그녀를 심하게 때리고, 소리를 지르고, T가 성적 학대에 대해 말하려고 할 때 그녀에게 욕을 했습니다. 때린 뒤에는 어머니는 울음을 터뜨리며 사과했습니다. T는 굶기 시작했고 점점 살이 빠졌습니다. T가 정신병원에 입원했을 때의 돌을 놓았습니다(14세). 어머니와 그녀의 남자친구는 집에서 대마초를 피웠고 또 그걸 T에게 주었는데, T가 배고픔을 느끼고 음식을 먹는데 도움이 될 거라고 생각했기 때문이었습니다. T는 배신감을 느꼈습니다(돌). 그녀의 학교 성적은 악화되었습니다. 첫 번째 연애의 실패로 날카로운 돌을 올려놓았고(15세), 그 결과로 성폭력에 대한 침습과 플래시백 증상들이 몰려왔습니다. 마침내, 인생에서 처음으로 T의 말을 들어준 매우 친절하고 이해심 많은 학교의 심리사에게 꽃이 놓였습니다. 끈의 미래 부분에는 "트라우마 증상을 극복하는 희망"과 "기타로 음악을 더 많이 연주하고 싶다", 그리고 좋은 미래를 위한 비전을 발전시키기 위한 꽃을 놓았습니다.

### 11.2.3 파트 3: 내러티브 노출(필수 단계)

다음 단계는 KIDNET의 핵심 절차입니다. (보호자 없이) 내담자는 여러 회기에 걸쳐 **인생선**의 순서에 따라 자신의 전체 인생을 서술합니다[각 회기마다 90분(+추가 시간) 소요]. 이 회기의 서술은 짧은 심리교육 이후 시작합니다:

> 네가 알듯이, 우리는 너의 좋은 경험과 나쁜 경험을 다 포함해서 자세하고도 의미 있는 이야기를 구성하고 싶어. 우리는 증언이 끝나고 나쁜 감정과 고통이 사라지고 두려움이 가라앉을 때까지 모든 틈을 메우고 싶어. 경험상 이야기가 완전에 가까워질수록 네게 어떤 일이 일어났던 건지 잘 이해할 수 있고 어려움이 더 줄어들 거야. 우리는 항상 네가 살아온 인생선을 따라갈 거야: 우리는 사건이 전개되는 대로 한걸음씩 차근차근 나아갈 거야. 그런 다음 몇 회기 동안 최종본이 나올 때까지 필요하면 내용을 다시 검토하고 수정해서 완성할 수 있어. 그러나 각 회기는 항상 사건이 끝날 때까지 진행이 될 거야. 한 회기마다 약 1시간 30분 정도 걸려. 매 회기가 끝날 때마다 충분한 시간을 들여서 네가 마음이 편안한지 살펴볼 거야.

치료자는 어린 아이들에게 다음과 같이 훨씬 더 간단하게 설명할 수 있습니다:

너는 이제 벌써 8살이니 다른 사람들이 해주는 많은 이야기들을 듣거나 봤을 거야. 이야기들은 신나거나 멋있기도 하지만, 때때로 무섭고, 거칠고, 위험해. 너 자신에 대한 이야기를 해본 적이 있어? 네가 살면서 무슨 일이 있었는지 말해줬으면 좋겠어. 네가 너의 사건들을 말해주면, 나는 그 경험이 어떤 것인지 상상해 볼게. 내가 그것을 받아적을테니, 적은 것들을 네가 들어보고 고칠 수도 있어 우리는 표지에 네 인생선 그림이 있는 작은 책을 만들 거야. 우리는 나쁜 꿈들이 사라지도록 좋은 경험들과 나쁜 경험들에 대해 이야기할 거야. 나중에 누가 그 책을 읽어도 좋을지 네가 결정할 수 있어.

이전에 인생선에 놓여있던 다른 상징들은 각각 특정한 사건을 나타냅니다. 이제, 내레이션 파트에서 내담자는 두려움, 기쁨, 공격성, 애도의 각각의 상황에 대해 자세히 설명합니다. 치료자의 개입은 상징의 유형에 따라 다릅니다:

1. **돌**은 KIDNET의 치료적 관심의 초점인 외상성 사건의 표상들입니다. 각 장면은 심상노출을 사용하여 처리됩니다. "돌"을 성공적으로 다룬 회기를 마치면 부정적인 각성상태가 낮아져야 합니다
2. **꽃**은 중요한 관계, 즐거운 경험, 업적 및 기타 자원을 상징하며, 돌처럼 상세하게는 아니지만, 면밀하게 묘사되고 부분적으로 다시 체험됩니다. 긍정적인 각성상태는 회기가 끝날 때까지 지속될 수 있습니다.
3. **막대기**는 자신의 공격적 행위를 나타내는데, 공격적 행위를 맥락화하고 연관 네트워크를 탐색하기 위해 완전한 심상 노출로 처리합니다. 치료자는 복합적인 감정, 양가감정의 순간, 감정적인 각성 등을 탐색합니다. 치료자는 감정을 완전히 수용하고 이것이 긍정적인 것일 때에도 받아들여줍니다. 역할의 변화와 도덕성은 내레이션을 완성한 후 논의해야 합니다(FORNET 참조, Elber 등. 2012; Hecker 등. 2015).
4. **촛불**은 상실, 사회적 고통이나 거절이 있었을 때, 또는 애도가 필요할 때를 위한 것입니다. 그러한 내러티브는 중요한 역설을 해결합니다: (재현[reliving]과 의식[rituals]을 통해) 상실한 사람과의 안정적인 접촉이 이루어지고 동시에 "보내주는[letting go]" 과정이 촉진됩니다.

강렬한 각성을 유발하는 사건에 대해 서술한다는 것은 치료자의 도움으로 그 경험을 다른 수준으로 지속적으로 탐색한다는 것을 의미합니다(자세한 것은 Schauer 등. 2011 참조). 즉, 감각("그때 무엇을 보고, 듣고, 느끼고 어떤 냄새가 났었니?" 등), 인지("…를 겪을 때 무슨 생각을 했니?), 감정("…를 느끼거나 생각하면서 너는 어떤 기분을 느꼈니?"), 생리적 반응("…를 겪을 때 네 몸의 반응은 어떤 것이었니?"), 그리고 의미("이러한 감각, 생각, 감정, 신체적 반응이 너에게는 어떤 의미니?")를 탐색합니다. 동시에 이러한 서술을 하면서 그 경험을 "현재 그리고 여기에서" 분명하게 지속적으로 언어화할 수 있어야 합니다(**그림 11.1**).

모든 **내러티브 노출** 절차에서, 특히 생존자들이 해리되는 경향을 보일 때에는 **과거를**

**이야기하면서** 지금-여기서 느끼는 감각과 경험을 강화하고 의식적으로 실재화시켜 주어야 합니다. 이것은 과거 사건에서 벗어나 트라우마 재료들과 현재 사이의 대비를 강화하는 매우 중요한 단계입니다. 종종 현재 시점에서도 연상기억망이 자극되면triggered 생각, 감정, 생리학적 반응이 과거와 비슷하거나 같아집니다. 따라서 치료자는 지금-여기서 그것에 대해 떠올릴 때 현재의 신체 반응을 이끌어냄으로써 트라우마 요소들에 대한 대화를 끌어낼 수 있습니다. 동시에 이러한 감각들이 과거에서 오는 것이 분명한데, 마치 지금-여기에서 일어나고 있는 것처럼 느끼는 것이라는 점을 분명히 합니다. 아이는 계속해서 이중 자각dual awareness을 경험하도록 격려받습니다: 과거 시제에서: "너는 그때(다른 수준에서) …을 경험했어" 현재 시제로 전환: "전에 일어난 일에 대하여 생각하고 말할 때 지금-여기서 무엇을 경험하고 있니?" 아이가 자주 해리 반응을 보인다면 그 얼어붙은 반응을 다루기 위해, 맥락들 사이에서 진자처럼 움직이는pendulation것[3]을 권장합니다(Schauer와 Elbert 2010 참고). 이것은 안정감을 주어서 트라우마 요소들을 상세히 탐색하고 심상 노출을 완전히 할 수 있게 해 줍니다.

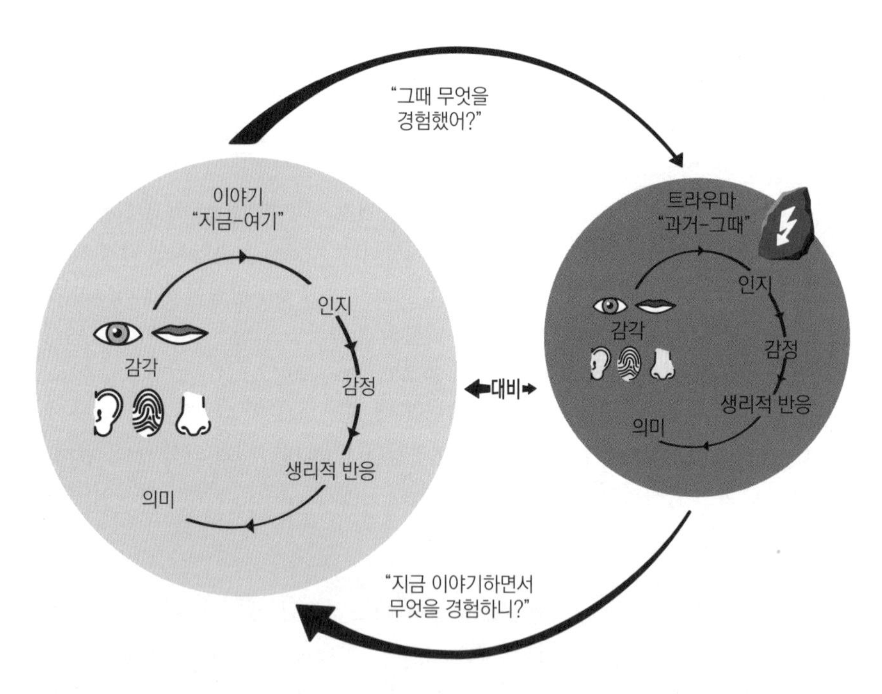


**그림 11.1** NET 내레이션 절차의 방법. 심상 노출에서는 아이가 이야기를 하는 동안 다양한 수준의 경험들을 계속해서 상세히 탐색합니다. 때때로 치료자는 현재 맥락에서 과거(트라우마) 맥락을 대조하게 합니다(Schauer 등 2011).

3) 과거와 현재를 오가는 것(역자주)

치료자는 다음의 두 가지 방법으로 아동을 지지해 줍니다:

- 핫 메모리의 감정 네트워크 연결을 완전히 활성화할 시간을 주고, 경험을 말로 표현할 수 있게 돕습니다.
- 이러한 경험("그때" 수준, 즉 과거 사건에 대비되는 "지금" 수준에 대한 기억의 심상 노출)을 통해 삶에서 두 수준을 의식적으로 비교하는 것(시간, 장소, 설정, 감각, 인지, 신체 반응, 감정 등)이 경험을 통합시키는 핵심입니다.

이런 방식으로 강렬한 각성 순간에 대한 매우 상세한 기술과 그 사이 간단하게 요약된 삶으로 구성된 아동청소년의 꼼꼼한 자전적인 내레이션이 완성됩니다. 치료자는 트라우마 사건의 심상적 재체험과 감정 처리, 조각난 파편들의 시간 순서상의 구조화를 돕고, 공감하고 수용적인 역할을 합니다. 치료자는 아동의 증언을 기록합니다. 다음 회기에서 해당 자료를 내담자에게 읽어주면, 아동이 이를 수정하고 세부사항을 추가할 수 있습니다(그림 11.2).

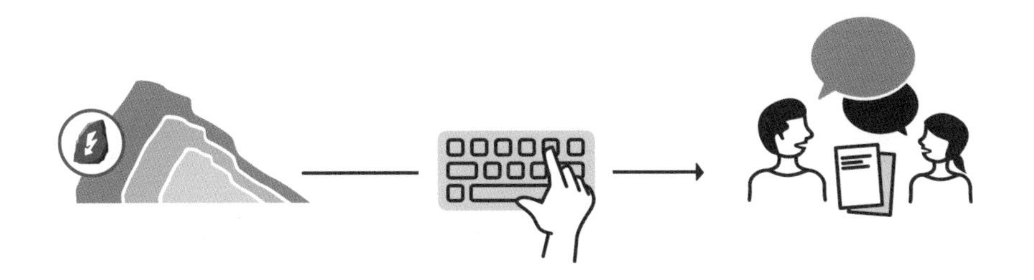

**내러티브 노출 회기:**

외상성 사건의 처리: 심상 재현 동안 각성이 감소하고 치료자는 핵심 사항의 기록을 만듭니다.

**회기 사이**

치료자는 내러티브를 구성하고 구술 기록을 남깁니다. 치료자는 초안을 다음 회기에 가져갑니다

**다음 회기를 시작하며 다시 읽기:**

또 다른 감각 노출은 내레이션을 함께 진행하며 촉진됩니다. 아이의 적극적인 참여로 내용을 수정하고 더 많은 세부 사항을 추가합니다.
그 후 인생 이야기 서술이 계속됩니다…

**그림 11.2** 내러티브 노출 과정: 심상 노출 회기에서는, 회기 후 서술을 적고 내용을 다시 읽으며 다음 회기에서 내용의 다른 가능성을 탐색할 수 있게 합니다(Schauer 2015 참조). 다시 읽은 후에는 타임라인의 시간순서에 따라 서술을 계속해 나갑니다.

아이들은 어린 시절 즐거웠던 순간들에 대해 이야기하는 것을 좋아합니다. 아동학대, 조직폭력, 전쟁 등에 노출됐던 많은 이들에게 인생에서 좋았던 순간들에 대한 기억은 상당 부분 사라졌습니다. 긍정적인 경험, 새로운 것을 능숙하게 해냈던 순간, 또는 중요한 관

계에 대한 기억을 되새겨 다시 체험하는 것은 역경에서 살아남은 사람들에게 많은 것을 의미할 수 있습니다. 치료자는 삶에서 "꽃"뿐 아니라 다른 모든 중요한 경험들을 포괄하여 다뤄야 합니다. 사회적 고통, 애도, 상실이 수반되는 상황은 특별한 배려, 존중, 따뜻함이 필요합니다. 내러티브를 만드는 동안 감각, 인식, 감정, 신체 반응, 의미 등을 질문함으로써 경험들을 같은 방식으로 확인합니다. 공감을 받으며 교정적 관계를 경험하는 것이 중요합니다. 치료자는 아이가 생리적 각성이 줄어들 때까지 기억의 힘들고 고통스러운 부분을 떠올릴 수 있게 도와줍니다. 이러한 방식으로 외상 사건에 대한 자세한 보고서가 시간 순서대로 작성됩니다(**그림 11.3**). 아동청소년이 이러한 강렬한 각성 사건에 대해 작업하는 용기에 대해 지속적으로 긍정적인 인정을 받아야 합니다.

내러티브 과정에서 치료자는 다음 사항에 초점을 맞추어 주의를 기울입니다.

- **시간**: 사건이 발생한 **시기**를 확인합니다. 생애 시기부터 시작합니다(예: 제가 초등학교에 들어갔을 때). 그런 다음 핫스팟의 특정 순간으로 진행합니다. 탐색의 대부분은 가장 높은 각성 순간의 주변을 서술하면서 머물고 각성이 감소할 때까지 시행합니다.
- **장소**: 시간과 함께 사건이 발생한 **장소**를 파악합니다(예: 제가 아직 고향에 살던 때). 그 사람은 그 시간에 어디에 있었나요? 그런 다음 특정 위치로 이동합니다(예: 시청 앞을 지날 때...).
- **각성**: 각성 수준이 높아지면 사건에 대한 작업을 시작하고 전부를 순서대로 살펴봅니다. 각성이 점차 높아질수록 "슬로우 모션"으로 들어갑니다. 두려움을 유발하는 어떤 연상이든 아이가 지나치게 압도되거나 덜 참여하고 있는 게 아닌지 확인합니다. 아동이 정서적으로 활성화되고 열중하고 있어야 합니다. 생리학적 각성은 견딜 수 있는 정도 및 기능이 유지되는 최적의 범위 내에 있어야 합니다. 각성이 항진되면, 핫 메모리는 구체적이 됩니다. 이것들은 반드시 탐색되고 맥락에 맞는 콜드 팩트에 연결되어야 합니다. 치료자들은 상황을 대략적으로 그리거나 인형으로 외상성 사건 동안 일어난 장면을 재현할 수 있습니다(타인의 관점으로 장면을 보면 콜드 메모리 시스템이 개입됩니다). 치료자는 어린 생존자와 동맹을 맺어 여러 수준(감각, 인지, 감정, 생리, 행동 등)에서 핫스팟과 그 중요성을 탐색하기 위해 인내심과 끈기를 가져야 합니다. 각성은 각 외상 장면에 대해 줄어들어야 하며 시간 순서대로 처리하고, 외상 장면을 말하는 것이 점점 더 견딜 수 있게 됩니다. 이런 식으로 아동은 곧 외상 사건을 염두에 두고 종합적으로 이야기할 수 있게 되며 모든 면을 밝힌 서술을 들을 수 있게 됩니다. 치료자는 아동이 고통스러운 부분을 피한다고 해서 긴장도가 떨어지게 해서는 안 됩니다. 반대로 최악의 순간들의 의미를 탐색하는 데 충분한 시간을 들입니다. 종종 사건 경과에 대한 사실적 보고서는, 그것이 생존자에게 무엇을 의미하고 마음에 어떤 영향을 미쳤는지 자동적으로 드러내지 않습니다. 사건의 의미를 세밀하게 분석하느라 돌을 통해 이야기를 계속해 가는 것이 방해를 받아서는 안 됩니다. 개인의 아픈 상처를 의미 차원에서 언어화하는 데에는 치료자의 전폭적인 지지가 필요합니다.

- **알아채기-그때 거기 vs 지금 여기(이중자각**dual awareness**)**: 아동이 사건을 떠올릴 때 그 당시 자신이 인지한 것(예: 그 당시 감각, 생각, 행동)에 집중하도록 돕고 서술 중에 지금 경험하고 있는 것과 대조합니다(**그림 11.1**).
- **현실감 강화**Reinforce reality: "네가 앉아 있는 의자를 느낄 수 있니?… 표면을 만져보렴," "예전에 있었던 일을 지금 생각하면서, 여기 치료실에 있는 사진 속에 무엇이 있는지(또는 방 안에 물건들을) 간단하게 말해줄 수 있니?" "밖의 복도를 걸어다니는 사람들이 있는데, 무엇이 들리는지 말해주겠니?" 등 감각적인 단서를 근거로 아이를 현재의 이 순간으로 돌아올 수 있게 해서 회피, 해리나 플래시백 현상을 방지합니다. 이런 종류의 짧은 개입이 사건에 대한 지속적인 탐색을 막지 않게 합니다: "좋아, 너는 여기 …(지역 이름)에 있는 이 진료실에서 사람들의 대화를 들을 수 있어. 그러나 당시 전쟁 중에 …(사건 장소)에 있던 너의 집에 숨어 있을 때 폭발음을 들었구나."(**그림 11.1**)

이런 식으로 인생을 검토하여 개인의 자전적인 이야기가 완성되고 이야기는 현재에 닿을 때까지 진행됩니다(**그림 11.3**). 마지막 회기에서는 전체 서술을 아이에게 다시 읽어주거나, 최종 **인생선**을 개괄적으로 펼쳐봅니다(**그림 11.4**). 각기 다른 여러 외상성 사건이 있었던 경우에는 전체 문서를 다시 읽어보는 것이 좋습니다.

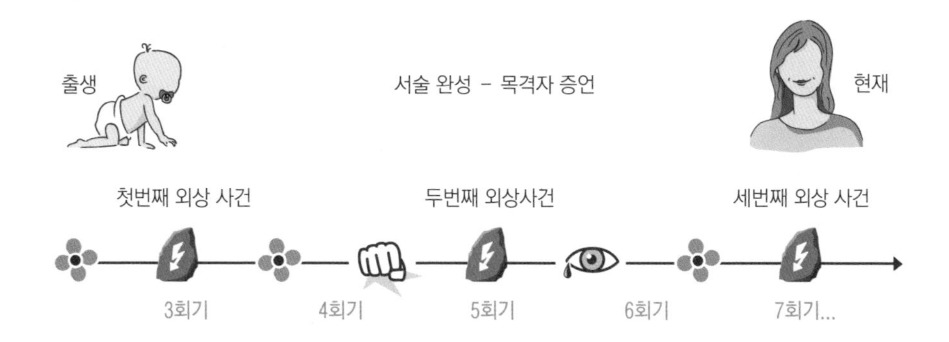


**그림 11.3** NET/KIDNET에서는 개인의 삶 전체가 출생부터 현재까지 시간순으로 서술되며, 외상, 성취/자원, 상실/애도, 그리고 자신의 공격적인 행동을 포함한 긍정적이고 부정적인 상태valence를 담은 강한 각성의 순간들을 강조합니다.

*사례 기술(이어서)*: T가 자신이 살아온 이야기를 하기 시작했을 때, 그녀는 그 사건들의 모든 세부 사항을 탐색하는 것에 매우 흥분하며 관심을 보였습니다. 그녀는 서술 중에 떠오르는 모든 감정을 잘 견뎠고, "그때 거기"와 "지금 여기"를 대조할 뿐만 아니라 다른 수준의 처리(감각, 인지, 감정, 생리적 반응 및 이러한 감각적 경험들의 의미, 생각, 느낌, 신체 반응)에 주의를 기울이는 것을 빠르게 배웠습니다. 그녀는 회기를 진행하는 치료자의 조건 없는 관심을 좋아했습니다. 각 회기의 마지막 서술은 다음 회기를 시작할 때마다 다시 읽으며 더 완성해갔고, 이차적인 재체험과 의미를 만들어 나가는 자연스러운 기회가 되었습니다. 이런 식으로 치료 과정이 순조롭게 진행되었습니다.

그녀는 아버지에게 당한 성적 학대를 다루기 전까지는 회기마다 정각에 왔습니다. 처음 성폭력에 대해 이야기할 때 그녀는 이야기를 회피하며 가짜 기억을 주제로 치료자와 대화하려 하였습니다. 얼마 후, 치료자는 간단한 심리교육을 한 뒤 트라우마 사건 탐색하는 방향으로 T의 주의를 부드럽게 돌렸습니다. 구체적인 상황별 질문들이 이것을 시작하는 데 도움이 되었습니다. "아버지가 널 처음 폭행한 날이 언제니?" "그 방과 당시의 시간, 사건의 시작 상황을 설명할 수 있니? 아버지가 네 머리맡에 왔을 때 잠옷을 입고 있었니?..."

천천히 정확하게, T는 그 장면의 서술을 시작했습니다. 기억이 희미해지고 장면의 이미지를 떠올리기 어려울 때마다, 신체의 각성 수준과 감각에 집중하면서 이야기를 전달하고 진행하는데 도움을 받았습니다. T는 당시 느꼈던 무력감과 아픔을 떠올리며 울기 시작했고, 당시 아버지 앞에서 억눌러야 했던 분노가 어느 정도 느껴졌습니다. 과거 사건에서 아버지가 침실을 떠나 비교적 안전하고 안심할 수 있는 지점에 이르자, 학대가 끝난 순간으로 이야기가 옮겨졌습니다.

회기가 끝날 때 T는 육체적으로 피곤해 했지만 회복된 기억의 선명함에 대해 놀라워했고 당황해야 할지 아니면 안도해야 할지 확신하지 못했습니다. 이 일을 지켜본 증인인 치료자는 개인적인 소감을 전했고, T의 수치심과 죄책감을 정상화했습니다.

다음 회기는 T가 취소하였는데, 어머니와 처음으로 성적 학대에 대해 맞섰기 때문이었습니다. 처음에는 어머니가 T의 경험이 환상일 뿐이라고 주장했기 때문에, T는 큰 좌절감을 느꼈습니다. 하지만 그녀의 기억이 정교하고 정확해질수록, T는 더 안전함을 느꼈습니다. 그 후 몇 주 동안, 그녀는 그 감정적인 기억에 대한 신체적 반응을 받아들이기 시작했고, 시간이 흐르면서 안정적인 자기 감각으로 발전시켰습니다.

T의 치료 마지막 시간에는 어머니와 아이 모두 참여하여 증언문서와 법적인 결정을 내리고, T의 미래에 대해 이야기를 나눴습니다.

단, 같은 사건이 반복되는 많은 복합 트라우마의 경우(예, 성학대) 마지막 회기의 상세한 다시 읽기 순서는 최종 **인생선** 회기로 대체될 수 있습니다. 또는, 둘 다 할 수도 있습니다: 아동이 인생선에 상징을 차례대로 놓고 치료자는 서술의 적절한 부분을 시간순서대로 다시 읽습니다. 치료를 마치는 마지막 **인생선** 회기에서, 아이는 인생선에 희망과 미래를 기원하는 꽃을 놓고 싶을 수도 있습니다("전쟁이 끝난 후 가족을 다시 봤으면 좋겠어요", "누나가 병에서 회복했으면 좋겠어요", "학교를 잘 졸업하고 의사가 되고 싶어요" 등).

어떤 경우라도 어린 생존자와 치료자, 통역관 또는 공동치료자 등의 모든 증인들이 마지막 회기의 최종 증언에 서명해야 합니다. 증인의 보고서는 아동/인간 권리의 침해를 증명하는 서류 또는 법적인 용도와 사회적인 인식을 높이기 위한 자료로 쓰이거나 향후의 사용에 대비하여 전자 서류로 저장될 수 있습니다.

**그림 11.4** 특정한 경험을 의미하는 상징, 미래에 대한 희망과 소망을 뜻하는 꽃이 놓여진 **인생선**

*사례 기술(이어서)*: 인생선을 시작하고 자전적인 서술을 계속하면서, T는 자신의 삶을 전반적으로 되돌아볼 수 있었고, 그녀가 견뎌왔던 무시와 고통 그리고 자신이 어떻게 괴로움을 겪으며 감정과 행동 반응에 대처하기 시작했는지 인식할 수 있었습니다. 배려하여 잘 들어주는 치료자와의 안전하고 공감을 받는 만남 속에서 끔찍한 일생의 기억을 활성화함으로써, T는 교정적인 대인관계의 경험을 했고 정서적으로 지지를 받는다고 느꼈습니다.

이후 일년 동안, T는 추적 관찰을 위해 3개월 간격으로 클리닉을 방문하도록 권고받았습니다. 치료자는 T의 트라우마 증상이 관해되고 어머니의 감정상태에서 벗어나 독립적으로 느끼고 행동하는 능력이 늘어나면서, 학업에 대한 의욕이 상당히 증가했다는 점을 관찰했습니다. 침습 증상(악몽과 생식기 통증)은 메스꺼움(혐오감), 의식적으로 성적 학대를 떠올리지 못하던 것(회피)과 함께 사라졌습니다. 타인과의 거리감도 줄어들면서 소속감을 느끼기 시작했습니다. T의 변화에 주변의 반응은 긍정적이었고, 그녀도 또래들과 점점 더 가까워지고 받아들여지는 것을 느꼈습니다.

마지막 진료에서 T는, 죄책감과 수치심에 사로잡혀 학대하는 부모를 사랑하면서도 미워하며 어떻게 독립해야 할지 모르는 아이들의 외로움과 엉킨 실타래와 같은 상태를 묘사한 자작곡 '단어 찾기'를 기타를 가져와 치료자들에게 깜짝 선물로 들려주었습니다. 떠나면서, 그녀는 자신의 내면세계와 싸우지 않고, 좋든 나쁘든 강한 감정이 들 때 타인으로부터 실제로 지지와 격려를 받았던 새로운 경험에 대한 감사와 놀라움을 다시 한 번 표현했습니다.

## 11.3 특정 상황과 어려움들

외상성 스트레스에 노출되는 것이 쌓여가면서 생긴 트라우마와 관련된 고통과 앞서 언급했던 KIDNET의 원리는 한 사람의 삶에서 모든 주요 "돌"과 "꽃"의 (서술을 통해 지금-여기서 심상으로 다시 체험하는 것과 대조시키는) 재처리를 필요로 합니다. 아이들은 짧은 인생선과 일반적으로 적은 트라우마를 지니고, 그들의 뇌 또한 가소성이 더 있으므로 성인보다 치료하기 쉬워 보일 수 있습니다. 반면, 심상 노출은 상상 속의 기억에 매우 적극적으로 노출되어야 하기 때문에 어린 아이들에게는 이 작업이 더 어려울 수 있습니다. 또한, 의미를 만들려면 삶에 대한 통찰과 아이가 쉽게 알지 못할 가해자의 동기에 대한 지식이 필요합니다. 예를 들어, 7세 아동은 성적 학대의 의미와 이 트라우마가 나중에 인생에서 미칠 수 있는 영향을 이해하지 못합니다. 치료자는 특히 개인의 발달 단계에 맞추어, 회피하지 않고 간단한 단어와 숨김없는 태도로 설명해야 하는 어려움이 있습니다(Ruf와 Schauer 2012). 반면, 17세 청소년이라면 예를 들어 가족이 법정에 간다는 것이 무엇을 의미하는지 완전히 이해하지 못한 채, 정의와 복수만을 원할 수 있습니다. 따라서 추가적인 상의 없이 증언자료의 사용을 아동에게만 맡길 수는 없습니다. 예를 들어, 성과 젠더 폭력의 일반적인 의미와 그것이 특히 아동에게 어떤 의미가 있는지를 다루기 위해 추가적인 회기가 필요할 수 있습니다. 이러한 지식을 바탕으로 아동, (필요하다면) 보호자, 치료자는 증언자료를 어떻게 사용할지에 논의할 수 있습니다. 예를 들어, 치료자는 다른 사람들이 같은 고통을 겪지 않도록 하기 위해 익명의 형태로만 자료를 사용할 것을 권할 수 있습니다.

아동기의 PTSD는 행동 장애, 학습 장애, 그리고 일생 동안의 범죄 관련 행위와 연관성이 있으므로 특히 위험합니다. 일단 PTSD 증상이 사라지면, 건강한 가정의 부모와 형제들은 이 문제에 대처하기에 유용한 자원이 될 수 있습니다. 그에 따라 가족 구성원이 해당 교육을 받을 수도 있는데, 예를 들어, 외현화 행동을 하는 것은 아이의 기본적인 특성이라기보다 트라우마 경험의 결과라는 점을 알려주는 것입니다. 부모의 정신병리가 있다면 상황을 더 어렵게 만들고, 부모-자녀간 상호작용과 영아의 발달에 영향을 미치는 것으로 밝혀졌습니다. 스트레스를 받은 보호자에 의한 정서적 방임과 학대, 일관성 없는 육아는 이러한 지속적인 트라우마 상황 속에서 자란 미래의 부모에게도 평생 정신건강 문제, 건강위해 행동, 정신병리 면에서 핵심 역할을 합니다. (심지어 아이들이 태어나기도 전부터 시작되는 세대 간 이어지는 문제들에 대한) 서술은 아이들이 그들의 보호자의 반응을 해석하는 데에도 도움이 될 수 있습니다.

### 11.3.1 부모와 아동이 둘 다 트라우마를 입은 경우

부모와 자녀 모두 PTSD가 있는 경우, (비가해) 부모와 자녀가 모두 참여한 상태에서 몇몇 치료 구성 요소를 해볼 수 있습니다. 이 경우 치료의 초점은 공통적인 삶의 경험 순간부터 시작하는, 즉 아이가 태어나는 순간부터의 **인생선**에 재구성을 진행하는 보호자와 아이의 한 쌍dyad입니다. 따라서 여기에서 보호자는 **인생선**을 시작하는 사람이고, 아이가 태어날 때부터 겪은 일들을 아이의 첫 기억의 순간까지 그 줄에 올려놓습니다. 그리고 나서, 아이도 인생선의 재구성에 참여합니다. 과정은 역동적으로 진행되며, 공통의 사건들을 **인생선**에 배치하는 동안 부모와 자녀가 상호 작용을 하도록 합니다. 부모는 침습적이지 않는 방식으로 참여하도록 하는데, 예를 들어, 재구성을 반복적으로 간섭하는 것은 피해야 하며, 이럴 경우 보상으로 아동이 더 주도적으로 인생선을 재구성하게 할 수 있습니다. 치료의 단계 1과 2는 보호자-아동 한 쌍dyad을 대상으로 함께 시행할 수 있습니다.

부모가 아동의 서술에 개입하지 않되, 아이가 혼란스럽거나 일부 사건의 진행 과정에 확신이 서지 않을 때만 보완해줄 수도 있음을 제안하는 미공개 사례 보고들이 몇 건 있습니다. 그러나 많은 경우, 치료의 이 부분은 부모와 아이가 별도의 회기에서 다루는 것이 유용합니다.

보호자가 비가해자이고 민감하며 아이가 아주 어린 시절에 겪었던 사건을 재구성하는 데 도움을 줄 수 있고 부모-자녀 관계의 개선이 부차적인 치료 효과로 바람직한 경우라면, 부모가 보조하는 서술 과정이 도움이 될 수 있습니다. 나아가 회피했던 경험을 공유하기 위해, 두 사람 모두 참여가 권고되는 상황이라면 더욱 고려해볼 수 있습니다. 부모-자녀의 짝은 또한 서로 인지적 전략을 촉진하고 부적응 행동에 도전하면서 사건의 역기능적 의미들을 수정할 수 있게 합니다. 이러한 방식으로 외상 중심 치료가 자연스럽게 부모와 아동에 대한 인지적 개입과 통합됩니다. 경험에 대한 통합된 서술은 공통 서술이 됩니다.

### 11.3.2 예방과 지역사회 활동

(1) 훨씬 더 많은 생존자와 가족을 대상으로 (2) 더 이상의 아동 학대 및 기타 잔혹 행위를 방지하는 사회적 변화를 이끌어내기 위해서는, 지역사회 및 사회 수준에서 단기적인 외상 중심 공공 정신 건강 개입들이 필요합니다(Schauer와 Schauer. 2010). 폭력 행위를 낱낱이 밝히는 개별 내러티브(증언)들은, 궁극적으로 책임이 있는 사람들에게 책임을 지우는 데 잠재적으로 상당한 가치가 있습니다. 이러한 증언은 전쟁 범죄와 반인륜적 범죄를 다루기 위해 구성된 국제 및 국내 재판소에서 중요한 역할을 했을 뿐 아니라, 지역사회 전반의 행동을 변화시키기 위해서도 잠재적으로 사용될 수 있습니다. KIDNET은 지역사회 수준에서 개입할 수 있는 자세한 서면 증언들로 집단 내러티브를 구성할 수 있습니다. 이러한 방식으로 트라우마와 고통이 인정받고(모든 증거 기반 개인 트라우마 치료법에서 공통적인 중요한 치유요소; Schnyder 등. 2015) 가해자와 피해자 모두의 재통합이 촉진될 수 있으며 그렇지 않을 경우 둘 다 사회로부터 의심 받거나 거부될 수 있습니다.

폭력과 트라우마 스펙트럼 질환들이 전 인구에 미치는 엄청난 영향은 대규모 난민 이주입니다(Schauer 2016). 자원이 부족한 환경이나 많은 수의 난민을 받아들이는 국가에서 KIDNET과 같이 강력하면서도 쉽게 적용이 가능하고[low-threshold] 효율적인 치료 모듈을 도입하는 것은 의료에서 "선별과 치료"의 단계적 모델(Schauer와 Schauer 2010)에 필수적인 구성요소입니다. 전쟁, 탈출 또는 지속적인 외상 상황(예: 특수 거주구역, 보호소 또는 난민 수용소) 속의 아동과 가족(Schauer 등. 2014)은 잊을 수 없는 유산으로 남지 않도록, 그리고 치유와 통합을 위해 자신들의 경험을 세대를 넘어 전달될 서술로 만들 필요가 있습니다.

## 11.4 연구 근거

KIDNET으로 치료한 전쟁 생존 아동의 첫 번째 사례는 Schauer와 동료들이 소개하였고(2004), 추가 사례들과 예비 연구가 Onyut 등에 의해 제시(2005)되었습니다. 연구결과, 치료 종료 시 트라우마 관련 증상들이 상당히 감소하였고 임상적으로 유의미하던 우울증이 비임상 수준으로 회복되었습니다.

아동, 청소년 및 청년 대상의 KIDNET의 효과 근거는 Schauer와 동료들(2011)이 조사하였는데, 여기에는 집단을 비교하는 연구 계획에 의한 무작위 통제 연구가 포함되어 있습니다. 우수성은 실험군(예: Catani 등. 2009, Sri Lanka; Ertl 등. 2011, Uganda)과 비실험군(예: Crombach와 Elbert 2015, Burundi; Ruf 등. 2010, Germany)을 비교하여 PTSD의 중등도/진단 그리고 관련 장애의 감소로 입증되었습니다. 집단 내에서 효과 크기effect size는 큰데, Hedges g = 1.3 (Ruf 등 2010)부터 Cohen's d = 1.8(Catani 등. 2009)까지 다양했고, 약 80% (Catani 등. 2009)는 치료 후 PTSD 기준을 더 이상 충족하지 않았습니다. 따라서, NET 치료군은 꽤 상이한 문화에서도 효과성을 입증했습니다.

대규모 인구 집단에 대한 다층의 단계적-의료 모델multilayered stepped-care models을 포함한 보급 및 재보급 시험은 2003년부터 NET(Neuner 등. 2008; Jacob 등. 2014; Köbach 등. 2015) 및 KIDNET(Shauer 2008) 모두 효과적으로 구현되었습니다.

마지막으로, Hermenau와 동료들(Hermenau 등. 2011)은 가정 내 폭력과 기관 내에서 정신적 충격을 받은 고아들을 치료했습니다. 결과는 KIDNET이 지속될 가능성이 있는 증상을 현저히 감소시켰다는 것을 보여주었고, 서술 내용에 반응하여 새롭고 비폭력적인 기관 체계가 아동양육시설에 도입되었습니다. KIDNET은 대량 인권 침해와 집단 학살에서 살아남은 젊은 성인 고아들에게서 PTSD, 우울증, 죄책감 등의 증상을 현저하게 감소시켰습니다(Schaal 등. 2009). 현재 KIDNET에 의한 변화의 효과와 기전을 연구하기 위해 통상적인 돌봄 환경에서 다기관 무작위 통제 연구가 진행중입니다(예: Kangaslampi 등. 2015).

KIDNET은 치료자들이 트라우마 피해 아동의 개별적인 요구에 적합하게 적응할 수 있는 유용한 근거 기반 개입법으로, 다른 형태의 지원과도 결합할 수 있습니다. 그러나 인생선만 단독 기법으로 사용하는 등 치료의 부분만 차용하여 사용하는 것은 근거나 이론적 배경 면에서 정당화될 수 없습니다. 저자들은 트라우마 관련 기억의 각 단서를 맥락과 의미에 연결시키면서 이론적 목표를 향해 개인 치료 방향을 정할 것을 권장합니다.

**알림:** 저자들은 Dr. Katy Robjant(vivo international)과 Dr. James Moran(Konstanz대학)의 정보 공유와 조언에 감사합니다.

## 참고문헌

Beutel ME, Subic-Wrana C (2012) Stabilization for complex post-traumatic stress disorder preparation or avoid the trauma confrontation? Psychotherapeut 57(1):55–7

Brewin CR (2014) Episodic memory, perceptual memory, and their interaction: foundations for a theory of posttraumatic stress disorder. Psychol Bull 140(1):69–97

Brewin CR, Gregory JD, Lipton M, Burgess N (2010) Intrusive images in psychological disorders: characteristics, neural mechanisms, and treatment implications. Psychol Rev 117(1):210

Catani C, Kohiladevy M, Ruf M, Schauer E, Elbert T, Neuner F (2009) Treating children traumatized by war and tsunami: a comparison between exposure therapy and meditation-relaxation in North-East Sri Lanka. BMC Psychiatry 9(1):22

Köbach A, Schaal S, Hecker T, Elbert T. (2015) Psychotherapeutic intervention in the demobilization process: addressing combat-related mental injuries with narrative exposure in a first and second dis-

semination stage. Clin Psychol Psychother. doi: 10.1002/cpp.1986. [Epub ahead of print]
Crombach A, Elbert T (2015) Controlling offensive behavior using narrative exposure therapy: a RCT of former street children. Clin Psychol Sci 3(2):270–82
Elbert T, Schauer M (2002) Psychological trauma: Burnt into memory. Nature 419(6910):883–883
Elbert T, Hermenau K, Hecker T, Weierstall R, Schauer M (2012) FORNET: behandlung von traumatisierten und nicht-traumatisierten gewalttätern mittels narrativer expositionstherapie. In: Endrass J, Rossegger A, Urbaniok F, Borchard B (Hrsg.) (eds) Interventionen bei Gewalt- und Sexualstraftätern: Risk-Management, Methoden und Konzepte der forensischen Therapie. Berlin: Medizinisch Wissenschaftliche Verlagsgesellschaft. p 255–76
Elbert T, Schauer M (2014) Epigenetic, neural and cognitive memories of traumatic stress and violence. In: Cooper S, Ratele K (eds) Psychology serving humanity: Proceedings of the 30th International Congress of Psychology: Volume 2: Western Psychology. Psychology Press, East Sussex/New York
Ertl V, Pfeiffer A, Schauer E, Elbert T, Neuner F (2011) Community-implemented trauma therapy for former child soldiers in Northern Uganda: a randomized controlled trial. JAMA 306(5):503–12
Hecker T, Hermenau K, Crombach A, Elbert T (2015) Treating traumatized offenders and veterans by means of narrative exposure therapy. Front Psych 6:80. doi:10.3389/fpsyt.2015.00080
Hermenau K, Hecker T, Ruf M, Schauer E, Elbert T, Schauer M (2011) Childhood adversity, mental ill-health and aggressive behavior in an African orphanage: changes in response to trauma- focused therapy and the implementation of a new instructional system. Child Adolesc Psychiatry Ment Health 5:29
Isele D, Hecker T, Hermenau K, Ruf-Leuschner M, Schauer M, Moran J, Teicher MH, Elbert T (2016) (in press). Assessing exposure to adversities in children: the pediatric maltreatment and abuse chronology of exposure interview. Submitted for publication
Jacob N, Neuner F, Mädl A, Schaal S, Elbert T (2014) Dissemination of psychotherapy for trauma- spectrum disorders in resource-poor countries: a randomized controlled trial in Rwanda. Psychother Psychosom 83:354–63
Jongh AD, Broeke ET (2014) Response to "Treatment compliance and effectiveness in complex PTSD patients with co-morbid personality disorder undergoing stabilizing cognitive behavioral group treatment: a preliminary study." Eur J Psychotraumatol 5:23498. doi: 10.3402/ejpt. v5.23489
Kangaslampi S, Garoff F, Peltonen K (2015) Narrative exposure therapy for immigrant children traumatized by war: study protocol for a randomized controlled trial of effectiveness and mechanisms of change. BMC Psychiatry 15:127
Kolassa IT, Ertl V, Eckart C, Kolassa S, Onyut LP, Elbert T (2010) Spontaneous remission from PTSD depends on the number of traumatic event types experienced. Psychological Trauma: Theory, Research, Practice, and Policy 2:169–74
Lindauer RJL (2015) Trauma treatment for children and adolescents: stabilizing or trauma-focused therapy? Euro J Psychotraumatol 6, doi:10.3402/ejpt.v6.27630. http://doi.org/10.3402/ejpt.v6.27630
Nandi C, Crombach A, Bambonyé M, Elbert T, Weierstall R (2015) Predictors of post-traumatic stress and appetitive aggression in active soldiers and former combatants. Euro J Psychotraumatol 6:2655
Neuner F, Schauer M, Karunakara U, Klaschik C, Robert C, Elbert T (2004) Psychological trauma and evidence for enhanced vulnerability for PTSD through previous trauma in West Nile refugees. BMC Psychiatry 4(1):34
Neuner F (2012) Safety first? Trauma exposure in PTSD. In: Neudeck P, Wittchen HU (eds) Rethinking the model – refining the method. Springer, New York
Neuner F, Catani C, Ruf M, Schauer E, Schauer M, Elbert T (2008) Narrative exposure therapy for the treatment of traumatized children and adolescents (KidNET): from neurocognitive theory to field intervention. Child Adolesc Psychiatr Clin N Am 17(3):641–64
Onyut PL, Neuner F, Schauer E, Ertl V, Odenwald M, Schauer M, Elbert T (2005) Narrative Exposure Therapy as a treatment for child war survivors with posttraumatic stress disorder: two case reports and a pilot study in an African refugee settlement. BMC Psychiatry 5:7
Pynoos RS, Steinberg AM (2013) UCLA PTSD reaction index for children/adolescents – DSM-5. University of California, Los Angeles
Ruf M, Schauer M, Neuner F, Catani C, Schauer E, Elbert T (2010) Narrative Exposure Therapy for 7 to 16-year-olds – a randomized controlled trial with traumatized refugee children.

J Trauma Stress 23:437–45
Ruf M, Schauer M (2012) Facing childhood trauma: narrative exposure therapy within a cascade model of care. In: Murray J (ed) Exposure therapy: new developments. Nova Science Publishers, New York
Schaal S, Elbert T, Neuner F (2009) Narrative exposure therapy versus interpersonal psychotherapy: a pilot randomized controlled trial with Rwandan genocide orphans. Psychother Psychosom 78:298–306
Schauer E (2008) Trauma treatment for children in war: build-up of an evidence-based large-scale mental health intervention in North-Eastern Sri Lanka. Dissertation University of Konstanz. http://nbn-resolving.de/urn:nbn:de:bsz:352-opus-54249
Schauer M, Neuner F, Karunakara U, Klaschik C, Robert C, Elbert T (2003) PTSD and the "building block" effect of psychological trauma among West Nile Africans. ESTSS (European Society for Traumatic Stress Studies). Bulletin 10(2):5–6
Schauer E, Neuner F, Elbert T, Ertl V, Onyut PL, Odenwald M, Schauer M (2004) Narrative Exposure Therapy in Children – a Case Study in a Somali Refugee. Intervention 2(1):18–32
Schauer M, Neuner F, Elbert T (2005). Narrative exposure therapy: a short-term intervention for traumatic stress disorders after war, terror, or torture. Göttingen: Hogrefe & Huber Publishers
Schauer M, Elbert T (2010) Dissociation following traumatic stress: etiology and treatment. J Psychol 218(2):109–127
Schauer M, Schauer E (2010) Trauma-focused public mental-health interventions: a paradigm shift in humanitarian assistance and aid work. In: Martz E (ed) Trauma rehabilitation after war and conflict. Springer, New York
Schauer M, Neuner F, Elbert T (2011) Narrative Exposure Therapy (NET). A short-term intervention for traumatic stress disorders, 2nd edn. Hogrefe & Huber Publishers, Cambridge/ Göttingen
Schauer M, Jongedijk R, Kaiser E (2014) Narrative exposure therapy for children and families – integrating memories of trauma, war and violence. (Narratieve exposure therapie voor kinderen en families). In: E. Captain, T. Mooren (eds), Family, generations and war. Historical, psychological and artistic views. Conference Proceedings. Amsterdam: National Committee for 4 and 5 May, 2014, pp 81–96
Schauer M, Ruf-Leuschner M (2014) Die Lifeline in der Narrativen Expositionstherapie (NET). Psychotherapeut 59:226–38
Schauer M (2015) International encyclopedia of social & behavioral sciences. In: Wright JD (ed) Narrative exposure therapy, 2nd edn. Elsevier, Amsterdam
Schauer M (2016) The mass refugee movement – better reframed as mental health crisis? Global perspectives of the International Society for Traumatic Stress Studies ISTSS Stress Points, 2016: http://dx.doi.org/10.13140/RG.2.1.4113.1926
Schnyder U, Ehlers A, Elbert T, Foa EB, Gersons BP, Resick PA, Cloitre M (2015) Psychotherapies for PTSD: what do they have in common? Eur J Psychotraumatol 6. doi:10.3402/ejpt.v6.28186

# 청소년을 위한 STAIR 내러티브 치료 12

Omar G. Gudiño, Skyler Leonard, Allison A. Stiles,
Jennifer F. Havens 와 Marylène Cloitre

## 12.1 소개

*정서 및 대인 관계 조절 기술 훈련*(Skills Training in Affective and Interpersonal Regulation, 이하 STAIR)이 추가된 *내러티브 치료 - 청소년 버전*(STAIR plus Narrative Therapy - Adolescent Version, 이하 SNT-A; Cloitre 등. 2014)은 트라우마를 겪은 뒤 어려움을 호소하는 청소년들을 위한 근거 기반 정신사회적 치료법입니다. 이름에서 알 수 있듯이, STAIR는 현재의 기능을 돕고 미래의 탄력성을 높일 수 있는 정서적, 대인관계적 기술의 개발을 강조합니다. 입원 환자의 경우처럼 시간이 제한되어 있는 일부 상황에서는 STAIR-A 치료 중 기술 훈련 부분만 적용합니다. 그러나 외래 진료나 학교 기반 프로그램 같은 다른 상황에서는, 외상 사건을 검토하거나 발달하는 삶의 이야기라는 맥락 속에서의 트라우마 내러티브 만들기 등 치료가 확장됩니다(SNT-A). 이 장에서는 SNT-A의 근거뿐 아니라 이 접근법이 실제 현장에서 어떻게 적용되는지를 잘 보여줄 사례와 함께 회기 별 개요를 살펴봅니다. 이후 치료에 흔하게 발생하는 어려움들과 이를 어떻게 다룰지를 검토할 것입니다. 마지막으로, SNT-A를 지지해주는 근거들을 간단히 요약합니다.

## 12.2 이론적 토대

STAIR-A에 포함된 기술들은 정서적, 사회적 역량강화를 목표로, 충동조절, 자기 주체성, 적절하고 효과적인 사회화 기술, 학교 참여를 포함하여 청소년 시기에 관찰되는 어려움들을 대상으로 합니다. 처음에 STAIR는 어린 시절 학대의 생존자인 성인들을 대상으로 그들의 손상된 정서적, 사회적 기능을 향상시키기 위해 개발되었습니다(Cloitre 등. 2006참조). 하지만 많은 성인들이 그들의 삶이 무너지기 시작했던 "전환점", 즉 위험한 행동과 불법 약물의 사용, 가해자나 피해자로 폭력을 경험하는 것 등이 청소년기부터 시작되었다고 보고했습니다. 이런 환자들의 개인적 경험은 문헌으로도 확인되었습니다. 일생 동안 트라우마 경험의 유병율을 조사한 연구들에서도 청소년 시기가 가장 고위험기로 지목되었습니다. 13~17세 청소년 중 거의 3분의 2가 적어도 하나 이상의 잠재적인 트라우마 사건에 노출되었고(McLaughlin 등. 2013), 아동과 성인보다 청소년 시기에 외상 사건의 노출율이 더 높았습니다(Breslau 등. 2004; Nooner 등. 2012).

이러한 노출은 청소년에게 내재화 또는 외현화 장애를 포함한 광범위한 트라우마 관련 문제가 생길 위험을 높입니다(Kilpatrick 등. 2003; Layne 등. 2014.). 또 중요한 것은, 진단의 범위를 떠나 외상에 노출되는 것이 가출이나 자해 등의 위험하고 장해가 되는 광범위의 문제들과 연관된다는 점입니다(Havens 등. 2012; Mueser와 Taub 2008). 아마도 놀랄 일이 아니겠지만 이러한 자료들과 일관되게, 부모가 평가한 이러한 기능상의 문제가 치료에 의뢰되는 핵심 요소로 보입니다(Gudiño 등. 2009).

트라우마 및 그와 관련된 심리와 행동 문제들은 중요한 사회적, 정서적 기능의 발달에 부정적인 영향을 미칠 수 있습니다. 청소년 시기는 자신에 대한 정의와 자아존중감을 재확립하고 또래 관계와 사회적 관계망을 다루는 데 있어 성장과 도전을 동시에 겪는 시기입니다. 이 시기적 과제는 트라우마와 관련된 어려움이 있는 청소년들에게 특히 커다란 문제가 될 수 있습니다. 트라우마는 정서적, 사회적, 인지적 기술을 약화시키고 지지적이고 건강한 사회적 관계망을 통합시키는 것을 더욱 어렵게 하여, 미래의 트라우마 노출에 효과적으로 대처할 방어기제를 정립하기 힘들게 만듭니다(APA 2002).

따라서 SNT-A의 이론적 근거는, 외상 사건의 노출이 현재의 기능을 돕고 미래의 스트레스 요인으로부터 보호하며 트라우마로 인한 후퇴와 자원의 상실을 막는 정서적, 사회적 능력의 발달을 방해한다는 개념에 중점을 둡니다. 치료는 청소년의 *정서적 사회적* 경험에 트라우마가 미치는 영향과 어려운 상황들을 좀더 효과적으로 다룰 수 있는 방법들을 알려주어 통제감과 숙달의 감각을 향상시키는 것이 목적입니다. 또한 치료는 외상후 스트레스 장애PTSD, 불안 및 우울 증상을 포함한 트라우마 관련 증상들을 줄여줍니다. 내러티브 치료 Narrative therapy, NT는 추가적으로 청소년들이 트라우마 경험을 이해하게 돕고 PTSD 및 관련 증상들을 줄여주며 숙달감을 강화해주는 경험을 제공합니다. STAIR에서 다루는 손상된 정서적 및 사회적 기능의 구체적인 특성은 아래와 같습니다.

## 외상 노출과 관련된 정서 및 사회적 능력의 개발

**폭력을 경험한 청소년은 감정이 대인관계에서 기인한다는 것을 이해하거나 감정을 분류하고 다루는 데** 어려움을 겪습니다(예: Shipman 등. 2003). 또 외상에 만성적으로 노출되어 일어나는 신경생물학적 변화로 감정 조절 능력이 손상됩니다(DeBellis 등. 1999). 결과적으로, 외상에 노출되면 정서 경험을 이해하고 설명하고 관리하는 능력이 심각하게 손상될 수 있습니다. 즉 외상에 노출되면 감정을 효과적으로 조절할 수 있는 자원들을 잃게 되는데, 이는 특정 질환과는 무관할지라도(Kim과 Cicchetti. 2010; Lansford 등. 2002) 적응적인 기능을 촉진하고 부적응적인 행동을 예방하는 핵심 능력에 지장을 줍니다(Cicchetti 등. 1995년; Eisenberg 등. 2001). 따라서 이렇게 중요한 자원들을 잃는다는 것은 개인의 안녕을 제한하는 중요한 요인으로 보아야 합니다.

또한 어린 시절 학대와 외상 경험은 대인 관계 및 사회적인 발달에 부정적인 영향을 미칩니다. 예를 들어, 외상에 노출된 청소년은 또래나 이성관계에서 적대적 혹은 공격적이거나 불안정한 관계를 맺을 가능성이 높습니다(Kim과 Cicchetti. 2010; Cantrell 등.1995). 타인과의 연결과 사회적인 지지는 외상 노출 후 회복력의 중요한 결정 요소입니다(예: Nooner 등. 2012). 따라서 관계를 만들어 유지하고 사회적 관계망으로부터 지지를 받을 수 있는 이 능력들은 현재의 기능과 트라우마의 회복에 상당한 영향을 끼칠 수 있는 중요한 자원으로 보아야 합니다.

통합적인 자신에 대한 이미지 구축 역시 청소년기의 주요 과제인데, 트라우마는 자의식을 축소시키고 상당한 수치심과 죄책감을 유발합니다. 그러나 청소년기 자의식의 유연성은 앞으로의 가능성을 재구축할 기회이기도 합니다. 내러티브 치료의 기능 중 하나는, 과거에 외상이 일어난 것을 인지하고 받아들이면서도, 자신이 원하는 스스로의 모습에 대해 균형된 시각을 갖고 미래의 긍정적인 자신을 명확히 그릴 수 있게 하는 것입니다. 기술훈련 단계는 청소년이 스스로의 목표를 명확히 세우는 것으로부터 시작하며, 이 목표들의 달성을 돕기 위한 것들을 연습하며 기술을 개발해 갑니다. 내러티브 작업은 강하고 긍정적인, 성장하고 있는 자신에 대한 자서전적인 맥락에서 트라우마를 다루고, STAIR 진행 동안의 발전을 이러한 성장의 증거로 봅니다.

## 12.3 청소년을 위한 STAIR 내러티브 치료SNT-A를 어떻게 하는가

### 12.3.1 프로토콜 소개 및 응용

SNT-A는 8에서 12회기의 기술 훈련STAIR 모듈로 시작하고, STAIR 작업과 함께 병행하는 4에서 8회기의 내러티브 치료 모듈이 추가된 인지 행동 치료법입니다. 따라서 SNT-A는 1주 간격으로 총 12~20회기가 진행됩니다. 기술 훈련 모듈은 가장 먼저 감정 관리를 주제로 하고, 뒤이어 사회적인 역량을 목표로 하면서 감정 관리 기술을 지속적으로 적용하고 만들어갑니다. SNT-A는 다양한 외상을 경험한 11세 이상의 청소년을 대상으로 적용되어 왔습니다. 청소년의 기능 지원에 초점을 맞춘다는 점에서, 기능을 방해하는 정서, 대인관계적 어려움이 있거나 PTSD, 우울증과 기타 트라우마 관련 증상을 갖고 있는 청소년들이 이 개입으로 도움을 받을 가능성이 가장 높은 대상입니다. 이 치료는 내러티브 구성요소가 있거나 없는 형태 모두에서 경험적으로 입증되었습니다. 치료매뉴얼은 개인 치료용으로 개발되어 있습니다.

STAIR의 기술 훈련 부분은, 치료시간에 확인된 청소년의 기술에서부터 시작해서 강화해 나가고 이를 기반으로 기술을 구축해 나가는 강점 기반 접근 방식을 사용합니다. 기술 개발의 목적은 (a) 청소년이 트라우마 관련 증상과 문제들을 더 잘 다룰 수 있도록 돕고, (b) 일상 생활 면에서 보다 효과적이고 자신 있게 기능할 수 있게 하며, (c) 청소년의 정서 및 사회적 성숙을 지지하고, (d) 미래의 노출을 대비하여 회복력을 키우는 것입니다. 내러티브 작업은 8-10회기가 진행된 뒤 시작되며, 이후에도 기술 작업은 계속됩니다. 많은 효과적인 트라우마 치료법들이 트라우마 기억의 노출과 처리 작업을 포함하고 있습니다(National Research Council 2014). SNT-A는 기술 개발과 노출 기반 치료법 사이에 균형을 제안합니다. 기술 훈련 개입 모듈은 청소년이 매일의 경험을 잘 다룰 수 있게 돕는 중요한 생활 기술을 다루고, 다른 한편으로 내러티브 치료는 청소년으로 하여금 과거의 경험을 돌아보고 특히 기술 작업을 통해 입증된 정서적, 사회적, 개인적 발달 측면에서 그 의미를 새롭게 재평가하게 합니다.

STAIR는 강력한 치료 동맹을 만들고, 유연한 개인 맞춤형의 치료 진행에 우선순위를 둡니다. 아래에 묘사한 치료 사례는 임상 사례로, 각 회기별 진행의 예시를 제시하였습니다. 개입의 목록과 그 근거는 표 12.1에 정리되어 있습니다. 치료 매뉴얼(Cloitre 등. 2014)의 추가 자료들은 이 장의 저자에게 연락하면 공유받을 수 있습니다.

**표 12.1** STAIR-A/SNT-A 개입법 및 회기별 근거

| 회기 | 개입 | 근거 |
|---|---|---|
| 1. 치료 소개 | 트라우마로 인해 흔하게 나타나는 반응에 대한 심리교육<br>치료 근거<br>개인적인 목표 설정 | 내담자의 경험을 정상화하고 치료적 관계 구축<br>희망을 제시하고 참여를 촉진<br>맞춤형 치료 및 치료 결과에 대한 이해 공유 |
| 2. 감정의 확인 및 분류/안전 계획 | 트라우마가 감정조절에 미친 영향에 대한 심리 교육<br>감정에 이름붙이기와 자기 관찰<br>심호흡 연습<br>안전 계획 세우기 | 내담자의 경험을 정상화하고 감정을 일반적인 용어로 정리하기<br>불편한 감정들을 조절하는 기술들 알려주기<br>안전 문제에 효과적인 기술과 계획들을 맞춤형으로 정리한 안전 계획 만들기 |
| 3. 불쾌한 감정에 대한 대처: 자기 돌봄과 이완 | 불쾌한 감정 대처에 대한 심리 교육<br>현재의 대처 기술 확인 및 평가<br>자기 돌봄 및 자기 위안 체계 | 불쾌한 감정에 대응하는 효과적이거나 부적응적인 대처 기술의 이해<br>대처 기술로 감정을 조절할 수 있음을 경험하기<br>자기 관리의 중요성 강조 |
| 4. 불쾌한 감정에 대한 대처: 인지적인 대처 | 인지적인 대처 기술: 생각 정지, 주의 돌리기, 긍정적인 자기 진술self-statement | 내담자의 주체 의식과 생각/감정 조절력 끌어올리기 |
| 5. 불쾌한 상황 다루기 | 불쾌한 상황 다루기에 대한 심리교육<br>목표 달성에 초점 맞추기<br>대처 전략: 장 단점 비교 | 불쾌한 감정과 상황에 회피 외의 대처 전략 활용<br>불쾌한 상황에 적절한 반응을 개인적인 목표에 따라 결정하기 |

| 회기 | 개입 | 근거 |
|---|---|---|
| 6. 불쾌한 상황을 다루기 위한 대처 전략 | 대처 전략: "기분 좋은" 활동 | 내담자가 더 다양한 감정을 경험해보도록 격려하기<br>긍정적인 감정을 불러오고 스트레스를 줄이는 상황들을 확인하기 |
| 7. 긍정적인 심상으로 불쾌감을 처리하기 | 긍정적인 심상 이미지에 대한 근거<br>긍정적인 심상 이미지 활동 | 차분한 감정과 이완을 위해 긍정적인 심상 이미지 활용하기<br>심상 이미지로 긍정적인 자기 상을 확인하고 조직하기 |
| 8. 감정과 내면의기 대화의 관계 | 내면의 대화self-talk에 대한 심리교육<br>내면의 대화에 집중하기<br>불쾌한 내면의 대화에 대처하기 | 내면의 대화를 인지하고 이해하기<br>불쾌한 내면의 대화를 다루기 위한 대처 전략 제공 |
| 9. 투명한 의사소통을 위한 기술 | 투명한 의사소통 소개 | 효과적인 의사소통과 관계 개선을 위한 전략 개발 |
| 10. 감정 vs 행동에 대한 역할극 소개 | 역할극 소개<br>역할극 연습 | 불쾌한 상황에 대해 각각 다르게 반응하는 것을 연습할 안전 지대 제공<br>의사소통과 결과의 개선을 위해 치료자의 관찰과 피드백, 제안을 공유하는 기회 제공 |
| 11. 자기주장 중심 역할극 | 자기 주장의 정의<br>자기 주장과 관련된 최근의 문제 확인<br>효과적인 자기 주장에 대한 심리교육<br>자기 주장이 필요한 상황 역할극 | 자기 주장을 연습하고 의사소통에서의 성공을 경험하고, 성공하지 못한 소통을 효과적으로 다룰 경험의 제공 |
| 12. 내러티브 스토리텔링(narrative storytelling, 이하 NST) 전환 | NST의 근거<br>NST 전환에 대한 우려 다루기<br>초기 스토리텔링(중립적/외상성 기억들)<br>디브리핑 | 새로운 치료에 대한 두려움과 불안을 정상화하고, 내담자에게 NST의 중요성 강조<br>내담자로 하여금 트라우마와 관련된 감정과 생각들에 연결되고, 효과적인 대처 기술들로 감정을 다룰 기회를 제공<br>상대적으로 덜 고통스러운 기억들로 연습하기<br>고통스러운 트라우마성 기억을 다루는 데 회피만이 유일한 방법이 아니라는 것을 보여주기 |
| 13-15. 스토리텔링 작업 | NST 지속<br>다양한 트라우마 대상 NST | 트라우마 기억의 습관화를 유도하기<br>외상 사건이 포함되지만, 그것만으로 정의되지 않는 통합적인 삶의 이야기를 정립하기 |
| 16. 진행 검토 및 종결 | 진행된 것을 검토하기<br>미래의 목표 세우기<br>치료 종결 | 이뤄낸 것과 앞으로도 지속이 필요한 작업에 초점을 맞추어 치료 과정을 검토하기<br>내담자의 효능감과 미래에 대한 희망을 지지하기 |

### 12.3.2 사례

*10학년인 16세의 남미계 여자청소년인 테레사는 학교에서의 논쟁과 생모와의 갈등으로 인해 의뢰되었으며, 위탁모는 테레사의 장시간 지속되는 과민함과 분노, 사회적 위축, 우울감에 대해 걱정하고 있었습니다. 테레사는 8세까지 생모와 살았지만, 신체 학대, 가정폭력과 방임 때문에 자주 아동 보호 서비스에 의해 분리조치 되었습니다. 이후 테레사는 사이가 좋았던 외할머니와 지냈지만 그녀가 11살 때 할머니가 갑자기 사망하면서 위탁 가정으로 옮겨졌습니다. 개입 당시 테레사는 세 번째 위탁 가정에 배정받은 상태였습니다. 테레사는 거의 2년째 매달 정신건강의학과 진료를 받고 있었지만, 진지하게 치료받고 있지 않고 학업과 대인관계 기능 역시 여전히 손상된 상태였습니다. 또한 위탁모는 테레사가 지속적으로 보이고 있는 감정 조절의 어려움과, 그로 인해 가정과 학교에서 타인과 어울리지 못하는 점을 걱정하고 있었습니다. 테레사의 이러한 어려움들을 다루고, 그녀를 도울 수 있는 추가적인 개입이 필요하다는 점에 모두가 동의했습니다.*

*테레사는 트라우마 이력에 대한 체크리스트와 PTSD, 우울증, 불안 및 외현화 증상 등에 대한 초기 평가를 받았습니다. 평가 중 테레사는 13 살 때 지인인 남성에게 성폭력을 당했던 사실을 밝혔습니다. 테레사는 당시 이것을 사례 담당자에게 알리고 조사가 진행되었지만 가해자는 처벌되지 않았고, 이 일은 다시 거론되지 않았습니다. 평가 결과 테레사는 임상적으로 유의미한 PTSD와 우울 증상을 갖고 있었습니다. 외현화 장애의 진단기준에는 해당되지 않았지만 종종 테레사의 문제성 분노 폭발과 대인 관계 갈등의 어려움이 감정을 조절하기 어렵게 만들었습니다.*

#### 치료 소개 및 개인 목표의 설정 (1 회기)

첫 번째 회기는 치료적 동맹을 만들고, 테레사의 경험들을 정상화하며 치료에 참여하도록 격려하고 희망을 심는 기초작업 시간입니다. 치료자는 테레사에게 궁금한 것과 걱정을 나눌 기회를 주었습니다. 테레사는 평가의 결과만 질문하였습니다. 이는 평가 중 모인 정보들을 이용해서 테레사에게 SNT-A가 어떤 것인지를 소개할 중요한 기회였습니다. 그리고 치료자도 테레사의 목표를 물어보면서 테레사를 더 알게 되었습니다. 목표를 달성한다는 것은 테레사의 치료 동기와 참여도를 높여주고, 치료를 자신의 "나쁜 행동"을 없애기 위한 것만이 아니라 자신의 강점을 강화해 줄 중요한 자원으로 생각할 수 있게 합니다.

치료자는 담담하게, 테레사가 여러 종류의 외상 사건과 고통스러운 경험들을 겪었던 점을 짚으면서 치료를 시작하였습니다. 외상 사건에 흔하게 일어나는 반응들이 적힌 기록지worksheet를 보던 중, 테레사는 "내가 겪은 것 같은 일을 겪을 때 사람들이 흔하게 보이는 반응"이 있다는 것을 생각해본 적이 없다고 했습니다. 또 치료자는 이 기록지를 이용해서 테레사에게 트라우마가 어떻게 그녀의 감정과 관계에 영향을 미칠 수 있는지 알려주었습니다. 이 때 테레사는 자신이 종종 감정에 압도당하거나 어떤 감정을 느끼는지 알지 못했다는 것을 잘 알 수 있었습니다. 그녀는 자신이 가능하면 최대한 감정을 회피하려한다고 했습니다. 관계 면에서 테레사는 자신이 주변 사람들과 다르다고 느끼거나 멀게 느껴지고 남을 믿지 못하며 사람들과 "너무 가까워지는 것"은 피하려는 경향이 있다고 했습니다. 또 남들에게 쉽게 자극을 받고, 이 때문에 가족이나 친구들과 종종 말싸움을 하게 된다고도 밝혔습니다.

치료 동맹의 중요성을 생각하여, 치료자는 이를 내담자-치료자 관계에 대해 다룰 기회로 보았습니다. 테레사가 타인을 신뢰하기 어렵고 다른 사람들과 "너무 가까워지는 것"에 대해 공통적인 우려를 표현한 점으로 보아, 그녀가 치료자나 치료에도 유사한 걱정을 할 수도 있다는 것을 아는 것이 중요했습니다. 테레사는 "난 당신을 몰라요, 그러니 뭐 믿을 수도 없죠"라고 했습니다. 치료자는 이에 대해 그들이 서로 오래 알고 지낸 사이가 아니고, 테레사가 타인을 믿기 어렵게 만든 경험들을 많이 했다는 면에서 이해가 되는 반응이라고 인정해 주었습니다. 치료자는 신뢰 관계라는 것은 치료자와 내담자 모두 지속적으로 노력해야 만들어지는 것이지만, 시간과 경험을 쌓이면 둘사이의 관계가 테레사의 치료 경과에 도움이 될 것이라고 말했습니다.

외상 이력을 상세히 묻지 않고, 치료자는 PTSD, 우울증과 분노를 다루는 심리교육을 시행하고 이를 평가결과와 연결 지어 설명했습니다. 또 치료자는 SNT-A의 개요와 치료의 두 단계의 원리를 설명했습니다. 테레사는 또다시 치료를 시도한다는 것은 주저되지만, 기술 개발을 중점으로 다루고 정해진 시간에 진행되는 개입이라는 점은 마음에 든다고 했습니다.

마지막으로, 치료자는 테레사가 자기만의 치료 목표를 설정하도록 도왔습니다. 여기서 치료자는 감정("나는 항상 덜 화가 난 상태이고 싶다")과 관계("내가 사람들을 믿을 수 있으면 좋겠다") 뿐 아니라 자신감과 좀더 긍정적인 자아상을 도울, 좀더 현실적인 목표를 끌어내고자 했습니다. 다양한 지지적인 작업들을 통해, 테레사는 "더 나은 요리사"가 되고 싶다는 개인적인 목표를 정했습니다. 테레사는 생모가 요리를 가르쳐주었고, 위탁 가정의 구성원들이 종종 자신의 요리를 칭찬했다고 했습니다. 그녀는 특히 새로운 조리법을 배워 실력을 키우고 싶어했습니다.

아쉽게도 테레사의 위탁모가 정기적으로 치료에 올 수는 없었지만, 종종 치료 시간 중 전화나 내방 형식으로 참여할 수 있었습니다. 치료자와 테레사는 위탁모가 SNT-A에 대해 전체적으로 아는 것이 어떻게 도움이 될 지에 대해 이야기를 나누었고, 트라우마가 어떻게 감정과 관계에 영향을 미치는지와 SNT-A에 대해 위탁모가 대략적으로 이해하는 것이 중요하다고 결론지었습니다. 치료자와 테레사는 위탁모와 이를 전화상으로 검토했습니다.

### 감정의 확인과 분류 및 안전 계획 세우기(2 회기)

2번째 회기에서는 테레사가 자신의 정서적 대처의 어려움을 정상화하고 더욱 잘 이해하며, 불편한 감정 반응들을 다룰 전략을 개발할 기회를 가졌습니다. 첫 회기에 대한 테레사의 생각을 간단히 확인한 뒤에, 치료자는 치료 내내 중요한 도구가 될 "안전 계획"을 설명했습니다.

**치료자** 좋아, 우리가 마지막으로 이야기 나누었을 때, 너는 친엄마가 늦거나 오지 않을 때 종종 매우 화가 난다고 했었어.

**테레사** 맞아요! 정말 짜증나요! 지난번에는 그날 종일 화가 났어요.

**치료자** 정말 힘들었겠다. 그런 일이 종종 있었다는 게 참 유감이구나. 그런 화가 나는 상황에서는 대처하는 게 어려울 수 있어. 이 안전 계획은 그런 화가 나는 상황들을 우리가 다루게 도와주는 하나의 도구야. 여기 첫번째 칸(참조의 안전계획)을 보자. 네가 화가 날 때 "경고 신호들"이 어떤 게 있을까? 네가 화가 나고 있다는 걸 알게 해주는 몸이나 생각, 행동의 변화가 있니?

**테레사** 그런 생각은 한 번도 해 본 적이 없어요. 잘 모르겠어요.

**치료자** 음, 내가 거기에 있었다면 너의 어떤 모습을 볼 수 있을까? 네가 화가 나기 시작했다는 것을 내가 어떻게 알 수 있을까?

**테레사** 글쎄요, 제 생각엔 제가 계속 왔다갔다 하기 시작할 거 같아요. 양어머니가 말하길, 친엄마를 기다릴 때면 제가 항상 그런다고 하더라고요. 아, 그리고 손을 계속 만지작거려요!

치료자는 테레사와 함께 몸(예: 얼굴이 뜨거워지는 느낌)과 인지(예: "엄마는 대체 자기를 뭐라고 생각하는 거야!")의 "경고 신호"를 찾아보았습니다. 치료자는 테레사가 사용했던 대처 전략 중 효과가 있었던 것을 찾아보았습니다.

**치료자** 네가 힘든 상황을 여러 번 겪었지만, 그 상황을 넘기는데 도움이 되는 기술들을 이미 갖고 있어. 화가 날 때 네 기분이 나아지는 데 도움이 되었던 것들은 어떤 것이 있을까?

**테레사** 몰라요. 그냥 제일 친한 친구하고 놀았던 거 같은데요.

**치료자** 친구하고 있을 때 네가 했던 것들 중에 도움이 되었던 게 혹시 있을까?

**테레사** 음, 종종 전 그냥 일들이 얼마나 엉망인지에 대해 말했어요. 친구는 말을 참 잘 들어주는 애라서, 어떨 때는 그냥 속이 시원해지곤 했어요. 아니면 같이 영화를 보거나 매니큐어를 칠했어요. 그때그때 상황에 따라서요.

**치료자** 좋아! 네가 스스로 찾아낸 아주 좋은 대처 전략들이구나. 믿을 수 있는 친구에게 위로받거나 즐거운 일(영화 보기) 아니면 신경을 다른 데로 돌릴 만한 일들(매니큐어 칠하기)을 했어.

이 초기 단계의 목표는 대처 자원들의 목록을 만들기 시작하는 것입니다. 치료자는 테레사가 이미 몇몇 효과적인 대처 전략을 갖고 있다는 점을 강조하고, 치료기간 동안 여기에 몇 가지를 더 추가할 수 있다고 알려주었습니다. 안전 계획에 효과적인 대처 전략 몇 가지가 추가되면, 이것이 현재 테레사에게 유용한 기술들의 정확한 요약본이 될 것입니다. 또 치료자는 이 대처 전략들이 충분하지 않은 때가 있을 수도 있으므로, 비상 "예비" 계획을 만드는 것이 중요하다고 말했습니다. 만약 테레사가 안전 계획에 있는 모든 전략을 이용해도 여전히 고통스럽거나 자신이나 남에게 해를 가할 것 같은 느낌이 든다면, 비상 계획을 따를 수 있습니다. 치료자는 테레사와 의논하여 필요할 때 위탁모에게 이야기하기, 치료자의 비상 연락처로 전화하기, 응급 서비스(119 등)에 연락하기의 3가지 비상 행동 단계를 정리했습니다. 치료자는 이 안전 계획을 각 회기마다 검토하고 수정해갈 것이라고 설명했습니다.

초기 안전 계획을 만든 뒤, 치료자는 외상 사건이 어떻게 사람의 감정과 감정 표현에 영향을 미치는지에 대한 심리교육을 제공했습니다. 테레사는 감정이라는 것이 행동의 효과적인 안내서이며 중요한 정보를 준다는 개념을 알게 되었습니다. 어떻게 행동할지를 계획할 때 감정으로부터 얻은 정보를 효과적으로 사용하기 위해서, 테레사는 우선 감정을 확인하고 이름붙이는 것부터 배웠습니다. 첫 회기 때 테레사가 자신이 느끼는 것을 인식하는 것이 힘들다고 했기 때문에, 치료자는 테레사에게 감정 목록을 주고, 그림이나 사례에서 보이는 감정상태에 이름을 붙이는 연습용 유인물을 활용하였습니다. 이를 통해 치료자는 테레사가 주어진 상황에서 등장 인물이 느낄 수 있는 감정들을 찾고 언어화할 수 있는 능력의 토대를 만들고 지지해주고자 했습니다.

그리고 치료자는 테레사가 상황과 감정상태를 좀더 연결지어 이해할 수 있도록, 감정에 대한 자기 관찰 작업지를 주었습니다. 예를 들어 지난 주 동안 약간 힘들었던 상황을 대상으로, 치료자는 테레사가 상황을 말하고("내 방을 청소하지 않아서 문제가 좀 생겼어요.") 그때 어떻게 느꼈는지(짜증), 그 감정의 강도는 어느 정도였는지(다소 강함), 무슨 생각을 했는지("날 좀 내버려 두라고!"), 그리고 그것을 견디기 위해 무엇을 했는지(침대로 가서 음악을 들었음) 간단히 말해 보게 하였습니다. 치료자는 테레사에게 스스로를 관찰하는 것이 정서 경험을 이해하게 해주는 중요한 도구이고, 이 작업지가 앞으로의 치료 회기에 기초가 될 것이라고 설명해 주었습니다. 마지막으로 치료자는 불안, 분노와 과민함을 조절하는 데 도움이 될 심호흡 기술을 소개했습니다. 회기 중에 이 기술을 연습한 뒤, 테레사는 자신의 안전 계획에 이 심호흡과 (자기 관찰 작업지를 채우는 동안 확인된) 음악 듣기를 추가하였습니다. 테레사는 다음 회기 전까지 적어도 2번의 감정 관찰을 해보기로 했습니다.

### 불쾌감에 대처하기: 자기 돌봄과 이완(3 회기)

이후의 치료 시간들은 회기들 사이에 일어난 사건들에 대해 자기 관찰 작업지를 사용하는 데 중점을 두었습니다. 새로운 회기마다 새 기술을 소개하고, 회기를 마무리할 때면 기존의 기술을 발전시켜 나가며 안전 계획을 수정하였습니다. 3번째 회기에서 치료자는 이전의 주제를 확대하여 좀더, 그리고 덜 효과적인 대처 전략들을 알려주면서, 어떻게 트라우마가 감정에 영향을 미치는지에 대해 더 확장된 대화를 나누었습니다. 치료자는 테레사가 이미 효과적인 대처 전략들을 갖고 있다는 점을 상기시키고, 안전 계획에 이미 적은 것들 외에 더 많은 전략들을 생각해보도록 격려했습니다. 여기서의 목표는 테레사가 써왔던 전략들의 효과뿐 아니라 종류들에 대해 테레사와 치료자가 확실히 이해하는 것입니다.

주목할만한 점으로, 테레사는 기존의 몇 가지 대처 전략이 미심쩍다고 했습니다. 이것은 감정적으로 압도되는 상황을 다뤄온 테레사의 노력을 인정하면서, 그 전략이 효과적인지 부적응적인 것인지를 구분하는 중요한 기회가 되었습니다.

**테레사** 종종 저는 너무 화가 났을 때 친구 집에 가서 그 친구 아버지의 술을 같이 마셨어요. 그냥 기분이 좀 나아졌으면 했는데, 당시엔 그것밖에 생각할 수 없어서 딱 몇 번만 그랬어요.

**치료자** 그때에는 너무 화가 나서 그게 괜찮은 생각처럼 느꼈다는 얘기구나. 우리가 대처 전략들에 대해 말했던 것처럼, 쓸 수 있는 모든 대처전략들에 대해 이야기해보는 것은 매우 중요한 일이야. 어떤 것은 더 효과적이고 어떤 것은 아닐 수 있지. 지금이 네 도구 상자에서 어떤 것을 간직할지에 대해 잘 생각해볼 좋은 순간 같구나.

**테레사** (웃으며) 제가 맞춰보죠, 술 마시기는 간직할 도구가 아닌가 보네요.

**치료자** 음, 맞아. 음주가 목록에 남겨둘 만한 것은 아니지, 하지만 그게 왜 도움이 되는 전략이 아닌지 이야기해보는 게 중요해. 왜 어떤 것은 도움이 되고 어떤 것은 아닐까?

**테레사** 제가 보기엔, 뭐 때문에 화나게 된 건지 술을 마시면 생각이 나지 않게 도와주는 것 같지만, 양어머니가 알게 되면 진짜 곤란해질 거에요. 게다가 가족들이 술 문제가 있었기 때문에 저 역시 그렇게 되고 싶지는 않아요.

**치료자** 그러니까, 일어났던 일에 신경 쓰지 않게 해주는 것은 좋지만 동시에 그것 때문에 부정적인 결과가 일어날 수 있다는 거구나. 일어난 일에 신경을 끄게 해주는 것이 도움이 되는 거라면, 그렇게 해줄 다른 것들은 없을까?

**테레사** 생각해본 적은 없었지만, 가끔 달리기를 하면 다른 생각이 안 나고 지금 내가 하고 있는 것에만 집중이 된다고 느꼈던 것 같아요.

현재 효과적인 대처 전략들의 목록들을 정리한 뒤, 치료자는 테레사가 연습해볼 만한 다른 전략들을 소개했고, 테레사도 그것이 도움이 된다고 생각하면 목록에 추가했습니다. 여기에는 모든 감각을 활용하는 자기 위로 전략들(예: 새로운 요리법을 작업하면서 재료의 향에 집중하기, 제일 좋아하는 스웨터 입기 등)과 자기 돌보기(예: 충분히 잠 자기)가 포함되었습니다. 테레사는 회기 중 새로 배운 기술들을 연습하기 위해 자기 관찰 작업지를 계속하고, 능숙함을 느껴보도록 새 요리법 연습하기를 숙제로 받았습니다.

### 불쾌감에 대처하기: 인지적인 대처(4 회기)

4번째 회기에서 테레사는 새로운 감정 조절 기술을 배우며 지속적으로 자기주도 의지를 만들어 나갔습니다. 하지만 이번 시간에는 생각 멈추기/주의 전환, 긍정적인 자기 진술self-statement, 그리고 "감정 파도타기"를 포함한 인지적인 기술들이 중심이 되었습니다. 이 기술들을 소개하고 연습하기 전에, 치료자는 언제, 어떻게 대처 기술들이 효과적일 수 있는 지에 대해 이야기하였습니다. 특히 치료자는 대처 기술들이 중요한 감정들을 가리거나 회피하기 위한 것들이 아니라는 점을 분명히 했습니다. 오히려 이 기술들이 테레사가 감정을 더 잘 조절할 수 있게 돕고, 언제, 어떻게 감정을 표현하는 것이 가장 효과적일지 결정하게 도와주는 것으로 보아야 한다고 했습니다. 그런 면에서 치료자는 자기 비난의 생각에 맞설 수 있는 긍정적인 자기 진술 목록을 테레사와 만들었습니다. 테레사는 긍정적인 말을 생각해내기 매우 어려워했지만, 예전에 다른 사람이 테레사에게 말해주었던 긍정적인 것들을 떠올릴 수 있었습니다. 비슷한 식으로, 치료자는 감정 조절을 위한 또 다른 전략인 마음 챙김 기술을 테레사가 쓸 수 있도록 "감정 파도타기" 유인물을 활용했습니다. 이것을 연습하며 테레사는 감정적인 경험을 알아채고 묘사하기 위한 마음 챙김 기술을 시도했습니다. 치료사는 테레사에게 다음 회기까지 인지적 대처 기술을 연습해보고, 그중 가장 도움이 되는 기술을 안전 계획에 추가할 수 있다고 했습니다.

### 불쾌한 상황을 다루기(5 회기)

다섯 번째 회기에서 테레사는 자신의 목표(스트레스 견디는 능력 향상하기)를 달성하기 위해, 다루기 어려운 감정에 직면하는 것을 배웠습니다. 우선 치료자는 정서적 회피가 외상 사건 이후 흔하게 나타나는 반응이지만, 전적으로 감정들을 피하는 것은 중요한 정보(예, 삶에서 변화가 필요한 부분에서 부정적인 감정들이 들 때)나 경험(예, 긍정적인 감정을 충분히 느끼는 것)을 놓치게 된다는 점을 강조했습니다. 이에 따라 테레사는 감정을 언제 피할지보다는 언제 마주할 지 결정하는데 자신의 목표를 활용해야 한다는 개념을 배웠습니다.

치료자는 테레사가 종종 화가 나서 생모와 만나는 것을 피하고 싶지만, 동시에 생모와의 관계를 개선하고 싶다고 말했던 것을 상기시켰습니다. "불쾌한 상황을 다루기" 유인물을 사용해서, 테레사는 생모를 만나는 것의 장단점 외에도 생모와 관계를 개선하고자 하는 목표를 좀더 명확히 할 수 있었습니다. 마지막으로 테레사에게 앞으로 어떻게 할지 결정하도록 했습니다. 테레사는 의견 충돌의 가능성 같은 단점들에도 불구하고 생모와의 관계를 개선하고 그녀와의 연결감을 느낄 방법을 찾는 것이 발생할 수 있는 갈등을 피하는 것보다 더욱 중요하다고 결정했습니다. 또 그녀는 치료 중 배운 기술들을 사용하여 갈등을 줄일 수 있을 것이라는 희망을 느꼈습니다. 불쾌한 상황에서의 목표와 장단점 기록하기가 회기 사이에 연습할 것으로 추가되었습니다.

### 불쾌한 상황을 다루기 위한 대처 전략(6 회기)

여섯 번째 회기에서 테레사는 가장 긍정적인 기분을 느낄 때 그 기분의 경험을 늘려가는 데 초점을 맞추어 기술들을 쌓는 작업을 이어갔습니다. 예를 들어, 치료자는 테레사와 함께 화가 나는 상황에 대처하거나 기분이 나아지게 도와줄 "기분 좋은" 활동 목록을 만들었습니다. 테레사는 그 목록 중 다음 주에 해 보고 싶은, 잠재적인 "기분 좋은" 활동들을 정했습니다. 어떤 것(시 쓰기)은 테레사에게 익숙했지만 감정 조절 전략으로 생각해본 적이 없던 것이었습니다. 다른 것들(예, 지역 미술관 가기)은 상대적으로 쉬운 전략들로, 테레사가 항상 해보고 싶었지만 아직 해본 적이 없던 것들이었습니다. 이 때 치료자는 요리 연습을 하고 새 요리법을 배우며 더 능숙하게 느꼈던 테레사의 경험들을 다룰 기회를 가졌습니다. 테레사는 최근 위탁 가족들에게 요리를 해주었던 상황을 묘사했습니다. 테레사는 가족들이 좋은 시간을 보내며 얼마나 자신의 요리를 칭찬하고 웃었는지 떠올리고 자부심을 느꼈습니다. 그녀는 요리실력을 계속 향상시키고 싶었고, 언젠가는 요리사가 되고 싶을지도 모르겠다고 했습니다.

### 긍정적인 심상으로 불쾌감을 처리하기(7 회기)

일곱 번째회기에서 테레사는 평온함과 이완의 느낌을 향상시키는 방법으로 긍정적인 심상에 초점을 맞추는 기술들을 발전시켰습니다. 다행히 테레사는 "기분 좋은" 활동들로 지역의 미술관에 갔었기 때문에, 예술품을 볼 때 매우 즐거웠던 경험을 많이 한 상태였습니다. 치료자는 그 경험들을 확장해서 (직접 보든 단순히 그것을 마음에 떠올려 보든) 긍정적인 사람들, 장소들, 단어들의 심상들이 우리의 마음을 행복하거나 편안하게 해준다는 점을 지적했습니다. 이 경험을 더욱 넓히기 위해서, 테레사는 치료자와 함께 회기 중에 "긍정적인 심상의 콜라주"를 만들었습니다. 테레사는 잡지에서 자신이 좋아하거나 기분이 좋아지는 단어들, 이미지들, 디자인들을 오려내어 콜라주로 만들었습니다. 치료자는 테레사가 콜라주를 만드는 동안 긍정적인 심상에 집중하도록 격려하고, 주기적으로 그 심상의 의미나 관련된 것들에 대해 이야기하도록 북돋았습니다. 테레사는 특히 이국적인 요리들과 함께 요리하는 가족의 심상에 끌렸습니다. 그녀는 요리하는 생모와 할머니의 옆에서 느꼈던 많은 긍정적인 기억들을 떠올렸습니다. 이 작업을 하면서 테레사는 자신이 어떤 특정 날의 심상(가령, 할머니와 함께 엄마를 위한 케이크를 구웠을 때)을 떠올리거나 친구들과 가족들의 사진을 보는 것을 좋아하는 것 같다고 했습니다.

### 감정과 내면의 대화와의 관계(8 회기)

8회기에 이르러 테레사는 다양한 감정 조절 전략을 개발해냈고, 어떤 전략이 특히 도움이 되는지 파악하는 데 더 능숙해졌습니다. 이 회기에서 치료자는 그녀가 익힌 기술들을 보완하기 위해 테레사에게 인지 대처 전략을 가르쳐 주었습니다. 치료자는 우리가 자신이나 상황에 대해 갖고 있는 자동적인 생각인 "내면의 대화self-talk" 개념을 소개했습니다. 치료자는 먼저 지난주 테레사의 경험(수학 시험에서 안 좋은 성적을 받음)을 예시로 이용하여 "내면의 대화"를 확인했습니다. 치료자의 도움으로 테레사는 "나는 제대로 하는 게 없어"와 "내가 원하는 대로 되는 일은 절대 없을 거야"와 같은 생각을 언어화하였습니다. 그 뒤 테레사와 치료자는 부정적인 내면의 대화를 다루기 위해, 기존의 기술들만이 아니라(예, 긍정적인 자기 진술) 부정적인 내면의 대화에 직접 도전하는(가령 그 말에 반대인 예시를 생각해보기, 대체할 설명을 만들기) 상세한 인지적인 대처 전략들에 대해 이야기를 나누었습니다. 회기 밖에서의 연습으로, 테레사는 내면의 대화를 강조하여 감정의 자기 관찰 작업지 수정판을 만들고 인지적인 대처 전략을 연습하기로 했습니다.

### 명확한 의사 소통을 위한 기술(9 회기)

이전 회기들이 주로 감정 조절 기술을 목표로 두었다면, 남은 기술 회기들은 대인 관계 기능을 위주로 진행합니다. 9번째 회기에서 테레사는 자신의 필요와 욕구를 명확하게 표현하고 더 긴밀한 관계를 쌓는데 도움이 될 전략들을 배웠습니다. 우선 치료자는 자신의 감정과 필요를 더 명확히 전하면서도 상대방이 비난받거나 공격받는다는 느낌을 덜 받게 돕는 의사소통 도구로 "나 전달법I messages"을 소개했습니다. 테레사는 다양한 가정된 상황에서 쓸 수 있는 "나 전달법" 형태의 문장을 만들었습니다. 테레사가 이것에 익숙해지자 치료자는 테레사에게 생모를 만났을 때 쓸 수 있는 문장을 만들어보게 했습니다. 이때 테레사는 "엄마가 오지 않을 때면(행동) 앞으로 또 몇 주간 볼 수 없으니까(결과) 나는 실망스러운 기분을 느껴요(감정)"라고 말하는 연습을 했습니다. 테레사는 이런 식으로 말하는 게 "어색하다"고 했지만, 이렇게 말하는 것이 어떻게(관계면에서 테레사의 목표 중 하나인) 어머니와의 의사 소통을 개선하는 데 도움이 될 지 검토해볼 수 있었습니다.

추가적인 의사소통 기술에는 존중하는 태도를 유지하면서도 확고한 어조로 거절하는 법과 타인에게 부탁하는 것이 포함되었습니다. 치료자와 테레사는 외상 사건의 경험들이 어떻게 우리에게 한계를 만들고 자신의 요구를 주장하거나 남에게 요청하는 것을 힘들게 하는가에 대해 이야기를 나누었습니다. 테레사는 예전에 남학생들은 "그냥 남의 말을 안 듣는다"고 느껴서 대화를 피하고 있고, 학교에서 말싸움을 하게 될 까봐 걱정된다고 말한 바 있었습니다. 이런 상황에 도움이 되도록 테레사는 점심 시간에 옆에 앉겠다고 고집을 피우는 남학생에게 "아니"라고 말하는 연습을 했는데, 이때 확고한 태도로 "아니야"라고 반복하는 "고장난 녹음기" 기술을 적용했습니다. 또한 테레사는 타인이 잘 받아들여줄 수 있도록 요구하는 연습도 했습니다. 이를 위해 테레사가 자신의 목표나 필요를 확인한 뒤, 그 필요를 효과적으로 소통하기 위해 누구에게, 언제, 어떤 단어를 사용하여 요청하는 것이 적절한 지 생각해 보게 했습니다.

### 감정 vs 행동 역할극 소개(10회기)

10회기를 시작할 때, 테레사는 신이나서 학교에서 숙제를 복사해 달라고 하는 남학생에게 고장난 녹음기 기법을 시도했다고 말했습니다. 테레사는 단순히 "안돼"라고만 말하는 게 어색하게 느껴졌지만, 실제로 효과가 있어서 놀랐다고 했습니다. 10회기에서 치료자는 지속적인 대인 관계 기술을 개발하기 위해 역할극을 소개했습니다. 여기에서 중요한 것은 테레사가 타인의 관점을 고려하면서, 계획했던 대로 되지 않았을 때 어떻게 대응하고 싶은지에 대해 치료자가 모범을 보이고 즉각적인 피드백도 줄 수 있는 안전한 환경에서 그동안 배웠던 기술들의 장점을 연습할 기회를 갖는 것입니다. 각 역할극을 마친 뒤 테레사와 치료자는 잘 진행된 상호작용을 확인하고, 덜 성공적이었던 것들은 개선을 위해 더 연습했습니다.

기본적인 토대를 만들기 위해서, 역할극은 쉽고 일상적인 상황(예, 교사와 빠트린 숙제에 대해 이야기하기 등)에서 좀더 고난이도(예, 방문하지 않았던 것에 대해 생모와 이야기하기)의 방향으로 진행되었고, 테레사와 치료자는 서로의 역할을 여러 번 바꿔가며 역할극을 했습니다. 역할극을 통해 치료자는 테레사의 행동을 직접 관찰하고 대인관계 면에서 강점을 관찰하면서, 좋은 의사소통 기술을 보여주고 건설적이고도 지지적인 피드백을 줄 수 있었습니다.

### 자기주장을 위한 역할극(11회기)

11번째 회기에서 테레사는 자기주장과 의사소통 면에서 추가적인 성공을 경험하고, 더욱 어려운 대인관계 상황도 연습하기 위해 역할극을 했습니다. 치료 과정에서 확인된 사실들을 검토하면서, 테레사와 치료자는 테레사가 자기주장을 해야 할 때 어려움을 느낀다는 것을 확인했습니다(가령 원하는 것에 대해 불분명하게 넘어가거나, 자기주장 대신 공격적으로 행동함). 테레사는 자기주장이 필요한, 점점 더 고난이도의 역할극을 시도하면서 대인관계 역량을 쌓았습니다. 이러한 연습을 통해 테레사와 치료자는 자기주장에 대해 모든 사람들이 긍정적으로 반응하는 것은 아니지만, 전반적으로 더 성공적인 상호작용으로 이어질 수 있다는 점에 대해 이야기를 나누었습니다.

### 내러티브 치료 (12-16회기)

기술 훈련 단계를 통해, 테레사의 감정 관리와 타인과 어울리는 능력이 개선되었습니다. 테레사는 어머니와의 부정적인 상호 작용이 줄고, 학교에서도 남들과의 갈등이 사실상 없어졌다고 했습니다. 하지만 성추행 및 가정폭력에 대한 침입적인 생각과 트라우마 연상물에 대한 회피로 상당히 불편감이 크고, 짜증과 수면 장애, 자극과민성은 여전히 있다고 했습니다. 따라서 내러티브 치료는 안전한 환경에서 그녀가 트라우마 경험에 대해 말하고 처리하는 것을 돕는데 초점을 맞추었습니다. 치료자는 테레사에게 트라우마 경험과 연관된 감정과 생각에 접근하고, 효과적인 대처 기술들로 고통스러운 감정을 다루는 것을 연습하기 위해 내러티브 치료법을 적용한다는 것을 다시 한번 설명했습니다.

테레사가 여러 외상 사건을 겪었다는 점을 감안할 때, 그녀가 현재 가장 고통스럽게 느끼는 기억이 무엇인지 아는 것이 중요했습니다. 따라서 치료자는 테레사에게 특정 기억과 관련된 고통에 대해 0-100 점수를 매기도록 했습니다. 테레사는 중립적인 기억으로 연습해본 뒤에, 중간 정도의 불편한 기억(20점)으로 생모와 남자친구가 말싸움을 했던 일을 지목했습니다. 테레사에게 일어났던 일을 현제 시제로 이야기하게 하면서 치료자는 기억의 다른 부분들을 간단히 기록했습니다. 이 첫번째 이야기를 들으며, 치료자는 최소한의 세부사항을 확인하면서 적극적인 경청 기술을 활용했습니다. 이 단계의 목표는 테레사가 자신의 기억에 습관화되도록 하는 것입니다. 테레사는 사건에 대한 생각을 피하거나 압도되지 않고, 강렬한 감정적 반응 없이도 그 경험에 대해 생각하고 말할 수 있다는 것을 알게 되기 시작했습니다.

다음 치료 회기에서는 사건 이야기를 반복해서 말했습니다. 반복하는 동안 치료자는 점점 더 적극적으로 노출과정에서 테레사를 이끌었습니다. 테레사가 사건을 피하려고 하면 치료자는 부드럽게 다시 사건에 초점을 맞추도록 했고, 이야기 도중 특히 힘든 부분에서는 정서적으로 지지해주며 당시에 겪었던 생각과 감정을 묘사할 수 있도록 돕고, 0-100 점수표로 스트레스 정도를 평가했습니다. 또 치료자는 테레사의 용기를 칭찬하며, 동시에 이야기를 반복할수록 불편감이 줄어들고 있다는 것(가령, 불안의 감소를 가시적으로 보여주거나 고통의 점수를 그래프화)을 강조했습니다. 치료자는 테레사와 함께 이 이야기 경험에 대해 논의하며, 필요할 때 대처 기술들을 쓰도록 격려하고 이야기의 내용에 대한 테레사의 반응이나 생각들에 대해서도 다루었습니다. 연습을 마칠 때 테레사는 차분한 상태로 현재에 머무르고 있는 지 확인하기 위해 심호흡과 마음 챙김 연습을 했습니다.

이런 식으로, 내러티브 치료는 더 고통스러운 기억인 테레사의 생모가 입원할 정도로 심각했던 가정폭력 상황뿐 아니라 성폭력 사건까지 진행되었습니다. 특정 기억에 대한 고통이 줄어듦에 따라, 치료자는 언제 새 기억을 다룰 지 테레사가 결정하도록 격려했습니다. 새로운 기억에 대해 처음으로 이야기를 하고 나면, 치료자는 더 적극적으로 세부 사항을 확인하는 질문들을 하며 "핫 스팟"(기억에서 가장 고통스러운 부분)을 찾아갔습니다. 테레사가 기억을 이야기하는 것에 익숙해지고 기억들이 습관화되고 있다는 증거가 보이면서, 치료 회기는 내러티브 중 일어난 생각과 감정들을 탐색하는데 점점 더 초점을 맞추었습니다. 여기에서 치료자는 이야기 중 대인관계와 감정적인 면을 강조하고, 사건의 의미에 대해 테레사가 새롭게 이해할 수 있도록 돕는데 집중했습니다. 12-16회기의 치료 진행 동안 테레사는 고통스러운 과거의 경험을 인식하고 토론하며 보다 통합된 형태의 "삶의 이야기"를 만들어가면서 더 많은 힘을 얻고 미래를 통제할 수 있다고 느끼게 되었습니다.

마지막으로, 16 회기에서 테레사와 치료자는 그동안의 진행상황을 검토하고 그녀의 노력과 성취에 대해 축하하는 시간을 가졌습니다. 축하를 위해 테레사는 최근에 배운 특별 디저트를 만들어 오기로 하였고 마지막 시간에 그것을 함께 나누어 먹었습니다. 치료자는 테레사가 미래의 개인적인 목표를 정하도록 돕고, 테레사가 의지할 수 있을 만한 추가적으로 필요한 지원이나 자원들에 대해 이야기를 나누었습니다. 테레사는 그동안 "문제를 해결할" 수 없다고 생각했던 새로운 기술들이 실제로 시간이 지나면서 상황을 더 나아지게 했다는 사실에 놀랐다고 했습니다. 테레사는 특히 가정과 학교에서의 인간관계가 나아져서 더 이상 그러한 관계들이 일상의 스트레스가 되지 않는다고 했습니다. 테레사의 기능은 상당히 좋아져서 "과거에 그러한 일들이 있었음에도 내가 괜찮을 수도 있겠다"고 느낀다고 했습니다.

## 12.4 특정 상황과 어려움들

SNT-A의 매뉴얼이 구조화되어 있지만, 증상과 기존의 기술들의 차이에 따라 다양하게 개별적으로 적용이 가능합니다. 그러나 그럼에도 불구하고 어려운 상황이 있을 수 있습니다. 다음에 흔히 발생하는 어려움들과 이러한 어려움들을 어떻게 해결할지에 대한 안내를 정리했습니다.

### 12.4.1 기술의 제한

어떤 청소년은 적응 능력이 거의 없거나 광범위한 "부적응적인" 기술을 갖고 있을 수 있습니다. 이런 경우, 우리는 청소년들이 시도한 대처 전략과 좀더 직접적인 치료자들의 개입 사이에 좀더 균형을 잡도록 권고합니다. 예를 들어 내담자가 적응적인 대처 기술들의 예시를 만들거나 기본적인 감정상태의 분류마저 어려워한다면, 치료자가 유인물에 제시된 것들이나 예제를 좀더 유용하게 쓸 수 있습니다. 치료적 개입은 청소년이 매주 기존의 기술을 더욱 발전시키도록 고안되어 있기 때문에, 치료 과정의 마무리 시기에는 효과적인 도구들이 늘어날 것이라고 기대해볼 수 있습니다.

주로 부적응적인 대처 전략을 사용하는 청소년도 치료가 어려울 수 있습니다. 이럴 경우 청소년의 경험과 좀더 적응적인 새로운 전략의 도움이 필요한 욕구를 균형 있게 확인하는데 비판단적인 접근 방식을 취하는 것이 좋습니다. 이러한 어려움에 좀더 유연한 자세로 다가가는 것은, 청소년이 실생활에서 선택하는 법을 배우는데 특히 도움이 됩니다. 부적응적인 전략들을 바로 버리는 것보다, 치료자가 대처 전략들과 청소년의 개인적인 목표(위의 예시 참조) 사이에 적합성을 대조해볼 수 있습니다. 이렇게 해서 치료자는 내담자가 부적응적인 전략을 계속 사용하는 이유와, 그럴 경우 그 행동들이 내담자 스스로의 다른 목표들을 방해할 수도 있다는 것에 대해 유익한 토론을 촉진하며 검증해볼 수 있습니다. 이러한 방식으로 치료자는 청소년이 실생활에서 잘 결정하도록 돕고, 열린 자세와 정직한 토론을 통해 내담자-치료자 동맹을 더욱 견고하게 할 수 있습니다.

청소년은 희망과 새로운 기술의 잠재적 장점을 가치 없게 여길 수도 있습니다. 이들은 종종 "심호흡해도 도움이 안돼요!"라고 하거나 이완 전략이 "소용없을 거에요!"라고 얘기하곤 합니다. 이런 상황에서 우리는 이완 전략의 역할을 명확하게 설명해 주는 것이 좋습니다(가령, 안정감을 느끼게 돕고, 다음에 무엇을 할 지 생각할 시간을 주기). 회기 중 적극적으로 기술의 사용을 지도 하는 것이 새로운 기술을 시도할 가능성을 높여줍니다. 예를 들어 내담자가 안절부절 못할 때, 치료자가 적극적으로 심호흡을 연습시키면서 함께 간단한 "실험"을 해볼 수 있습니다. 내담자에게 기존의 기술이 부적응적이라거나 새로운 기술이 낫다고 설득하는 데 집중하는 것보다, 심호흡 같은 간단한 것이 기능을 회복하는 데 강력한 도구가 될 수 있다는 것을 내담자 스스로 경험할 중요한 기회를 갖도록 합니다.

### 12.4.2 융통성있는 도구 전략을 어떻게 사용할 것인가에 대한 불확실성

매뉴얼이 유연하다는 것은 매력적이지만, 이것은 특정 내담자에게 어떻게 개입할 것인지나 매주에 새롭게 발생하는 문제들을 어떻게 다룰지에 대해서 항상 직접적인 안내가 있는 것은 아니라는 뜻이기도 합니다. SNT-A, 특히 STAIR 단계의 핵심 요소와 근거를 상기해볼 때, 치료자는 도전적인 새 상황을 어떻게 다룰지 중요한 결정을 내려야할 수 있습니다. 예를 들 그 주에 일어난 스트레스를 주는, 또는 새로운 상황들을 대상으로, 어떻게 감정조절, 대인관계 기술, 그리고 과거의 외상성 경험이 스트레스 유발요인들을 겪는데 영향을 미치고 현재의 기능을 도울 수 있는지를 강조하며 논의해볼 수 있습니다. 즉 계획했던 치료 회기에 방해가 될 수도 있는 문제들을 오히려 치료자가 회기 중 계획했던 기술을 가르치고 연습하는 방법으로 이용할 수 있습니다. 또 감정 작업지의 자기 관찰과 내담자의 안전 계획을 지속적으로 사용하며 이를 새로운 문제들을 확인하고 그것을 어떻게 다룰 지 계획을 세우는데 활용해 볼 수도 있습니다.

치료자는 내담자의 개인적인 경험을 SNT-A 매뉴얼을 좀더 생생하게 만드는 데 쓸 수도 있습니다. 예를 들어 내담자가 맞닥뜨린 실제 상황을 대상으로, 치료자는 내담자가 그 상황을 SNT-A의 틀 안에서 바라보게 해볼 수 있습니다. 이러한 식으로 내담자는 개인적으로 연관된 형태로 프로토콜의 내용을 받아들일 수 있습니다. 게다가 정서와 대인 관계 능력에 초점을 맞춤으로써, 치료자는 내담자가 생활 속 실제 문제를 해결하는 데 좀더 효과적인 기술을 가르치고 연습시킬 수 있습니다.

### 12.4.3 기술 훈련에 대한 불편감

기술 훈련 방법 자체가 내담자나 치료자에게 새로운 형식이기 때문에, 회기에서 기술을 가르치고 적극적으로 연습하기보다 단지 기술에 대한 **이야기**만 나누게 될 수 있습니다. 예를 들어 내담자와 치료자 모두 대인관계 상황을 어떻게 대할지에 대해 토론 형식으로 회기를 잘 시작한 뒤, 역할극이란 것이 새롭고 어색하게 느껴져서 회기 중 역할극은 시도하지 않을 수 있습니다. 이럴 때 치료자가 역할극에 대한 불편한 생각이나 감정들을 개방적으로 인식하는 것이 도움이 될 수 있습니다. 또 내담자에게 역할극의 근거를 다시 상기시켜줄 수도 있습니다. 대인관계 상황에 대해 이야기를 나누는 것이 새로운 통찰력과 지식을 줄 수 있다면, 역할극은 회기 밖의 상황에서 내담자가 사용하는 기술의 수준과 효과에 대해 유용한 정보를 줄 수 있습니다. 게다가 역할극은 내담자에게 안전하고 지지적인 환경에서 새로운 행동들을 연습해보고 다듬을 수 있는 기회이기도 합니다. 내담자의 부담을 줄여주려면 치료자가 처음에는 역할극에서 더 어려운 역할을 맡거나 의도적으로 내담자가 덜 이상적인 반응을 보여도 되는 선택지를 줄 수 있습니다. 치료 회기 중에 치료자가 효과적인 새 기술을 가르친 뒤 훈련을 통해서 내담자가 새 기술을 잘 활용하는 것을 확인하면, 회기 밖에서도 이 기술을 더 효과적으로 활용할 것이라 확신할 수 있을 것입니다.

### 12.4.4 내러티브 작업에 대한 불편감

앞의 경우와 유사하게, 내담자와 치료자는 치료의 내러티브 치료 단계에서 트라우마 기억을 공개적으로 말하는 것을 걱정할 수 있습니다. 여기에서 다시 한번, 치료자가 내러티브 치료의 원리와 외상 초점 치료에서 이들의 역할에 대한 연구의 증거들을 확신하는 것이 도움이 됩니다. 그리고 치료자는 이를 이용해서 내담자에게 내러티브 치료가 치료적 개입에서 중요한 부분임을 상기시켜줄 수 있습니다. 또한 치료자가 치료 개입 내내 어떻게 트라우마에 노출시킬 것인가를 생각해보는 것도 도움이 될 수 있습니다. 첫 회기부터 치료자와 내담자가 외상 사건에 대해 터놓고 함께 인지하고, 사건의 세부사항을 하나하나 따지지는 않더라도 회피하는 것은 권장되지 않습니다. 따라서 치료자와 내담자는 두번째 회기를 시작하기 전에 이미, 트라우마 경험에 대해 반복적으로 이야기를 하게 됩니다. 그러므로 내러티브 치료로의 전환은 치료 자체의 질적인 변화라기보다, 회기 내에서 상대적인 노출 양의 변화로 볼 수 있습니다. 게다가 내러티브 치료는 내담자가 점점 더 도전적인 상황에서 STAIR-A 기술을 연습할 수 있는 기회입니다. 내러티브 작업을 하는 청소년의 능력과 작업의 유용성에 대해 치료자가 확신하고 있다는 점을 보여주면서, 내담자가 외상성 기억을 점차 마주할 수 있도록 지지해 줍니다. 한정된 시간동안 통제되고 안정적인 환경 속에서 어려운 작업을 시도하는 기회인 첫 내러티브 회기가 성공하면, 이는 내담자에게 앞으로도 작업에 참여하면 성공할 수 있다는 증거로 작용할 수 있습니다.

## 12.5 SNT-A에 대한 근거 자료

SNT의 효과 근거는 5개의 성인 연구와 2개의 청소년 연구 결과에서 확인되었습니다.

일생동안 여러 스트레스성/외상성 사건을 경험한 소수인종 및 다양한 민족 배경의 여학생들을 대상으로 한 준실험 연구(*N* = 46, 11-16세)에서, Gudiño와 동료들(2016)은 평가만 한 상태의 대조 집단을 대상으로 SNT-A의 효과를 조사하였습니다. 치료 개입군 여학생들(23명)은 학교 기반 집단 형태의 SNT-A 16회기를 받고, 대조군(23명)은 스케줄 간격대로 평가를 진행했습니다. 평가만 받은 집단에 비해서 SNT-A에 참가한 집단은 회복탄력성의 지표인 사회적 참여(*d* = .65)와 통제력(*d* = .46)의 호전 및 대인 관계(*d* = -.46) 일부분의 호전 등, 통계적으로 유의미한 호전이 확인되었습니다. 또 치료 개입군은 대조군에 비해 개입 이후 우울 증상이 유의미하게 감소(*d* = .58)했고 불안증상이 일부 감소(*d* =.42)하였습니다. 치료 효과는 종결 3개월 후에도 상당히 유지되어, 치료 전보다 우울, 불안 및 사회적 스트레스가 상당히 개선되었습니다.

양 집단 간 PTSD 증상 면에서는 전반적으로 유의미한 차이가 발견되지 않았지만, 사후 분석 결과 초기에 임상적으로 심한 PTSD 증상을 보인 여학생들이 내러티브 치료에 더 열심히 참여하였고(즉 숙제를 하고 회기 중 그들의 반응에 대해 이야기하고자 하는 의지를 보였고), 상대적으로 열심히 참여하지 않은 여학생들에 비해 더 PTSD 증상이 감소했습니다. 전체적으로, 이 연구는 SNT-A 개입이 고위험 여학생들에게 그들의 회복탄력성을 높이고 정신병리 증상을 줄이는 데 효과적이라는 점을 알려줍니다.

기술 부분만 적용하는 STAIR의 단기 형태인 SNT-A 단축형[Brief STAIR-A]에 대해서는, 다양한 외상성 사건에 노출된 정신과 병동 입원 청소년 환자들을 대상으로 진행된 공개 임상 시험 연구가 있습니다(Gudiño 등, 2014). 저자들이 아는 한, 이는 입원 환경 청소년을 대상으로 진행된 단 두 개의 트라우마 치료 연구 중 하나입니다. 남녀학생(*N* = 38; 12-17세)은 STAIR-A의 세 모듈을 반복하는 집단 치료를 받았습니다. 참가자들은 병동 의료진들로부터 평균 6번의 기술 훈련 회기를 받았습니다. 치료 전에 비해 치료 후 참가자들은 효과적인 대처 기제가 유의미하게 향상되었을 뿐 아니라 PTSD와 우울 증상이 유의미하게 줄었습니다. 증상 감소(*d* = .65-.67) 및 대처 기제(*d* =.75)의 효과 크기는 중간 정도였습니다. 이 연구 결과에서 알 수 있는 점은, STAIR-A는 상당한 트라우마 관련 문제를 보이는 청소년들에게도 효과적인 대처 기제의 향상뿐 아니라 유의미한 증상 감소 효과를 보인다는 것입니다.

SNT의 효과에 대한 다른 증거들은 성인 대상의 연구에서 찾을 수 있습니다. 이 연구들은 아동기에 학대를 겪은 성인 생존자 PTSD 환자군과 대기 집단을 대조한 SNT 무작위 통제 연구들과 이들의 추적관찰 결과 및 911 테러 때 월드 트레이드센터 생존자들을 대상으로 하여 유연한 구조로 지역사회 치료자들이 개입하여 치료를 진행한 SNT 연구들로, 이외에 기존 치료를 대조군으로 하여 PTSD와 조현정동장애를 함께 앓고 있는 트라우마 이력이 있는 대상자들을 대상으로 한 STAIR 단독 집단치료군 비교 연구(Cloitre와 Schmid. 2015)가 있습니다. 또 군대내 성폭력으로 PTSD를 진단받은 남녀 군인들을 대상으로 외래 클리닉 환경에서 STAIR와 SNT를 진행한 경우에서도 치료 효과가 확인되었습니다(Cloitre 등. 2016).

따라서 STAIR 내러티브 치료는 트라우마와 관련된 어려움을 겪고 있는 다양한 사람들에게 적용 가능하며, 내담자의 기능과 회복탄력성 지표들을 개선하며 정신병리를 줄이는 데 효과적인 치료법입니다. 그리고 외래와 입원 환경 모두에서 아동기 학대, 테러, 군대 관련 트라우마 및 혼합된 트라우마 경험을 가진 사람들에게 효과적인 것으로 나타났습니다. STAIR 치료는 내러티브 구성 요소의 유무와 관계없이, PTSD 증상의 완화뿐 아니라 감정 조절, 대인 관계, 사회적 지지의 인식 및 기능 상태를 개선시켜 줍니다. 그러나 STAIR-A 및 SNT-A의 효과에 대해서는 아직 초기 증거만 있는 상태입니다. 즉 이 개입법의 증거 수준을 더 높이려면, 좀더 대규모의 무작위 연구 디자인으로, 독립된 연구진들에 의해 재현 가능한 결과를 보이는 추가 연구들이 필요합니다. 참고로, SNT-A를 주제로 한 2개의 임상 연구가 미국과 네덜란드에서 진행중입니다. 이러한 제한점에도 불구하고, SNT-A와 STAIR-A는 다양한 트라우마를 겪고 관련된 어려움을 겪고 있는 청소년에게 효과적인 개입법으로 사용되어 왔습니다. 이 치료법은 학교와 입원 환경에서는 집단 형태로 제공되어왔고, 어려운 실제 임상 환경에서 유연하게 진행되는 경우에도 긍정적인 효과를 보여주었습니다.

## 참고문헌


American Psychological Association (2002) Developing adolescents: a reference for professionals. American Psychological Association, Washington, DC

Breslau N, Wilcox HC, Storr CL et al (2004) Trauma exposure and posttraumatic stress disorder: A study of youths in urban America. J Urban Health 81:530–44

Cantrell PJ, MacIntyre DI, Sharkey KJ et al (1995) Violence in the marital dyad as a predictor of violence in the peer relationships of older adolescents/young adults. Violence Vict 10:35–41

Cicchetti D, Ackerman BP, Izard CE (1995) Emotions and emotion regulation in developmental psychopathology. Dev Psychopathol 7:1–10

Cloitre M, Cohen LR, Koenen KC (2006) Treating the trauma of childhood abuse: psychotherapy for the interrupted life. Guilford, New York

Cloitre M, Farina L, Davis L, Levitt J, Gudiño OG (2014) Skills training in affective and interpersonal regulation for adolescents – revised version (Unpublished manual). National Center for PTSD, Palo Alto

Cloitre M, Jackson C, Schmidt JA (2016) Case Reports: STAIR for Strengthening Social Support and Relationships among Veterans with Military Sexual Trauma and PTSD. Military Medicine 181:e183–e7

Cloitre M, Schmidt JA (2015) STAIR Narrative Therapy. In U. Schnyder, M. Cloitre (eds.), Evidence Based Treatments for Trauma-Related Psychological Disorders: A Practical Guide for Clinicians. Springer International Publishing Switzerland, pp. 277–297. DOI 10.1007/ 978-3-319-07109-1_14

DeBellis MD, Baum AS, Birmaher B et al (1999) Developmental traumatology part I: biological stress systems. Biol Psychiatry 45(10):1259–70

Eisenberg N, Cumberland A, Spinrad TL et al (2001) The relations of regulation and emotionality to children's externalizing and internalizing problem behavior. Child Dev 72(4):1112–34

Gudiño OG, Lau AS, Yeh M et al (2009) Understanding racial/ethnic disparities in youth mental health services: do disparities vary by problem type? J Emot Behav Disord 17(1):3–16

Gudiño OG, Weis JR, Havens JF et al (2014) Group trauma-informed treatment for adolescent psychiatric inpatients: a preliminary uncontrolled trial. J Trauma Stress 27(4):496–500

Gudiño OG, Leonard S, Cloitre M (2016) STAIR for girls: a pilot study of a skills-based group for traumatized youth in an urban school setting. J Child Adolesc Trauma 9(1):67–79. doi:10.1007/ s40653-

015-0061-0
Havens JF, Gudiño OG, Biggs EA et al (2012) Identification of trauma exposure and PTSD in adolescent psychiatric inpatients: an exploratory study. J Trauma Stress 25:171–8
Kilpatrick DG, Ruggiero KJ, Acierno R et al (2003) Violence and risk of PTSD, major depression, substance abuse/dependence, and comorbidity: results from the National Survey of Adolescents. J Consult Clin Psychol 71(4):692–700
Kim J, Cicchetti D (2010) Longitudinal pathways linking child maltreatment, emotion regulation, peer relations, and psychopathology. J Child Psychol Psychiatry 51(6):706–16
Lansford JE, Dodge KA, Pettit GS et al (2002) A 12-year prospective study of the long-term effects of early child physical maltreatment on psychological, behavioral, and academic problems in adolescence. Arch Pediatr Adolesc Med 156(8):824–30
Layne CM, Greeson JKP, Ostrowski SA et al (2014) Cumulative trauma exposure and high risk behavior in adolescence: findings from the National Child Traumatic Stress Network Core Data Set. Psychol Trauma 6(1):S40–S9
McLaughlin KA, Koenen KC, Hill ED et al (2013) Trauma exposure and posttraumatic stress disorder in a national sample of adolescents. J Am Acad Child Adolesc Psychiatry 52(8):815–30
Mueser KT, Taub JT (2008) Trauma and PTSD among adolescents with severe emotional disorders involved in multiple service systems. Psychiatr Serv 59:627–34
National Research Council (2014) Preventing psychological disorders in service members and their families: an assessment of programs. National Academies Press, Washington, DC
Nooner KB, Linares LO, Batinjane J et al (2012) Factors related to posttraumatic stress disorder in adolescence. Trauma Violence Abuse 13(3):153–66
Shipman K, Zeman J, Fitzgerald M et al (2003) Regulating emotion in parent-child and peer relationships: a comparison of sexually maltreated and nonmaltreated girls. Child Maltreat 8(3):163–72

# 안구 운동 민감 소실 및 재처리 치료 13

Francine Shapiro, Debra Wesselmann 과 Liesbeth Mevissen

## 13.1 이론적 토대

안구 운동 민감 소실 및 재처리(Eye Movement Desensitization and Reprocessing, 이하 EMDR) 치료법은 아동, 청소년 및 성인의 트라우마 및 기타 부정적 인생 경험에 기인한 정신 장애를 치료하는 데 경험적으로 검증된 정신치료 방법입니다(Shapiro 1995/2001, Shapiro 2014a, b). EMDR 치료는 임상 양상을 포괄적으로 다루기 위해 8개의 표준화된 단계로 구성됩니다. 치료는 (1) 병적인 정서, 인지, 행동적 문제를 유발한 사건 기억, (2) 기능 장애를 촉발하는 현재 상황 및 (3) 미래에 예견되는 어려움에 대비하는 기술 습득을 위한 표준화된 정보 처리 절차를 대상으로 진행됩니다. 사례 개념화, 절차 및 프로토콜은 적응적 정보 처리(Adaptive Information Processing, 이하 AIP) 모델이 기반이며, 이는 문제 사건에 대한 기억이 생리학적으로 처리되지 않은 형태로 저장되어 일상적인 기능에 문제를 초래할 수 있다는 가정을 토대로 합니다.

### 13.1.1 적응적 정보 처리The Adaptive Information Processing (AIP) 모델

AIP 모델은 성격과 정신병리의 생성을 설명하는 틀이며, 구체적으로는 EMDR 치료의 성공적인 임상 결과를 예측하고 안내하는 수단으로서 역할을 합니다. 이 모델의 핵심은 정보 처리 시스템이 이전의 유사한 사건에 의해 확립된 기억 네트워크와 연결함으로써 현재의 경험의 해석을 용이하게 한다는 것입니다. 예를 들어 계단에서 떨어진 사고는 관련된 이전의 사고 또는 일반적인 다양한 신체 통증 경험에서 기인한 기억 네트워크와 연결될 수 있습니다. 정상적인 상황에서 정보 처리 시스템은 폭 넓게 저장되어있는 기억 맥락에서 적절하게 생리학적으로 연결됩니다. 사건에서 쓸모 있는 것을 추출되고 앞으로의 반응을 이끌어 가는데 사용됩니다. 추출되지 않은 정보는 버려집니다.

불행하게도 정보 처리 시스템이 항상 최적으로 기능하는 것은 아니며, 특히 인생에 매우 충격적인 사건을 당했을 때 그렇게 됩니다. 그 결과 사건 처리를 하지 못하여, 전에 경험한 관련 기억 네트워크가 적절하게 연결되는 것이 방해 받을 수 있습니다. 부정적 사건뿐만 아니라 관련된 부정적인 영향, 감각, 신념도 마찬가지로 "그 시점에 얼어붙은" 상태가 됩니다. 이러한 기능 장애의 기저에는 삽화적 기억이 의미적 기억 시스템에 통합되지 않는 것이라는 가설이 있어왔습니다(예: Stickgold 2002). 이렇게 불충분하게 처리된 기억은 내적, 외부적 자극에 의해 쉽게 활성화될 수 있고 방해되는 감정, 신념, 행동이 포함된 임상 증상으로 드러날 수 있습니다. 처리되지 않은 외상 사건은 외상후 스트레스장애PTSD의 특징인 플래시백, 악몽 및 침습적 사고를 초래할 수 있습니다(제1장 참조). 그러나 "기준 A" 외상에 적합하지 않은 부정적인 인생 경험도 AIP 모델에 의해 예측된 소견인 역기능적 감정, 인지 및 신체 반응을 포함하는 다양한 심리적 문제를 야기할 수 있습니다(Felitti 등. 1998; Shapiro 1995, 2014a). 사실, 비외상성 스트레스 생활 사건이 전통적으로 PTSD와 관련된 주요 외상성 사건보다 훨씬 **더 많은** PTSD 증상을 일으킬 수 있습니다.

AIP 모델은 정신질환의 행동모델과 대조적으로 "나는 사랑 받을 자격이 없다"와 같은 자기에 대한 정의를 감정 조절문제의 **원인**이 아니라 오히려 **증상**으로 봅니다. 특히, 초기 인생 경험에 동반된 감정 혹은 감각이 처리되지 않은 근거로 봅니다. 인지행동치료CBT의 경우, 치료적 변화는 행동, 내러티브 및 인지 작업을 통해 발생하는 반면, (AIP 모델에 근거한) EMDR 치료는 양측성 자극(안구 운동, 두드리기 또는 소리) 동안 처리된 내적 연관 기억 처리의 결과라고 생각됩니다. 최근 26개의 무작위 통제연구(Lee 와 Cuijpers. 2013)에 대한 메타 분석 연구결과, 부정적인 감정의 감소를 포함한 안구 운동의 긍정적인 효과가 있는 것으로 보고되었습니다. 안구운동은 (a) 작업 기억에 부하를 주고, (b) 방향 반사 및 관련 부교감 활동을 자극하며, (c) (급속안구운동이 특징인) REM 수면의 특징과 동일하거나 유사한 과정을 유도한다는 가설이 제안되어 있습니다(Schubert 등. 2011 참조). EMDR 치료 절차는 부적응적 기억 네트워크를 저장된 적응적인 정보와 부적응적인 기억 네트워크를 연결하는 뇌에서의 연상 과정을 끌어내고 촉진합니다(Shapro 2001, 2014a). 기억의 처리는 불편한 사건을 학습의 경험과 회복력의 원천으로 바꿉니다.

아래의 회기 녹취록transcript에 보이듯 EMDR 치료는 빠르게 진행되는데, 양측성 자극은 트라우마 사건과 관련된 감정, 감각, 기억의 변화와 더불어 통찰이 늘어나도록 합니다.. 이러한 변화는 처음에 처리되지 않은 경험과 지금도 남아있는 관련 경험의 기억 네트워크 사이에 형성된 연결에서 나타난다고 가정합니다. 이 과정 중 의미 기억의 네트워크 내에 불편한 삽화 기억이 통합됩니다(Stickgold 2002; Shapiro 2014a). 따라서 EMDR 치료는 초기에 고립된 기억이 이전 사건들의 적응 네트워크들의 자리에 통합되도록 합니다. 이렇게 촉진된 학습 경험은 부정적인 효과와 인식을 긍정적인 효과로 대체하는 것을 포함하며, 이는 다시 심리적 회복력의 토대가 됩니다. 이 과정에서 반복되는 양측성 자극은 지향orienting 반사를 오래 이끌어내고, 이는 학습을 촉진하도록 뇌의 상태를 활성화 하게 합니다(Stickgold 2002). 이 신경 활동은 렘 수면에서 일어나는 것과 비슷하거나 동일하다고 가정됩니다. 이것은 그 기억들에 대한 통찰력과 이해를 높이고, 그에 수반되는 부정적인 영향을 줄이거나 제거하며, 이러한 기억들을 이미 존재하는 의미 네트워크에 통합되기 쉽게 만들어서 삽화 기억의 처리를 용이하게 합니다.

또한 외상 기억이 수정되고 저장되는 기억의 재통합(Shapiro 2014a)이 EMDR 치료의 주요 효과라고 여겨집니다. 이는 EMDR과 과거의 기억이 바뀌지 않은 채로 새 기억이 생성된다고 가정하는 노출 기반의 외상 중심 인지행동치료(trauma-focused cognitive behavioral therapies, 이하 TF-CBT) 사이의 중요한 차이를 보여줍니다. Suzuki와 동료들(2004)은 소거과 재통합이 다르다는 것을 지지하는 데, 그에 따르면 TF-CBT의 전형적인 장시간 노출은 기억의 소거를 야기하는 반면 EMDR 치료에 사용되는 것 같은 짧은 노출은 기억의 재통합[reconsolidation]을 야기한다는 것입니다. Craske와 동료들(Craske 등. 2006)에 의하면, "소거 및 복원[reinstatement]에 관한 최근의 연구는 …소거가 이전의 연관성을 제거하거나 대체하는 것이 아니라 오히려 오래된 정보와 경쟁하는 새로운 학습이라는 결과를 가져온다는 것을 시사합니다." (6쪽) 이러한 차이의 주요 이론적 함의 중 하나는 소거로는 잘 해결되지 않는 환상지 통증 치료에 EMDR 치료의 기억의 재통합이 직접적인 역할을 할 수 있다는 것입니다(예: De Roos 등. 2010). 이러한 결과는 트라우마 당시에 경험하는 신체 감각 기억에 지배당하는 듯한 듯한 인생 전반의 다양한 신체 상태를 적절하게 설명해 줍니다(Shapiro 2014a 참조).

## 13.2 EMDR 치료를 어떻게 하는가

### 13.2.1 치료 회기들

**표 13.1** 치료의 8단계 개요

| 단계 | 목적 | 절차들 |
|---|---|---|
| 내담자 병력 | 배경정보를 얻고 EMDR 치료의 적절성을 확인<br>표준화된 세 갈래 프로토콜을 따라 내담자의 인생 사건에서 처리할 목표를 확인 | 표준화된 병력청취 척도와 진단적 정신측정 도구를 사용<br>선별 기준 검토<br>다음을 확인하기 위한 질문과 기법들(예, 역류기법) (1) 병리의 토대인 과거의 사건, (2) 현재의 촉발인자 (3) 미래의 필요 |
| 준비 | 목표를 EMDR 처리하기 위해 내담자를 적절하게 준비시킴 | 증상 양상 교육<br>안정화와 자기 조절을 증진시킬 은유와 기술 (고요/안전지대) |
| 평가 | 기억의 일차적 측면을 자극하여 EMDR 처리를 위한 목표에 접근 | 이미지, 현재의 부정적 믿음, 바라는 긍정적 믿음, 현재 감정 그리고 신체 감각과 기준 측정을 이끌어 냄 |
| 민감소실 | (불편함 없는)적응적 해결을 향해 경험 처리 | 통찰력, 감정, 신체 감각 그리고 다른 기억들의 자발적인 출현을 허용하는 표준화된 안구 운동 (혹은 두드리기나 청각음) 프로토콜 |

| 단계 | 목적 | 절차들 |
|---|---|---|
| 주입 | 긍정적 인지 네트워크에 대한 연결을 증가시킴 | 바람직한 긍정적 믿음의 타당도를 올리고 기억 네트워크에 충분히 통합 |
| 신체검색 | 목표와 연관된 남은 불편함의 처리 완결 | 남겨진 신체 감각의 집중과 처리 |
| 종료 | EMDR 세션 종결시와 회기 사이에 내담자의 안정성을 확보 | 필요할 경우 자아 조절 기술 사용<br>기대와 회기 사이에 행동 보고들을 요약하기 |
| 재평가 | 치료효과의 유지와 내담자의 안정성 확보 | 치료효과의 평가<br>더 큰 사회적 시스템 안에서의 통합을 평가 |

원본은 Shapiro (2012)

아동 EMDR은 표 13.1에 요약된 8단계 프로토콜을 따릅니다(Shapiro 2001).

이 표에 요약된 8단계는 아동의 발달 수준에 맞는 언어와 지시를 적용할 수 있고 필요에 따라 준비 단계 작업들을 늘일 수 있어 아동과 그 가족의 필요에 맞추어 조정이 가능합니다. EMDR 치료는 단일 사건 또는 복합 트라우마를 가진 아동뿐만 아니라 괴롭힘이나 무시 같은, 현재 DSM의 외상 정의를 충족하지 못하는 부정적 사건들에 영향을 받은 아동에게도 권장됩니다. 과거 트라우마의 EMDR 처리는 폭력의 만연 등 지금 현재 환경에서도 안전하지 않다고 느끼는 아동에게는 바람직하지 않습니다.

세계보건기구(WHO, 2013)의 치료지침(p. 1)에 명시된 바와 같이, "EMDR은 (a) 사건에 대한 상세한 설명, (b) 신념의 직접적인 도전, (c) 지속 노출 또는 (d) 숙제가 포함되지 않습니다". 이러한 특성들로 인해 EMDR은 전 연령대의 아동에게 용이하게 적용할 수 있고, 몇 주가 아닌 며칠 내에 효과적인 치료가 가능하며 가족의 위기를 다루는 효율적인 수단이 됩니다. EMDR 1단계부터 8단계까지는 일반적으로 단일 사건 외상에 대한 1-3회의 60분 회기로 구성되며, 병력 청취 후 바로 간략한 준비 단계를 거칩니다. 복합 트라우마 이력이 있는 아동은 자기 인식 및 자기 조절과 관련된 문제를 겪고 있을 수 있어 EMDR의 자기 조절 전략과 다른, 일반적인 기술 개발 활동을 포함한 여러 준비 회기가 필요할 수 있습니다. 재처리 단계에 필요한 회기의 수는 트라우마 경험과 현재의 촉발인자의 수에 따라 다르지만, 문헌에서는 경험적으로 다양하게 3회부터 8회로 기술하고 있습니다. 한편, 단일 외상 사건의 EMDR 처리는 다른 유사한 사건들을 일반화하여 줍니다; 따라서 아동 인생의 모든 트라우마 사건을 다룰 필요는 없습니다.

부모를 회기에 계속 참여시킬지 여부는 아동이 원하는지, 그리고 부모의 지지가 아동에게 필요한지에 대한 임상 판단에 기초하여 결정합니다. 자녀의 경험에 대한 부모의 이해와 공감이 늘어나는 것이 이 치료의 또 하나의 장점입니다. 그러나 부모의 감정 반응이 정서적인 지지를 방해하는 위험요소가 되거나, 자녀가 자기 조절 기술이 충분하고 독립성을 선호하는 경우에는 부모 없이 EMDR 외상 작업을 합니다. 이 경우 부모는 정보와 지침을 받아 회기를 마친 후 아동을 적절하게 지지하도록 합니다. 아동(6-18세)을 대상으로 한 대부분의 무작위통제연구에서는 부모의 치료 참여 여부를 언급하지 않았습니다. 그러나 한 연구에서는 아동이 부모의 동석을 요청하지 않는 한 아동을 단독으로 치료하였다고 특정하였고, 다른 연구에서는 아동 회기 중 15분을 부모와 함께 하거나 부모를 따로 보는 시간을 가졌다고 서술하였고, 또다른 연구에서는 4회의 부모 지도 회기를 포함했다고 명시했습니다. 처리군과 대조군에 대한 절차는 동일했습니다.

**양측성 이중 집중 자극**Bilateral Dual Attention Stimulation EMDR 치료 표준 프로토콜에는 시각, 청각 또는 촉각의 양측성 이중 집중 자극을 부분 요소로 하는 절차가 매우 구체적인 세트로 존재합니다. WHO (2013) 진료 지침에 설명된 대로 "이 치료는 (a) 외상적 이미 지, 생각, 감정 및 신체 감각의 자연스러운 연상과 (b) 가장 흔한 형태로는 안구 운동을 반 복하는 양측성 자극 두 가지에 동시에 초점을 맞추는 것을 포함한 표준화된 절차가 포함됩니다."(p. 1) 대부분의 아동은 눈높이에서 치료자의 손이 좌우로 움직일 때 시선을 따라가거나 전자 안구 스캔 기기에서 양방향으로 이동하는 밝은 빛을 봅니다. 어린 아동들은 치료자가 밝은 색상의 인형이나 장난감을 좌우로 움직이는 것을 보는 식으로 안구 운동을 할 수 있습니다. 기억 처리에 있어 선호되는 방법은 안구운동입니다. 그러나 아동이 안구 운동을 할 수 없거나 다른 방법을 선호하는 경우 치료자는 촉각 양측 자극을 사용할 수 있으며, 일반적으로 아동의 손이나 무릎을 번갈아 가며 부드럽게 두드리거나 전자 장치를 사용합니다. 청각의 형태로 소리 자극을 양측에 번갈아 주는 것도 또 다른 선택지이며 헤드폰을 사용하여 할 수 있습니다.

### 13.2.2 단일 사건 트라우마Single-Incident Trauma

다음은 내원 6개월 전 이웃이 키우는 큰 개에게 공격을 당한 뒤 발생한 외상후 스트레스 증상으로 EMDR 치료가 의뢰된 9세 아동에게 시행된 8단계 치료를 시행한 사례입니다. 이 사례에서, EMDR 처리는 한 회기로 완결되었습니다; 이 사례 같은 단일 사건 트라우마는 일반적으로 1회기에서 3회기에 종결됩니다.

- **1단계, 병력청취:** EMDR 치료자는 과거, 현재, 미래의 "세 갈래"를 다루면서addressing 아동의 증상을 개념화하고 치료합니다. 치료자는 현재 증상 및 원인이 되는 선행 사건에 대한 정보를 수집하기 위하여 재커리의 부모를 먼저 만나고 개가 달려든 사고에 대하여 듣습니다. 그들은 사고 후에 재커리가 동네 친구들과 밖에서 놀거나 개가 있는 집에 들어가려 하지 않는다고 합니다. 재커리는 악몽을 꾸고 밤에 자주 깹니다. 사고 전에는 그의 생활은 문제가 없었습니다. 다음으로, 치료자는 재커리와 이야기를 나누고 싶다고 했고, 재커리는 기꺼이 치료자와 만나서 이웃의 개에게 당한 사고를 간략하게 설명합니다. 그는 친구들과 밖에서 놀지 못하고 있기에 무서움에서 벗어나고 극복하고 싶다고 계속 말합니다.
- **2단계, 준비:** 회기의 후반부에서 치료자는 재커리가 부모가 참석한 상태에서 EMDR

및 안전 지대 연습에 대한 심리 교육을 받도록 준비합니다. 치료자는 재커리와 그의 부모에게 EMDR 요법을 "뇌의 다른 부분들이 함께 일해서, 화가 난 기분을 줄이고 좋은 기분이 커지게 도와주는" 치료법으로 소개합니다. 치료자는 재커리에게 치료자의 손가락을 따라 눈으로 좌우 안구운동하는 방법을 보여주고 번갈아 손으로 두드리는 것을 보여줍니다.

다음으로 재커리에게 스스로를 진정시킬 수 있는 기술을 알려주기 위해 안전지대 연습을 합니다. 치료자는 다음과 같이 안전지대 연습을 시작합니다. "재커리, 네가 안전하고 편안하게 느낄 수 있는, 상상으로 갈 수 있는 장소를 우리가 찾아낼 수 있는지 보자. 가본 적이 있는 곳일 수도 있고, 상상으로 만들어낸 곳일 수도 있어." 재커리는 커다란 나무 위의 집에 있는 자신을 상상하고 싶다고 했고 치료자는 재커리가 그곳에서 원하는 모든 것에 대해 생각할 수 있도록 도와줍니다. 재커리는 눈을 감고 안전지대에 있는 나무 위의 집에서 보고, 만지고, 냄새 맡거나, 들을 수 있는 것에 대해 즐겁게 상상하고 싶어했고, 치료자는 경험을 심화하기 위해 재커리의 손등을 천천히 번갈아 가며 두드립니다. 치료자는 재커리가 잠들 때 자신의 안전지대를 떠올리는 연습을 하도록 격려합니다. 회기가 끝나기 전에 치료자는 재커리에게 속상했던 기억을 한동안 넣어둘 '저장 도구container'를 그려달라고 했고, 그는 여행 가방 그림을 그리고 색칠하였습니다.

며칠 후 재커리와 부모는 트라우마 작업을 할 때 부모가 함께 있고 싶다고 하였습니다. 치료자는 부모에게 다음과 같이 설명하였습니다. "재커리가 기억을 처리 중일 때 생각이나 아이디어가 떠올라 끼어들고 싶을 수 있지만, 어른들이 가만히 있으면서 재커리의 뇌가 작업을 하도록 두는 것이 중요합니다."

- **3단계. 평가:** 병력 조사 단계에서는 필요에 따라 공식 도구를 사용합니다. 이와 달리, 표준화된 평가 단계는 처리 대상인 부정적인 사건의 특정 측면의 윤곽을 잡습니다. 이 단계는 일반적으로 약 15분이 소요됩니다. 치료자는 외상성 기억에 특화된 질문으로 불편한 기억의 중요한 요소를 확인하고 간단한 치료 시작 전 점수를 얻는 평가 단계를 시작합니다(다음 내용 참조). 재커리에게 "개가 달려든 사고를 생각할 때 네 마음이 가장 속상한 장면은 뭐니?"라고 질문하여 "최악의 장면"을 파악합니다. 치료자는 "그 장면에서 떠오르는 가장 속상한 생각은 뭐니?"라고 질문하여 재커리의 부정적 인지를 찾습니다. "그 대신 뭐라고 생각하고 싶어?"라는 질문을 통해 바라는 긍정적 인지를 찾을 수 있습니다. 재커리는 자신의 생각에 대한 질문에 답하는 데 어려움이 없었지만 일부 아동은 이 과정에 도움이 필요합니다. 예를 들어, 치료자는 아동이 자신의 마음에 맞는 믿음을 찾을 때까지 몇 가지 예시를 제시해볼 수 있습니다.

선호하는 긍정적 인지(Validity of positive cognition, 이하 VoC)의 타당성을 얻기 위해 재커리에게 1(완전히 거짓)에서 7(완전히 참)의 숫자판 중 "그것이 얼마나 진실하게 느껴지는지 보여줘."에 해당하는 수를 가리키도록 합니다. 재커리는 "4"를 선택했습니다. 그 사건을 생각할 때 어떻게 느끼는지 물었을 때, 재커리는 "무서워"라고 표현하며 다른 숫자판의 0-10척도에서 주관적 고통 단위(subjective unit of distress, 이하 SUD)가 "8"이라고 답합니다. 마지막으로 치료자는 "재커리, 몸의 어디에서 속상한 감정을 느껴? 대답하기 전에 잠시 시간을 두고 머리, 목, 어깨와 팔, 가슴, 배 안의 느낌을 알아차려봐."라고 묻습니다.

다음은 평가 단계에서 확인된 재커리의 기억 구성 요소입니다:

장면(현재시점에서 그 사건의 최악의 장면을 표현): "라이노(개)가 이빨로 내 팔을 물어요"

부정적 인지:"나는 죽을 거야."

긍정적 인지: "나는 안전해."

인지타당도[VoC] 1-7점 척도, 1(완전히 거짓)-7(완전히 진실): 4

감정(현재 경험되는): 무서움

주관적 고통단위[SUD], 0(불편함이 없음)-10(가장 큼): 8

신체감각(현재 시점에서 경험): 배와 팔이 긴장됨

**민감소실, 주입, 신체검색으로 구성되는 재처리 단계** 개별 목표에 대한 기억 처리는 SUD 수준이 0(또는 "생태학적으로 유효한")이고 VoC가 7이며 깨끗한 신체 검색이 된 경우 완료된 것으로 간주됩니다. 개인적인 외상의 경우 일반적으로 한두 번의 회기 내에 처리됩니다. 아래에 설명된 바와 같이 아동은 회기 중에 사건 경험을 한 번만 검토하는 것이 일반적입니다.

- **4단계, 민감소실:** 평가 단계 후 치료자는 전체 기억 네트워크를 다루기 위해 표준화된 절차를 사용하는 민감소실 단계를 시작합니다. 다음 면담내용에서 기호 <<<<는 치료사의 지시문으로, "그대로 갑니다", 안구 운동 약 20-24번 반복의 한 세트, 그리고 치료자의 말 "지금 무엇이 떠오르니?"를 나타냅니다. 안구 운동 한 세트 후 내담자의 반응에 따라 치료자는 다음 초점을 맞출 것을 안내합니다.

  치료자는 다음과 같이 말하면서 시작합니다. *"기억해. 여기에서는 어떤 것도 틀린 것이 아니야. 잠시만 내 손가락을 따라갈 수 있는지 보고 그리고 나서 멈추고 네가 생각하거나 느끼는 것을 확인할게. 그 뒤 너는 다시 내 손가락을 따라 본 다음에 내가 멈추고 다시 널 확인할께. 괜찮겠니?"* (재커리가 고개를 끄덕입니다.) *"그만하고 싶다고 어떻게 말할 수 있는지 기억나니?"* (재커리가 고개를 끄덕이고 정지 신호로 손을 듭니다.) *"좋아. 좋아, 이제 팔에 있는 라이노의 이빨, '내가 죽을 것 같다'는 속상한 생각, 그리고 가슴에 있는 느낌을 너의 뇌가 생각하게 하자. 이제 눈으로 내 손가락의 움직임을 따라서 보렴. 그렇지, 잘 하고 있구나."* (치료자는 안구 운동을 약 20회 반복합니다.) *"재커리, 어떤 것이 떠오르니?"*

*재커리: "라이노가 짖으면서 으르렁거리고 있었어요. 나는 도망가려 했는데 그럴 수가 없었어요!"*

*<<<<*

*재커리: "아파요! 나는 개를 내게서 떼어낼 수 가 없었어요!" (이제 눈물이 글썽임)*

<<<<

재커리: "무서워요. 그 개는 정말 컸어요. 괴물 같았어요!" (여전히 눈물이 글썽임)

<<<<

재커리: "찔린 것 같았어요."

<<<<

재커리: "무서워요. 나쁜 꿈 같아요."

<<<<<

재커리: "아파요-내 팔."

<<<<

재커리: "피가 많이 나요!"

<<<<

재커리: "그 개를 밀고 발로 차요."

<<<<

재커리: "개가 너무 커서, 무서워요!"

<<<<

재커리: "빌 아저씨가 달려와서 라이노에게 소리질렀어요. 빌 아저씨는 개를 잡아당겨 나에게서 떼어냈어요."

<<<<

재커리: "내 팔이 완전 엉망이에요. 팔이 아파요!"

<<<<

재커리: "엄마와 빌 아저씨가 병원 가는 차에 같이 있어요."

<<<<

재커리: "엄마는 내 팔에 수건을 두르고 있었어요."

<<<<

재커리: "그분들은 병원에서 제게 정말 잘해 주셨어요. 아빠도 오셨어요."

<<<<

재커리: "다른 건 없어요."

치료자: "재커리, 잠시만 레이노와 있었던 일을 다시 생각을 해 볼까? 지금은 어떤 것이 있어? 생각? 느낌?"

재커리: "미쳤어요!"

<<<<

재커리: "나는 라이노를 죽일 수 있어요! 못생긴 개!"

<<<<

재커리: "바보, 멍청이 개!"

<<<<

재커리: "그 개는 지금 죽었어요. 빌 아저씨가 개를 쓰러뜨렸어요."

<<<<

재커리: "빌 아저씨에겐 마음이 좀 안 좋은데, 라이노가 불쌍하다는 생각은 안들어요."

<<<<

재커리: "빌 아저씨는 라이노가 울타리 아래 구멍을 팠는지 몰랐어요."

<<<<

재커리: "아저씨는 라이노에게 무슨 문제가 생긴 걸 알았어요."

<<<<

재커리: "그래요, 난 라이노가 좀 불쌍해요. 아마도 그 개는 머리에 암이 있거나 뭐가 있었나봐요."

<<<<

재커리: "빌 아저씨는 이번에 작은 강아지를 데려왔어요. 그 강아지이름은 멍멍이에요."
치료자: "재커리, 그 일을 생각하면 지금 무엇이 떠오르니?"
재커리: "그 개는 죽었어요. 그게 다에요."
치료자: "재커리, 라이노와의 사고를 생각하면, 얼마나 힘들게 느껴지니? 여기 점수표를 보고 짚어봐, 0에서 10점중에서." 재커리는 0점을 가리켰습니다.

- **5단계, 주입:** SUD가 0에 도달되었으므로 치료자는 긍정적 인지에 집중하는 과정을 진행합니다. 민감소실 단계에서 기억이 처리됨에 따라 긍정적 인지의 타당성은 자연스럽게 증가합니다. 또는 더 바람직한 인지가 나타날 수 있습니다. 주입 단계에서 긍정적 인지의 정도가 평가되고 목표를 선정합니다. 먼저, 치료자는 자신과 재커리가 전에 찾았던 생각이 여전히 재커리에게 적합한지 확인합니다.

  치료자: "재커리, 생겼던 일을 생각하면 '나는 안전하다'가 아직도 하고 싶은 생각이니?" (재커리가 고개를 끄덕입니다.) "일어났던 일 그리고 '나는 안전해'라는 말을 생각하고 여기 자를 보렴. 완전히 거짓인 1부터 완전히 진짜인 7까지 중에서 그 말이 어느 정도 사실처럼 느껴지는지 여기 자에서 숫자를 가리켜보자." (재커리는 7을 가리킵니다).

  치료사: "라이노와 일어났던 일과 '나는 안전해'라고 생각하면서 내 손가락을 따라와보자"

  (안구운동)

  VoC가 7보다 작으면 치료자는 7이 될 때까지 안구 운동 세트들을 계속 시행합니다.
- **6단계, 신체검색:** 다음으로 치료자는 신체검색을 시작하여 신체에 남아 있는 불편함이 느껴지는지 확인합니다.

  치료자: "그 일을 떠올리면서 '나는 안전해'라고 생각하고 네 몸의 어디든 답답하고 조이거나 압박감이나 어떤 것이 느껴지는지 살펴보자. 머리, 목, 어깨, 가슴, 배를 주목하자."

  재커리: "아무 것도 느껴지는 게 없어요."

신체 감각이 남아 있었다면 치료자는 재커리에게 감각에 집중하고 감각이 사라질 때까지 안구 운동을 계속하게 했을 것입니다. 재커리의 신체 검색에서 증상이 없었으므로 치료자는 종료단계를 진행하고 재커리에게 몇 가지 지침을 제공합니다.

- **7 단계, 종료:**
  치료자: *"오늘 참 잘 했어. 기분이 어떠니?"*
  재커리: *"좋아요."*
  치료자: *"우리가 같이 한 것에 대해 더 이상 생각할 필요는 없지만 그것에 대해 뭔가가 떠오르거나 어떤 기분이 들면 나에게 전할 수 있게 부모님에게 적어 달라고 이야기할 수 있겠어?"*
  재커리: *"네."*
  재커리의 회기가 미완결로 마무리 되었다면, 치료자는 재커리에게 작업한 모든 것을 저장 도구에 넣으라고 한 뒤 재커리의 기분이 안정된 되기 위해 안전한 나무 위의 집 안에 있는 자신을 상상하게 했을 것입니다. 재커리는 회기에서 배운 가장 유용한 생각이나 아이디어를 확인하고 그 생각을 잘 간직하라는 당부를 들었을 것입니다. 치료자는 재커리에게 저장 도구(여행 가방)와 안전지대(나무 집)를 계속 사용하라고 말하고, 다음 회기 전에 불쾌한 감정이나 생각이 들면 부모에게 알리라고 지도했을 것입니다.
- **8단계. 재평가:** 재평가 단계에서 치료자는 먼저 설정했던 목표가 깨끗이 처리되었는지 확인합니다. 그런 다음 치료자는 2차 조건화로 인해 남아있을 수 있는 외상과 관련된 최근 상황 자극을 찾습니다. 치료자는 재커리가 부모와 함께 왔을 때, 재커리에게 개가 달려든 것을 마음속에 떠올리고 자신의 반응을 알아차려보게 했습니다. 재커리는 기억과 관련된 불편함이 없다고 했고, 그의 부모는 그가 잘 자고 더 이상 밖에 나가는 것을 두려워하지 않는다고 확실히 말했지만 내원 전날 다른 이웃의 크지만 친근한 개에게 약간의 불안감을 보였다고 했습니다.

**현재의 혹은 최근의 자극** 다른 개와 관련된 최근 유발 상황을 3단계부터 7단계에 걸쳐 다룹니다. 그 일은 재커리가 남아 있는 불편함이 없다고 보고하고 "나는 안전해"라는 긍정적 인지를 VoC로 평가할 때까지 표준 절차대로 재처리 됩니다.

**미래 템플레이트** 미래 템플레이트는 예견되는 미래의 문제에 대한 긍정적인 반응을 시각화하기 위해 상상력을 사용하고 양측성 자극으로 긍정적인 반응을 강화하는 것으로 구성됩니다. 같은 회기의 후반부에서 치료자와 재커리는 앞으로 그가 친절하고 큰 개에게 어떻게 행동하고 싶은지 이야기합니다. 그는 눈을 감고 침착하게 개를 쓰다듬는 상상을 하고, 치료자는 재커리의 자신감을 더 높여주기 위해 그의 손등을 번갈아 가며 두드립니다.

- **8단계. 재평가:** 추적관찰 통화에서 재커리의 부모는 재커리가 잘 자고 걱정 없이 밖에

서 놀고 있다고 했습니다. 그는 또한 그의 작은아버지의 저먼 셰퍼드와 잘 어울렸습니다.

### 13.2.3 복합 트라우마

다음은 학대로 인해 원가족에서 분리된 아동(카렌, 12세)의 복합 외상 사례입니다. 애착을 형성할 관계 안에서 여러 나쁜 경험을 한 아동은 외상 스트레스와 연관된 심한 도전적인 행동을 자주 보이고, 가족은 종종 매우 부정적인 관계 역동에 빠져 아동이 지내는 것에 어려움이 있을 수 있습니다. 이 경우 EMDR 준비 작업뿐 아니라 가족치료 작업 등으로 인해 준비 단계가 더 길어질 수 있습니다. EMDR 자원 개발은 이미지를 통해 힘이나 용기와 같은 긍정적인 감정이나 특성에 접근한 다음 양측성 자극으로 강화하는 것이 포함됩니다. 안정된 애착이 결여된 아동에게 맞는 EMDR 자원 개발 활동에는 진료실에서 친밀감을 조성하는 것과 양측성 자극으로 아동의 안정감과 신뢰감을 강화하는 것이 포함됩니다 (Wesselmann 등. 2014).

- **병력청취. 1단계** 카렌의 어머니와의 첫 인터뷰에서 치료자는 카렌이 2년 전에 입양되었다는 것을 알게 됩니다. 카렌은 7세에 친부모의 학대로 사회 복지 서비스에 의해 분리되었습니다. 친부모는 모두 정신 질환과 약물 중독을 앓고 있었고, 사탄 숭배에도 연루되어 있었고 카렌도 그에 노출되었습니다.
  면담 중에 카렌의 양어머니는 카렌을 반항적, 부정직, 괴리감, 수동-공격적, 사람을 조종하려 들고, 분노, 충동적, 통제적, 불안하다고 표현했습니다. 카렌은 그 해 초 5개월 동안 입원 및 정신과 치료 거주 시설에 있었습니다. 어머니는 자신이 지쳤고 카렌과 계속 같이 지낼 수 있을지 모르겠다고 말합니다. 따라서 카렌의 EMDR 치료자는 외상에 대하여 잘 알고 있는 가족 치료사와 협력하여 카렌의 가족이 부정적인 상호 작용을 멈추게 돕고 가족에게 새로운 기술을 코치하기로 합니다(아래 13.3장 참조).

- **준비. 2단계** 카렌의 EMDR 치료자는 준비단계를 안전지대 연습으로 시작합니다. 카렌의 이력과 행동을 보면 그녀는 양부모에 안정적인 애착이 없어 보였기 때문에, 치료자는 자원 개발로 애착의 안정성을 강화하는 맞춤 활동을 구성하였습니다. 치료자는 먼저 카렌의 어머니와 개별적으로 만나 준비시간을 갖고 카렌을 그 다음 회기에 오게 하였습니다. 치료자는 모녀에게 각자 편안하게 소파에 함께 앉으라고 제안합니다. 그들은 그 말을 따랐고 카렌의 어머니는 딸의 어깨에 팔을 둘렀습니다. 다음으로, 치료자는 어머니가 카렌에게 고맙게 느끼는 점들을 말하도록 격려합니다. 치료자는 카렌이 어머니의 이야기를 들으면서, 안전지대연습을 위해 선택한 촉각 자극을 양측성으로 천천히 시행하게 하여 어머니와의 연결된 느낌과 어머니의 눈을 통해 보이는 긍정적인 자기 관점을 강화시킵니다. 다음으로 치료자는 카렌의 어머니에게 딸과의 첫 만남

에서 가장 좋았던 기억, 카렌과 함께 즐겼던 활동, 그리고 그들의 관계에 대한 카렌의 장래 희망과 꿈에 대해 이야기하도록 합니다. 어머니가 대답하는 동안 치료자는 카렌의 친밀감과 편안함을 강화하기 위해 양측성 자극을 시행합니다.

부모에 대한 불신과 정서 및 행동 조절 장애로 인해, 카렌의 애착을 강화하고 성숙된 감정과 기분을 더 안정시키기 위한 추가적인 자원개발 작업으로 EMDR 회기를 두 번 더 할애했습니다. 치료자는 다음 회기에서 외상 작업을 시작합니다. 카렌의 양어머니는 회기 동안 카렌을 지원하기 위해서 함께 있게 됩니다. 양어머니는 기억을 처리하는 동안 침묵을 유지하되 감정적으로 필요할 때 카렌이 그녀를 의지할 수 있도록 교육받았으며, 이는 카렌이 자신의 감정 면에서 현재에 머물고 작업 전반에 걸쳐 조절력을 유지하는 데 도움이 됩니다. 카렌의 어머니는 또한 치료자가 카렌에게 필요한 정보나 성인의 관점을 제공하는 데 도움이 되도록 EMDR 처리 중에 간헐적으로 질문을 받을 수 있다는 설명을 들었습니다.

- **평가. 3단계** 카렌의 충격적인 기억 중 하나는 그녀가 6세였을 때 친부가 부엌 식탁에서 여러 마리의 동물을 죽이는 것을 목격한 것과 관련이 있습니다. 치료사는 카렌에게 다음과 같은 기본 정보와 치료전 점수를 파악하고자 일련의 질문을 합니다.
  장면(현재시점에서 그 사건의 최악의 장면을 표현): "아빠가 개를 찔러요"
  부정적 인지:"나는 안전하지 않아."
  긍정적 인지: "나는 안전해."
  인지타당도VoC 1-7점 척도, 1(완전히 거짓)-7(완전히 진실): 4
  감정(현재 경험되는): 무서움
  주관적 고통단위SUD, 0(불편함이 없음)-10(가장 큼): 9
  신체감각(현재 시점에서 경험): 팔, 등, 그리고 다리가 긴장됨

- **민감소실. 4단계** 다음 녹취록에서 기호 <<<<는 치료사의 지시문, "그대로 갑니다", 안구 운동, 그리고 "지금 무엇이 떠오르니?" 의미

치료자: *"카렌, 오늘은 네가 엄마 옆에 앉았으면 좋겠어."* (카렌은 자신을 팔로 감싸주는 어머니 옆으로 이동합니다.) *"그럼 그 속상한 장면, '나는 안전하지 않다'는 생각, 그리고 몸의 긴장에 주목했으면 해. 이제 잠시 내 손가락을 따라가보자."* (카렌은 치료자의 손가락을 따라가면서 안구 운동을 약 20회 반복합니다.)

카렌: *"너무 무서워서 얼어붙을 것 같았어요. 보고 싶지 않았지만 멈출 수가 없었어요."*

<<<<

카렌: *"나는 동물을 사랑해요. 동물들을 다치게 하고 싶지 않았어요."*

<<<<

카렌: (울며) *"끔찍해. 싫어요."*

치료자: *"기억해, 느낌이 널 다치게 하진 않아. 그저 그런 느낌이 드는구나 하고 지켜보자."*

카렌: *"무서워요. 아직도 온몸이 긴장돼요."* (양어머니가 치료사에게 고개를 끄덕이며 카렌의 몸의 긴장을 느낍니다.)

<<<<

치료자: *"기억해, 그 일이 지금 일어나고 있는 것이 아니야. 그저 긴장하고 있는 것에 집중하렴, 카렌."*

<<<<

카렌: *"지금은 좀 덜해요."*

<<<<

카렌: *(눈물) "그들이 왜 그랬던 거지? 날 아프게 해."*

<<<<

카렌: *"슬프고 화났어."*

치료자: *"너의 몸에서 어떤 것이 느껴지니?"*

카렌: *"팔에 긴장이 느껴져요."*

<<<<

카렌: *"동생들은 너무 어려서 무슨 일이 일어나고 있는지 몰랐어요. 나는 걔들이 좀 부러워요. 걔들은 이걸 기억할 필요가 없으니까요."*

<<<<

카렌: *"그들은 왜 그런 행동을 했을까요?"*

<<<<

카렌: *"마약 때문에 무섭게 행동하게 되었고.. 정신병 때문이기도 해요."*

<<<<

카렌: (눈물) *"아빠가 동물 죽이는 걸 말렸어야 했어요. 내가 동물들을 구할 수 있었을 거에요."*

(아이들은 적응적 해결에 필요한 정보가 부족하여 재처리 과정이 때때로 막다른 길에 도달합니다. 이 경우 간단한 질문이나 진술을 더하는 "인지적 개입cognitive interweave"이 도움이 될 수 있습니다. 내담자의 처리를 방해하지 않는 방식으로 시행하는 것이 중요합니다. 카렌은 어린 아이들이 성인을 통제할 수 없다는 것을 알지 못하기 때문에, 치료자는 서랍에서 작은 신발 한 켤레를 꺼내어 시각적 장치로 사용하여 성인의 관점을 제공하는 인지적 개입을 합니다.)

치료자: *"어머니, 카렌의 발이 이 정도였을까요?"*

엄마: *"네, 거의 맞을 거에요."*

치료자: *"카렌아, 이 귀여운 작은 신발 좀 봐. 이걸 신는 아이가 어른이 하려고 하는 것을 막을 수 있겠어?"*

카렌: *"아뇨, 아닐 걸요."*

<<<<

카렌: *"이제 나는 외로워요. 도와줄 사람이 없었어요."*

<<<<

카렌: *"지금도 나는 외로워요."*

(카렌은 과거에 안전하다고 느끼지 않았으며, 지금도 자신의 인생에서 신뢰할 수 있는 성인의 보호 없이 힘이나 안전감을 느낄 수 있을만한 나이가 아닙니다. 치료자는 카렌의 어머니에게 보호자로서의 역할과 관련된 인지적 개입을 하는데 도움을 받습니다.)

치료자: *"엄마와 아빠가 시간을 거슬러 올라가 그 부엌으로 들어갈 수 있다면 어떻게 하시겠어요?"*

엄마: *"아빠는 카렌의 친아빠가 동물을 죽이는 것을 막았을 거에요. 그리고 저는 6살의 카렌에게 '더 이상 혼자가 아니야'라고 말할 거예요. 나는 카렌을 안전하게 우리집으로 데려와서 안아서 달래고 보호할 거에요."* (카렌은 엄마에게 몸을 기대고 엄마는 카렌을 더 가까이 안습니다.)

<<<<

카렌: *"난 정말 혼자가 아니에요."*

치료자: *"지금 그 사건으로 돌아가서 무엇이 떠오르는지 지켜볼 수 있어?"*

<<<<

카렌: *"손에 약간의 긴장만 남았어요."*

<<<<

카렌: *"몸이 더 편안해졌어요."*

처리는 카렌이 긴장이 완전히 없어지고 SUD 0이 될 때까지 계속됩니다.

- **주입. 5단계** 치료자는 카렌이 그 믿음이 1-7 척도에서 7점의 사실이라고 할 때까지 긍정적인 인지 "나는 안전하다"의 주입을 계속합니다.

- **신체검색, 종결, 재평가. 6-8단계** 치료자는 카렌에게 몸에 남아 있는 감각을 스캔하도록 요청하지만 카렌은 몸에 남은 감각이 없다고 했고, 회기는 종결 과정에 들어갑니다. 다음 회기 동안 카렌과 함께 재평가를 하였을 때 민감소실 효과가 유지되고 있는 것으로 나타났습니다.

카렌은 15회의 EMDR 치료와 15회의 가족 치료로 구성된 6개월의 치료 후 퇴원했습니다. 가족 치료에서 부모는 지도를 받았고 카렌과 부모는 효과적인 듣기 및 의사 소통 전략과 같은 새로운 기술을 연습했습니다. EMDR 회기는 병력청취 1회기, 준비 3회기, 5개의 외상 기억과 관련된 EMDR 외상 작업(3-8단계)에 중점을 둔 6회기로 구성되었습니다. 다른 5번의 EMDR 회기에서는 현재의 촉발인자를 처리하고 적응적인 반응을 위한 미래 템플리트의 개발을 진행했습니다. EMDR 치료의 결과 카렌의 외상성 기억과 관련된 문제를 제거하고 기억과 적응적인 정보 및 현재의 관점을 통합하게 되었습니다. 현재의 촉발인자에 대한 카렌의 감정적 반응은 제거되고 새로운 감정적 및 행동적 반응으로 대체되었습니다.

6개월이 지난 즈음, 카렌의 양어머니는 카렌이 집에서 협조적이고 도움이 된다고 말했습니다. 그녀는 "이제 카렌과 가까워진 것 같아요. 카렌은 편안하고 자발적이며 자신의 감정에 열려 있어요. 공감도 하고요. 우리는 함께 이야기하고 즐거운 시간을 보내요. 나는 카렌과 시간을 보내는 것이 즐거워요. 나는 심지어 카렌이 동생들도 돌봐줄 거라 믿을 수 있어요." 그녀는 또한 카렌의 거짓말, 조종, 공격적인 폭발이 사라졌다고 말했습니다. 치료자는 6개월 후 전화로 카렌을 추적 관찰했으며, 양어머니는 카렌의 모든 호전이 유지되고 있다고 했습니다.

## 13.3 특정 상황과 어려움들

아동과 청소년을 치료할 때 다양한 장애물에 직면할 수 있습니다. 이 장에서는 과거의 학대/ 방임과 관련된 도전적인 행동, 부모의 죽음, 지적 장애, 자폐증, 부모 문제, 아주 어린 아동 및 청소년과 함께 작업할 때 직면하는 어려움들을 망라하고 그 중 가장 일반적인 몇 가지를 다룰 것입니다.

### 13.3.1 과거의 학대 및 방임

부모의 학대나 방임은 카렌과 같은 아이들을 이중 구속double bind에 빠뜨립니다. 위로를 구하고자 달려가는 대상이 동시에 정서적 고통의 원인이 됩니다. 환경이 안전해져도, 처리되지 않고 저장된 애착 트라우마로 인해 안전함을 느끼거나 위안을 위하여 보호자에게 기댈 수 없습니다. 아동이 생물학적 부모와 함께 있든 위탁 가정, 입양 가정 또는 후견인 가정이 있든, 남을 신뢰하지 못하고 심각한 정서 및 행동 조절 장애로 이어질 수 있습니다. 학대를 당한 적이 있는 아동이 공격성, 반항, 절도, 거짓말, 음식 사재기hoarding of food 등의 증상을 보이는 것은 드문 일이 아닙니다. 이 모든 증상은 저장되고 처리되지 않은 외상 기억에 의해 유발될 수 있습니다. 그 결과 부모는 종종 분노와 좌절로 반응하고, 이것은 자녀의 불신을 심화시킵니다. 심각한 행동문제가 있는 아동과 가족 사이의 꽉 막히고 부정적인 상호 작용이 트라우마 작업에 장애물이 될 수 있습니다. 아동은 취약한 감정과 기억에 접근하기 위해 부모로부터 안전함을 느끼고 지지를 받아야 하지만, 부정적인 상호 작용이 계속되면 지지받지 못 하는 정서적 환경이 됩니다.

EMDR과 가족 치료의 통합적 접근은 외상 작업과 가족 개입을 함께 제공합니다(Wesselmann 등. 2012, 2014). 가족 치료사는 AIP 모델을 통해 부모가 아동의 문제를 이해하도록 돕고, EMDR 치료자는 안정 애착 강화를 위한 EMDR 자원 작업을 시작합니다. 그 다음에 가족 치료사는 트라우마 작업 동안 가족의 정서적 건강과 아동의 안정감 및 안전감을 증진해 주는 기술을 부모와 아동에게 가르치고 코칭합니다.

### 13.3.2 부모 자신의 문제와 우려들

부모의 정서적 어려움은 제기된 문제와 상관없이 모든 아동 또는 청소년의 정서적 안녕에 부정적인 영향을 미칠 수 있습니다. EMDR 치료자는 부모의 정서 상태가 치료 효과나 아동의 전반적인 정서적 성장을 방해한다고 판단되면 공감적 어조와 태도로 직접 관찰한 것을 소통하고, 부모 자신이 별도의 도움을 받을 방법을 알아보고 필요에 따라 EMDR 치료를 받도록 격려해야 합니다. 한 예로, 치료자는 이렇게 말할 수 있습니다. "부모님은 자녀를 돌보는 스트레스를 포함하여 삶에서 많은 스트레스 요인을 겪었고 지금도 겪고 있습니다. 부모님이 필요한 지원을 어떻게 받을 수 있을지에 대해 함께 이야기 해 보지요. 또한 전체적인 기분이나 자녀를 대할 때 당신이 자극될 촉발 요인을 줄이는 데 도움이 될 EMDR 치료를 직접 받는 것도 좋을 거라고 말씀드리고 싶어요." 아동의 치료자가 부모의 EMDR 치료를 시행할 수 있지만 다른 동료에게 의뢰하는 것도 선택지로 제공해야 합니다. 일부 부모와 아동은 자신의 치료자를 다른 가족 구성원과 "공유"하는 것을 선호하지 않습니다.

### 13.3.3 지적장애와 자폐스펙트럼장애 Intellectual Disability (ID) and Autism Spectrum Disorder (ASD)

지적 장애(Intellectual Disability, 이하 ID) 및 자폐 스펙트럼 장애(Autism Spectrum Disorder, 이하 ASD)가 있는 아동의 심각한 감정 및 행동 문제는 기존의 문제(인지 장애 및 ASD 또는 ID 자체 등)에 기인하고, 종종 "진단의 그림자 diagnostic overshadowing"로 불리기도 합니다. ASD가 있는 경우, 트라우마 증상이 인지되어도 정신과적 증상 악화에 대한 두려움으로 인해 트라우마 치료에 제약을 받는 경우가 많습니다. 신뢰도와 타당도가 확보된 면담으로 경도에서 경계선의 ID(IQ 50–85) 아동의 PTSD를 평가한 자료에 따르면(Mevissen 등. 2014, 2016), 경도에서 경계선의 ID의 존재 여부와 관계없이 PTSD 증상에는 차이가 없었습니다. 지적 장애 아동은 상대적으로 높은 빈도로 부정적인 삶의 경험[예: 왕따, 성적 sexual/정서/신체 학대, 의료 문제, 수술 및 치료, 부모 이혼, 집 외의 주거지]을 겪지만 제대로 대처할 준비가 되어 있지 않습니다.

내담자의 정신 연령에 관계없이, 비언어적 구성 요소 및 적용 가능성을 고려할 때 EMDR 치료는 지적 장애 아동에게 이상적으로 적합합니다(Mevissen 등. 2012). 내담자의 장애 수준에 따라 EMDR 치료자는 매우 지시적이고 간단한 언어를 사용해야 할 수도 있습니다. 언어 및/또는 인지 능력이 매우 제한된 경우(정신 연령<3세)에는 스토리텔링 방법(Lovett 1999, 2015)을 적용하여 대상 기억을 찾아 처리할 수 있습니다. 병력 청취 및 준비(1

단계 및 2단계) 후에 치료자는 아동 부모의 도움을 받아 아동에게 긍정적인 내용으로 시작하는 내러티브를 작성합니다. 그 다음에는 아동의 기억 네트워크를 활성화하기 위해 아동의 감정 및 부정적인 신념과 함께 부정적 사건을 묘사합니다. 내러티브는 긍정적이고 적응 가능한 정보로 끝납니다. 원래의 평가 절차(3단계) 대신 내러티브를 문서로 작성합니다. 표준 프로토콜의 4-7단계에서 양측성 자극을 동시에 적용하면서 민감소실 및 재처리 대신, 이 전체 내러티브를 아동에게 읽어줍니다. 재평가(8단계)는 치료자 관찰과 다음 회기에서 아동 행동에 대한 부모 보고로 이루어집니다.

ASD는 지적 장애가 동반되거나 되지 않는 경우가 있으며 다양한 영역에서 지속적인 발달 지연을 보입니다. ASD 아동에게 EMDR을 시행할 때는 단순한 지시, 시각적 신호의 사용, 치료 시간 연장 등을 포함하여 지적 장애가 있는 아동의 경우와 유사하게 수정합니다. ASD 아동의 경우 그러한 수정의 필요성은 아동에 따라 크게 다를 수 있습니다. 일부는 말을 전혀 하지 않고, 일부는 사용하는 언어가 지나치게 정확하며, 일부는 감정을 거의 드러내지 않지만 일부는 매우 강렬한 감정을 드러냅니다. 겉보기에 사소해 보이는 사건이 극심한 트라우마로 남을 수도 있고 그 반대일 수도 있습니다.

예를 들어, 한 ASD 아동이 밖에서 놀다가 다른 아이들에게 구타를 당했습니다. 대부분의 비 자폐아동은 이를 처리할 수 있었을 것입니다. 그러나 그의 어머니에 따르면 이 아동은 약 1년 반 동안 밖에 나가기를 꺼려했습니다. 그는 스쿨버스로만 통학했고, 동생에게 매우 공격적이었습니다. 한 번의 EMDR 치료 회기 후에 그의 반복되는 두려움이 없어졌고 두 번의 회기로 불안한 기억이 완전히 처리되었습니다. 그 후 그의 상태는 사건 이전으로 돌아갔습니다. ASD 아동을 치료하는 치료자는 아동의 필요에 따라 EMDR 절차를 맞출 것입니다. 정보 처리 속도가 느리고 세부 정보로 가득 찬 긴 연상의 연결로 인해, 치료에 더 많은 시간이 걸리거나 연상이 매우 빠르게 이동할 수 있습니다.

몰리[Molly]는 중증의 지적 및 신체 장애가 있는 6세 아동입니다. 몰리는 말을 하지 못하고 다리가 마비되어 휠체어를 사용했으며 발달 상태는 18개월 수준이었습니다. 몰리는 극도의 치과 공포증으로 치료에 의뢰되었지만 몰리의 어머니는 아이가 모든 의사를 똑같이 두려워한다고 하였습니다. 또한 몰리는 특히 머리 주변의 접촉에 매우 민감했습니다. 몰리는 심각한 신체 상태 때문에, 향후 의료 수술과 치료가 반드시 필요했습니다.

- **병력청취. 1단계** 병력청취에 따르면 몰리는 생후 3개월 때 생사가 오가는 중한 질병으로 인해 튜브를 통해 영양을 공급 받았습니다. 몰리의 공포는 세 살 때 이비인후과 의사에게 고통스러운 수술을 받은 후 급격히 커지고 일반화되었습니다. 행동 중재 방법은 몰리의 공포를 줄이는 데 실패했습니다. 치료자는 극도의 공포가 몰리의 병원 치료와 관련한 트라우마와 관련이 있다고 가정하였습니다. 몰리의 낮은 기능 수준으로 인해 Lovett(1999)가 설명한 EMDR 스토리텔링 방법을 사용하기로 결정했습니다.

- **준비. 2단계** 두 회기에 걸쳐 몰리의 부모에게 트라우마에 대해 교육하고 AIP, EMDR

치료 및 스토리텔링 방법을 설명하였습니다. 또한 긍정적인 감정을 불러일으키고 내러티브 작업 사이에 애착을 강화할 수 있는 놀이 활동을 찾아 보도록 하였습니다.

- **평가. 3단계** 치료자와 부모는 공동으로 작업하여 몰리가 이비인후과 의사에게 진료 받는 트라우마 내러티브를 작성했습니다. 이러한 내러티브는 긍정적이고 적응적인 정보뿐만 아니라 관련된 감정과 부정적인 생각이 포함되었습니다.

- **이야기하기(스토리텔링), 민감소실, 재처리. 4–6단계** 첫 번째 이야기는 이비인후과의 초기 진료에 대해 설명했습니다. 몰리가 휠체어에 앉아 있는 동안, 몰리의 어머니는 사랑스러운 아기 몰리를 소개했습니다. 그런 다음 몰리에게 마취에 대한 기억을 설명했습니다. 어머니는 몰리에게 수술용 마스크를 잠깐 보여주며 이것이 "몰리를 울리고, 소리지르고, 허우적대게 만들었어요. 몰리는 무서웠어요. 몰리는 참을 수 없었어요."라고 설명했습니다. 몰리의 아버지는 몰리의 손을 두드려 양측 자극을 가했습니다. 공포심이 크게 유발되었다가 사라졌습니다. 이 이야기는 몰리가 마스크를 보면서 긴장을 풀 수 있을 때까지 양측 자극과 함께 회기 동안 반복되었으며, 두 부모는 현재 몰리가 충분히 튼튼하고 여기는 안전하다는 것을 강조했습니다.
  다음으로, 몰리가 목에 튜브를 넣었던 충격적인 의료 행위를 재처리할 수 있도록 스토리텔링을 진행하였습니다. 부모는 스토리텔링과 양측 자극을 시행하는 동안, 불편한 신체 감각에 대하여 역기능적으로 저장된 기억을 이끌어내기 위해 몰리의 목을 가볍게 만졌습니다. 스토리텔링은 몰리가 고통스러웠던 귀 치료를 재처리하는 데 도움이 되게 시행되었습니다. 스토리텔링 중 몰리의 어머니는 아이를 자신의 무릎(당시 치료를 받을 때 아이를 앉혔던 위치)에 꼭 앉히고 귀를 하나씩 만져주며 양측성 자극을 가했습니다.

- **종결. 7단계** 회기 종결의 신호로 특별한 노래를 고르고 몰리에게 잘해주었다고 칭찬하였습니다. 부모에게는 회기 사이에 변경 사항이나 불편 등 어떤 것이라도 기록하도록 했습니다.

- **재평가. 8단계** 각 회기마다 치료자는 부모에게 치료를 시작하기 전에, 지난 회기 후에 몰리에게 관찰된 모든 기능의 변화를 보고해 달라고 했습니다.

병원 치료와 관련된 3개의 기억을 완전히 처리한 4회의 EMDR 요법 후, 부모는 몰리의 일상 생활 기능에 상당한 변화가 있다고 보고했습니다. 그들은 몰리의 집중력과 기억력, 주변에 대한 관심, 주의력 및 의사 소통이 호전되었다고 하였습니다. 몰리는 자주 부모님의 무릎에 앉기 시작했으며, 부모님은 몰리가 시끄러운 소음을 더 잘 견딜 수 있게 되었다는 것을 알아차렸습니다. 이러한 긍정적인 신호에도 불구하고 몰리의 어머니는 지쳐 더 이상 몰리의 "부정적" 행동을 처리할 수 없다고 느꼈습니다.

치료자는 어머니가 EMDR 치료를 받도록 권유했습니다. 어머니는 몰리가 말을 듣지 않으려했던 최근 상황에 대해 말했습니다. 어머니는 상황에 압도되어 몰리에게 소리를 질렀습니다. 이 사건을 처리하는 동안 어머니는 출산 당시와 몰리가 심각한 장애를 가지고 있다는 것을 알게 되었던 기억이 자연적으로 떠올랐습니다. 이 기억은 "나는 나쁘다"라는 부정적인 인식과 함께 치료의 목표가 되었습니다. 어머니가 원하는 긍정적 인지는 "나는 괜찮아"였습니다. 그녀는 "거의 죽을 뻔한, 튜브로 덮인 병원 침대에 누워 있는 몰리와, 내가 옆에 서 있던" 두 번째 기억을 꺼냈습니다. 이 기억은 "나는 무력하다"라는 부정적인 인식과 함께 재처리되었습니다. 원하는 긍정적 인지는 "나는 이것을 다룰 수 있다"였습니다. 이 불쾌한 기억을 완전히 처리하는 데 세 번의 회기가 필요했습니다. 얼마 후 몰리는 일곱 살이 되었습니다. 몰리의 어머니는 "7년 만에 처음으로 몰리의 생일을 즐겼어요!"라고 말했습니다. 몰리가 부모를 필요로 할 때 그녀는 안도감과 강인함을 느꼈고 경계를 더 잘 설정할 수 있게 되었습니다. 몰리의 치료는 치과 치료에 대한 추가 기억을 대상으로 계속되었습니다.

몰리와 함께한 총 9회의 EMDR 회기와 6번의 부모 교육 회기 후, 부모는 몰리가 당황하지 않고 치과 검진과 수술을 받았다고 했습니다. 정말 아픈 상황에서는 몰리가 울기도 했지만 금세 안정되었고, 부모는 아이를 든든히 지지해 줄 수 있었습니다. 그들은 또한 몰리가 이제 세수하고, 머리를 빗고, 귀를 청소하는 것을 견딜 수 있다고 말했습니다. 더욱이, 건강한 부모-자녀 유대와 관련하여 긍정적인 변화가 관찰되었습니다. 몰리는 이전에 한 번도 하지 않던 부모를 포옹하고 그들과 떨어지는 것을 슬퍼하기 시작했습니다. 몰리는 다양한 놀이 재료에 대한 관심과 기술이 늘었습니다. 트라우마를 처리함으로써, 몰리는 신뢰와 유대감을 배우게 되었고 이것이 탐색 및 새로운 기술을 학습하는 것으로 이어지게 된 것이 분명했습니다.

### 13.3.4 청소년/고위험 행동

청소년들은 이 시기만의 과제가 있습니다. 독립성과 자율성에 대한 욕구가 발달함에 따라 부모가 시작한 치료에 저항할 수 있습니다. 이러한 상황에서 치료적 신뢰를 쌓기 위해서는 준비 시간이 추가로 필요합니다. 치료자는 판단이나 설교를 피하고 청소년의 감정과 생각을 듣고 거기에 맞춤으로써 힘겨루기가 되는 상황을 피합니다. EMDR 치료 계획 시 청소년을 참여시키고 가장 스스로에게 문제가 되는 영역을 찾는 것을 도와가며 동기가 형성됩니다.

치료를 받는 많은 청소년들이 위험이 큰 강박 혹은 중독 행동을 보입니다. 이는 부정적인 결과를 가져오지만 즐거운 기분과 연관된 것일 수 있습니다. 따라서 이런 상황에서는 긍정적인 기분이 부적응적이 되어, 점점 더 많은 행동과 부정적인 결과를 불러옵니다. 부적응적이지만 긍정적인 감정과 강박 행동을 목표로 하면, 처리 과정 및 자연적 연상 과정이 촉진되어 청소년의 부정적인 결과에 대한 인식을 높일 수 있습니다(Miller 2012). 친구들의 책상과 책가방에서 작은 물건을 강박적으로 훔치던 13세 청소년은 도둑질을 할 때마다 "흥분과 행복"을 느꼈다고 말했습니다. 그 청소년은 이 긍정적인 느낌에 대해 이야기할 때 크게 미소를 지었습니다. EMDR 치료는 부적응적인 긍정적 감정과 강박행동을 함께 목표로 하여 시행되었습니다. 그 청소년은 치료자의 손 움직임을 따라 보면서, 잃어버린 친구에 대한 기억, 부모의 신뢰를 잃은 것과 새 물건을 가질 때 기분이 잠시 좋았던 것이 자연스럽게 연상이 되었습니다. 매우 좋았던 기분이 순식간에 슬픔으로 바뀌고 "이건 말이 안 돼!"라는 말이 뒤따랐습니다.

강박 행동을 줄이는 또 다른 방법은 충동을 유발하는 상황, 생각 또는 느낌을 목표로 삼는 것입니다(Popky 2009). 양측성 자극이 진행되는 동안 청소년에게 촉발인자를 기억하고 관련된 욕구를 알아차리도록 합니다. 감정이 제거될 때까지 처리를 지속하고 각각의 잇따른 강박의 촉발인자에 대하여 절차를 반복합니다. 모든 경우에 과거 사건, 현재 촉발요인 및 미래 문제를 처리하는 완전한 EMDR 치료 프로토콜을 사용합니다(Shapiro 2001).

### 13.3.5 매우 어린 아동

일반적으로 3-7세의 미취학 아이들은 눈으로 양측성 움직임을 쉽게 따라 보지 못할 수 있으며 주의, 통찰 및 어휘의 범위가 상당히 제한적일 수 있습니다. EMDR 치료자는 이러한 아동의 발달에 맞추어 필요한 만큼 언어와 프로토콜을 단순화합니다(Adler-Tapia와 Settle 2008; Shapiro 2001). 예를 들어, 치료자는 인형, 지팡이 또는 장난스러운 양 손 박수 게임과 같은 촉각적 방법을 사용하여 아동 친화적인 방식으로 양측성 자극을 시행할 수 있습니다. 치료자는 아동이 겪고 있는 고통의 정도를 확인하기 위해, 아동에게 두 손을 해당하는 만큼 벌리거나 가까이 하라고 할 수 있습니다. 유아 및 미취학 아동에게 EMDR 치료를 할 때, 부정적 신념과 긍정적 신념을 찾는 것이 불가능할 수 있습니다. 충격적이거나 불안한 경험을 말로 표현할 수 없는 어린 아동들은 그 사건을 그리거나 모래 상자 그림을 만들도록 할 수 있습니다. 또는 대안으로, (양측성 자극을 하기 전) 부모가 사건 이야기를 함으로써 사건에 대한 아동의 기억을 이끌어내게 할 수 있습니다. 또한 심상과 신체 반응을 유도하는 간단한 지침을 사용하여 재처리를 시작할 수 있습니다. 예를 들어, 한 3세 아동은 어머니가 2년 동안 사귀었던 사람인 테드가 이사를 간 후 슬픔을 이겨낼 수 없었습니다. 그 아동은 "내 심장이 슬퍼요"라고 느낌을 표현했습니다. 그 아동은 테드를 생각하며 "심장이 슬픈 것"을 알아차리고 막대처럼 생긴 전자 기기에서 세트당 약 10-12회 수평 방향 양쪽으로 반복하여 움직이는 빛을 보도록 지시 받았습니다. 치료자가 불빛을 멈출 때마다 아이는 마음에 떠오른 행복한 기억을 이야기했습니다. 어느 시점에서 아이는 "이 불빛은 사진들이 내 뇌에서 매우 빠르게 지나가게 만들어요!"라고 말했습니다. 회기가 끝난 후 어머니는 전화로 딸이 이제 상황에 완전히 적응한 것 같다고 전했습니다.

요약하면, EMDR 치료의 8단계는 발달 수준, 기능 장애, 외상력의 복잡성, 감정을 안전하게 경험할 수 있는 능력, 가족 상황에 따른 필요를 감안하여 아동에게 맞춰 시행할 수 있습니다. 아동 EMDR 치료자에게는 8단계 전반에 걸쳐 언어와 절차를 맞추고, 적절하게 인지적으로 개입하고, 정서적 지원을 위해 보호자를 활용하고, 필요에 따라 가족 시스템 문제에 주의를 기울일 수 있는 선택지가 있습니다. 각 아동의 개별 상황에 맞는 적절한 수정을 통해, EMDR 치료는 정서 및 행동 증상을 해결하고 삶의 질을 개선하며 임상 범위 전체에서 외상 후 성장을 촉진할 수 있는 효율적이고 효과적인 접근 방식입니다.

## 13.4 연구 근거

EMDR 치료와 외상 중심 인지 행동 치료만이 아동, 청소년 및 성인의 외상후 스트레스장애 치료를 위해 세계 보건 기구(WHO 2013)에서 권장하는 심리치료입니다. 외상 관련 장애에 대한 EMDR 요법의 효과는 25건 이상의 무작위 통제 연구에 의해 뒷받침되었으며, 그 중 8건은 아동 대상의 치료를 구체적으로 평가했습니다(Ahmad 등. 2007; Chemtob 등. 2002; de Roos 등. 2011; Diehle 등. 2014, Jaberghaderi 등. 2004, Kemp 등. 2010, Soberman 등. 2002, Wanders 등. 2008). 단일 외상 사건으로 고통받는 성인을 대상으로 EMDR 치료의 효과를 평가한 3건의 무작위통제연구에서, 약 5시간의 치료가 PTSD의 84-100% 관해를 초래한다는 것을 입증했습니다(Shapiro 2014a 참조). 이러한 연구 결과는 연령대를 막론하고 임상에서의 EMDR 치료 결과에 기본적인 기대감을 갖게 했습니다. 단일 외상은 숙제 없이 1-3회기만으로 효과적으로 치료할 수 있지만, 복합 외상의 치료 기간은 처리해야 할 부정적인 경험의 수와 정서적 불안정의 해결에 필요한 준비 기간에 따라 다릅니다.

위에서 언급한 바와 같이, PTSD 치료에 있어 아동을 대상으로 한 EMDR 요법의 효과는 8건의 무작위 통제 연구에 의해 뒷받침되었습니다. 연구는 광범위한 부정적 경험을 대상으로 하였습니다. 연구 중 6개는 주로 PTSD 증상에 초점을 맞추었고 이 중 3개는 대기자 명단을 대조군으로 하였습니다. Kemp와 동료들(2010)은 교통사고 후 지속적인 PTSD 증상으로 고통받는 아동의 대기자 명단 대조군과 EMDR의 결과를 비교했습니다. 대조군에서는 개선이 없었지만, 치료군은 4회의 EMDR 회기 후에 the Child Post-Traumatic Stress-Reaction Index가 상당히 개선되었고, 이 효과는 3개월과 12개월 후에도 유지되었습니다. 다른 무작위 통제 연구(Ahmad 등. 2007)에서는 폭발 사고 이후 PTSD 증상으로 고통받는 아동들을 대상으로 8회의 EMDR 치료군과 대기자군을 나누어 비교하였습니다. 이 중 치료 집단만이 정신과적인 증상 및 PTSD 증상에서 개선을 보였는데, 특히 치료 2개월 후 재경험 및 회피 증상이 상당한 개선되었습니다. 무작위 지연 그룹 설계(Chemtob 등. 2002)를 사용하여 자연 재해 1년 후 PTSD가 있는 아동을 대상으로 한 연구에서는 EMDR 치료 3회기 시행 후 표준화된 척도에서 외상 스트레스 증상이 유의하게 감소하였으며 6개월 추적 관찰에서 효과가 유지되었습니다. 나머지 3개의 공개된 무작위 통제 연구에서는 아동을 CBT 또는 EMDR에 무작위로 배정했습니다. de Roos와 동료들의 연구에서(2011), 폭발 후 PTSD로 고통받는 아동들에게 최대 4회기의 치료를 시행하고 부모에게는 4회의 부모 교육을 제공하였습니다. 눈가림 평가자들은 두 집단 모두에서 모든 PTSD 및 행동 평가 상의 상당한 개선을 확인하였지만, EMDR 그룹은 전체적으로 더 적은 회기가 필요했습니다. 치료 효과는 3개월 추적 관찰에서도 유지되었습니다. Diehle과 동료들의 연구에서는(2014), 적어도 하나 이상의 다양한 유형의 외상 사건에 노출된 후 전적이거나 부분적인 PTSD 증상으로 고통받는 아동에게 EMDR 또는 CBT를 8회기 시행하였습니다. 두 집단 모두 아동과 부모의 외상 스트레스 평가에서 상당한 개선을 보였습니다. 다른 연구(Jaberghaderi 등. 2004)에서는 성적 학대를 받은 12-13세의 이란 여자 아이들에게 무작위로 CBT 또는 EMDR 치료를 배정했습니다. 두 집단 모두 PTSD 및 행동 문제가 동등하게 유의하게 감소한 반면, EMDR 치료를 받은 아이들은 CBT 치료 집단보다 약 절반 정도의 회기와 상당히 적은 숙제("최소" vs "약 10-15시간")만으로 효과를 보았습니다.

다른 두 개의 무작위 통제 연구는 불편한 기억이 있는 아동의 행동 문제를 평가했습니다. Soberman과 동료들의 연구에서(2002), 주거 또는 주간 치료시설에서 품행 문제와 외상성 스트레스 증상이 있는 남자 아이들을 평소와 같은 치료 또는 평소의 치료에 추가로 외상 중심 EMDR을 3회기 더한 치료 양 집단에 무작위로 배정했습니다. EMDR 집단에서는 기억 관련 불편감이 크게 감소했으며 외상 스트레스 증상이 감소하는 긍정적인 경향성이 보였습니다. 2개월의 추적 조사에서 대조군의 약간의 개선에 비해, EMDR 집단은 행동 문제 및 기억 관련 고통에서 크고 유의한 개선을 보였습니다. 마지막으로 Wanders와 동료들(2008)의 연구에서, 행동 및 자존감 문제가 있는 아동에게 고통스러운 기억에 초점을 맞춘 EMDR 치료 또는 CBT 4회기를 무작위로 배정하였습니다. 부모, 멘토 및 아이는 4번의 회기와 6개월 후 후속 조치를 취하기 전후에 다양한 평가를 완료했습니다. 두 치료법 모두 아이의 행동과 자존감을 상당히 개선시켰으며, EMDR 집단은 목표 행동 면에서 더 큰 개선을 보였습니다.

메타 분석(Rodenburg 등. 2009)에 따르면, 4-18세의 외상을 입은 아이들의 PTSD 증상은 일반적인 치료나 비치료 대조군에 비해 EMDR 치료 후 상당히 감소되었습니다. PTSD 아동에 대한 CBT와 EMDR 효과를 비교한 또 다른 연구에서는, 두 치료법 모두 외상성 스트레스의 증상을 줄이는 데 효과적이지만 EMDR 치료에 "작지만 유의한 향상 가치"가 추가로 존재한다고 보았습니다(Rodenburg 등. 2009, p. 604).

13개의 비무작위성 아동 연구에서도 EMDR 요법의 상당한 긍정적 효과가 보고되었습니다. 특히 주목할 만한 것은 연령, 치료 기간, 전쟁 및 장애에 있어 기능적인 효과를 밝힌 연구입니다. 자연 경과 연구(Hensel, 2009)에서 단일 외상을 보고한 1-18세 사이의 아동 청소년 36명이 EMDR 1-3회기의 치료를 받았습니다. 연구 결과, 사후 검사와 추적 관찰에서 임상결과가 상당히 호전되었고, 미취학의 어린 아이들과 학령기 아이들과 비교했을 때에도 동등한 개선을 보였습니다. 치료 대기군 비교 연구에서는 단일 외상 사건 후 EMDR 요법을 한 회기 시행 받은 20명의 아동 중 17명에서 유의한 개선이 확인되었습니다(Puffer 등. 1997). EMDR 요법은 PTSD로 고통받는 이라크 아동의 치료에도 효과적인 것으로 밝혀졌습니다(Wadaa 등. 2010). 사례 연구 결과, EMDR은 지적 장애 아동 및 성인의

PTSD 치료에 유익했습니다(예: Mevissen 등. 2011; Mevissen 등. 2012).

전 세계적으로 아동기 외상의 잠재적인 부정적 결과를 감안할 때(Shapiro 2014b 참조), 여러 비통제성 연구 결과 인위적 재해와 자연 재해 모두에서(Aduriz 등. 2009; Fernandez 2007; Fernandez 등. 2004; Jarero 등. 2006, 2008) 피해 아동에게 단 한 번의 집단 EMDR 치료 회기를 시행한 후 외상 스트레스 증상이 크게 감소한 것은 중요하게 보아야 할 점입니다. 한 비무작위 시험(Zaghrout-Hodali 등. 2008)에서 지속적으로 외상 사건을 경험한 팔레스타인 아동들에게 EMDR 집단 프로토콜에 따른 4번의 회기를 시행한 후, PTSD 증상 소거, 행동 문제 감소, 안정감 증가 그리고 후속 외상에 대한 회복력을 포함한 상당한 치료 효과가 확인되었습니다.

아동 연구의 대부분은 EMDR 요법이 PTSD에 미치는 영향에 초점을 맞추었지만, 더 넓은 증상, 기능적 문제 및 장애를 줄이는 부분 역시 연구되고 있습니다. 진행 중인 연구에서는 학대 및/또는 입양이나 보육원의 돌봄을 받은 경험이 있으며 내재화 및 외현화 증상이 있는 아동에게 외래에서 EMDR 자원 개발 활동을 포함하는 통합형 EMDR 가족치료(Nebraska의 Attachment and Trauma Center 2011)를 시행한 뒤 36주에 측정한 애착, 외상 스트레스 및 행동 평가 점수에서 상당한 개선이 확인되었습니다. 그 외의 사례 연구들에서도 학대와 방임을 겪은 가정 외 거주 시설의 아동에게 통합 EMDR 및 가족 요법을 시행했을 때 유사한 치료 효과가 확인되었습니다(Wesselmann 2013; Wesselmann과 Shapiro 2013; Wesselmann 등. 2012). PTSD의 치료 면에서 전 생애 기간에 걸쳐 EMDR의 효과가 검증되었지만, 모든 추가적인 관심 영역을 확인하기 위해서는 향후 무작위 통제 연구가 필요합니다.

## 참고문헌


Adler-Tapia R, Settle C (2008) EMDR and the art of psychotherapy with children: treatment manual. Springer Publishing, New York

Aduriz ME, Bluthgen C, Knopfler C (2009) Helping child flood victims using group EMDR intervention in Argentina: treatment outcome and gender differences. Int J Stress Manag 16:138–53

Ahmad A, Larsson B, Sundelin-Wahlsten V (2007) EMDR treatment for children with PTSD: results of a randomized controlled trial. Nord J Psychiatry 61:349–54

Attachment and Trauma Center of Nebraska (2011) EMDR integrative team treatment for attachment trauma in children: treatment manual. Attachment and Trauma Center of Nebraska, Omaha

Chemtob CM, Nakashima J, Carlson JG (2002) Brief-treatment for elementary school children with disaster-related PTSD: a field study. J Clin Psychol 58:99–112

Craske M, Herman D, Vansteenwegen D (eds) (2006) Fear and learning: from basic processes to clinical implications. APA Press, Washington, DC

De Roos C, Veenstra A, de Jongh A, den Hollander-Gijsman M, van der Wee N, Zitman F, van Rood Y (2010) Treatment of chronic phantom limb pain using a trauma-focused psychological approach. Pain Res Manag: J Can Pain Soc 15(2):65–71

de Roos C, Greenwald R, den Hollander-Gijsm M, Noorthoorn E, van Buuren S, de Jongh A (2011) A randomized comparison of cognitive behavioural therapy. Eur J Psychotraumatol 2:5694–704

Diehle J, Opmeer BC, Boer F, Mannarino AP, Lindauer RJ (2014) Trauma-focused cognitive behavioral therapy or eye movement desensitization and reprocessing: What works in children with posttraumatic stress symptoms? A randomized controlled trial. Eur Child Adolesc Psychiatry 24:227–36

Felitti VJ, Anda RF, Nordenberg D, Williamson DF, Spitz AM, Edwards V, Koss MP, Marks JS (1998) Relationship of childhood abuse and household dysfunction to many of the leading causes of death in adults: The Adverse Childhood Experiences (ACE) Study. Am J Prev Med 14:749–379
Fernandez I (2007) EMDR as treatment of post-traumatic reactions: A field study on child victims of an earthquake. Educ Child Psychol. Special Issue: Therapy 24:65–72
Fernandez I, Gallinari E, Lorenzetti A (2004) A school-based EMDR intervention for children who witnessed the Pirelli building airplane crash in Milan, Italy. J Brief Ther 2:129–36
Hensel T (2009). EMDR with children and adolescents after single-incident trauma an intervention study. Journal of EMDR Practice and Research 3:2–9.
Jaberghaderi N, Greenwald R, Rubin A, Dolatabadim S, Zand SO (2004) A comparison of CBT and EMDR for sexually abused Iranian girls. Clin Psychol Psychother 11:358–68
Jarero I, Artigas L, Hartung J (2006) EMDR integrative group treatment protocol: a post-disaster trauma intervention for children and adults. Traumatology 12:121–9
Jarero I, Artigas L, Lopez-Lena M (2008) The EMDR integrative group treatment protocol: application with child victims of mass disaster. J EMDR Pract Res 2:97–105
Kemp M, Drummond P, McDermott B (2010) A wait-list controlled pilot study of eye movement desensitization and reprocessing (EMDR) for children with post-traumatic stress disorder (PTSD) symptoms from motor vehicle accidents. Clin Child Psychol Psychiatry 15:5–25
Lee CW, Cuijpers P (2013) A meta-analysis of the contribution of eye movements in processing emotional memories. J Behav Ther Exp Psychiatry 44:231–9
Lovett J (1999) Small wonders: healing childhood trauma with EMDR. The Free Press, New York
Lovett J (2015) Trauma-attachment tangle: modifying EMDR to help children resolve trauma and develop loving relationships. Routledge, New York
Mevissen L, Reinout L, Seubert A, De Jongh A (2011) Do persons with intellectual disability and limited verbal capacities respond to trauma treatment? Journal of Intellectual & Developmental Disability 36(4):278–83
Mevissen L, Lievegoed R, Seubert A, De Jongh A (2012) PTSD treatment in people with severe intellectual disabilities: a case series. Dev Neurorehabil 15:223–32
Mevissen L, Barnhoorn E, Didden R, Korzilius H, De Jongh A (2014) Clinical assessment of PTSD in children with mild to borderline intellectual disabilities: a pilot study. Dev Neurorehabil 17:16–23
Mevissen L, Didden R, de Jongh A (2016) Assessment and treatment of PTSD in people with intellectual disabilities. In: Martin C, Preedy V, Patel V (eds) Comprehensive guide to post- traumatic stress disorder. Springer International Publishing, Switzerland.
Miller R (2012) Treatment of behavioral addictions utilizing the feeling-state addiction protocol: a multiple baseline study. J EMDR Pract Res 6:159–69
Mol SSL, Arntz A, Metsemakers JFM, Dinant G, Vilters-Van Montfort PAP, Knottnerus A (2005) Symptoms of post-traumatic stress disorder after non-traumatic events: evidence from an open population study. Br J Psychiatry 186:494–9
Popky AJ (2009) The desensitization of triggers and urge reprocessing (DeTUR) protocol. In: Luber M (ed) Eye Movement Desensitization and Reprocessing (EMDR) scripted protocols: special populations. Springer, New York, pp. 489–511
Puffer M, Greenwald R, Elrod D (1997) A single session EMDR study with twenty traumatized children and adolescents. Traumatology-e 3(2):Article 6
Rodenburg R, Benjamin A, de Roos C, Meijer AM, Stams GJ (2009) Efficacy of EMDR in children: a meta-analysis. Clin Psychol Rev 29:599–606
Schubert SJ, Lee CW, Drummond PD (2011) The efficacy and psychophysiological correlates of dual-attention tasks in eye movement desensitization and reprocessing (EMDR). J Anxiety Disord 25:1–11
Shapiro F (1995/2001) Eye movement desensitization and reprocessing: basic principles protocols, and procedures. Guildford Press, New York
Shapiro F (2012) EMDR therapy training manual. EMDR Institute, Watsonville
Shapiro F (2014a) The role of eye movement desensitization & reprocessing (EMDR) therapy in medicine: addressing the psychological and physical symptoms stemming from adverse life experiences. Perm J 18:71–7
Shapiro F (2014b) EMDR therapy humanitarian assistance programs: treating the psychological, physi-

cal, and societal effects of adverse experiences worldwide. J EMDR Pract Res 8:181–6
Soberman GB, Greenwald R, Rule DL (2002) A controlled study of eye movement desensitization and reprocessing (EMDR) for boys with conduct problems. J Aggress Maltreat Trauma 6:217–36
Stickgold R (2002) EMDR: a putative neurobiological mechanism of action. J Clin Psychol 58:61–75
Stickgold R, Walker MP (2013) Sleep-dependent memory triage: evolving generalization through selective processing. Nat Neurosci 16(2):139–45
Suzuki A et al (2004) Memory reconsolidation and extinction have distinct temporal and biochemical signatures. J Neurosci 24:4787–95
Wadaa NN, Zaharim NM, Alqashan HF (2010) The use of EMDR in treatment of traumatized Iraqi children. DOMES 19:26–36
Walker MP, van der Helm E (2009) Overnight therapy? The role of sleep in emotional brain processing. Psychol Bull 135(5):731–48
Wanders F, Serra M, de Jongh A (2008) EMDR versus CBT for children with self-esteem and behavioral problems: a randomized controlled trial. J EMDR Pract Res 2:180–189
Wesselmann D (2013) Healing trauma and creating secure attachment through EMDR. In: Solomon M, Siegel DS (eds) Healing moments in psychotherapy: mindful awareness, neural integration, and therapeutic presence. Norton, New York
Wesselmann D, Shapiro F (2013) Eye movement desensitization and reprocessing. In: Ford J, Courtois C (eds) Treating complex traumatic stress disorders in children and adolescents. Guilford Press, New York, pp. 213–24
Wesselmann D, Davidson M, Armstrong S, Schweitzer C, Bruckner D, Potter A (2012) EMDR as a treatment for improving attachment status in adults and children. Eur Rev Appl Psychol 62:223–30
Wesselmann D, Schweitzer C, Armstrong S (2014) Integrative team treatment for attachment trauma in children: family therapy and EMDR. Norton, New York
World Health Organization (2013) Guidelines for the management of conditions that are specifically related to stress. WHO, Geneva
Zaghrout-Hodali M, Alissa F, Dodgson P (2008) Building resilience and dismantling fear: EMDR group protocol with children in an area of ongoing trauma. J EMDR Pract Res 2:106–13

# 애착, 자기 조절과 역량 치료 14

Attachment, Self-Regulation, and Competency (ARC)
Margaret E. Blaustein 과 Kristine M. Kinniburgh

## 14.1 애착, 자기 조절과 역량Attachment, Self-Regulation, and Competency (ARC)

### 14.1.1 이론적 토대

외상을 겪은 청소년의 상당수가 다수의 또는 만성의 문제를 겪고(Copeland 등. 2007; Finkelhor 등. 2009; Spinazzola 등. 2005a) 종종 PTSD, 또는 그 밖의 복합적인 증상들과 기능적 문제를 겪습니다. 이러한 행동, 정서 및 기능의 변화는 광범위한 영역에서의 지원과 서비스를 필요로 할 수 있습니다. 외상 사건을 겪지 않은 이들에 비해, 다양한 사건을 겪은 청소년들이 미성년 범죄, 시설 및 기타 급성 치료 체계 내에 훨씬 더 많이 존재하고(20, 21장 참조), 아동복지시스템이 관여할 위험성, 집에 머물 수 없는 문제들 및 특수 교육과 의료 처치가 필요할 가능성 역시 높았습니다(Abram 등. 2004; Annerback 등. 2012; Dube 등. 2003; Kisiel 등. 2009; Zelechoski와 Beserra 2013). 여러 영역에서 이렇게 서비스 이용률이 높다는 것은, 이 복잡한 집단에게 전통적인 치료들을 통합하면서도 그 이상으로 적용가능한 외상 중심 치료가 필요하다는 것을 시사합니다.

애착, 자기 조절과 역량(Attachment, Self-Regulation, and Competency, 이하 ARC; Blaustein과 Kinniburgh 2010; Kinniburgh과 Blaustein 2005) 치료의 틀은 다양하고 만성적이며 종종 어려움에 지속적으로 노출되어 있는 아동과 가족 집단의 복합적인 필요를 위해 개발되었습니다. ARC는 각 시스템을 넘나들며 다양한 보호자들(1차, 자원 환경, 집단환경 상황 등)에게도 명확히 통합하여 적용할 수 있도록 고안된 핵심 구성요소 개입법입니다. ARC는 3개의 **핵심영역**과 8개의 일차 **치료목표**를 확인하고 다룹니다. ARC의 각 영역의 이론적 토대와 근거에 대해 간단히 살펴보겠습니다.

**애착** 영역은 성인 보호자의 지지, 기술과 관계 자원을 향상시켜 아동을 둘러싼 환경을 강화하는 데 중점을 둡니다. 보호자의 기능은 충격적인 사건을 겪은 아이들의 정신건강에 상당한 영향을 미치며, 부족한 양육이나 스트레스에 노출된 성인들의 존재는 거주의 안전만이 아니라 미래의 피해자화 가능성에도 영향을 미칩니다. 정의상 복합적인 아동기 트라우마는 관계적인 면에서 일어나는 것들이므로, 아이들의 보호자들은 그들 자신도 충격적인 경험에서 회복중인 경우가 종종 있습니다.

**조절** 영역은 복합 외상 사건을 겪은 아동청소년들에게서 부정적인 결과를 초래하는 핵심 요인으로, 감정, 생리 작용과 행동의 조절장애를 다룹니다. 많은 연구에서 외상 스트레스의 영향이 생리적 조절의 문제를 일으키고 이러한 조절 문제로 인해 정서, 행동 상의 문제가 일어난다는 점을 강조하고, 기존의 트라우마 관련 진단과 새 진단 기준 모두 이러한 조절 문제의 표지인 과각성, 행동 반응성, 감정상태의 변화, 정서의 제한이나 회피를 포함합니다.

**역량** 영역은 스트레스 노출 집단에서 회복탄력성의 주요 요소를 다룹니다. 위험과 회복탄력성에 대한 연구들은 내외적 자원을 포함하는 보호요소들이 장기적으로 긍정적인 예후에 중요하다고 강조합니다. ARC 개입의 목표는 개입 대상 아동청소년의 병리를 감소시키는 것을 넘어 회복탄력성을 향상시키는 것으로, 전체적인 틀은 내담자의 회복탄력성을 높이고 이와 연관된 특정 기술들을 적극적으로 다루는 것입니다.

### 14.1.2 ARC를 어떻게 하는가

#### 14.1.2.1 ARC의 구조

위에서 설명한 각 핵심 영역에는 치료를 위한 특정 목표가 있고, 각 목표는 선별된 기술들과 연결됩니다(표 14.1). 여기에 더해 (1) 정해진 **일상의 틀과 구조화**로 안전감과 유능감 만들기 (2) 아동, 보호자, 그리고 체계 각각의 목표를 확인하고 탐색하며 이들의 **참여**에 주의를 기울이기, (3) 용기를 북돋고 이해를 증진하며 내담자와 체계 상의 목표를 이루기 위해 **심리교육** 제공하기와 같은 3가지 공통 요소가 중요합니다.

트라우마 경험을 통합시키기 위해서, 치료자는 내담자와 가족 상황에 해당하는 목표를 확인하며 모든 ARC의 목표를 치료 과정에 맞춰 넣게 됩니다. 치료는 전통적인 시기별 phase-oriented 모델을 반영하여 단계적인 과정으로 치료가 진행되며, 초기에 참여와 구조화를 강조하고 조절력과 스트레스 내성 및 관계의 안전성을 지지한 뒤, 청소년의 자기 이해뿐 아니라 보호자의 상태반영attunement 능력을 쌓아가고 강점을 강화하며 점차적으로 외상 경험의 영향 쪽으로 향하는 단계식 진행 형태입니다. 일반적으로 이 치료 대상자들의 복합성을 고려할 때, 치료자는 이 각 시기들을 아동/보호자의 상태에 따라 그에 맞는 특정 기술을 적용하는 이동가능한 "동적"인 형태로 간주합니다. 예를 들어, 스트레스 요인이나 트라우마 연상물, 또는 불안정한 상황이나 다른 사건에 노출되는 등의 이유로, 각 회기 내에서 또는 그 사이에 아동과 가족의 기능이 예측 불가하게 바뀔 수 있습니다. 따라서 ARC 기술을 적절하게 적용하는 데에는 치료자의 상태반영 능력이 매우 중요합니다. 아동과 가족 환경에 따라 순차적으로 기술을 적용하는 것은 다음 사례에서 확인할 수 있습니다.

**표 14.1** ARC 기본 영역, 핵심 목표 및 주요 기술

| 기본 영역 | 핵심 목표 | 주요 기술 |
|---|---|---|
| 애착 | 보호자의 감정 관리 | 트라우마 심리교육, 정상화, 인정 |
| | | 문제 상황의 확인 |
| | | 자기 관찰self-monitoring 기술 만들기 |
| | | 자기 관리 및 지원 강화 |
| | 상태반영 | 보호자에게 맞춘 평행한 상태반영 |
| | | 적극적인 호기심을 지지하기 |
| | | 아이의 경험을 비춰주는 반영기술의 사용 |
| | | 조율 기술을 통합하여 아이의 자기 조절을 지지하기 |
| | | 상호 관계적인 참여에 유동성과 즐거움을 주기 |
| | 효과적인 반응 | 목표 행동을 사전에 확인하기 |
| | | 조율을 통해 문제 행동 패턴을 확인하기 |
| | | 지목된 행동을 확인하고 줄이기 위해(욕구를 충족하고 조절을 지원하는) "go- to" 전략 사용 |
| | | 아이와 환경의 안전을 도모하는 행동 반응 전략을 확인하고 연습하여 강화하기 |
| 조절 | 확인 | 감정과 각성의 언어화 |
| | | 감정, 신체 감각, 행동 및 생각의 연결 |
| | | 내/외적 경험에 대한 감정/각성의 맥락 정리 |
| | | 타인의 감정적 표현을 정확히 읽기 |
| | 조정 | 에너지와 느낌의 정도를 이해하기 |
| | | 편안하고도 효과적인 상태 이해하기 |
| | | 각성 상태를 탐색하고 도구들로 주체성 구축하기 |
| | | 상태를 성공적으로 바꿀 전략들을 촉진하고 지지하기 |
| | 표현 | 표현의 목표 탐색; 관계에서 편안함과 안전을 쌓기 |
| | | 안전한 표현 자원들을 확인하고 만들기 |
| | | 자원들을 효과적으로 사용하게 해주는 기술을 쌓기 |
| | | 자기 표현 촉진 |

(계속)

**표 14.1** (계속)

| 기본 영역 | 핵심 목표 | 주요 기술 |
|---|---|---|
| 역량 | 집행 기능 | 선택할 수 있는 능력을 적극적으로 인식하기 |
| | | 나이에 맞게 상황을 적극적으로 평가하기 |
| | | 반응을 억제하는 능력 |
| | | 잠재적인 해결책을 만들고 평가할 수 있게 하기 |
| | 자기와 정체성 | 자신의 특성 알기 |
| | | 내적 자원을 만들고 자신의 긍정적인 면을 확인하기 |
| | | 과거와 현재의 경험을 통합하고 자신의 여러 측면이 합치된 자아감각 세우기 |
| | | 미래의 목표/결과를 상상하고 그것을 향해 나아갈 능력 |
| 트라우마 경험 통합 | 현재의 삶에 효과적으로 참여할 능력을 강화하기 위해, 자신에 대해 일관적이고도 포괄적인 이해를 하도록 과거의 경험을 적극적으로 탐색하고 진행하며 통합하는 작업을 아이들과 함께 하기 | |

### 14.1.2.2 사례

앞서 언급했듯이, ARC 모델은 임상에서 통합적으로 적용할 수 있을 뿐 아니라 직원 교육이나 시스템 정책 및 집단 적용 등의 조직화 전략으로 다양한 환경에 적용이 가능합니다. 이 장에서는 "레오"의 사례로 외래 임상에서 적용한 예시를 살펴 보겠습니다. 사례 설명 전반에 걸쳐, ARC 개입의 핵심 목표는 굵은 글씨로, 치료의 유동적인 단계는 **기울임꼴**의 부제목으로 표시했습니다.

레오는 최근 친척 집으로 이사한 이탈리아계 미국인 소년입니다. 그의 공격적이고 반항적인 행동을 이유로 소아과 의사가 의뢰하였습니다. 레오 친부의 사촌인 짐과 그의 아내인 리사는 레오의 현재 보호자로, 매우 지쳐 보였습니다. 레오의 치료는 외래에서 치료자 "존"이 진행하였습니다.

#### 첫 참여 및 구조화: 보호자

치료의 초기 단계(일반적으로 아동과 보호자 각각 2-4회기)는 사례 개념화와 치료 계획을 위한 내담자의 참여 및 정보 수집에 중점을 둡니다. 보호자의 참여 작업에는 ARC 치료법, 보호자 역할, 치료적 "맞춤"에 대한 대화가 포함됩니다. 또 가족의 목표 및 ARC의 핵심 목표에 부합하는 치료 목표를 확인하고 최근의 어려움들과 생활 상의 스트레스 요인들을 연결 짓는 초기 구조를 만들고, 투명하게 심리교육의 틀을 만들며 아동과 가족의 강점과 어려움에 관심을 보이는 상태반영을 포함됩니다. 확인된 필요에 맞는 치료 목표를 만들기 위해, 이렇게 치료자의 상태반영을 치료 과정 중에 포함하는 것이 가족과 아동의 체계의 확고한 사례 개념화를 만드는 목적입니다.

치료자는 보호자 짐과 리사를 먼저 만났습니다. 짐은 레오의 아버지와 그다지 가깝지 않았고, 이번 일로 데려오기 전에는 레오와도 거의 만난 적이 없다고 했습니다. 그들은 대학 1학년이 되어 독립한 딸이 하나 있었습니다. 짐은 레오의 아버지 레니를 "문제아"였다고 했습니다.

> 그는 언제나 다루기 힘든 아이였고, 항상 화가 나 있고 어딘가 이상했죠. 제가 기억하기로는 그가 고등학교 때, 술을 마시고 나쁜 아이들과 어울리면서 문제가 된 적이 있습니다. 저는 할머니 댁에 갔다가 그를 한 번 만났었는데, 마치 약에 취한 것 같았어요. 그 뒤로는 거의 만난 적이 없습니다.

짐은 레오의 어린 시절에 대해 자세히는 잘 모른다고 했습니다. 그가 아는 바로는 레오의 부모는 고등학교에서 만났고 레오의 어머니가 19세일 때 레오를 낳았습니다. 레오의 부모는 둘 다 마약 중독자였고 이웃과 학교가 그들을 아이 방임 및 신체 학대로 여러 차례 신고했습니다. 레오가 7살 때 팔이 부러져 응급실에 갔고, 레오와 동생이 부모로부터 분리되었습니다. 처음에는 형제가 함께 지냈지만, 레오의 문제 행동들(절도, 거짓말, 공격성 및 위축)이 여러 문제 상황을 만들었습니다. 결국, 동생은 입양 전 위탁 가정에 배치되었고 레오는 짐에게 오기전 그룹 홈에 단기간 있었습니다. 짐은 자신이 "이 아이의 마지막 희망이죠. 이 모든 것을 다시 겪고 싶지는 않지만, 사람들이 우리가 아니면 아이가 시설에 가게 될 것이라고 하더군요. 애 아버지가 아무리 문제아라도 결국 제 핏줄이니까요." 라고 말했습니다. 그들의 장기 계획이 무엇인지 묻자, 짐과 리사는 서로를 바라보다 먼 곳을 쳐다보았고, 한참 뒤 짐은 "말하기 어렵네요."라고 했습니다.

리사와 짐은 행동 면에서 레오를 "도전 과제"라고 표현했습니다. 리사는 "그는 자신이 원할 때는 참 다정한 아이이지만, 결국 꼼짝 못할 상황을 만들어요. '숙제했니?' 같은 아주 단순한 말에도 뒤집어지거든요. 종종 그는 이성을 잃고 악을 쓰고 물건을 던져요. 그리고는 아예 입을 다물어 버리는데, 아무리 애를 써도 말을 하지 않아요."라고 말했습니다. 그들은 레오가 학교에서 추가적인 도움을 받고 있으며, 레오가 학교 내 상담사는 좋아하지만 친구 관계나 학교에서 어려움을 겪고 있다고 했습니다. "그는 항상 아이들이 자기를 괴롭힌다고 오해하고, 바로 싸우거나 교실 밖으로 뛰쳐 나가요." 그들에게 무엇을 원하는 지 물었을 때, 그들은 일상이 좀더 평화롭고 레오가 덜 발끈하길 원하고, 자신들이 옳은 일을 잘하고 있다고 자신할 수 있기를 바란다고 했습니다.

치료자는 그들과 보호자 역할의 중요성을 포함하여 치료 과정에 대해 이야기를 나누었습니다. 짐은 그들이 참여하더라도 레오에게 "스스로의 어려움을 해결하기에 충분한 시간"을 줄 수 있을지를 물었고 치료자는 그에 대해 "좋은 질문이에요. 그게 우리가 앞으로 알아보려는 것이지요. 당신이 말해준 것들을 볼 때, 적어도 지금 힘든 것들 중의 일부는 두 분과 레오 사이의 상호작용 같네요. 레오가 가족 내에서 겪었던 문제들과, 두 분에게 이 모든 것이 새로운 일이라는 점을 고려한다면 이러한 어려움들은 이해가 됩니다. 그러니 우리의 작업 중 일부는 두 분이 서로를 돕고 레오를 도울 수 있게 하는 것이 될 겁니다." 라고 답했습니다.

### 첫 참여 및 구조화: 아동

아동이나 청소년 내담자와의 초기 만남은 내담자의 참여와 정보의 수집을 강조하고, 적절한 치료적 안전장치를 마련하기 위한 것입니다. 이 과정에는 아동의 문제(들)만이 아니라, 아동의 전인적인 면에 관심을 가지고, 아이에게 개별적으로 맞춘 목표에 아이를 참여시키며, 회기마다 루틴을 함께 만들고, 투명한 틀을 기반으로, 심리교육을 통합시켜 트라우마와 목표 기술들을 연결 짓는 것들이 포함됩니다.

짐이 레오를 첫 회기에 데려온 날, 치료자는 맨 처음에는 그들을 함께 만났습니다. 레오는 말없이 거의 눈을 맞추지 않았지만, 방을 살펴보는 것처럼 보였습니다. 그는 안절부절하며 바닥을 발로 파듯이 긁고 손을 꼼지락거렸습니다. 치료자는 레오에게 여기 오는 것에 대해 무엇을 알고 있는 지 물었고, 레오는 어깨를 으쓱했습니다. 치료자는 자신을 소개하며 "정말 힘든 일을 겪은 아이들과 일하는 사람이야. 내가 알기로는 너도 비슷한 경험이 있다고 들었어."라고 말했습니다. 치료자는 자신이 짐과 리사와 한번 만났었고, 그들로부터 조금 듣기는 했지만 "당연히 나는 아직 너를 잘 몰라. 네 삼촌인 짐과 리사 숙모는 집에서 가끔 힘들게 느끼게 되는 일들을 걱정하고 있고, 그런 일들이 어떻게 하면 좀 개선되고 네 기분도 좀 나아질 수 있을 지 방법을 찾고 싶어하는 것은 알고 있어. **네**가 원하는 것은 아직 내가 잘 모르지만, 너에 대해 알아가면서 그걸 찾게 된다면 참 좋겠구나."

레오의 동의 하에 몇 분 뒤 짐이 진료실을 나갔습니다. 치료자는 레오에게 자신에 대한 정보(어느 학교를 다녔고 센터에 얼마나 근무했는지)를 알려준 뒤 레오에 대한 정보를 모으기 시작했습니다. 치료자는 아동의 정서적 경험과 행동 전략들을 정상화하는 "트라우마의 틀"을 알려주면서 심리교육을 시작했습니다.

> 삼촌 부부가 네 가족에게 일어난 일 중 일부를 내게 말해줬지만, 내가 모르는 게 참 많아. 내가 아는 것 중 하나는, 부모가 아이를 아프게 하거나 다른 집에서 살게 되는 정말 힘든 경험을 하게 되면, 다루기가 정말 힘든 커다란 감정들을 갖게 될 수 있다는 거야. 그 때문에 싸우게 되거나 또는 그냥 집에서 혼자 있고 싶을 수도 있어. 내 생각엔 너도 어떨 때는 이런 경험을 할 것 같은데, 우리의 작업 중 일부는 이런 일들이 왜 일어나는 지 알고 이런 감정들을 어떻게 다룰 수 있는 지 배우는 거야. 하지만 그러려면 우리가 서로를 좀더 잘 알아야 할 것 같아. 오늘은 우리가 서로에 대해 배울 수 있는 시간을 가지면 어떨까? 네가 원하지 않는 것은 말하지 않아도 돼. 하지만 네가 원하는 것은 뭐든지 내게 물어봐도 괜찮아.

회기의 나머지 시간에는 아동의 정체성에서 기본적인 측면(아이의 관심사들)을 파악하고, 치료의 일반적인 구성 요소(즉, 대화, 상황 점검하기, 활동 연습하기, "아이의 선택(아이가 원하는 것)"을 하는 시간)을 알려준 말한 뒤 레오에게 질문할 시간을 주었습니다.

조절, 스트레스 역치와 보호자의 관계적인 안정성을 지지하기 ARC의 최우선 목표는, 보호자의 역량을 향상시키는 것입니다. 주요 목표인 성인의 정서적 안정을 도모하고, 관심과 효과적인 반응을 늘려서 관계를 잘 구축하고 트라우마 정보에 기반한 행동 반응 전략을 지지하는 것은, 우선은 일차 보호자들이 그 대상이지만 이차적으로 시스템이나 임상 서비스의 제공자들이 그 대상일 수도 있습니다. 작업의 초기 단계에서는 스트레스를 받고 있는 체계가 아이를 돕는 것은 어렵다는 가정하에, 안정화와 지지에 주안점을 둡니다.

치료를 시작하면서, 치료자는 짐과 리사와의 연락을 구조화하였습니다. 여기에는 아동의 회기와 별도로 진행되는 몇 번의 초기 면담 및 레오의 회기 참여, 매주 초 전화로 간단한 상황 점검(15분)을 하는 것이 포함되었습니다. 이 작업에는 짐과 리사를 지지하는 것과 그들이 상태를 반영한 이해를 바탕으로 레오의 행동을 바라볼 수 있게 돕는 것, 이 두 개의 목표가 있습니다. 각각의 면담에서 치료자는 보호자들에게 트라우마와 애착에 대한 심리교육을 하였고, 이중에서도 특히 트라우마 촉발인자와 과각성 현상의 연결에 대해 알려주었습니다.

**보호자의 감정 관리** 치료자는 짐과 리사와 함께, 레오의 행동 중 무엇이 가장 힘든지와 그에 대한 그들의 반응을 확인하고, 그들의 무력감을 줄일 대처 전략을 만들었습니다. 치료자는 응급처치성 도구들(화가 날 때 심호흡하기, "재가 일부러 저러는 게 아냐"라는 문구를 반복적으로 떠올리기, 좌절감을 느끼면 잠시 멈추고 쉬기)뿐 아니라 자기 돌봄의 중요성을 강조했습니다. 제일 큰 스트레스 요인은 그들의 고립감이었습니다. 둘 다 레오가 오기 전에는 사회 생활을 활발히 했었고, 이제 그들은 친구들뿐 아니라 서로를 잃은 것처럼 느끼고 있었습니다. 치료자는 그들이 다가갈 만한 친구들을 확인하고 그들 각각에 대한 사회적인 계획(예, 까페에 간다 vs 밤 외출을 한다)을 점검하고, 다시 사회적인 생활을 할 때 예상되는 걱정들을 확인하고(가령, 교회에 갔다가 레오의 문제 행동이 일어나면 어떻게 해야 하지? 등), 격주마다 "저녁 데이트"를 할 방법들에 대해 브레인스토밍을 하면서 그들이 다시 세상과 서로에게 연결될 계획을 세울 수 있게 도왔습니다.

**일상의 틀 잡기routines와 구조화** 치료자는 가족의 조절력을 좀더 지지할 수 있도록 일상의 틀 잡기를 목표로 하였습니다. 우선 치료자는 리사, 짐, 레오에게 그들이 일상이 잘 진행될 때와 아닌 것 같은 때를 주의 깊게 살피면서, 함께 평범한 하루를 차근차근 설명해보도록 했습니다. 셋 모두, 각자의 관점은 달랐지만 비슷한 "문제 지점"들을 지적했습니다. 예를 들어 리사는 잠자리 준비에 대해 "악몽이죠, 레오는 일부러 꾸물거리고, 잔다고 생각했는데 발 소리가 들리기도 해요"라고 말했습니다. 이 상황을 그녀는 레오가 반항하는 것으로 여겼고, 하루의 마지막이면 진이 다 빠지는 느낌이라고 말했습니다. 레오 역시 좌절감을 느낀다면서 "저도 그러고 싶지 않은 게 아니라, 어쩔 수가 없어요. 나는 그냥 빨간 색 상황 *[치료자와의 조절 작업에서 쓰는 색상 코드 참조: 아래]*인 거고 녹색이 될 수 없는 거라구요!"라고 했습니다. 치료자는 레오의 과각성 증상이 그가 잠이 들기 어렵게 만드는 요인이고, 레오가 에너지를 소비해서 이를 대처하는 법을 배운 것을 확인시켜주며 가족을 지지해 주었습니다. 잠자리에서의 레오의 어려움은, 사실 하루 종일, 특히 오후에 심하게 나타나 리사가 "혼란의 카오스"라고 부르는 레오의 조절의 어려움을 대표적으로 보여주는 것이었습니다.

모두가 함께 레오의 조절 필요성에 맞춘 활동에 중점을 둘 뿐 아니라 중요한 가족 기능(저녁 식사 등)을 포함하는 새로운 일상의 틀을 만들었습니다. 여기에는 방과 후 안정 전략(자기 방에서 조용한 시간을 보내기, 음악 듣기) 세우기, 최소화된 사회적 요구에 다시 연결할 계획(예: 대화에 동참해야 하는 부담 없이, 리사의 곁에서 숙제하기), 에너지를 소비할 수 있는 자유 시간을 갖고 저녁식사 시간으로 전환하기, 식사 후 가족만의 시간 갖기, 이후 잠자리에 들기 위한 전환 시간을 갖는 것 등이 포함되었습니다.

이 작업의 일환으로, 치료자는 가족에게 그들 모두가 즐길 만한 활동들 중 특히 "15분 이내"로 할 만한 것들을 생각해보도록 했습니다. 그들은 좋아하는 노래 듣기나 주변 산책과 게임 등, 함께 즐길 수 있는 것들이 상당히 많다는 것에 놀랐습니다. 긍정적인 관계의 발전을 위해, 목표는 매일로 하되 일주일에 적어도 두 번 저녁 식사 후 가족이 함께 하는 시간을 보내는 숙제를 하기로 했습니다.

## 아동

아동과 함께 작업하는 초기 단계에서는, 특히 상황이 불안정할수록 더 기초적인 안전 확보에 초점을 둡니다. 이 단계에서는 치료 회기 내의 정해진 순서[routines]를 함께 만들어 조정하고, 아이의 조절 욕구를 탐색하고 정서적, 생리적 경험에 대한 언어들을 쌓아가는 과정을 포함합니다. 이 작업은 강점에 중점을 두고 정체성을 탐색하는 것을 기반으로 합니다.

**확인과 조정** 치료의 처음 몇 개월 동안 레오와 치료자는 치료의 시작과 조절 역량의 연습, "레오의 선택"(레오가 선택한 활동), "OO(치료자의 이름)의 선택"(목표 활동), 그리고 "가족 시간" 또는 짐과 리사가 참여하는 회기 시간 등이 포함된, 치료 회기의 정해진 순서[routine]을 만들었습니다.

치료자는 레오가 손으로 무엇인가 할 때 가장 편안해한다는 점을 눈치채고, 촉감 물체들(공, 클레이)이 있는 상자를 보여주었습니다. 레오는 복도를 지나가는 동안 보통 침묵을 지키는 편이었지만, 잠시 동안 그 물체들을 만지작거린 뒤에는 대화가 가능해 졌습니다. 각 회기는 한 주 동안의 상황점검으로 시작했습니다. 레오가 겉보기에 매우 경직되어 있었으므로, 치료자는 상황점검 초반에는 사건 위주로 초점을 맞추고 "좋았던 일"과 "힘들었던 일"을 물으며 그 사건에 대한 그의 행동("그 일이 일어났을 때 너는 무엇을 했니?" "그

때 네가 하고 싶었지만 하지 못했던 것이 있니?")을 함께 탐색하였습니다. 레오가 점점 치료시간을 편하게 느끼면서, 치료자는 여기에 매일의 기분 및 에너지 수준에 대한 확인("오늘은 좀 어때?")과 함께 감정 이름 붙이기("…했을 때 어떻게 느꼈니?")를 추가하였습니다.

에너지와 각성 수준을 탐색하는 것은 조정 능력을 키우는 작업의 기초가 되었습니다. 이 심리교육의 중점 영역은 감정과 에너지 상태의 연결, 특히 트라우마 반응과 과각성 또는 얼어붙는 반응들을 연결해 주는 것입니다. 중요한 것은, 치료자가 "높은" 또는 "낮은" 에너지 모두, 어느 하나가 더 좋거나 나쁜 게 아니라 우리의 신체가 좀더 또는 덜 **편안하게 느끼는** 다른 종류이자 상황에 좀더 또는 덜 **효과적인** 에너지라는 점을 강조하는 것입니다.

치료자는 치료의 시작 시간 동안 레오의 관찰 가능한 리듬에 조율하면서 에너지의 양에 대한 개념을 소개했습니다:

> 내가 아이들과 많이 이야기하는 것 중 하나는, 자기 몸의 에너지를 다루는 방법이야. 우선 하나 물어보자, 혹시 사람들이 자꾸 너한테 진정하라고 하는 것 같다고 느꼈던 적이 있니? (레오는 웃으며 고개를 끄덕였습니다.) 문제는, 우리는 모두 몸에 각자 다른 정도의 에너지를 갖고 있어. 어떨 때 우리는 긴장이 풀려 있지만 어떨 때는 활기가 넘치기도 해. 네가 손가락을 많이 두들기고 몸을 꼼지락거리는 걸 보니, 내가 보기에 네 안에는 상당히 많은 에너지가 있어 보여. 완전히 멈추고 아무것도 전혀 느끼지 못하는 상태부터 몸 전체에서 에너지가 넘쳐나는 정도까지 표시된 이 척도 도표에서, 네가 지금 어느 정도에 있는 것 같니?

레오가 이 개념에 익숙해지자, 치료자는 레오에게 정기적으로 자신의 에너지와 편안함 수준, 그리고 치료 시간마다 그가 편안하게 느끼는지 아닌지를 규칙적으로 느껴보고 척도를 매겨 보게 했습니다. 레오는 숫자 척도(0-10점)를 쓰는 것은 어려워했지만, 색깔 척도로 효과성(녹색 = 다룰 수 있다/ 노란색 = 힘들다/ 빨간색 = 도저히 해결할 수 없다)과 감각(청각: "조용하고 명료함"부터 "지나치게 시끄럽고 스피커가 터져나갈 것 같다")을 평가하는 것을 선호했습니다. 레오의 평가척도들을 사용해서, 그들은 여러 층의 종이에 물리적인 눈금판으로 상황점검을 할 수 있는 개별화된 색깔 척도를 만들었습니다. 그리고 그들은 다양한 활동들(공 던지기, 트램폴린에서 점프하기, 퍼즐 풀기)로 각 상황에서 레오의 에너지가 어떻게 변하는지 그리고 어떤 것이 그를 좀더/ 또는 덜 편안하게 느끼게 하거나 몸을 조절할 수 있게 도와주는 지 실험해보았습니다.

치료자는 레오가 보고하는 경험을 에너지 수준과 관련 짓고 또한 치료자의 관찰을 말로 표현하며 연결해 주면서 레오의 에너지 수준의 변화를 대처 전략과 연결하기 시작하였습니다. 예를 들어, 레오가 어느 날 매우 처진 상태로 치료실에 왔을 때 치료자는 "오늘 네가 무척 조용하구나. 근데 네 에너지 수준이 떨어진 것인지, 아니면 에너지가 넘치는 데 숨기고 있는 것인지 모르겠어." 라고 말했습니다. 레오가 어깨를 으쓱해 보이자 치료자는 "말하고 싶지 않아도 괜찮아. 나는 가끔 에너지가 가라앉아 있을 때, 무언가 조용한 것을 하는 것이 도움이 된다는 것을 알고 있어. 상황점검을 시작하기 전에 같이 퍼즐을 해볼

까?"라고 말했습니다. 레오가 동의하여 조용히 몇 분간 퍼즐을 맞춘 뒤, 레오는 선생님이 자신을 부당하게 제외했다고 느꼈던 부정적인 상호작용에 대해 말을 꺼낼 수 있었습니다. 이 치료의 초기 단계에서 치료자는 주로 레오의 경험을 인정하며 상태반영하는 현재-초점 전략을 사용했습니다. "네가 그렇게 힘든 하루를 보냈다니 안타깝다. 들어보니 네 선생님이 너에게 상처로 들리는 말을 하셨나보구나." 레오는 동의하며 매우 강한 어조로 "불공평해요! 모두가 항상 나만 괴롭힌다구요."라고 말했습니다.

초기의 몇 달 동안, 레오의 대화 주제에는 부당함과 창피함이 자주 등장했고, 치료자는 레오의 주관적인 경험(그런 부당함이 있었고, 정말 기분이 나빴다)을 반영하고, 가능한 대처 전략을 확인하기 위해("들어보니 상황이 불공평하다고 느껴지면, 네 기분이 엉망이 되고 혼자라고 느끼기 시작하는 것 같아. 그럴 때 도움이 될 만한 것을 우리가 찾아볼까?") 부분적으로 치료 회기 중의 활동(심호흡, 스트레칭, 요가 자세) 범위 내에서의 실험을 했습니다. 이러한 전략은 레오가 신체 감각에 대한 조절감을 느끼게 돕도록, 대부분 덜 각성된 상태일 때 시행되었습니다. 순간적인 대처를 돕기 위해, 확인된 "어려운 상황"에 대한 특정 전략을 연결 짓고, 보호자의 도움을 포함하기로 했습니다. 예를 들어, 그들은 레오가 화가 날 수 있는 장소(학교 vs 집)와 사용 가능한 도구 및 자원(학교 상담사, 음악 재생 도구), 도구의 사용에 영향을 미칠 만한 것(그가 감정을 조절하려고 노력한다는 것을 알리고 싶은 사람이 있는지 여부 등), 그리고 레오에게 도구를 사용해볼 상황이라는 것을 알려줄 단서들을 찾았습니다. 레오를 지원할 수 있다고 파악된 성인(교사, 학교 상담사, 짐과 리사)을 참여시키고 각각의 상황들마다 세부적인 계획들을 세웠습니다.

### 상태반영의 형성과 자신에 대한 이해: 아동과 보호자

치료가 진행되고 아동과 보호자들이 과도한 스트레스를 더 잘 인식하고 반응할 수 있게 되면서, 보호자가 아이의 행동과 필요, 감정들을 반영하고 이해할 수 있는 능력을 키우고 아이 스스로도 자신의 감정과 행동 패턴을 좀더 잘 인식하게 하는 데 더욱 주의를 기울이게 됩니다.

**상태반영, 효과적인 반응, 확인과 조정** 도전적인 행동은 외상 사건을 겪은 미성년자가 치료에 의뢰 되는 주요 이유 중의 하나로, 이러한 행동들을 다루는 것이 보통 치료의 중요한 목표가 됩니다. ARC에서는 **패턴을 확인**하고(아이의 행동으로부터 유발 인자, 기능, 필요한 것을 이해하기) **주요 행동 반응 전략**(아이의 욕구를 충족시키고 조절을 돕기)을 사용하고, 아동의 패턴, 보호자의 역량, 그리고 환경적인 상황에 기반하여 **선택적인 행동 반응 전략**(예, 구체적인 칭찬과 강화, 제한 설정, 문제 해결)을 하도록 보호자를 격려합니다. 여기서 반응을 계획할 때의 특징은 실제로 실험을 해 보는 것입니다.

치료자는 리사와 짐 부부가 각자 양육되었던 방식과 그들이 딸 리비를 양육했던 방식을 탐색하였습니다. 둘 모두 자신이 "완벽하지 않은" 가정에서 자랐다고 했습니다. 짐은 자신의 부모를 감정적으로 거리감이 있는 사람들로 표현했고, 리사는 "엄마는 완전히 막

나가는 사람이었어요, 알죠? 모든 게 언제나 드라마였고 모든 게 다 엄마에 대한 거였죠" 라며 정반대의 보고를 했습니다. 부부 모두 정리정돈을 매우 중요하게 생각했고, 감정 표현이 강하면 불편함을 느낀다고 했습니다. 그들은 딸에 대해 "그 애는 키우기 정말 편한 아이에요. 내가 '그만'이라고 하면 멈추고, '가라'하면 가죠. 딸은 우리를 힘들게 한 적이 단 한 번도 없어요""라고 말했습니다.

레오에 대해서는 "완전히 정반대에요. 당신이 하늘이 파랗다고 하면 그 애는 당장 아니라고 고집할 걸요!"라고 표현했습니다. 그들은 이것이 그들에게 가장 크게 느껴지는 어려움이라는 점을 인정하면서 "솔직히, 리비와는 모든 게 참 쉬워요. 물론 그 아이도 가끔은 힘들게 할 때가 있었지만, 지금 우리가 겪는 미칠 것 같은 정도는 아니었어요."라고 짐은 말했습니다. 부부는 레오가 반항하는 것, 특히 그가 갑자기 버럭 화를 낼 때면 그것이 "나 개인에 대한 것"이라고 느껴져 특히 더 좌절하게 된다고 했습니다.

치료자는 그동안 "시도해서 잘" 됐던 전략 중 어느 것도 효과가 없는 누군가를 키운다는 게 어려운 것이 당연하다며 짐의 반응을 정상화해 주고, 위험 반응은 행동과 행동의 협조 정도를 바꾸기 때문에, (아이가) "안 하는 것"보다는 "하지 못하는 것"이 좀더 나은 해석이라는 점에 대해 심리교육을 했습니다.

> 우리는 레오가 항상 싸울 준비가 된 것처럼 보이는 점에 대해 이야기 했었어요. 그렇죠? 그리고 그 투쟁 반응이란 것이 레오의 위험 기능을 담당하는 뇌의 스위치가 켜졌다는 신호일 수 있다는 점과, 그렇게 위험을 담당하는 뇌의 불이 켜지면 생각하는 뇌의 불이 꺼지면서 생각보다 행동이 먼저 상황을 접수한다고 했죠. 제가 보기엔, 무엇이 그의 뇌를 그 상태로 만드는지와 어떻게 하면 그의 생각하는 뇌가 다시 켜질 수 있을지, 또 그 과정 속에서 어떻게 하면 우리가 이성을 잃지 않고 침착한 상태를 유지할 수 있을지에 대해 함께 생각해보면 좋을 것 같습니다.

치료자는 그들에게 레오가 말을 안 듣거나 어떤 요구를 했던 상황, 그들의 반응에 쉽게 화를 냈던 상황들을 떠올려보고, 그때 그들이 어떻게 반응했었는지 물었습니다. 처음 확인된 것들은 잦은 기 싸움이었습니다. 예를 들어 한번은 리사가 레오에게 숙제를 마치라고 했고, 레오가 계속 이를 무시하자 그녀는 레오가 보고 있던 TV를 끈 뒤 다시 숙제를 하라고 했습니다. 레오는 바로 화를 내며 책을 던졌습니다. 이런 상황에서 짐은 화가 나서 고함을 쳤고, 레오는 문을 닫아버리고 저녁시간 내내 말하기를 거부했습니다.

치료자는 이 패턴들을 짐과 리사와 함께 탐색하면서 무엇이 상황을 급격하게 몰아갔는지(촉발 인자들), 이것이 레오의 과거의 경험과 관련되어 있는지(가령 생부의 언어 학대), 그들 자신의 취약점을 건드린 것인지(강한 감정과 무질서), 그 상황에 레오의 욕구("레오가 그 행동으로 무엇을 하려 했던 거라고 생각하시나요?")와 그들의 욕구(통제감과 질서의식을 되찾기)을 이해하는 데 초점을 맞춰 탐색했습니다.

이 시기에는 개인 회기와 공동 회기가 함께 진행되었습니다. 레오와의 개인 회기에서는 조절 전략과 반응 패턴의 탐색이 계속되었습니다. 보호자 회기도 비슷한 흐름이었지만 좀더 취약한 양육 내용(즉 부모들의 촉발인자와 레오의 행동에 대한 반응들)도 다루었습니다. 공동 회기 시간에는 주요 가치들("우리 모두에게 중요한 것은 무엇인가?")과 주요 규칙들("서로가 존중받는다고 느끼는 방식으로 서로에게 이야기하려 노력하자.")에 대해 이야기하고 이들을 성공적으로 이루기 위한 문제해결 방식들을 찾기 시작했습니다.

레오의 의견으로 만들어진 후속 행동 반응 계획들은 "조절을 위한 멈춤regulation break"을 매우 강조한 것으로, 가족 모두 이를 "타임 아웃"이라 말하기로 했습니다. 이전의 조정modulation 회기 작업 동안 노력한 과정에서 레오가 만들었던 어휘들을 확인하고, 레오와 보호자들의 공동 회기에서는 상대를 존중하고 있다는 점을 보여주는 단서들을 이용하는 대화와 ("전 지금 매우 빨강 상태에요! 쉬어야 한다구요!" "좋아, 모두 수치가 너무 치솟았어, 우리 모두 이를 가라앉히게 휴식이 필요해") 그들이 만든 "조절의 도구 상자"를 써서 서로를 돕는 연습을 했습니다. 이후 공동 회기는 "한 주를 돌아보기", 또는 한 주 동안의 가족 간의 상호작용을 점검하는 데 중점을 두었습니다. 더 다루기 어려운 상호작용은 앞으로 더욱 효과적인 조절과 반응을 늘릴 "배움의 기회"로 다루었습니다.

치료가 진행됨에 따라 가족 관계는 안정되었고 레오는 내적 경험을 인식하는 더욱 많은 어휘를 사용하였습니다. 치료자는 레오의 반응을 **현재**의 사건만이 아니라 외상 사건을 포함한 과거의 경험들과 연결할 수 있게 도왔습니다. 가령, 레오가 학교에서 교사의 "불공평한" 반응에 대해 화가 났을 때, 치료자는 다음과 같이 말했습니다.

> 하나 궁금한 게 있어. 감정이 격해지는 대상들은 그것이 우리가 과거 겪었던 무엇인가를 떠올리게 하기 때문이라고 말했던 것들이 기억나니? 우리가 말했던 것들 중 하나는 네 감정이나 에너지가 빨간 색으로 이동하기 시작하거나 감정수치들이 정말 높아지거나 낮아지게 하는 것들이었어. 지금 너의 상태가 그런 것 같은데, 그렇다면 이것이 감정 버튼이 눌러지는 일 중 하나일 수도 있을 것 같아.

레오가 그럴 수도 있겠다는 것을 깨닫자 치료자는 "그렇다면 이것은 어떻게 네 버튼들이 눌리는지, 어떤 것들이 네 버튼을 누르는지, 그리고 무엇이 너의 기분을 좋아지게 하거나 나빠지게 하는지 알게 해 줄 굉장히 좋은 기회라는 뜻이구나"라고 말했습니다. 그리고 그들은 행동 패턴을 모은 "단서 모음 책"을 만들어서 좀더 분명한 자료들(내가 화 났다는 것을 어떻게 알아차릴 지)로 시작하여 천천히 좀더 민감한 자료들(이것이 나에게 무엇을 떠오르게 하는가?)을 엮어내고자 했습니다.

### 아동 및 가족의 강점 강화

안전을 강화하고 발달의 역량의 토대를 다지는 데 중요한 것은, 단순히 순간을 "생존해내는" 것을 넘어서는 긍정적인 경험, 연결감 및 공감 능력에 대해 탐구하고 지지해주는 것입니다. 아이와 주변 환경이 좀더 안정될수록, 이 작업은 점점 더 실현 가능해지고 일상과 각성이 일어나는 순간 모두를 깨닫고 다룰 수 있게 되며, 경험들을 이해하고 공유할 수 있는 공통의 언어를 쌓아가게 됩니다.

**표현, 실행 기능, 자신, 그리고 정체성** 작업이 진행됨에 따라 리사와 짐은 레오의 심리적 고통을 더 잘 견뎌내고 언어화하여 그가 진정할 수 있게 도와주었습니다. 그들 또한 분노나 단절감에 대한 자신의 반응들을 더 잘 깨닫고 다룰 수 있게 되었습니다. 점차 레오가 힘들어하는 상황이 점점 덜 발생하였고 짐과 리사의 도움도 더 잘 받을 수 있었습니다.

이렇게 어려운 순간들을 대처하는 능력은, 가족 체계의 강화에 지속적으로 중점을 두는 지원을 통해 향상되었습니다. 회기 중 "가족 시간"에 치료자는 짐, 리사, 레오와 함께 의사소통을 위한 틀을 만들고 연습했습니다. 치료자의 도움으로, 회기 중에 각 주마다 구조화되어 계획된 "가족 탐정 시간"이 함께 진행되었습니다. 이 시간에는 한 주 동안 힘들었던 순간을 찾아내서, 각 가족이 상호작용 중에 느꼈던 것이나 생각했던 것들을 공유하고 해당 사건에 대해 화이트 보드에 구체적인 사항들("레오가 X라고 말해서 짐이 Y라고 말한 뒤 레오가 방을 나가고 리사가 따라갔다")을 쓴 뒤 각 가족 구성원이 그 일에 대해 무엇이 자랑스럽고 또는 어떻게 일이 진행되었다면 좋았을지 이야기하는 시간을 가졌습니다. 그리고 어떻게 그러한 일들이 일어났는지, 모두가 다른 방식으로 반응하는 데 도움이 될 만한 것, 그리고 다음에는 어떻게 하고 싶은 지를 이해하는 데 도움이 될 "단서들"을 찾았습니다. 이 작업들을 통해 각 가족들의 "자극 버튼"과 대처 도구들에 대해 목록을 만들어갔습니다.

치료자는 또한 가족들이 긍정적인 부분에 더 초점을 둘 수 있도록 진행했습니다. 지난 한 주에 대한 대화를 나누는 가족 시간 중, 자신 또는 가족 중 한 명에 대해 자랑스러운 점에 대해 이름을 지목하여 "나는 ……이 자랑스럽다"를 말하는 것으로 시작하는 틀을 만들었습니다. "당신도 알다시피 우리가 어렸을 때는 이런 걸 하지 않았잖아요. 옳은 일을 해라. 그게 네가 할 일이다, 그 뿐이였죠. 그런 것으로 칭찬하지도 않았고요."라고 말했던 짐에게 처음에는 이런 진행이 어려웠습니다. 하지만 연습을 거듭하면서 그는 이것에 능숙해지고 자신("정말 당시에는 화가 났지만 이성을 놓지 않았어요.")과 레오("그가 열 받아 있었는데도 터뜨리지 않았고, 리사에게 말해서 안정감을 찾을 클레이를 대신 이용했어요.")의 작은 강점들도 확인할 수 있었습니다. 이렇게 긍정적인 점에 조율을 하는 것이 가족에게 점점 더 큰 부분이 되었고, 어느 날 레오가 치료자에게 "그거 아세요? 우리는 저녁시간에도 '나는 ……이 자랑스럽다'를 하기 시작했어요. 멋지죠?"라고 말했습니다.

### 피할 수 없는 위기 순간의 관리

여러 부정적인 사건들을 겪었고 또 겪고 있는 아동청소년과 가족들과 작업을 할 때면, 안정화와 성장, 긍정적인 기능의 시기 중에도 거의 대부분 스트레스가 늘거나 주변 상황의 변화로 인해 치료 방향에서 이탈하며 휘청이게 되는 시기가 있습니다. 이러한 주기는 내담자의 삶에서 예상 가능하고 이해가 되기도 하지만, 상대적으로 안정적이었던 시기 이후에 이러한 위기가 발생하고 갑자기 혼란이 재등장하면서 "실패"감을 느끼게 되어 특히 가족과 양육 체계가 이 상황에 압도될 수 있습니다. ARC 핵심 역량을 구축하는 데 중요한 것은, 이 위기를 관찰하고 반영하여 새로운 기술을 연습하고 숙련할 기회로 이용하는 것입니다. 이 시기에는 보호자의 반영적이고 정서적으로 조절된 반응이 매우 중요합니다.

레오가 짐과 리사와 함께 산지 거의 1년 정도 되고 치료가 7개월 째 진행되었을 때, 생모와의 만남이 재개되었습니다. 최근 약물남용 치료 프로그램을 이수한 뒤, 생모는 아이에 대한 면접권을 신청하여 승인 받았습니다. 레오의 생모는 일관성이 없고 짐이 그녀에 대해 "언제나 정신없다"고 말할 정도로 약속 시간에 연락이 되지 않거나 부적절한 시간에 불쑥 전화하곤 했습니다. 이후 한달 동안 레오의 행동은 악화되어, 위축과 과도한 반응이 번갈아 일어났습니다. 짐과 리사는 레오를 도우려고 했지만, 둘 다 사기를 잃고 압도된다고 느꼈습니다. 짐은 치료자에게 "법원이 이렇게 상황을 또다시 엉망으로 만들었는데, 어떻게 우리가 이런 식으로 계속 노력을 쏟아부을 수 있겠어요?"라고 말했습니다.

하루는 리사가 학교로부터 레오가 싸웠으니 며칠간 정학이라며 아이를 데려가라는 전화를 받았습니다. 레오의 징계가 처음이 아니었기 때문에, 교장은 리사에게 레오가 다른 학교로 가게 될 가능성이 있다고 말했습니다. 짐은 치료자에게 긴급 회기를 요청하면서 "우리가 계속 이렇게 살 수 있을지 모르겠어요. 아마도 우리는 그를 돕기에 적합한 사람들이 아닌 것 같아요."라고 말했습니다.

가족이 도착했을 때, 방에는 감정이 소용돌이 치고 있었습니다. 레오는 위축되어 팔을 감싸고 바닥만 쳐다보고 있었습니다. 짐은 이를 악물고 주먹을 꽉 쥐고 앉아있었고 리사는 핼쑥하여 피곤해 보였습니다. 치료자는 기존에 설정한 틀 대로 회기를 시작하면서 그 시점의 에너지를 잘 인식하고 대처 전략을 사용한 것에 대해 지지해 주었습니다. "모두 화가 났다는 것과 오늘이 원래 우리가 만날 시간이 아니라는 것은 알고 있어요. 하지만 우리에게 꽤 잘 맞았던 것들을 찾았었으니, 그 중 최소한 일부만이라도 같이 하고 싶군요. 제가 보기에 지금 여기에는 정말 각각 다른 반응들이 일어나고 있어요. 잠깐 스스로를 점검해 보고 각자의 에너지가 어디에 있는지 알아볼 수 있을까요? 그러면 도움이 되는 대화를 위해 우리가 무엇을 해야 할 지 함께 알아낼 수 있을 겁니다."

각 가족이 상황점검을 할 때, 치료자의 상태반영은 각 가족 구성원의 경험을 반영하고 언어화하는 중요한 수단입니다. 예를 들어 치료자는 레오에게 그의 경험을 반영하며 말로 표현해 주었습니다("들어보니 너는 당시 너무 화가 나서 싸우는 거 말고는 아무런 선택의 여지가 없는 것처럼 느꼈던 거구나. 그렇게 힘든 하루를 보냈다니 정말 안타깝다."). 짐과 리사에게 치료자는 그들의 좌절감과 공포를 반영하고 인정하면서("두 분이 그동안 매우 열심히 노력해왔고 덕분에 많은 것들이 나아지고 있었다는 것을 압니다. 이렇게 진전을 이루어 냈다고 생각하던 차에 일이 엉망이 되었다고 느끼게 되면 특히 더 힘들지요.") 동시에 심리교육을 하였습니다("그렇게 생각되지 않겠지만, 많은 가족들과 일해온 내 경험 상, 이렇게 힘들었던 하루나 일주일, 심지어 그렇게 힘든 시기가 한달이 될지라도 그것이 상황을 망쳤다는 의미는 아닙니다. 두 분은 지난 일년간 많은 기술을 쌓아왔고, 제 생각에는 약간의 도움만 있다면 이렇게 심각하게 힘든 날도 잘 다루실 수 있을 거라고 생각합니다.")

이렇게 기존의 "가족 탐색 시간"을 기반으로 하여, 치료자는 작업하고 있던 촉발요인과 반응들의 목록을 꺼냈습니다.

> 레오, 오늘 네게 무슨 일이 있었는지 나는 잘 모르지만, 우리가 그동안 많이 이야기했던 것은 행동에는 의미가 있다는 거였어. 만약 네가 누군가를 때렸다면, 나는 그게 무언가 너를 자극하는 버튼을 눌렀다는 뜻이고 너의 에너지가 빨갛게 되었던 것이라고 추측해볼 수 있어. 만약 우리가 일어났던 일들을 자세히 살펴본다면, 너의 어떤 버튼이 눌렸던 것인지, 그리고 싸움으로 네가 무엇을 얻으려고 했던 것인지 찾을 수 있게 짐 삼촌과 리사 숙모가 널 도울 수 있을 것 같아.

치료자에게는 짐과 리사를 이 대화에 끌어들이는 데 몇 가지 목표가 있었습니다: 단순히 반응/감정적인 것보다("우리는 이것을 어떻게 다룰 지 알고 있어요."라고 상기시켜주는) 반영적인 과정에 그들이 참여하도록 격려하고, 안전 자원들과 레오를 다시 연결해서 이 순간 레오의 고립감을 줄이는 것입니다.

수치의 순간("넌 정말 멍청해!")이나 원치 않는 느낌("짐과 리사는 아마도 나를 다시 엄마에게 보낼 거야, 그들이 어차피 날 원한 적도 없잖아.")들을 포함해 레오의 촉발 요인들을 탐색하고 확인하는데 가족을 동참시키면서, 치료자는 그 순간의 조정modulation 전략에도 가족이 참여하게 했습니다: "짐, 레오에게 레오 엄마에 대해 말할 때 보니, 레오가 상당히 얼어붙는 게 보이네요. 레오, 너와 삼촌이 이야기를 하는 동안 공 던지기를 해보는 게 아마도 도움이 될 지도 모르겠다. 네 생각은 어떠니?"

회기의 마무리 시간 무렵에는 감정과 각성 수준이 달라졌습니다. 짐은 자연스럽게 레오를 안으며 "너도 싸움이 괜찮은 게 아니란 걸 알아, 그렇지? 하지만 형편없이 힘든 몇 주를 보냈을 테니 나 역시 마음이 불편하긴 하지만 널 비난하기 어렵구나. 어떻게 해결을 할지 우리 생각해보자, 알았지?"라고 말했습니다. 치료자는 회기 동안 가족들이 해낸 작업을 강조하며 "찾아낸 퍼즐 조각이 오늘 일어났던 일을 꼭 해결해 주는 것은 아니지만, 레오가 싸운 것이 이유가 있다는 것을 이해하는 것이 정말 중요하다고 생각해요. 이것을 알아내기 위해 온 가족이 해낸 대단한 작업에 전 정말 감명받았어요. 그리고 레오가 다른 선택을 할 수 있도록 우리가 어떻게 도울지 함께 생각해 볼 시간을 또 가져볼 수 있을 겁니다."라고 말했습니다.

### 트라우마 경험의 전환 및 변환

복합 트라우마를 겪은 아동과 가족들과 하는 치료작업은, 특히 그 주변의 삶이 혼란스럽거나 위험할 경우, 상당 시간 안전과 안정화 작업을 지속해야 할 수 있습니다. 그러나 점점 안전해질수록, 아동과 가족의 생존에 초점을 맞추던 상황에서 현재에 더 집중하는 방향으로 시각을 돌릴 여유가 만들어집니다. 이럴 수 있게 돕는 도구 중 하나는, 아동청소년이 그들의 취약성, 강점, 자원과 도전들을 포함해서, 자기에 대한 이해의 폭을 더 넓혀주는 삶의 내러티브를 만드는 것입니다.

레오와 치료자는 치료 시간 중 "치료자의 선택" 시간에 다양한 자기-활동self-activities들을 통합시킨 치료 과정을 통해 자신과 정체성을 지지하는 작업을 해 나갔습니다. 이 작업의 초기에는 광범위한 것(가장 좋아하는 것, 의견과 관심사를 탐색하고 확인하기)을 주제로 시작한 뒤, 점차 레오의 경험과 그것이 그에게 미친 영향 등을 깊이 탐색하는 방향으로 진행하였습니다. 처음에 레오는 긍정적인 기억들(부모와 살았던 그의 방, 엄마의 무릎에 앉아있던 기억)에 초점을 맞추었고 그 어떤 부정적인 경험도 부인했습니다. 하지만 점차 레오는 짐과 리사와 함께 있는 것을 안전하게 여기기 시작했고, 현재의 "괴로운 감정들"이 그가 떠올린 것들과 연관이 있다는 것을 깨달을 수 있었습니다.

가장 중요한 기억에는 아버지가 그를 폭행했던 것, 그의 강아지가 사라졌던 날과 부모와 함께 있던 집을 떠났던 날의 기억들이 있었습니다. 기억 작업은 치료자와 레오가 레오의 삶에 대해 자세히 지도를 만들어 가는 구체적인 인생시간표timeline를 이용해서 진행되었습니다. 레오가 살았던 지역 이름 같은 구체적인 세부 사항들은 인생시간표에 직접 기록하였고, 다른 기억들은 숫자로 표시해서 분리된 종이에 기록하고, 봉인containment 작업을 위해, 또 레오의 이야기를 천천히 펼쳐 나갈 수 있는 별도의 "기억 상자"에 넣었습니다. 레오가 부모님과 함께 했던 시절의 힘들었던 기억에 조금 다른, 긍정적인 기억들(예, 레오가 1학년 때 좋아했던 선생님)도 추가되었고 이러한 기억들 역시 레오가 만든 "나의 이야기"에 합쳐졌습니다.

레오는 천천히 짐과 리사에게 자신의 기억 중 일부를 공유할 수 있게 되었고, 짐과 리사는 그들이 알고 있는 것을 레오의 이야기에 더했습니다. 치료자의 도움으로 자신들의 분노를 더 잘 다룰 수 있게 되면서, 짐과 리사는 레오가 자신의 부모에 대해 느끼는 사랑과 분노가 섞인 감정들을 견디고 받아줄 있게 되었습니다.

복합 트라우마에 단기 치료작업도 분명히 유용하지만, 복잡한 관계성 트라우마를 경험한 아동청소년의 치료 작업은 장기적인 관점이 필요합니다. 레오 및 그의 가족과 치료자의 작업은 18개월 이상 진행되었습니다. 그 동안 가족 모두가 겪었던 초기의 위기와 압도감은 안정되었고, 양육권과 면접권에 대한 법적인 상황이 닥칠 때에만 안정감 대신 잠시 혼란이 일어났습니다. 레오의 생모는 면접권을 얻은 몇 달 뒤 갑자기 사라졌고, 결국 2개월 뒤 그녀의 양육권은 박탈되었습니다. 많은 의논 끝에 짐과 리사는 레오를 입양하는 과정을 시작했습니다. 치료는 격주로 줄어 점차 종결을 준비했습니다. 종결 과정은 미래의 어려운 상황을 예측하고 해결하는 것과, 그런 상황을 다루기 위해 가족이 만들어 둔 일상의 틀과 기술 세트를 분명히 하고, 미래에 가족의 여정을 함께하는 데 도움이 될 내외적 자원들의 범위를 적극적으로 확인하는 데에 중점을 두었습니다.

### 14.1.3 특정 상황과 어려움들

복합 트라우마의 단기 및 장기 영향을 치료하는 것은 그 정의상 대상자들에게 복잡하게 나타나는 현상들과 주변 환경들을 포함하는 다양한 이유로 인해 어려운 작업입니다. 앞서 살펴본 레오는 치료자가 만날 수 있는 심각한 사례들 중 그나마 덜 복잡한 상황에 해당합니다. 레오의 행동은 다루기 어려운 것이었지만 극단적인 것은 아니었고, 비록 스트레스가 많은 상황이었지만 상당히 안전한 환경이었으며, 친부모와 떨어졌다고는 해도 넓은 의미의 친족 체계 안에 있었습니다. 또 초기에 여러 차례의 이동이 있었다고는 하지만 약 1년 이상 상대적으로 안정적인 거주지에 머물렀고 치료 과정에 헌신하며 점차 더 참여도를 높인 보호자들이 있었습니다. 그의 가족은 치료 체계에 접근할 수 있는 자원(교통, 중하층에 해당하나 기본적인 욕구 충족이 가능한 사회경제적 수준)이 있었고 사회적으로 다수의 문화(백인, 영어 사용)에 속했으며 상당히 안전한 주거 환경을 갖고 있었습니다. 레오의 사례에서 가장 중대한 문제는 그의 학대와 방임 경험, 법적인 과정이 진행되고 있다는 점, 그리고 미래의 거주지가 아직 불분명하다는 것이었습니다.

그러나 레오의 사례는 치료 작업에서 흔하게 만나게 되는 다양한 어려움들과 ARC 치료가 이러한 어려움을 다루고 통합해가는 과정의 일부를 보여줍니다. 다양한 어려움의 종류는 다음과 같습니다.

#### 14.1.3.1 치료 참여의 문제

트라우마에 영향을 받은 많은 가족들에게, 치료 과정에 참여한다는 것은 이동 환경과 관계적인 문제들을 포함하는 다양한 어려움들뿐 아니라 정신건강 증상들로 인한 복합적인 장벽 때문에도 상당히 어려운 일입니다. 많은 가족들은 과거만이 아니라 현재에도 상태가 급변하며 기능과 치료의 연속성에 영향을 미치는 스트레스를 겪고 있고 있습니다.

ARC 치료 중 이 참여 과정을 단독으로 연구한 것은 없으나, 치료 중 참여 면에서, 특히 복합적인 상태의 집단에게 상당히 많은 문헌들이 주의를 기울였습니다. 문헌들은 ARC 치료에서 치료자가 첫 대면부터 치료 전반에 걸쳐 지속적으로 참여도를 다루는 것이 중요하다고 강조합니다. 여기에서는 주관적인 장벽을 확인하여 다루고, 보호자 및 아동 모두 치료 목표에 중점을 두는 것을 확인하고, 목표와 과정에 있어 투명함을 유지하고 치료적 경험을 정직하게 함께 평가해 주는 관계적인 면을 다지는 것이 중요합니다. 가족 체계에 대한 치료자의 상태반영은 애착 영역에서 가장 핵심적인 세부기술로, 이를 위한 변화 과정에 토대가 되는 치료적 관계를 만들기 위해 애착 과정을 구현한 (정서를 잘 관리하면서 내담자의 행동을 정확하고도 공감적으로 이해하며 치료적인 틀과 리듬에서 일관성을 유지하는) 치료자의 역할이 매우 강조됩니다.

#### 14.1.3.2 아동청소년 증상의 복잡한 표현형

트라우마를 겪고 상당히 복합적으로 힘든 상태의 내담자를 효과적으로 치료하는 데 있어 어려운 부분 중 하나는, 특정 진단(트라우마의 경우 PTSD) 증상들에 맞춰 치료의 효과성을 평가하느라 좀더 복합성을 보이는 대상자들이 치료 연구에서 제외된다는 점입니다(Spinazzola 등. 2005b). 즉 임상에서 문제가 되는 부분은 외상 사건에 노출된 많은 아이들에게 PTSD는 임상적 표현형의 일부일 뿐 그 전부가 아니라는 것입니다(D'Andrea 등. 2012).

트라우마에 영향을 받은 감정을 해결하고 현재를 잘 살아가도록 지지해 주는 것이 ARC 치료의 주요 목표이지만 ARC는 발달 상의 외상을 겪은 아동청소년이 흔히 겪을 수 있는 다양한 범위의 어려움을 다루도록 특별히 개발되었습니다. ARC에서는 공격성이나 자해 행동, 부모 자녀간 갈등, 약물 남용이나 기타 유관 기관의 연계 이유가 되는 현재의 문제들, 개입이 늦어지고 있는 치료 상황들을 기저에 깔린 발달 상의 문제와 그 대안으로 적응한 현상으로 보기 때문에, 이들을 목표 기술들을 적용시킬 중요한 대상으로 봅니다. 가령, 순수하게 행동 기술을 개발시키는 방향으로 접근하기보다 트라우마에 대한 심리교육, 상태반영의 발달, 아동청소년의 촉발인자와 그 반응을 확인하고 이해하는 것, 그리고 보호자의 조절 능력을 지지해주는 것 모두에 효과적인 양육 기술의 실현이 바탕으로 깔려 있습니다.

#### 14.1.3.3 복잡한 보호자 체계

아동과 청소년과 작업할 때 흔히 나타나는 어려움 중 하나는 치료자가 개인만 치료하는 것이 아니라 더 큰 시스템에 있는 개인들을 함께 다루어야 한다는 것입니다. 전통적으로 아동의 치료는 치료자와 아동의 2인 구조이고 부모나 보호자는 보조적으로 보는 것이 가장 최선인 것으로 간주되었지만, 애착에 대한 관심이 커짐에 따라 치료, 특히 외상 초점 치료에서 보호자의 역할이 중요해졌습니다. 하지만 보호자는 일차적으로는 "지원 역할"로, 치료 중 그들의 역할은 치료를 촉진/지원하는(또는 적어도 방해라도 안 되는) 것입니다. 치료적인 노력을 망가뜨리는 가장 큰 위험 인자인, 힘든 상태의 보호자들은 종종 다루어 지지 않았습니다.

ARC에서는 보호자 체계의 지원과 개입을 일차적인 치료 과제로 보고, 현재의 기능 수준에 적합한 기술을 적용하게 합니다. 예를 들어 심각한 스트레스 상태의 보호자들에게는 치료자가 평행하게 상태반영을 하며 보호자들이 스스로의 강렬한 감정에 대처하도록 지지해주고 다양한 지원과 자원을 확인합니다. 만약 보호자들이 좀더 안정적인 상태라면 자신과 아이들의 경험에 반영적인 개입을 하도록 참여시킬 수 있습니다. 훈련연습에서는 "상대적인 성공"을 강조합니다. 어떤 보호자에게는 10대 자녀들과의 격렬한 상황에서 상황을 중단시키고 단순히 자리를 피하거나 또는 심각한 위기를 겪고 있어도 여전히 치료자와 연결을 유지하는 정도의 아주 기본적인(그럼에도 기념비적인) 것이 성공으로 간주될 수 있습니다. 중요한 것은, ARC에서는 한 명의 치료자가 보호자들의 모든 어려움들을 다 다뤄야한다고 보지는 않지만(많은 경우 심각한 상황들은 팀 작업과 다양한 자원들의 참여가 필요합니다) 보호자의 기능을 이해하고 다루는 것을 치료의 핵심 목표로 강조한다는 점입니다.

여기에서 추가로 주의할 것은 ARC에 대한 문서나 훈련 과정 모두에서 "부모"라는 표현보다는 "보호자"라고 하는데, 이것은 우리가 함께 작업하는 많은 경우에서 치료적 참여에 적합하고, 동참하려는 의지를 보이는 안정된 보호자가 없었던 경험과 현실 때문입니다. 이 경우 (보호자 참여의 부족한 부분을 보완할) 주변의 지지적인 팀을 개발하는 데 주의를 기울이며 치료자 자신의 애착 원칙을 치료에 스며들게 하는 것이 특히 중요합니다.

#### 14.1.3.4 위기의 순간

"매주의 위기 상황"은 효과적인 개입을 망가뜨린다는 한탄을 받아왔고 이런 인식은 가족의 위기 상황이 치료를 중단시킬 위험성이 분명히 크고 변화의 과정을 지연시킨다는 분명한 사실 때문입니다("관계를 개선시키려고 노력 중인 건 알지만, 당장 집 상황/형에게 받은 메일/오늘 학교로부터 온 전화/내가 달리 어쩔 수 없는 자동차 수리비 청구서 때문에 너무 화가 나요!"). ARC에서는 위기의 **내용**에 말려드는 것("집 문제? 선택 가능한 목록을 찾아보자/ 네가 갈 만한 다른 곳을 생각하게 도와줄게" 등)과 위기에 맞는 **기술 세트**를 적용하는 것을 구분합니다. 예를 들어 앞서 살펴본 레오와 가족의 경우(이 가족이 치료 도중 만났던 많은 문제 중 하나였던) 학교에서의 위기는 이미 치료 시간에 중요시하였던 기술들을 적용할 풍부한 기회 상황이 되었습니다. 치료자가 선택 지점을 (확인 작업, 조정의 지원, 반영적인 문제 해결, 조율의 구축 등을 적용해 볼 기회라고) 잘 인식하고 있음으로써 이 위기의 순간이 (내담자의 주요 관심사이기 때문에 주요 지지대이자 참여의 중요한 자원이 되는) 바로 내담자의 기술을 발달시킬 주요 도구를 적용할 기회가 됩니다. 그러므로 치료에서 강조되어야 할 것은, 내담자들의 삶에서 흔히 나타나는 일상의 문제들을 피하지 않는 대신, 치료 흐름을 유지하면서 효과적으로 다루는 것이 중요하다는 것입니다.

#### 14.1.3.5 폭력과 혼란에 대한 지속적인 노출

많은 치료적 접근의 일반적인 원칙은 내담자가 "안전"해져야 "트라우마 치료"를 시작할 수 있다는 것입니다; 어떠한 개입이든 안전이 담보되기 전에는 근본적으로 보조적이거나 지지적인 것입니다. 여기에서 우리가 함께 작업하는 많은 아동청소년과 가족들이 안전하지 않음에도 지원이 절실히 필요하다는 현실적인 딜레마가 발생하게 됩니다. 이들은 여전히 안전하지 않은 이웃 사회와 환경 속에 있고, 가족 상황은 혼란이 지속되는 중에 불안정한 곳에 머물고 있으며, 약물 중독이나 정신건강의 문제 또는 다양한 스트레스 요인들이 그들의 기능에 영향을 미치고 있음에도 아이를 집에 데리고 있을 정도로는 "충분한" 상태의 보호자와 있거나, 급성 트라우마에 또다시 노출될 위험에 취약한 관계적인 빈곤, 부족한 판단력 등의 발달적 취약성을 갖고 있습니다. 트라우마에 대한 우리의 이해는, 벌어진 명확한 사건(들)과 명확한 사건의 "전후"를 구분하는 인식에서, 많은 청소년과 가족들의 경우 그들의 전체, 종종 세대에 걸친 삶에 트라우마의 맥락이 뿌리내리고 있다는 인식으로 옮겨왔습니다. 그러므로 "트라우마 치료"에 대한 확장된 정의가 매우 중요합니다.

이 확장된 견해는 트라우마라는 것이 종종 층층이 겹치고 지속되는 다양한 범위의 역경이며, 트라우마 치료는 트라우마 내러티브의 통합과 발달을 포함하면서도 그것을 넘어서는 것이라는 점을 의미합니다. 트라우마 치료는 단순히 "외상후" 병리에서 회복하는 것보다 안전과 회복탄력성을 얻도록 돕는 다양한 요인들에 주의를 기울여야 합니다. 즉 트라우마 치료는 심사숙고해서 의사결정을 할 수 있게 해 줄 핵심 발달 역량과 보호자의 기술 세트의 개발, 주변 환경에서 충분한 안전을 확보할 가능성을 높일 능력, 배운 기술 세트들을 상황에 맞게 적용하는 결정적인 역할을 인식하게 주의를 기울이는 것이 필요합니다. 예를 들어, 많은 아동청소년에게 세상은 사실 여전히 상당히 위험하기 때문에 **마치 위험한 것처럼** 접근하는 것이 합리적입니다. 그러한 관점에 도전하기보다 치료는 그 생각을 탐색하고 검증하고 현재의 상황에서 생존할 방법을 점검하여 당장의 안전을 도모하고 변화하는 미래를 향해 나아갈 방법을 검토할 필요가 있습니다.

### 14.1.4 연구와 근거

ARC 체계가 다양한 상황과 대상자들에게서 유용하다는 점을 지지하는 예비 연구 근거들은 계속 나오고 있습니다. 이 중 외래 환경의 자료로, 지역사회 대조군 대비 내담자의 치료 전 점수 또는 치료 미완결자와 비교한 치료 전후 평가 자료 분석 연구가 있습니다. 16주간의 ARC 기반 치료를 마친 6-12세(n=481) 입양아동의 전/후 평가에서 아동의 PTSD 증상들이 유의미하게 줄었으며 자가보고뿐 아니라 아동의 어머니 평가에서도 다양한 문제 행동 증상들이 줄었고 적응적인 기술이 증가하였습니다. 또한 부모 모두 양육 스트레스가 감소하였습니다(Hodgdon 등, 2016).

아동 복지 서비스가 개입한 아동과 가족들 대상의 연구에서도 긍정적인 결과들이 보고되었습니다. 알래스카의 복지 서비스에 등록된 0-12세의 어린 아동 대상 연구에서, 치료에 참여한 아동 중 54%에서 전후 자료 비교가 가능했는데, 이중 52% (21명)이 치료를 완결했습니다. 조기에 치료가 끝난 경우들은 이사(26%)나 탈락(14%), 연락 두절(8%)로 인한 것이었습니다. 치료 완결자들은 조기 종결자들에 비해 모든 문제 행동들이 유의미하게 줄어들었습니다. 특히 완결 아동의 92%는 치료 종결 시점에 안정적인 거주 상태(입양, 입양 전 단계 또는 생물학적 가족과의 재결합)여서, 전체 대상자의 1년 뒤 영구 거주 상태 획득 비율 40%에 비해 긍정적인 결과를 보였습니다(Arvidson 등, 2011). 일리노이주의 아동 복지서비스 개입 아동들(52명)을 대상으로 한 예비 자료에서도 비슷한 결과가 나왔습니다. 이들은 치료자가 평가한 트라우마 증상들(비탄, 재경험, 회피, 마비, 해리, 트라우마에 적응)뿐 아니라 다양한 정서적, 행동적 어려움(불안, 분노 조절, 신체화) 역시 상당히 감소했습니다(Kisiel 등. 2013).

미국의 국가 아동 트라우마 스트레스 네트워크(National Child Traumatic Stress Network, 이하 NCTSN)에서 조사한 자료에서도 유사한 결과를 확인할 수 있습니다. 2005년과 2009년 사이 NCTSN 활동들 및 서비스에 대한 지점별 교차 평가의 최종 보고서에서(ICF Macro 2010, December) 초기, 3개월, 6개월 평가에 대한 분석 상 ARC 기반 치료를 받은 아동들에게서 유의미한 문제 행동과 외상후 스트레스 증상의 감소가 확인되었습니다. 이 감소율은 아동기 PTSD 치료의 정석으로 정립된 TF-CBT(Cohen 등. 2006)와 차이가 없었습니다.

입원 환경에서도 긍정적인 결과를 보고한 예비 근거들이 존재합니다. 십대 소녀들 대상으로 입원 프로그램에서 체계적으로 ARC(개별/집단 회기, 스태프 교육 및 환경 구성이 포함)를 진행한 경우, 한 집단(12-19세, 평균 16세, 12명)에서 평가 기간 동안 행동 문제와 PTSD 증상들이 상당히 줄어들었습니다. 게다가 개입 기간 동안 직원들에 의한 물리적인 구속 역시 상당히 줄어들었습니다 (Hodgdon 등. 2013).

조기 개입 중 포괄적인 시스템 접근 방식에 ARC 개념을 통합하는 것에 대한 예비 근거들도 존재합니다. 고위험 아동청소년과 가족을 위한 Head Start 프로그램에서 ARC 개념은 모든 직원, 부모 및 확대 가족들을 위한 기본 교육으로서 체계적으로 활용되었습니다. 이 교육은 연계된 학생들에게 TF-CBT(Cohen 등. 2006)와 통합되어 제공되었고, 좀더 집중적인 치료 상황에서도 적절한 것으로 나타났습니다. 집중 치료를 받은 아동(81명, 3-5세)의 경우, 교사들은 집중력 문제, 외향성, 반항 행동이 상당히 줄어들었다고 보고했고 부모들은 집중력과 내향성 문제의 감소를 보고했습니다. 모든 참여 교실(연계되지 않은 아동 포함)의 정서적인 분위기와 조직 구조에 대한 평가 역시, 통계적인 유의성에는 못 미쳤으나 개입 기간 동안 모든 척도에서 긍정적인 변화를 시사했습니다. 비록 변화의 기전은 다각적인 접근법 내에서 명확하게 확인되지는 않았으나 이 자료들은 ARC가 초기 아동기 프로그램에서 전반적으로 구조적인 변화를 만드는 데 효과적일 수 있음을 시사합니다 (Holmes 등. 2015).

현재까지 연구의 기반은 대다수 비실험적인 상황과 대조군 비교 디자인을 포함하여 ARC의 실생활 적용 면의 효과에 초점을 두고 있습니다. 따라서 효과성을 확립하려면 추가 연구가 필요합니다. 그럼에도 다양한 발달과 체계 상황의 아동청소년과 주보호자, 교사 및 정신건강 직원들을 포함한 보호자들에 대한 현재까지의 연구 결과들은 긍정적이라는 점에서, 복합 외상을 겪은 아동청소년과 가족의 개입에 ARC는 유용한 도구라고 볼 수 있습니다.

## 참고문헌

Abram KM, Teplin LA, Charles DR, Longworth SL, McClellan GM, Dulcan MK (2004) Posttraumatic stress disorder and trauma in youth in juvenile detention. Arch Gen Psychiatry 61:403–10

Annerback EM, Sahlqvist L, Svedin CG, Wingren G, Jimtaffson PA (2012) Child physical abuse and concurrence of other types of child abuse in Sweden – Associations with health and risk behaviors. Child Abuse Negl 36:585–95

Arvidson J, Kinniburgh K, Howard K, Spinazzola J, Strothers H, Evans M, Andres B, Cohen C, Blaustein M (2011) Treatment of complex trauma in young children: developmental and cultural considerations in applications of the ARC intervention model. J Child Adol Trauma 4:34–51

Blaustein M, Kinniburgh K (2010) Treating traumatic stress in children and adolescents: how to foster resilience through attachment, self-regulation, and competency. Guilford Press, New York

Cohen J, Mannarino A, Deblinger E (2006) Treating trauma and traumatic grief in children and adolescents. Guilford Press, New York

Copeland WE, Keeler G, Angold A, Costello EJ (2007) Traumatic events and posttraumatic stress in childhood. Arch Gen Psychiatry 64(5):577–84

D'Andrea W, Ford J, Stolbach B, Spinazzola J, van der Kolk B (2012). Understanding interpersonal trauma in children: Why we need a developmentally appropriate trauma diagnosis. J Am Orthopsychi, 82(2):187–20.

Dube S, Felitti V, Dong M, Giles W, Anda R (2003) The impact of adverse childhood experiences on health problems: evidence from four birth cohorts dating back to 1900. Prev Med 37:268–77

Finkelhor D, Turner H, Ormrod R, Hamby S (2009) Violence, abuse, and crime exposure in a national sample of children and youth. Pediatrics 124(5):1411–23

Hodgdon H, Kinniburgh K, Gabowitz D, Blaustein M, Spinazzola J (2013) Development and implementation of trauma-informed programming in residential schools using the ARC framework. J Fam Violence 28:679–92

Hodgdon HB, Blaustein M, Kinniburgh K, Peterson ML, Spinazzola J (2016) Application of the ARC model with adopted children: supporting resiliency and family wellbeing. J Child Adol Trauma 9(3):43–53

Holmes C, Levy M, Smith A, Pinne S, Neese P (2015) A model for creating a supportive trauma- informed culture for children in preschool settings. J Child Fam Stud 24(6):1650–9

ICF International (2010) Evaluation of the national child traumatic stress initiative: FY 2010 annual progress report, executive summary. Calverton, MD

Kinniburgh K, Blaustein M (2005) Attachment, self-regulation, and competency: a comprehensive framework for intervention with complexly traumatized youth. A treatment manual. Author, Boston

Kisiel CL, Fehrenbach T, Small L, Lyons J (2009) Assessment of complex trauma exposure, responses and service needs among children and adolescents in child welfare. J Child Adol Trauma 2:143–60

Kisiel C, Torgersen E, Villa C (2013) Understanding complex trauma in children and adolescents: advances in clinical, research, and diagnostic issues. The 27th Annual San Diego International Conference on Child and Family Maltreatment, San Diego

Spinazzola J, Ford JD, Zucker M, van der Kolk BA, Silva S, Smith SF, Blaustein M (2005a) Survey evaluates complex trauma exposure, outcome, and intervention among children and adolescents. Psychiatr Ann 35(5):433–9

Spinazzola J, Blaustein M, van der Kolk B (2005b) Posttraumatic stress disorder treatment outcome research: the study of unrepresentative samples? J Trauma Stress 18(5):425–36

Zelechoski AD, Sharma R, Beserra K, Miguel JL, DeMarco M, Spinazzola J (2013) Traumatized youth in residential treatment settings: prevalence, clinical presentation, treatment and policy implications. J Fam Violence 28(7):639–52

# 아동 부모 정신치료: 영유아의 근거 기반 치료 15

Vilma Reyes, Barclay Jane Stone,
Miriam Hernandez Dimmler 와 Alicia F. Lieberman

## 15.1 이론적 토대

아동 부모 정신치료(Child-Parent Psychotherapy, 이하 CPP)는 외상성 사건을 겪거나 목격한 결과 애착, 행동 또는 정서적 어려움을 보이는 0세에서 5세 사이의 아동을 위한 치료입니다. 주요 목표는 신뢰감과 안전감을 되돌리고, 감정을 조절하며, 건강한 발달 궤도로 돌아가기 위한 매개인 아동과 주 보호자의 관계를 강화하는 것입니다. CPP에는 트라우마 관련 반응을 정상화하고, 부모가 자녀의 행동을 알아차리고 맥락화하도록 지원하며, 그들의 경험을 조직하고 통합하는 데 도움이 되도록 발달적으로 적절한 트라우마 내러티브를 공동 구성하는 상호관계가 포함됩니다(Lieberman과 Van Horn 2005).

CPP의 목표는 (a) 놀이, 애정 및 언어를 향상시켜 아동의 발달을 촉진하는 것, (b) 반영적이고 문화에 맞는 발달 지침을 제공하는 것, (c) 부모가 안전하게 돌볼 때 이를 강화 해주고, 위험에 대한 보호자의 적절한 반응을 필요 시 모델링하는 것, (d) 어떤 행동 속의 트라우마 기반 잠재적인 의미를 알려주는 것, (e) 필요에 따라 사례 관리 및 아동의 권리를 대변하고 위기 개입을 하는 것입니다(Lieberman과 Van Horn 2005).

CPP 치료자는 "요람 위의 유령ghosts in the nursery"(Fraiberg 등. 1975)으로 알려져 있는 세대간 대물림의 소지가 있는 부모 자신의 외상을 떠올리게 하는 아동기 경험을 생각해보도록 합니다. 또한 CPP 치료자는 부모 자신의 아동기 경험 중 그들이 안전하고 보호받는다고 느꼈던 순간을 떠올려 이러한 경험을 바탕으로 자신의 아이를 양육할 역량을 키우기를 기대합니다. 이러한 순간을 "요람 위의 천사angels in the nursery"라고 부릅니다(Lieberman 등. 2005b).

CPP를 더 자세히 설명하는 여러 자료가 있습니다(예: Lieberman과 Van Horn. 2005, 2008; Lieberman 등. 2016). 이 장에서는 CPP의 간략한 요약과 연구 결과 및 이론적 개념을 설명해 줄 사례가 제시됩니다.

## 15.2 CPP는 어떻게 하는가?

CPP는 일반적으로 (기초 단계 및 종료 단계 포함) 1년 동안 진행되는 치료로서, 1시간의 아동-부모 회기와 필요에 따라 추가되는 보호자와의 보충 면담으로 구성됩니다. 이 기간은 개별 상황에 맞춰 수정될 수 있는데, 예를 들어 어린 아동이 항상 30분이 지나면 장난감을 정리하고 (나가려고) 문 앞에 선다면, 이 경우 적절한 회기의 길이는 그 정도일 것입니다(Lieberman과 Van Horn 2005, p. 32). CPP는 가족의 필요를 반영하는 유연한 모델입니다. 따라서 놀이 치료 회기는 진료실, 아동의 학교, 가족이 느끼기에 편안하고 관계가 형성된 지역 사회 기관 또는 가정에서 진행될 수 있습니다. 이러한 장소들은 고유한 장점과 단점이 있습니다. 예를 들어, 가정 방문은 진료실에 방문이 어려운 보호자에게도 치료가 가능하게 하지만 이웃 주민이 치료자가 집에 오는 것을 보거나 다른 가족 구성원이 치료 중에 집에 드나드는 등 사생활이 침해될 수 있습니다. 가정 방문을 선택할 경우 치료자는 안전(자신과 가족), 개인 정보 보호 및 문화, 그리고 임상적인 목적에 초점을 맞춘 전문가와 그 집에 방문한 손님 두가지 역할에서 균형을 어떻게 유지할지에 대해 사려 깊고 협력적인 자세를 취하는 것이 중요합니다(Lieberman과 Van Horn 2005).

### 15.2.1 기초 단계Foundational Phase

치료자는 평균 5회 매주 보호자와 별도로 만납니다. 보호자가 꾸준히 올 수 있는지에 따라 아동이 회기에 참여하기 전의 이 기초 단계는 1개월에서 최대 3개월까지 걸릴 수 있습니다. 이 기간은 강력한 치료 동맹을 구축하고 보호자와 아동의 외상 이력 및 이러한 경험이 아동의 기능과 관계에 어떤 영향을 미쳤는지에 대한 보호자의 이해를 철저히 평가하는 데 중요합니다. 평가에는 외상, 기타 증상 및 행동을 평가하기 위한 몇 가지 근거 기반 도구가 포함됩니다. 치료자는 보호자가 자신의 트라우마 이력을 염두에 두는 것이 중요하다는 것을 이해하도록 하여 보호자가 자신의 과거 트라우마에서 촉발된 경험을 할 경우 도와줄 수 있도록 합니다.

치료자는 위기 개입 또는 사례 관리 같은 개입 준비가 되어 있습니다. 예를 들어, 아동과 보호자 둘dyad이 여전히 안전하지 않은 경우, 비공개 된 가정 폭력 보호 쉼터에 의뢰하거나 접근 금지 명령을 받는 데 도움이 필요할 수 있습니다. 치료자는 강제 퇴거를 방지하기 위해 내담자의 권리를 대변하거나, 도전적인 행동으로 인해 퇴학의 위험이 있는 경우 아동의 학교와 상의하거나 내담자가 주택, 법적 문제 또는 학교나 어린이집에 다른 아이를 등록하는 데 도움을 줄 수 있는 기관과 연결하는 것을 도와야 할 수도 있습니다. 이러한 개입은 가족의 안전과 안정감의 증진과 치료적 동맹의 구축에 결정적인 도움이 됩니다(Lieberman과 Van Horn 2005).

기초 단계는 치료의 상호 관계적인dyadic 부분에 대해 보호자를 준비시켜, 뒤이을 회기의 토대anchor 역할을 합니다. 이 단계에서 치료자는 보호자가 염려하는 행동 이면의 의미를 맥락화하고 탐색하여 보호자가 아동의 외상과 아동의 행동 및 정서를 연결할 수 있도록 돕습니다. 치료자는 외상반응 연산물에 대한 심리 교육을 제공하고 보호자와 협력하여 아동과 부모에게 잠재적인 트라우마 연상물을 예상하고 준비하도록 합니다. 치료자는 또한 놀이가 어린 아이들의 의사소통의 주된 수단이라는 것을 보호자가 이해할 수 있게 합니다. 또한, 편안하게 아동의 내면 세계를 탐색하고 반응할 수 있는 만큼 보호자가 놀이에 참여하도록 합니다. 이 때 놀이 문화와 경험을 필요한 만큼 살펴보고 장난감 세트를 함께 선정합니다. 아동의 외상 경험을 표현하는 데 사용할 장난감과 외상 처리에 있어 자기 조절을 돕거나 통상적인 휴식을 취하는 데 도움이 되는 장난감이 좋습니다.

마지막으로, 치료자와 보호자는 선별 평가의 전체적인 결과를 가족의 맥락에서 듣는 피드백 회기를 갖습니다. 이 회기는 보호자의 이야기, 회복력 및 치료에 대한 희망을 말하는, 강점 기반 통합 내러티브를 제공하는 특별한 기회입니다. 이 회기에서 치료자와 보호자는, 보호자가 외상 사건을 아동이 어떻게 이해하기를 원하는 지와 보호자가 선호하는 치료 방식을 찾습니다. 보호자의 관점을 존중하는 것이 중요하지만, 보호자가 외상 사건이 발생했음을 부인하거나 아동을 비난하는 경우는 CPP를 시행할 수 없습니다. 보호자가 자신의 관점을 바꿀 가능성보다, 아동 자신의 경험이 무효화되거나 비난받을 위험이 우선시됩니다. 이러한 상황에서는 보호자가 한번 본인들의 관점을 인지하고 나면, 자녀의 경험을 더 고려할 여지가 생기기를 희망하며 기초 단계를 연장하는 것이 더 적절할 것입니다. 가족이 여전히 CPP에 적합하지 않은 경우에는 치료자는 필요에 따라 개별 치료 또는 기타 지원 서비스를 의뢰할 수 있습니다.

CPP 치료에서는 보호자가 자녀를 첫 번째 아동-부모 회기에 데려오기 전 준비되기를 권장하고, 자녀를 만나기 직전까지도 보호자에게 이 설명을 반복합니다. 이 설명에는 아동이 경험한 것, 느꼈을 것, 그 결과로 겪는 현재의 어려움에 대한 인식이 포함됩니다. 보호자가 이제 아이를 안전하게 지키겠다는 헌신과 아이의 치유를 돕기 위해 치료로 데려오고자 하는 마음을 강조하는 것이 중요합니다.

### 15.2.2 치료 단계Treatment Phase

치료의 개입 지점은 치료자가 포착하여 임상적으로 선택합니다. 치료자는 치료가 아동, 보호자와 궁극적으로는 그들의 관계에 미칠 잠재적 영향을 염두에 두고 치료해야 합니다. 아동-보호자 서로의 관계dyadic relationship를 강화하는 것이 최우선의 중요한 목표가 되어야 합니다. 아동이나 보호자의 행동, 그들 사이의 상호 작용, 서로의 정신적 표상과 귀인attributions, 아동의 놀이, 치료자와의 관계가 치료의 시작점이 될 수 있습니다. 지속적인 상담을 제공하고 법률 구조 서비스와 같은 지역 사회 자원을 연결하여 계속 일상 생활 문제에 대한 구체적인 지원을 하는 것도 구조적인 관문이 될 수 있습니다.

CPP는 개입의 특정 순서를 정해두지 않지만 치료자가 발달에 대한 안내, 신체 및 정서적 안전의 중요성 강조, 외상 반응 정상화와 같은 간단하고 직접적인 개입부터 하는 것을 권장합니다. 치료자는 아동-부모 관계에서 서로 잘 조율된 순간을 콕 집어 주고 부모가 보호막의 역할을 다시 하려 하는 노력을 품어줍니다. 모든 치료는 보호자의 올바른 역할이 아동의 치유 과정을 이끄는 것이라는 점을 염두에 두어야 합니다. 가장 중요한 목표는 이 역할을 맡을 부모의 능력과 준비 수준을 높이는 것입니다. 또한 모든 개입은 보호자와 아동 모두에게 희망, 안전 및 능숙함을 증진한다는 공통의 목표를 가집니다.

놀이와 신체 접촉은 위험과 안전의 주제를 탐색하고 기쁨과 상호적 즐거움을 알려 주며 트라우마 내러티브를 공동으로 구성하는 수단이 됩니다. 놀이는 아이들에게 가장 자연스러운 언어이며 가장 많이 사용되는 도구입니다. 제공할 장난감의 범주에는 외상성 주제로 놀 수 있는 장난감(대상자의 인종에 맞는 가족 인형, 경찰차, 구급차, 인형의 집), 돌보는 것과 주로 관련된 장난감(의사 키트, 주방 장난감) 및 미술 용품이 포함되어야 합니다. 피드백 회기에서 보호자가 "장난감 견학[toy tour]"을 하고 첫 번째 아동-부모 회기에서 아동에게 어떤 장난감을 보여줄지 함께 결정을 내려야 합니다. 보호자는 놀이에 나타난 아동의 세계관에 대한 이해를 높이고 자연스러운 상호 연결 능력과 함께 있는 즐거움을 향상시키기 위해 아동의 놀이에 함께 참여하는 것이 좋습니다. 치료자는 아동이 무엇을 가지고 노는지를 통해 그들의 경험과 내러티브가 일맥상통한다는 것을 보여주고, 아동-보호자 관계에서 적절한 주제를 해결하거나, 통찰력을 확장하고 연결을 만드는 기반으로 삼을 수 있습니다. 예를 들어, 아동이 위험에 처한 아기를 주제로 놀고 있는 경우, 치료자는 놀이를 그대로 진행하면서 그 아기가 도움이 필요하다는 것을 언급하면서 보호자가 구조 놀이에 참여하도록 하거나 그 놀이를 아동이 겪은 이야기와 연결시킬 수 있습니다. 치료자가 놀이를 아동이 겪은 이야기와 연결하기로 선택한 경우, 트라우마 반응을 정상적인 것으로 여기게 하여주고, 보호자가 과거와 현재 그들의 안정을 위해 무엇을 했거나 하고 있는지 강조하고, 희망을 키우는 것이 중요합니다. 예를 들어, "너는 집 밖에서 싸우는 소리와 큰 소리를 들었을 때 네가 어떻게 느꼈는지 우리에게 보여주고 있구나. 두렵고 혼란스러웠겠어. 네 엄마는 너를 보호하기 위해 여기에 있어(Lieberman과 Van Horn 2008)."

치료적인 관계가 쌓여감에 따라 치료자는 트라우마의 세대간 전승이나 아동에 대한 부정적인 귀인에 대해 보다 복잡한 개입을 시도할 수 있습니다(Lieberman과 Van Horn 2005). 치료적 관계에 대한 신뢰가 깊어짐에 따라 새로운 치료의 개입 지점이 생길 수 있습니다. 보호자 및 아동의 속도, 치료를 유용하게 적용할 수 있는 그들의 능력을 치료자가 계속 인식하면서 중요한 문제에 대한 균형을 맞추어야 합니다. 시의 적절하고 재치 있는 해석은 과거 역동이 무의식적으로 반복되고 있는 것을 깨닫게 해주어 상황 이해에 강력한 변화를 일으킬 수 있습니다. 예를 들어, 어린 아동들은 일어난 충격적인 사건에 대해 자신에게 책임을 돌리는 경향이 있습니다. 치료자는 보호자에게 이러한 발달적 관점을 알려주고 보호자가 아동의 이러한 일반적인 인지 왜곡을 교정할 기회를 만들 수 있습니다.

자녀의 치료를 위해 오는 많은 부모들은 그들 자신도 트라우마 사건을 겪었습니다(Ghosh Ippen 등. 2011). 치료자는 아동과 부모의 트라우마 연상물[reminder], 귀인 및 기분 조절 문제에 주의를 기울여야 합니다. 이것은 CPP에서 가장 의미 있고 어려운 부분 중 하나이지만, 또한 두 세대 이상에 걸쳐 오래 지속될 깊이 있는 변화 면에서 가장 큰 잠재력을 보이는 단계입니다. 많은 사건이 보호자와 아동 모두에게 동시에 트라우마를 주지만 각각은 사건의 여러 순간이 다른 방식이나 관점으로 기억에 저장될 수 있습니다. 트라우마 연상물에는 특정 소리, 냄새, 목소리 톤 또는 표정이 포함될 수 있습니다. 강렬한 부정적인 감정이나 너무 친밀한 사이 같은 것이 보호자나 아동, 또는 둘 모두에게 트라우마를 떠올리게 할 수 있습니다. 치료자는 보호자의 트라우마 연상물을 알아채고, 예상하고, 줄어들도록 돕습니다. 예를 들어, 치료자는 보호자가 아들의 공격적인 놀이(또는 보호자의 과거 경험으로 인해 공격적인 것으로 인식되는 무해한 놀이)에 자극되어 움츠러들었다는 것을 알아차리게 도울 수 있습니다. 게다가 치료자는 보호자가 위축되는 것이 아이에게 트라우마를 연상시켜 아이가 감정을 조절하기 더 어렵고 공격적으로 행동하게 만든다는 점을 짚어줄 수 있습니다.

효과적인 치료에 가장 중요한 것은 치료자의 정서적 여유, 희망 및 판단하지 않는 소통입니다. 트라우마는 사람들의 자존감을 공격하고 죄책감과 수치심을 일으키거나 악화시킬 수 있습니다. 최적의 상황에서도 양육은 개인의 역량을 시험하게 되어 자기를 의심하고 평가에 민감해질 수 있습니다. 빈곤, 제도적 인종 차별, 암묵적인 편견이나 차별은 무력감, 분노, 불신의 감정으로 이어집니다. 치료자는 힘의 우위에 있는 사람으로서 자신이 보호자에게 어떻게 비추어질 지 염두에 두어야 합니다. 치료자는 억압적인 구조에 공모하지 않도록 매우 조심하고, 상대를 존중하는 어조를 몸에 배게 하고 보호자가 자녀의 치료에 정당한 안내자가 되도록 힘을 북돋아주어야 합니다.

### 15.2.3 종결단계 Termination Phase

상실은 보호자와 아동에게 트라우마 연상물이 될 수 있습니다. CPP의 종결단계는 치료를 통합하는 과정이며 평균 6주 동안 보호자와 신중하게 계획하여 진행합니다. 이상적으로는 보호자가 아동의 치유 과정을 독립적으로 계속 이끌어갈 수 있다고 치료자와 부모 모두 느낄 때가 적절한 시점입니다. 치료자는 희망을 지피고 치료 과정 중에 아동 자녀 사이에서 보여준 강점을 요약정리하고, 보호자가 앞으로 일어날 수 있는 일들을 예상하고 대비하도록 돕습니다. 보호자와 치료자가 종결 시점을 정하면 아동에게 종결 이유를 알려주고 독립적인 치유과정이 지속되게 할 보호자의 긍정적인 면을 부각하고 헤어지는 것에 대한 아동의 반응이 정상적이라는 것을 알려주며 아이를 준비시킵니다. 치료자는 아동이 헤어지는 것을 예측할 수 있도록 종결까지 남은 주를 표시하여 꾸민 달력을 만들거나 집에 가져갈 그림을 그려 치료 여정에 대한 가시적 연상물로 만들어 보는 등의 작업을 할 수 있습니다.

### 사례

어려움을 겪는 보호자들 대상의 지역 전화 상담 기관에서 이 아동-부모를 아동 트라우마 연구 프로그램(Child Trauma Research Program, 이하 CTRP)에 의뢰하면서 그들의 외상이 얼마나 끔찍했고 증상이 얼마나 심한지, 의뢰가 얼마나 시급한지 강조했습니다. 사건에 대해 알려진 바로는 친부가 3세 10개월의 아동에게 약물을 주사해 살해하려 했고, 그 결과 아이는 몇 주 동안 입원하게 됐습니다. 가족의 반려견은 현장에서 숨진 채 발견되었습니다. 의뢰 당시 어머니는 아이가 화를 내고, 공격적이며, 엄마와 떨어지는 것을 두려워하고, 반항하며, 아빠에 대하여 자꾸 묻고, 학교에서 친구들에게 "징징댄다"고 했습니다.

## 기초단계

24세의 동남 아시아계 여성 "어텀Autumn"은 샌프란시스코 베이 지역에서 태어나고 자랐습니 다. 아이 아버지 "릭Rick"은 백인이었고 아내보다 몇 살이 많았습니다. 아이 어머니는 가족을 부양하기 위해 일했고 릭이 주 양육자 역할을 맡았습니다. 그녀는 최근의 가정폭력 때문에 릭을 떠나 인근 도시로 이사했고, 이사의 이유나 또는 정기적으로 아버지를 만나지 않는 이유를 아동에게 설명할 수 없었습니다. 아동이 오후에 아버지를 방문했을 때 살인 미수 사건이 일어났습니다.

치료자는 백인으로, CTRP의 박사후 연구원으로서 가족 서비스 기관에서 기준에 해당하는 가족을 치료하는 일을 맡고 있었습니다. 어텀은 이미 해당 기관에서 주거 지원을 받고 있었고 CTRP의 3년차 수련생인 치료자가 기관에서 이들을 만나기로 했습니다.

그들이 기초 단계를 시작하기 위해 만났을 때, 젊은 어머니는 겁에 질려 있었고 압도되어 있었습니다. 그녀는 응급실에서 어린 아들의 증상이 심각해서 깨어나지 못할 수도 있다는 말을 들었었습니다. 몇 주 입원하는 동안 아이는 숨쉬는 법, 먹는 법, 걷는 법을 다시 배워야 했습니다. 그녀는 도움을 통해 당시 4살이었던 아이에게 해당 트라우마에 대해 다음과 같이 잘 설명할 수 있었습니다. "아빠가 나쁜 약을 주었어. 너는 다쳤고 엄마는 구급차를 불러야 했단다. 그래서 네가 병원에 가게 되었어." 아이는 아빠가 왜 나쁜 약을 줬냐고 물었고 어텀은 "아빠가 제대로 생각을 하지 못했어"라고 대답한 뒤 설명을 멈추었습니다. 이것이 적절한 것은 아니었지만 어머니는 그에게 더 말할 수가 없었습니다. 그녀는 개가 죽었다는 말을 하지 않았고, 4살짜리가 감당하기에는 버거운 일이라고 생각해서 아이가 개를 찾을 때마다 외할머니 집에 있다고 했습니다.

아이 재뉴Janu는 통증과 편측성 위약을 호소하였지만 소아신경과 의사의 소견은 상당히 양호하였습니다. 아이는 트라우마 증상 및 행동 문제에 대한 심리 치료, 지속적인 작업 및 물리 치료, 1년 뒤 신경과 의사와의 외래 진료 추적관찰의 처방을 받았습니다.

치료자와 어머니가 아동 증상 체크리스트를 작성하는 과정에서 재뉴의 공격적인 행동에 대해 어머니가 아이 탓을 하고 이로 인해 모자 관계에 문제가 생기는 상황이 확인되었습니다. 어머니는 재뉴가 아빠를 너무 보고싶어 하며 "아빠 어디 있어요?"라고 하루에도 다섯 번씩 묻는다고 합니다. 어머니는 아빠가 나쁜 약을 준 것이 잘못된 행동이라서 감옥에서 도움을 받고 있다고 적절하게 답하였습니다. 이 말에 재뉴는 화를 내며 "아빠가 나오면 엄마를 벽에 밀어버릴 거예요!"라고 했습니다. (아이가 과거 이런 장면을 여러 차례 목격했습니다.) 재뉴는 쉽게 화를 내고 엄마를 비난했고, 엄마가 "아빠"와 반려견을 "빼앗아 갔다"고 했습니다. 어머니는 매우 속상해 하며 아들에게 거부당했다고 느끼고, 그의 공격성이 나중에 그의 아버지처럼 폭력적으로 되는 건 아닐까 두려워했습니다. 그녀는 가정폭력과 아이가 죽을 수도 있었다는 공포로 인한 PTSD 증상으로 힘들어했습니다. 또한 그녀는 돈도 도움을 줄 가족도 거의 없는 낯선 도시에서 갑자기 심한 트라우마를 입은 아이의 주 양육자가 되었다는 사실에 어쩔 줄 몰랐습니다.

그들이 아이의 행동 변화와 그것에 대해 어머니가 어떻게 느끼는지를 다루면서, 치료자는 어린 아이의 트라우마 반응에 대한 심리 교육을 통하여 아들의 공격적인 반응에 대한 어머니의 이해와 공감능력을 높였습니다. 치료자는 아동이 가장 많은 시간을 보내고 가장 안전하다고 느끼는 사람에게 분노의 대부분을 발산한다고 설명했습니다. 어텀은 심리 교육에 긍정적인 반응을 보였고 재뉴의 공격적인 행동의 의미를 다르게 생각하기 시작했습니다. 재뉴가 엄마를 보고 싶어 할 때를 대비해서 그녀의 목걸이를 학교에 가져가게 하는 등, 재뉴의 안정감을 높이기 위해 어머니가 이미 무엇을 해왔는지에 대해 치료자가 강조해 준 것이 효과가 있었습니다.

당연히 어머니는 감정적으로 너무 압도되어 그 감정들을 멀리 밀쳐 두어야 했습니다. 그녀는 살인 미수를 "사건"이라고 불렀고, 걱정되는 아동의 행동 목록과 병원, 신경과 의사, 작업 치료사의 결과지 사본을 치료자에게 주었습니다. 지도감독자는 재뉴의 경험에 맞춰진 고통으로부터 그녀를 보호하는 이 방어의 역할을 치료자가 알아볼 수 있게 도왔습니다. 평가 회기가 끝나고 나가기 전 문 앞에서 어텀은 "이 치료법이 정말 효과가 있을까요? 어린 아이의 PTSD에도 정말 효과가 있나요?"라는 확인하는 질문을 하였습니다. 치료자는 아동-부모 심리치료의 효과에 대한 데이터를 보여주었습니다. 지도감독자는 치료자가 어머니를 설득하는 대신, 그녀가 자신의 두려움을 탐색할 수 있도록 허용하는 것이 좋다고 권고하였습니다.

평가 회기 중 한 회기에서 어머니는 자신의 트라우마에 대해 말했습니다. 집에 왔을 때 아들은 가슴 위에 주사기가 놓여있었고 온 몸에 바늘이 꽂혀진 채 창백한 상태로 숨을 쉬지 않고 있었고 근처에 개가 죽어 있었습니다. 그녀는 끔찍했던 기억을 지우려는 듯 서둘러 휴대폰을 꺼내어 현장에서 찍은 사진을 찾아냈습니다. 치료자가 그녀를 만류하고 천천히 이것의 의미를 다룰 틈이 없었습니다. 어머니는 치료자가 핸드폰을 건네 받기를 기다리며 손에 들고 있었습니다. 치료자는 "사진을 보지 않겠다고 하면 내가 그들에게 일어난 일을 처리할 수 없다는 것으로 받아들일 것이고... 자신이 혼자이며 거부당했다고 느낄 수 있을 거야."라고 생각했습니다. 치료자는 사진을 살펴보았고 아이의 피부색이 비정상적이며 죽은 것처럼 보인다고 말했습니다. 어머니는 아이가 자주 "나쁜 약의 사진"을 보고 싶어한다고 말했습니다. 치료자는 여기에 어떻게 반응해야 할지 몰랐습니다. 이 회기 후 치료자는 속 쓰림과 사진의 장면이 침습적으로 떠오르는 경험을 하기 시작했습니다((여기에 대하여는 15.3에서 논의합니다). 안전하고 반영적인 지도감독시간을 통해 치료자가 그 감정들을 스스로 책임지기보다 아이 어머니가 본인의 힘든 감정을 부드럽게 탐색하고 다루게 도울 수 있도록 하였습니다.

다섯 번의 평가 회기 후 어머니와 치료자는 평가 결과를 검토하고 치료 계획을 세우기 위해 피드백 회기를 가졌습니다. 어머니는 재뉴가 이미 빠르게 호전되고 있다고 하였습니다. 아이는 더 이상 미래에 아빠가 휘두를 폭력으로 어머니를 위협하지 않았고, 유치원에 갈 때 쉽게 분리되고, 어머니에게 매우 익숙한 어릴 때 하던 귀여운 모습들을 다시 보였습니다. 또한 작업 치료와 물리 치료 모두를 종결했습니다.

"무엇이 도움이 되었나요?"라고 치료자가 질문하였습니다. "저는 재뉴에게 뭘 입을지, 누가 먼저 계단을 내려갈지 같은 선택권을 줘요. 하지만 재뉴는 내가 최종결정권을 가진 것도 알고 있어요."라고 어머니가 대답했습니다. 또한 그녀는 아동의 트라우마 반응에 대한 심리 교육을 듣고 마음이 놓였다고 했습니다. "저는 재뉴가 트라우마를 받은 것이지 망가진 것이 아니라는 것을 알게 되었어요. 주어진 상황에 따른 정상적인 행동이지요." 어머니는 어떻게 재뉴의 분노나 공격성에 부드럽게 반응하며 그를 안심시키고 안전하다고 느끼게 도왔는지 이야기했습니다. 치료자는 재뉴의 공격성 이면에 있는 두려움을 알아채고, 아들이 안심할 수 있도록 반응한 어머니의 능력을 분명히 짚어 칭찬하며 강조했습니다. 이제 재뉴는 공격적으로 행동하는 대신 감정을 진정시키고 표현할 수 있었고, 이로 인해 어머니는 양육과 자녀의 미래에 대해 더 자신감을 갖게 되었습니다. 그녀는 그들이 이사하기 전에 했던, 재뉴라는 이름의 어린 소년 이야기 만들기 등의 편안한 잠들기 전 의식들도 다시 하기 시작했습니다.

어머니와 치료자는 함께 외상 사건, 감정 및 행동을 연결하는 "삼각형"으로 치료를 소개하는 것을 만들었습니다. 그들은 아이가 어떤 놀이를 하고 싶어할지, 그리고 어머니 자신이 그에 어떻게 반응할 것이라고 생각하는지에 대해 함께 의논하였습니다.

### 치료 단계

첫 번째 아동-부모 놀이 치료 회기를 할 때 재뉴의 나이는 4세 4개월이었습니다. 어머니와 함께 놀이치료실에 들어서자 재뉴는 바로 구급차를 보기 시작했습니다. 그는 침착하고 기민해 보였고 낯선 상황에 편안해 보였습니다. 치료자는 엄마에게 오늘 방문에 대해 아동에게 뭐라고 하였는지 물었습니다. "저는 아이에게 '우리는 치료해 줄 선생님을 만날 건데 주사를 놓는 선생님은 아니고 말도 하고 놀이도 하는 선생님이야'라고 말했어요." 재뉴는 치료자를 보며 "선생님이 주사를 놔주나요?"라고 물었습니다. 치료자는 '아니'라고 대답했습니다. 그녀는 어머니에게 치료의 이유를 지금 밝히고 싶은지 물었고, 많은 보호자들이 그러하듯 그녀는 치료자가 아이에게 말해 달라고 했습니다.

치료자는 재뉴에게 이렇게 말했습니다. "네 엄마가 나에게 이야기해 주었는데, 네 가족에게 정말 무서운 일이 있었다고 했어. 너는 아빠가 엄마를 벽에 밀어붙이는 걸 봤지. 그리고 더 이상 아빠와 함께 살지 않게 되었고 너는 아빠가 많이 보고 싶었어." "네." 재뉴가 말했습니다. 그는 카페트를 보면서 장난감 차를 이리저리 움직였습니다. 치료자는 이어 "그리고 엄마는 아빠가 나쁜 약을 주어서 네가 다쳤다고 말해주었어."라고 말을 이었습니다. "네." 그가 다시 말했습니다. 그런 다음 그는 경찰차를 굴려 사이렌 소리가 나게 했습니다. 치료자는 이 과정이 그에게 너무 버거운 것일지 의문이 들었습니다. 아이가 치료자를 향해 돌아섰을 때 치료자는 계속해서 "재뉴야, 그런 모든 것들이 너만큼 어린 아이들을 정말 무섭고 슬프게 만들 수 있어. 네 엄마는 지금 네가 많이 울고 아빠를 그리워한다고, 또 엄마 말을 잘 듣지 않고 엄마와 사촌의 목을 조른다고 했어. 이곳은 우리가 놀이를 하고 일어난 일에 대해 이야기할 수 있는 안전한 장소야. 헷갈리는 것이 있으면 엄마한테 물어봐도 돼. 그리고 우리는 그냥 놀기도 하고 재미있는 시간을 보낼 거야." 그는 치료자가 말하는 동안 장난감 구급차를 보았고 별로 귀기울여 듣지 않는 것 같았습니다.

치료를 소개하는 "삼각형"에 대해 이야기한 뒤, 치료자는 재뉴가 무엇을 할 것인지 관심을 가지고 주의 깊게 관찰했습니다. 다른 아이가 구급차 뒤에 아기 인형을 두고 갔었는데, 재뉴는 그것을 보고 "아기가 다쳤나요, 죽었나요?"라며 아기를 꺼냈습니다. 치료자는 재뉴의 생각을 물었습니다. "모르겠어요." 라고 재뉴는 답했습니다.

그런 다음 그는 경찰차 안에 앉아있는 작은 인형을 두개를 발견했습니다. 그는 "이 사람은 경찰이고 저 사람은 나쁜 사람"이라고 말했습니다. 치료자가 지켜보며 그의 행동을 자연스럽게 언어화해주었습니다. 아이는 나쁜 인형을 꺼내 바닥에 던지며 "죽었어"라고 말했습니다. 치료자는 그에게 "누군가가 죽었다는 것은 어떤 뜻이니?"라고 물었습니다. "그들이 다쳤다는 뜻이에요." 그가 말했습니다. "우리가 잘 알아야 할 점이네요."라고 치료자는 어머니에게 말했습니다.

재뉴는 잠시 경찰차를 몰고 방을 돌아다니고 탐색하며 시간을 보낸 뒤, 어머니와 치료자에게 자신과 함께 경찰 놀이를 하자고 했습니다. 그는 "우리는 나쁜 사람들을 찾고 있어"고 말하며 감옥이 어디 있는지 찾았습니다. 그는 그 장난감을 감옥에 가두고 "그는 **절대** 나오지 못할 것"이라고 말했습니다. 그는 "나쁜 녀석들(동물인형들만)"을 감옥에 가두는 데 시간을 보냈습니다. 그런 다음 그는 자신이 소방관이라고 선언했지만 인간이 아닌 장난감을 계속 감옥에 가두었습니다. 치료자는 (사람이 아니라 나쁜 뱀을 감금하는 식으로) 거리감이 있어서 이 놀이가 아이에게 견딜만한 것이라고 보았습니다.

아이는 그의 어머니가 구급차 운전사가 될 수 있다고 말했습니다. 이어 그는 구급차 뒤에 있는 아기에게로 관심을 돌렸습니다. 그는 "아기가 죽었어요"라고 말했고, 치료자는 "아기가 죽었다니 너무 슬프다. 아이가 다치면 너무 무섭고 슬프지."라고 답했습니다. 재뉴는 아기를 병원으로 데려가겠다고 말했고, 어머니에게 구급차를 몰고 병원으로 가달라고 부탁했습니다. 그러나 먼저 그는 구급차에 "사람"(인형) 들과 인형의 집에서 가져온 가구들을 실었습니다. 그는 자신이 의사라고 말한 뒤 청진기를 들었습니다. 그는 아기의 심장 소리를 듣고 주사기를 꺼내 "사람들"에게 주사가 필요한지 물었습니다. 어머니가 그렇다고 답하자, 그는 조심스럽게 모두에게 주사를 놓았습니다. 그는 아기(인형)에게 할 나머지 의료 처치를 지시하고 "그녀"(인형)를 진찰한 다음 어머니에게 인형이 반창고가 필요할지 물었습니다. 어머니는 그렇다고 했습니다. 그는 거대한 반창고로 아기(인형)를 덮고 아기가 다 나았다고 말했습니다. 사실, 모두가 좋아져서 집에 돌아갈 수 있게 되었습니다. 어머니는 행복한 표정으로 재뉴가 얼마나 훌륭한 의사인지 말했고 그를 도와 "사람들"이 인형의 집에 돌아가게 했습니다.

두 번째 회기 때, 어머니는 재뉴가 일주일 내내 다음 회기를 간절히 기다렸다고 말했습니다. 그는 바로 같은 순서로 놀이를 시작하여, 인형들을 감옥에 가두고 "이 사람들은 절대 나오지 못할 거야!"(다시 나왔지만)라고 단호하게 말했습니다. 어머니는 "그는 경찰이 되어서 아빠를 내보내고 다른 경찰을 감옥에 가두고 싶어해요"라고 말했습니다. 재뉴는 소음을 내며 방을 돌아다니기 시작했습니다. 치료자는 겪었던 일과 명시적으로 연관이 된 것이 아이에게 너무 과했던 것일지 걱정이 되었습니다.

재뉴는 새로운 놀이를 다음과 같이 소개했습니다. "이제 우리는 소방관이 되어 놀 거에요. 나는 소방차, 엄마는 구급차, 선생님은 경찰이에요." 소방차를 몰고 인형의 집으로 달려간 그는 사이렌 소리를 내며 "집에 불이 났어. 누군가 죽었어."라고 말했습니다. 그는 어머니에게 아기를 병원에 데려간 뒤 의사가 되어 달라고 말했습니다. 어머니는 아기를 재빨리 진찰하고 주사기로 "약"을 주고 반창고를 붙였습니다. 재뉴는 "아기는 이제 괜찮아, 집에 데려가 줄게"라고 말했습니다. 그는 이대로 똑같은 방식으로 여러 번 반복하며 놀았고, 이는 트라우마 놀이에서 보이는 반복적으로 몰두하는 특성이었습니다. 세 번째로 아기 인형을 병원에서 집으로 데려갔을 때 치료자는 "아기가 무사해서 너무 기뻐! 아기가 다치면 너무 무서워"라고 말했습니다. 재뉴는 잠시 멈추고 선생님을 바라보더니 "무서워요. 심지어… 큰 아이도요."라고 덧붙였습니다. 치료자는 "더 큰 아이가 다쳐도 무섭지"라고 맞장구를 쳤습니다.

어머니와 치료자가 그가 겪었던 것을 목격하게 하면서, 재뉴는 계속해서 자세히 이야기를 풀어냈습니다. 그는 작은 경주용 자동차에 있던 "나쁜 사람"이 자신이고, 어머니와 치료자가 경찰이라서 그를 추적해야 하지만 결코 잡을 수 없는 게임을 시작했습니다. 어머니가 그를 쫓아 오자 그는 많이 킥킥거렸는데, 치료자는 그 중 일부가 신경이 예민해져서 그런 것인지, 나쁜 사람의 역할을 하는 것이 아무리 놀이라도 지나치게 불안을 유발하고 있는 것은 아닌지 싶었지만, 어머니도 웃고 있었으므로 치료자는 "너 신나게 웃는 구나. 엄마도 너무 웃고 있어! (일반적으로 엄마와 아이가 즐겁게 노는 것처럼) 엄마와 너 둘이 함께 노는 것이 즐거운 것 같아!"라고 말했습니다. 이에 어머니는 그를 들어올려 안아주었습니다. 아이는 미소를 지으며 잠시 어머니의 어깨에 머리를 기대었습니다. 그들은 전체 치료 시간 동안 그랬던 것처럼 이 애착 촉진의 개입으로 기분이 좋아 보였습니다.

다음 회기에서 그는 평소와 같이 소방관 게임을 시작하여, "아기가 죽었다!"며 소방차를 질주시켰고 엄마에게도 구급차를 타고 어서 인형의 집으로 가라고 재촉했습니다. 그는 악당의 소굴로 달려가 지난번과 같은 인형을 가리키며 "이 악당이 이렇게 했어! 그가 집에 불을 질렀어!"라고 말했습니다. 치료자는 경찰차를 몰고가 악당을 붙잡고 "당신이 집에 불을 질렀어! 아기가 다쳤어! 나쁜[bad] 짓이야!" (곧이어 치료자는 "나쁜[bad]"이 자신이 표현하려던 것에 딱 맞지 않아서 아이의 유치원에서 쓰는 '안전한[safe]' 단어를 사용하기로 결정했습니다.) 아이가 "응, 아기에게 벌써 불이 붙었어!"라고 대답했습니다. 치료자가 "오, 안돼, 불쌍한 아기! 여기는 안전하지 않아[not safe]! 아기가 다치면 너무 무서워요!"라고 하자 "맞아요!"라고 큰 소리로 재뉴가 덧붙였습니다. 이것은 재뉴의 내면세계를 표현하는 수단일뿐 아니라 그 자체로 회복의 역할을 하는 놀이의 치유력을 보여주는 한 예입니다.

어머니는 재뉴가 휴식이 필요하다고 느낄 때 애착 증진 게임을 하기도 하면서 재뉴의 반복되는 세 가지 놀이 주제를 잘 감당하며 참여했습니다. 예를 들어, 그녀는 "납작한 빵이 될 건가요?"라고 묻습니다. 아이가 네라고 대답하면 그녀는 "내가 널 반죽할 거야... (그의 몸을 반죽하듯 주무르고) 굴려서... (바닥에 그를 굴리며) 널 구워서... 먹어야지!" 그가 킥킥대는 동안 그녀는 그를 한 입 씩 무는 척했습니다. 치료자는 이것이 집에서 하는 게임이냐고 묻자 어머니는 그렇다고 하며 아이와 번갈아서 납작빵 흉내를 내었습니다. 치료자는 이것이 아이가 몸에서 일어나는 감정반응을 조절하고 안전하게 애정 어린 접촉을 회복하며 애착을 강화시켜주는 중요한 게임이라는 것을 알게 되었습니다.

재뉴는 점점 안정감을 느끼면서 한 단계씩 나아가 블럭놀이, 색 찰흙, 소꿉놀이 등의 같이 하는 놀이를 통해 자신을 조절하며 조금씩 자신에게 일어난 일에 접근할 수 있게 되었습니다. 다섯 번째 회기에서 그는 "집에 불이 났고 내가 불에 타서 죽었어"라고 말했습니다. 그 다음에는 자기 조절에 도움이 되는 소꿉 놀이가 이어졌습니다. 그는 계속해서 트라우마 놀이를 확장하며 다양한 역할을 시도했습니다. 어머니의 도움을 받아 재뉴는 동물을 나쁜 동물과 좋은 동물로 분류했고 무서운 나쁜 뱀을 갖고 놀다가 그것을 인형의 집으로 가게 한 다음 "**내가** 그것들에게 불을 붙였더니 그것들이 죽었어."라고 말했습니다. 놀이 속에서 가해자가 되어보면서 그는 아마도 강력한 사람이 된 느낌을 느껴보고 아마도 복수 환상을 시도하며 나쁜 사람이 되는 것에 대한 두려움을 해결하고(치료자는 자신이 나쁜 아이였기 때문에 나쁜 약을 준거라고 생각하는 놀이 속 상징들을 관찰했습니다), 모방을 통해 옆에 없는 아버지와 연결되려고 했을 수도 있습니다.

재뉴는 집이 안전하다고 느끼고 놀이를 통해 트라우마를 다루어 가면서 증상이 줄어들어 공격성과 반항, 불안과 집착이 줄어들게 되었습니다. 그러자 어머니는 압도당하는 느낌이 줄어들고 본인의 양육에 자신감을 갖게 되었습니다. 그가 빠르게 호전되는 것을 보며 그녀는 애정을 주면서도 단호한 주 양육자로의 역할로 더욱 성장할 수 있었습니다. 재뉴가 호전되고 있다는 것을 어머니가 인지하였을 때 치료자는 "그것을 어떻게 이해하세요?"라고 물었습니다. 어머니는 "아이가 안전해졌다고 느끼더니 다시 원래의 재뉴가 되었어요"라고 대답했습니다.

재뉴가 아버지 생각에 울 때 어머니는 "무력감과 마음이 찢어졌"지만 "내가 여기 있어. 내가 너를 돌봐 줄게."라고 그를 안심시켰습니다. 아이에게 아버지의 사진을 보여주는 것이 그를 "행복"하게 만들었지만 어머니는 자극을 받았습니다. 그녀가 잠자는 시간을 그들의 특별한 시간으로 삼아 재뉴가 원하는 모든 것에 대해 이야기를 나누기 시작하자, 그 는 잠자기 전에 전보다 덜 슬퍼했습니다. 어머니는 아버지의 상실을 떠올리게 되는 잠자는 시간에 더 도움이 필요하다는 것을 알게 된 것도 도움이 되었다고 했습니다. 이것이 그녀가 아이를 더 공감하고 인내할 수 있게 했습니다. 예전에 아이가 "그냥 관심을 끌려고 하는 것"이라고 그녀가 걱정했을 때에는 그 행동을 강화하고 싶지 않았습니다. 이제 그녀는 그를 다독입니다. 치료자는 어머니가 아이의 마음 안정에 도움이 되는 잠자리 의식과 자신이 자극 받지 않으면서도 아이가 아버지 사진을 가질 수 있게 할 방법을 생각할 수 있게 도왔습니다.

재뉴가 가정 폭력에 대한 이야기를 꺼냈을 때, 안전감을 증진시키기 위해 치료자는 어머니와 협력하여 이를 다루었습니다. 예를 들어, 그가 "어제 아빠가 엄마를 벽에 밀쳤어"라고 말했을 때 치료자는 "엄마가 나한테도 그 일을 얘기했었어, 너 같은 어린 아이들에게 그런 건 무서운 일일거야."라고 대답했습니다. 그는 "나는 무섭지 않았어요. 나는 '안돼 안돼 안돼 안돼 안돼 안돼'라고 말했죠."라고 말했습니다. 감정을 잘못 이름 붙인 자신의 실수를 인식한 치료자는 아이의 말을 되풀이해주었습니다. 아이는 이어서 "그런데 내가 '엄마 밀지 마!'라고 했어요"라고 덧붙였습니다. 치료자는 그 말도 따라 말한 뒤 "아빠가 엄마를 밀치는 건 누구에게나 좋은 일이 아니야. 아빠나 너나 엄마에게 좋지 않고..."라고 말했습니다. 재뉴는 치료자의 말 중간에 끼어들었는데 치료자는 이것이 그가 너무 압도되어 있다는 것을 의미한다고 보고 그가 다른 주제로 전환하는 대로 따랐습니다. 어머니와 치료자는 어린 아이들이 강한 감정을 견딜 수 있는 시간이 짧다는 것을 알고 있었고, 그가 자신의 내러티브를 조절하는 점을 존중했습니다.

12번째 회기에서 어머니는 재뉴가 친구들과 더 잘 지내고 규칙을 따르며 위험한 행동을 하지 않고 있다고 했습니다. 그녀는 또한 아이가 아버지에게 전화하고 싶어한다고 말을 이었습니다. "**그건** 놀라웠어요." 그녀는 "그래서 오늘 아침에 우리는 장난감 전화기로 아버지에게 전화를 걸었어요"라고 말했습니다. 재뉴는 이 대화에 끼어들더니 "선생님, **선생님**이 아빠한테 전화해 주세요."라고 했습니다. 치료자는 어머니가 예민해지고 허를 찔렸다고 느끼고 있다는 것을 눈치챘습니다. "좋아. 내가 그에게 뭐라고 하면 좋겠니?" "**저는** 모르겠어요." 재뉴가 초조하게 대답했습니다. 치료자는 장난감 전화를 들고 벨 소리를 낸 뒤 말하기 시작했습니다. "여보세요? 저는 의사 B입니다. 재뉴와 그의 어머니와 함께 있어요. 당신이 아이에게 나쁜 약을 준 것이 모두를 너무 무섭게 했기 때문에, 그들이 나를 찾아왔어요." 재뉴는 놀이 찰흙을 신경질적으로 만지작거렸습니다. "계속 말할까?" 치료자는 연극에서 속삭이듯 아이에게 물었습니다. 그는 고개를 끄덕였습니다. "재뉴가 또 정말 당신을 많이 보고 싶어 합니다. 밤에는 당신이 재뉴를 재워 줬던지라, 자기 전이면 재뉴는 슬퍼하고요. 재뉴는 당신과 놀던 것을 그리워합니다. 재뉴는 슬프고 무섭고 당신이 그에게 나쁜 약을 준 이유를 몰라요. 그리고 엄마 역시 무서워하고 있고 또 재뉴를 안전하게 지키기 위해 열심히 일하고 있습니다. 그리고 둘 다 정말 잘하고 있습니다. 알겠습니다, 나중에 다시 이야기하죠." 치료자는 전화를 끊었습니다. 재뉴는 어머니에게 그 장난감 전화기를 멀리 치워 달라고 했고 치료자는 그들의 찰흙 놀이에 합류했습니다.

치료자는 아이가 겪은 일에 대해 더 명확한 연결고리를 만들 필요가 있을지 고민이 되었습니다. 어머니는 아이가 '사건'에 대한 기억이 없는 것 같다며 종종 '나쁜 약 사진'을 자주 보여 달라고 하거나, 그날 아버지와 시간을 보내도록 어머니가 자신을 안아주며 인사하고 아버지의 집에서 나간 이후에 일어난 모든 일을 이야기해달라고 한다고 했습니다. 이것은 아이에게 투여된 약물이 기억상실을 유발해서 일어날 수도 있는 현상이었습니다. 지도감독자는 치료자가 그 약들이 작용하면 몸에 어떤 느낌을 유발하는지 알아보도록 권유했는데, 아이의 두드러진 불 놀이, "내가 불이 나서 죽었어요"를 이해할 다른 방법을 찾을 수 없었기 때문입니다. 아이의 어머니도 "그가 불이 난 집 같은 것을 본 적도 없고…." 라며 알 수 없어 했습니다. 치료자와 지도감독자는 그의 "기억"이 감각적 경험에 흩어져 있을 수 있다고 추측했고, 치료자는 이러한 신체 기억을 언어와 의식적 트라우마 내러티브로 통합할 수 있도록 더 도와 주어야 할지 궁금했습니다.

치료자는 아동이 놀이에서 표현한 감각을 말로 표현해보기로 했습니다. 재뉴는 평소와 같이 소방관 게임을 시작했습니다. "아, 집에 불이 났어! 누군가 죽었어!" 세 사람 모두 긴급 차량을 몰고 질주했습니다. 어머니가 아기를 병원으로 데려가는 동안 재뉴는 멈춰서 소방차를 쓰다듬으며 "내 소방차에 사방에 불이 붙어서 내가 죽었어."라고 말했습니다. 치료자는 "아버지가 나쁜 약을 주어서 몸에 불이 난 것 같았을 수도 있어."라고 말했습니다. 그는 "아니어요"라고 말하고는 즉시 놀이 찰흙으로 놀이를 바꾸려고 했습니다. 그가 겪은 일에 대한 이러한 명시적 연결은 그를 압도하는 것이라 치료자가 놀이라는 언어 안에 머물도록 신호를 보내는 것이었습니다.

보호자 회기에서 치료자는 "저는 한동안 이 화재 놀이가 궁금했었고 어머니도 그러셨을 것이라 생각합니다. 저는 헤로인이 몸에 들어가면 불 타는 느낌이 드는지 궁금해서 조금 조사도 해봤습니다"고 말했다. 어머니는 "맞아요. 저는 그게 그런 느낌을 준다는 걸 알아요."라고 답했습니다. 그녀는 가끔 어릴 때 다친 부상으로 인한 통증이 있었는데, 어느 날 남편이 합성 마약을 주사해주겠다고 제안한 적이 있었다고 했습니다. "그건 마치 혈관 전체가 불타고 있는 것 같았어요." 그녀가 말했습니다. "그것은 심장까지 태우는 것 같은 느낌이었는데, 심장이 계속 타는 듯 했고 조여왔어요. 하루 종일 구역질까지 해서 정말 후회했어요. 그 뒤에 다시는 시도하지 않았어요." "심장이 타는 느낌"이라는 말을 듣자, 치료자는 자신이 이 가족과 함께하기 시작했을 때 앓았던 속 쓰림heartburn이 기억 났고 아이가 자신의 경험을 몸 안에 얼마나 강력하게 담고 있는지 다시 생각하면서 소름이 끼쳤습니다. 치료자는 또한 이 사례가 현재 얼마나 만족스럽고 보람있는지, 그리고 매주 치료가 얼마나 기대되는지 조용히 돌아보았습니다. 어머니는 "재뉴가 가끔 심장이 아프다고 말해요. 슬플 때 하는 말인 줄 알았는데 이제보니 그런 감각이 들었던 건지 궁금하네요"라고 말했습니다.

자주 해왔듯이, 어머니는 가장 최근에 했던 트라우마와 관련된 대화를 말하면서 다음 부모-자녀 회기를 시작했습니다. "재뉴가 자신이 크면 좋은 아빠가 되어 사람들을 밀지 않을 거라고 했어요." 재뉴는 "아빠가 엄마를 벽에 밀쳤어요."고 덧붙였습니다. 치료자는 이 기회에 기뻐하며 "너의 아빠는 어렸을 때 화가 날 때 말로 표현하는 법을 배우지 못했어.

그는 사람들을 밀치지 않는 법을 배우지 못했어. 누구도 남에게 상처주지 않는 법을 아는 채로 태어나지 않거든. 모두가 그것을 배워야 해. 그리고 너도 그것을 배우고 있지! 네 엄마는 네가 엄마와 사촌의 목을 조르곤 했다고 했어. 이제 너는 더 이상 그러지 않잖아. 네 엄마가 너에게 그것을 가르쳐주었고, 네가 좋은 아빠가 되기 위해 알아야 할 모든 것을 가르쳐 줄 거야."라고 말을 이었습니다. 이것은 4살짜리 아이에게는 비교적 긴 연설이었지만, 그는 미동없이 듣고 있었습니다.

재뉴의 어머니는 남편에 대한 두려움을 뛰어넘어 재뉴가 회기 안팎에서 친부에 대한 긍정적인 기억을 간직할 수 있도록 돕는 능력이 뛰어났습니다. 그녀는 아이가 친부와 했던 제일 좋아했던 활동과 추억의 이름을 지정하고 확장할 수 있게 도왔습니다. 치료자는 어머니의 노력을 지지하면서 "아이들은 자신은 엄마의 일부분이자 아빠의 일부분이라는 것을 어느 정도 알고 있습니다. 어린 소년들은 그들의 아버지가 완전히 나쁘다고 생각하거나 그런 말을 들으면, 그들 역시 완전히 나쁜 사람으로 판단받았다고 생각합니다. 그가 남성으로 성장할 때 동일시할 아버지의 긍정적인 부분이 필요합니다. 당신은 이를 돕는 정말 멋진 일을 하고 있습니다.

재뉴가 계속 안전하다고 느끼면서, 더욱 고통스러운 걱정을 나누기 시작했습니다. 인지적 자기중심성 때문에, 재뉴 또래의 아이들은 종종 나쁜 일은 자신의 잘못이고 자신이 나쁜 사람이 아닐까 걱정하는 경우가 많습니다. 치료자는 항상 재뉴의 "나쁜 사람 놀이"에서 정말 나쁜 사람이 누구인 것인지 (아빠? 재뉴? 아니면 둘 다인가?) 궁금했습니다. 어느 날 어머니는 재뉴가 "아빠가 왜 나에게 나쁜 약을 줬는지 알아?"라고 물어봤던 이야기를 전했습니다. 어머니는 그것이 수사학적인 질문이라고 할 수 있을 것 같다고 했습니다. "왜?" 그녀는 아들에게 물었습니다. "내가 나쁘고 나쁘고 나쁜 아이였기 때문에 아빠가 나에게 나쁜 약을 줬어." 어머니는 그에게 "네가 나쁜 아이일 때 그런 일이 일어나는 것이 아니야. 네가 나쁜 일을 하면 벌칙시간을 갖거나 내가 네 아이패드를 가져가지." 치료자는 그녀가 얼마나 고통스러울지 생각하며 "그렇게 무서운 생각을 꺼낼 수 있다니, 재뉴는 당신과 함께 있으면 엄청나게 안전하다고 느끼나 보네요. 당신은 그가 다시 안전하다고 느끼도록 제대로 도와 준 거예요. 참 힘들었겠지만, 당신이 했던 방식으로 그 이야기를 나눈 것은 대단한 일이에요." 어머니는 눈에 띄게 안심했습니다.

### 종결단계

유기적으로, 어머니와 치료자는 언제 치료를 종결할지 이야기하기 시작했습니다. 40번의 부모-자녀 회기 후 재뉴의 증상은 거의 사라졌고 어머니의 "그는 모든 게임에서 이기고 싶어하고 자기만의 규칙을 만들어요."와 같은 걱정은 발달적으로 정상에 해당했습니다. 어머니의 보호 능력이 늘어나고 안전 면에 확고해진 것도 분명히 영향을 미쳤습니다. 이 시점에서 그녀는 재뉴에게 "네가 좋아하지 않더라도, 나는 너를 보호하기 위해 무엇이든 할 거야."라고 말했습니다. 아이가 (종종 소원이라며 말했던) 20년 뒤에는 아버지가 출소한다고 했을 때 어머니는 그에게 "다시는 그가 너를 다치게 하지 않을 거야."라고 말했습니다.

어머니와 치료자는 치료 종결을 계획했습니다. 그들은 4주가 남았을 때 아이에게 그 주제를 꺼냈습니다. 재뉴는 구급차에서 내려 예전처럼 구급차를 어머니에게 소방차는 자신에게, 경찰차는 치료자에게 배정하면서 "하지만 나쁜 사람이 있는 경우에만 당신이 필요해요."라고 했습니다. 그는 아기와 함께 처음으로 엄마인형을 선택한 뒤 집에 아이를 들여보내고는 "엄마가 떠났어요! 아기가 죽었어요!" (인형의 피부색이 두 모자의 피부색에 가까웠습니다.)라고 말했습니다. 엄마는 "엄마가 떠났어?"라고 따라 말했습니다. 재뉴는 그의 어머니가 아기를 병원에 데려가 "고치게" 했습니다. 그런 다음 그는 (어떻게인지 인형의 집에 돌아온) 엄마 인형에게 전화를 걸어 아기를 찾아 집으로 데려가라고 말했습니다. 그는 엄마 인형이 찾아와 아기에게 키스하게 했습니다. 치료자는 "엄마는 아기에게 무슨 일이 일어날지 몰랐어요 그렇지 않았다면 아기를 절대 떠나지 않았을 거예요! 그녀는 모든 것이 안전하다고 생각했어요."라고 말했습니다.

그런 다음 재뉴는 백인 인형을 선택해 작은 장난감 총으로 아기를 쏘게 했습니다. 그는 여전히 경찰차를 들고 있던 치료자에게 "그 사람을 잡아요!"라고 명령했습니다. 경찰 역인 치료자는 재뉴에게 "좋아, 이제 어떻게 해야 하지?"라고 연극하듯 속삭였습니다. 재뉴는 치료자에게 그 남자인형의 총을 빼앗아 감옥에 가두게 했고, 치료자는 "아기를 다치게 하는 건 무조건 안돼!!"라고 열정적으로 덧붙였습니다. 그런 다음 그는 남자 인형을 감옥에서 나오게 한 뒤 엄마 인형과 아기 인형에게 사과하도록 했습니다. 그런 다음 그는 모든 장난감을 빠르게 정리했습니다.

마지막 회기에서 재뉴는 비명을 지르고 빙빙 돌며, 눈맞춤을 피하는 등 불안해 보였습니다. 치료자는 이것을 그와 어머니에게 해석해 주었습니다. "우리는 오늘 작별인사를 하고 있는데, 너는 빙글빙글 돌고 시끄럽네. 가끔 아이들은 슬프거나 화를 내기도 하고, 몸에 이상한 느낌이 들거나 많이 움직이고 싶어해." 그는 종결을 축하하는 케익은 먹었지만, 종결에 대해 이야기하거나 함께 사진을 찍고 싶어하지 않았습니다. 치료자는 "진정한" 마지막 회기는 재뉴가 백인 인형이 갈색 엄마와 아이에게 상처를 주고 겁을 준 것에 대해 사과하게 했을 때라고 생각했습니다. 치료자는 (아동-부모 정신치료의 진정한 목표는 치료자를 쓸모없게 만드는 것이므로) 그의 어머니가 그들의 작업을 계속해 나갈 것이라고 확신했습니다.

치료자와 어머니는 치료 사후 평가를 완료하고 그 결과를 치료 전 평가와 비교하기 위해 두 번 더 만났습니다. 접수 시점의 아동 증상 체크리스트는 점수가 너무 높아서 유효하지 않은 것으로 분류되었습니다. 1년 반이 지난 지금, 아동 증상 체크리스트나 부모의 스트레스 설문에서 정상 범위를 벗어나는 점수는 없었습니다. 어머니의 우울증과 PTSD 증상은 절반으로 감소하였고, 치료자는 어머니에게 "일부는 여전히 같은 감정으로 힘이 들텐데도 이렇게 아이를 돕고 있다는 걸 좀 보세요!"라고 강조했습니다. 어머니는 연구를 위해 데이터를 공유하도록 소급하여 동의할 수 있는지 자발적으로 질문했습니다. 접수 당시 그녀는 너무 무서워서 이를 고려할 수 없었고, 개인 정보가 어떻게 보호될 것인지에 대한 치료자의 주의 깊은 설명을 받아들일 수 없었습니다.

아동-부모 정신치료의 또 다른 목표는, 치료가 끝난 후에도 보호자와 아동이 지속적으로 개선되는 긍정적인 피드백의 고리를 만드는 것입니다. 치료 종결 약 6개월 뒤, 치료자는 어머니와 재뉴의 치유가 계속되고 있는지 볼 기회가 있었습니다. CPP의 협력적인 특성에 따라 치료자는 이 장의 내용을 작성하는 데 어머니에게 동의를 구했습니다. 어머니는 개인정보를 드러내지 않기 위해 사건의 세부 사항을 변경하는 데 적극적으로 동의하고 직접 참여했습니다. 그들은 어머니가 초안을 검토하고 변경 사항을 제안할 수 있도록 만났습니다. 공교롭게도 릭은 일주일 전 살인미수 혐의로 사형을 선고받은 상태였습니다.

어머니는 그녀의 사무실에서 따뜻한 포옹으로 치료자를 맞이했고, 그 선고에 대한 이야기를 나누기 위해 자리에 앉았습니다. 치료자는 그녀가 행복하고 안정되어 보인다고 생각했습니다. 어머니는 자랑스럽게 "내 몸이 벌써 떨리고 있었지만, 판사 앞에 서서 릭의 행동이 재뉴에게 어떤 영향을 미쳤는지에 대한 내 진술을 읽었어요. 그리고 저는 울지 않았어요! 그는 심지어 어느 순간 절 비웃기까지 했지만, 저는 그를 똑바로 봤어요. 저는 속으로 '이제 '우리'는 너에게서 안전해. 여기 있는 모든 사람들이 우리를 안전하게 지켜줄 거야.'라고 했어요."라고 말했습니다. 어머니는 이어서 처음으로 그녀, 릭, 재뉴가 살았었던 집에 가보고, 재뉴를 그의 친 조부모에게 인사시켰다고 말했습니다. "다 끝났어요… 이제는 내 인생에서 내가 하고 싶은 대로 할 수 있어요. 다시 숨을 쉴 수 있게 된 기분인데, 그동안은 내가 숨을 참고 있는 줄도 몰랐어요."라고 말했습니다.

## 15.3 특정 상황과 어려움들

### 대리 외상

대리 외상은 외상 사건에 대해 듣게 된 치료자가 외상후 스트레스장애와 유사한 증상을 나타내는 심리적 현상을 말합니다. 소진과 달리, 대리 외상은 갑자기 발생할 수 있으며 재경험, 회피, 각성의 변화뿐 아니라 자신, 타인 및 세상에 대한 인식의 부정적인 변화가 포함될 수 있습니다(Saakvitne와 Pearlman 1996). 트라우마를 입은 사람들을 대하는 것은 치료자에게 강한 반응을 불러일으킬 수 있으며, 트라우마를 입은 이들, 특히 트라우마 상태로 덜 의식적이고 조절되지 않는 상태의 정서 반응을 보이는 어린 아이들과 함께하는 것은 더욱 강한 반응을 불러올 수 있습니다. 치료자의 경험과 감정을 살필 수 있는 안전하고 비밀이 보장되는 공간인 반영적 지도감독은 CPP의 필수 부분이며, 수련생뿐만 아니라 모든 치료자에게 필요합니다(Lieberman과 Van Horn 2005).

위의 사례에서 박사후 연구원인 치료자는 임상 내용, 어머니의 방어적 스타일, (신규 치료자에게서 흔하게 나타나는) 가족을 돕거나 구하고 싶은 치료자의 바램으로 인해 기초 단계에서 대리 외상 증상을 경험했습니다. 기초 단계에서, 아이의 어머니는 압도되어 자신과 자녀의 두려움에서 거리를 둘 필요가 있었습니다. 어머니가 치료자에게 아이가 죽은 것처럼 보이는 외상 사진을 보여준 후, 치료자는 사진 이미지의 침습 현상을 겪게 되었습니다. 게다가 그녀에게는 흔하지 않던 증상인 속쓰림을 느꼈고 거의 먹지를 못했습니다. 속 쓰림과 침습적인 이미지가 며칠 동안 계속되었고, 치료자는 자신이 통제할 수 없는 일에 책임을 져야 했던 인생의 다른 시기에도 속쓰림을 겪었던 것을 떠올렸습니다. 그녀는 자리에 앉아 촛불을 켜고 "책임? 여기서 나의 유일한 책임은 회기에 참석하고 가족과 함께 있으면서 치료 노트를 작성하고 지도감독을 받는 것이다. 나는 누군가를 '구한다', '고친다'는 책임을 지지 않는다."고 스스로에게 다짐했습니다. 속 쓰림은 즉시 사라졌습니다.

외상 중심의 CPP를 수행할 때 반영적 지도감독은 매우 중요하기 때문에 치료자는 이 모든 것을 주 지도감독자와 공유할 수 있었습니다. 지도감독자는 치료자가 지도감독 시간 직전인 주 초반으로 회기 시간을 변경하는 것을 지지해 주었고, 치료자가 사례에 대한 자신의 모든 감정을 공유할 수 있는 안전한 장소를 제공했습니다. 지도감독자는 또한 치료자가 이 작업에서 자신의 "책임"이 진정으로 무엇인지 스스로에게 상기시키고 밤에 초를 태우는 야간 의식을 계속하도록 격려해 주었습니다.

치료자는 이 가족을 대하면서 대리 외상의 증상이 다시 발생하지 않았을 뿐 아니라 자신이 외상 중심 치료를 계속 제공할 준비가 잘 되어있다고 느끼며 수련 프로그램에 남았습니다. 대리 외상은 치료자 개인, 작업 및 작업 환경 간의 상호 작용을 함께 고려해야하는 구조입니다(Saakvitne와 Pearlman 1996). 기관에서는 대리 외상 관리를 위해, 충분히 반영적인 지도감독, 관리 가능한 사례건수, 개인 심리 치료 지원 및 충분한 휴가 외에도 대리 외상 교육을 제공했습니다(Saakvitne와 Pearlman 1996, p.43).

수련생은 대리 외상의 증상을 인지하고 해결하는 방법과 자신의 문화, 역사 및 성향이 임상 내용과 상호 작용하는 방식을 고려하는 법을 배웠습니다. 그녀는 이러한 증상을 외상 중심 치료 제공에 내재된 보상과 성장으로 바꾸는 방법을 배우기 시작했습니다. Hernández와 동료들(2007)은 외상 생존자와 함께 할 때 발달하는 특정한 회복력을 "대리 회복력"이라고 가정합니다. 그들은 연구를 통해 치료자의 긍정적인 성장에 기여하는 요소로 "인간의 회복에 대한 큰 역량을 보거나 반영함, 치료자 자신의 문제의 중요성 재평가, 영성을 치료의 가치 있는 차원으로 통합, 희망과 헌신 개발, 정치적 폭력에 관한 개인적, 직업적 입장을 분명히 하는 것, 치유를 위한 명확한 틀, 좌절에 대한 내성 개발, 맥락에 맞는 치료적 개입에 적합한 시간, 환경 및 개입 경계의 개발, 지역 사회 개입의 적용, 그리고 치료에서 자기self의 사용을 발전시키는 것"(p. 2) 등을 설명했습니다. 대리 외상 증상을 해결하고 바꾸어 대리 회복력을 키우는 것은 평생의 개인적, 직업적 여정이어야 합니다. Saakvitne과 Pearlman(1996)의 워크북, "아픔을 바꾸다: 대리 외상 워크북Transforming the Pain: A workbook on vicarious Traumatization"은 치료자 및 기타 전문가를 위한 귀중한 자료입니다. 외상 중심 치료를 계속하려면 깊은 자기 인식과 지속적인 개인과 조직의 소진 및 대리 외상 예방에 대한 헌신이 필요합니다.

## 외상으로 인한 보호자의 상실

외상적인 애도 상황에서 만이 아니라 다른 경우에도 외상으로 인해 아동이 주요 보호자 중 한 명을 잃을 수 있습니다. 가정 폭력은 부모의 별거나 이혼, 또는 가해자의 투옥이나 추방으로 이어질 수 있습니다. 아동과 보호자는 가해자에 대한 사랑, 그리움, 분노, 두려움, 안도감 등 상반된 감정으로 어려움을 겪을 수 있습니다. 필연적으로 두 사람이 "다른 입장에" 있는 순간이 있습니다. 보호자는 학대에 대해 정당한 분노를 표현하는 반면, 아이는 슬픔과 부모에 대한 그리움을 느낄 수 있습니다. 보호자가 침착하고 안정되어 있을 때 아동이 동물에게 화를 내며 폭력적인 행동을 할 수 있습니다. 또는 아이가 두려움이나 분노를 경험하는 동안 보호자는 그들의 긍정적인 기억을 떠올릴 수 있습니다. 치료자는 종종 서로 다른 감정을 반영하여(따라서 정당화하며) 개입합니다. "네가 아빠가 그리울 때도 있고 아빠에게 화가 날 때도 있어. 엄마 역시 아빠가 보고 싶을 때가 있고 아빠에게 화가 날 때도 있어. 너는 지금 아빠가 그립고 엄마는 아빠에게 화가 나서 둘 다 힘든 거야." 서로 다른 입장에 있는 것이 얼마나 힘든지 공감 받고 아동-보호자가 함께 애도하고 긍정적인 것들을 기억하며, 둘이 견딜 수 있을 시점에 폭력이 얼마나 좋지 않은지에 대해 이야기할 방법을 찾도록 격려하는 것이 도움이 됩니다.

인지적 자기중심성으로 인해 0-5세 아동은 종종 사건에 대해 자신을 비난합니다. 아동은 폭력 및/또는 보호자가 사라진 것이 자신의 잘못이라고 생각할 수 있습니다. 치료자와 부모는 이러한 종류의 오해를 주의 깊게 평가해야 합니다. "아빠가 떠난 게 너 때문일까 걱정되니?"라고 직접 묻는 것은, 이렇게 생각하지 않던 아이에게 이 가능성을 암시할 수 있습니다! 아이의 놀이는 일반적으로 이런 건강하지 않은 믿음에 대한 단서를 줍니다. 한 사례에서 중미에 있는 조부모와 지내도록 보내졌던 영유아기의 남아는 남자 아이 인형이 체포되고 경찰차에 태워져 공항으로 가서 경찰에 의해 비행기에 탔다는 내용의 놀이를 반복했습니다. 치료는 아동이 자기 탓이라고 여기는 부분을 바꾸고 사건에 대해 정확하고 발달적으로 적절한 관점에 도달할 수 있도록 도와야 합니다.

가해자 부모가 여전히 자녀의 법적 양육권을 가지고 있는 경우 그 부모는 치료에 대한 정보를 제공받아야 합니다. 그 부모가 동의하지 않을 경우 치료를 금지하거나 중지할 권리가 있는데, 그 부모가 치료에 대해 듣지 못했던 경우 이럴 가능성이 훨씬 더 높습니다. 아동-부모 양자 치료 회기가 이미 시작된 뒤 한 부모가 갑자기 아이가 자신의 동의 없이 치료를 받고 있다는 것을 알게 되어 치료에서 아이를 끌어내는 식의 치료의 갑작스러운 종결은 또 다른 상실일 뿐 아니라 아마도 트라우마를 다시 연상시킬 것입니다. 따라서 치료에 대해 다른 부모의 허가를 받는 것은 기초 단계에서 이루어져야 합니다.

당연하겠지만 가정 폭력의 많은 생존자들은 이전 배우자와 이야기하는 것을 주저하거나 두려워할 수 있고, 혹은 접근 금지 명령에 의해 만남이 금지되었을 수 있습니다. 만약 내담자가 치료 주제에 대해 말을 꺼낼 능력이나 의사가 없는 경우라면 치료자가 자원하여 전 배우자에게 연락할 수 있습니다. 상대 부모는 아동에 대한 정보에 대해서만 법적 권리가 있고, 치료자는 기밀 유지를 위해 전 배우자와 내담자에 대한 정보를 공유할 수 없다는 것을 알려주어 내담자를 안심시키는 것이 도움이 됩니다. 치료자는 가해 부모에게 자녀에 대해 우려 사항이 있는지, 자녀가 그와 있을 때 관찰되는 것, 자녀의 치료 목표는 무엇인지 묻습니다. 적절한 시기에 치료자는 폭력 및/또는 분리에 대한 배우자의 관점을 묻고 "너의 부모는 어른들의 문제가 있어서 너무 많이 다퉜고 그게 누구에게도 좋지 않았어. 그들은 다른 집에서 살기로 결정했지만 둘 다 너를 너무 사랑하고 언제나 너의 엄마/아빠야."와 같은 방식으로 아이에게 말해주는 것을 받아들일 수 있을지에 대해 이야기를 나눕니다.

## 15.4 연구 근거

CPP의 효능은 5건의 무작위 통제 연구에서 경험적으로 보고되었습니다. 대상자에는 대인 관계 폭력과 혹은 학대 노출 고위험 유아 및 미취학 아동과 만성 외상의 이력이 있는 우울한 어머니가 포함되었습니다.

샌프란시스코 종합병원의 무작위 연구는 다양한 사회경제적 배경과 인종의 75명의 미취학 아동-어머니를 대상으로 했습니다(Lieberman 등. 2005a). 이 미취학 아이들은 모두 가정 폭력에 노출된 경험이 있었는데 49%는 직접 학대, 46.7%는 지역사회 폭력에 노출되었으며 14.4%는 성적 학대를 경험했습니다. 아동과 보호자는 1년 간 매주 CPP 치료 또는 사례 관리 및 지역 기관의 개별 치료를 받는 것 중 하나에 무작위로 할당되었습니다. 어머니와 유아는 정서, 행동 문제와 외상후 스트레스 증상을 평가받았습니다. 분산 분석 결과는 아동의 총 행동 문제, 외상 성 스트레스 증상, 진단의 감소 및 인지 기능 개선에 대한 CPP의 효능을 뒷받침했습니다. 또한 보호자가 자녀를 더 긍정적으로 평가했고, 어머니의 회피 증상, 전반적인 PTSD 증상 및 부모의 고통이 줄어들었습니다. 치료 종결 6개월 후 아동과 보호자를 재평가했을 때 아동의 전체 행동 문제와 어머니의 전반적인 고통의 감소 효과가 지속되었습니다(Lieberman 등. 2006). 이러한 데이터를 재분석한 결과, 4가지 이상의 외상성 또는 스트레스를 유발하는 생활 사건을 겪은 아이에게서 PTSD 및 우울증 증상, PTSD 진단, 공존 질환 및 행동 문제가 더 많이 개선되는 것이 확인되었습니다. 이 아이들의 어머니들 또한 PTSD와 우울증의 증상이 더 많이 감소한 것으로 나타났습니다(Ghosh Ippen 등. 2011).

Toth와 동료들(2002)은 미취학 아동의 자신과 어머니에 대한 표상을 바꾸는 면에서 CPP의 효과를 연구했습니다. 이러한 정신적 표상 또는 내부적인 작업 모델은 아이의 미래의 대인 관계에 대한 기대치의 틀을 만듭니다. 정신적인 표상에 대해서는 Bretherton과 동료들(1990)이 MacArthur 이야기 줄기 검사(MacArthur Story Stem Battery, 이하 MSSB)로 평가하였습니다. 이 연구에는 학대를 받은 미취학 아동 112명이 포함되었으며 그 중 76.2%가 소수 민족이었습니다. 학대 유형에는 신체 학대, 성적 학대, 정서 학대 및 방임이 포함되었으며, 아동의 60%는 한 가지 이상의 학대를 경험했습니다. 집단은 CPP, 가정 방문 심리 교육(psychoeducation home visitation, 이하 PHV) 또는 지역사회 표준개입(community standard, 이하 CS)에 무작위로 할당되었습니다. 여기에 추가적으로 일반 비교 집단(normative comparison group, 이하 NC)도 있었습니다. 연구 결과들에 따르면, CPP 개입이 미취학 아동이 자신과 어머니의 표상을 개선하는 데 다른 세 그룹보다 효과적이었고 NC 집단과 비교하여 관계 기대치의 향상에 있어 훨씬 더 큰 개선을 보였으며, 부적응적인 어머니의 귀인 감소 면에서 PHV 집단보다 더 큰 개선 경향을 보였습니다.

Cicchetti와 동료들(2006)은 유아의 애착 분류 변화 면에서 관계 기반과 부모의 심리교육 개입을 비교했습니다. 아동복지 기록을 검토하여 모집한 137명의 12개월 영유아와 그 어머니를 대상자에 포함했습니다. 어머니들 중 74.1%가 소수민족이었습니다. 이들 영유아 중 64.4%는 방임 또는 학대를 직접 경험했으며, 33.6%는 형제자매가 학대 또는 방임된 가정에서 생활하고 있었습니다. 연구 개시 시점에서 CPP 집단에 무작위 배정된 영아의 안정애착 비율은 0%였으나, 연구 종결 시점에서는 이들 영아의 60.7%가 안정 애착으로 분류되어 지역사회 표준 집단보다 훨씬 더 높았습니다.

또한 발표된 4건의 연구에서도 불안 애착의 부모 자녀(Lieberman 등. 1991)와 우울한 어머니의 유아(Cicchetti 등. 1999, 2000; Toth 등. 2006)를 포함한 위험군에서의 관계 기반 모델의 효과를 지지했습니다.

Cicchett과 동료들은 CPP가 유아의 안정 애착(1999), 유아의 인지 발달(2000) 및 애착 재구조화(2006)에 미치는 영향을 분석했습니다. 모든 연구는 유사한 연구 방법을 적용하였고, 1999년과 2000년의 연구는 Toth와 동료들(2006) 연구 대상자 중 일부분을 분석하였습니다. 어머니들은 대부분 백인(92.9%)이었고, 아이를 키우는 내내 DSM-III-R의 주요 우울 장애 기준을 충족했습니다. CPP는 안정 애착과 아동의 인지 점수를 크게 향상시키며 유아의 애착을 재구성하는 것으로 입증되었습니다. 연구 개시 시점에서 우울한 어머니의 아동이 안정 애착을 보이는 경우는 소수(CPP 집단 = 16.7%)였는데 연구 종료 시점에는 CPP 참여 유아의 67.4%가 안정 애착에 속했습니다.

Lieberman과 동료들(1991)은 스페인어를 구사하는 저소득 이민자 여성과 11-14개월 된 아기를 연구했습니다. 연구에서 외상 이력은 명시되지 않았지만, 어머니들은 Cochrane과 Robertson(1973)의 생애 사건 목록^Life Events Inventory^에서 평균 11.34개의 스트레스 사건을 경험하였습니다. 불안 애착 부모자녀는 CPP 개입(n = 34) 또는 비교 집단(n = 25)에 무작위로 할당되었습니다. 두번째 대조군은 안정 애착 부모자녀(n = 34)를 설정했습니다. 연구결과는 치료 전후의 자유 놀이 상호작용을 코딩하여 측정되었습니다. 연구 종료 시점에서 CPP 개입군의 유아는 회피, 저항 및 분노에서 비교 집단 유아보다 낮은 점수를 받았고 어머니와의 협조성에서 높은 점수를 받았습니다. 어머니는 아이들과의 공감과 상호작용에서 더 높은 점수를 받았습니다. CPP 집단은 모든 결과 측정치에서 안정 애착 비교 집단과 차이를 보이지 않았습니다.

## 참고문헌


Bretherton I, Oppenheim D Buchsbaum HK, Emde RN, The MacArthur Narrative Group (1990) MacArthur story stem battery, unpublished manuscript

Cicchetti D, Toth SL, Rogosch FA (1999) The efficacy of toddler-parent psychotherapy to increase attachment security in offspring of depressed mothers. Attach Hum Dev 1:34–66

Cicchetti D, Rogosch FA, Toth SL (2000) The efficacy of toddler-parent Psychotherapy for fostering cognitive development in offspring. J Abnorm Child Psychol 28:135–48

Cicchetti D, Rogosch FA, Toth SL (2006) Fostering secure attachment in infant in maltreating families through preventive interventions. Dev Psychopathol 18:623–50

Cochrane R, Robertson A (1973) The life events inventory: a measure of the relative severity of psychosocial stressors. J Psychosom Res 17(2):135–9

Fraiberg S, Adelson E, Shapiro V (1975) Ghosts in the nursery: a psychoanalytic approach to the problems of impaired infant-mother relationships. J Am Acad Child Adolesc Psychiatry 14(3):385–559

Ghosh Ippen C, Harris WW, Van Horn P, Lieberman AF (2011) Traumatic and stressful events in early childhood: can treatment help those at highest risk? Child Abuse Negl 35:504–13

Hernández P, Gangsei D, Engstrom D (2007) Vicarious resilience: a new concept in work with those who survive trauma. Fam Process 46:229–41

Lieberman AF, Weston DR, Pawl JH (1991) Preventive intervention and outcome with anxiously attached dyads. Child Development 62(1):199–209

Lieberman AF, Van Horn P (2005) "Don't Hit my mommy!": a manual for child-parent psychotherapy with young witnesses of family violence. Zero to Three Press, Washington, DC

Lieberman AF, Van Horn P (2008) Psychotherapy with infants and young children: repairing the effects of stress and trauma on early attachment. Guilford Press, New York

Lieberman AF, Van Horn P, Ghosh Ippen C (2005a) Towards evidence-based treatment: child- parent psychotherapy with preschoolers exposed to marital violence. J Am Acad Child Adolesc Psychiatry 44:1241–8

Lieberman AF, Padron E, Van Horn P, Harris W (2005b) Angels in the nursery: the intergenerational transmission of benevolent parental influences. Infant Mental Health J 26(6):504–20

Lieberman AF, Ghosh Ippen C, Van Horn P (2006) Child- parent psychotherapy: 6 month follow up of a randomized controlled trial. J Am Acad Child Adolesc Psychiatry 45(8):913–18

Lieberman AF, Ghosh Ippen C, Van Horn P (2016) Dont hit my mommy: a manual for child-parent psychotherapy with young children exposed to violence and other trauma, 2nd edn. Zero to Three Press, Washington, DC

Saakvitne KW, Pearlman LA (1996) Transforming the pain: a workbook on vicarious traumatization. W.W. Norton & Company, New York

Toth SL, Maughan A, Manly JT, Spagnola M, Cicchetti D (2002) The relative efficacy of two interventions in altering maltreated preschool children's representational models: implications for attachment theory. Dev Psychopathol 14:877–908

Toth SL, Rogosch FA, Cicchetti D (2006) The efficacy of toddler-parent psychotherapy to reorganize attachment in the young offspring of mothers with major depressive disorder: a randomized preventive trial. J Consult Clin Psychol

# 부모-자녀 상호작용 치료 16

Robin H. Gurwitch, Erica Pearl Messer 와 Beverly W. Funderburk

## 16.1 소개

부모-자녀 상호 작용 치료(Parent-Child Interaction Therapy, 이하 PCIT)는 어린 아이들과 가족을 위한 프로그램으로, 다양한 치료법들 중 반복적으로 높은 순위로 손꼽히는 강력한 근거 기반 치료법입니다(California Evidence-Based Clearinghouse for Child Welfare, 2015; nrepp.samhsa.gov). PCIT는 원래 파괴적인 행동 문제를 보이는 어린 아이들(2-7 세)을 위해 개발되었습니다(McNeil과 Hembree-Kigin 2010; Zisser와 Eyberg 2010). PCIT가 아동의 행동 개선, 육아 스트레스 감소 및 부모-자녀 관계의 개선(Brinkmeyer와 Eyberg 2003; Eyberg와 Robinson 1982) 등에서 지속적으로 상당히 긍정적인 결과를 보여왔으므로, 트라우마 증상을 보이거나 위험성이 있는 아동에게 PCIT를 적용하는 것 역시 합리적인 선택일 것입니다.

PCIT가 1974년경 처음 개발되었을 시점에(Funderburk와 Eyberg 2011) PTSD 진단은 존재하지 않았고, 아동 학대의 인식 역시 시작단계에 불과했습니다. 하지만 아동의 문제 행동을 보고한 많은 부모와 보호자들이, 해당 아동의 외상 이력도 언급했습니다. 시간이 지나며 PCIT는 특히 이런 아이들에게 적용되기 시작했고, 결론적으로 외상을 겪었던 아동들 및 위탁 시설의 아이들에게서 긍정적인 결과가 확인되었습니다(McNeil 등. 2005; Pearl 등. 2012; Timmer 등. 2006). PCIT는 NCTSN에서 어린 아이들에게 적합한 치료로 검증되었고(www.nctsn.org 참조), 카우프만 치료 프로젝트의 최종 보고서에서도 PCIT를 학대 피해 아이들에게 가장 적합한 세 종류의 치료 중 하나로 꼽았습니다(the Kaufman Best Practices Project final report. 2004).

## 16.2 이론적 토대

PCIT의 개발자인 Sheila Eyberg는 Baumrind의 양육 모델(Baumrind 1966, 1967)과 Hanf의 두 단계 모델(Hanf's two-phase model 1969), 놀이치료(Axline 1947; Funderburk와 Eyberg 2011), 오레곤 대학 Patterson의 행동 부모 교육(Patterson 1976)과 애착이론(Ainsworth 1979)에 영향을 받았습니다. Baumrind(1967)는 허용형(높은 애정, 낮은 통제), 독재형(낮은 애정, 높은 통제), 권위형(높은 애정과 높 은 통제)으로 양육 형태를 고유하게 분류하였습니다. 여기에서 권위적 양육은 아이의 돌봄과 제한 설정 면에서 긍정적인 양육과 긍정적인 부모-자녀 상호작용을 만들어, 장기적으로는 사회-정서적 안녕에 긍정적인 결과를 미친다고 보았습니다.

PCIT는 당시 개발된 다른 근거 기반의 행동 육아 모델[예를 들어 반항성 아동(Barkley 1987), 반항적인 아동 돕기(Forehand와 McMahon 1981), 놀라운 시기(Webster-Stratton 2011, Webster- Stratton과 Reid 2003 등)]처럼 두 단계의 조작적 모델입니다(Hanf. 1969). 조작적 조건 형성은 행동의 결과들로 학습이 일어난다고 보는 것으로 이상적으로는 적절하고 긍정적인 행동에 주의를 기울이고(강화), 부적절한 행동은 무시하거나 부정적인 결과(처벌)을 받도록 하는 것입니다.

전통적인 놀이 치료(Funderburk와 Eyberg 2011)에서 변화가 일어날 수 있는 따듯하고 안전한 치료적 관계의 발달을 중시하는 경향이 PCIT에도 영향을 미쳤습니다. 이 치료에서는 아동의 놀이에 온전히 주의를 기울이며 놀이를 묘사하고 모방하며 아동의 언어를 반영하고 확장합니다. Eyberg는 "놀이는 아이들이 문제 해결 능력을 개발하고 발달 상의 문제를 다루는 기본적인 도구이다"라고 했습니다(Eyberg. 1988, p. 38). 그런데 이러한 전통적인 놀이 치료에서는 아이와 치료자가 그들의 상호작용을 즐기는 동안 아동의 행동은 사실 잘 개선되지 않았습니다. 더구나 애착은 아동과 치료자 사이에서만 만들어질 뿐 아동과 그의 부모 사이에서는 발달되지 않았습니다.

PCIT에 영향을 미친 세 번째 이론은 Patterson의 강압성 양육 순환 이론Patterson's coercive cycle of parenting입니다(Forgatch 등. 2004; Patterson 1982). 여기에서는 자녀의 문제 행동이 부모와의 상호작용 중에 무심코 만들어져 유지된다고 봅니다. 이때 부모가 부정적이고 강압적인 방법으로 행동을 통제하거나 막으려고 하면 힘의 다툼이 일어납니다. 이러한 순환은 아동의 파괴적인 행동을 증가시키고 부모의 훈육은 일관성이 없어집니다. 예를 들어, 아이가 상점의 계산대에서 사탕을 조르며 울 때, 부모는 이를 막으려고 합니다. 부모와 아이 모두 소리를 지르고 부모는 벌을 주겠다며 위협할 수도 있습니다. 이럴 때 아이의 흥분이 강해지면 부모가 "포기"하고 사탕을 주어서 아이의 부정적인 행동이 멈추고 "포기"가 강화됩니다. 그러나 결과적으로 이 때 아이는 상점에서 사탕을 요구할 때 소리지르는 행동이 강화된 것입니다. 이러한 순환은 부모가 공격적인 경우(체벌, 때리기, 위협)에도 만들어질 수 있습니다. 아이는 부모의 공격에 일시적으로 행동을 멈추게 되므로, 아이의 원하지 않는 행동마다 부모의 공격성이 지속되게 강화되기도 합니다. 또한 부모의 모델링을 통해 자녀의 행동에 대한 공격적 반응은 강화됩니다. 그럼에도 원치 않는 행동은 다양한 상황에서 원래대로 돌아가거나 오히려 증가하는 경향을 보입니다. Patterson의 강압성 순환이론은 사회 학습 이론(Bandura's social learning theory, 1977)에 영향을 받았습니다. 부모-자녀 관계는 양방향성으로, 영향을 주고받는 관계입니다. 부정적인 행동은 역기능적인 상호 작용에 의해 만들어지고 유지됩니다. 강압적인 순환은 가혹하고 비일관적인 훈육에 더해, 결과적으로 아동의 적절한 행동마저 인식하지 못하고 반응하지 않는 적대적인 부모-자녀 관계를 초래합니다. 이렇게 적절한 아동의 행동이나 필요에 무반응하며 관계의 질이 악화되어 부모와 자녀 사이의 애착이 무너지거나 약할 경우, 신체 학대와 방임의 관계적 가능성이 만들어지게 됩니다(Stith 등. 2009).

애착 이론(Ainsworth 1979)은 영아 및 어린 아동들과 부모의 관계를 안정, 불안-회피형, 불안-저항형과 혼란형으로 분류합니다. 후자의 세 가지 유형은 불안정한 애착으로 분류되며, 아동의 공격성, 대처 기술의 부족, 낮은 자존감과 타인과의 부적응적인 관계와 관련성을 보입니다(Greenberg 등. 2001; Hildyard와 Wolfe 2002). 또 이러한 불안정 애착에서는 부모의 스트레스와 아동 학대 가능성 역시 높아지는 것으로 나타났습니다(Venet 등. 2007). 안정형 애착에서 부모는 아동이 주변을 탐색할 수 있는 일관된 기반 역할을 합니다. 부모는 아동의 신체적, 정서적 요구에 따듯하게 반응하고 아이는 정서와 행동 조절을 할 수 있게 됩니다.

Eyberg는 이 이론들을 통합하고 아이디어를 발전시켜 PCIT를 개발했습니다. PCIT는 Hanf의 2 단계 치료 형태, 즉 아동 주도 상호작용(Child-Directed Interaction, 이하 CDI), 부모 주도 상호작용(Parent-Directed Interaction, 이하 PDI)을 포함한, 강점기반의 지지 치료입니다. PCIT는 특정 문제 행동에 초점을 맞추기보다 이러한 문제가 발생하는 부모-자녀 관계의 패턴을 바꾸는 데 중점을 둡니다. 이 두 단계는 전반적으로 권위형 양육형태를 따릅니다. 첫 번째 단계인 아동 주도 놀이 단계[CDI]는 애착이론과 놀이치료 개념에 크게 영향을 받은 것입니다. 하지만 치료자가 아동에게 직접 시행하는 전통적인 놀이치료적 접근보다, 부모가 치료자의 지도를 받으며 자녀의 놀이에 "전문 치료자" 역할을 하게 됩니다. 지도와 피드백은 PCIT의 독특한 특징으로, 피드백이 동반된 연습이 치료 효과를 높여준다는 점에 중점을 둔 것입니다(Kaminski 등. 2008). 놀이 치료적 기법을 통해 부모는 아이의 부정적인 행동은 무시하고 긍정적인 행동을 칭찬하며 아동의 적절한 행동을 만들어갑니다. 이러한 새로운 패턴의 상호작용은 아이에게 애정과 수용을 전달하여 좀더 안정적인 애착을 만듭니다.

Patterson의 강압성 순환 이론에 깊은 영향을 받은 PDI 단계는, 부모가 어떠한 상황에도 효과적으로 적용할 수 있는 예측가능한, 긍정적인 훈육프로그램이 포함되어 있습니다. PDI는 강압성 순환 과정을 막고, 아동의 행동에 일관되고 적절하게 대응하게 합니다. PCIT는 자녀의 순종을 강화하면서도 아동과 강압적인 상호작용이 악화되지 않을 수 있는 방법들을 알려줍니다. 애착 이론의 관점과 마찬가지로, 부모는 아동에게 점점 더 예측가능하고 명확한 제한을 설정하면서 아동의 정서 및 행동 조절의 발달을 지원해주는 파트너가 되어갑니다.

결론적으로 Eyberg는 좋은 양육 형태, 애착 및 사회적 학습 이론과 행동 수정 개념을 통합하여, 어린 아동과 그 부모를 대상으로 아동의 행동 및 부모-자녀 관계를 유의미하게 긍정적으로 개선시켜주는 독특하고도 효과적인 치료, PCIT를 만들었습니다. 이 강력한 근거 기반 개입법은 지속적으로 성장하고 있으며, 외상이나 학대의 과거력 또는 위험에 처한 아동들을 포함하여, 치료를 받은 가족들에게 지속적으로 긍정적 변화를 만들어 줍니다.

## 16.3 PCIT를 어떻게 하는가

### 16.3.1 치료 구조 및 형식

모든 근거 기반 치료법들처럼, PCIT는 임상적인 면담과 표준화된 검사들로 문제들을 평가하는 것으로부터 시작합니다. 여기에 PCIT는 관찰 평가를 추가로 시행합니다. 즉 각각 다른 세 종류의 5분 상황들을 통해 부모와 아동을 관찰합니다. 먼저 아이가 놀이를 주도하고 부모는 단순히 아이의 말에 따라 놀이에 참여합니다(낮은 단계의 요구 상황). 다음으로, 부모가 놀이의 규칙을 정한 뒤 아동이 부모의 말에 따라 놀이를 하게 합니다(중간 단계의 요구 상황). 마지막으로 치료자는 부모에게 아이가 부모의 도움 없이 스스로 모든 장난감을 정리하도록 지시하게 합니다(높은 단계의 요구 상황). 모든 상호 작용은 경험적으로 검증된 코딩 시스템인 부모-자녀 상호 작용 코딩 체계(the Dyadic Parent- Child Interaction Coding System- IV, 이하 DPICS-IV, Eyberg 등. 2013)에 맞춰 코딩됩니다. 이런 관찰을 통해 면담으로 수집된 정보에 추가적인 중요 정보를 더하고 부모의 기본적인 기술 수준과 아동의 순응도, 부모-자녀 관계의 질을 확인하게 됩니다.

앞서 언급했듯이, PCIT는 두 단계(아동 주도 상호 작용[CDI] 및 부모 주도 상호 작용[PDI])로 구성되어 있습니다. 각 단계는 부모가[1] (일반적으로 아이 없이) 치료자와 만나는 "교육" 시간으로 시작하며, 이 때 부모(들)에게 단계별 기술을 소개하고, 모델을 보여주며 역할극을 진행합니다. 이러한 교육 시간 뒤 부모가 아이와 일대일로 상호작용하는 시간 동안, 동시에 치료자는 관찰실 내에서 무선 이어폰으로 부모와 소통하는 "지도" 시간을 갖습니다. 이 현장 진행형 부모-자녀 기술 실제 연습의 접근 방식은 집단 교육 형태보다 치료자의 집중과 노력이 더 필요하지만, 부모가 자신의 아이를 대상으로 직접 기술을 연습하는 프로그램이 부모와 아이 모두에게 더 큰 효과를 불러오는 강력한 예측 요인이라고 증명된 바

1) PCIT에서 '부모'란 가족 내에서 정의되는 개념입니다. 즉 부모는 아동의 주요 보호자(들)을 말하는 것으로, 여기에는 생물학적 부모, 친족 부모, 위탁 부모 등이 포함될 수 있습니다. 따라서 이 장의 부모(들)라는 용어는 부모/보호자를 의미합니다.

있습니다(Kaminski 등. 2008). 이것은 행동 변화가 중요 목표인 아동 복지 서비스 체계의 아이들에게 특히 더 중요합니다. 아동 학대의 호발 연령은 미취학 및 초기 학령기로(Children's Bureau 2005), 바로 PCIT의 대상 연령대입니다.

지도 시간은 각 시간마다 치료를 온전히 진행할 수 있게 치료자가 확인하는 체크 리스트와 특정 정해진 순서에 따라 진행됩니다(Eyberg와 Funderburk 2011). 각 지도 시간마다 부모는 지난 회기 이후의 아동 행동에 간단히 점수를 매깁니다(Eyberg Child Behavior Inventory, 이하 ECBI, Eyberg와 Pincus 1999). 이후 치료자는 5-10분 간 지난 주를 검토하고 숙제를 확인합니다. 회기 대부분의 시간(30-40분)은 부모와 아동이 한 방에서 놀이를 하고, 치료자가 부모의 기술을 관찰하고 지도합니다. 이 시간은 치료자가 기술을 평가하고 지도의 목표를 정하기 위해, DPICS-IV로 5분간 행동을 관찰하여 코딩하는 것으로 시작됩니다. 이후 치료자는 부모가 기술을 익숙하게 다루도록 약 30분간 부모를 지도합니다. 두 명의 부모를 대상으로 할 때에는 시간을 나누어서, 한 부모가 다른 부모의 놀이 시간을 관찰하며 보고 배울 수 있도록 합니다. PCIT는 치료 목표를 위해 치료자와 부모가 매우 투명하게 팀 작업을 하는 개입법으로, 치료자가 다시 치료실에 들어가 5-10분에 걸쳐 회기 동안의 진전, 기술, 할당된 숙제를 점검하면서 마칩니다. 여기에는 기술 요약서, ECBI 점수 및 진행 상황을 점검하는 숙제가 포함됩니다.

PCIT는 일반적으로 매주 1 시간, 부모와 아동이 함께 진행합니다. PCIT 개입의 평균적인 회기 수는 12-14 회기이지만, 지역사회 표본에서 평균 20회기로 보고되었습니다. PCIT의 첫 번째 단계(아동 주도 상호 작용, CDI)의 주요 목표는 긍정적인 부모 - 아동 관계를 쌓고 강화하며 아동의 친사회적 행동을 강화하는 것입니다. 이 단계의 다른 목표는 분노와 좌절감에 대한 내성을 높이고 주의력, 집중력 및 충동 조절 기능을 향상시키는 것입니다. 부정적인 행동의 감소와 제한의 수용 역시 CDI 중에 시작됩니다. 이 단계에서 부모는 사회적 주의를 구분하는 **행동 놀이 치료** 기술을 쓰는 법을 배웁니다. 즉 부모는 아동의 적절한 행동(나누고 예의 있게 행동하며 잘 노는 것 등)에는 주의를 기울이면서, 안전에 위협이 되지 않는 한 관심을 끌거나 부적절한 아동의 행동(징징 거리기, 장난감을 거칠게 다루기, 떼쓰기, 무례한 행동 등)은 적극적으로 무시하는 법을 배우게 됩니다. CDI의 목표, 즉 부모-자녀 관계를 향상시키고, 아이의 적절한 행동에 보상하며, 이러한 행동의 빈도를 높이기 위해 부모는 "PRIDE" 라는 특정 기술 세트를 배우고 활용하게 됩니다. (a) 구체적 **칭찬**Praise: 특정 친사회적 행동을 인식하고 격려하는 것, (b) **반영**Reflection: 언어적인 의사소통을 증진시키기 위해 적극적인 청취 기술을 활용하는 것, (c) **모방**Imitation: 긍정적인 행동과 애정을 증진시키기 위해 아동이 하고 있는 것을 부모가 따라 하는 것, (d) **묘사**Description: 긍정적인 행동에 대한 흥미를 유지하고 관심과 주의를 높이기 위해 아이가 하고 있는 것에 주목하는 것, (e) **즐기기**Enjoyment: 따뜻하고, 진심으로, 그리고 열정적으로 놀기로 구성됩니다.

CDI 단계에서 부모가 지켜야 할 기본 규칙은 **아이가 주도하게 두는** 것입니다. 그렇게 함으로써 부모는 놀이를 직접적으로 지시하거나, 싹트기 시작한 긍정적인 부모-자녀 상호

작용에 부정적인 영향을 미칠 행동(질문, 명령, 비난 등)을 피하는 법을 배울 수 있습니다. 치료 회기 밖에서도 부모들은 매일 5분간 "특별한 시간"을 아이와 보내며 CDI 기술을 연습합니다. PCIT는 평가 중심으로 진행되며 기술을 숙달시키는 개입법이므로, 2단계(부모 주도 상호작용, PDI)로 넘어가기 전에 부모는 5분의 관찰 놀이 중 적어도 10번의 구체적 칭찬, 10번의 행동묘사, 10번의 반영과 함께 질문, 명령이나 비난은 모두 합쳐 3번 미만으로 하는 CDI 완료 기준을 통과해야 합니다. 이러한 양적인 기술들은 애정과 참여가 강화된 부모-자녀 상호작용과 좀더 안정적인 애착에 대한 대리적인 평가기준 역할을 합니다. 이렇게 기술이 숙달되어 통과되면, 부모와 아이는 치료의 다음 단계에 들어섭니다.

PCIT의 두 번째 단계인 부모 주도 상호 작용[PDI] 단계의 핵심은 부모가 효과적으로 명령하고 일관되고 공정한 한계를 설정하며 예측 가능한 방식으로 명령에 따르게 하고 긍정적인 부모-자녀 관계의 맥락에서 잘못된 행동에 대해 합리적이고도 연령에 적절한 훈육 결과를 전하도록 가르치는 것입니다. CDI와 마찬가지로, 부모는 PDI 교육 시간에 관련 기술을 배우고 아이와 코칭 시간을 갖게 됩니다. PDI 기술 단계에 진입했어도 치료 시간과 가정 내 연습시간에 CDI 기술은 지속적으로 강조됩니다. PDI 단계에서 부모는 아동의 비순응이나 심각한 문제 행동에 대해 침착하고도 중립적인 태도로 전문적인 타임 아웃 절차를 진행하는 법을 배웁니다.

PDI 회기 프로토콜에 따라, 치료자는 CDI 기술이 유지되는 것을 확인하면서 부모에게 PDI를 지도합니다. PDI 단계 동안 PCIT 기술들을 실생활에서 숙련되게 사용하게 하기 위해서, 임상 환경 밖(집에서의 하루, 쇼핑몰, 식료품점, 음식점, 기타 외부)에서도 PCIT 기술을 일반화하여 사용하도록 강조합니다. CDI처럼 PDI 단계 역시 통과 기준이 있습니다. PDI 단계의 5분 관찰 시간 동안, 부모는 (a) 적어도 75% 이상 "유효"하거나 발달상 적절하고, 직접적이며, 긍정적인 문장으로 세부적인 지시를 하고 (b) 적어도 75% 이상 적절하게 대응(순응에 대해 구체적 칭찬, 비순응에 타임 아웃 경고와 절차를 적절하게 수행)해야 합니다. 부모는 아이가 더 잘 예측하게 돕고 부모의 스트레스를 줄이면서 일관성을 높여주는, 타임아웃 절차에 쓰이는 특정 단어들을 배우게 됩니다.

전체적으로 PCIT 개입의 성공적인 완성은 세 기준이 충족되어야 합니다. (a) 부모는 CDI와 PDI 기술 모두의 통과 기준을 만족시키고, (b) ECBI에서 평가된 아동의 행동이 일반적인 범위의 평균의 표준 편차 1/2 (<114) 내이며, (c) 부모는 그들이 아이의 행동을 적절히 다루는 능력에 자신감을 느낍니다. PCIT는 시작할 때와 마찬가지로, 부모와 아이의 세 종류의 상황 관찰과 평가로 끝맺습니다. 이때 결과와 그간의 경과를 부모와 함께 검토하고 미래의 문제들을 어떻게 다룰지 논의합니다. 부모가 치료에서 배운 것들을 유지하고 미래에도 기술들을 잘 사용하도록 격려합니다. 부모와 아이는 그들이 해낸 작업을 축하하고 서로의 긍정적인 변화를 칭찬합니다. 보통 치료 졸업의 의미로 부모와 아이 모두 PCIT 성공 인증서를 받으며 치료를 종결합니다.

### 16.3.2 사례 예시

제이크는 최근 부모 모두를 자살로 잃은 4살의 백인 소년입니다. 울음, 비명과 외할머니를 때리는 행동이 포함된 분노발작, 잦은 악몽과 비순응을 이유로 치료에 연계되었습니다.

*PCIT 평가*

PCIT 평가는 두 회기 동안 진행되었습니다.

**임상 면담** 할머니와 한 시간 동안 진행한 면담 중 할머니는 제이크가 부모의 약물 중독을 목격했다고 보고했습니다. 할머니는 제이크가 과각성 및 부모와 관련된 대화는 회피하는 내재화 행동들을 보인다고 했습니다. 초기의 발달과 의학, 사회적, 심리학적 과거력도 할머니로부터 확인하였습니다. 제이크는 정상 분만 후 주요 의학적인 문제는 관찰되지 않았다고 합니다. 정상 범위 내에서 발달하였고 저소득층 아동지원 프로그램인 Head Start에 등록되었습니다. 할머니가 보기에 제이크는 자기 또래와 비슷해 보이지만 어쩐지 색이나 글자를 구분하는 데 또래보다 약간 뒤처지는 것 같아 걱정이라고 하였습니다. 제이크는 또래들과 잘 어울리는 편이지만 때때로 위축되었습니다. 훈육 방침에 대해 물었을 때, 제이크의 부모는 종종 체벌을 했지만 할머니는 아주 드문 상황이 아니면 체벌을 하지 않는다고 했습니다. 할머니는 제이크가 사과할 때까지 벽 모서리에 서 있게 하는 등의 타임아웃을 시도해보았지만 정말 효과가 없었다고 했습니다. 그러나 담임 선생님은 할머니에게 학교에서의 제이크는 모범적이고 문제가 없다고 말했다고 합니다. 연계 시점의 상황(자살로 인한 상실, 약물 중독 노출, 거주지 변경)으로 인해, 할머니와 트라우마 사건이 아이의 발달 및 행동에 미치는 영향을 다루었습니다. 이 사건들이 할머니에게도 감당하기 어려운 일이었으므로 치료자는 할머니의 대처 기제와 지원 시스템에 대해서도 이야기를 나누었습니다.

**평가** 임상 면담 중에 할머니는 평가를 마쳤습니다.

- 아이버그 아동 행동 목록(Eyberg Child Behavior Inventory, 이하 ECBI, Eyberg와 Pincus 1999). ECBI는 모든 PCIT 사례에서 사용됩니다. 이상적으로는 모든 회기마다 하지만, 최소한 치료 전, 치료 중간 단계, 그리고 치료 후에 시행되어야 합니다. 할머니가 작성한 ECBI 점수는 198 (T 점수 79)로, 제이크의 파괴적인 행동은 임상적으로 상당한 범위(원 점수>133, T 점수> 70)에 해당하였습니다.
- 단축형 육아 스트레스 지수(Parenting Stress Index-Short Form, 이하 PSI-SF, Abidin 1990). PCIT에서 필수는 아니지만, PSI-SF는 육아 스트레스를 평가하기 위해 치료 전, 후에 합니다. 치료 전 평가에서 할머니는 정서적 고통, 부모-아이 역기능적 상호작용,

다루기 까다로운 아이와 전체 스트레스 범주에서 임상적으로 상당한 범위(80% 초과)의 점수를 보고하였습니다.

- 어린 아이들을 위한 외상 증상 체크리스트(Trauma Symptom Checklist for Young Children, 이하 TSCYC, Briere 등. 2001). 제이크의 과거력을 감안하여, 할머니는 트라우마 증상을 평가하는 TSCYC를 작성하였습니다. 다음 하위 척도들이 유의미하게 상승되어 있었습니다(T 점수> 70): 우울, 분노/공격성, 외상후 스트레스 침입, 외상후 스트레스 회피, 외상후 스트레스 각성 및 총 외상후 스트레스 점수.
- 부모-자녀 상호 작용 코딩 체계(Dyadic Parent-Child Interaction Coding System, 이하 DPICS-IV, Eyberg 등. 2013). 두 번째 평가 시간에 할머니는 제이크를 데려와 상호 작용 관찰 평가를 받았습니다. PCIT에서 DPICS-IV는 위에서 설명한 관찰 상의 기본 평가 기준 및 치료 전반에 걸쳐 부모 기술, 아동 행동, 그리고 그들의 상호작용의 진전을 평가하는 데 사용됩니다. 제이크와 할머니에 대한 구조적인 관찰은 약 20분간 진행되었습니다. 할머니는 관찰 시간 동안 따뜻한 태도로 주의를 기울였습니다. 그녀는 주로 질문하며 상호작용하였고, 그녀가 놀이를 주도할 때 지적을 많이 하고("그렇게 하는 게 아니야" 등) 도전을 시키는 식으로 직접 요청을 피하였습니다("너는 장난감을 박스에 못 넣을 거야."). 이후 치료자는 할머니로부터 이 상호작용들이 얼마나 일반적인 모습인지 확인했습니다. 할머니는 제이크가 집에서보다 관찰시간 동안 훨씬 잘 행동했다고 보고했습니다. 예를 들어, 할머니는 무언가 만드는 놀이에서 예전에는 제이크가 훨씬 쉽게 좌절했는데 관찰 시간 동안에는 그렇지 않았다고 말했습니다. 할머니는 부모 주도 놀이 상황에서 자신이 선택한 놀이를 아이가 함께 하고 싶어해서 놀랐다고 했습니다. 또 제이크가 보통 집에서는 장난감 치우기를 거부했는데, 여기서는 정리를 했다고 했습니다. 치료자는 아이들이 보통 새로운 환경과 새 장난감 앞에서는 좀더 적절하게 행동한다는 맥락에서 이러한 차이점을 설명해주었습니다. 치료자는 할머니에게 그녀의 말을 믿으며, 그들이 함께 제이크의 행동들을 개선시키고 그의 잠재력을 발휘할 수 있도록 도울 수 있을 것이라고 말했습니다.

두 번의 평가 회기를 통해 제이크는 *정서와 행동 문제가 혼합된 적응 장애*adjustment disorder with mixed disturbance of emotions and conduct의 진단기준에 해당하는 것으로 확인되었습니다. 치료 목표는 부모/아동 관계의 호전과 제이크의 긍정적인 행동을 향상시키고, 할머니에게 좀더 일관적인 훈육 방법을 알려 제이크의 지시 순응도를 늘리는 것이 되었습니다.

*아동 주도 상호작용 교육 회기* Child-Directed Interaction (CDI) Teach Session

DPICS 관찰 회기1 주일 뒤, 제이크의 할머니는 아이 동행 없이 PCIT의 CDI 단계에 대한 1시간 교육 시간에 참석했습니다. 이 시간에 치료자는 PCIT의 개요와 치료의 기대를 전달했습니다. 또 제이크의 할머니에게 CDI에서 능숙해지게 되는 PRIDE 기술들과 피해야 할 기술들, 주의를 끌려는 부정적인 행동들을 언제 어떻게 무시할지, 위험하거나 파괴적인 행동들을 어떻게 다룰 지에 대해 알려주었습니다. 그리고 PRIDE 기술을 연습할 수 있도록 집에서 매일 시행하는 구조화된 5분의 "특별한 시간"도 설명하였습니다. 치료자는 할머니가 매일의 특별한 시간에 적절한 "시간", "장소"와 이에 적절한 장난감을 정하도록 돕고, 모든 기술에 대해 역할 놀이를 진행하였습니다. 마지막으로 CDI와 PRIDE 기술과 관련된 여러 유인물을 할머니에게 전달하였습니다.

*아동 주도 상호작용 지도 회기* Child-Directed Interaction (CDI) Coaching Sessions

할머니와 제이크는 매주 1시간씩, 총 6번 CDI 지도 회기를 진행하였습니다. 각 회기의 시작 시간에는 치료자가 5-10분간 간단히 가족과 숙제를 검토하였습니다. 이 시간에 숙제나 치료에 대한 걱정도 함께 다루었습니다. 할머니와 제이크는 치료사가 일방경 뒤에 있는 동안 놀이를 시작했습니다. 이후 치료자는 DPICS-IV로, 가정에서 시행된 특별한 시간과 마찬가지로 둘 간의 상호작용에 대하여 5 분 동안 코딩을 했습니다. 코딩 자료를 바탕으로 치료자는 지도의 주요 초점이 되는 PRIDE 기술들을 고려하여 회기의 지도 목표를 정했습니다. 치료자는 매주 할머니와 제이크가 함께 놀이를 하는 동안 귀에 꼽는 소형 이어폰으로 약 30분간 할머니를 지도하였습니다. 지도에는 힌트성 유도("무엇으로 그를 칭찬해줄 수 있을까요?")나 상황에 따라 직접적인 지시("너는 말을 그리고 있구나"라고 말하세요.), 관찰("아이가 지금 당신과 함께하는 것을 참 좋아하네요.")등이 포함되었습니다. "아, 좀 전의 말은 질문이지요?" 같은 부드러운 교정은 치료자가 칭찬보다 비판을 많이 할 때 치료 중단율이 높아진다는 연구 결과에 따라 드물게 사용하였습니다(Fernandez와 Eyberg 2009). PCIT의 지도는 실제 지도 작업 동안 부모가 치료자와 라포를 쌓고 편안하게 느끼며, 부모의 자신감이 쌓이도록 긍정적인 부분에 초점을 맞춥니다. 회기의 마지막 5-10 분간 치료자는 PRIDE 기술의 진행 상황과 ECBI 점수 그래프를 검토하고 한 주간의 숙제를 배정합니다(참고: PCIT에서는 치료 기간 전반에 걸쳐, 참여, 동기를 격려하고 진전이나 어려운 문제 해결을 칭찬하고자 기술 요약 종이와 ECBI 점수 그래프를 부모와 공유합니다). 이때 재확인이 필요한 모든 기술들은 관련 인쇄물을 전달합니다. 할머니는 6번째 CDI 시간에 기술 완료 기준을 통과했습니다.

*부모 주도 상호 작용 훈육 기술 교육* Teaching Parent-Directed Interaction (PDI) Discipline Skills

CDI 기술을 완료한 후, 할머니는 앞으로 제이크의 행동들을 개선시키고 긍정적인 훈육 절차 습득을 위한 기술을 배우기 위해 PDI 교육을 1시간 들었습니다. 이 때 PDI 단계의 치료 목표를 업데이트하기 위해 매주 할머니가 체크했던 ECBI 그래프를 검토하였습니다. 할머니는 PDI에서 중요한 부분인 좋은 지시, 순응과 비순응을 구분하는 방법과 함께 비순응적인 행동을 다루기에 효과적인 타임아웃 과정의 시행법이 포함된 교육을 들었습니다. 타임아웃을 소개할 때는 할머니가 걱정하던 부분들을 다루며 세심하게 진행되었습니다. 치료자는 이 과정과 과거 시행했던 타임아웃과의 차이점을 강조하였습니다. 타임아웃 교육 시간에는 (1) 어떻게 타임아웃의 경고를 전달할지, (2) 사용할 의자의 종류, (3)

타임아웃 의자를 둘 위치, (4) 적절한 타임아웃 시간의 길이(3분+ 조용한 5초), (5) 타임아웃 시간 동안 부모의 행동, (6) 타임아웃 의자에서 탈출하는 것을 다루기, (7) 타임아웃의 종료, (8) 타임아웃 직후에 해야 할 것이 포함됩니다. 할머니는 치료자와 타임아웃 과정에 대한 역할극을 했습니다. 치료자는 다음 주 동안 특별한 시간을 유지하는 것이 매우 중요하다는 것과 함께, 할머니가 치료자와 함께한 과정들을 숙달하기전까지는 집에서 타임아웃을 시도하지 **않아야** 한다고 강조했습니다. 할머니는 이 새로운 접근법이 정말 기대되며 시도해보고 싶다고 말했습니다.

*부모 주도 상호 작용 훈육 기술 지도* Coaching Parent-Directed Interaction (PDI) Discipline Skills

제이크와 할머니는 6번의 PDI 코치 회기를 가졌습니다. 초기 PDI 코치의 시간 구조는 CDI와 비슷했지만, 간단한 지시와 잘 듣는 연습을 하는 시간이 놀이 중에 포함되었습니다. 각 PDI 코치 회기를 시작할 때, CDI 숙제(및 관련될 경우 PDI 숙제)를 약 5-10 분 동안 검토하였습니다. 이후, 치료자는 단방향 거울 뒤에서 5분간 CDI 기술을 코딩했습니다. 코딩 자료에 따라 어떤 기술이라도 완료 기준에 미치지 못하면 치료자는 이에 대해 할머니를 몇 분간 지도했습니다. 3번째 PDI를 하던 날 치료자는 5분간 할머니의 PDI 기술을 코딩한 뒤 부모 주도 놀이 시간 30-40분 동안 할머니를 지도했습니다. PDI의 지도는 처음에는 매우 직접적이어서, 할머니가 스스로 적절하게 지시할 수 있을 때까지는 정확히 치료자가 말하는대로 할머니가 지시하도록 하였습니다. 예를 들어, "네 포테이토 헤드 인형은 앞을 볼 수가 없구나. 인형에게 눈을 붙이렴."같은 놀이 지시를 내리고 조각들이 어디에 있는지 손으로 가리키라고 지도받았습니다. 회기가 진행될수록 명령은 매우 간단한 것에서 점차 난이도를 높여갔고, 점점 제이크의 실생활과 관련된 지시로 옮겨갔습니다. 제이크가 좋아하는 활동에서 덜 선호하는 활동으로 옮겨가며, 공부와 관련된 작업에 순응하는 것과 놀고 난 뒤 정리하는 지시가 포함되었습니다. 제이크에게 경고나 타임아웃이 필요할 때면, 가능한 절차가 잘 진행되고 할머니와 제이크 모두에게 예측 가능하며 일관성이 있도록 치료자는 할머니가 정확한 단어와 행동을 사용하도록 지도하였습니다. 아이가 순응할 때는 그 순응에만 반응하고("내가 하라고 한 것을 그렇게 빨리 해 주어서 고맙구나.") 부정적인 태도는 무시하게 했습니다. 그리고 할머니는 그들의 긍정적인 관계를 강조하기 위해 다시 CDI 기술들을 사용했습니다. 타임아웃 의자에서 주의를 끌기 위해 제이크가 하는 행동들을 할머니가 무시하게 하는 데에도 지도가 필요했습니다. 치료는 지도를 통해 타임아웃 중 남은 시간을 할머니에게 알려주며 지지해 주었습니다("심호흡하시고요, 아이가 소리를 지르는데도 침착하게 참 잘하고 계십니다."). 타임아웃 후 제이크는 원래의 지시를 따르거나 아니면 다시 의자로 돌아가야 했습니다. 제이크가 지시를 따른 뒤, 치료자는 할머니에게 그의 행동을 인정하고 곧바로 두번째로 비슷한 지시를 내리게 지도했습니다. 제이크는 두 번째 지시를 따랐고, 할머니는 이를 칭찬한 뒤 PRIDE 기술로 돌아갔습니다.

PDI 회기가 진행되면서, 집에서도 쓰일 "실생활" 지시(식사 후 식사한 그릇을 개수대에 넣기 등)가 포함되었고, 하루 종일 훈육 기술을 적용하기, 집안의 규칙을 정하고(위험하거나 공격적인 행동들에 대한 대가를 정하기) 공공장소에서도 PDI 기술을 적용하는 등 좀더 진보된 개념도 진행되었습니다. 후자를 위해서 치료자와 할머니는 (a) 공공장소에서 기대되는 행동, (b) 어떻게 공공장소에서 타임아웃을 할지, (c) 주변 행인들이나 할머니의 당황을 어떻게 다룰지에 대해 문제 해결을 의논하고 역할극을 해보았습니다. 관련된 숙제를 배정하고, 할머니가 타임아웃을 지나치게 사용하지 않도록, 한 회기에서는 추가적으로 문제 행동들을 다루는 데 쓸 수 있을 다른 훈육도구들을 검토하였습니다.

**치료 후 및 추적관찰 평가**

표준 PCIT 종결 기준에 따라, 할머니가 CDI 및 PDI 기술의 완료 기준을 충족하고, ECBI 점수가 114이하(평균의 ½ 표준편차 이내)이며 할머니가 스스로 편안하게 기술을 적용한다고 보고하고 회기 밖에서도 기술을 일반화하는 것이 확인되었을 때, 가족은 PCIT 치료를 졸업했습니다. 한 번 이 기준이 충족된 뒤, 제이크와 할머니에게 다시 세 종류의 상황 평가를 진행하였습니다. 습득된 할머니의 기술에 대한 검토 결과를 공유하고 제이크와 할머니는 그들의 진전과 성취를 서로 축하했고 각각에게 인증서가 전달되었습니다. 제이크와 할머니는 치료 종결 약 6개월 뒤에 추가 회기에서 다시 한번 평가를 받고 피드백을 들었습니다.

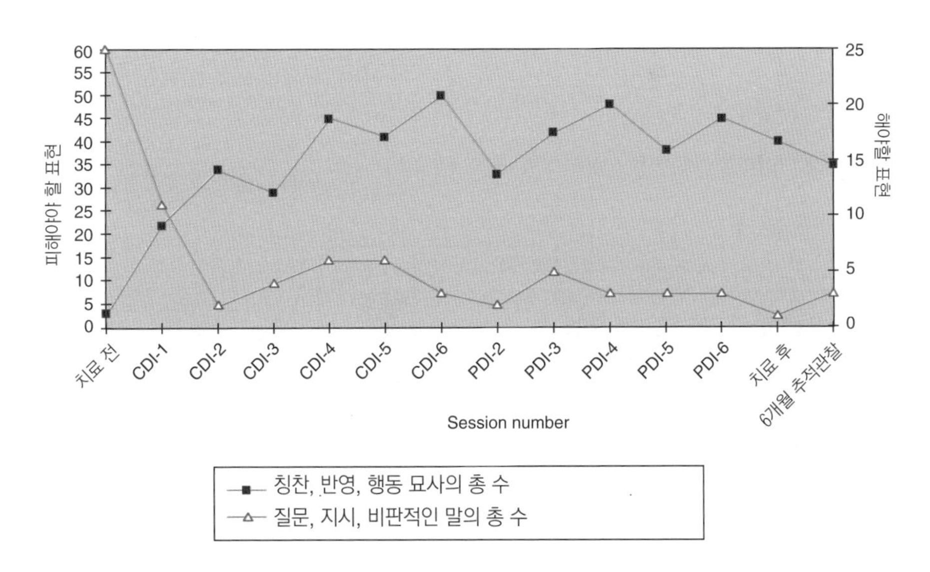


**그림 16.1** 5분 관찰 동안 코딩된CDI 해야 할 표현의 총 수와 피해야 할 표현의 총수. *CDI* 아동 주도 상호작용, *PDI* 부모 주도 상호작용

할머니의 기술은 치료 기간 동안 상당히 개선되었습니다. 5분 관찰 동안 CDI 긍정 표

현 기술은 치료 전 5미만에서 치료 후 40이상이 되었고 이 수치는 6개월 뒤에도 유지되었습니다(치료 목표 약 30). 피해야 할 문구는 60으로 시작되어 첫번째 치료 후 1이 되었고 추적 관찰 시에도 5 미만으로 떨어졌습니다(치료 목표는 3 미만)(**그림 16.1**).

제이크의 다양한 행동 문제에 대해서도 치료기간 전반에 걸쳐 개선 정도를 평가하였습니다. ECBI 심각도 수치 경향이 표시된 **그림 16.2**를 보면 초기 평가 당시 제이크의 점수는 198 (T 점수 79)로, 이 중 문제 점수는 30 (T 점수 80)이었습니다. 이 점수는 상당한 파괴적 행동을 의미하며 품행 문제의 범주에 해당합니다. 치료 후와 추적관찰 시에는 ECBI 심각도 점수가 표준편차 1 이상 감소하여 임상적인 기준점수 밑으로 떨어졌으며(각각 108점 및 113점, T 점수 70 미만), 문제 점수는 정상 범위 내(각각 8점과 6점, T 점수70 미만)에 해당하였습니다.

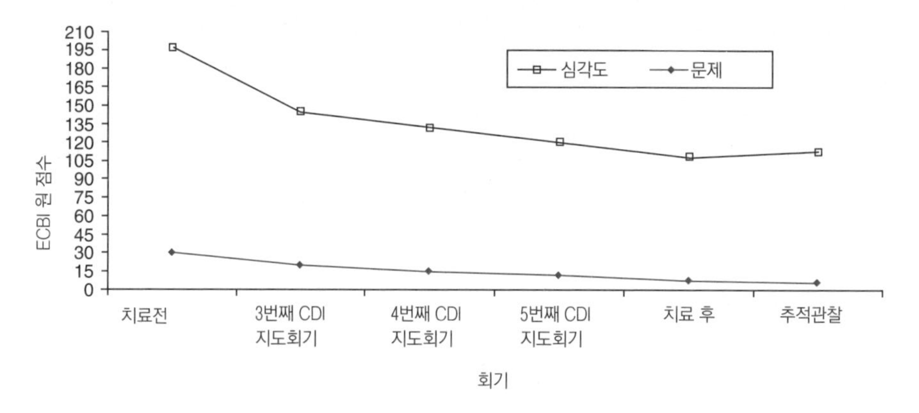


**그림 16.2** 아이버그 아동 행동 목록의 변화 (ECBI 원 점수)

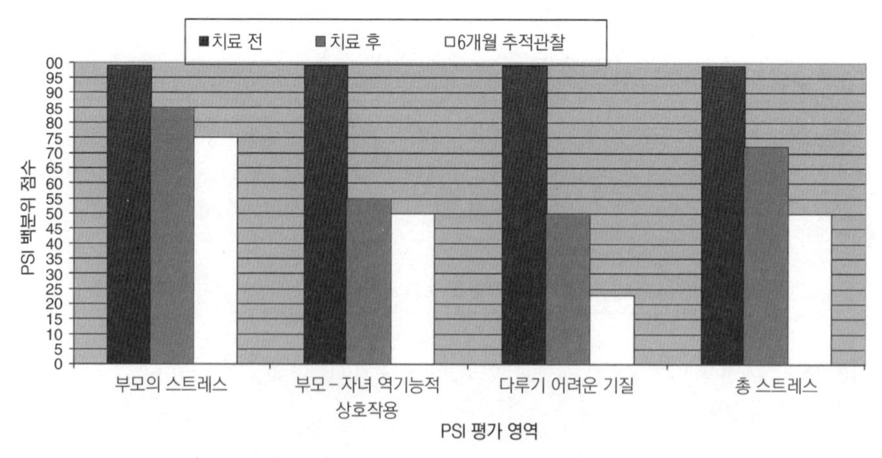


**그림 16.3** 치료 전, 후 및 6개월 추적관찰 시점의 각 하위 척도 백분위 점수

그림 16.3은 치료 전후 및 추적관찰 각각에서 평가한 단축형 육아 스트레스 지수(Parenting Stress Index-Short Form, 이하 PSI-SF)입니다. PSI-SF는 부모의 정서적 고통, 부모-자녀의 역기능적 상호작용과 아이를 다루기 어려운 기질의 세 가지 점수로부터 총 스트레스 점수를 확인합니다. 15-80 백분위 점수는 정상 범위에 들어가며, 점수가 높을수록 스트레스가 높음을 의미하여 85-99 백분위 점수는 부모의 정서적 고통이 임상적으로 상당한 수준임을 뜻합니다. 치료 전 할머니는 세 개의 하위척도와 총 점수 모두에서 "임상적으로 상당한" 범위에 해당하였지만, 치료 후와 6개월 뒤의 추적관찰 평가에서는 모든 수치와 총 점수가 정상 범위 내에 들어갔습니다.

그림 16.4는 치료 전후 및 추적관찰시에 평가된 어린 아이들을 위한 외상 증상 체크리스트[TSCYC]입니다.

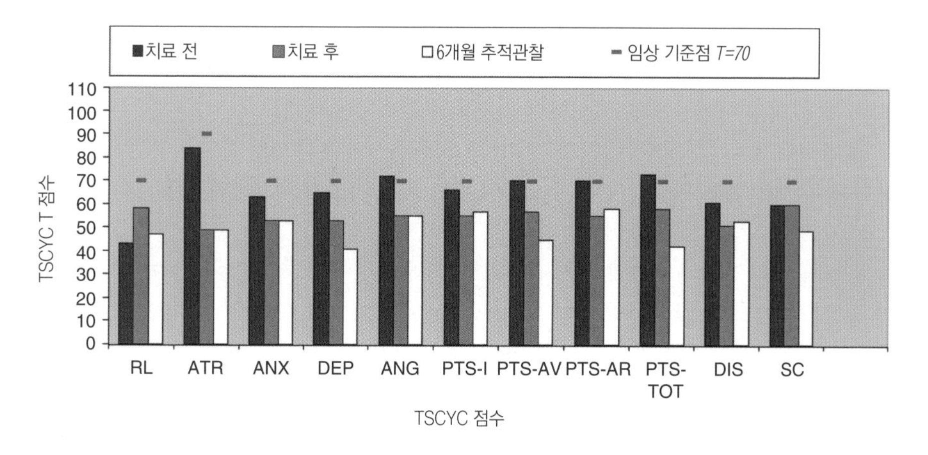


**그림 16.4** 치료 전, 후 및 6개월 추적관찰 시점의 어린 아이들을 위한 외상증상 체크리스트(TSCYC) 하위 척도별 T점수

TSCYC에서 T 점수의 평균값은 50으로, 65-70 구간의 T 점수는 "우려 가능성"을, 70보다 큰 점수는 "임상적으로 의미"있는 것에 해당합니다. TSCYC에는 두 가지의 타당성 척도가 있습니다: (a) 부모의 증상 거부 경향[RL]과 (b) 과도한 보고 경향[ATR]. ATR의 절단점 점수는, 정신건강의 어려움을 겪는 아이들의 부모가 일반 인구 부모군보다 좀더 비일반적으로 TSCYC 증상들을 보고하는 경향이 있다는 점을 고려하여 더 높게 설정되어 있습니다(90T). 치료를 거치며 제이크는 4개의 하위 척도(분노/공격성, 외상후 스트레스 회피, 외상후 스트레스 각성, 및 총 외상후 스트레스) 점수가 임상적인 범위 아래로 떨어졌습니다. 그리고 치료 후와 추적관찰 시점에서는 어떤 하부 척도도 임상적인 범위에 해당하지 않았습니다.

PCIT 치료를 마치며, 할머니는 제이크의 발전에 기뻐했습니다. 치료자는 할머니에게 치료로 얻은 것들이 앞으로도 유지되게 특별한 시간을 계속 갖도록 권했습니다. 그리고 치료자는 부모의 죽음과 관련된 제이크의 불안 증상에 대해, 만약 앞으로 제이크가(예를 들어 일상의 기능을 저해하는 수면장애나 반복적인 말이나 놀이가 증가하는 등의) 부모의 죽음과 관련된 어려움을 표현한다면 필요할 근거 기반 개인 트라우마 치료법들을 알려주었습니다. 이후에 다른 문제는 보고되지 않았습니다.

## 16.4 특정 상황과 어려움들

PCIT 치료는 상대적으로 짧은 시간 동안 강력하고도 긍정적인 변화를 얻게 해주므로 가족과 치료자에게 큰 보람을 줍니다. 그러나 외상 사건을 겪은 아이에게 PCIT를 시행하는 데 어려움이 없는 것은 아닙니다. 이 집단에서의 치료 효과를 높이기 위해, 치료자는 (a) 치료 도중에 나타나는 트라우마 증상들을 이해하고 적절하게 반응해야 하고, (b) 낮은 동기 등, 부모의 참여를 방해하는 장벽을 해결하고, (c) 필요하다면 통상적인 치료 대상인 2-7세 범위 밖의 아이들에게도 PCIT를 적용해야 할 수 있습니다.

일반적인 치료 대상 연령대인 2-7세 범위의 아이가 외상 사건을 겪은 뒤 PCIT 치료를 받을 경우, 치료자의 민감성이 더 필요하며 주요 치료 구조의 체계적인 적용보다 상황에 맞춰 치료의 수정과 조정이 필요합니다. 본 예시 사례에서 치료자는 초기 면담을 진행하는 동안, 할머니의 갑자기 새로 맡게 된 부모 역할에 대한 부담과 사랑하는 이를 최근 상실한 슬픔을 다루고자, 할머니의 대처 기제와 지지 자원도 함께 탐색하여 통합적으로 진행했습니다. 치료자는 표준 PCIT 과정 대로 치료 기간 전반에 걸쳐 할머니의 대처를 관찰하였습니다. 할머니는 가족들의 자살 사건 때문에 애도와 죄책감을 겪고 있었지만, 제이크의 파괴적인 활동이 일상의 스트레스를 높이고, 교회나 사회적 활동 같은 기존의 지원 시스템과 소통하던 그녀의 능력을 감소시켰다고 했습니다. 추가적으로 이 집단에서는, 제이크의 경우처럼 종종 TSCYC 같은 트라우마 증상 평가 도구를 포함하는 등의 조정이 필요합니다(Briere 등, 2001). 교육과 지도 시간에는 트라우마 교육을 통합시키고, 이런 맥락에서 행동과 PCIT 기술들을 진행합니다. 제이크의 할머니에게는 어린 아이들의 상실에 대한 발달상의 이해 수준과 트라우마와 행동의 연결성에 대한 정보들이 각 치료의 모든 세부 항목 중에 짜여서 제공되었습니다. 치료자는 CDI 기술 지도 때, 아이의 감정을 명명하고 타당화하게 돕도록 강조하면서, 외상 사건에 대한 이야기와 놀이가 관찰될 때, 아이가 감정을 조절할 수 있게 보호자가 도와주도록 작업했습니다. 예를 들어 제이크가 부모가 죽고 어린 동물이 고아가 되는 내용의 놀이를 할 때, 치료자는 할머니가 동물 인형의 슬픔을 타당화 해주고, 그 아기 동물을 돌볼 다른 강한 동물이 등장하게 지도했습니다. 제이크가 아빠와 놀던 것이 그립다고 먼저 말을 꺼냈을 때, 할머니는 순간 얼어붙었다가 주제를 바꾸려 했습니다. 이때 치료자는 그녀가 제이크의 감정을 반영하고("아빠와 놀았던 것이 그립구나."), 타당화한 뒤("네가 어떻게 느끼는지 말해주어서 고마워. 네가 엄마아빠를 그리워한다는 걸 알아. 나도 네 엄마와 아빠가 그립단다.") 안전을 다시 확인시켜주었습니다

("우리 모두 그 둘을 매우 그리워하고 있어. 하지만 내가 널 돌보기 위해 여기에 있고, 여기에서 우리가 함께 놀면서 이렇게 큰 동물원을 만들고 있다는 것이 참 기뻐."). 그러자 제이크는 쉽게 놀이를 다시 시작했고, 할머니는 더 많은 "표준" CDI 기술들을 다시 사용하도록 지도받았습니다. 지도 이후 피드백 시간에, 할머니와 치료자는 어려운 부분의 해결에 대해 이야기하며 집에서도 할머니가 제이크의 말에 어떻게 반응하면 좋을지 간단히 연습해 보았습니다. 또 상실에 대한 이런 말들이 할머니에게 어떤 영향을 미쳤는지 간단히 살펴보고, 그녀의 대처 전략과 문제해결에 대해서도 함께 이야기했습니다. 마지막으로, 트라우마 경험이 지속되고 있는 경우에는 부모-자녀 관계가 개선되고 부정적인 행동들이 줄어든 뒤에도 증상들이 남아있을 수 있으므로, 트라우마 전문 치료로 연계하는 것이 권고됩니다(외상 중심 인지행동치료 등, Cohen 등. 2006, 2012). 흔히 초기에는 파괴적인 행동 자체가 아동과 부모 모두 치료에 참여하는 것을 매우 어렵게 만들기 때문에 외상 중심 치료를 적용하기가 어렵습니다. 제이크 역시 파괴적인 행동과 상당한 집중력 문제 때문에 다른 치료법들은 성공하기 매우 어려웠을 것입니다. PCIT 치료로 트라우마 증상들을 포함하는 모든 목표를 달성한다면 다른 치료로의 연계가 필요하지 않습니다.

외현화 행동 문제가 있는 아이들에게 PCIT의 유용성을 보여주는 연구는 상당히 많지만, 학대나 외상 사건을 겪은 아이들은 내재화 행동 문제들도 갖고 있을 수 있습니다. 이러한 내재화 문제 영역(우울, 불안, PTSD 증상들 등)에서도 PCIT의 장점을 입증하는 연구들도 점점 늘어나고 있습니다(Eyberg와 Chase 2008; Lenze 등. 2011; Thomas와 Zimmer- Gembeck 2011, 2012). 많은 수정 없이도 트라우마 관련 증상들이 특히 감소하는 것을 보고한 비통제 연구(Pearl 등. 2012)와 수정 버전 PCIT 대상의 연구에서 상당한 불안 증상들의 감소가 보고되었습니다(Puliafico 등. 2012).

학대 부모라면 자제력, 둔감, 부정적인 성향과 부적절한 분노 표현의 문제를 보일 수 있습니다. Chaffin과 동료들은 이러한 집단을 대상으로 PDI 지도, 그 중에서도 특히 타임아웃 절차 중 추가적인 지지적 요법을 적용하는 식으로 전통적인 PCIT를 수정한 무작위 통제 연구를 시행하였습니다(Chaffin 등. 2004, 2009, 2011). 여기에는 자기 관찰 및 심호흡이 포함되었으며, CDI 지도도 적절할 때 선택적으로 부모의 자제력이나 아이에 대한 민감성을 강화하는 방향으로 조정되었습니다. 이러한 수정 방향은 PCIT의 지도는 언제나 부모와 아이의 독특한 상황과 필요에 맞추어 진행되어야 한다는 면에서 사소한 수정으로 간주됩니다. 발달 상 정상적으로 나타날 수 있는 아이들의 문제와 기대에 대해 부모를 교육하는 데 좀더 중점을 두고, 역할극의 사용도 확대됩니다. 학대 아동을 위해 PCIT를 조정 및 각색하여 적용한 치료에 대한 무작위 통제 연구(Chaffin 등. 2004, 2011)는 상당히 긍정적인 결과를 보고했으며, 다른 연구들에서도 비슷한 결과를 보인 바 있습니다(Timmer 등. 2005; Timmer와 Urquiza 2014). 부모들 중 특히 가정폭력을 겪었거나 기존에 부모 역할을 해보지 않았던 경우에는 파괴적인 행동을 보이는 아이들에게 필요한 명확한 한계를 단호하게 설정하는 것이 어려울 수 있습니다. 표준 PCIT 절차는 부모가 양육 관계의 맥락 안에서 배우고 지도 받는 동안 정서적인 격려를 받으며, 부모-아이 간의 애착에 "손상"이 없이 명확한 한계를 설정하고 시행할 수 있게 해줍니다. 할머니는 제이크가 이미 큰 상실을 겪었으니 그 어떤 좌절로부터 보호되어야 한다는 우려 없이 제이크의 안전과 안녕을 위한 제한들(안전벨트 착용, 친구들을 때리지 않는 것, 적절한 취침 시간의 확인 등)을 도입해보도록 격려받았습니다.

PDI의 훈육 절차에 대한 우려와 애착장애 아이들의 치료에 PCIT의 역할에 대한 논쟁도 존재합니다. PCIT는 애착 이론에 토대를 두고 있으므로, PCIT의 대변자들을 PCIT 안에서 부모-아이 관계의 강화와 예상가능하고 안전한 제한을 두는 것 양쪽에 초점을 맞추는 것이 애착의 문제를 겪은 아이들에게는 이상적이라고 주장합니다(Troutman 2015; Allen 등. 2014). 현재까지 유아기 이후 아이들의 애착을 평가하기에 좋은 도구가 거의 없기 때문에 장/단점에 대한 논쟁은 거의 이론상으로 이루어지고 있으며, 아직까지 진행된 통제 연구는 없습니다.

애착은 아동 복지 체계와 의무적인 치료가 관련된 상황에서 종종 우려의 대상이 됩니다. 이런 강제 치료가 필요한 집단에서의 PCIT 관련 어려움들을 다루기 위해 다양한 무작위 통제 연구에서 치료를 수정하려 했습니다(아래 연구들 참조). 맨 처음으로 주요하게 수정된 것은, 치료 전 동기 강화 개입의 적용입니다(Campbell 등. 2014). 표준 PCIT의 수정 형태에서는 7-12세의 아이들을 포함하는 것으로 연령을 확대했습니다. 이는 학대나 방임 가족의 상황에 해당하는 것으로, 좀더 나이든 아이들을 위해 조정된 부분은 PCIT의 두 단계 모두에서 아이의 인식 부분을 고려하는 것에 중점을 두는 것입니다. CDI 기술과 PDI의 중요성 역시 발달 상의 기대와 성숙도에 따라 조정됩니다. CDI는 부모가 좀더 아이의 연령에 맞는 상호 작용으로 기술을 습득하도록, "최우선순위" 기술들로 연결되는 연령별 활동과 언어를 통합합니다. PDI에서 중요한 것은, 미취학 아동 상황의 규칙의 절대적인 순응에서, 좀더 나이든 아동에서 이유 있는 결과는 받아들이는 것으로 변경됩니다. 이러한 수정은 Defiant Children's program (Barkley 1987)과 Common Sense Parenting program (Burke 등. 2006)에서 몇 가지 요소를 적용한 것입니다. 연구에 포함된 좀더 연령이 높은 아이들은 다양한 범위의 행동 문제들을 보였으나 부모가 연구에 참석하는 형태이므로 진단 평가는 하지 않았습니다. 주 연계 이유가 파괴적 행동 문제인 7-12세 아동 대상으로 수정된 형태의 PCIT에 대해서는 연구된 바 없으므로, PCIT 적용 효용성을 평가하는 추가 연구가 필요합니다.

아이가 가정 외의 장소에서 거주하여 기술을 연습하거나 숙제 기회가 제한된 부모에게도 PCIT의 수정이 필요할 수 있습니다. 이러한 수정방법에는 역할극, 방문 일정에 CDI 시행하기 또는 가정 내의 다른 아이들에게 연습하기 등이 있습니다. PCIT가 성공하려면, 부모가 기술을 연습할 수 있게 아이와 충분히 연결될 기회가 있어야 합니다. PCIT는 위탁 중인 아이가 원가정으로 복귀하지 않거나 PCIT 완료 전에 완전한 복귀하지 않는 상황에서는 치료적 이점이 감소하므로 생물학적 부모에게 권고되지 **않습니다**(Chaffin 등. 2011). 재결합 일정이 임박한 경우에는 치료 시간 외에도 일주일에 세 번 이상 부모가 자녀와 상호 작용하며 기술을 연습할 수 있는 경우에만 PCIT를 권장합니다.

성학대를 겪은 아동은 비가해 보호자와 PCIT를 진행할 수 있습니다. PCIT는 부모-자녀 관계를 강화하고, 성인의 지시에 대한 아이의 순응률의 높이는 것이 치료 목표이므로 성 학대 가해자에게는 권장되지 않습니다.

## 16.5 연구

PCIT는 파괴적인 행동 문제를 가진 아이들을 위해 개발되었고, 이후 학대를 겪은 아이들에게도 적용할 수 있도록 수정되었다고 언급되었지만, 현실에서 PCIT는 항상 부정적인 삶의 경험에 노출된 아이들을 치료해 왔습니다. PCIT의 초창기 효과 연구가 이루어지던 1970년대 후반에서 1980년대 초까지, 아동 학대에 대한 관심은 개입보다 현상의 기술 수준이었습니다. 외상후 스트레스장애는 1980년까지 DSM에 등장하지 않았고, 이후에도 주로 전쟁 참전 군인 대상의 진단이었습니다. 어린 아이들의 외상성 불안이나 우울은 몇 년이 지나서야 인식되기 시작했습니다. 초기 PCIT의 무작위 통제 연구[RCT]들은 비효과적인 훈육이나 학대, 임신 중 약물 노출이나 자폐스펙트럼 장애 같은 발달 문제 등, 선행요인에 의해 일어났을 가능성이 높은 임상적으로 유의미한 수준의 파괴적 행동을 보이는 아이들을 대상으로 하였습니다. 후기에 진행된 아동 학대 위험성이 있는 부모들의 치료로써 PCIT의 효과를 평가하는 연구들에서는, 아동의 문제 행동보다 양육 기술의 결핍을 치료하는 것이 목표라는 점에서 명시된 파괴적 행동 장애의 조건을 없앴습니다. 요약하자면, PCIT에서의 아동 진단과 선별 규정은 시간이 지나며 변화해왔지만, 치료를 받는 아이들의 다양성은 상대적으로 일정하게 유지되어 왔습니다.

물리적인 학대/방임의 이력이 있는 부모들을 대상으로 PCIT의 효과를 검증한 일련의 무작위 통제 시험 결과(Chaffin 등. 2004, 2009, 2011), PCIT가 기존의 육아 스타일을 바꾸고자 하는 동기를 강화하는 기법들과 함께 진행될 때, 학대 부모들이 치료를 완수한 뒤 아동 복지 체계에 신고될 가능성을 매우 낮아졌습니다(치료 2년 뒤 20% 미만). 게다가 PCIT 단독으로도 추가 지원이나 가족 서비스 또는 일반적인 양육 수업들을 더하여 분석한 결과보다 더욱 효과적으로 나타났습니다(Chaffin 등. 2004). 동기 강화 개입이 없을 경우에는 치료 완결 비율이 매우 낮았으므로, 학대로 인해 아동 복지 체계에서 연계된 부모에게는 PCIT에 동기강화 개입을 추가하는 것이 중요하다는 점이 명백합니다(Thomas와 Simmer-Gemback 2012; Timmer 등. 2005; Lanier 등. 2014).

PCIT에서 기술의 숙달과 완성이 결과에 필수일지 여부는 분명하지 않습니다. Thomas와 Zimmer-Gembeck (2007)은 PCIT에 대한 여덟 코호트를 대상으로 시행된 무작위 통제 연구들을 검토하여, 총 13개의 출간 연구 중 9개에서 PCIT가 숙달의 목표보다는 한정된 스케줄로 시행되었음을 확인하였습니다. 이들은 5년 뒤의 후속 연구(Thomas와 Zimmer-Gembeck 2012)에서 PCIT 12번째 회기 후와 총 기술을 완수한 뒤에 각각 참여자들을 평가하였으며, 치료가 더 연장되었을 때 전체적으로는 근소한 추가적인 이득을 보이고, 아이의 내면화 증상의 상당한 줄어들고 부모의 정서적 민감도가 증가한다는 점을 확인하였습니다.

PCIT는 그동안 광범위한 연구가 진행되어 300개 이상의 논문에서 외현화 행동에 대한 효과가 검증되었습니다(PCIT.org 참조). PCIT로 얻는 이득에 대한 검증은 일반화되어 비치료 형제자매(Brestan 등. 1997)나 학교 환경(Funderburk 등. 1998)에서도 확인되었으며, 치료 후 6년까지도 지속되는 것으로 나타났습니다(Hood와 Eyberg 2003). 형식을 변경한 경우의 연구들도 긍정적인 결과를 보였는데 가정 내 치료(Masse와 McNeil 2008; Galanter 등. 2012), 집중 또는 단축형 치료(Graziano 등. 2014)와 집단 PCIT(Bertrand 2009; Niec 등. 2005)들이 여기에 해당됩니다. 발달 장애 아동들(Bagner와 Eyberg 2007; Bertrand 2009; Ginn 등. 2015)과 미국 내의 다양한 집단과 문화적 배경에서도 성공적인 치료 결과를 보였습니다(Bigfoot과 Funderburk 2011; McCabe와 Yeh 2009; Gurwitch 등. 2013). PCIT는 전 세계적으로도 유사한 효과를 보여왔으며, 현재 PCIT가 시행되고 있는 나라는 호주, 중국, 독일, 홍콩, 인도, 일본, 노르웨이, 네덜란드, 뉴질랜드, 한국, 그리고 대만입니다.

PCIT는 다양한 환경, 형태와 인구군에게 효과가 입증된 강력한 증거 기반 치료법입니다. 지난 십여 년간, 특히 트라우마 또는 학대를 겪은 아이들 대상의 PCIT 시행과 연구가 많은 관심을 받아왔습니다. PCIT는 트라우마 증상을 줄이고 전반적인 행동과 관계를 개선할 뿐만 아니라, 아동 복지 체계, 가족 및 마약 관련 법 집행에 위협이 되는 재범률 역시 상당히 감소시키는 것으로 나타났습니다.

PCIT가 미국 전역과 전 세계에 보급됨에 따라, 치료의 정확성과 완성도를 유지하기 위한 노력도 지속되어왔으며, 2009년에는 PCIT 관리체계가 국제적으로 통합되었습니다. 이 강력한 근거 기반 개입법의 지속과 높은 기준을 충족하기 위해, 시행 기관의 준비 세팅과 치료자 트레이닝 가이드라인이 통합된 단일한 치료 프로토콜이 정해졌고, PCIT 치료자와 트레이너 인증 과정도 완성되었습니다.

## 참고문헌

Abidin RR (1990) Parenting stress index manual. Pediatric Psychology Press, Charlottesville Ainsworth MS (1979) Infant-mother attachment. Am Psychol 34:932-7

Allen B, Timmer SG, Urquiza AJ (2014) Parent-child interaction therapy as an attachment-based intervention: theoretical rationale and pilot data with adopted children. Child Youth Serv Rev 47:334-41. doi:10.1016/j.childyouth.2014.10.009

Axline V (1947) Play therapy. Houghton Mifflin, Boston

Bagner DM, Eyberg SM (2007) Parent-child interaction therapy for disruptive behavior in children with mental retardation: a randomized controlled trial. J Clin Child Adolesc Psychol 36(3):418-29

Bandura A (1977) Social learning theory. Prentice Hall, Englewood Cliffs

Barkley RA (1987) Defiant children: a clinician's manual for parent training. Guilford Press, New York

Baumrind D (1966) Effects of authoritative parental control on child behavior. Child Dev 37:887-907

Baumrind D (1967) Child care practices anteceding three patterns of preschool behavior. Genet Psychol Monogr 75:43-88

Bertrand J, [On behalf of the Interventions for Children with Fetal Alcohol Spectrum Disorders Research

Consortium] (2009) Interventions for children with fetal alcohol spectrum disorders (FASDs): overview of findings for five innovative research projects. Res Dev Disabil 30(5):986–1006

BigFoot D, Funderburk B (2011) Honoring children, making relatives: the cultural translation of parent-child interaction therapy for American Indian and Alaska Native families. J Psychoactive Drugs 43(4):309–18

Briere J, Johnson K, Bissada A, Damon L, Crouch J, Gil E, Hanson R, Ernst V (2001) The Trauma Symptom Checklist for Young Children (TSCYC): reliability and association with abuse exposure in a multi-site study. Child Abuse Negl 25:1001–14

Brinkmeyer M, Eyberg SM (2003) Parent-child interaction therapy for oppositional children. In: Kazdin AE, Weisz JR (eds) Evidence-based psychotherapies for children and adolescents. Guilford, New York, pp 204–23

Burke R, Herron R, Barnes BA (2006) Common sense parenting®, 3rd edn. Father Flanagan's Boys' Home, Boys Town

Campbell C, Chaffin M, Funderburk B (2014) Parent-child interaction therapy (PCIT) in child maltreatment cases. In: Reece R, Sargent J, Hanson R (eds) Handbook of child abuse treatment, 2nd edn. Johns Hopkins University Press, Baltimore

Chaffin M, Silovsky J, Funderburk B, Valle LA, Brestan EV, Balachova T, Jackson S, Lensgraf J, Bonner BL (2004) Parent-child interaction therapy with physically abusive parents: efficacy for reducing future abuse reports. J Consult Clin Psychol 72:500–10

Chaffin M, Valle LA, Funderburk B, Gurwitch R, Silovsky J, Bard D 등 (2009) A motivational intervention can improve retention in PCIT for low-motivation child welfare clients. Child Maltreat 14(4):356–68

Chaffin M, Funderburk B, Bard D, Valle L, Gurwitch R (2011) A combined motivation and parentchild interaction therapy package reduces child welfare recidivism in a randomized dismantling field trial. J Consult Clin Psychol 79(1):84–95. doi:10.1037/a0021227

Chase R, Eyberg S (2008) Clinical presentation and treatment outcome for children with comorbid externalizing and internalizing symptoms. J Anxiety Disord 22(2):273–82

Children's Bureau (2005) Child welfare outcomes 2002-2005. Administration on Children, Youth and Families, Department of Health and Human Services. Retrieved from http://archive.acf. hhs.gov/programs/cb/pubs/cwo05/cwo05.pdf

Cohen JA, Mannarino AP, Deblinger E (2006) Treating trauma and traumatic grief in children and adolescents. Guilford, New York/London

Cohen JA, Mannarino AP, Deblinger E (2012) Trauma-focused CBT for children and adolescents: treatment applications. Guilford, New York/London

Eyberg SM (1988) Parent-child interaction therapy: integration of traditional and behavioral concerns. Child Fam Behav Ther 10(1):33–46

Eyberg SM, Funderburk B (2011) Parent-child interaction therapy protocol. Copyright 2011 PCIT International, Inc.

Eyberg SM, Pincus D (1999) Eyberg child behavior inventory and Sutter-Eyberg student behavior inventory-revised: professional manual. Psychological Assessment Resources, Odessa

Eyberg SM, Robinson EA (1982) Parent-child interaction training: effects on family functioning. J Clin Child Psychol 11:130–7

Eyberg S.M, Nelson MM, Ginn NC, Bhuiyan N, Boggs SR (2013) Dyadic Parent-Child Interaction Coding System (DPICS): comprehensive manual for research and training, 4th ed. Copyright 2013 PCIT International, Inc.

Fernandez MA, Eyberg SM (2009) Predicting treatment and follow-up attrition in parent-child interaction therapy. J Abnorm Child Psychol 37(3):431–41. doi:10.1007/s10802-008-9281-1

Forehand RT, McMahon RJ (1981) Helping the noncompliant child. The Guilford Press, New York

Forgatch MS, Bullock BM, Patterson GR (2004) From theory to practice: increasing effective parenting through role-play. The Oregon Model of Parent Management Training (PMTO). In: Steiner H (ed) Handbook of mental health interventions in children and adolescents: an integrated developmental approach. Jossey-Bass, San Francisco, pp 782–814

Funderburk BW, Eyberg S (2011) Psychotherapy research centers and groups. In: Norcross JC, Vandenbos GR, Freedheim DK (eds) History of psychotherapy: continuity and change, 2nd edn. American

Psychological Association, Washington, DC, pp 415–420. ISBN: 978-1-4338-0762-6
Funderburk BW, Eyberg SM, Newcomb K, McNeil C, Hembree-Kigin T, Capage L (1998) Parentchild interaction therapy with behavior problem children: maintenance of treatment effects in the school setting. Child Fam Behav Ther 20:17–38
Galanter R, Self-Brown S, Valente JR, Dorsey S, Whitaker DJ, Bertuglia-Haley M, Prieto M (2012) Effectiveness of parent-child interaction therapy delivered to at-risk families in the home setting. Child Fam Behav Ther 34(3):177–96
Ginn NC, Clionsky LN, Eyberg SM, Warner-Metzger CM, Abner JP (2015) Child-directed interaction training for young children with autism spectrum disorders: parent and child outcomes. J Clin Child Adolesc Psychol. 1–9. doi:10.1080/15374416.2015.1015135
Graziano PA, Bagner DM, Slavec J, Hungerford G, Kent K, Babinski D, Derefinko K, Pasalich D (2014) Feasibility of intensive parent–child interaction therapy (I-PCIT): results from an open trial. J Psychopathol Behav Assess:1–12. doi:10.1007/s10862-014-9435-0
Greenberg MT, Speltz ML, DeKlyen M, Jones K (2001) Correlates of clinic referral for early conduct problems: variable- and person-oriented approaches. Dev Psychopathol 13:255–76
Gurwitch RH, Fernandez S, Pearl E, Chung G (2013) Utilizing parent-child interaction therapy to help improve the outcome of military families. Children, Youth, and Families Newsletter. http://www.apa.org/pi/families/resources/newsletter/2013/01/parent-child-interaction.aspx. Accessed 6 Mar 2015
Hanf M (1969) A two stage program for modifying maternal controlling during mother-child (M-C) interaction. Paper presented at the meeting of the Western Psychological Association, Vancouver
Hildyard KL, Wolfe DA (2002) Child neglect: developmental issues and outcomes. Child Abuse Negl 26:679–95
Hood KK, Eyberg SM (2003) Outcomes of parent–child interaction therapy: mothers' reports of maintenance three to six years after treatment. J Clin Child Adolesc Psychol 32(3):419–29. doi:10.1207/S15374424JCCP3203_10
Kaminski JW, Valle LA, Filene JH, Boyle CL (2008) A meta-analytic review of components associated with parent training program effectiveness. J Abnorm Child Psychol 36:567–89. doi:10.1007/s10802-007-9201-9
Kaufman Best Practices Project (2004) Kaufman best practices project final report: closing the quality chasm in child abuse treatment; identifying and disseminating best practices. http:// www.chadwickcenter.org/Documents/Kaufman%20Report/ChildHosp-NCTAbrochure.pdf. Accessed 1 Feb 2015
Lanier P, Kohl PL, Benz J, Swinger D, Drake B (2014) Preventing maltreatment with a community-based implementation of parent–child interaction therapy. J Child Fam Stud 23:449–60. doi:10.1007/s10826-012-9708-8
Lenze SN, Pautsch J, Luby J (2011) Parent-child interaction therapy emotion development: a novel treatment for depression in preschool children. Depress Anxiety 28:153–9. doi:10.1002/ da.20770
Masse JJ, McNeil CB (2008) In-home parent-child interaction therapy: clinical considerations. Fam Behav Ther 30(2):127–35
McCabe K, Yeh M (2009) Parent–child interaction therapy for Mexican Americans: a randomized clinical trial. J Clin Child Adolesc Psychol 38(5):753–9
McNeil CB, Hembree-Kigin TL (2010) Parent-child interaction therapy. Springer, New York
McNeil C, Herschell AD, Gurwitch R, Clemens-Mowrer LC (2005) Training foster parents in parent-child interaction therapy. Educ Treat Child 28(2):182–96
Niec LN, Hemme JM, Yopp JM, Brestan EV (2005) Parent-child interaction therapy: the rewards and challenges of a group format. Cogn Behav Pract 12(1):113–25. http://www.sciencedirect. com/science/article/pii/S107772290580046X
Patterson GR (1976) The aggressive child: victim and architect of a coercive system. In: Mash EJ, Hamerlynck LA, Handy LC (eds) Behavior modification and families. Brunner/Mazel, New York, pp 267–316
Patterson GR (1982) The early developmental of coercive family process. In: JB
Pearl E, Thieken L, Olafson E, Boat B, Connelly L, Barnes J, Putnam F (2012) Effectiveness of community dissemination of parent-child interaction therapy. Psychol Trauma Theory Res Pract Policy 4(2):204–13
Puliafico AC, Comer JS, Pincus DB (2012) Adapting parent-child interaction therapy to treat anxiety

disorders in young children. Child Adolesc Psychiatr Clin N Am 21(3):607–19.
doi:10.1016/j.chc.2012.05.005
Reid JB, Patterson GR, Snyder J (eds) (2002) Antisocial behavior in children and adolescents: developmental theories and models for intervention. American Psychological Association, Washington, DC, pp. 25–44
Stith SM, Liu T, Davies LC, Boykin E, Meagan C, Harris JM, Som A, McPherson M, Dees JEEG (2009) Risk factors in child maltreatment: a meta-analytic review of the literature. Aggress Violent Behav 14:13–29
Thomas R, Zimmer-Gembeck MJ (2007) Behavioral outcomes of parent-child interaction therapy and triple P-positive parenting program: a review and meta-analysis. J Abnorm Child Psychol 35(3):475–95
Thomas R, Zimmer-Gembeck MJ (2011) Accumulating evidence for parent–child interaction therapy in the prevention of child maltreatment. Child Dev 82(1):177–92.
doi:10.1111/j.1467-8624.2010.01548.x
Thomas R, Zimmer-Gembeck MJ (2012) Parent child interaction therapy: an evidence based treatment for child maltreatment. Child Maltreat 17(3):253–66. doi:10.1177/1077559512459555
Timmer SG, Urquiza AJ (2014) Parent-child interaction therapy for maltreated children. In: Timmer S, Urquiza A (eds) Evidence-based approaches for the treatment of maltreated children. Springer, New York
Timmer SG, Urquiza AJ, Zebell N, McGrath NM (2005) Parent-child interaction therapy: application to maltreating parent-child dyads. Child Abuse Negl 29(7):825–42. doi:10.1016/j. chiabu.2005.01.003
Timmer SG, Urquiza AJ, Zebell N (2006) Challenging foster caregiver-maltreated child relationships: the effectiveness of parent-child interaction therapy. Child Youth Serv Rev 28(1):1–19. doi:10.1016/j.childyouth.2005.01.006
Venet M, Bureau J, Gosselin C, Capuano F (2007) Attachment representations in a sample of neglected preschool-age children. Sch Psychol Int 28:264–93
Webster-Stratton C (2011) The incredible years parents, teachers, and children's training series: program content, methods, research and dissemination 1980-2011. Incredible Years, Inc., Seattle
Webster-Stratton C, Reid MJ (2003) Treating conduct problems and strengthening social and emotional competence in young children: the Dina Dinosaur Treatment Program. J Emot Behav Disord 11(3):130–43
Zisser A, Eyberg S (2010) Parent-child interaction therapy and the treatment of disruptive behavior disorders. In: Weisz JR, Kazdin AE (eds) Evidence-based psychotherapies for children and adolescents, 2nd edn. Guilford Press, New York, pp 179–93

# 아동과 청소년 트라우마 체계 치료 17

Adam Brown, Christina Laitner 와 Glenn Saxe

## 17.1 이론적 기초

아동의 트라우마 스트레스를 이해하기 위해서는 복잡성에 대한 이해가 필요합니다. 아동의 트라우마 스트레스를 효과적으로 치료하려면 이러한 복잡성에 대한 이해를 해당 스트레스에 도움이 되는 일련의 특정 치료적 작업으로 변환할 수 있어야 합니다. 트라우마 체계 치료(Trauma systems therapy, 이하 TST)는 서비스 제공자가 이를 실현할 수 있도록 만들어졌습니다. 이 복잡성은 어디에서 왔을까요? 트라우마를 입은 아동은 -시간이 지남에 따라 발달하는- 복잡한 생물학적 체계로 구성된 가족, 또래 집단, 학교, 이웃 및 문화를 포함한 복잡한 체계에 속해 있습니다. 외상 사건은 그 자체로 복잡하며 기간, 빈도, 발달 기간 및 외상 유형과 같은 많은 요인을 포함합니다. 이 복잡성 중에서 외상에 대한 아동의 반응을 결정하는 것은 무엇이며 치료는 이러한 결정 요인을 어떻게 다루어야 할까요? 이 개념은 매우 실용적입니다. TST는 트라우마를 입은 아동이 생존 반응을 조절할 때의 개인적인 어려움을 다룰 뿐 아니라 아동이 이에 적응하도록 돕고 이를 유발 및/혹은 지속시키는 사회적 환경을 다룹니다. 이러한 내부 및 외부 요인들 간의 이원적인 상호작용이 TST 내에서 아동의 트라우마 스트레스를 이해하고 치료하는 핵심 접근 방식을 형성합니다. 따라서 TST는 아동의 강점과 취약성 그리고 사회적 맥락 사이의 합을 이해함으로써, 외상 스트레스를 경험하는 청소년에게 영향을 줄 수 있는 핵심적인 체계적 요소에 중점을 둡니다.

우리의 경험에 따르면 트라우마 스트레스가 있는 아이들은 수많은 문제점들을 갖고 있을 수 있습니다. TST는 아이가 보이는 문제들에 있어 가능성 있는 모든 결정 요인을 고려하는 평가 과정으로 시작하여 치료에서 다루어야 할 가장 중요한 요인에 대한 이해로 마무리 됩니다. TST는 어떻게 이 작업을 할까요?

1. 우리는 트라우마에 관련한 생물학적 체계가 위험에 직면했을 때 생존을 도모하도록 진화되었다는 것을 압니다. 따라서 외상에 대한 아동의 정서 또는 행동 반응을 이해하는 첫 번째 단계는, 이러한 반응이 생명의 유지와 어떻게 관련되는지를 고려하는 것입니다.
2. 우리는 외상 이후 아동의 사회적 환경이 보통 더 이상 위험하지 않다는 것을 알지만, 아동은 특정 상황에서는 여전히 위험이 존재하는 것처럼 환경에 반응합니다. 아동의 환경이 실제로 위험하다면 안전을 유지하는 데 전력을 다합니다.
3. 아직도 위험이 존재하는 듯 반응하는 아동의 정서, 행동 및 인지적 변화는 트라우마 스트레스 반응을 정의하는 특징입니다. 우리는 이 반응을 **생존 반응**survival states이라고 부르며 다음과 같이 정의합니다: "현재의 상황을 그의 생존에 위협이 되는 상황으로 경험하고 그에 부합하는 사고, 감정, 뇌 화학 및 신경생리학적 반응을 보이는 것"(saxe 등. 2016, p.10)
4. 우리는 **생존 반응**이 무작위로 발생하는 것이 아니라 (의식적이든 무의식적이든) 아동이 위험으로 인식한 환경 신호에 대한 반응이라는 것을 압니다. 일반적으로 이러한 신호는 아동의 트라우마 경험과 어느 정도 알아차릴 수 있 만한 연결고리가 있습니다. 그러나 그러한 연결고리는 뚜렷하지 않을 수 있으며 평가 과정을 거치면서 알게 됩니다.
5. 특정 위험 신호가 있는 상황에서 아동의 **생존** 반응이 일어날 때, 이를 보통 아동이 치료를 필요로 하는 사건이라고 정의 내립니다. 이러한 신호란 매우 미묘한 것일 수 있습니다(예: 눈빛이나 목소리 톤). 따라서 평가 과정의 핵심은, 어떤 위험 신호가 **생존 반응**을 불러오는지 그 유형을 파악하는 것입니다.
6. 위험 신호는 아동의 사회적 환경(예: 집, 학교, 또래 집단)의 모든 영역에 있을 수 있습니다. TST는 발견되는 위험 신호 정도에 비례하여 해당 사회적 환경 영역들에 중점을 둡니다.
7. 식별된 위험 신호와 **생존 반응** 사이의 연결 유형에 따라 TST 치료에서 다룰 임상 문제가 정의됩니다. 이에 따라 치료의 초점으로 볼 수 있었던 많은 문제들 중 실제 치료의 초점이 되는 소수의, 매우 영향이 큰 문제들이 남을 것입니다.

이러한 과정을 통해 치료자와 치료 팀은 모든 복잡한 상황 속에서 아동의 외상 스트레스를 고려하고 이러한 복잡성을 아이의 요구에 맞춰 도울 수 있도록 치료적 행동으로 변환할 수 있게 됩니다. 이론적으로 이것은 체계적인 과정입니다(따라서 트라우마 **체계** 치료라고 명명함). 우리는 트라우마 체계를 다음과 같이 정의합니다(Saxe 등. 2005).

구분 가능한 특정 순간에 생존 반응을 경험하는 트라우마를 입은 아동; 그리고,
아동이 이러한 생존 반응을 조절하도록 도와주지 못하는 사회적 환경 및/또는 보호 체계.

앞서 언급했듯이 이 개념적 틀이 TST와 다른 아동 외상 모델의 차이점입니다. 이러한

내부 및 외부 요인의 상호 작용 사이의 이원성은 TST가 아동의 외상 스트레스를 이해하고 치료하는 핵심 접근 방식입니다.

TST는 초기 개발자에 의해 보스턴의 대규모 도시 의료 센터Boston Medical Center의 외래 진료실에서 복합 트라우마를 겪은 아이들에게 "일반적이고 전통적인" 방식의 치료, 즉 외래에서 개별 회기로 아동에게 일차적으로 초점을 맞추어 시행하는 개입으로 개발되었습니다. 당시 이 접근 방식은 근거 기반 개별 아동 치료와 동일했지만(Wethington 등. 2008), 두 가지 주요 문제가 있었습니다. 첫째, 전형적으로 빈곤과 인종문제/차별, 부적합한 학교, 지역사회 폭력의 영향을 받는 불안정한 가정 환경에서 진료로 의뢰되는 아이들에 대한 인식이 충분하지 않았습니다. 이처럼 복잡한 환경, 사회적 요인은 아동에게서 보이는 문제에 직접적인 기여를 하였고, 개인의 차원을 넘어서는 개입의 필요성을 불러왔습니다. 둘째, 치료작업이 아동과 그 가족에게 긍정적인 영향을 미치고 있는지가 명확하지 않았습니다. 이 불확실성은 아이와 가족이 진지하게 치료에 참여하지 않았을 때 더 컸는데, 이는 일반적으로 치료 중도 탈락으로 반영되었습니다. 이러한 탈락은 특히 소수 민족 청소년, 과거 아동 학대를 경험한 아동 및 청소년에게서 흔합니다(Lau와 Weisz 2003). 따라서 치료팀은 아동과 가족을 돕기 위해 또 다른, 더 나은 방법을 개발하려는 사명감을 가지게 되었습니다.

치료 방식을 바꾸기 시작하면서 우리는 4가지 기본 원칙을 따랐습니다. (1) 치료는 발달을 고려해야 하고, (2) 치료는 사회 환경/생태를 직접 다루어야 하며, (3) 치료는 보 건의료 체계와 공존이 가능해야 하고, (4) 치료는 "보급 가능"해야 합니다. 정서(또는 감정) 조절의 장애는 복잡한 트라우마에 노출된 아동이 경험하는 주요 문제 중 하나입니다(Cicchetti와 Toth 1995). 이러한 감정 조절(emotion regulation, 이하 ER)의 문제는 개인이 위험에 직면했을 때 나타나는, 생존을 위한 생물학적 체계와 관련된 트라우마 스트레스의 주요 특성으로 볼 수 있습니다(Frewen과 Lanius 2006; Hopper 등. 2007). 과거의 트라우마 연상물이나 실제 위험에 직면했을 때, 트라우마를 겪었던 아동은 과도 또는 과소 각성 및 기타 형태의 정서 불안 반응을 보입니다. 따라서 우리는 시점 반응(moment state)에서 생존을 뜻하는 ER을 TST의 핵심 초점으로 선택했습니다. 이 접근 방식은 이 책의 다른 치료들의 접근법과 일치합니다.

Urie Bronfenbrenner(1979)의 중요한 작업은 아이의 사회적 생태환경, 아이와 다층의 사회적 환경 사이에서 일어나는 상호성의 맥락에서 아이의 발달을 이해하는 것을 강조하였으며, 이것이 TST가 트라우마를 겪은 아이의 사회적 생태/환경 면에 초점을 맞추는 데 촉매 역할을 했습니다. Bronfenbrenner의 개념적 틀은 환경 속에서 수많은 위협과 위험에 처했던, 그리고 환경으로부터 보호나 지지를 받지 못하는 아이들에게 특히 적절합니다. 예를 들어 부모에게 신체 학대를 당한 아이가 지역사회의 폭력에도 노출된 경우라면, 지속적으로 존재하는 위협으로 인해 증상에서 회복하는 것이 어려울 것입니다. 이럴 경우 TST 치료 팀은 아동의 생존 반응에 관련된 사회적 환경에 직접 연결하는 데 초점을 맞추기로 합니다. 이에 대해서는 아래에 자세히 설명될 것입니다.

여러 기관에서 일련의 정신건강 서비스를 조정하고 제공하기 위해 포괄적인 접근 방식(예: systems of care; Pumariega와 Winters 2003)이 개발되었지만, 여러 서비스를 복수로 제공하는 접근 방식은 분절화되고 조화되지 않으며 따라서 매우 비효과적입니다. 결과적으로 우리는 다학제적 임상팀으로 모든 치료 체계 각각의 서비스 제공자들을 말 그대로 "한 회의 테이블에 모으는" 중재 접근 방식을 고안하였습니다. TST 팀은 일반적으로 가정 방문 치료자, 정신건강의학과 의사(약물치료), 심리치료사, 법률 전문가 및 트라우마 치료 전문 지식을 갖춘 지도 감독자로 구성됩니다. TST는 트라우마를 입은 아동에게 관련된 모든 치료 체계를 포함하는 팀 접근 방식을 제공하는 것입니다. 이들 서비스 제공자들은 차례로 아동의 사회적 환경(예: 집, 이웃/지역사회, 학교 등)의 다양한 부분에 관여했습니다. 우리는 효과적인 치료 모델뿐만 아니라 다양한 "실제" 환경에 성공적으로 보급될 수 있는 모델을 개발하기 시작했습니다.

TST를 개발할 때 중요하게 고려했던 첫 번째 전략은 "보급 가능"하고 미국 대부분의 지역에서 사용할 수 있는 서비스들을 통합한 모델을 만드는 것이었습니다. 전통적으로 TST는 두 명의 구성원들(가정방문 치료자와 법률전문가)를 포함한 다학제 팀이 제공합니다. TST가 성공적으로 도입되고 시행이 늘어날 수 있었던 두 번째 측면은 이 모델이 다른 경험적으로 지지되고 매뉴얼화 된 사회-생태학적 모델(예, 다구조 치료multisystemic therapy; Henggeler 등. 2002)과 동일하게 출판된 매뉴얼(Saxe 등. 2016)로 전부 시행이 가능하다는 것입니다. TST 모델의 또 다른 측면은 치료가 충분히 충실하게 전달되게 해주는 치료 순응 접근 방식의 개발입니다. 특히, 충실도fidelity란 평가, 치료 계획, 아동과 가족의 참여 및 치료의 3단계 중심의 개입을 잘 연결하여 따르는 것으로 "충실함 내에서의 유연성"이라는 개념에 맞도록 아동을 중심으로 하는 개별화된 치료적 접근법(Kendall 등. 2008)입니다.

TST는 아동 보호와 관련된 다양한 서비스 체계를 통합하는 중앙 조직 구조를 갖고 있습니다. TST의 서비스 체계는 4가지 유형의 서비스/기술을 제공할 수 있어야 합니다.

- 개인 대처기술 기반, 트라우마 기반 심리 치료(감정 조절, 이후 인지/트라우마 처리 기술)Individual skills-based, trauma-informed psychotherapy (emotional regulation and then cognitive/trauma processing skills)
- 가정/ 지역사회 기반 중재Home or community-based care
- 법률 변호Legal advocacy
- 정신과 약물 치료Psychopharmacology

이러한 서비스를 제공하는 팀의 구성은 지역사회마다 다른데 일반적으로 특정 기관에서 이미 제공하거나 지역의 다른 기관들이 이미 맺은 기관 간 계약을 통해 통합할 수 있는 서비스를 조사하여 **기존 자원을 기반으로 구성**됩니다. TST는 또한 치료 동맹을 구축하고 치료 참여의 실질적인 장벽을 해결하기 위한 특정 전략을 사용하여 가족을 참여시키는 데 중점을 둡니다. 치료 동맹engagement의 필수 요소는 감정, 정신건강 및 정신건강 개입에 대한 **가족 문화를 기반으로 하는** 이해입니다.

## 17.2 트라우마 체계 치료를 어떻게 하는가

TST는 아동 트라우마 스트레스의 효과적이고 효율적인 치료를 위한 임상 모델이자, 트라우마를 입은 청소년들이 그들의 실제, 절차 및 조직 문화에 뿌리내린 모델을 통해 도움을 받을 수 있도록 하는 조직적인 모델입니다. 모든 TST 자료와 세부 정보는 TST 매뉴얼(Saxe 등. 2016)에 있습니다. 우리는 TST 모델을 구현하기 위해, 개별 치료자를 교육하지 않고 서비스 제공 팀을 교육하고자 기관과 계획을 세웁니다. 따라서 TST는 기관이 TST 지도자 집단TST leadership team을 구성하도록 돕는 것으로 시작합니다. 이 팀은 보통 관리자와 프로그램 리더를 포함하여, 팀의 각 구성원들의 관점에서 가장 중요한 우선순위에 대한 이해를 도출하기 위한 TST 조직 계획 과정에 참여합니다. 또한 이 계획 과정에는 이 중요한 우선순위의 달성에 방해가 되는 요소를 파악하고자 기획됩니다. 그런 뒤에 TST가 이러한 우려를 어떻게 최적으로 다룰 수 있을지, 또한 기관이 이 목표들을 달성할 수 있게 도울 수 있을지를 결정합니다. 또 이 계획 과정에는 성공적으로 TST를 적용하려면 무엇이 필요한지에 대한 상세한 이해를 포함되어야 합니다. 예를 들어, 해당 기관이 TST에 필요한 모든 서비스 요소를 제공하지는 않는 경우에는 기관 간의 상호 협조를 위한 계획이 필요합니다. 또 이 계획에는 TST 프로그램을 받을 대상 청소년을 확인할 방법, 주어진 시간 내에 서비스를 받을 수 있는 청소년 수, 그리고 어떻게 기관의 목표 방향의 진행상황을 추적할지에 대한 내용이 포함됩니다.

TST는 단단히 협동하여 조화롭게 작업하는 다학제팀이 서비스를 제공합니다. 이러한 서비스 제공자는 TST의 4가지 핵심 요소인 기술 기반 심리 치료, 정신과 약물치료, 가정 및 지역 사회 기반 중재, 법률 변호를 대변합니다. 이러한 각 핵심 요소는 주간 TST 치료 팀 회의에서 다룹니다.

TST는 필요한 정보를 수집하는 **평가 과정**을 시작으로, 평가 정보 를 기반으로 치료를 조직하는 방법을 결정하는 **치료 계획 과정**, 아동과 가족이 그 계획에 충분히 동의할 지점에 도달하고자 하는 **치료 참여 과정** 그리고 합의된 치료 계획 내에서 정해진 치료를 제공하는 **치료 시행 과정**까지의 정해진 단계에 따라 진행됩니다. 이 순서의 모든 측면을 자세히 설명하는 것은 이 장의 범위 밖으로, 다음 장에서는 활동의 개요를 소개합니다. 모든 세부 사항은 TST 매뉴얼에 있습니다(Saxe 등. 2016).

### 17.2.1 평가

TST 평가 과정에서는 무엇을 치료할지 결정하기 위해 모든 관련 정보를 모읍니다. 이 장에서 우리는 이 결정을 내리는 데 가장 중요시하는 두 가지 범주의 정보를 설명할 것입니다. 그것은 (1) 아동이 **생존 상태**survival state로 전환하는 방식 및 (2) 아동의 **트라우마 체계**trauma system의 특성입니다. 17.1의 정의대로, 아동의 외상 반응의 복잡성을 고려할 때 치료에서 다루기에 그럴 듯해 보이는 문제는 종종 많습니다. 어떤 것이 가장 중요할까요? 자세히 설명하겠지만, 우리는 해결해야할 가장 중요한 문제를 아동이 생존 반응(시점-생존반응Survival-in-the-moment state이라고도 함)으로 전환되게 만드는 것으로 정의합니다. 일단 평가를 하면, 아동과 다른 사람들이 인식하지 못하고 있던, 생존 반응을 반복적으로 불러일으키는 특정 환경 신호를 확인하는 것이 종종 가능해 집니다. 정의상 아동의 생존 반응은 생존과 관련된 극단적인 감정 및/또는 행동의 표현이 포함되어 있으므로, 이 상태를 방지하고자 개입하는 역량이 개입의 가장 중요한 구성 요소 중 하나가 됩니다. 생존 반응을 방지하기 위해 어떤 개입 방식이 효과적 일까요? 여기에는 정의상, 아동의 생존 반응 전환과 개인의 취약성을 감안하여 아동을 돕고 지원하는 아동 주변의 역량 간의 접점을 포함하는 트라우마 체계를 이해하는 것이 필요합니다. 앞으로 설명하겠지만 이 두 영역 사이의 특정 접점에 따라 개입방법을 선정합니다.

### 17.2.1.1 아동의 생존 반응 전환을 평가하기

서비스 제공자는 조절 장애dysregulation 삽화들을 알아보도록 훈련 받습니다. 이것은 아동이 감정 및/또는 행동에 대한 통제력을 상실하는 시점입니다. 트라우마 스트레스가 있는 아동이 이러한 통제력을 잃게 만드는 것은, 과거 외상 경험을 연상시키고 생존을 위한 감정과 위험 관리를 위한 방어적 행동을 불러오는 주변 환경의 신호입니다. 참고로, 이러한 신호는 매우 미묘할 수 있으므로(예: 냄새, 시선의 유형, 목소리 톤) 아동과 다른 사람들은 아동의 반응이 특정 신호와 관련되어 있다는 것조차 인식하지 못할 수 있습니다. 극단적인 감정 및/또는 행동의 모든 삽화가 생존과 관련된 것은 아니며 조절 장애 과정의 일부도 아닐 수 있습니다. 이는 평가되어야 합니다. TST 내에서 이를 평가하는 주요 방법은 **시점별**moment-by-moment 평가라고 부르는 방법을 사용하는 것입니다.

시점별 평가는 아동이 감정이나 행동을 통제하지 못했을 때 확인된 삽화를 둘러싼 일련의 사건에 초점을 맞추어 실시됩니다. 아동이 감정과/또는 행동을 통제하지 못하기 전에 무슨 일이 있었습니까? 아동이 무엇을 하고 느끼고 있었습니까? 아이는 깨달은 것은 무엇인가요? 다음에 어떤 일이 일어났습니까? 아동의 감정, 행동, 인식상태가 어떻게 바뀌었습니까? 이 변화 바로 직전 아동의 주변에 주목할 만한 자극이 있었습니까? 이 평가는 아동만을 대상으로 하는 것이 아닙니다. 서비스 제공자들은 그 삽화를 관찰한 어떤 사람으로부터라도 정보를 수집하도록 훈련 받습니다. 서비스 제공자들은 또 무엇이 감정, 행동, 그리고 인식의 변화를 이끌었는지에 대해 어떠한 가설 없이 삽화 주변의 사실들을 모으도록 훈련 받습니다. TST 제공자는 의문점을 풀도록 훈련 받습니다. 왜 이 아이는 이 시점에 감정 그리고/혹은 행동에 대한 통제력을 잃었을까요? 우리는 시점별 평가를 사용하여 신호를 수집하고, 이 신호나 사실의 수집 없이 가설을 세우고 싶은 모든 유혹에 저항하도록 훈련함으로써 이 미스터리의 해결에 접근합니다. 서비스 제공자가 (대부분의 경우) 삽화 현장에 있지 않았고 외상 사건이나 사건 현장에도 없었으므로, 우리는 생존 상태를 불러

일으키는 신호를 선불리 안다고 할 수 없습니다. 우리는 사실을 수집하여 지식을 만들어 냅니다. 시점별 평가와 평가에 사용되는 도구들은 TST 매뉴얼(Saxe 등, 2016)에 자세히 설명되어 있습니다. 여기의 개요는 이 평가의 기본 논리를 소개하고자 작성되었습니다. 특정 삽화에 대한 사실을 이러한 방식으로 모으면, 특정 신호 간의 유형과 삽화들 사이의 감정/행동 상태 변화를 볼 수 있습니다. 치료 계획 부분에서 자세히 설명될 것처럼, 이 유형들은 치료에서 다루어야 할 문제의 우선순위를 결정합니다.

#### 17.2.1.2 아동 트라우마 체계의 평가

일단 우리가 아동의 생존상태 전환 유형을 알고 나면 우리는 해당 아동의 트라우마 체계를 정의할 수 있습니다. 치료 계획 부분에서 자세히 설명하겠지만 필요한 개입의 양식을 결정하는 것은 트라우마 체계에 대한 지식입니다. 트라우마 체계는 두 영역 사이의 접점으로 정의됩니다. 그것은 (i) 아동이 생존 상태로 전환되는 경향과 (ii) 이러한 생존 상태 전환 경향에 대해 아동 주변 환경에서 돕는 사람들의 역량입니다. 이 영역들은 세 가지 범주로 평가됩니다. 다음은 이에 대한 설명입니다:

(a) **아동의 생존 상태:** 아동의 생존 상태를 평가할 때에는 두 가지 질문을 합니다. 아동이 완전히 생존 상태로 전환되었나요? 만약 아동이 생존 상태로 전환하면 그 상태에서 위험한 행동을 하나요? 이 두 가지 질문에 대한 답은 다음 세 가지 범주 중 하나에 해당됩니다:
   (i) 생존 상태 아님
   (ii) 생존 상태
   (iii) 위험한 생존 상태

(b) **사회적 환경의 역량:** 사회적 환경의 두 가지 특성으로 **도움**help과 **보호**protect가 평가됩니다. **도움**은 아이가 감정을 다스리는 데 도움이 되는 주변인의 능력을 함축하고 있습니다. 그것은 각각의 주변인들이 아동의 감정 상태에 반응하여 아동이 조절 상태를 유지하도록 도울 수 있는 정도에 기반합니다. **보호**는 아동의 생존 상태를 야기하는 특정 신호를 식별하고(그리고 그 신호에 대한 노출이 정의된 치료 계획의 일부로써 임상적으로 필요하지 않는 한) 현실적인 범위 내에서 그 신호에 노출될 가능성을 최소화하는 아동 주위의 역량을 의미합니다. 여기서의 **보호**는 (현재 실제로는 해를 끼치지 않지만) 과거의 트라우마를 연상시키는 신호로부터 아동을 보호하는 것뿐만 아니라 실제적인 위해의 위협으로부터도 보호하는 것을 의미합니다. 이러한 구분은 치료 계획/치료 시행의 목적을 달성하기 위해 매우 중요하며, TST 제공자들은 이를 주의 깊게 구분하도록 훈련 받습니다. 따라서 이 평가는 아동의 사회적 환경을 세 가지 범주 중 하나로 분류합니다.
   (i) 도움과 보호가 됨

(ii) 불충분하게 도움되고 보호됨
(iii) 해로움 (아동이 실제의 위험에 노출될 수 있음)

어떻게 등급을 매기는 지에 대한 자세한 내용은 TST 매뉴얼에 있습니다. TST 평가에서 우리는 평가의 가장 중요한 도움과 보호 두 가지 영역에 초점을 맞췄습니다. 또한 아동과 가족의 우선순위와 목표, 강점, 치료 참여를 막는 그럴 듯해 보이는 장애물과 같은 다른 영역도 평가에 포함됩니다. 이러한 각 영역의 평가는 치료 계획에 매우 중요하지만 지면을 고려하여 이 장에 포함하지 않았습니다.

## 17.2.2 치료 계획

TST 내에서, 치료 계획 과정은 평가 과정에서 수집된 정보를 기반으로 어떻게 치료를 할 것인가를 결정하는 데 초점을 맞춥니다. 이 장에서는 앞서 언급한 수집된 평가 정보를 기반으로 내리는 가장 중요한 치료 계획 결정 중 두 가지를 주로 다루겠습니다. 이러한 결정은 아동과 가족에게 제공될 치료 단계와, 각 단계에서 다룰 우선순위와 관련이 있습니다. 더 자세히 설명하겠지만 TST 치료의 시행은 제공되는 개입을 완전히 정의하는 세 개의 순차적인 치료 단계로 구성됩니다. 따라서 아동의 치료단계를 정확히 파악하는 것이 매우 중요합니다.

### 17.2.2.1 단계의 결정

아동의 치료 단계는 전적으로 앞서 설명한 아동의 트라우마 체계의 평가 정보에 따라 결정됩니다. 여기에서는 **TST 치료 계획표**Treatment Planning Grid이라고 불리는 2차원 바둑판에 따라 트라우마 체계를 평가합니다. 이 표는 **그림** 17.1과 같습니다. 아동의 생존상태로의 전환, 환경의 도움과 보호 역량에 대한 등급들에 따라 세 가지 치료 단계 중 하나가 정해집니다. 위험한 생존 상태로 전환되고 유해 환경에서 사는 아이는, (위험하지 않은) 생존 상태로 전환되지만 도움이 되고 보호 환경에서 사는 아이와는 상당히 다른 개입 양식이 필요할 것이라는 점을 직관적으로 이해할 수 있습니다. 치료의 3 단계는 치료의 시행 부분에서 자세히 설명할 것입니다. 요약하면 다음과 같습니다.

| TST 치료 계획표 | | 환경의 도움과 보호 | | |
|---|---|---|---|---|
| | | 도움과 보호가 됨 | 불충분하게 도움되고 보호됨 | 해로움 |
| 아동의 생존 상태 | 생존상태 아님 | 트라우마 초월 | 트라우마 초월 | 안전-중점 |
| | 생존상태 | 조절-중점 | 조절-중점 | 안전-중점 |
| | 위험한 생존상태 | 조절-중점 | 안전-중점 | 안전-중점 |

**그림 17.1** TST 치료 계획표

(a) 안전-중점 단계Safety-Focused Phase: 안전과 안정적인 환경 조성에 초점
(b) 조절-중점 단계Regulation-Focused Phase: 감정 조절 기술 획득에 초점
(c) 트라우마 초월 단계Beyond Trauma Phase: 트라우마/ 트라우마를 초월한 삶에 대한 통찰을 얻는 데 초점

### 17.2.2.2 TST 문제의 우선순위 결정

TST에서 *문제의 우선순위*는 치료 개입의 주요 대상으로, 어떻게 그리고 왜 아이가 생존 상태로 전환되는 지에 대한 평가 과정에서 얻은 이해를 바탕으로 정해집니다. 생존 상태 삽화들은 아동이 치료에 의뢰된 이유이기도 하지만 이러한 삽화들은 완전히 분리된 삽화로 볼 수도 있습니다. 시점 별 평가에서 이러한 삽화들에 대해 수집된 정보를 통해 이들이 어떻게 연결될 수 있는지 알아볼 수 있습니다. 따라서 TST에서의 우선순위 문제를 다음과 같이 정의할 수 있습니다: "현재 환경에서 트라우마를 입은 아동이 인식하는 위험과 생존 상태 전환 사이를 연결하는 유형" (Saxe 등. 2016, p. 192). TST 제공자와 치료 팀은 최소 3개 이상의 삽화를 시점 별 평가로 조사하고, 이 삽화들 사이에 인식된 위험과 이어지는 생존 상태로의 전환 유형을 확인하는 것을 목표로 훈련합니다. 이러한 유형은 TST에서 문제(들)의 우선순위를 정의하는 데 사용됩니다. 서비스 제공자가 이 유형을 확인할 수 있도록 *TST 문제 우선순위 양식*TST Priority Problem Form의 워크시트로 조절 장애 삽화에 대한 정보를 기록하고, 문제의 우선순위를 명확하게 할 주요 주제를 요약합니다(**그림 17.2**). 이 복잡한 양식을 완성하는 세부사항은 매뉴얼에 나와 있습니다(Saxe 등. 2016); 아래는 양식을 사용하는 방법에 대한 개요입니다. 이 장의 후반부에서 이 양식을 사용한 예시를 보여드리겠습니다.

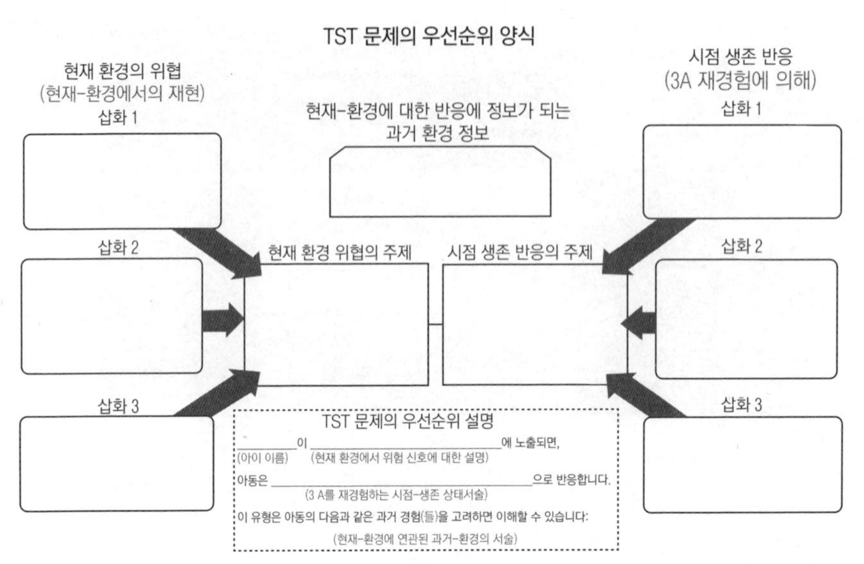


*TST 문제의 우선순위들 : 현재 환경에서 아동의 위험에 대한 인식과 아동의 시점 -생존 반응으로의 전환 사이의 연관성 유형들*

**그림 17.2** TST 문제의 우선순위 양식

(a) 왼쪽의 세 상자(현재 환경의 위협으로 표시)는 생존 상태 전환 직전의 환경 정보에 대한 3개의 시점별 평가 정보를 각각 기록하기 위한 것입니다.
(b) 오른쪽 세 상자(시점-생존 반응으로 표시)는 각 상태 변화가 발생했을 때 시점별 평가로 아동의 감정/행동에 대한 정보를 기록하기 위한 것입니다.
(c) 가장 중간의 두 개의 상자(현재 환경 위협 주제와 시점-생존 반응 주제)는 각각 확인된 세 삽화에서 공통된 환경 및 정서/행동 주제로 짐작되는 것을 작성하기 위한 것입니다. 설명한 대로, 이 주제에서 추출된 것을 통해 문제의 우선순위를 정할 것입니다.
(d) 가운데 줄 맨 위의 상자("과거 환경 정보")는 아이의 트라우마 이력을 조사하고 그 이력으로 인해 우리가 파악한 환경 자극을 접했을 때 아이가 생존 상태로 바로 전환된 것일지를 추론하는 것입니다. 우리는 이것을 트라우마 추론이라고 합니다.
(e) 가운데 줄 하단의 상자(TST 문제의 우선순위 설명)를 통해 서비스 제공자와 치료진은 결정한 TST 문제의 우선순위를 공통된 방식으로 설명할 수 있습니다.

치료 단계와 문제의 우선순위가 치료 계획 수립 과정을 통해 정해지면 서비스 제공자와 치료진은 치료를 할 준비가 된 것입니다. 그러나 치료를 시작하기 전에 추가할 마지막 과정이 있습니다. 우리는 이를 시작 준비 시키기Ready Set Go라고 하며, 아동들과 가족들이 어떻게 참여하게 되는지를 담고 있습니다.

### 17.2.3 치료 참여(시작 준비시키기)

평가 과정 전반에 걸쳐 치료진은 동기와 우선순위, 강점, 좌절감, 두려움의 관점에서 아동과 보호자를 이해하기 위해 정보를 모읍니다. 치료진이 아이와 가족을 치료에 참여시키기 위해 필요한 신뢰와 파트너십을 얻을 수 있는 방법은 오직 진정한 돌봄과 이해 받는 느낌을 만들어 내는 것입니다. 이것은 그들의 관점에서 무엇이 가장 중요한지, 그들의 가장 큰 **고통의 원천**이 무엇인지를 이해하고, 함께 작업하는 것이 이러한 어려움을 어떻게 해결할 수 있는지에 대해 공감대를 형성함으로써 이루어 질 수 있습니다. 시작 준비 시키기 과정은 **치료 동의서** 부분에 설명되어 있습니다(Saxe 등. 2016, p. 435). 이에 대한 자세한 내용은 다음 장에서 확인할 수 있습니다.

### 17.2.4 단계-기반 개입Phase-Based Intervention

치료의 3단계 각각은 뚜렷한 초점을 가진 단계로, 치료진의 작업이 토대 위에서 체계적으로 작업될 수 있게 해주는 두 종류의 안내문이 제공됩니다:

(a) 안전-중점 치료: 이 단계의 목표는 아동이 적절하고 안전한 환경에 있게 하고, 그들의 반응을 인식하고 관리하는 능력, 또는 도움을 주고 보호하는 보호자의 능력을 향상시키거나, 아동이 환경에 적응하는 것을 도와주어, 아동이 위험한 생존 상태로 전환될 가능성을 줄이는 것입니다. 안전 중점 단계에서 대변활동은 종종 개입의 주요 초점이 됩니다. 안전-중점 치료는 일반적으로 가정 및/또는 지역사회에서 제공됩니다. 이 단계에서는 두 가지 안내문이 사용됩니다: 치료진의 작업을 조직화하고 조정하는 안전 중심 안내문과 바로 보호자에게 제공되어 그들의 기술을 개발하게 돕고 필요한 지원을 받을 수 있도록 하는 도움 제공HELPers 안내문(Saxe 등. 2016, p. 441–455).

(b) 조절-중점 치료: 이 단계의 초점은 위험 신호가 감지될 때 생존 상태로 전환되지 않도록 아동의 감정 조절 기술을 쌓거나, 생존 상태가 시작되면 조절 상태로 다시 되돌아갈 수 있게 해 주는 기술이나 도움을 받을 수 있도록 합니다. 이 단계의 아동은 촉발되더라도 위험한 행동을 할 위험이 없고, 환경도 아동에게 해롭지 않은 상태입니다. 조절-중점 치료는 트라우마 및 트라우마 반응에 대한 심리교육과 생존상태를 인지하고 관리하는 기술을 쌓는 것이 중심입니다. 이 기술들을 아동에게 가르치고 아동이 그 기술을 어떻게 사용할 것인지에 대해 세운 계획은, 아동이 대처하는 것을 도울 수 있는 위치의 주요 어른들과 공유됩니다. 가정내 안정화가 더 이상 필요하지 않은 단계이므로 조절-중점 치료는 일반적으로 상담실에서 진행됩니다. 보호자를 조절-중점 치료에 참여시키는 것은 매우 중요합니다. 이 단계에서는 두 가지 안내문이 사용됩니다: 적절한 기술을 선택하고 이 대처 전략을 다른 사람과 공유하기 위해 계획할 때 치료진의 작업을 조정하는 것을 돕는 조절-중심 안내문과 생존 상태 반응에는 유형이 있으며 그 유

형을 알아차릴 수 있다는 점을 아동이 이해하고 배울 수 있게 도와주는 감정 관리 안내문(managing emotions guide, 이하 MEG). 감정 관리 안내문은 3개의 A와 네 개의 R을 중심으로 구성되어 있으며, 아이가 자신의 상태 변화를 인식하고 관리하는 법을 배울 수 있도록 도와줍니다. 두 안내문은 모두 TST 매뉴얼(Saxe 등. 2016, p. 456–466)에서 확인할 수 있습니다.

(c) 트라우마 초월 치료: 트라우마 초월 단계의 아동은 더 이상 생존 상태를 경험하지 않고 도움, 보호, 돌봄 및 안전함이 있는 환경에서 생활합니다. 그렇다고 더 이상 개입할 필요가 없다는 뜻은 아닙니다. 아동은 이전의 트라우마 사건과 시점-생존 반응경험에 의해 여전히 영향을 받을 수 있습니다. 아동은 자신, 타인, 그리고 그들의 미래에 대한 부정적인 시각으로 인해 고통에 시달릴 수 있습니다. 이와 비슷하게, 보호자들은 그들의 아이가 손상을 입었거나 정상적인 삶을 살지 못할 수 있다는 믿음을 가지고 있을 수 있습니다. 트라우마 초월 치료의 주된 목표는 아동과 보호자가 트라우마로부터 앞으로 나아갈 수 있게 돕는 것으로, 그 경험이 아동과 타인을 정의하지 않으며 아이가 더는 자신의 과거로 인해 붙잡혀 있거나 한계를 느끼지 않을 수 있게 하는 것입니다. 이 단계는 또한 어떻게 아동과 가족이 치료팀의 지속적인 참여없이 긍정적이고 희망적인 미래 감각을 발달시키는 데 도움이 될 트라우마 경험의 지속적인 의미를 얻을 수 있는지를 다룹니다.
치료는 이러한 트라우마의 특정 개입에 대한 훈련을 받은 경험이 있는 치료자가 시행하며, (단일 사건과 만성 트라우마를 모두 다루기 위해 특별히 설계된) 트라우마 내러티브를 통해 점진적인 노출을 촉진하고 인지 재구성 기술을 알려줍니다. 보호자는 치료실에서 시행되는 이 단계의 치료에 필수 요소입니다. 트라우마 초월 치료에서 사용되는 두 가지 안내문이 있습니다: 치료를 체계화하고 트라우마 내러티브의 기본 틀이 실려있는 트라우마 초월 치료 안내문Beyond Trauma Guide (Saxe 등. 2016, p. 479)과 아동들이 부적응적 인지를 인식하고 바꾸도록 돕는 인지 지각 기록지Cognitive Awareness Log (Saxe 등. 2016, p. 491)입니다.

## 17.2.5 에밀리의 사례

### 내담자 정보와 의뢰 사유

에밀리는 위탁가족과 함께 사는 10살 소녀입니다. 그녀는 최근 한 교사에게 어머니가 집에 있을 때 어머니의 남자친구(제리)로부터 상습적으로 성폭행을 당했다는 것을 털어놨습니다. 아동보호서비스의 조사 결과 어머니가 아이를 보호하지 못했던 것으로 파악되어 에밀리는 집에서 분리되고 제리는 고발되었습니다. 정신건강서비스 의뢰 당시, 법원에서 지시한 법의학 감정과 제리로부터의 보호명령 등 법적 절차가 진행 중이었습니다. 에밀리의 위탁모는 에밀리가 벽에 머리를 찧으며 죽고 싶다고 하는 일이 여러 번 발생하고 나서 에밀리에 대한 정신건강 지원을 요청했습니다. 에밀리의 위탁부모는 진심으로 에밀리를 돌보는 것처럼 보였지만, 때때로 아이의 행동에 압도당하는 것 같았습니다. 치료팀은 에밀리의 행동 조절 문제가 나아지지 않는다면 거주 면에서 우려가 있다고 보았습니다.

에밀리는 초등학교 4학년이고 특수 교육을 받고 있습니다. 에밀리의 문제 행동은 학교 밖에서 일어나는 편이지만 선생님은 에밀리가 종종 위축되거나 산만해 보인다고 걱정합니다. 에밀리는 친구를 사귀고 싶어하는 듯 하나 관계를 유지하는 데 어려움이 있습니다. 위탁부모와 선생님들 모두 에밀리가 똑똑하고 예체능에 재능이 있다고 말합니다.

## 평가와 치료 계획

에밀리의 사례를 맡은 아동복지전문기관에는 아동복지사와 정신건강요원 모두 이 모델을 활용하여 개입하는 트라우마 체계 치료 프로그램이 있습니다. 사례관리자, 사회 복지사, 지역사회의 정신과 의사, 치료진 리더로 구성된 TST 팀은 의뢰서를 검토했고 에밀리의 트라우마 이력과 (트라우마 이력과 상당히 관련된 것으로 보이는) 그녀의 감정과 행동 상의 조절 문제를 고려하여, 그녀가 TST 프로그램 참여에 적합하다고 결정했습니다.

평가 과정에서 치료진은 에밀리의 문제 행동(시점별 평가 과정을 이용), 이 문제 행동이 에밀리와 다른 사람들에게 미치는 영향, 에밀리가 위험한 생존 상태로 전환되었을 때 주변 사람들이 돕고 보호할 수 있는 정도에 대한 정보를 수집하는 데 주력했습니다. 치료진은 에밀리와 가족에게 영향을 미칠 수 있는, 추가적으로 필요한 것이 있을지도 평가했습니다. 무엇이 문제인지(머리 박기, 소극적인 자살 생각 표현, 에밀리가 "가족을 파괴"했다는 부적응적 믿음)에 대한 치료진과 가족 간의 공통된 이해가 있었으므로, 치료진의 과제는 특정 순간에 무엇이 에밀리의 행동 전환을 가져왔을지에 대한 자료를 체계적으로 수집하는 것입니다. 에밀리가 주변에서 위험을 느끼는 것과 위험한 생존 상태로 전환하는 것 사이의 유형을 파악하기 위해 문제행동의 삽화나 순간들 사이에 관련성을 찾는 것이 목표입니다.

치료자는 에밀리와 위탁가족과 함께 TST 문제의 우선순위를 구성하기 위해 MMA 과정을 사용했습니다(**그림 17.3**). 치료진은 에밀리의 문제 행동 3개를 확인하고, 에밀리의 행동이 전환되기 직전에 에밀리가 무엇을 하고, 느끼고 있었는지, 그리고 주변에서 그녀의 행동의 전환을 야기할 만한 어떤 일이 일어나고 있었는 지에 대한 정보를 에밀리와 수양부모로부터 수집했습니다. 치료진은 또한 주변의 어떤 요소들이 그녀의 위험한 생존 상태 전환이 유지되도록 기여했는지에 대한 정보를 수집했습니다. 치료진은 이 과정을 통해 에밀리가 성적 학대를 밝혔다는 것 때문에 생물학적 가족을 배신한 느낌이 드는 상황 뒤에 머리 박기나 스스로를 때리고 죽고 싶다고 한다는 것을 찾아냈습니다. 이러한 패턴은 에밀리가 과거 어머니의 남자친구로부터 성폭행을 당했고, 이후 이를 밝히고나서 후 집에서 분리되었으며, 어머니로부터 가족을 "망쳤다"는 말을 들은 경험을 통해 이해될 수 있습니다.

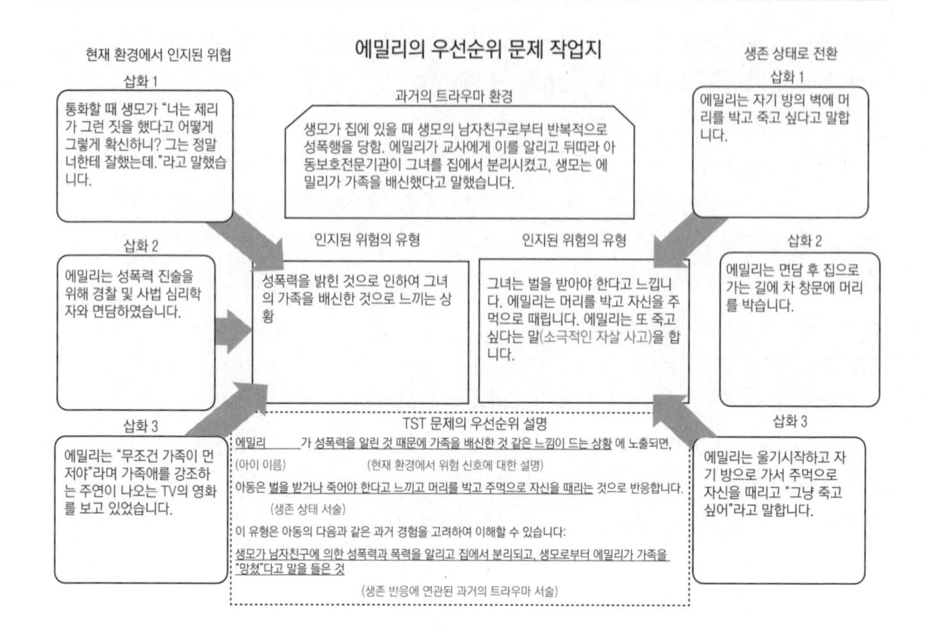


**그림 17.3** 에밀리의 우선순위 문제 작업지

비록 가장 우선순위로 다루지는 않았지만, 치료진은 치료 중에 해결해야 할 다른 문제들로 부적응적 믿음과 인지(예: "내가 아무에게도 말하지 않았더라면, 모든 것이 괜찮았을 거야."), 사회적 어려움, 그리고 학교에서의 위축과 주의산만 등을 파악하였습니다.

치료진이 트라우마 체계를 분류하고 나서, 에밀리가 생존 상태로 전환되는 취약성은 현재 환경에서 위협을 인식할 때 위험한 행동(머리박기 등)이 포함된 감정/행동 상태 전환이 생긴다는 점에서 "위험"하다고 평가되었습니다. 치료진은 환경의 도움과 보호가 불충분하다고 평가했습니다. 치료진은 에밀리가 일상적으로 상호작용하는 여러 사회 환경 중 가장 문제가 많은 장소를 기준으로 환경을 평가했습니다. 에밀리는 계속해서 친모의 비난을 포함한, 불쾌한 자극들에 노출되어 있었습니다. 게다가, 위탁부모가 에밀리를 잘 돌보기로 약속했지만, 평가 과정 당시 에밀리의 행동을 조절하는 것을 도울 필요 기술을 가지고 있지 않았습니다. 치료진은 TST 치료 계획표(그림 17.4)을 사용하여 **안전 중점 단계**에서 치료를 시작하기로 결정했습니다.

TST 치료진은 안전 중점 개입을 시작하기 전에 에밀리와 위탁가족에게 치료 동의서 형태로 치료 전략을 공유하여 치료진을 포함한 모든 사람이 치료의 일부로써 무엇을 할지에 대한 합의를 공유하고, 책임소재를 명시한 문서를 확인시켰습니다.

## 단계 기반 개입

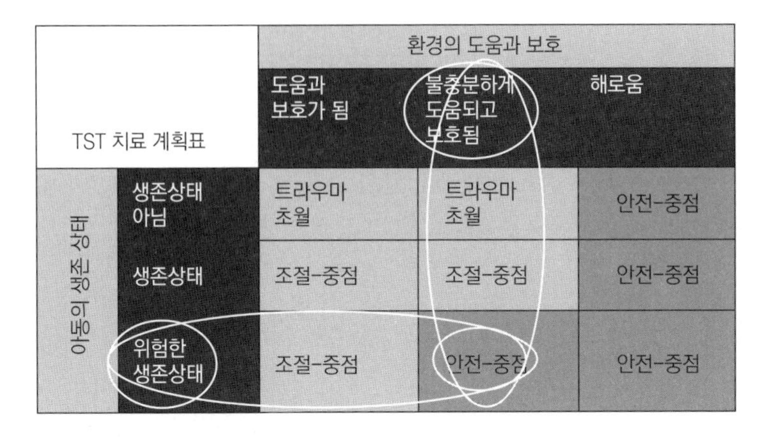


**그림 17.4** 현재의 치료 단계를 보여주는 에밀리의TST 치료 계획표

에밀리는 치료의 **안전 중점**(safety-focused, 이하 SF) 단계에서 치료를 시작했습니다. 이 단계에서 치료의 대부분은 TST 치료진의 정신과 의사가 밀접하게 관여하고 가정 기반 치료자(사례관리자)에 의해 제공되었습니다. 이 단계에서 치료의 강조점은 두 가지였습니다. 첫 번째로 에밀리가 가족을 "파괴"했다고 느끼는 상황으로부터 에밀리를 보호하는 것(즉, 환경을 개선하여 더 이상 해롭지 않게 하는 것)이었습니다. 이 치료의 구성요소는 생존 상태로 이어지는 상황의 유형(즉, 에밀리가 가족을 배신했다고 인식하는 상황)을 파악하여 수양부모가 이러한 상황에 에밀리의 노출을 줄이고, 노출을 피할 수 없을 상황이라면 에밀리를 도울 수 있는 구체적인 전략을 가르치는 것으로 이루어졌습니다. 치료진은 에밀리와 친모의 접촉을 관찰하고 제한하기 위해 사회복지부서와 협력했습니다. 치료진은 또한 TST 법률 변호인과 함께, 에밀리가 법의학적 절차에서 반드시 필요할 때만 면담을 하게 했습니다. SF 치료 단계 동안 두 번째 강조점은 에밀리와 위탁부모가 에밀리의 조절 능력을 키울 수 있게 도울 역량을 높여줄 기술을 배우게 하는 것이었습니다. 에밀리의 머리 박는 행동이 큰 걱정이었기 때문에, 치료진과 가정 기반 서비스 제공자는 에밀리에게 벽에 콩주머니를 던지거나, 복도를 왔다 갔다 걷고, 얼음물을 마시는 등의 대체 행동을 가르쳤습니다. 가정 기반 서비스 제공자들은 위탁부모와 위험한 생존상태에 대한 계획을 세우고 어려운 순간을 다루는 전략을 다루고, 어른들의 감정적 반응을 조절하는 데 도움이 되는 구체적인 대처 기술을 가르치기 위해 **HELPers 안내문**을 만들었습니다. 가정 기반 서비스 제공자들은 에밀리가 조절되지 않거나 위험한 행동을 할 경우, 위탁부모가 무엇을 할 수 있는지, 누구에게 연락할지에 대한 전략을 가르쳤습니다. **HELPers 안내문을** 사용하여 에밀리의 위탁부모는 아이의 위험한 행동을 줄이고 주변에서 감지한 위험으로부터 아이를 보호하는 기술을 습득할 수 있었습니다. 중요한 것은, 에밀리가 더 이상 위험한 생

존 상태를 보이지 않게 되면서 위탁부모는 에밀리를 집에서 안전하게 지내게 하는 자신들의 역량에 대해 훨씬 더 희망을 가지게 되었고, 아이의 긍정적인 행동에 훨씬 더 집중할 수 있게 되었습니다. SF 치료 작업이 진행되는 2개월 동안, 에밀리의 행동은 충분히 조절되었고 환경 역시 조절-중점 치료로 전환할 만큼 충분히 도움이 되고 보호가 되었습니다. SF 치료 기간 동안 TST 가정 기반 서비스 제공자는 에밀리와 위탁모를 일주일에 두 번 그들의 집에서 만났습니다.

사회적 환경이 충분히 도움이 되고 보호되는 상태가 되자, **조절-중점**(Regulation-focused, 이하 RF) 치료 단계로 전환했고 에밀리는 더 이상 위험한 생존 상태를 보이지 않았습니다. 위탁부모가 에밀리를 돕고 보호할 기술을 습득했고, 법의학적 면담도 완료되어 에밀리는 더 이상 면담 과정에서의 트라우마 연상물에 노출되지 않게 되었습니다. SF 치료 중 달성한 안전한 사회 환경을 유지하고 에밀리의 정서 조절 능력을 키울 기회를 마련하기 위해, RF 치료 중에는 에밀리와 생모의 연락이 제한되었습니다. SF 치료 동안 생모는 제리의 학대를 신고했다는 이유로 가족에게 피해를 줬다며 아이에게 연락하는 행동을 수정하려 하지 않았습니다. 치료진은 또한 생모가 제리와 지속적으로 만나고 있다고 의심했습니다. 에밀리는 계속해서 생존 상태를 보였지만 더 이상 위험한 행동을 하지 않았습니다.

TST 가족 치료팀이 에밀리와 생모의 접촉을 계속 관리하는 동안, TST 단계 기반 치료의 대부분은 치료실에서 이루어졌습니다. 에밀리는 개인 회기로 치료자와 만나기 시작했고, 같은 치료자가 위탁부모를 정기적으로 만났습니다. TST 치료자는 에밀리가 성적 학대를 떠올릴 때, 특히 그녀가 학대를 폭로하여 가족을 배신했다고 느낄 때 에밀리가 정서 조절 능력을 쌓을 수 있게 하고자 하였습니다. 문제 우선순위에 반영되었듯이, 그런 상황들에서 에밀리는 자신이 가족이나 기반을 "망가뜨렸"고 위험한 생존 상태로 전환되기 쉽다는 것을 느낄 수 있었습니다. TST 치료자는 에밀리가 어떻게 생존 상태로 전환하는지 이해하고 그 이해를 통해 어떻게 조절력을 향상시킬지 에밀리와 위탁부모에게 알리고 모든 관련된 보호자들에게 그 지식을 전달하는 데 **감정 관리 가이드**Managing Emotion Guide를 사용했습니다. 치료자는 에밀리와 위탁부모가 조절력을 향상시키는 방법을 배우고, 에밀리가 조절이 안 되는 것을 스스로 알아차렸을 때 다시 조절할 수 있게 쓰일 기술을 사용하도록 도왔습니다. 이 단계를 거치면서, 치료자는 에밀리와 위탁부모를 MMA 과정에 참여하게 하여 에밀리가 어떻게 그리고 왜 이러한 전환을 경험하는지를 더 잘 이해할 수 있도록 했습니다. 이 지속적인 작업의 결과로, 에밀리와 위탁부모는 어떤 감정 조절 기술이 에밀리의 조절 상태의 유지나 조절 상태로 되돌리는 데 도움이 되는 지 확인할 수 있었습니다. 예를 들어, 에밀리는 조절 장애상태에서 만다라를 색칠하거나, "국수가락 되기" 근육 이완 운동을 하거나, 가장 좋아하는 음악에 맞춰 방에서 춤을 출 수 있었습니다. 또한, 치료자는 에밀리가 긴장할 때 위탁부모가 그녀를 도울 수 있는 것을 찾기 위해 위탁부모와 에밀리와 함께 작업을 했는데, 여기에는 근육 이완 운동을 에밀리에게 상기시켜주거나, 방에서 음악을 틀 수 있게 허용하고, 학대를 밝힌 것에 대한 그녀의 상반된 감정을 인정하는 것 등이 포함되어 있었습니다.

에밀리가 다시 생존 상태로 빠지지 않고 에밀리와 위탁부모에게 필요한 RF 기술을 개발하자 에밀리는 **트라우마 초월**(Beyond Trauma, 이하 BT) 치료 단계로 넘어갔습니다. RF 단계는 약 2개월 걸렸으며, 이 기간 동안 TST 치료진은 위탁부모가 에밀리의 사회 환경 내의 안정성과 안전을 유지할 수 있게 도왔습니다. BT 개입의 대부분은 그동안 에밀리와 위탁부모와 함께 계속 작업해온 1차 치료자와 치료실에서 이루어졌습니다. BT 기간 동안, 치료자는 우선적으로 에밀리의 인지 기술을 강화하고자 했습니다. MMA와 TST 평가 과정을 통해 치료진은 에밀리가 자신과 트라우마에 대해 가지고 있는 여러 부적응적 믿음("제리에 대해 말해서 나는 가족을 망가뜨렸어", "내가 아무에게도 말하지 않았으면, 모든 게 괜찮았을 거야.", "나는 망가졌어")을 확인할 수 있었습니다. 이러한 인식은 그녀에게 도움이 되지 않았고 그녀를 슬프게 하고 위축되게 했습니다. 이 걱정들은 더 이상 생존 상태로 이어지지 않지만, 에밀리는 계속해서 매우 슬펐고 때때로 활동에서 위축되었습니다. 치료진은 또한 이 믿음이 에밀리의 사회적 관계를 방해하고 있다고 보았습니다. 치료진은 에밀리와 함께, 그녀가 도움이 되지 않거나 부정확한 생각을 할 때 스스로 알아차리게 돕고, 더 도움이 되는 대안적인 사고방식을 개발할 수 있게 작업했습니다. 그리고 치료진은 에밀리가 슬프고 위축될 때 어떻게 그녀를 가장 잘 도울 수 있을지에 대해 위탁부모와 지속적으로 작업을 했습니다.

일단 에밀리가 도움이 되지 않는 생각들을 인식하고 그것들을 더 도움이 되는 생각들로 대체하는 방법을 배우자, 치료자는 에밀리와 함께 단일 사건 트라우마 내러티브를 개발하는 작업을 시작하였습니다. 치료자는 RF 기간동안 에밀리가 점진적인 노출 작업에 참여할 수 있도록 에밀리와 위탁부모가 필요한 감정 조절 기술을 발달시켰다고 판단했습니다. 비록 에밀리는 여러 차례의 성적 학대를 당했지만, 그것들은 한정된 기간 내에 발생했기 때문에 치료자는 만성적인 트라우마 내러티브보다 단일 사건 접근법이 더 적절하다고 판단했습니다. 이 시점에서 개인 심리치료에서는 에밀리가 자신의 충격적인 경험을 이야기하도록 돕는 데 초점을 맞추면서 트라우마 초월 안내서Beyond Trauma Guide로 트라우마 스토리를 발전시키도록 도왔습니다. (이 안내서는 특정 제목 및 지침과 함께, 내러티브 작성을 위한 틀을 제공합니다.) 에밀리가 치료자와 함께 트라우마 내러티브와 처리 작업을 완료하자, 치료자는 에밀리가 궁극적으로 자신의 이야기를 공유할 수 있게 준비하도록 에밀리의 위탁부모와 동시에 작업을 했습니다. 위탁부모는 비록 적극적으로 참여하고 진심으로 에밀리를 돕고 싶어했지만, 내러티브를 듣는다는 것에 다소 불편함을 표현했고, "그녀가 무슨 일이 있었는지 그냥 잊어버리는 것"이 가장 좋지 않겠냐고 했습니다. 치료자는 위탁부모들이 내러티브를 듣고 그 과정에서 에밀리를 가장 잘 지지할 수 있도록 준비시키기 위해, 위탁부모들을 몇 차례 따로 만났습니다. 에밀리는 내러티브 작업을 완료하면서 "끔찍한 일을 겪은" 다른 아이들을 돕기 위한 만화책으로 만들어 TST의 일부로 그녀가 배운 것을 공유하기로 결심했습니다. 만화책을 만드는 과정은 에밀리가 자신에게 일어난 일들에 대해 의미를 부여하고, 충격적인 경험만으로 규정되지 않는 삶을 향해 나아가게 해주었습니다.

치료진은 생모의 계속되는 비난 및 에밀리와 성학대에 대해 이야기하는 것의 가치에 대한 불신을 고려할 때, 에밀리가 위탁부모와 내러티브를 나누는 것이 임상적으로 더 적절하다고 판단했습니다. 치료진은 에밀리의 성적 학대에 대한 해결되지 않은 생모 본인의 감정과 반응을 해결하기 위해 생모에 대한 정신과 치료를 의뢰했습니다. 비록 에밀리의 생모는 내러티브 작업에 완전히 참여할 수는 없었지만, 치료진의 지원을 받아 정신과 치료를 받게 되었습니다. 아동복지전문기관은 지도감독을 받으며 에밀리를 만나는 방문을 더 자주 하도록 생모와 꾸준히 작업하였고 결국 지도 감독 없는 주말 방문을 할 수 있게 되었습니다. 치료진은 에밀리가 생모에게 결국 돌아갈 수 있도록 계속해서 계획을 세우고 있으며, 그동안 에밀리는 위탁가족과 친밀하고 안전한 관계를 발전시키고 이 관계는 계획이 진행되는 동안 에밀리가 보살핌의 신호들을 체험하고 생존 상태를 피할 수 있도록 돕습니다.

**그림** 17.3은 에밀리의 문제의 우선순위를 3가지의 시점별 평가로 나타낸 것으로, **그림** 17.4는 TST 치료 시작 초기 단계를 보여줍니다.

## 17.3 특정 상황과 어려움들

어떤 모델을 효과적으로 구현하는 데 가장 큰 과제 중 하나는, 모델의 원안을 유지하는 동시에 특정 인구의 요구와 다양한 조건을 충족할 수 있게 적응하는 것입니다. TST 개발팀은 협업 혁신 프로세스를 만들어 이러한 요구를 해결했습니다. 사용자 주도 혁신lead user innovation (von Hippel 2005) 개념을 기반으로, 실제 환경에서 해당 모델을 구현하는 사람들이 치료적 접근의 적응을 가장 잘 만들어 낼 것이라고 믿습니다.

우리는 개발팀과의 협업을 통해 여러 TST 적응을 발전시킨 "혁신가 커뮤니티community of innovators"를 개발했습니다. 이 글의 저술 시점에서 TST는 미국 12개 주, 콜롬비아 특별구, 싱가포르에 보급되어 시행되고 있습니다. 난민 아동과 가족, 정신적 충격을 받고 약물 남용이 공존하고 있는 청소년, 보호자 없는 외국인 소수자 등 특정 대상인구를 위한 수정안이 개발되었습니다. TST는 아동 복지, 주거 치료 센터, 병원, 외래 진료실, 쉼터, 지역사회 기반 예방 프로그램, 학교 기반 정신건강 프로그램 등 다양한 서비스 환경에 맞게 수정되었습니다. 각각의 수정은 TST의 주요 특징들을 고수하는 한편, "충실성 안의 유연성"의 개념에 맞춰 대상인구와 조건의 개별화된 요구 부응에 필요한 필수적인 변화를 발전시켰습니다. TST 수정에 대한 자세한 내용은 매뉴얼(Saxe 등. 2016)과 웹사이트(www.traumasystemstherapy.com)를 참조하십시오.

아동기 트라우마의 치료에서 흔히 직면하는 또 다른 어려움은, 아동과 보호자 모두 치료 과정에 대한 헌신과 지속적인 치료 참여도가 낮은 것입니다. 이것을 아동과 가족의 자질 탓으로 돌리는 것이 일반적이고 이는 경우에 따라 사실일 수 있지만, 치료 과정 중에 아동과 보호자를 적절히 참여시키지 못한 치료자측 요소가 있는지 여부를 고려하는 것도 중요합니다. 이를 해결하기 위해 TST에는 RSG(Ready Set Go)라고 하는 구체적인 참여 전략이 포함되어 있습니다. 이것은 평가 과정 동안 시작되며, 아동과 보호자 모두의 목표와 우선순위에 대한 상세한 정보를 수집하는 것을 포함합니다. 누군가를 의미 있는 방법으로 참여시키기 위해서는 그들에게 무엇이 가장 중요하고 가장 중요한 것을 성취하는 데 무엇이 방해가 되는지 아는 것이 필수입니다. 우리는 이것을 그 사람의 "주요 고통의 근원"이라고 부릅니다. 만약 아동과 보호자가 치료진과 함께 작업하는 것이 그들 고통의 근원을 완화하고 목표 달성에 도움이 될 것이라고 믿게 된다면, 그들이 치료진을 믿고, 약속을 지키고, 그 과정에 완전히 참여할 가능성이 훨씬 높아집니다. TST에 대한 진정한 치료적 참여는, 문제와 그 문제를 해결하기 위해 치료진이 협력하는 방식에 대한 상호 협의된 이해가 있을 때 이루어집니다. 이 이해는 **TST 치료 동의서**TST treatment agreement letter라고 불리는 서식에 담깁니다. 이 문서는 처음 치료진이 가족과 함께 작업한 내용을 바탕으로 초안을 작성한 문서입니다. 그런 다음 아동과 보호자들과의 만남에서 공유되고 검토됩니다. 반대나 제안 사항이 있다면 수정합니다. 완전한 동의가 이루어지면, 모든 치료팀원들이 문서에 서명하고, 그것은 나머지 작업의 지침이 됩니다.

우리가 맞닥뜨리는 또 다른 중요한 어려움은 학대와 방임에 노출된 미성년자들이 아동보호전문가와 가장 흔하게 접촉하는 특정 상황, 즉 아동복지체계와 관련이 있습니다. 아동 복지 체계에 관련된 아동과 가족들은 그 정의상 트라우마를 경험했는데, 이는 그들이 체계와 접촉하게 만든 학대와 그 개입 자체의 침습적 성격 때문입니다. 아동복지제도는 이름처럼 청소년의 필요를 충족시키기 위한 명확한 과정과 구조가 있는, 잘 다듬어진 체계가 아니라는 점에서 특히 어려움이 있습니다. 전형적으로 아동복지제도 서비스를 받는 아동은 아동보호, 가정법원, 사회서비스, 아동복지제도와 계약한 민간기관 등 다양한 영역의 여러 제공자로부터 정신건강, 예방서비스, 위탁 보호를 제공받습니다. 치료 및 서비스 접근 방식은 내부적으로 자체적인 요구와 의무가 있는 기관과 조직들 사이에서 제공됩니다. 시간이 지남에 따라, 기관들은 그들의 업무 수행과 관련된 문화를 발전시킵니다. 아동 복지 체계(강제적 체계)의 공적 의무는 정신건강 체계(자발적 체계)와는 상당히 다릅니다. 따라서, 이러한 체계 내의 서비스 제공자들은 서로 다른 측면들을 우선시하며 가족과 각각 다른 관계들을 맺을 것입니다. 게다가 서비스를 제공하는 공공 기관의 계약과 주어진 치료나 서비스와 이의 자금을 지원하고 지지하며 유지하는 기관 사이의 적합성이 매우 중추적인 역할을 합니다. 즉 치료나 서비스 접근법과 그것을 제공하는 기관의 재정적, 서비스 방식이 안 맞는 경우에는 원하는 결과를 얻기 어려울 것입니다.

아동 복지 체계에서 아동의 트라우마 관련 정신건강에 대한 요구need를 해결하기 위해서는, 두 체계를 통합하는 효과적인 접근이 필요합니다. 게다가, 아이들의 트라우마와 관련된 요구를 다루는 것은 단지 그들을 적절한 치료 서비스와 연결시키는 것만이 아닙니다. 오히려 위탁부모를 준비하고 지원하는 것에서부터 사법제도 등 다른 이해관계자들과 함께 일하는 것까지 다양한 아동복지적 관행과 활동이 존재하며, 트라우마의 영향도 함께 알려야 합니다. 아동복지와 정신건강의 서로 다른 의무들과 기관의 문화를 고려할 때, 접근이 성공하려면 "두 언어를 모두 말할" 수 있어야 하며 아동복지와 정신건강 전문가와 그들이 일하는 기관의 요구에도 가치를 제공해야 합니다.

TST는 다양한 서비스 체계 제공자들이 통합적인 팀으로 함께 일할 수 있도록 통합 구조를 만들어 이러한 요구를 고유의 방식으로 해결합니다. TST는 아동청소년과 가족을 포함하는 아동 복지의 필요를 이해하기 위한 공통된 언어를 제공하고, TST 치료 팀 회의에 모두 참여하도록 요구하는데, TST 문제의 우선순위 해결에 각각의 특정한 역할을 하는 다양한 영역의 팀원들이 함께 합니다. 또한, 우리는 사례 담당자와 위탁부모가 TST 접근 방식을 통해 아동 돌봄에 이해 및 의미 있는 영향을 미칠 수 있도록 훈련하는 특정 도구를 개발했습니다(Saxe 등. 2011).

TST 내 서비스 제공의 특성에는 몇 가지 고유한 어려움이 있습니다. 여기에는 가정 기반 및 사무실 기반 서비스와 긴밀하게 통합된 다학제적 팀의 구성이 필요합니다. 이러한 요소는 TST에 필요하며, 보통 유지되기 어려운 보조금 형태의 지원이 필요하지 않도록 기존 재원을 활용하여 자금을 조달합니다. 여러 서비스 제공은 기관 간 계약을 통해 이루어지는 경우가 많습니다.

## 17.4 연구와 근거

TST의 효능을 처음 입증한 연구는 두 곳에서 시행된 개방 연구였습니다. 대도시 종합 병원의 아동 정신의학 외래 클리닉과 뉴욕 북부 시골의 정신건강 및 사회 서비스 부서의 공동 프로그램(Saxe 등. 2005). 각 사이트에는 연구 전에 만들어진, TST 교육을 받은 팀이 있었습니다. 5세에서 20세 사이(평균 = 11.2세, 표준편차 = 3.6)의 어린이 110명과 그 가족이 치료에 등록되었습니다. 아동청소년의 필요와 강점-트라우마 노출 및 적응 버전(Child and Adolescent Needs and Strengths-Trauma Exposure and Adaptation Version, CANSTEA; Kisiel 등. 2009)이 TST 시행 3개월 후와 1차 치료 결과 척도로 사용되었습니다. 치료를 받은 아동(82명, 등록된 참여자의 72%)의 경우 PTSD 증상, 감정 및 행동 조절, 보호자의 신체 및 정신건강, 보호자의 심리 사회적 지원과 안정, 사회적 환경의 안정성이 향상되었습니다. 아동 기능의 긍정적인 변화는 TST가 특별히 대상으로 하는 차원(예: ER 및 사회 환경의 안정성)의 변화와 강하고 긍정적인 상관관계가 있었습니다. 게다가, 58%의 아이들이 3개월 동안 더 집중적인 치료 단계에서 덜 집중적인 치료 단계로 전환되었습니다.

앞서 언급한 뉴욕 북부 지역의 공동 프로그램은 성공적인 TST 보급하기 위한 첫 노력의 최종 결과였습니다(Hansen 등. 2009). TST의 채택과 시행은 다음에 대한 자각에서 비롯되었습니다.

1. 아동이 가진 별도의 개인적인 정신 질환(예: 반대적 반항 장애, 행동 장애, PTSD)이 아닌 "환경/가족의 조절문제"가 주요 의뢰 이유였습니다.
2. 대부분의 사례들은 학대, 방임, 극심한 빈곤을 포함한 트라우마 이력이 있었습니다.
3. 당시 사용된 임상 모델은 스트레스를 받고, 스스로 조직할 수 없으며, 안전한 상태에서 지낼 수 없는 이 가족들에게 제공하는 서비스로서는 비효율적인 것으로 입증되었습니다.
4. 가족을 위한 자원 장벽(예: 육아 및/또는 교통수단 부족)과 치료에 대한 낮은 참여로 이어지는, 체계에 대한 일반적인 불신.

그 결과, 이 프로그램은 놀이 치료와 인지 행동 치료도 포함하여 TST를 전체적인 치료 체계에 통합하기로 결정했습니다. 최근의 평가 자료는 프로그램의 임상 및 비용 효율성에 대한 경험적 근거를 제공합니다(Ellis 등, 2011). 15개월 동안, 3개에서 9개의 외상 사건을 경험한 3세에서 20세 사이의 124명의 아이들이 TST를 받았습니다. 임상 경과의 변수들(입원, 집중 vs 치료실 기반 서비스의 필요성), 아동의 정신 및 심리사회적 기능과 사회 환경의 안정성을 치료 시작, 4-6개월(초기 치료) 및 12-15개월(후기 치료)에 측정하였습니다. 지방자치단체의 정신보건과에서 관리하는 모든 아동의 시행 전/후 입원율과 체류기간 비교로 비용절감을 평가하였습니다. 정서 조절, 사회적 환경의 안정성, 아동 기능/강점 등이 치료 과정에서 상당히 개선되었습니다. 초기 치료 동안 아동 기능/강점 및 사회적 환경 안정성의 개선은 개입 기간 동안 감정 조절의 전반적인 개선과 관련이 있었습니다. 초기 치료 중 위기 안정화 서비스에서 치료실 치료로 전환할 수 있었던 아동들은 치료를 유지하는 경향이 있었고 마지막까지 호전되는 경향을 보였습니다. 치료를 완료한 72%의 아동 청소년의 경우 15개월 시점에서 위기 안정화 서비스 필요성이 50% 이상 감소했습니다. TST 시행 전에 비해 아이들의 입원율이 36%, 평균 입원 기간이 23% 낮아졌습니다.

이러한 장단기적 이득은 아동과 가족이 조기에 적극적으로 치료에 참여하지 않는 한 얻을 수 없습니다. 초기 연구 결과는 TST의 참여 독려 방법인 Ready Set Go!가 높은 수준의 치료 유지와 관련이 있음을 나타냅니다(Saxe 등, 2011). 정신적 충격을 받은 청소년을 대상으로 한 소규모 무작위 대조 실험(N = 20)에서 3개월 뒤 평가 시 TST 참가자의 90%가 여전히 치료를 받고 있는 반면, "통상적인 치료군"에서는 10%만이 치료에 남았습니다(Saxe 등, 2011). TST의 효과에 대한 예비 근거는 희망적이지만, 초기 RCT는 통상적인 집단의 90%가 치료가 완료되지 않았기 때문에 결론을 내릴 수 없었습니다. 즉 연구의 결과는 치료 참여에 대해 고무적이지만 결과에 대한 결론이 나지 않았습니다. 현재 TST 대상의 새로운 무작위 연구가 진행 중이며, 위탁보육에 대한 TST의 대규모 독립적 평가가 준실험 설계로 최근에 완료되었는데, 예비 결과는 매우 유망한 것으로 보입니다.

# 참고문헌


Bronfenbrenner U (1979) The ecology of human development. Harvard University Press, Cambridge, MA

Cicchetti D, Toth SL (1995) A developmental psychopathology perspective on child abuse and neglect. J Am Acad Child Adolesc Psychiatry 34(5):541–565

Ellis BH, Fogler J, Hansen S, Beckman M, Forbes P, Navalta CP (2011)Trauma systems therapy: 15-month outcomes and the importance of effecting environmental change. Psychol Trauma Theory Res Pract Policy Adv online publication. doi: 10.1037/a0025192

Frewen PA, Lanius RA (2006) Toward a psychobiology of posttraumatic self-dysregulation: reexperiencing, hyperarousal, dissociation, and emotional numbing. In: Yehuda R, Yehuda R (eds) Psychobiology of posttraumaticstress disorders: a decade of progress, vol 1071. Blackwell Publishing, Malden, pp. 110–124

Hansen S, Saxe G, Drewes AA (2009) Trauma systems therapy: a replication of the model, integrating cognitive behavioral play therapy into child and family treatment. In: Blending play therapy with cognitive behavioral therapy: evidence-based and other effective treatments and techniques. Wiley, Hoboken, pp. 139–164

Henggeler SW, Schoenwald SK, Rowland MD, Cunningham PB (2002) Serious emotional disturbance in children and adolescents: multisystemictherapy

Hopper JW, Frewen PA, van der Kolk BA, Lanius RA (2007) Neural correlates of reexperiencing, avoidance, and dissociation in PTSD: symptom dimensions and emotion dysregulation in responses to script-driven trauma imagery. J Traumatic Stress 20(5):713–25

Kendall PC, Beidas RS (2007) Smoothing the trail for dissemination of evidence-based practices for youth: flexibility within fidelity. Professional Psychology: Research and Practice 38(1):13–20

Kendall PC, Gosch E, Furr JM, Sood E (2008) Flexibility within fidelity. J Am Acad Child Adolesc Psychiatry 47(9):987–993

Kisiel C, Blaustein ME, Fogler J, Ellis BH, Saxe GN (2009) Treating children with traumatic experiences: understanding and assessing needs and strengths. Rep Emot Behav Disord Youth 9(1):13–19(17)

Lau A, Weisz J (2003) Reported maltreatment among clinic-referred children: implications for presenting problems, treatment attrition, and long-term outcomes. J Am Acad Child Adolesc Psychiatry 42:1327–1334

Pumariega AJ, Winters NC (2003) Handbook of child and adolescent systems of care: the new community psychiatry. Jossey-Bass, San Francisco

Saxe GN, Ellis BH, Fogler J, Hansen S, Sorkin B (2005) Comprehensive care for traumatized children. Psychiatric Annals 35(5):443–48

Saxe GN, Ellis BH, Fogler J, Navalta CP (2012) Preliminary evidence for effective family engagement in treatment for child traumatic stress: Trauma systems therapy approach to preventing dropout. Child Adolesc Mental Health 17(1):58–61. doi:10.1111/j.1475–3588.2011.00626.x

Saxe GN, Ellis BH, Brown AB (2016) Trauma systems therapy for children and teens, 2nd edn.

Guilford Press, New York von Hippel EA (2005) Democratizing innovation. MIT Press, Cambridge

Wethington HR, Hahn RA, Fuqua-Whitley DS, Sipe TA, Crosby AE, Johnson RL, Chattopadhyay SK (2008) The effectiveness of interventions to reduce psychological harm from traumatic events among children and adolescents: a systematic review. Am J Prev Med 35:287–313

# 트라우마 관련 질환을 진단받은 아동청소년의 약물치료 18

Julia Huemer, Michael Greenberg 와 Hans Steiner

## 18.1 이론적 토대 및 근거

아이들의 PTSD 치료에서 약물치료의 효과에 대한 연구는 매우 제한적으로 2 세대 항정신병 약물, 기분 안정제, 선택적 세로토닌 재흡수 억제제 및 항 아드레날린성 약물의 네 종류 치료제를 위주로 진행되고 있습니다. 각 분야별 연구와 깊이나 중요성은 개방성 또는 무작위 통제 연구(randomized controlled trials, RCT)로 다양한 편이지만 약물치료적 개입에 대한 전반적인 근거 수준이 약하여 대다수 성인 집단에서 시행된 연구 결과에 의존하고 있습니다. 여기에서는 처방의 타당성 검증 연구들을 바탕으로, PTSD를 진단받은 아동 청소년에게 흔하게 사용되는 약물치료에 대해 간단히 살펴보겠습니다

### 18.1.1 선택적 세로토닌 재흡수 억제제Selective Serotonin Reuptake Inhibitors, 이하 SSRIs

아동청소년 PTSD의 약물치료에서 1순위로 간주되는 약임에도 SSRI의 효과성에 대한 연구는 다양한 결과를 보입니다. 성인에서의 효과를 근거로 하여 이론상 PTSD 아동에게도 SSRI가 효과적일 것으로 간주되어 왔습니다(Tareen 등. 2007). 아동의 약물치료 면에서 소아정신과 의사의 95%가 SSRI와 알파 아드레날린 작용제를 PTSD의 치료에서 사용합니다(Cohen 등. 2001). SSRI는 일반적으로, 다양한 범위의 증상(불안과 우울)과 사회적, 작업 기능의 향상을 기대할 때 권고됩니다(Donnelly 2003). SSRI는 PTSD의 특징으로 간주되는 재경험, 회피, 마비 증상을 목표로 쓰입니다(Cohen 등. 2001). 이렇게 흔하게 사용되지만, 20-30%의 아동청소년 환자들에서 SSRI 치료의 효과는 매우 미미하거나 없는 것으로 나타났습니다(Rapp 등. 2013). 소아 PTSD 치료에 가장 일반적으로 쓰이는 SSRI는 서트랄린, 플루옥세틴과 시탈로프람입니다.

소아 PTSD의 약물치료로 두 개의 무작위 통제 연구에서 서트랄린을 검증하였으나 주요한 효과를 보이지 못했고, 또다른 통제 연구에서는 2차적인 예방의 시도로 사용하였습

니다(Stoddard 등. 2011). 서트랄린에 대한 첫번째 무작위 통제 연구는 24명의 아동청소년을 대상으로 유연한 용량의 처방(매일 50-200mg)과 함께 외상 초점 인지행동치료를 한 집단 대비 위약과 외상 초점 인지행동치료를 한 경우의 결과를 비교한 것입니다(Cohen 등. 2007). 12 주 후, 두 집단 사이의 유의미한 효과 차이는 없었습니다. Robb과 동료들(2008)이 시행한 또다른 RCT는 PTSD 증상이 있는 131명의 아동청소년을 대상으로 위약과 서트랄린의 효과를 비교하였습니다. 치료 10주 후, 두 집단 사이에 주요 결과 평가(UCLA PTSD-I 점수)에서 주요한 효과 차이는 없었습니다. 강박장애 (March와 Curry 1998), 범불안장애(Rynn 등. 2001), 우울증(Wagner 등. 2003), 분리불안 및 사회불안장애(Walkup 등. 2008)를 진단받은 성인과 소아 집단 모두에서 서트랄린의 효과성이 입증되었으나, 아동청소년 PTSD의 치료에서는 현재까지 효과성이 입증되지 않았습니다.

서트랄린 외에 무작위 통제 연구로 평가된 유일한 SSRI는 플루옥세틴입니다(Robert 등. 2008). 이 연구에서는 열 화상 후 급성 스트레스장애로 치료 중인 아동을 대상으로 일주일간 플루옥세틴과 이미프라민 대비 위약의 효과를 비교하였습니다. 여기에서 치료 집단간의 차이는 나타나지 않았지만, 치료 기간이 너무 짧았기 때문에 임상적으로 해석하기에는 한계가 있습니다.

서트랄린과 플루옥세틴과는 달리 시탈로프람은 무작위 통제 연구로 평가되지는 않았으나, 사례 연구과 공개임상시험들의 초기 평가에서는 긍정적인 결과를 보였습니다. Seedat과 동료들의 첫 공개임상시험(Seedat 등. 2001)에서, 환자들은 임상가용 PTSD 척도-아동청소년용(Clinician-Administered PTSD Scale-Child/Adolescent Version, CAPS-CA)에서는 38%가 증상감소를 보였지만, 자가 보고 상으로는 우울증상이 호전되지 않았습니다. 다른 공개임상시험(Seedat 등. 2002)에서는 24명의 아동청소년을 대상으로 시탈로프람의 효과성을 평가하였는데, CAPS 총 점수와 전반적 증상 인상 평가(Clinical Global Impression, 이하 CGI)와 증상 점수가 감소되는 효과가 확인되었습니다.

### 18.1.2 항정신병 제제

항 정신병 약물은 도파민 신경전달의 주요 기능 이상을 교정하기 위한 목적으로 PTSD 치료에 사용되어 왔습니다. 성인 PTSD의 2세대 항정신병 약물(second-generation antipsychotics, 이하 SGA) 치료 효과에 대해서는 광범위하게 연구가 되었으나(Strawn 등. 2010), 아동청소년 대상의 효과성 평가 연구는 매우 제한적입니다. 더구나 전형적인 항정신병 약물보다 일반적으로 안전하다고 하더라도, SGA는 체중 증가, 이상지질혈증, 혈당 상승, 고프로락틴혈증, QTc 간격 증가와 추체외로성 부작용의 위험성을 역시 갖고 있습니다(Strawn 등. 2010).

아동청소년을 대상으로 리스페리돈의 사용을 검증한 무작위 통제 연구는 없지만, 2개의 공개임상시험과 한 개의 사례 연구에서는 상당한 증상의 개선이 보고되었습니다(Horrigan과 Barnhill 1999; Keeshin과 Strawn 2009; Meighen 등. 2007). 첫 공개임상시험(Horrigan과 Barnhill

1999)은 18명의 청소년 중 13명에게서 PTSD 증상의 관해를 보고했습니다. Keeshin과 Strawn의 사례연구(2009)에서는, 성적 학대와 방임을 겪은 13세 소년에게 발프로산과 클로니딘, 보조적으로 리스페리돈을 처방한 결과 PTSD 증상이 상당히 개선되었습니다. 마지막으로, Meighen과 동료들(2007)의 연구에서는 급성 스트레스장애를 진단받은 소아 환자들에게 리스페리돈을 처방하였을 때 PTSD 관련 증상들이 완화되었습니다.

리스페리돈처럼, 쿼티아핀 역시 소아 집단에서 무작위 통제 연구가 시행되지 않았지만 공개임상시험들에서는 상당한 효과가 보고되었습니다. Stathis와 동료들(2005)의 연구에서, 15-17세의 청소년 6명에게 12주 동안 쿼티아핀(50-200 mg/day)을 처방한 결과, 모든 대상자가 그들의 외상성 증상 설문지에 상당한 개선을 보고하였습니다.

### 18.1.3 기분 안정제

항 경련제를 PTSD의 치료에 활용하는 것은, 기분 안정제가 뇌 내 GABA 및 글루타민 신경전달을 조절한다는 점을 감안하여 종종 PTSD와 함께 나타나는 공격성, 분노, 충동성을 조절하는 데 사용됩니다. 성인 환자들 대상의 많은 공개 임상 및 무작위 통제 연구들의 결과 효과는 복합적이거나 중등도 크기로 확인되었으나, 소아 환자군에 대한 연구는 매우 제한적입니다(Strawn 등. 2010). 아동청소년에서의 기분 안정제의 효능을 평가한 두 연구는 카바마제핀과 발프로산이 대상이었습니다.

Looff와 동료들(1995)은 연구에서, 성학대를 겪은 28 명의 아동청소년 PTSD환자에게 매일 300-1200 mg의 카바마제핀을 투약하였습니다. 치료 종결 시점에서 22 명의 참여자는 증상이 없었고 다른 6 명은 기능의 개선을 보고하였습니다. Steiner와 동료들(2007)은 발프로산 대상 7주간 이중맹검 무작위 통제 연구를 하였는데, 행동 장애 청소년 71명과 PTSD가 공존질환인 12명에게 저용량 또는 고용량의 발프로산의 효과를 비교한 결과 고용량 투여 집단에서 CGI 점수의 개선 효과가 높았습니다.

### 18.1.4 항아드레날린성 제제

항아드레날린성 약물Antiadrenergic medication은 PTSD의 증상의 발전과 발현에 연관된 노르아드레날린성 활성을 줄여주는 기능(Cohen 등. 2001) 때문에 주목받고 있습니다. 과각성 증상들에 대한 치료 이론 상, 다양한 항아드레날린성 제제들이 아동기 PTSD의 치료 효과에 대해 탐색되어 왔습니다. 이 범주에서 가장 흔하게 사용되는 약물은 구안파신, 클로니딘, 프라조신, 프로프라놀롤입니다.

알파-2 작용제인 구안파신와 클로니딘은 공개 임상 연구 결과, PTSD 진단의 아동 및 성인 모두의 과각성 증상을 조절하는 데 효과적이었습니다(Donnelly 2003). Connor와 동료들(2013)이 진행한 8주 공개 임상 연구에서는 서방형 구안파신을 19명의 아동청소년 환자에게 투약한 결과, 71%의 환자들이 치료 반응을 보였고, 세 증상 집단(재경험, 과각성, 회피) 모두 중증도가 낮아졌습니다. 비교적 오래된 제한적인 자료이지만, Harmon과 Riggs의 연구(1996)에서도 7명의 학생들에서 공격성, 과각성 및 수면 증상들을 줄여주는 데 클로니딘이 효과적이라고 보았습니다.

프라조신[prazosin]은 알파-1 길항제로, 특히 PTSD와 관련된 악몽과 침습 증상의 치료에 사용되어 왔습니다. 몇몇 사례 연구에서(Strawn 등. 2009; Fraleigh 등. 2009), 프라조신은 잦은 침습적인 악몽을 겪는 청소년 4명에게 단일 및 보조 치료로 상당한 효과를 보였습니다. 매일 1-3 mg의 복용량으로 모든 사례에서 상당한 수면의 개선이 보고되었습니다. 안타깝게도 무작위 통제 연구와 공개 임상 연구에서는 성인 집단에서만 효과가 검증되었고, 소아 대상으로는 사례 연구만 있습니다(Oluwabusi 등. 2012).

다른 항아드레날린성 약물과 달리 프로프라놀롤[propranolol]은 소아 PTSD를 대상으로 평가된 바 있는, 증상에 대해서가 아니라 예방적으로 작동하는 베타 길항제입니다. Famularo와 동료들(1988)의 초기 연구에서는 외상 사건을 겪은 11명의 아이들의 증상이 유의미하게 호전되었다고 보고되었으나, 아동 집단을 대상으로 한 프로프라놀롤 단독 연구에서는 유의미한 결과를 보이지 못했습니다(Nugent 등. 2010; Sharp 등. 2010).

## 18.2 약물치료를 어떻게 할 것인가

### 18.2.1 윤리적, 법적 고려 사항

처방을 늘리는 것이 안정성과 효과성 면에서 불확실하며 논란의 여지가 있으므로, 약물치료는 어려운 선택입니다. 아동청소년 정신의학 측면의 임상 연구가 부족하기 때문에, 약물 치료는 종종 오프 라벨(적응증 외)로 사용되며 연령에 비특이적으로 사용됩니다. 이러한 점에서 특히 중요한 것은, 미성년자는 발달학적으로 신진 대사 상태가 다르며 약물 부작용에 매우 취약하다는 것입니다. 이러한 사실과 미성년 PTSD의 치료에 심리치료가 1차 치료인 점을 고려할 때, 아동청소년과 그들의 보호자에게 PTSD 치료의 선택으로 약물을 고려할 때에는 이에 대해 충분히 교육하고 동의를 얻는 것이 매우 중요합니다.

**표 18.1** 아동 트라우마 관련 질환에서 약물치료를 고려하는 조건

| |
|---|
| 심리치료가 불가능할 때 |
| 동반질환이 있을 때 |
| 치료 저항성 PTSD |
| 아동의 나이 |

### 18.2.2 약물 치료의 조건

아동의 PTSD와 트라우마를 다룰 때, 심리치료와 약물치료를 포함한 다각도의 치료적 측면으로 접근하는 것이 중요합니다. 아동 청소년의 트라우마 관련 질환에서 1차 치료는 심리치료입니다. 약물 치료는 과각성, 우울 및 불안 증상을 줄여줄 수 있지만(Cohen 등. 2001; Strawn 등. 2009), 외상 초점 심리치료는 트라우마 증상들의 개선과 더불어 대인 관계 기능, 자존감의 결핍과 공포의 극복을 다룹니다.

영국 국립 보건원[NICE]의 2005년 지침서와 호주 국립 보건의학연구회가 2013년에 발표한 PTSD 치료 지침에서는 아동청소년에게 관례적으로 약물 치료를 처방하지 않도록 명시하였습니다(National Institute for Health and Care Excellence 2005; Phoenix Australia – Centre for Post-traumatic Mental Health 2013). 2010년 미국 소아청소년 정신의학회에서 발표한 PTSD 치료 지침 역시 외상 초점 심리치료가 1차 치료로, 약물치료는 고려할 수 있되 심리 치료 없이 약물치료를 고려하지 않도록 명시되어 있습니다(AACAP Official Action 2010).

심리치료를 적용할 수 없거나 공존 질환으로 인해 심리 치료의 적용이 어려워진 경우 등 일부 상황에서는 약물치료가 심리치료 대신 고려될 수 있습니다(표 18.1).

아동 PTSD의 약물치료에 대한 연구가 부족함에도 불구하고, SSRI는 광범위한 불안과 우울 증상에서의 치료 효능으로 인해 일차 치료법으로 간주됩니다(Cohen 등. 2001). 서트랄린은 통증 장애, 우울증 및 강박 장애 치료에 승인된 SSRI로, 전형적인 재경험, 마비 및 회피 증상의 완화 측면에서 아동 PTSD의 치료의 1차 치료제로 종종 권고됩니다(Cohen 등. 2001). 알파-1 및 알파-2 작용제 프라조신, 구안파신 및 클로니딘 등 다른 유형의 약물은 소아 PTSD 환자의 과각성 치료에 일부 제한적인 효과를 보였으나(Strawn 등. 2009; Connor 등. 2013; Harmon과 Riggs 1996), 소아 PTSD 환자 대상의 오프 라벨 처방을 입증할 근거 수준이 아직 부족합니다.

## 18.3 특정 어려운 상황들 및 예시 사례

### 18.3.1 사례 1: 폭식증이 동반된 PTSD

15세의 릴리는 딸의 상태를 걱정한 어머니에 의해 치료실에 오게 되었습니다. 릴리의 어머니는 딸이 화장실에서 먹은 것을 토하고, 야경증과 비명으로 온 가족을 깨우며 모든 과목에서 낙제했다고 보고했습니다. 그녀는 이러한 릴리의 문제 행동이 자신이 해외로 휴가를 간 동안, 릴리가 생부와 한달 간 지냈던 6개월 전부터 시작되었다고 했습니다. 어머니의 집에 돌아온 릴리는 극심한 기분 과민성, 불안, 악몽 및 충동성을 보이기 시작했습니다. 릴리의 기분 변화에 대해 왜 그러는지 물어보면, 그녀는 엄마가 이해할 수 없을 것이라고 했다고 합니다. 몇 주가 지나며 릴리는 어머니 및 계부와 점점 덜 어울렸고, 방에서 혼자 고립되어 지내며 SNS 속 이미지에만 집착했습니다. 결국 릴리는 화장실에서 토하는 것이 발각되어 정신건강의학과를 방문하게 되었습니다. 몇 번의 가족 회기로 릴리의 폭식과 구토 행동을 살피던 중에, 릴리는 치료자에게 일대일 면담을 요구했습니다. 이 개인 회기 시간에 그녀는 갑자기 울음을 터뜨리며 생부가 자신을 여러 차례 성추행했다고 말했습니다.

**증상** 내담자에게 PTSD와 신경성 폭식증이 공존할 때, 이 두 개의 질환이 공유하는 증상을 이해하고 이것이 어떻게 내담자의 정서 조절 이상과 연관이 있는 지 이해하는 것이 중요합니다. PTSD의 흔한 증상인 과각성, 분노, 정서적 마비와 회피는 폭식증의 특징인 폭식과 구토와 마찬가지로, 환자가 자신의 부정적인 정서를 조절하려 하나 성공하지 못하는 시도들로써 해석할 수 있습니다. 폭식증과 PTSD의 또다른 특징적인 증상인 감정표현불능증 혹은 감정의 확인과 표현을 어려워하는 증상은 내적 감각 인식의 결핍과 관련되어 있습니다. 위의 사례에서 릴리는 악몽과 외상성 성학대의 재경험, 충동성, 공격성 증상과 함께 조절되지 않는 감정 상태를 통제하고자 음식을 폭식하거나 밀어내는 시도를 하고 있습니다.

**특정 어려움들** 이러한 증상들을 보이는 아동청소년을 대할 때, 종종 그들의 환경과 가족관계 상의 취약성으로 인해 내재된 어려움들을 만나게 됩니다. 정신약물학적인 고려를 떠나, 1차적으로 가장 중요한 것은 환자가 처음 증상이 일어났던 트라우마와 관련된 것에 지속적으로 노출되지 않게 하는 것입니다. 위의 사례에서 릴리의 어머니는 생부의 성학대를 알지 못했습니다. 릴리는 미성년자이므로, 그녀와 생부 사이에 추가적인 접촉이 없도록 안전장치를 설정하고 아동보호서비스에 즉시 이 학대 혐의가 보고되어야 합니다. 이러한 사례에서는 종종 환자가 가해자와 함께 살며 일상적으로 학대 받고 반복적으로 재외상을 겪기도 합니다.

공존질환이 있는 PTSD를 다룰 때 고려해야할 또 다른 난제는 치료의 부작용입니다. 전형적인 PTSD 증상에는 보통 SSRI가 그 광범위한 치료 적용으로 인해 (심리치료에 보조적인) 약물 치료의 1차 선택으로 고려됩니다(Donnelly 2003). 하지만 공존 증상들이 있는 경우에는 SSRI에 보통 잘 반응하지 않는 정서 불안정성, 충동성 또는 정신증상에 비전형적 항정신병약제와 항경련제가 효과적일 수 있습니다. 이렇게 항정신병약제와 항경련제를 사용할 경우 고려해야 할 점은 종종 심각한, 또는 다루기 어려운 약물 부작용의 가능성입니다. 체중 증가, 이상지질혈증, 고혈당과 고프로락틴혈증, 추체외로 증상들은 2세대 항정신병약제로 유발되는 부작용들로, 이미 취약한 상태에 있는 아동청소년이 감당하기에 특히 어려운 증상들입니다. 게다가 강한 부작용이 있을 수 있는 약물을 처방할 때에는, 특히 상당한 시간이 지나도 증상의 개선되지 않는 경우일수록 더욱, 적절한 약물 순응성의 필요성을 다루는 것이 중요합니다. PTSD 증상은 종종 12주 이상 지속될 수 있으며, 약물의 조정이 필요할 수 있다는 점을 고려하는 것도 중요합니다.

**치료 권고** 앞서 언급했듯이, 1차적인 치료법은 언제나 개인 인지행동치료나 가족치료 같은 심리치료입니다. PTSD와 신경성 폭식증의 공존으로 고통받는 환자를 대할 때, 그들의 내적 상태를 조절하는 데 도움이 될 수단을 주는 것이 중요합니다. PTSD의 약물치료에 1차적으로 권고되는 것은 서트랄린이나 플루옥세틴과 같은 SSRI입니다(Marshall 등. 2001, Brady 등. 2000). PTSD와 신경성 폭식증의 공존 사례에서는 플루옥세틴이 폭식 치료에 적응증이 있으므로 서트랄린보다 우선적으로 권고됩니다(SPC 2011). 상기 사례에서 제시된 공존 증상들을 고려할 때, 심리치료 외에 추가적인 약물치료를 고려하는 것이 타당합니다.

공존 질환의 사례에서 고려해야할 마지막 영역은, 화학적 불균형이나 불법적인 약물과의 상호작용으로 일어날 수 있는 의학적 합병증의 가능성입니다. 폭식증의 경우 폭식이 얼마나 진행되어 왔는가에 따라 전해질 불균형 같은 심각한 의학적 합병증이 있을 수 있습니다. 따라서 기본적으로 소아청소년과의 협진이 필요합니다.

### 18.3.2 사례 2: 비전형적인 사례

주의력결핍 과잉행동장애ADHD로 진단된 6세 아동이 의뢰되었습니다. 몇몇 메틸페니데이트 약제를 시도했었지만 효과가 없었다고 합니다. 그는 지속적으로 부주의와 충동 증상이 있어 학교에서 잘 지내지 못하고 또래와 어울리지 못했습니다. 환자의 어머니는 자신의 아이가 사고가 있기 전까지는 학교에서 잘 지냈다고 했습니다. 이에 대해 좀더 질문하자 그녀는 아이가 2년전 아버지와 교통사고를 겪긴 했지만, 사고 후 6개월까지도 아무런 증상이 없었는데 어떻게 그렇게 오래된 사고가 아이의 ADHD 증상과 관련이 있을 수 있는 지 모르겠다고 했습니다. 그러나 사고 이후 아이는 차를 탈 때면 멍해 보였고, 예전처럼 아이들과 어울리거나 놀지 않으며 종종 짜증을 냈습니다. 정서적, 사회적 위축으로 친구와 어울리지 못하고, 혼자 장난감을 갖고 놀거나 비디오 게임 외에는 아무것도 하지 않는 아이를 돕기 위해 어머니는 일도 그만두었습니다. 아이의 어머니는 아이의 행동 문제를 개선시킬 새로운 약물 처방을 원하고 있었습니다.

**증상** 정신질환의 진단 및 통계 편람Diagnostic and Statistical Manual 5th ed [DSM -5; American Psychiatric Association (APA) 2013]에서 PTSD는 6세 이하의 경우, 부정적인 정서 변화의 표현이 기분 과민성과 분노발작으로 나타날 수 있다고 기술합니다. 감정을 인식하고 분류하는 데 한계가 있는 어린 아이의 특성상, 부정적인 감정 증상은 종종 공격성과 안절부절함으로 나타납니다(APA 2013). 불행히도 산만과 집중의 어려움을 포함하는 많은 행동 문제들이 ADHD의 증상들과 동일합니다(APA 2013). 앞의 사례에서 아동은 짜증을 내고 놀이에 흥미를 잃었으며 해리 증상 및 집중의 어려움과 함께, 관계와 학업 모두에서 기능의 손상을 보이고 있습니다. 게다가 아이의 증상은 교통사고 이후 6개월까지 나타나지 않았습니다. 사고와 증상 출현 사이에 시간 간격이 있었기 때문에, 부모는 아이의 증상을 적응상의 행동 문제거나 ADHD로 잘못 해석했던 것입니다.

**특정 어려움들** 이 사례에서 고민이 필요한 어려운 부분은, 어린 나이에 안전하고 효과적으로 적용할 수 있는 치료의 선택과 적절한 감별진단입니다. 명확하고 완전한 과거력이 있다면 전문가가 PTSD를 감별진단 하는 것은 어려운 작업이 아닙니다. 하지만 이 사례처럼 사건과의 연관성이 모호하고 부모의 관심이 약물치료에 쏠려 있다면, 치료자가 사례를 적절하게 개념화하기 어려울 수 있습니다. 문제 행동, 산만함, 주의집중의 어려움만 제시된다면 치료자는 기저의 트라우마를 놓친 채 다른 진단을 내릴 수 있습니다.

아이의 나이를 고려하여 중요하게 다루어야 할 질문은, 아이의 안전과 안녕에 약물치료적인 개입이 적절한 가입니다. 소아 PTSD의 치료에서 약물 효능에 대한 연구와 근거가 매우 부족하고, 아이에게 어떤 약물이라도 처방을 하는 것은 그의 신경생물학적인 발달에 위해가 될 가능성을 감수하는 것입니다. 그의 취약성을 고려할 때, 치료 효과에 대한 근거 없는 약물치료는 환자에게 잠재적으로 해가 될 수 있습니다.

**치료 권고** 아이의 어린 나이와 제시된 문제점들을 고려할 때, 이 사례에서는 외상 초점 인지행동치료$^{TF\text{-}CBT}$가 1차로 권고되는 치료입니다(8장 참조).

### 18.3.3 사례 3: 치료 저항성 PTSD

14세 남아 알렉스는 경찰에 의해 청소년 병동에 입원조치 되었습니다. 입원 면담 중, 그의 아버지는 아들의 행동이 지난 일년간 점점 더 심각해졌다고 보고했습니다. 1년 전 알렉스는 약물 과다복용으로 사망한 어머니의 시신을 발견했습니다. 처음에는 그가 상황에 적절하게 대처하는 것처럼 보였으나, 상당히 깊이 우울해하고 고립되어 있었다고 합니다. 그러나 시간이 지날수록 알렉스의 기분과 행동은 점점 더 조절이 되지 않았습니다. 사소한 절도나 마리화나 이용과 같은 충동적인 행위부터 시작해서, 알렉스는 점점 더 가족과 친구들에게 공격적이고 예측할 수 없는 행동을 하기 시작했습니다. 알렉스는 화가 나기 시작하면 매우 폭발적이고 공격적이 되어서 주먹으로 벽을 쳐서 구멍을 내고 그릇을 깨뜨렸습니다. 점점 더 그는 분노에 매달려 탈진할 때까지 그 분노에서 벗어나지 못하는 것처럼 보였습니다. 때때로 그는 가구를 던지거나 악을 쓰고 결국 제압당할 때까지 아버지를 때렸습니다. 가장 최근의 사건은 알렉스가 자신을 놀렸던 또래에게 갑작스럽고 공격적인 분노에 휩싸여 폭력 행위를 하다 체포된 것이었습니다. 경찰 보고서에 따르면, 알렉스는 근처의 돌로 상대가 의식을 잃을 때까지 때렸습니다. 경찰이 현장에 도착했을 때에도, 알렉스는 여전히 폭력적이고 해리된 행동을 보이고 있었다고 합니다.

**증상** 알렉스의 주요 증상은 공격성, 감정적 반응성, 충동성과 재경험으로, 비전형적인 PTSD 형태에 해당합니다. 알렉스의 경우, PTSD에 의한 정서조절의 와해는 충동적 행동과 공격성으로 표출되고 있습니다. 가족이나 또래에 의해 부끄러움이나 단절감을 겪을 때 나타나는 감정적 반응은, 알렉스가 스트레스와 유발 상황을 다룰 능력이 거의 없다는 것을 의미합니다. 불법 약물을 썼던 것을 보면, 심각한 정서조절의 어려움으로부터 나름대로 벗어나려는 시도로 자가 치료나 정서적 단절의 방법을 사용한 것으로 추정해볼 수 있습니다.

**특정 어려움들** 이 사례에는 몇 가지 도전적인 난제가 있습니다. 이 정도의 중증도를 보이는 사례에서, 적절한 진단 및 치료의 순응도를 확인하기 어려운 점이 전반적으로 치료의 성공을 방해할 수 있습니다. 환아의 증상 형태가 PTSD의 비전형적인 특성들을 보이기 때문에, 치료자는 증상들에 해당하는 적절한 진단들을 감별하는 데 주의를 기울여야 합니다. 아동기 PTSD 사례들도 보통 전형적인 질환의 핵심증상들을 보이지만, 성인의 경우라면 흔하게 보이지 않을 광범위한 부가적인 증상들을 보이기도 합니다. 퇴행, 무모하거나 과잉 행동, 산만함과 신체 증상 호소 등 다양한 증상들이 임상 상황을 복잡하게 만들거나 왜곡시킵니다(Kaminer 등. 2005). 알렉스의 사례에서 보이는 해리와 난폭성을 고려할 때, 이런 상황의 본질, 정신증상 및 약물 의존과의 관련성을 탐색하는 것이 중요합니다. 환자에 대해 명확하고 통합적인 과거력을 얻어야 올바른 진단을 내리고 치료할 수 있습니다.

진단이 내려지면(위의 사례에서는 복합 PTSD, 1장 참조), 치료자는 적절한 치료 순응을 위해 환자를 신중하게 대해야 합니다. 알렉스처럼 어려운 사례에서는 치료자가 환자와 믿을 수 있는 관계를 만드는 데 노력해야 할 뿐 아니라, 정확한 약물 복용 준수의 중요성을 강조하면서도 약물치료에 대한 부정적 인식을 수정하는 데에도 노력을 기울여야 합니다. 의지와 무관한 사건들을 겪고 믿음을 배신당하거나 공격을 당한 과거력 등의 요인들이 있을 때, 알렉스 같은 환자들은 치료 권고를 따르는 것을 아주 싫어할 수 있습니다. 일단 환자가 투약에 동의해도, 이어지는 또다른 문제는 약물 순응도가 문제가 될 수 있는 것입니다. 치료를 시작한 지 몇 달이 지나도 어떤 증상의 변화가 보이지 않는다면, 환자가 처방 대로 약을 복용하고 있지 않고 있는 것일 수 있습니다. 또 고려해야 할 것은, 아동청소년 대상 연구에서 SSRI와 2세대 항정신병 약물의 처방이 큰 효과 크기를 입증하지 못했다는 것입니다(Rapp 등. 2013, Strawn 등. 2010).

믿을 수 있는 관계를 만들고 면밀히 관찰하는 것은, 종종 이것이 환자의 회복과 악화의 차이를 만들어내므로 정말 중요합니다.

**치료 권고** 위의 사례와 같은 내담자에게 접근할 때 중요한 것은, 제시된 증상들 중 가장 문제가 되는 부분에 대한 치료를 고려하는 것입니다. 알렉스의 경우, 감정조절의 어려움과 충동성은 그가 감정과 행동을 잘 조절하지 못하게 했지만, 그의 폭력성이 자신과 타인의 안전을 위협했습니다. 심리치료에 부가적으로 고려되는, 청소년 PTSD의 약물치료에 일반적인 1차 치료제는 SSRI(Tareen 등. 2007)이지만, 알렉스의 극단적인 공격성과 난폭함을 고려할 때 보조적인 치료법으로 2세대 항정신병 제제를 고려할 수 있습니다. 리스페리돈과 퀘티아핀이 청소년 대상 공개 임상 연구에서 일부 긍정적인 효과를 보인 바 있습니다(Strawn 등. 2010). 환자의 공격성 및 정신증 증상이 일단 통제된 뒤에야 트라우마 처리와 감정 조절을 촉진할 기술 발달 과정의 치료가 진행될 수 있습니다.

### 18.3.4 사례 4: 급성 약물 반응

16세 소녀가 극단적인 불안과 공황, 감당할 수 없는 울음 증상으로 보호 병동에 입원했습니다. 담당의사에게 그녀의 부모는 딸이 집에서 동생과 평범한 게임을 하던 중 갑자기 발작적으로 울기 시작했다고 했습니다. 부모는 딸의 갑작스러운 증상을 걱정하여 바로 병원으로 달려왔고, 딸이 한참을 공황과 불안에 시달렸다는 말만 반복했습니다. 환자를 진정시키기 위해 담당의사는 미다졸람을 처방했습니다. 이 벤조다이아제핀을 처방 받은 직후, 그녀는 약물에 "역설적으로" 반응하여 안절부절 못하고 통제를 더 벗어나기 시작했습니다. 환자는 발을 휘두르며 비명을 질렀고, 다른 환자들마저 위험에 처하지 않도록 곧바로 신체 구속을 하게 되었습니다. 담당의사는 부모와 환자에 대해 면담하였고, 그녀가 생부로부터 반복적이고 충격적인 성폭력을 당했었다는 것을 알게 되었습니다. 급성 약물 반응 뒤 환자는 자주 피폐한 악몽을 꾸기 시작했습니다. 악몽이 너무 심각해서 환자는 하루 3-4시간 이상 자지 않고 어둠을 극도로 피하면서, 잠을 안 자기 위해서라면 무엇이든 하려 들었습니다.

**증상** 처음 환자에 대해 보고된 증상은, 알 수 없거나 보기에는 무해한 사건에 의해 촉발되는 심한 불안과 공황증상이었습니다. 벤조다이아제핀인 미다졸람의 투약 후 환자는 난폭한 행동과 탈억제를 포함한 역설적인 증상들을 보였습니다. 이 역설반응 후 환자의 PTSD 증상은 심각한 불안과 피폐한 악몽들로 떠오르기 시작했습니다. 이 사례의 복잡성은 약물에 대한 역설적인 반응이 나타난 것과 야경 증상의 광범위한 재경험 특성에서 드러납니다. 이 환자를 효과적으로 치료하려면, 증상의 원인과 순서들을 신중하게 탐색해서 오진과 비효과적인 약물 치료를 피하는 것이 필요합니다.

**특정 어려움들** 이 급성 약물 반응 사례에서 어려운 부분은, 약물에 대한 역설적인 반응과 적응증 외 처방 및 연구가 충분하지 않은 치료법의 사용에 대한 것입니다. 이 사례에서 담당의사는 환자의 명백한 불안 증상을 치료하고자 벤조다이아제핀인 미다졸람을 처방했습니다. 담당의사는 환자의 과거 트라우마 과거력을 모르고 역설 반응을 예측하지 못한 채, 증상에 결국 효과적이지 못한 약물을 처방했습니다(Strawn 등. 2009). 환자가 벤조다이아제핀에 역설 반응을 보일 가능성은 매우 낮지만, 성인보다는 미성년 환자에서 위험성이 높습니다(Mancuso 등. 2004). 역설적인 반응을 빨리 효과적으로 안정시키지 못하면 환자의 기저 PTSD 증상들은 치료되지 않고 남게 될 것입니다. 따라서 가능한 가장 빠르고 효과적인 방법으로 역설 반응을 관리하는 것이 매우 중요합니다. 여기에서 의료인은 적절한 약리학적 반응으로 각 증상군을 다루기 위해, 다층적인 접근법을 취해야 합니다. 이 사례의 경우에는 우선적으로는 약물이 몸에서 배출될 때까지 기다리되, 역설적인 증상이 조절되지 않을 경우 항정신병 약제를 처방해보고, 이후 심리치료를 진행하며 항아드레날린 약제 프라조신으로 악몽을 조절해볼 수 있습니다. 적응증 외의 처방과 광범위한 부작용 가능성은 환자에게 큰 위험이 될 수 있습니다. 체중 증가나 심한 주간 졸림 등의 추체외로 증상들은 어린 환자들 대상의 약물치료에서 주의 깊게 모니터링이 필요한, 발생 가능한 우려점들 중 극히 일부입니다. 게다가 항아드레날린성 약물의 일부 효과를 보고한 연구들이 있지만(Strawn 등. 2009; Fraleigh 등. 2009; Seedat 등. 2001), 아직 소아 PTSD 증상의 치료에 이들의 사용을 충분히 입증하기에는 근거가 부족합니다.

**치료 권고** 위와 같은 사례를 잘 치료하려면 우선 빠르고 효과적으로 역설 반응을 다룬 뒤, 주요 PTSD로 인한 손상을 치료하고 관리하는 단계로 나아가야 합니다. 벤조다이아제핀으로 인한 난폭한 행동과 탈억제 증상이 조절되지 않는 경우에는 항정신병 약제인 올란자핀을 저용량 처방할 수 있습니다. 중요하기 때문에 다시 강조하자면, 2세대 항정신병 약제를 처방할 때에는 치료자가 부작용의 가능성을 고려하고, 환자와 보호자 모두에게 부작용으로 인한 위험성을 알려야 합니다. 일단 환자가 안정을 찾으면 2세대 항정신병 약제는 안전하게 중단하고, 치료는 다음 단계인 심리치료와 악몽으로 인한 기능손상을 다루기 위한 항아드레날린성 약물인 프라조신 처방으로 넘어가야 합니다. SSRI는 다양한 범위의 불안과 우울에 쓸 수 있는 약제이기 때문에, PTSD 증상 치료에도 가장 널리 쓰입니다(Cohen 등. 2001). 프라조신은 SSRI 만큼 널리 연구되지는 않았지만 PTSD 사건과 관련된 침습적인 악몽의 치료에 상당한 효과를 보인 바 있습니다(Strawn 등. 2009; Fraleigh 등. 2009). 이 사례에서 확인된 주요 증상들을 감안할 때, 프라조신을 함께 쓰는 것이 1차 치료법인 심리치료에 효과적인 보완책일 수 있습니다.

### 18.3.5 사례 5: 약리학적 부작용

15세 여성 환자가 우울과 불면증을 이유로 의뢰되었습니다. 몇 번의 회기 후, 그녀는 전 남자친구로부터 여러 차례 심각한 성폭력을 당했다고 밝혔습니다. 그녀는 악몽이 계속되어 고통스럽다고 전 남자친구와 관련된 활동들을 피하며 지속되는 증상들 때문에 학교와 다른 사회활동도 모두 제대로 할 수 없다고 말했기 때문에, 치료자는 그녀의 증상 프로파일이 PTSD에 해당한다고 결론을 내렸습니다. 심리치료를 할 준비를 마친 뒤, 치료자는 서트랄린을 처방하고 천천히 치료적 용량까지 증량했습니다. 다음 방문 때, 그녀의 기분은 더 동요된 상태에다가 공격적이어서, 제한되고 낮은 표현과 완전히 대조적으로 보였습니다. 회기 내내 환자는 얼마나 가족들이 자신을 지긋지긋하게 만드는지 토로하며, 어머니가 약 상자에 숨겨둔 수면제를 모두 먹는 것에 대해 계속 생각하고 있다는 등 몇 가지 위험 신호를 내비쳤습니다.

**증상** 위의 사례에서 환자의 초기 증상은 우울과 불면증이었습니다. 숨겨졌던 외상 사건이 밝혀짐에 따라, 이 우울과 수면 문제는 장기간의 폭력과 성적 트라우마로 인한 것이라는 점이 분명해졌습니다. 최근의 DSM-5에서 PTSD의 진단 기준은, 외상 사건으로 인한 감정의 부정적 변화의 기준 D를 추가하였습니다. 그녀는 정서적 증상들과 함께, 악몽의 침습 증상, 과거 사건을 상기시키는 자극들에 대한 회피, 수면 장애로 나타나는 과각성 증상들도 갖고 있었습니다. 그녀의 증상 프로파일은 명백히 PTSD에 해당합니다. 일단 SSRI로 치료를 시작하자 환자는 동요와 자살사고의 신호를 보이기 시작했습니다. 연구에서 자살 위험성과 PTSD 진단 사이에도 강한 연관성이 보고되었지만(Tarrier와 Gregg, 2004), 이 사례에서의 갑작스러운 자살사고는 SSRI의 처방과 관련된 것으로 보입니다(Olfson 등, 2006).

**특정 어려움들** 어떤 형태로든 약물학적인 개입으로 환자를 치료할 때, 항상 가장 주의를 기울여야 할 것은 계획된 치료의 위험과 부작용의 가능성입니다. 바로 이 사례의 경우에 어려운 점은, 환자가 다른 치료법을 잘 진행해 나가는 동안 안전이 보장되어야 한다는 것입니다. 이전에 쓰이던 삼환계 항우울제에 비해 SSRI의 부작용은 훨씬 가볍다는 것(Strawn 등, 2010)이 소아 PTSD를 치료하는 소아정신과 의사의 95%가 이 약을 처방하는 가장 주된 이유입니다(Cohen 등, 2001). 이 약제의 효과와 상대적으로 가벼운 부작용에도 불구하고, FDA는 소아청소년의 SSRI 사용과 관련된 자살 사고의 잠재적인 위험을 인지하였습니다(Olfson, 2006). 이 부작용은 청소년의 극히 일부에 해당하는 제한적인 것으로 보이기는 하나, SSRI를 처방했을 때에는 모든 의료인이 환자의 자살 경향성의 어떤 신호이나 작은 증상이라도 밀접하게 관찰하는 것이 절대적으로 중요합니다. 위의 사례에서는 환자의 이 약에 대한 부작용으로 인하여 치료자가 상대적으로 안전한 SSRI보다 덜 선호되는 다른 처방을 해야 했습니다. 공격성과 탈억제 증상을 고려하여, 치료자는 2세대 항정신병 약제인 쿼티아틴을 처방하여 가장 걱정되는 증상들이 안정되도록 시도할 수 있습니다. SSRI처럼, 2세대 항정신병 약제들은 1세대보다 일반적으로 안전합니다. 하지만 2세대 약제 역시 이상지질혈증, 체중 증가, 고프로락틴혈증, QTc 간격의 증가나 고혈당 등의 위험성이 있습니다(Strawn 등, 2010).

**치료 권고** SSRI로 계속 치료하는 것이 명백히 위험한 사례이므로, 적절한 치료적 접근은 안전하게 항우울제를 차츰 줄여 끊고, 자살 사고로부터의 안전을 확인하면서 신중하게 2세대 항정신병 약제에 적응시키는 것입니다. 이 사례의 경우, 환자가 안전하게 SSRI를 끊고 새 약제의 용량을 조정하기 위해 입원하는 것이 도움이 될 수도 있습니다. 가능한 또다른 접근법은, 환자를 밀접히 관찰하여 SSRI의 부작용이 단지 일시적인 것인지 확인하는 것입니다. SSRI들은 작용 초기 단계에서 기분 증상을 악화시킬 수도 있기 때문에, 환자의 증상을 일시적인 부작용 가능성으로 보고 약을 유지한다면 그 판단의 책임은 치료자에게 있습니다. 다시 한번 이 사례에서는 환자의 안전 보장이 가장 중요하므로 입원 가능성도 고려해야 합니다.

## 결론

트라우마 관련 질환의 치료에 대한 최근의 모든 지침에서 최우선으로 꼽는 것은 심리치료입니다. 경우에 따라 보조적으로 약물치료를 사용하는 것이 적절할 수도 있습니다. 하지만 소아 PTSD에 널리 쓰이는 약물에 대한 제한적인 연구의 결과, 약물치료의 실제 활용과 그들의 효과에 대한 근거 사이에는 명백한 공백이 존재합니다.

연구를 통한 효과의 입증은 부족하지만, SSRI들은 성인에게서 입증된 효과와 상대적인 내약성, 적은 부작용, 그리고 기분 및 불안 증상에서의 광범위한 적응증으로 인해, PTSD로 고통받는 외상에 노출된 아동청소년의 약물치료에서 최우선순위로 사용되고 있습니다(Donnelly 2003; Huemer 등. 2010). 항정신병, 항아드레날린, 그리고 항경련성 약제 중 일부 약물은 개방 임상 연구들에서 긍정적인 결과를 보였지만, 아직 엄격한 기준의 무작위 통제 연구로 검증되지 않았기 때문에 향후 연구가 필요합니다. 성인과 아동의 신경생물학적인 차이에 대한 더 나은 이해와 트라우마 관련 질환에서 널리 쓰이고 있는 약물 치료법을 지지할 추가적 근거 없이는, 치료자는 PTSD로 고통을 겪고 있는 미성년자들에게 덜 효과적인 치료를 하는 위험을 감수하게 됩니다.

PTSD의 약물치료는, 이 장에서 언급하였듯이 특히 가장 널리 쓰이는 약제들이 적응증 외로 처방되고 있다는 점을 감안할 때 복합적인 상황입니다. 최선의 선택을 위해, 치료자는 환자의 나이, 증상 형태와 특정 증상들을 잘 고려해야 합니다. 여기서 제시된 사례의 상황은 치료의 절대적인 규칙이 아니며, 미성년 PTSD 환자들에게 약물을 처방할 경우에 대한 일부의 예시입니다.

## 참고 문헌

AACAP Official Action (2010) Practice parameter for the assessment and treatment of children and adolescents with posttraumatic stress disorder. J Am Acad Child Adolesc Psychiatry 49(4):414–430

American Psychiatric Association (2013) Diagnostic and statistical manual of mental disorders, 5th edn. Arlington: American Psychiatric Publishing

Brady K, Pearlstein T, Asnis GM et al (2000) Efficacy and safety of sertraline treatment of posttraumatic stress disorder: a randomized controlled trial. JAMA 283(14):1837–1844. doi:10.1001/jama.283.14.1837

Cohen JA, Mannarino AP, Rogal S (2001) Treatment practices for childhood posttraumatic stress disorder. Child Abuse Negl 25(1):123–135. doi:10.1016/S0145-2134(00)00226-X

Cohen JA, Mannarino AP, Perel JM, Staron V (2007) A pilot randomized controlled trial of combined trauma focused CBT and sertraline for childhood PTSD symptoms. J Am Acad Child Adolesc Psychiatry 46:811–819. http://dx.doi.org/10.1097/chi.0b013e3180547105

Connor DF, Grasso DJ, Slivinsky MD et al (2013) An open-label study of guanfacine extended release for traumatic stress related symptoms in children and adolescents. J Child Adolesc Psychopharmacol 23(4):244–251. doi:10.1089/cap.2012.0119

Donnelly CL (2003) Pharmacologic treatment approaches for children and adolescents with posttraumatic stress disorder. Child Adolesc Psychiatr Clin N Am 12(2):251–269. doi:10.1016/ S1056-4993(02)00102-5

Famularo R, Kinscherff R, Fenton T (1988) Propranolol treatment for childhood posttraumatic stress disorder, acute type. A pilot study. Am J Dis Child 142(11):1244–1247. doi:10.1001/ archpedi.1988.02150110122036

Fraleigh LA, Hendratta VD, Ford JD et al (2009) Prazosin for the treatment of posttraumatic stress disorder-related nightmares in an adolescent male. J Child Adolesc Psychopharmacol 19(4):475–476. doi:10.1089/cap.2009.0002

Harmon RJ, Riggs PD (1996) Clonidine for posttraumatic stress disorder in preschool children. J Am Acad Child Adolesc Psychiatry 35(9):1247–1249. doi:10.1097/00004583-199609000-00022

Horrigan JP, Barnhill LJ (1999) Guanfacine and secondary mania in children. J Affect Disord 54(3):309–314. http://dx.doi.org/10.1016/S0165-0327(98)00183-9

Huemer J, Erhart F, Steiner H (2010) Posttraumatic stress disorder in children and adolescents: a review of psychopharmacological treatment. Child Psychiatry Hum Dev 41(6):624–640. doi:10.1007/ s10578-010-0192-3

Kaminer D, Seedat S, Stein DJ (2005) Post-traumatic stress disorder in children. World Psychiatry 4(2):121–125

Keeshin BR, Strawn JR (2009) Risperidone treatment of an adolescent with severe posttraumatic stress disorder. Ann Pharmaco 43(7):1374. doi:10.1345/aph.1M219

Looff D, Grimley P, Kuller F et al (1995) Carbamazepine for PTSD. J Am Acad Child Adolesc Psychiatry 34(6):703–704. doi:10.1097/00004583-199506000-00008

Mancuso CE, Tanzi MG, Gabay M (2004) Paradoxical reactions to benzodiazepines: literature review and treatment options. Pharmacotherapy 24(9):1177–1185. doi:10.1592/phco.24.13.1177.38089

March JS, Curry JF (1998) Predicting the outcome of treatment. J Abnorm Child Psychol 26(1):39–51. doi:10.1023/A:1022682723027

Marshall RD, Beebe KL, Oldham M et al (2001) Efficacy and safety of paroxetine treatment for chronic PTSD: a fixed-dose, placebo-controlled study. Am J Psychiatry 158(12):1982–1988. doi:10.1176/ appi.ajp.158.12.1982

Meighen KG, Hines LA, Lagges AM (2007) Risperidone treatment of preschool children with thermal burns and acute stress disorder. J Child Adolesc Psychopharmacol 17(2):223–232. doi:10.1089/ cap.2007.0121

National Institute for Health and Care Excellence (2005) Post-traumatic stress disorder: management. NICE Guidelines [CG26]. Retrieved from https://www.nice.org.uk/guidance/CG26/ chapter/About-this-guideline

Nugent NR, Christopher NC, Crow JP et al (2010) The efficacy of early propranolol administration at reducing PTSD symptoms in pediatric injury patients: a pilot study. J Trauma Stress 23(2):282–287. doi:10.1002/jts.20517

Olfson M, Marcus SC, Shaffer D (2006) Antidepressant drug therapy and suicide in severely depressed children and adults. JAMA 63(8):865–872. doi:10.1001/archpsyc.63.8.865

Oluwabusi OO, Sedky K, Bennett DS (2012) Prazosin treatment of nightmares and sleep disturbances associated with posttraumatic stress disorder: two adolescent cases. J Child Adolesc Psychopharmacol 22(5):399–402. doi:10.1089/cap.2012.0035

Phoenix Australia – Centre for Posttraumatic Mental Health (2013) Australian guidelines for the treatment of acute stress disorder and posttraumatic stress disorder. Australian Government National Health and Medical Research Council. Retrieved from https://www.clinicalguidelines.gov.au/portal/ australian-guidelines-treatment-acute-stress-disorder-and-posttraumatic-stress-disorder

Rapp A, Dodds A, Walkup JT et al (2013) Treatment of pediatric anxiety disorders. Ann N Y Acad Sci 1304(1):52–61. doi:10.1111/nyas.12318

Robb AS, Cueva JE, Sporn J et al (2008) Efficacy of sertraline in childhood PTSD. Paper presented at the 55th annual meeting of the American Academy of Child and Adolescent Psychiatry Meeting, Chicago, Oct 28–Nov 2, 2008

Robert R, Tcheung WJ, Rosenberg L et al (2008) Treating thermally injured children suffering symptoms of acute stress with imipramine and fluoxetine: a randomized, double-blind study. Burns 34(7):919–928. doi:10.1016/j.burns.2008.04.009

Rynn MA, Siqueland L, Rickels K (2001) Placebo-controlled trial of sertraline in the treatment of children with generalized anxiety disorder. Am J Psychiatry 158(12):2008–2014. doi:10.1176/ appi.ajp.158.12.2008

Seedat S, Lockhat R, Kaminer D et al (2001) An open trial of citalopram in adolescents with post- traumatic stress disorder. Int Clin Psychopharmacol 16(1):21–25

Seedat S, Stein DJ, Ziervogel C et al (2002) Comparison of response to a selective serotonin reuptake inhibitor in children, adolescents, and adults with posttraumatic stress disorder. J Child Adolesc Psychopharmacol 12(1):37–46. doi:10.1089/10445460252943551

Sharp S, Thomas C, Rosenberg L et al (2010) Propranolol does not reduce risk for acute stress disorder in pediatric burn trauma. J Trauma Acute Care Surg 68(1):193–197. doi:10.1097/ TA.0b013e3181a8b326

Specific Product Characteristics (SPC) Fluoxetine® (2011, July 12) Retrieved 9 Nov 2015, from http://www.medicines.org.uk/emc/medicine/13431

Stathis S, Martin G, McKenna JG (2005) A preliminary case series on the use of quetiapine for posttraumatic stress disorder in juveniles within a youth detention center. J Clin Psychopharmacol 25(6):539–544

Steiner H, Saxena KS, Carrion V et al (2007) Divalproex sodium for the treatment of PTSD and conduct disordered youth: a pilot randomized controlled clinical trial. Child Psychiatry Hum Dev 38(3):183–193. doi:10.1007/s10578-007-0055-8

Stoddard FJ, Luthra R, Sorrentino EA et al (2011) A randomized controlled trial of sertraline to prevent posttraumatic stress disorder in burned children. J Child Adolesc Psychopharmacol 21(5):469–477. doi:10.1089/cap.2010.0133

Strawn JR, Delbello MP, Geracioti TD (2009) Prazosin treatment of an adolescent with posttraumatic stress disorder. J Child Adolesc Psychopharmacol 19(5):599–600. doi:10.1089/ cap.2009.0043

Strawn JR, Keeshin BR, DelBello MP et al (2010) Psychopharmacologic treatment of posttraumatic stress disorder in children and adolescents: a review. J Clin Psychiatry 71(7):932–941. doi:10.4088/JCP.09r05446blu

Tareen A, Elena Garralda M, Hodes M (2007) Post-traumatic stress disorder in childhood. Archives of Disease in Childhood – Education and Practice Edition 92(1):ep1–6. doi: 10.1136/ adc.2006.100305

Tarrier N, Gregg L (2004) Suicide risk in civilian PTSD patients: predictors of suicidal ideation, planning, and attempts. Soc Psychiatry Psychiatr Epidemiol 39:655–661. doi:10.1007/ s00127-004-0799-4

Wagner KD, Ambrosini P, Rynn M et al (2003) Efficacy of sertraline in the treatment of children and adolescents with major depressive disorder: two randomized controlled trials. JAMA 290(8):1033–1041. doi:10.1001/jama.290.8.1033

Walkup JT, Albano AM, Piacentini J et al (2008) Cognitive behavioral therapy, sertraline, or a combination in childhood anxiety. N Engl J Med 359(26):2753–2766. d oi:10.1056/ NEJMoa0804633

# Part III

# 특정 환경에서의 개입

# 의료환경에서의 개입 19

Meghan L. Marsac, Aimee K. Hildenbrand 와 Nancy Kassam-Adams

부상과 질병 그리고 이에 뒤따르는 의료적 처치는 아동이 경험하는 가장 빈번한 잠재적인 트라우마 사건(potentially traumatic events, 이하 PTEs) 중 하나입니다(Murray와 Lopez 1996). 대부분의 아동은 잠재적인 트라우마 사건 후 회복할 수 있고 일시적인 고통을 겪지만, 일부는 뚜렷하게 외상 후 스트레스증상(posttraumatic stress symptoms, 이하 PTSS ; Kahana 등. 2006; Kassam-Adams 등. 2013; Price 등. 2016)을 포함하는 (그러나 그 이상 진행될 수도 있는) 부정적인 심리적 반응을 보입니다. **의료 트라우마 스트레스**Medical traumatic stress는 부상, 질병 또는 치료로 인해 발생하는 아동과 가족의 PTSS 및 여타의 감정적 반응으로 정의됩니다(Kazak 등. 2006). 메타 분석에 따르면, 부상당한 아동의 거의 20%와 질병에 걸린 아동의 10%가 지속적 손상을 초래하는 PTSS을 겪으며 부모에게도 유사한 비율이 보고되었습니다(Kahana 등. 2006; Landolt 등. 2003). 최근의 체계적인 고찰에 따르면 아프거나 다친 아동과 부모 중 약 30%가 진단기준을 다 만족하지는 않더라도 임상적으로 유의미한 PTSS를 경험합니다(Price 등. 2016). PTSS는 특히 의학적인 치료를 받는 아동에게 문제가 될 수 있는데, 이는 아동의 낮은 치료 유지율, 건강 관련 삶의 질, 전반적인 건강 관련 예후(예: 정신건강, 기능 장애, 통증 인식, 전체 건강; Landolt 등. 2009; Zatzick 등. 2008)에 관련이 있기 때문입니다. 또한, 2장과 3장에서 설명한 바와 같이 수백만 명의 아이들이 폭력이나 자연재해를 목격 등의 다른 PTE를 접합니다(Copeland 등. 2007). PTE의 노출 이후, 대부분의 가정은 반응을 다루는 데 도움을 받기 위하여 1차 진료 의사를 먼저 만나게 됩니다(Schapert 와 Rechsteiner. 2008). 따라서 병원medical settings은 PTSS를 식별하고 개입하는 데 이상적인 곳이 될 수 있습니다.

아동을 치료하는 병원에서는 최근에 잠재적인 의료 트라우마 사건(potentially traumatic medical events, 이하 PTMEs)에 노출된 아동을 직접 만나며 의료 서비스 제공자는 아동 발달 촉진에 중요한 역할을 합니다. 따라서 아동 치료 네트워크pediatric healthcare networks는 "트라우마 기반 돌봄trauma-informed care"의 구현에 이상적인 환경입니다(Marsac 등. 2015a, b). 미국 약물 남용 및 정신건강 서비스US Substance Abuse and Mental Health Services, SAMSHA (2015)는 다음의 네 가지 핵심 요소를 포함하는 트라우마 기반의 접근 방식을 정의했습니다. 그것은 (1) 트라우마의 광범위한 영향력을 깨닫는 것, (2) 아동과 가족 그리고 의료진에게 트라우마가 얼마나 영향을 줄 수 있는지 인지시키기, (3) 트라우마에 대한 지식을 진료에 적용하여 대응하는 것, (4) 재외상의 방지입니다. 이 정의를 의료에 적용하는 트라우마 기반 접근법은, 의료진이 PTE 노출이 의료진뿐만 아니라 환자와 가족에게 어떻게 영향을 미치는지를 이해하고 이 이해를 진료 전반에 걸쳐 환자 및 가족과의 상호작용에 통합하도록 합니다. 여기에는 아동의 부상이나 질병과 관련된 PTSS를 인식하고 다루며, 치료 중 잠재적 트라우마를 최소화하는 것뿐만 아니라 기존의 트라우마가 치료에 대한 아동의 반응에 어떻게 영향을 미칠 수 있는지를 인지하는 것이 포함됩니다(Marsac 등. 2015a). 아동을 치료하는 의료 환경에서 트라우마 기반 접근을 실행하는 것과 관련된 지침의 개요는 Marsac, Kassam-Adams 등(2015a)에서 볼 수 있습니다.

## 19.1 이론적 배경

의료 트라우마medical trauma에 적용된 아동 PTSS의 생태학적 모델에는 사회 인지 이론, 정보 처리 이론, 감정 조절 모델, 신경 생물학적 경로, 감정 및 대처 사이의 상호 작용 모델이 포함됩니다(이에 대한 자세한 내용은 5장 참조; Kassam-Adams 2014). 아마도 다양한 부상 및 질병이 있는 아동 집단의 심리적 반응과 적응 이해에 가장 포괄적인 개념의 틀을 제공하는 것은 Kazak과 동료들(2006)이 제안한 아동 의료 트라우마 스트레스(pediatric medical traumatic stress, 이하 PMTS) 통합 모델일 것입니다. 이 모델에는 다음의 다섯 가지를 가정합니다. 그것은 (1) 질병과 부상을 통틀어, PTE 및 위험/보호 요인에 관련된 공통 영역들이 있고, (2) PTME에 대한 정상 반응의 범위가 있으며, (3) 아동과 가족의 기존 심리적 기능이 PMTS가 생길 위험에 영향에 주고, (4) 발달학적 시각이 의료 트라우마 반응을 이해하는데 필수적이며, (5) 사회 생태학적 또는 맥락적 접근방식이 개입 안내에 가장 적합하다(Kazak 등. 2006)는 것입니다.

이 모델은 질환 및 부상을 입은 아동 집단 대상의 PTSS에 대해 경험적인 근거가 있는 여러 위험 요인을 강조합니다(Kassam-Adams 2014; Price 등. 2016). 이러한 위험 요소는 표 19.1에 요약되어 있습니다. Kassam-Adams(2014)가 지적한 바와 같이, PTSS를 예방하거나 줄이기 위한 개입법을 개발하는 사람들은 특정한 원인적 과정을 바꿀 수 있는 방법을 선정해야 합니다. 따라서 표 19.1의 많은 위험 요인은 잠재적인 개입 대상입니다.

**표 19.1** 부상, 질병과/또는 의학적 치료와 관련한 PTSS의 지속에 관련된 위험 인자들 [a]

| | 아동/환자 | 부모 |
|---|---|---|
| 행동, 정서 또는 다른 정신건강 문제의 이력(Trickey 등. 2012) | ✓ | ✓ |
| 과거의 트라우마 이력(Copeland 등. 2007) | ✓ | ✓ |
| (의료적 치료/상황 혹은 세상에 대하여) 위협적으로 느낌(Trickey 등. 2012) | ✓ | ✓ |
| 첫 진료시 심장 박동수의 상승(Alisic 등. 2011) | ✓ | |
| 아동의 조기 PTSS (Alisic 등. 2011; Cox 등. 2008) | ✓ | |
| 심한 통증 (Hildenbrand 등. 2015) | ✓ | |
| 치료 경험 중 특정한 공포 영역들(Kazak 등. 1996) | ✓ | |
| 트라우마 중/이후에 보호자와의 분리(Winston 등. 2003) | ✓ | |
| 낮은 사회적 지지(Trickey 등. 2012) | ✓ | ✓ |
| 부모의 조기 PTSS (Alisic 등. 2011) | ✓ | ✓ |
| 기준이 되는 트라우마(index trauma)와 관련된 삶의 다른 스트레스나 혼란(Trickey 등. 2012) | | ✓ |

a 아동 트라우마 스트레스 센터(2015)의 허락 하에 수정하였음.

기존의 이론적 모델에 관계없이, PTME 노출 아동을 위한 중재를 계획하는 데에는 공통적인 문제가 있습니다. 한 가지 핵심 문제는 개입 시기입니다(Kassam-Adams. 2014). Price와 동료들(2016)은 PMTS의 통합 **경로** 모델integrative trajectory model이라고 하는 통합 모델을 개정하였습니다. 개정된 모델은 PMTS의 단계가 의료적 상황과 치료 경과 및 시기에 따라 진행된다는 점을 강조합니다. 이 모델에서는 *트라우마 직후, 급성기 의학적 치료, 지속 치료 또는 퇴원*peri-trauma, acute medical care, and ongoing care or discharge from care의 세 가지 연속 단계에 따라 아동 및 가족 적응을 설명합니다. 1단계, 트라우마 직후에는 초기 PTME와 주변 사건(예: 응급 이송, 침습적인 절차, 진단)이 포함됩니다. 2단계, 급성기 의학적 치료는 지속적인 질병이나 부상에 대한 적극적인 치료 및 관련된 신체적 요구가 특징입니다. 3단계, 지속 치료 또는 퇴원은 아동이 해당 의료 상황에 대한 치료를 완료했거나 질병 혹은 부상의 장기 후유증으로 장기적인 치료에 들어갈 수 있는, 적극적인 급성기 의료 치료 이후의 기간입니다. 종단 연구를 바탕으로 개정된 모델은 여기에 탄력성, 회복성, 만성 및 점진적 PMTS로 명명된, 여러 가능성 있는 PMTS의 경로를 추가하였습니다. 대부분의 아동과 가족은 초기의 고통이 줄어들며 시간이 지남에 따라 해소되는 회복 탄력적인 경로를 보이는 반면, 그보다 적은 비율의 군은 회복 경로(즉, 초기에 높은 PTSS를 보인 뒤 몇 개월 이내에 관해)를 보입니다. 제일 소수의 일부에서는 PTSS가 지속적으로 상승되어 있거나 증가하는 형태를 보이며 만성 또는 악화되는 경과를 밟습니다(Price 등. 2016). 시간순서 상 모든 단계에서 아동은 병원 외부에서도 PTE에 대한 PTSS를 보일 수 있습니다: 이것은 특히 1차 의료 제공자와 관련이 있습니다. (의학적 상황 또는 기타 경험과의 관련 여부에 관계없이)트라우마 노출은 의료(예: 의료 절차 또는 개입에 대한 아동의 반응) 및 아동 건강 결과(Marsac 등, 2015a)에 영향을 미칠 수 있습니다.

PMTS의 통합 경로 모델은 의료 트라우마에 대한 심리적 적응과 관련하여 아동 집단의 핵심 특성들을 강조하지만, 또한 PMTS가 아동, 가족, 부상/질병 및 치료 요인에 따라 상당히 변화 가능하다는 점을 명시합니다(Price 등, 2016). 이는 각 단계 내에서 아동과 가족에 따라 개입의 적정 수준과 유형이 달라질 수 있음을 시사합니다. 의료 환경에서 트라우마 정보기반 개입의 강도와 대상은 위험 상태risk status와 요구도level of need에 따라야 합니다(Kassam-Adams 2014; Kassam-Adams 등, 2013). **보편적 개입**은 PTME에 노출된 모든 아동을 대상으로 하고, **선택적 개입**은 위험성이 높은 아동에게 적합하며, **지시적 개입**은 공식적인 치료가 필요한, 더 심각하고 지속적인 고통을 가진 아동에게 적절합니다. **단계적 돌봄 모델**은 보편, 선별 및 지시적 개입이 체계적으로 연결되고, 한 개인이 이러한 수준의 치료를 점진적으로 거치는 것이 보장되는 모델입니다. 많은 보편 및 선별적인 개입은 아동 보건의료 제공자가 직접 할 수 있는 반면, 대부분의 지시적인 개입은 정신건강 전문가가 시행해야 합니다(Kassam-Adams 2014). PTME의 단계별 주요 개입의 개요는 표 19.2에 나와있습니다.

**표 19.2** 요구도와 시간순서에 따른 개입

| | | **트라우마 직후** | **급성기 의학적 치료** | **(급성기 이후) 지속 치료 혹은 퇴원** |
|---|---|---|---|---|
| | | **PTME와 즉각적 치료** | **적극적 의학적 치료와 지속성 급성기 질환/부상** | **적극적 급성기 의학적 처치 이후** |
| **보편적** | **병원에 온 모든 아동과 가족** | • 의료의 트라우마적 측면 최소화<br>• 아동을 효과적으로 지지할 수 있도록 가족을 돕기(예: 아이를 진정시키고, 스트레스를 받는 시술 동안 주의를 분산시킴)<br>• (의료진이 모르는 경우라도) 이전의 트라우마 노출이 아동/가족의 반응에 영향을 미칠 수 있는 가능성을 고려<br>• 고위험 지표 선별 | • 부상, 질병, 급성 치료에 적응적으로 대응하는데 도움이 되는 정보 제공<br>• 이전 의료 또는 기타 트라우마 노출이 의료에 대한 아동의 반응과 부상/또는 질병과 관련된 지속적인 스트레스 요인에 미치는 잠재적 영향을 고려<br>• (특히 중요한 시점에) 고통/고위험 지표에 대한 주기적인 선별 | • 아동의 질병/부상/치료의 장기적인 영향에 대한 정보 제공<br>• 아동/가족의 공통적인 심리 반응 및 대처 전략에 대한 정보 제공<br>• 아동과 가족에게 문제의 정도를 지속적으로 자가 선별할 도구 제공 |

표 19.2 (continued)

| | | | | |
|---|---|---|---|---|
| 선택적 | **• 통상적인 정서적 고통보다 고통이 더 클 위험성을 가진 아동 또는 정서적 고통이 더 심각한 결과를 초래할 수 있는 경우** | • 지속적인 선별로 "주목하며 대기하기watchful waiting" 시작<br>• 알려진 위험 요소와 관련된 특정 기전을 다룸<br>• 정서적 고통을 줄이거나 대처를 촉진하기 위한 전략 (예: 시술에 대한 심리적 준비, 통증 관리에 대한 각별한 주의, 진정 치료 가능성) | • 계속 "주목하며 대기하기"<br>• 예견되는 사항에 대한 지침 및 근거 기반 자조self-help 자료들<br>• 알려진 위험 요소와 관련된 특정 기전을 다룸<br>• 고통을 줄이거나 대처를 촉진하기 위한 전략을 지속하고, 향후 사건 및 절차에서 이러한 전략을 사용할 수 있도록 계획 | • 주기적으로 고통 정도를 선별하고, 필요한 경우 보다 철저한 정신건강 평가 안내<br>• 아동/가족의 강점과 계속 필요로 하는 것들로 인한 지속적인 영향에 대한 자가 평가 지원<br>• 적응적 대처/효과적인 자조self-help를 위한 구체적인 제안 및 지원 |
| 지시적 | **• 심각한 정서적 고통 또는 현재 심각한 반응을 보일 위험이 있는 아동** | • 심각한 PTSS 및 기타 급성 고통에 대한 임상적인 정신건강 개입 시작<br>• 현재 사건 및 치료에 보다 집중적인 심리 지원 제공 | • 보다 철저한 평가 수행<br>• 기능/의학적 치료/치료 순응을 방해하는 심각한 급성 정서적 고통에 대한 트라우마 기반 치료 제공<br>• 향후 사건/치료에 보다 집중적인 지원(심리 및/또는 의학적/진정 치료)을 제공하기 위한 계획 | • 보다 철저한 평가 수행<br>• 트라우마에 기반한 정신과적 치료 |

## 19.2 병원에서 어떻게 개입을 하는가

정신건강전문가가 병원에서의 심리사회적 개입 지원에 참여하면, 정신건강 서비스에 접근하지 않았을 이들에게도 도움이 닿을 수 있습니다. 정신건강전문가가 병원에서 아동에게 개입하는 데에는 다양한 방법이 있습니다. 정신과 의사는 다학제적 의료팀의 주요 구성원으로 통합되거나, "공동 배치"되거나(즉, 동일 시설 내에서 정신건강 서비스를 제공), 의료진을 자문하는 외부 자원 역할을 할 수 있습니다. 병원에서의 원 역할과 관계없이, 모든 정신건강 실무자들은 트라우마 기반 접근 방식을 사용하여 정신건강의 기본 선별과 의료 전달의 동반자partner 및 옹호자 역할을 할 수 있습니다. 적절한 개입의 유형과 강도는 아동이나 가족의 트라우마 반응 시기와 심각도에 기초하여 결정됩니다(표 19.2). 각 치료 단계는 아래에 자세히 설명되어 있습니다. 의학적 치료의 모든 단계와 모든 필요 수준에서 두 가지 핵심 요소가 지속되어야 합니다. 그것은 아동에 대한 트라우마 기반의 의료적 돌봄과 위험 및 정서적 고통의 선별입니다(Marsac 등. 2015a; Price 등. 2016). 급성기 병원 환경(특히 아동이나 가족이 의료진과 오랜 시간 알던 관계가 아닌 환경)에서는 정신건강 전문가가 트라우마 기반 치료 및 선별을 체계적으로 하기가 더 어려울 수 있습니다. 정신건강전문가는 추가적인 시간 소요 없이 어떻게 트라우마 기반의 의학적 치료를 표준 치료에 통합할지 찾기 위하여 치료진과 협력할 수 있습니다. 마찬가지로, 쉽게 사용하고 점수를 낼 수 있는 평가 도구를 선택하고, 의무 기록에 바로 연동되는 선별 검사를 전산으로 시행하는 것이 도움이 될 수 있습니다. 마지막으로 급성기 치료 환경에서 정신건강전문가는 의뢰 받은 정보에 쉽게 접근할 수 있어야 합니다.

## 아동에 대한 트라우마 기반 의료 돌봄Trauma-Informed Pediatric Medical Care

정신건강정문가는 의료 환경에서 PTE의 초기 여파로부터 트라우마 반응 예방을 목표로 하는 트라우마 중심 접근법을 촉진하는 리더 역할을 할 수 있습니다. 아동을 대하는 의료진을 위한 DEF 프로토콜(HealthCareToolBox.org 참조)은 트라우마 기반 돌봄을 개념화하는 데 유용한 틀을 제공합니다(Center for Pediatric Trauma Stress 2009). DEF 프로토콜은 PTSS의 원인과 예방법에 대한 근거를 토대로 개발되었습니다. 이 프로토콜은 의료진이 신체적 처치(예: 기도 확보airway-호흡breathing-순환circulation 또는 A-B-C)를 하듯이 D-E-F: 심리적 고통 줄이기reduce Distress, 정서적으로 지지하기promote Emotional support 및 가족을 고려remember the Family 하도록 권장합니다. DEF 프로토콜은 1차 진료, 특수 클리닉 및 병원 기반 진료 환경에서 사용할 수 있습니다. 정신건강전문가, 의사 및 간호사가 서로 존중하는 파트너십은 숙련되고 민감하게 트라우마 기반 돌봄을 제공하는 데 보탬이 될 수 있습니다.

트라우마 기반 접근법은 PTE에 노출된 환자의 지원 외에도 진료현장의 어려움과 의료진의 자기 관리를 염두에 둡니다. 의료진들은 환자의 안녕에 깊은 관심을 가지고 있으며, 이로 인해 환자의 고통을 목격하는 것과 관련된 트라우마 반응(예: 번아웃, 연민 피로감)에 취약할 수 있습니다(Robins 등. 2009). 의료진이 연민 피로감이나 번아웃을 경험하면 업무 수행과 환자 관리에 어려움을 겪을 수 있습니다(예: 의료진이 공감을 덜 표현함; Najjar 등. 2009). 아동에게 최상의 진료를 제공하고 의료진의 안녕을 도모하기 위하여, 정신건강전문가는 연민 피로감과 번아웃을 최소화하고자 의료팀과 협력할 수 있습니다(Marsac 등. 2015a).

## 위험도와 심리적 고통의 선별Screening for Risk and Distress

"선별screening"이라는 용어는 아동의 트라우마 반응에 포괄적으로 대응하는 면에서 각각의 중요성을 지닌 두가지 역할을 지칭하므로, 이를 구분하는 것이 중요합니다. 첫 번째는 지속적인 심리적 고통이나 장애의 위험이 더 큰 아동과 가족을 식별하기 위한 예측 선별입니다. 두 번째는 지속적인 관찰monitoring 또는 현재 즉각적인 임상적 주의가 필요할 수 있는 심리적 고통을 가진 아동과 가족을 찾아내는 공존 선별입니다. 일부 선별 도구는 두 가지 목적에 다 해당할 수 있습니다; 트라우마 직후 또는 급성기 단계의 예측을 위한 선별은, 지속적인 심리적 고통에 대한 다른 위험 지표뿐만 아니라 현재의 심리 증상에 대한 간단한 평가를 포함할 수 있습니다. 예측 선별과 공존 선별 모두, 의료진에게 어떤 아동과 가정이 가장 요구도가 높은지를 기준으로 부족한 자원이나 지원 서비스의 배치를 결정하는 데 귀중한 정보를 제공합니다. 의료 환경에서 설문을 계획할 때에는 현재 치료와 관련된 트라우마 뿐만 아니라 일부 아동은 기존의 트라우마가 있다는 것을 고려해야 합니다. 선별 도구는 기존 및 현재의 위험 표지markers 및/또는 증상 포함 범위에 따라 다양하며, 이를 감안하는 것이 특정 환자 인구집단에 가장 적합한 도구를 선택하는 요인이 될 수도 있습니다(Kassam-Adams 등. 2015a, b; Kazak 등. 2015).

미래의 위험을 예측하기 위한 선별이 유효하려면 선별 시점에 평가할 수 있으면서 또한 이후 증상이나 심리사회 문제와 관련된 특정 요인을 고려한 경험적 근거가 필요합니다. 아이가 상당한 스트레스와/또는 기능 장애를 경험할 위험도에는 많은 생물학적, 심리적, 사회적 요인이 영향을 미칩니다(Alisic 등. 2014; Cox 등. 2008; Kahana 등. 2006; Trickey 등. 2012). 이러한 근거 기반 위험 요소는 **표 19.1**을 참조하며, 그 중 일부는 예방의 노력 면에서 잠재적으로 변화를 도모할 기제mechanisms와 목표대상target입니다.

예측 선별도구predictive screening는 계속 개선 중으로, 이러한 위험 요인들의 조합을 평가하는 많은 도구가 개발되어 있습니다(Kassam-Adams 등. 2015a, b). 임상 현장에서 이러한 위험 요인들이 하나라도 있다면, 아동과 가족 구성원의 증상, 대처 및 시간의 경과에 따른 정서적 회복에 대해 지속적인 평가가 필요할 수 있습니다. **그림 19.1**에 선별 도구 또는 광범위한 평가 도구를 선택할 때 고려해야 할 질문 목록이 정리되어 있습니다. 이 질문들에 대한 답은 의료 환경의 유형(예: 1차 진료, 응급실, 병원의 입원실, 전문 센터)에 따라 매우 다양합니다. 이러한 문제를 주의 깊게 고려하면 정신건강전문가가 맞춤화된 선별 및 평가로 효율성을 극대화하면서도 가장 관련성이 높고 유용한 정보를 의료진에게 제공하는 데 도움이 될 것입니다.

1) 현재의 스트레스를 측정하는 것이 주된 목적입니까, 아니면 지속적인 필요/스트레스를 예측하는 것이 목적입니까?
2) 내가 걱정하는 주요 증상은 무엇입니까?
3) 도구가 내 환자의 연령대와 사용하려는 목적 면에서 타당성이 검증되었습니까?
4) 시행, 점수 매기기 및 결과 검토에 얼마나 많은 시간이 필요합니까?
5) 누가 결과를 관리하고 해석할 자격이 있습니까?
6) 도구를 사용하는 비용은 얼마입니까?
7) 즉시 응답의 확인이 필요한 필수 항목이 있으며, 이 답을 관리할 직원이 있습니까?
8) 선별 과정을 어떻게 표준적인 환자 진료에 통합할 수 있습니까?

**그림 19.1** 의료 환경에서 아동에게 사용할 평가 도구를 선택할 때 고려해야 할 질문들

### 19.2.1 트라우마 직후 개입Interventions in the Peri-trauma Phase

트라우마 직후 단계에서 아동은 초기 PTE 노출(예: 부상 사건, 새로운 진단) 상황의

한복판에 있으며, 많은 사람들이 여러 개의 새로운 PTE(예: 어려운 의료 절차)를 경험합니다. 거의 모든 아동과 가족은 무섭거나 고통스러운 의학적 상황 및 절차에 대처하는 데 어느 정도의 스트레스과 어려움을 경험합니다. 이 단계는 트라우마 기반 돌봄 및 선별로 PTSS 또는 기타 부정적인 정서적 후유증의 예방을 시작하기에 최적의 시기입니다(Marsac 등. 2014). 예방을 위한 노력의 성격은 아동의 초기 스트레스 및 기타 위험 요소에 따라 다릅니다(표 19.2).

**보편적** 정신건강전문가의 핵심 역할은 초기 진단 및 치료 중에 의료진의 지식, 자신감 및 트라우마 기반 치료를 독려하는 자문, 훈련 및/또는 서비스를 직접 제공하여 아동에 대해 트라우마를 기반으로 하는 병원 진료가 시행되도록 촉진하는 것입니다(Marsac 등. 2015a). 이 단계에서 트라우마 기반 돌봄은 진단 및 치료 과정에서 트라우마 측면이 있을 수 있는 부분을 최소화하고, 통증 관리를 최적화하고, 정서적 고통에 주의를 기울이고, 어려운 시술 시 가족이 함께 있으며 정서적으로 지지할 수 있게 독려하고, 의료진과 아동 그리고 가족 간 일관된 의사소통을 장려하는 의료진의 역할이 포함됩니다. (시술이나 부상이 '어떤 느낌'이어야 하는지 판단하기 보다) 아동의 인식에 따라 정기적으로 통증을 평가하고 통증 관리를 최적화하는 것이 PTSS 예방에 도움이 될 의료의 필수 요소입니다.

정신건강전문가들이 의료진의 자문 및 훈련가로서 역할하는 데 있어 환자 및 가족 중심 치료의 기존 기술을 기반으로 DEF 프로토콜을 사용하여 트라우마 기반 돌봄에 대한 특정 기술과 실천요강을 구축하는 것이 유용할 수 있습니다(Marsac 등. 2015a; Center for Pediatric Trauma Stress 2009). 의료진과의 협력은 종종 특정 환자 집단군과 환경에서의 트라우마 기반 행동을 결정하는 데 도움이 될 수 있습니다. 예를 들어, 신체적으로 완전히 회복될 것으로 예상되는, 급성기 신체 문제가 있는 아동이라면 의료 및 심리사회적 치료의 핵심 목표는 정상 기능으로의 복귀를 촉진하는 것입니다. 이러한 아동을 위한 트라우마 직후 단계의 보편적인 트라우마 기반 돌봄은, 정상적인 신체, 정서적 회복에 대한 심리 교육을 제공하고, 아동에게 자극이 되는 의료 사건[medical event]을 상기시킬 상황을 피하기보다는 다룰 근거를 제공하고, 아동이 정상적인 안전한 활동으로 돌아가도록 부모가 격려할 수 있게 돕는 것을 포함할 수 있습니다(Kassam-Adams 등. 2013). 만성 질환을 처음 진단받은 아동일 경우, (치료 순응도와 PTSS 예방 모두에서) 핵심 목표는 아동과 가족의 안전과 조절감을 높이는 것입니다. 따라서 트라우마 직후 단계의 보편적인 예방 개입에는 효능감을 높일 수 있는, 달성 가능한 개별 목표 설정(예: 아동이 약물 복용에 책임을 갖도록, 연령에 적합한 방법을 계획하도록 돕거나, 아동이 참여할 수 있는 가족 활동 시간 계획 등, Kazak 등. 2007)이 포함될 수 있습니다. 1차 의료 기관에서는 기존 혹은 새로 정신건강 요구가 생긴 아동을 찾기 위하여 정기 외래 추적 방문 시 일상적으로 선별검사를 하는 것을 고려할 수 있습니다. 외래 추적 방문 시 아이는 PTE 노출의 어느 단계 상태일 수 있는데, 일상적인 선별검사를 시행하면 판단에 도움이 될 수 있습니다(Husky 등.).

**선택적** 많은 아동들이 시간이 지남에 따라 기존의 대처 전략과 사회적 지지 체계로 잘 적응하지만, 상당수는 지속적인 PTSS 또는 다른 심리적인 고통을 겪습니다(Kahana 등. 2006). 초기의 스트레스나 위험 요인이 확인되면, 지속적인 선별 및 추적("주목하며 대기하기" 접근법)이 필요하고, 예방을 위한 선택적인 노력이 추가될 수 있습니다(Kassam-Adams 2014; Price 등. 2016). 이 시점에서 이러한 개입은 증상이나 장애에 대한 임상적인 치료의 개념은 아니지만, 지속적인 관찰을 통해 특정 치료를 받을 필요성이 있는지를 밝힐 수 있습니다.

이상적으로 트라우마 직후 단계의 선별적인 예방 노력은 지속적인 PTSS나 다른 심리적 후유증으로 이어질 수 있는 특정 기전을 다루기 위해 만들어졌습니다(Kassam-Adams 2014). 트라우마 노출의 이력이 있는 아동이라면 의료진은 진료 방법을 조정하여 (흔한 술기일지라도) 치료 과정이 재트라우마를 줄 가능성을 줄일 수 있습니다. 예를 들어 성적 학대를 겪은 아동에게는 간호사가 활력징후를 확인하기 위해 밤에 잠을 깨울지 여부를 선택하게 할 수 있습니다. 이전의 PTSS나 불안이 있는 아동(및 그 가족)은 의료 상황이나 치료를 현실적인 위협 이상으로 위협적인 것으로 여길 수 있습니다. 트라우마 직후 단계에서 이러한 인식에 주의를 기울이고 치료 기간, 중증도 또는 예상 결과를 연령에 적합하게 설명하고 정보를 알려주는 것이 유용할 수 있습니다. 알려진 PTSS 위험 인자가 있는 아동의 경우, 정신건강전문가는 더 효과적으로 통증을 관리할 수 있도록 철저히 통증을 평가하고 의료진과 협력하면서 시술 준비에 더 관여할 수 있습니다.

경우에 따라 의료행위의 특성상 트라우마 직후 단계에도 임종 전 준비가 필요한 경우가 있습니다. 완화의료팀은 아동과 가족의 조절감을 증진시키고 완화의료의 시작부터 감정적 경험을 다루는 데 도움을 주는, 보다 집중적인 지원을 제공하는 역할을 합니다(예를 들어, 가족이 죽음, 신념, 소망을 논의하고 가시적인 기억물로 추억을 만드는 것을 도움; Kazak 등. 2007).

**지시적** 아동(또는 가족)이 트라우마 직후 단계에서 심각한 심리적 고통을 경험하고 있다면 정신건강전문가의 임상적 치료가 "지시"됩니다. 경우에 따라 심각한 고통은 아동이나 그 가족이 의료팀과 효과적으로 소통하거나 진료에 참여할 능력에 지장을 줄 수 있습니다.

상당한 심리적 고통 속의 아동과 가족은, 치료 과정의 진행과 건강관리 서비스를 알려주는 정신사회 서비스 제공자와 중증 급성 PTSS를 다룰 트라우마 중심 개입을 하는 정신건강전문가로부터 도움을 받을 수 있습니다. 아동 외상 중심 치료[trauma-focused treatment]에 대해 훈련을 받았으나 병원이나 의료 트라우마에 익숙하지 않은 정신건강전문가라면 아동 부상 및 질병과 관련된 특정 문제들을 검토해보는 것이 도움이 됩니다(Center for Pediatric Traumatic Stress 2015). 트라우마 직후 단계에서 정신건강전문가의 임상치료가 필요한 것으로 파악된 아동은, 이후 단계와 의료 환경 밖에서도 이러한 치료가 계속 필요할 가능성이 높습니다. 1차 의료기관에서 정신건강 문제를 확인하는 경우가 늘어나고 있지만, 많은 아동들이 정서 반응, 특히 내재화 증상이 있는 경우 필요한 치료를 받지 못하고 있습니다(Chavira 등. 2004). 따라서 정신건강전문가는 의뢰를 돕거나 같은 공간에서 서비스[co-located services]를 제공하기 위해 1차 의료기관들과 협력할 수 있습니다(Cluxton-Keller 등. 2015).

## 19.2.2 급성기 의학적 치료 단계의 개입

트라우마 직후 단계에서 급성기 의학적 치료 단계로 전환하면서, 아동과 가족들은 여전히 급성기 치료 중인 상태이면서 종종 부상이나 질병과 관련된 많은 요구와 스트레스 요인을 마주하게 됩니다. 그러나 의학적 상황이나 진단의 초기 충격은 차츰 사라졌을 수 있습니다. 종종 아동과 가족의 스트레스는 그들이 상황에 적응함에 따라 줄어들기 시작합니다. 수 일에서 수 개월 동안 지속될 수 있는 이 단계에서는 신체적 건강 문제를 해결하기 위한 의학적인 치료 계획이 수립되고, 가족들은 아직 병원에 있거나 의료진과 정기적으로 만나고 있습니다. 이 시점에서 아동을 돌보는 것은 주 양육자가 맡는 것으로 전환되어 있을 수 있습니다. 일부 아동과 가족은 급성기 의학적 치료의 성격이나 진단의 심각성 때문에 새로운 또는 지속적인 어려움이 있을 수 있습니다. 따라서 급성기 의학적 치료 단계는 의료진과 정신건강전문가가 심리사회적 개입을 할 기회가 됩니다.

급성기 의학적 치료 단계 동안 심각한 PTSS 비율은 의학적 상황 및 치료 유형에 따라 달라, 아동의 4-16%, 부모의 11–50%에 이릅니다(Price 등. 2016). 이 단계에서 아동과 부모의 PTSS의 방향이 보일 수 있습니다. 특정 아동이 궁극적으로 탄력적, 회복, 만성 또는 악화 경과resilient, recovery, chronic, or escalating trajectory를 보일지 결론짓기에는 너무 이를 수 있지만 기존 보고들에 따르면 2/3 이상이 탄력적 또는 회복의 경과를 밟고, 소수는 만성 또는 악화성 PTSS가 되는 경과를 보입니다(Price 등. 2016).

**보편적** 질환이나 부상을 입은 모든 아동에 대한 트라우마 기반 돌봄은 급성기 의학적 치료 단계에서도 계속 필요합니다(Marsac 등. 2015a). 치료 중 트라우마 가능성이 있는 부분을 최소화하고, 통증 관리에 주의를 기울이고, 트라우마 기반의 실무 지침서로써 DEF 프로토콜을 사용하는 기본 원칙을 동일하게 적용합니다(Center for Pediatric Trauma Stress 2009). 트라우마 기반 돌봄은는 보편적으로 필요하지만, 정신건강전문가는 의료진과 협력하여 그들의 환자들에게 더 적절한 트라우마 기반 돌봄의 측면을 찾을 수 있습니다. 예를 들어, 새로 만성 질환을 진단받은 아동이라면 급성기 의학적 치료 단계에서 종종 치료 처방에 대한 초기 및 장기적인 순응도(예: 약물, 식이요법, 활동 제한)를 높이고자 노력을 기울이게 됩니다. 이러한 처방이 트라우마 스트레스 반응을 일으킬 가능성이 있다는 것을 알고 있는 정신건강전문가들은, 진행될 치료 처방이 아동과 부모에게 전달되는 방식에 대한 도움을 줄 수 있습니다. 트라우마 직후 단계에 먼저 지원이 시작되지 않았다면 완화 의료[1]가 분명히 시행될 상황에서 바로 시작되어야 합니다.

급성기 의학적 단계 동안 보편적인 예방 노력의 핵심이 되는 부분은 정보제공과 기본

1) 말기 환자와 같은 경우에서 질병의 개선이 아니라 질병으로 인한 고통과 증상을 완화시켜, 보다 편안하게 삶을 유지하는데 목적을 둔 의료(역자주)

적인 심리 교육입니다. 정신건강전문가는 모든 가족들이 의학적 치료와 일반적인 정서 및 심리 반응 면에서 무엇이 예상될지에 대해 교육하고 가족의 기존 대처 전략과 사회적 지지 체계를 지원할 수 있게 의료진과 협력할 수 있습니다(Kassam-Adams 등. 2013). 특히 중요한 시점(예: 예후 또는 치료 계획의 큰 변화, 퇴원)에서 지속적이고 주기적인 선별을 통하여, 현재와 미래에 보살핌이 더 필요한 아동과 가족을 발견하도록 도울 수 있습니다.

정신건강전문가와 의료진이 아동의 신체적인 요구뿐 아니라 아동의 상태와 치료에 대한 아동과 가족의 주관적인 인식 및 예후와 향후 치료 계획에 대한 믿음을 이해하는 것은 매우 도움이 될 수 있습니다. 기존 연구 결과, 질병, 부상 또는 치료의 객관적 특성이나 심각성보다 주관적 평가가 감정적 회복에 훨씬 더 중요했습니다(Price 등. 2016). 트라우마 기반의 의료진은 아동과 가족이 어떻게 상황을 파악하고 있는지 주의 깊게 듣고, '무엇이 가장 걱정인가요?'라고 묻고, 아이의 의학적 상태와 시술, 치료계획 등에 대해 연령에 맞는 정보를 제공합니다.

**선택적** 급성기 의학적 단계 동안의 보편적인 선별을 통해 주의가 더 필요한 심리적 고통이 있는 아동과 가족을 발견할 수 있습니다. 정신건강전문가는 의료진에게 PTSS 및 예견되는 반응에 대한 선제적 지침을 추가로 제공하고 (입원 중) 체계적으로 아동의 스트레스와 정서적 지원에 의료진이 관심을 기울이도록 도울 수 있습니다. 선별 결과에 따라, 정신건강전문가는 아동의 증상과 기능 장애를 보다 철저하게 평가하여 예방 노력의 목표를 설정하게 돕고, 더 높은 수준으로 돌볼 필요가 있는지 여부를 결정할 수 있습니다. 이 단계의 선택적 예방의 노력은 지속적인 PTSS 및 기타 심리적 후유증으로 이어질 수 있는 구체적이고 유해한 위험 요소를 다루도록 설계되어야 합니다(Kassam-Adams 2014). 급성기 의학적 치료 단계에서 예방에 도움이 될 목표에는 부모의 반응과 아동의 초기 부적응적인 평가 및 대처 전략이 해당됩니다(Kassam-Adams 2014).

이 단계에 적합한 예방적 개입에는 아동이나 부모를 위한 근거 기반 자기 주도self-directed 프로그램이 포함됩니다. 여기에 제시된 프로그램들은 원래 보편적인 예방 개입으로 개발되었지만, 연구에서 PTSS 지속의 위험이 높은 아동이나 가정에서 특히 유용한 것으로 나타났기 때문에 이들을 선별적 개입에 포함시켰습니다. 부상을 입은 아동은 정보 전달용 소책자나 웹사이트(예: "Kids and Incidents"; Cox와 Kenardy 2010; Kenardy 등. 2008)의 심리 교육 프로그램에서 도움을 받을 수 있으며, 이들의 부모도 웹 기반 자료(예: AfterTheInjury.org; kidtrauma.org; Landolt 2016; Marsac 등. 2013)의 도움을 받을 수 있습니다. 급성기 의학적 상황을 겪는 아동에게 인지 재구성 및 적응적 대처(예: Coping Coach)를 가르치는 프로그램이 개발 중입니다(KassamAdams 등. 2015; Marsac 등. 2015b). 만성 질환을 겪는 아동은 질병 증상, 치료 및 관련된 감정을 관리하는 방법을 가르치는 프로그램(예: Cellie Coping Kit; Marsac 등. 2012, 2014)의 혜택을 받을 수 있습니다. 생명을 위협하는 질병의 경우, 근거 기반 자조 자료 외에 정신건강전문가의 개입이 가능하다면 가족이 부적응적 신념을 인식 및 재구성하고 질병으로 인한 어려움에 직면하도록 함께 작업하는 프로그램이 유익할 수 있습니다(Surviving

Cancer Competently Intervention Program-Newly Diagnosed; Kazak 등. 2005).

**지시적** 아동이나 가족의 심리적 증상이 심각한 고통을 유발하거나, 의학적 치료에 지장을 주거나, 일상 기능을 방해하는 경우라면 정신건강전문가의 임상 진료가 반드시 필요합니다. 병원이나 의료 기관 내에서 그들의 역할에 따라 정신건강전문가들은 (같은 공간에 배치되거나 통합된 팀의 일원으로) 의료 환경 내에서 치료를 시작하고 제공하거나, 외부에서 치료하거나, 보다 전문적인 치료자를 찾도록 아동과 가족을 지원할 수 있습니다. 소아 PTSS에 효과적인 치료(예: 외상 초점 CBT, 8장)는 급성기 의학적 치료 단계의 아동에게 적합하지만, 때로는 의료 문제와 촉발 요인을 다루기 위해 수정이 필요할 수 있습니다(Center for Pediatric Traumatic Stress 2015).

### 19.2.3 (급성기 이후) 지속 치료 혹은 퇴원 이후 개입

적지만 상당한 비율의 아동이 지속적으로 악화되거나 지연되어 나타나는 PTSS를 보이므로, 장기적인 추적관찰은 트라우마 기반의 평가 및 개입을 제공하기에 중요한 최적의 시기입니다. 일차의료의 의료진은 퇴원한 아동을 추적 관찰할 수 있는 고유의 기회를 가지게 되고, 정기적인 검사로 증상이 뒤늦게 발현되는 아동들을 발견할 수 있습니다. 만성적이거나 지연되어 증상이 드러나는 경과를 보이는 아동들 외에도, 일부 아동들은 부상, 질병 및/또는 의학적 치료로 인한 지연 반응이나 합병증의 추가 모니터링과 지원이 필요할 수 있습니다. 급성기 의학적 치료가 끝난 후 일부 아동과 가족은 위험 및 보호 요소(예: 가용한 지지체계)의 변화 및/또는 적응과 혹은 회복에 영향을 미치는 PTE에 추가적으로 노출됩니다. 따라서 실용적인 측면에서 트라우마 직후 및 급성기 의학적 단계에서 예방과 개입의 노력을 강조하지만, PMTS에 대한 포괄적인 대응은 퇴원 후 또는 급성 의료가 유지치료로 전환된 경우를 포함하여 의료적 상황의 전체 경과를 다루어야 합니다 (Price 등. 2016).

**보편적** PTSS에 대한 보편적인 개입은 일상적인 추적관찰 동안 PTSS에 대한 지속적인 선별과 PTME의 후기 단계에 대한 지속적인 지원, 교육 및 자원 제공을 포함합니다. 예를 들어, 보건 의료진들은 진료시 표준 과정 중의 일부로써 DEF 프로토콜(Center for Pediatric Traumatic Stress 2009)의 기본 원칙을 지속적으로 시행 할 수 있습니다. 특히, 의료진은 의료 행위와 그의 장기적인 결과 또는 합병증(예: 통증, 활동 제한, 학교 결석, 괴롭힘)과 관련된 아동의 현재 스트레스를 선별하고, 스트레스에 대처하기 위한 정서적인 지지가 얼마나 가능한지를 평가하고, 아동의 회복에 영향을 미치는 가족 구성원의 새로운 또는 지속적인 요구를 파악하여야 합니다. 의료진과 적합한 지역사회 기반 기관간의 협력을 통해, PTE 이후 몇 달과 몇 년 후에도 아동에 대한 보편적 평가와 지원이 가능하도록 추가 기회가 제공될 수 있습니다(Kazak 등. 2007).

보편적인 트라우마 기반 지원에는 이 후기 단계와 관련한 주제를 다루는 심리 교육 자료 등을 가족에게 제공하는 것이 포함됩니다. 예를 들어, HealthCareToolBox.org 사이트는 퇴원 후 적응, 지속적인 통증, 두려움 또는 걱정과 관련하여 아동청소년과 부모에게 발달적으로 적합한 도움말 안내지[tip sheets]를 제공합니다(Center for Pediatric Trauma Stress 2009). 앞에 설명되었던, 급성기 의학적 상황 후 초기 몇 주에 대하여 만들어진 몇몇 웹 기반 개입들도 이러한 회복 후기 단계에서 나타날 수 있는 걱정에 대한 지침, 전략 및 정보 등을 줍니다(Cox와 Kenardy 2010; Marsac 등. 2013).

**선택적** 선택적 개입은 지속적이거나 새롭게 생긴 트라우마 스트레스 증상이 나타날 위험이 높은 아동의 회복과 회복 탄력성을 증진시킵니다. 통상적인 외래 추적관찰 동안 의료인이 의료 행위의 심리적 후유증을 우려하게 된 경우에는 정신건강전문가와 협력하여 보다 선별적인 평가 및 중재를 해야 합니다. 특히, 임상 치료자는 의료 행위의 지속적인 심리사회적 영향뿐만 아니라 아동과 가족의 지속적인 필요와 강점을 평가해야 합니다. 이 평가에 기초하여 정신건강전문가는 적응적인 대처 전략을 제안하고 지원을 제공할 수 있습니다. 문제가 있지만 임상수준 이하인 아동에게 전문가들은 병원, 학교 및 지역사회 차원의 자원과 지원에 연결하여 사회적 지원을 강화할 방법을 고려해야 합니다. 증상이 지속되고 기능 손상의 위험이 있는 아동이라면 정신건강전문가의 치료가 필요한지 여부를 결정하기 위해 보다 포괄적이고 공식적인 평가를 의뢰해야 합니다. 1차 의료기관에서 일하는 정신건강전문가는 장기적인 트라우마 후 단계에서 이러한 선별적인 평가와 중재 서비스를 제공하기에 상당히 좋은 위치에 있습니다.

**지시적** 의학적 트라우마 이후 초기 몇 주 혹은 몇 달 후에도 지속되는, 유의하고 기능에 손상을 주는 PTSS를 보이는 아동들은 트라우마 기반 치료에 훈련된 정신건강전문 치료자에게 의뢰해야 합니다. 이러한 개입은 이 책의 2부 개입 부분에 자세히 설명되어 있습니다. 정신건강전문가는 의료 환경 속에서 의료 네트워크 및/또는 지역사회에서 적절한 치료자를 찾고, 근거 기반 치료에 대한 기본적인 심리 교육을 제공하여 환자를 치료에 준비시키고, 치료를 찾을 동기를 높이고, 예상되는 장벽을 다루고, 시간 흐름에 따라 필요한 요구를 다루기 위해 환자를 추적관찰하여 의뢰 과정을 촉진할 수 있습니다. 공식적인 치료 의뢰를 용이하게 하는 것 외에도, 정신건강전문가는 치료 순응도와 증상이 치료 결과에 영향을 주는 영역(예: 병원 기피, 약물 또는 시술에 대한 불안)에 특히 주의를 기울여야 합니다.

### 19.2.4 단계별 돌봄 모형Stepped Care Models

단계별 돌봄 모형은 체계적으로 PTSS의 보편적 선별평가, 고위험군에 대한 선택적 서비스 및 지속적인 PTSS를 가진 아동청소년에게 해당되는 트라우마 기반 심리 개입을 통합합니다(Kassam-Adams 등. 2011). 이 모형은 단계별 접근 방식으로 개입합니다. 유의하고 지속적인 증상의 위험이 있는 이들만 보다 집중적인 치료 수준으로 진행됩니다(Salloum 등. 2014). 예를 들어, Kassam-Adams과 동료들(2011)은 다친 아이를 위험 인자로 선별하여 저위험 또는 위험 집단으로 나누었습니다. 위험군은 통상적인 관리 또는 심리 교육과 추가적인 필요를 발견하기 위한 간단한 평가가 포함된 개입에 무작위로 배정되었습니다. 그런 다음, 필요성이 확인된 아동들은 추가 서비스(예: 돌봄의 조정, 치료 순응 지원, 소통 및 대처 향상을 위한 단기 개입, 정신건강전문가에 의한 평가 및/또는 TF-CBT)를 받았습니다. Kenarday와 연구진(2010)은 2단계 선별(부상 후 2주와 6주)을 포함하여 부상 아동을 위한 단계별 관리 개입을 개발했고, 필요한 경우 이어서 아동 또는 가족 중심 CBT를 하였습니다. Saloum과 동료들(2014)은 아동에게 단계별 관리로 초기 평가부터 시작하여 치료자가 이끄는 TF-CBT 3회기, 부모-자녀 작업기록지, 주간 전화 상담, 웹 기반 정보 자료 제공으로 이어지는 체계적인 중재 프로그램을 개발했습니다. 충분히 임상적인 개선을 보이는 아동은 적극적인 치료를 종료하고, 부모가 이끄는 주간 모임으로 구성된 유지 단계에 들어가 치료 1단계에서 배운 기술을 계속 연습하고 사용합니다. 첫 번째 단계에 반응이 없는 경우 추가로 치료자가 이끄는 TF-CBT를 최대 9회기 받았습니다. 치료 후 평가를 통하여 이때 치료를 종결 혹은 계속할지 결정합니다. 아동 트라우마 스트레스에 대한 단계별 관리 프로그램은 그 수가 적고 증거는 예비적이지만, 이 모델들은 보편적인 치료 전달 체계에 비해 더 효율적이고 접근성이 좋고 비용 효과적인 서비스를 제공할 가능성을 가지고 있습니다(Saloum 등. 2014).

## 19.3 특정 상황과 어려움들

의료 환경에서 아동과 가족의 정서적 건강을 지원할 때 많은 어려움이 있습니다. 제한된 자원은 특히 정신건강전문가를 필요로 하는 정신건강과 관련한 개입을 넓은 범위로 제공하려는 것에 제약이 될 수 있습니다. 최근 개입 범위를 확장하려는, 비용을 최소화하면서 특히 보편적이고 선택적으로 시도하려는 노력이 있습니다. 여기에는 정신건강전문가의 개입에 의존하지 않는 프로그램을 만드는 것과 eHealth 애플리케이션 개발이 포함됩니다. 이러한 프로그램들은 개발, 평가 및 지속가능성을 위한 예산이 필요하지만, 종종 적은 비용으로 보급될 수 있습니다.

병원에서 치료효과를 측정하는 것에는 많은 비용과 시간이 소요됩니다. 특정 인구(예: 낭포성 섬유증 아동)를 대상으로 한다면 한 병원마다 대상자가 소수일 수 있고, 치료가 더 시급한 상황에서 연구 참여 동의가 낮을 수 있다는 점을 고려할 때 다기관 연구가 종종 필요하게 됩니다. 이는 특히 (정신건강전문가에 의한 일관된 치료 필요성 같은) 특정 유형의 개입을 측정할 때 상당한 비용과 시행 면에서 어려움을 유발할 수 있습니다. 따라서 의료 환경에서 트라우마 개입의 효과에 대해 기대할 만한 근거는 있으나, 표준 치료는 아직 확정되지 않았습니다.

또 다른 과제는 의료진의 트라우마 기반 돌봄에 대한 인식 또는 훈련 부족입니다(Banh, Saxe, Mangione과 Horton, 2008). 대부분의 의료진은 정신건강에 대한 교육을 제한적으로 받았고, 트라우마 기반 돌봄에 대한 교육은 받은 적이 없어 정신건강증상을 과소평가하고 사용할 수 있는 선별 도구에 대한 인식이 부족합니다(Banh 등. 2008). 의료진이 더 낮은 비용으로 더 많은 환자를 돌봐야 한다는 압박감이 큰 상황에서, 트라우마 기반 돌봄 접근 방식으로 의료를 제공하는 또 다른 개념을 포함되는 것은 부담이 될 있습니다. 그러나 정신건강 전문가는 표준 치료의 한 부분으로 트라우마 기반 진료를 포함하여 이 문제를 풀어갈 수 있습니다.

마지막으로, 아동과 가족은 오로지 아동의 신체 건강에만 주의를 기울이고 싶을 수 있습니다. 가족들은 의학적 상황이 정신건강에 어떻게 영향을 미치는지 알지 못하거나, 정신건강 치료와 관련된 낙인을 두려워하거나, 신체 건강을 넘어서는 치료에 시간과 돈을 들일 수 없을지도 모릅니다. 아동의 정서적 건강이 표준 의료 치료standard medical care에 더 많이 통합 된다면, 우리는 이러한 널리 퍼진 낙인을 극복하거나 최소화할 수 있을 것입니다.

## 19.4 연구와 경험적 근거

의료환경에서의 개입에 대한 효과의 근거가 늘어나고 있지만, 아동의 정신건강과 회복을 최선으로 지원하기 위해서는 훨씬 더 많은 연구가 필요합니다(Kassam-Adams 등. 2013; Kazak 등. 2007). 트라우마 기반 돌봄의 이론적 배경이 탄탄하고 의료 트라우마 스트레스와 아동 트라우마 연구에 확고한 토대를 두고 있지만, 트라우마 기반 돌봄의 시행이 아동의 정서적, 신체적인 건강에 어떤 직접적인 영향을 미치는지는 아직 알지 못 합니다.

위에서 논의한 바와 같이, 선별의 필요성은 트라우마 노출 이후 모든 단계에 걸쳐 있으며 현재의 고통을 확인하거나 미래의 고통을 예측하는 두 가지 목적을 가집니다. 급성 의료 트라우마(예, 회복할 수 있는 부상, 충수염 같은 급성 단기 질환)가 있는 아동의 경우, 많은 선별도구가 성공적으로 개발되어 의료환경에서 쓰였습니다(예: Kassam-Adams 등. 2015; Kramer 등. 2013; van Meijel 등. 2015). 그러나 일반적인 진료에 통합되어 용이하게 쓸 간단한 설문을 아직 찾지 못한 상태입니다(Kassam-Adams와 Marsac. in press[2]). 만성 혹은 진행 중인 질환이 있는 아동의 선별은 종종 (따라서 추가적인 트라우마 노출이 있는) 치료 과정을 예측할 수 없기 때문에 더 어려울 수 있습니다. 심리사회학적 평가 도구와 같은 도구는 암

2) 해당 논문은 책의 출간 시점에는 발표 전이었으나, 2016년 배포되었습니다: Kassam-Adams, N., & Marsac, M. L. (2016). Brief practical screeners in English and Spanish for acute posttraumatic stress symptoms in children. Journal of traumatic stress, 29(6), 483-490.(역자주)

환아의 부모에서 심리사회학적 서비스 이용과 PTSS를 어느 정도 성공적으로 예측였습니다(Alderfer 등, 2009) PTSS 점검표는 현재의 스트레스 정도에 대한 정보를 얻는 데 유용할 수 있습니다(Landolt 등, 2003). 그러나 만성 질환의 경과 기간 동안 아동 PTSS를 평가하고 예측하려면 진료에 포함될 수 있는, 검증된 간단한 설문이 필요합니다. 따라서, 우리는 즉각적인 관심이 필요한 아동 및 가족을 꽤 용이하게 결정하고 경과를 지켜봐야 할 필요성을 제시할 수 있지만, 경과에 따라 고강도의 서비스가 필요한 경우를 결정하려면 더 많은 연구가 필요합니다. 우리의 예측 역량이 향상되면, (제한적인 정신건강전문가 치료 예산을 감안할 때) 이러한 아동에게 더 조기에 개입하고 필요한 사람에게 자원을 더 지원할 수 있을 것입니다.

개입을 바로 살펴보자면, 의학적 돌봄의 각 단계에 걸친 개입을 개발하고 평가하는 데에는 세심한 주의가 필요합니다. 좋은 의도의 개입이라도 악영향을 미칠 수 있으므로, 치료는 근거에 기초하고 개발된 것은 검증이 필요합니다(Roberts 등, 2009). 현재까지, 트라우마 노출 환자에게 통상적으로 특정 보편적인 예방 개입을 하는 것에 대한 명확한 근거는 없습니다(Roberts 등, 2009). 그러나 일부 개입은 희망적인결과를 보여주었습니다. 트라우마 직후 단계에서 시작하는 (그리고 그 뒤의 단계에도 이어지는) 희망적인 보편적 개입의 예로는 Stoddard과 동료들(2011)의 약물치료적 개입(즉, 화상으로 인한 입원 중에 시작하는 24주 설트랄린 투약)이 있습니다. 이 개입은 부모가 보고하는 아동의 PTSS를 감소시켰습니다(그러나 아동 보고에서는 아님). Kenardy와 연구진(2008)은 급성 트라우마 단계의 개입으로 부상을 당한 아이들에게 안내서를 제공했습니다. 그들은 개입군에서 불안의 감소(PTSS는 아님)를 보고했습니다. 이 정보를 아동에게는 온라인으로, 부모에게는 소책자로 제공하는 것도 동일한 효과를 보였습니다(즉, 아이들의 불안감 감소; Cox와 Kenardy 2010). 또한 Zehnder와 연구진(2010)은 초기 급성기 동안 단일 회기 개입(부상 사건의 재구성을 촉진하기 위해 부모와 아이들을 치료자가 함께 만나 심리교육을 시행함)으로 10대 초반 참가자의 우울증을 줄이는 데 성공했습니다. 마지막으로, 입원 기간/퇴원 단계의 암 환아 가족을 위한 치료자 주도형 단일 회기인 암에서 살아남는 유능성 개입 프로그램the Surviving Cancer Competently Intervention Program (SCCIP)의 결과, 환아부의 침습적 스트레스 증상과 청소년의 과각성 증상이 감소했습니다(그러나 환아모에게는 효과가 없었음; Kazak 등, 2004). 새로 진단받은 가족newly diagnosed families, SCCIP-ND의 경우, 트라우마 직후 단계에서는 부모에게만 개입했는데 부모의 불안과 PTSS의 (통계적으로 유의미한 정도는 아닌) 감소 경향을 보였습니다(Kazak 등, 2005). 또한 의료환경에서의 많은 다른 보편적인 초기 개입은 "해를 끼치지 않"았으며, 가족들은 의료적 돌봄의 어려움을 해결하는 데 도움이 되었다고 보고하였습니다. 이 개입들은 트라우마 직후 및 급성기 트라우마 단계 동안 정서 반응에 대한 기본적인 심리 교육을 제공하고, 아동의 현재 적응적 대처 전략을 향상시키며, 회복의 한 부분으로 부모를 포함합니다. 이러한 개입의 예로는 AfterTheInjury.org(Marsac 등, 2013)과 Cellie Caffing Kit(Marsac 등, 2012, 2014)가 있습니다.

PTSS가 있으면서 서비스가 필요한 아동에게는 현재의 개입 방법이 강한 근거가 있습니다. 예를 들어, Copping Coach는 급성 트라우마 이후의 아동을 위해 고안된 웹 기반 중재입니다. 이 개입은 트라우마 전후 또는 급성 트라우마 단계(예: 병원 또는 진료실)에서 시작하며, 적응적 인지 해석adaptive cognitive appraisals을 촉진하고, 과도한 회피 반응을 줄이고, 사회적 지지를 늘리는 것에 초점을 맞추고 있습니다. 예비 평가 연구에서는 보편적 개입으로 시행되었지만(그리고 "해를 끼치지 않음" 기준을 만족), 연구 결과 고위험 아동의 PTSS에 가장 효과가 컸습니다. 추가적으로 트라우마의 초기 진행 단계 개입으로, Berkwitz와 연구진(2011)은 소아응급실, 법의학 성 학대 프로그램 또는 경찰서의 피해자 서비스를 방문한 아동 및 가족 외상 스트레스 개입(Child and Family Traumatic Stress Intervention, CFTSI)에 참여한 아이들에게서도 희망적인 결과를 볼 수 있었습니다.

의료 환경에서의 치료에서 지시적 수준의 어려움이 있는 아동의 경우, 확인된 트라우마에 따라 다르게 특정 치료적 접근을 하는 근거는 다양합니다. 예를 들어, 1차 진료나 병원에서 아동이 과거의 트라우마(예: 폭력, 성적 학대)과 관련된 PTSS를 가지고 있다고 판단된다면, 외상 초점 CBT는 강력한 근거 기반을 가지고 있습니다. 의료 환경에서 행동 또는 치료 순응의 어려움이 나타나는 아동에게 행동 및 인지 행동 개입은 잘 확립되어 있는 치료법입니다. 그러나 우리는 CBT/TF-CBT가 의료적 돌봄에 대한 트라우마 스트레스 또는 관련 PTSD가 있는 아동에게 효과적일 것으로 예상하지만, 이에 대한 RCT는 수행되지 않았습니다. 이러한 아동 인구에서 어떤 치료가 가장 효과적인지에 대한 연구가 더 필요합니다. 이러한 개입은 치료의 진행 중/퇴원 단계에서 가장 자주 시행되지만 아동의 고통과 혹은 기능 손상이 큰 경우 더 일찍 시작할 수 있습니다.

## 결론

의료환경은 PTE에 노출된 아동을 발견하고 지원하는 데 이상적인 장소입니다. 의료적 관계망에서 볼 수 있는 아동들, 특히 빈곤계층의 아동들은 다른 경로로는 정신건강전문가의 주목을 받기 어려울 것입니다. PTSS는 어린이의 신체 건강과 기능적 결과에 영향을 미칩니다(Landolt 등. 2009; Zatzick 등. 2008). 의료의 모든 단계에서 심리 증상에 대한 정기적인 선별검사을 포함한 트라우마 기반 돌봄을 적용하는 것을 권장합니다(Marsac 등. 2015a; Price 등. 2016). 심한 부상, 질병과 혹은 의학적 치료가 필요한 아동에게 흔한 정서 반응과 언제 도움을 받아야 하는지에 대한 심리 교육이 도움이 될 수 있다는 근거가 있습니다. 비록 이론적으로는 CBT/TF-CBT 개입이 의료 트라우마성 스트레스를 가진 아동에게도 적절하고 효과적이겠으나, 의학적 상황과 관련된 상당한 수준의 PTSS가 있는 아동에게 가장 효과적인 치료법을 확립하기 위해서는 더 많은 연구가 필요합니다.

## 참고문헌

Alderfer MA, Mougianis I, Barakat LP, Beele D, DiTaranto S, Hwang WT, Kazak AE (2009) Family psychosocial risk, distress, and service utilization in pediatric cancer. Cancer 115(S18):4339–4349. doi:10.1002/cncr.24587

Alisic E, Jongmans MJ, van Wesel F, Kleber RJ (2011) Building child trauma theory from longitudinal studies: a meta-analysis. Clin Psychol Rev 31(5):736–747. doi:10.1016/j. cpr.2011.03.001

Alisic E, Zalta AK, van Wesel F, Larsen SE, Hafstad GS, Hassanpour K, Smid GE (2014) Rates of post-traumatic stress disorder in trauma-exposed children and adolescents: meta-analysis. Br J Psychiatry 204:335–340. doi:10.1192/bjp.bp.113.131227

Banh MK, Saxe G, Mangione T, Horton NJ (2008) Physician-reported practice of managing childhood posttraumatic stress in pediatric primary care. Gen Hosp Psychiatry 30(6):536–545. doi:10.1016/j.genhosppsych.2008.07.008

Berkowitz SJ, Stover CS, Marans SR (2011) The child and family traumatic stress intervention: secondary prevention for youth at risk of developing PTSD. J child psychol psychiatry,allied disciplines 52(6):676–685. doi:10.1111/j.1469-7610.2010.02321.x

Center for Pediatric Traumatic Stress (2009) HealthCareToolBox.org. Retrieved 1 Dec 2015, from http://www.HealthCareToolbox.org

Center for Pediatric Traumatic Stress (2015) Working with children and familes experiencing medical traumatic stress: a resource guide for mental health professionals. Retrieved 25 Nov 2015 from http://www.HealthCareToolBox.org

Chavira DA, Stein MB, Bailey K, Stein MT (2004) Child anxiety in primary care: prevalent but untreated. Depress anxiety 20(4):155–164. doi:10.1002/da.20039

Cluxton-Keller F, Riley AW, Noazin S, Umoren MV (2015) Clinical effectiveness of family therapeutic interventions embedded in general pediatric primary care settings for parental mental health: a systematic review and meta-analysis. Clin Child Fam Psychol Rev 18(4):395–412. doi:10.1007/s10567-015-0190-x

Copeland W, Keeler G, Angold A, Costello E (2007) Traumatic events and posttraumatic stress in childhood. Arch Gel Psychiatry 64(5):577–584. doi:10.1001/archpsyc.64.5.577

Cox C, Kenardy J (2010) A randomised controlled trial of a web-based early intervention for children and their parents following accidental injury. J Pediatric Psychol 35:581–592. doi:10.1093/ jpepsy/jsp095

Cox C, Kenardy J, Hendrikz J (2008) A meta-analysis of risk factors that predict psychopathology following accidental trauma. J Spec Pediatr Nurs 13(2):98–110. doi:10.1111/j.1744-6155.2008.00141.x

Hildenbrand AK, Marsac ML, Daly BP, Chute D, Kassam-Adams N (2015) Acute pain and posttraumatic stress after pediatric injury. J Pediatr Psychol. doi:10.1093/jpepsy/jsv026

Husky MM, Miller K, McGuire L, Flynn L, Olfson M (2011) Mental health screening of adolescents in pediatric practice. J Behav Health Serv Res 38(2):159–169. doi:10.1007/ s11414-009-9207-x

Kahana S, Feeny N, Youngstrom E, Drotar D (2006) Posttraumatic stress in youth experiencing illnesses and injuries: an exploratory meta-analysis. Traumatology 12(2):148–161. doi:10.1177/1534765606294562

Kassam-Adams N (2014) Design, delivery, and evaluation of early interventions for children exposed to acute trauma. Eur J Psychotraumatol 5. doi:10.3402/ejpt.v5.22757

Kassam-Adams N, Garcia-Espana J, Marsac ML, Kohser K, Baxt C, Nance M, Winston FK (2011) A pilot randomized controlled trial assessing secondary prevention of traumatic stress integrated into pediatric trauma care. J Trauma Stress 24(3):252–259. doi:10.1002/jts.20640

Kassam-Adams N, Marsac ML (2016) Brief practical screeners for acute posttraumatic stress symptoms in children in English and Spanish. Journal of Traumatic Stress, in press

Kassam-Adams N, Marsac ML, Hildenbrand AK, Winston FK (2013) Posttraumatic stress following pediatric injury: update on diagnosis, risk factors, and intervention. JAMA Pediatr 167(12):1158–1165. doi:10.1001/jamapediatrics.2013.2741

Kassam-Adams N, Marsac ML, Kohser K, Kenardy J, March S, Winston FK (2015a) Pilot randomized controlled trial of a novel web-based intervention to prevent posttraumatic stress in children following medical events. J Pediatr Psychol. doi:10.1093/jpepsy/jsv057

Kassam-Adams N, Marsc M, Garcí a-España J, Winston F (2015b) Evaluating predictive screening for children's post-injury mental health: new data and a replication. Eur J Psychotraumatol 6:29313

Kazak A, Alderfer M, Streisand R, Simms S, Rourke M, Barakat L, Cnaan A (2004) Treatment of posttraumatic stress symptoms in adolescent survivors of childhood cancer and their families: a randomized clinical trial. J Fam Psychol 18:493–504. doi:10.1037/0893-3200.18.3.493

Kazak A, Kassam-Adams N, Schneider S, Zelikovsky N, Alderfer M, Rourke M (2006) An integrative model of pediatric medical traumatic stress. J Pediatr Psychol 44:343–355. doi:10.1093/ jpepsy/jsj054

Kazak A, Struber M, Barakat L, Meeske K (1996) Assessing posttraumatic stress related to medical illness and treatment: the Impact of Traumatic Stressors Interview Schedule (ITSIS). Fam Sys Health 14:365–380. doi:10.1037/h0089795

Kazak AE, Rourke MT, Alderfer MA, Pai A, Reilly AF, Meadows AT (2007) Evidence-based assessment, intervention and psychosocial care in pediatric oncology: a blueprint for comprehensive services across treatment. J Pediatr Psychol 32(9):1099–1110. doi:10.1093/jpepsy/ jsm031

Kazak AE, Schneider S, Didonato S, Pai AL (2015) Family psychosocial risk screening guided by the Pediatric Psychosocial Preventative Health Model (PPPHM) using the Psychosocial Assessment Tool (PAT). Acta oncologica 54(5):574–580. doi:10.3109/02841 86X.2014.995774

Kazak AE, Simms S, Alderfer MA, Rourke MT, Crump T, McClure K et al (2005) Feasibility and preliminary outcomes from a pilot study of a brief psychological intervention for families of children newly diagnosed with cancer. J Pediatr Psychol 30(8):644–655. doi:10.1093/jpepsy/ jsi051

Kenardy J, Cobham V, Nixon RD, McDermott B, March S (2010) Protocol for a randomised controlled trial of risk screening and early intervention comparing child- and family-focused cognitive- behavioural therapy for PTSD in children following accidental injury. Bio Med Central Psychiatry 10:92–101. doi:10.1186/1471-244X-10-92

Kenardy J, Thompson K, Le Brocque R, Olsson K (2008) Information provision intervention for children and their parents following pediatric accidental injury. Eur Child Adolesc Psychol 17(5):316–325. doi:10.1007/s00787-007-0673-5

Kramer DN, Hertli M, Landolt MA (2013) Evaluation of an early risk screener for PTSD in preschool children after accidental injury. Pediatrics 132:945–951

Landolt MA, Buehlmann C, Maag T, Schiestl C (2009) Brief Report: quality of life is impaired in pediatric burn survivors with posttraumatic stress disorder. J Pediatr Psychol 34(1):14–21. doi:10.1093/ jpepsy/jsm088

Landolt MA, Vollrath M, Ribi K, Gnehm H, Sennhauser F (2003) Incidence and associations of parental and child posttraumatic stress symptoms in pediatric patients. J Child Psycho Psychiatry 44:1199–1207. doi:10.1111/1469-7610.00201

Marsac ML, Hildenbrand A, Kohser K, Winston F, Li Y, Kassam-Adams N (2013) Preventing posttraumatic stress following pediatric injury: A randomized controlled trial of a web-based psycho-educational intervention for parents. J Pediatr Psychol. doi:10.1093/jpepsy/jst053

Marsac ML, Kassam-Adams N, Hildenbrand AK, Nicholls E, Winston FK, Leff SS, Fein J (2015a) Implementing a trauma-informed approach in pediatric health care networks. JAMA Pediatr 170(1):1–8. doi:10.1001/jamapediatrics.2015.2206

Marsac ML, Winston F, Hildenbrand A, Kohser K, March S, Kenardy J, Kassam-Adams N (2015b) Systematic, theoretically grounded development and feasibility testing of an innovative, preventive web-based game for children exposed to acute trauma. Clin PractPediatr Psychol 3(1):12–24. doi:10.1037/ cpp0000080

Marsac ML, Hildenbrand AK, Clawson K, Jackson L, Kohser K, Barakat L, Alderfer MA (2012) Acceptability and feasibility of family use of The Cellie Cancer Coping Kit. Support Care Cancer 20(12):3315–3324. doi:10.1007/s00520-012-1475-y

Marsac ML, Klingbeil OG, Hildenbrand AK, Alderfer MA, Kassam-Adams N, Smith-Whitley K, Barakat LP (2014) The Cellie Coping Kit for Sickle Cell Disease: initial acceptability and feasibility. Clin Pract Pediatr Psychol 4(2):10

Murray C, Lopez A (1996) The global burden of disease: a comprehensive assessment of mortality and disability from diseases, injuries, and risk factors in 1990 and projected to 2020. Harvard University Press, Cambridge, MA

Kassam-Adams N, Marsac ML (2009) Brief practical screeners for acute posttraumatic stress symptoms in children in English and Spanish (under review)

Najjar N, Davis LW, Beck-Coon K, Carney Doebbeling C (2009) Compassion fatigue: a review of the research to date and relevance to cancer-care providers. J health psychol 14(2):267–277. doi:10.1177/1359105308100211

Price J, Kassam-Adams N, Alderfer MA, Christofferson J, Kazak AE (2016) Systematic review: a reevaluation and update of the integrative (Trajectory) model of pediatric medical traumatic stress. J Pediatr Psychol 41:86–97. doi:10.1093/jpepsy/jsv074

Roberts, N.P., Kitchiner, N.J., Kenardy, J., & Bisson, J. (2009). Multiple session early psychological interventions for the prevention of post-traumatic stress disorder. Cochrane Database Syst Rev (3), CD006869. doi: 10.1002/14651858.CD006869.pub2

Robins PM, Meltzer L, Zelikovsky N (2009) The experience of secondary traumatic stress upon care providers working within a children's hospital. J Pediatr Nurs 24(4):270–279. doi:10.1016/j.pedn.2008.03.007

Salloum A, Scheeringa MS, Cohen JA, Storch EA (2014) Development of stepped care trauma- focused cognitive-behavioral therapy for young children. Cogn Behav Pract 21(1):97–108. doi:10.1016/j.cbpra.2013.07.004

Schappert SM, Rechsteiner EA (2008) Ambulatory medical care utlization estimates for 2006. National health statistics reports; no 8. Hyattsville, MD: National Center for Health Statistics. 2008

Shemesh E, Lurie S, Stuber M, Emre S, Patel Y, Vohra P, Shneider B (2000) A pilot study of posttraumatic stress and nonadherence in pediatric liver transplant recipients. Pediatrics 105(2):29–36

Stoddard FJ, Luthra R, Sorrentino EA, Saxe GN, Drake J, Chang Y, Levine JB, Sheridan RL (2011) A randomized controlled trial of sertraline to prevent posttraumatic stress disorder in burned children. J Child Adolesc Psychopharmacol 21(5):469–477. doi:10.1089/cap.2010.0133

Substance Abuse and Mental Health Services Administration. (2015). Trauma-informed approach and trauma-specific interventions. Retrieved 25 Nov 2015 from http://www.samhsa.gov/nctic/ trauma-interventions

Trickey D, Siddaway AP, Meiser-Stedman R, Serpell L, Field AP (2012) A meta-analysis of risk factors for post-traumatic stress disorder in children and adolescents. Clin Psychol Rev 32:122–138. doi:10.1016/j.cpr.2011.12.001

Van Meijel EP, Gigengack MR, Verlinden E, Opmeer BC, Heij HA, Goslings JC et al (2015) Predicting posttraumatic stress disorder in children and parents following accidental child injury: evaluation of the screening tool for early predictors of posttraumatic stress disorder (STEPP). BMC Psychiatr 15:113. doi:10.1186/s12888-015-0492-z

Zatzick D, Jurkovich G, Fan M, Grossman D, Russo J, Katon W, Rivara F (2008) Association between posttraumatic stress and depressive symptoms and functional outcomes in adolescents followed up longitudinally after injury hospitalization. Arch Pediatr Adolesc Med 162(7):642– 648. doi:10.1001/archpedi.162.7.642

Zehnder D, Meuli M, Landolt MA (2010) Effectiveness of a single-session early psychological intervention for children after road traffic accidents: a randomised controlled trial. Child Adolesc Psychiatry Ment Health 4:7–17. doi:10.1186/1753-2000-4-7

# 입원 및 주거시설 환경에서의 트라우마 정보기반 돌봄관리

# 20

Jennifer F. Havens 와 Mollie Marr

## 20.1 입원 및 주거시설 환경에서 트라우마 정보기반 돌봄관리의 원칙

급성 및 아급성 입원 또는 장기 시설 등 어떤 환경이든, 주거 환경에 있는 미성년자에게는 외상성 사건에 노출된 이력의 조사가 기본적으로 시행되어야 합니다. 정신건강의학과에 입원 중인 미성년자를 대상으로 한 연구에서 90% 이상의 미성년자가 트라우마에 노출된 이력이 있었고 이들의 PTSD의 진단율은 25-33%에 달했습니다(Adam 등. 1992, Crain. e 등. 1988, Gold. 2008, Havens 등. 2012b, Allwood 등. 2008, Lipschitz 등. 1999). 정의상, 아동 보호 시스템에 등록된 미성년자는 학대와 혹은 방임에 노출된 바 있습니다. 이들에 대한 한 연구에서도 이들의 PTSD 진단율은 19-40%였습니다(Kolko 등. 2010, Famularo 등. 1996).

이러한 환경에 있는 미성년자의 외상 노출 경험이 매우 흔한 것임에도 불구하고, 많은 시스템이 외상에 노출되어 발생하는 임상 및 행동 문제들을 적절히 확인하고 다루지 못합니다(Havens 등. 2012a, Giaconia 등. 1995, Mueser 와 Taub. 2008, Hawke 등. 2009, Deters 등. 2006, Jaycox 등. 2004, Lipschitz 등. 2000, Grasso 등. 2009, Keeshin 등. 2014). 고 위험 청소년군에게서 외상의 경험과 PTSD 가능성을 인지하지 못하면, 시설 내 그들의 정신건강 치료 계획 수립과 안전관리 모두에 심각한 영향을 미치게 됩니다(Ford와 Blaustein 2013, Ford 등. 2012a, Havens 등. 2012a). 치료자는 광범위한 약물 치료를 시도하고도 이 청소년들이 치료 저항성이거나 단순히 치료에 부분적이고 일시적인 반응만 보인다고 잘못 생각하고, 외상성 스트레스 반응을 고려하지 못할 수 있습니다(Opler 등. 2009). 다른 내재화, 외현화 문제 대상의 근거기반 심리치료도 비슷하게 비효과적일 수 있으며(Ford와 Cloitre 2009), PTSD의 진단 없이 적절한 외상 초점 치료들을 시행하는 것은 불가능합니다. 관리적인 면에서도, 침습적인 재경험과 과각성 증상은 청소년과 치료자 모두를 위험한 위기에 처하게 할 수 있습니다(Ford 등. 2009, 2012a). 이럴 경우 치료자와 직원 모두 좌절하여 이 청소년들에게 적극적인 치료나 재활을 위한 개입을 시도하기를 꺼리고, 비공식적(예, "구제불능", "치료 불가능")이거나 진단 상("경계성/ 반사회성 성격 경향", 간헐적 폭발 장애, 양극성장애, 행동장애 또는 정신증 등) 낙인의 꼬리표를 붙일 수 있습니다. 청소년들은 적절하게 행동하고 사회적인 활동에 참여하도록 압박받으면서도 치료와 프로그램이나 또래들로부터 거리를 두게 하는 등 번갈아 정반대의 지시를 받을 수 있으며, 이는 모두 임상 증상의 악화를 유발할 수 있습니다(Havens 등. 2012a). 따라서 입원 및 시설 환경의 개입 계획에서 청소년을 돌볼 때에는, 반드시 트라우마의 영향을 확인하고 평가하도록 합니다. 다행히 지난 20년간, 트라우마 정보기반 돌봄관리 시스템의 발전을 위한 정책의 개발과 집행이 상당히 진전되었습니다. 예를 들어 미국 보건복지부의 약물남용 및 정신보건 서비스국(the Substance Abuse and Mental Health Services Administration, 이하 SAMHSA)은 트라우마 정보기반 돌봄관리(trauma-informed care, 이하 TIC) 시스템을 만들기 위해 다양한 노력과 지원을 해왔습니다. 이 국가 기반 단체는 미국의 트라우마 기반 치료의 정의를 만드는 데 중요한 역할을 해왔으며, 이러한 시스템의 원칙과 접근법 개발을 촉진하기 위해 상당한 규모의 국가와 주 단위 기금을 지원하였습니다. SAMHSA는 트라우마 기반 접근법을 다음과 같이 정의했습니다: "트라우마 정보 기반의 프로그램, 조직과 체계는:

1. 트라우마의 광범위한 영향을 깨닫고 회복을 향하는 잠재적 경로를 이해합니다;
2. 내담자, 가족, 치료진 그리고 관련자들에게서 보이는 트라우마의 신호와 증상들을 인식합니다;
3. 정책, 절차 및 실제 측면에서 트라우마에 대해 완전히 통합된 지식을 바탕으로 반응합니다; 그리고
4. 재외상re-traumatization에 적극 저항하고자 노력합니다." (SAMHSA 2015)

또한 SAMHSA는 안전, 신뢰 및 투명성, 동료 지원, 협력 및 상호성, 역량강화, 표현하기 및 선택을 포함하여, 트라우마 기반 접근법의 핵심 원칙을 정리하였습니다(SAMHSA 2014). 여기에 더해 SAMHSA는 트라우마 노출의 결과들을 내담자와 직원들이 효과적으로 다룰 수 있도록, 다양한 상황에서 적용 가능하고 공공기관에서 그동안 시행해온 잘 알려진 트라우마 특이적 개입들을 정리하였습니다(SAMHSA 2015). 캐나다의 매니토바 트라우마 정보 및 교육 센터the Manitoba Trauma Information and Education Centre (MTIEC)는 SAMHSA가 정의한 핵심 원칙을 기반으로, 기관과 치료자가 트라우마 정보기반 서비스를 개발하여 적용하고 전달하는 것을 돕는 트라우마 도구 모음집을 만들었습니다(MTIEC 2016). 이 모음집에는 트라우마 정보기반 치료를 통합하여 안내하고, 기관별로 적용할 수 있는 체크리스트들이 있습니다. 또한, 모음집에는 이민자, 난민뿐 아니라 북미 원주민 사회의 식민지화와 강제 이동 학교들의 영향과 경험을 다루는 부분이 있어서, 문화적 인식과 역량을 트라우마 정보기반 프로그램의 개발과 보급에 통합하는 것이 중요하다는 것을 강조합니다.

다른 트라우마에 대한 심리치료 개입들이 무작위 통제 연구들로 엄격하게 검증된 것과 달리(Cohen. 2010, Silverman 등. 2008), 트라우마 정보기반 개입의 효과성을 검증하는 자료는 매우 제한적입니다(Hanson과 Lang. 2014). 성인 대상의 일부 연구와 1개의 청소년 대상 연

구에서 치료진에게 트라우마 정보기반 교육 및 트라우마 정보기반 돌봄관리를 소개한 후, 격리와 강박의 사용이 감소했습니다(Muskett 2014, Azeem 등. 2011). TIC의 적용은 복합적이고 유동적으로 조직을 변화시키는 개입법입니다. 따라서 하나의 통일된 체계적 접근법이나 구체적인 구성 내용들에 대한 분명한 합의가 없는 것이 놀라운 일은 아닙니다.

가장 광범위하게 적용되어왔으며 전체 시스템이 기술된 것은 '성역[Sanctuary]' 모델입니다. 성역 모델은 근거기반 개입법(Rivard 등. 2005)으로, 처음에는 성인 입원 환자들을 위해 개발되었으나 이후 시설, 외래, 복지 및 수감 환경에서도 적용되었습니다(Bloom 1997). 이 모델은 조직과 공급자가 트라우마 정보기반의 방침과 개입, 트라우마 초점 치료를 만들고 적용하는 것을 안내하는 통합적인 도구입니다. 이 모델에서는 다음의 7개의 필수 사항 "비폭력, 정서 지능, 사회적 학습, 열린 의사소통, 민주주의, 사회적 책임, 성장과 변화"을 정의합니다(Sanctuaryweb 2016). 이것은 다양한 환경과 모든 집단들에 공통으로 공유 가능한 언어와 접근 방식의 일부로 공통적인 조직의 가치입니다.

또 다른 전체적인 체계적 접근법은 `트라우마 정서 조절: 교육과 치료 안내서(Trauma Affect Regulation: Guide for Education and Therapy, 이하 TARGET)'로, 트라우마 피해를 입은 개인을 위한 형태로 개발되었으나, 다양한 대상(개인, 집단, 가족 환경)에 적용가능한 지침서 형태의 근거기반 개입법입니다(Ford 2006). TARGET은 원래 정서 및 행동 조절 능력과 문제 해결 전략 중심으로 고위험 청소년 위한 치료적 개입법으로 개발되었지만, 집단 환경[milieu] 프로그램으로 개정되면서 직원 대상의 트라우마 정보기반 교육이 포함되었습니다.

TARGET은 실무를 맡은 직원들이 트라우마를 겪은 청소년들을 대상으로 효과적으로 일할 수 있게 기술과 능력을 향상시키기 위한 집단 환경 개입법입니다. 개정판의 이름은 *TARGET 1,2,3,4* 또는 T4입니다. 직원들은 T4로 청소년들이 핵심 TARGET 기술을 강화하고, 문제 상황으로 번지는 것을 완화시키고, 문제 해결적 대화에 동참하며 자신의 스트레스 반응을 다룰 수 있게 돕습니다. 직원들에게 T4 교육을 하여 기술을 향상시키면, 그 기술로 청소년들이 시설 내에서 문제를 일으킬 소지가 있는 갈등을 해결하고, 그들이 다른 또래나 직원들에게 공격성을 드러내는 것을 줄일 수 있습니다. 두 연구에서 소년원 내 청소년을 대상으로 T4와 TARGET을 적용했을 때, 청소년의 징계위반, 직원 대상 공격성 및 격리 사용이 유의미하게 감소되는 것으로 나타났습니다(Ford 등. 2012b, Marrow 등. 2012b).

## 20.2 급성 정신과적 입원 상태에서 트라우마 정보기반 돌봄관리의 적용

급성 입원 병동 환경에서 외상의 이력과 관련 증상들이 매우 흔하게 존재하나(Havens 등. 2012a, b, Fehon 등. 2001, Lipschitz 등. 1999), 이에 대해 TIC의 적용에 대한 체계적인 작업은 매우 부족한 상황입니다. 뉴욕 시의 3차 공공 병원인 벨뷰 의료 센터에서는 2-18세의 미성년자를 대상으로, 소아청소년 정신과 입원병동 3 유니트(45인 병동)를 운영하고 있습니다. 미국 정신과 입원 병동의 최근 형태는 급성 안정화 모델로, 해당 청소년이 자타해의 위험이 있거나 집중 치료 환경이 아닌 곳에서는 증상으로 인해 안전이 유지되기 어려운 경우에 입원하며, 평균 입원기간은 13일입니다.

6년간 벨뷰 병원 입원 환자 중 7세 이상의 아동청소년을 대상으로 외상 사건의 경험 및 PTSD를 체계적으로 선별했을 때, 상당히 높은 비율인 23%가 PTSD의 선별기준 이상에 해당하였습니다. 선별 평가에서 PTSD에 해당된 아동청소년들은 보통 내재화 및 외현화 증상들이 섞여 있었으며 입원 전에는 트라우마 관련 증상들에 대한 적절한 확인 과정이 없어 많은 경우 잘못된 진단을 받은 것으로 나타났습니다(Havens 등. 2012a, b).

교육의 집중성이나 비용을 고려할 때, 단기간 집중치료 환경(평균 13일)에 적용 가능한 트라우마 정보기반 개입법은 성역 모델과 TARGET만이 해당됩니다. 실용성, 타당성 및 유지 가능성을 감안하여, 정신과 입원 환경에서 트라우마 기반 개입을 적용하는 데에는 다음의 4 가지 필수 요소가 필요합니다:

1. 체계적인 트라우마 선별 평가
2. 직원 대상 트라우마 교육
3. 아동 청소년을 위한 트라우마 기술 연습 집단
4. 트라우마 정보기반 돌봄관리의 적용 상황에 대한 지속적인 관찰

### 20.2.1 체계적인 트라우마 선별 평가

PTSD는 임상에서 언제나 간과되는 진단으로(Havens 등. 2012a, b, Giaconia 등. 1995, Mueser와 Taub. 2008, Hawke 등. 2009, Deters 등. 2006, Jaycox 등. 2004, Lipschitz 등. 2000), 특히 공격성이나 감정적 동요, 자살사고와 시도 같은 고위험 행동이 있는 경우에 놓치기 쉽습니다(Havens 등. 2012a, b). 기본적인 표준 절차에 체계적인 트라우마 선별 평가를 넣는다면, 복잡한 임상 장면에서 부분적으로 보이는 경우라도 트라우마가 현재의 증상과 행동에 미친 영향을 놓치지 않을 수 있습니다. 체계적인 선별평가는 회피와 마비 또는 해리 증상을 주로 보이는 아동청소년에서도 트라우마의 영향을 확인할 수 있게 합니다. 이런 경우에는 트라우마가 삶의 질에 심각한 영향을 지속적으로 미치는 데에도, 증상이 덜 명백하고 잘 드러나지 않기 때문에 더욱 간과되는 경향이 있습니다. 외상 경험 유무를 확인하는 것 외에도, 많은 트라우마 선별 도구는 DSM-5 기준과 함께 시간에 따라 증상의 중증도를 추적관찰 하고, 잠재적인 PTSD 진단을 내릴 수 있는 증상별 체크리스트를 포함하고 있습니다. PTSD 진단과 트라우마 관련 증상들의 확인 외에도, 선별 과정은 트라우마 정보 기반의 문화를 유지하는 역할을 합니다. 트라우마 선별평가가 입원 초기에 진행되면, 환자는 치료진이 그들에게 일어난 일과 가장 고통스러운 경험도 기꺼이 듣고자 한다는 것을 알게 됩니다. 선별 결과는 임상적인 관리 계획 과정에 포함되어 치료와 퇴원 계획에 사용되며 퇴원 요약지에 기재됩니다. 선별 과정을 체계적으로 통합하여 진행하면, 환자와 직원 모두 트라우마에

대해 말하는 것이 정상화되고, 병원 환경에서 트라우마에 대해 말하는 것이 득보다 실이 많을 것이라는 흔한 잘못된 믿음을 감소시켜 줍니다.

벨뷰 의료 센터에서는 입원 및 퇴원 시에 (선별 도구의 연령 기준인) 7세 이상의 모든 환자를 대상으로 UCLA PTSD Reaction Index (Steinberg 등. 2004)를 시행합니다. 그리고 외상 사건을 겪은 미성년자에게서 가장 흔하게 공존하는 질환이지만, 공격성을 보이는 환자에게서는 종종 진단을 놓칠 수 있는 우울증을 확인하기 위해 7세 이상의 환자에게 소아 우울증 선별도구Children's Depression Inventory를 시행합니다(Kovacs. 1992). 10세 이상의 미성년자는 CRAFFT (Knight 등. 2002)로 물질 의존 문제도 선별합니다. 선별평가는 문해력이나 이해력 문제로 평가의 정확성이 저해되지 않도록 일대일로 구두 평가하며, 환자가 질문하거나 휴식을 취할 기회를 줍니다. UCLA PTSD Reaction Index의 첫 번째 부분은 자연재해로 시작하여 대인관계 트라우마와 학대로 진행됩니다. 체크리스트는 예/아니요로 응답하게 되어있기 때문에, 아이는 세부 사항을 말할 필요가 없습니다. 체크리스트를 마무리할 때에는 가장 "불편한" 트라우마를 확인하고 간단히 묘사하게 되며, 환자가 원한다면 어떤 트라우마도 추가로 말할 수 있습니다. 외상후 증상에 대한 추가적인 선별 도구로 TSCC (Trauma Symptom Checklist for Children, Briere 1996)나 아동 PTSD 증상 척도(Child PTSD Symptom Scale, Foa 등. 2001) 등이 있습니다. 청소년 우울 증상의 선별에는 환자 건강 설문지-9 (Patient Health Questionnaire-9, PHQ-9, Kroenke 등. 2001)를 쓰거나 미성년자용 벡 우울증 척도(Beck Depression Inventory for Youth, BDI-Y, Beck 등. 2001), 또는 CES-DC (Center for Epidemiological Studies Depression Scale Modified for Children, Weissman 등. 1980, Faulstich 등. 1986)가 각각 7-14세, 6-18세에게 사용할 수 있습니다.

선별 평가에 대한 교육에서, 직원들은 환자들과 어떻게 트라우마와 선별 과정을 이야기할 것인지에 대한 대본형식의 설명과 안내서를 제공받습니다.

**치료자** 안녕? 나는 OO(이름)라고 해. 여기에서 일하는 의사야. 네가 괜찮다면 몇 가지 물어보려고 해. 사람들이 겪을 수 있는 무서운 일들에 대해 물어볼텐데, 그런 일들은 종종 일어나지만 이야기를 꺼내는 게 쉽지 않다는 것을 알기 때문에 우리는 이 병원에 오는 모두에게 이 질문을 하고 있어. 예/ 아니오로만 대답하면 되고, 네가 원치 않는다면 말하지 않아도 괜찮아.

많은 환자들에게 트라우마 선별 평가는 그들이 타인에게 일어났던 일을 직접 처음으로 말하는 상황입니다. 환자들은 종종 아무도 그에 대해 묻는 사람이 없었다거나 어떻게 "집에서 맞는" 것이 무섭고 힘들다고 말해야 할 지 몰랐다고들 말합니다. 때로 어떤 환자들은 선별 과정에서는 모든 트라우마를 부인하다가, 나중에서야 치료자에게 말하기도 합니다. 선별 평가 동안 있을 수 있는 외상 사건들의 목록을 듣는 것도 환자가 차후에 자신의 경험을 말할 수 있도록 도와줍니다. 트라우마 선별 과정은 퇴원 시에 한 번 더 시행되는데, 이때 또다른 외상 사건을 보고하는 경우도 있습니다. 이는 특히 입원 당시 선별평가 동안

심한 회피와 마비 증상을 보였던 환자들에게서 흔하게 나타납니다.

### 20.2.2 직원 교육

입원 치료 환경의 모든 직원에게는 트라우마가 행동에 미치는 영향, 트라우마와 정신 질환 간의 관계, 외상 사건을 겪은 청소년들이 사용하는 대처 기술들에 대한 근본적인 이해가 필수적으로 필요합니다. 이 교육은 특히 청소년들과 가장 많은 시간을 보내는 실무를 맡은 직원들에게 중요한데, 보통 이들은 그에 필요한 지지 자원과 교육을 보통 가장 적게 받는 집단입니다. 트라우마가 행동과 자아 개념에 미치는 영향에 대해 직원들의 이해도를 높이는 사려 깊고 이해하기 쉬운 교육은 청소년이 겪었던 경험들의 맥락에서 그들의 공격성과 자기 파괴적인 행동을 직원들이 이해할 수 있게 해줍니다. 여기에서 중요한 것은 이러한 이해가 직원으로 하여금 환자의 문제행동에 대한 부정적 판단을 줄이고 공감을 높일 수 있다는 것입니다. "너 뭐하고 있니"나 "왜 그런 행동을 한 거야" 같은 질문이나 대화를 "너에게 무슨 일이 있었니"로 바꾸는 것은, 다루기 어려운 트라우마 관련 행동들을 줄이기보다 악화시키는 통제적이고 처벌적인 접근 방식 대신, 직원들이 이에 대해 호기심을 갖고 접근하게 해 줍니다. 예를 들어, 트라우마 유발 요소에 자극 받은 청소년들에게 동요되면, 병동내 질서 유지 실무를 맡고 있는 일선의 직원들은 종종 그 행동을 그만두라고 지시하는 형태로 반응합니다. 권위적이고 위협적인 방식으로 지시가 전달될 경우, 이는 청소년에게 안전의 결핍감을 더 자극하여 감정을 더 동요시킵니다. 트라우마 피해를 입은 청소년과 성공적으로 생활하려면, 그들의 해리와 플래시백 현상을 직원들이 잘 이해하는 것이 핵심입니다. 개별적으로 청소년을 대할 때, 직원들이 아이의 특정 유발요인(큰 소리, 사적 공간의 침입이나 신체 접촉 등)을 인식하는 것이 필수입니다. 이를 이해하면 해당 청소년이 자극에 좀더 효과적으로 대처하는 기술을 개발하도록 직원들이 도울 수 있을 뿐 아니라, 트라우마를 반복해서 겪는 것을 피하게 해줄 수 있습니다.

이러한 이해와 순수한 호기심이 있는 자세를 구축하기 위해, 입원 시설의 직원들은 다음 영역에 대한 견고한 기초 지식이 필요합니다:

- 트라우마와 행동 및 정신 질환 사이의 관계
- 트라우마가 발달 중인 뇌에 미치는 영향
- 트라우마를 입은 청소년들이 흔히 사용하는 자동적인 대처 기제
- 트라우마를 입은 청소년들이 보다 효과적인 대처 기술을 개발하도록 지원하는 것
- 트라우마를 입은 청소년들을 대하는 것과 관련된 대리 외상 및 조직 스트레스

직원 대상 교육을 개발할 당시, 저자들은 성인 대상의 교육과 훈련 경험이 있는 아동기 트라우마 전문가와 협력했습니다. 다른 분야 간에 같은 개념의 용어들을 사용할 수 있도록, 저자들은 일선 직원을 포함한 여러 분야의 직원이 함께 훈련자로 훈련하는 형태인 훈

련자 훈련 모델train-the-trainer model을 선택했습니다. 이 방식은 학습 공유에 종종 방해가 되는 위계 구조를 무너뜨리는 데 도움이 됩니다. 또, 이는 일선 직원들이 청소년들과 분 단위로 주고받는 상호작용들이 특별하게 기여하고 있는 바를 알게 하여 일선 직원들에게 힘을 실어줍니다. 이 훈련자 훈련 모델은 첫 이틀간 구성요소module 형식의 교육으로 진행되고, 이후 3-6주간 주마다 실전 회기로 훈련을 진행합니다. 이는 대중 강의와 훈련을 해본 경험이 거의 없는 직원들을 훈련자로 훈련시키는 상황에서 중요한 형태입니다. 이런 다분야 통합 형태로 훈련을 받은 직원 훈련자는 다시 동료를 훈련시키면서, "외부 전문가"에 의한 훈련을 넘어서 교육을 더욱 촉진시킬 수 있습니다.

직원 트라우마 훈련의 가장 최근 형태는, 소년 보호 시설의 일선 직원들을 위해 개발된 4 개의 모듈로 이루어진 훈련 방법인 "Think Trauma"의 수정본입니다(Marrow 등. 2012a). 이는 사례 기반, 상호작용형 성인 교육 도구로, 일선 직원 및 임상 의료진 모두가 쉽게 접할 수 있습니다. 저자들은 이것을 아동과 트라우마 영역으로 확장하여 정신건강 치료자들을 위한 형태로 수정하고 있는 중이며, 미성년자들의 다양한 트라우마 관련 질환들을 포함하도록 영역을 넓힐 예정입니다.

모듈 형태의 교육은 입원 환경에서 일하는 모든 직원을 대상으로 90분의 회기로 진행됩니다. "Think Trauma"를 다른 환경에 적용했을 때의 경험 상, 기본 모듈들을 완료하는 데 4-5주가 소요되고, 놓친 회기를 보강하는 회기에 몇 주가 더 필요합니다. 습득한 기술을 유지하기 위해 해마다 추가 회기가 있으며 신규 직원의 오리엔테이션에는 훈련 전체가 포함됩니다.

직원이 시설에서 업무를 수행해야 하므로 입원 시설의 직원 교육은 (일 단위보다는 시간 단위로) 훈련 회기 시간이 짧아야 하고, 추가 회기를 개입 초기에 갖는 것이 특히 중요합니다. 또한 교육 동안 직원들의 반응을 민감하게 인식하는 것이 매우 중요합니다. 외상 경험이 매우 흔하고 이러한 청소년을 대하는 것 역시 얼마나 트라우마가 될 수 있는 지를 생각해볼 때, 직원들은 때로 훈련 중 제시된 자료에 자극을 받을 수도 있습니다. 비슷한 외상 사건을 겪었던 직원들은 관련된 명시적, 또는 이미지 영상이나 서술된 자료들에 자극을 받기도 합니다. 훈련 전에 직원들에게 이러한 반응이 흔하게 일어난다는 점과 자기 돌봄 정보를 알려주는 것이 중요합니다. 청소년들의 트라우마 선별검사의 경우와 마찬가지로, 직원들에게는 교육시간이 자신의 트라우마와 증상들을 처음으로 연결 짓는 기회인 경우가 종종 있습니다. 따라서 훈련자는 교육생들이 트라우마 유발인자에 자극 받게 될 가능성을 기민하게 살피고, 그러한 교육생들에게는 트레이닝 회기 내에나 필요하다면 회기 밖에서도 지원이 제공되어야 합니다.

효과적인 트라우마 훈련은 매일의 집단적인 치료 환경에서 새로운 지식을 강화하는 토대가 되고, 아동청소년과의 지속적인 상호작용 속에 통합되어야 합니다. 이는 해당 아동청소년의 트라우마 상태에 대해 가장 일선의 직원들이 포함된 다직역 간의 의사소통으로 이루어집니다. 그리고 비밀 유지의 소통 원칙을 깨지 않는 선에서 트라우마와 관련된 일반적인 용어와 청소년에게 현재의 유발인자(성인 남성의 고함, 신체적으로 너무 가까이

다가갔을 때, 주변의 언쟁 등)를 공통된 용어로 소통하면서 이루어질 수 있습니다. 직원들이 이렇게 지식과 의사소통을 공유하는 것은, 외상성 반응을 제어하고 트라우마의 반복을 피하는 데 매우 유용합니다.

직원들의 트라우마 훈련이 매우 필수적이지만, 청소년이 겪고 있는 트라우마의 영향에 대해 지속적인 의사소통과 슈퍼비전이 꼭 이어서 이루어져야 합니다. 그리고 진행 중인 집단 치료환경 계획에 트라우마 관련 기술 연습 집단을 포함하여 운영해야, 트라우마 지식이 잘 유지되며 공유가 가능하다는 점 역시 염두에 두어야 합니다(아래의 기술 연습 집단 부분 참조).

### 20.2.3 트라우마 기술 연습 집단

트라우마 관련 기술 집단은 TIC 프로그램에서 필수적인 구성 요소입니다. 기술 연습 집단은 감정을 인식하고 관리하기, 트라우마의 영향 이해하기, 대처 기술 및 이완 기술, 안전을 만들고 유지하기, 미래의 계획과 관계 만들기 등의 주제들을 다룹니다. 벨뷰 의료 센터의 입원 병동에서는 모든 환자를 대상으로 구조화, 매뉴얼화 된 트라우마 기술 집단을 병동 프로그램에 통합시켜 운영하고 있습니다. 여기에서는 여러 직역의 직원들이 팀을 이루어 아동청소년 병동에서 기술 집단을 운영합니다. 이 팀은 의사, 임상심리사, 간호사, 사회복지사, 예술치료사 및 기타 아동 전문가들로 구성되어 있습니다. 앞서 기술하였듯이 이 기술 연습 집단은 직원과 청소년이 공통된 지식과 용어를 사용하고, 트라우마를 입은 청소년이 집단 치료 환경 속에서 통합적으로 지원받을 수 있게 해 줍니다. 이 집단은 트라우마를 개별적으로 처리하는 곳이 아니라는 점에 주의해야 합니다. 개별 작업은 일반적으로 개별 심리치료 안에서 이루어지고, 집단은 아동청소년에게 기초 지식과 기술들을 전달하여 감정과 행동을 이해할 능력을 높이고 장기적인 트라우마 처리의 기초작업을 제공하는 역할을 합니다.

모든 직원이 치료적 환경에 대한 교육을 받지만, 트라우마 치료 집단 교육은 특히 임상 직원들을 대상으로 진행됩니다. 이들은 예정된 교대 근무 시간에 교육을 받지 않는 직원들이 근무를 대신하는 동안, 별도의 교육실에서 앞서 언급된 설명된 주제들에 대해 몇 주간 단기 과정을 이수합니다. 교육은 다른 직역의 직원이 공동으로 진행하며, 병동 내 모든 직역의 대표 직원들이 받습니다. 집단 촉진 훈련과 트라우마 기술 집단 주제별 훈련이 첫 훈련에 포함되어 진행됩니다. 트라우마 기술 집단에서 다루는 개념과 기술들은 직원들이 이를 잘 이해하기 위한 것만이 아니라, 환자들이 이 개념과 새로운 기술을 적용하고 연습하도록 직원들이 지지해줄 수 있게 해 줍니다. 도입 훈련 뒤에, 직원들은 병동단위 내 리더들이 진행하는 지도감독 시간에 매주 참석합니다. 시간이 지나며 이 주간 지도감독시간은 집단 회기에서 다룬 트라우마 기술에 대한 토론으로 확장됩니다.

새 임상 직원이 병동에 합류하면, 그들은 오리엔테이션 중에 이 다직역 동료 훈련 시간에 참석합니다. 이후 그들은 주간 지도감독 시간에 동석하고 그들이 새로운 기술을 적용하게 멘토링할 선임 훈련자와 짝을 지어, 궁극적으로는 트라우마 기술 집단을 운영할 수 있게 됩니다. 저자들은 트라우마 기술 집단에 지도자로 참여하는 경험이 훈련에서 소개된 핵심 개념을 강화하고 공감을 더욱 촉진해준다는 것을 알게 되었습니다. 직원들은 집단을 공동 운영하기 전에, 그들의 멘토와 함께 몇 개의 집단을 관찰하고 주간 지도감독 시간에 집단을 운영하는 것에 대해 이야기를 나누게 됩니다.

### 20.2.4 청소년 기술 집단

청소년 입원 병동에서 운영하기에 적절한 몇 가지 기술 집단이 있습니다. 성역 모델에는 "안전, 정서 관리, 상실과 미래safety, emotional management, loss, and future"의 네 가지 치유 영역을 다루는 S.E.L.F.라는 집단 교육 과정이 있습니다. S.E.L.F.는 치료 환경 내에서의 문제나 갈등을 다룰 뿐 아니라 내담자의 심리교육 과정으로도 사용할 수 있으며, 네 영역을 다루는 36개의 독립 회기가 있습니다. 이 회기들은 상호 연관되어 있지만, 어떤 순서대로도 진행할 수 있기 때문에, 직원은 상황이나 환경과 가장 관련된 주제부터 선택할 수 있습니다. 유사하게, TARGET 집단환경milieu 치료 역시 트라우마의 영향에 대한 심리 교육과 대처기제 및 문제해결기술 강화를 포함한 집단 개입이 있습니다. TARGET은 PTSD 증상 외에도, 법적인 과정을 진행 중인 청소년처럼 만성적인 트라우마를 겪은 경우에 흔하게 보이는 대인관계 및 감정 조절의 어려움도 다룹니다.

**사례 예시: 청소년을 위한 정서 및 대인 관계 조절 기술 교육** 본 사례에서 저자들은 트라우마 피해 청소년에게 정서 조절과 대인관계 기술 향상에 효과가 입증된 근거기반 개별 개입법인 청소년을 위한 정서 및 대인 관계 조절기술교육(Skills Training in Affective and Interpersonal Regulation for Adolescents, 이하 STAIR-A)을 적용하였는데, 개발자와 함께 협력하여 급성(13일) 치료 시간에 적용 가능한 단축형 개입 "Brief STAR-A"을 할 수 있었기 때문입니다. 이는 다수의 외상을 겪은 아이들을 대상으로 개발되고 검증되었고, 단순히 증상만을 다루는 것이 아니라 트라우마나 학대로 인한 사회적, 대인관계적 결핍을 다루기 때문에 이 상황에 적합한 치료법입니다. 입원 기간이 평균 13일이므로, 기술에 초점을 맞춘 3회기를 만들었습니다. 청소년들은 어떤 회기에서부터든 프로그램에 들어올 수 있고 여러 번 회기를 반복할 수도 있습니다. 이 기술 연습 집단은 (1) 감정의 인식 및 트라우마 심리교육, (2) 감정 조절 및 대처 기술, (3) (특히 어려운 상황에 초점을 맞춘) 의사소통 기술을 대상으로 합니다. 여기에서 집단 치료의 특성은 또래 교육과 구조화된 사회적 상호작용을 가능하게 합니다. 청소년들은 또래와 다루기 어려운 감정들에 대해 토론하고 경험을 공유하며 연결감을 갖게 됩니다. 집단은 임상 의료진이 공동으로 이끌어가고, 모든 청소년이 PTSD 진단을 받지 않았더라도 참여를 권유받습니다. 각 회기를 마칠 때, 청소년들은 시설 내에서와 퇴원 이후에 사용할 개인의 안전에 대한 계획을 세우게 됩니다. 이 프로그램에 대한 초기 평가 결과, 퇴원 시점의 청소년들에게서 증상의 감소와 효과적인 대처 기술 증가를 포함한 긍정적인 이득이 나타났습니다(Gudiño 등. 2014). 다음은

STAIR-A 회기 2(감정 조절 및 대처 기술)에서 다루는 주제 중 일부의 예시입니다.

### 단축형 STAIR-A 감정과 대처 기술 회기

*집단 리더:* 화가 났을 때, 우리의 마음, 몸과 행동이 우리에게 어떻게 단서를 알려 주는지 이야기했던 것들을 떠올려 보자. 우리 모두는 분노나 그 밖의 강렬한 감정을 다루는 자기만의 방법들을 갖고 있어. 이제 돌아가면서 나의 대처 방식을 하나씩 말해보자. 그러면 이 칠판에 그 아이디어들을 쓸 거야.

*마르쿠스:* 모르겠는데요. 그냥 열을 식히려고 애썼던 거 같아요.

*집단 리더:* 어떤 식으로 애를 썼니?

*마르쿠스:* 운동이요. 근력운동이나 달리기나 농구를 했어요.

*집단 리더:* 그거 아주 좋은 예구나. 여기에 "운동"이라고 쓸게. 엘리는 어떻게 하는 거 같아?

*엘리:* 전 그리는 걸 좋아해요.

*집단 리더:* 그래, 예술은 자신이 느끼는 걸 표현하고 떨쳐내는 좋은 수단이지.

*케이:* 전 TV를 보거나 음악을 들어요. 생각하기 싫어서 그냥 다 조용해지게 해요.

*집단 리더:* 다른 데로 관심을 돌리는 건 때때로 진짜 도움이 되지. 여기에서 우리가 알 수 있는 것은, 다양한 대처기술들을 위한 시간과 장소가 있다는 거야.
어떤 것들이 다른 것보다 좀더 효과가 있거든.

*릭:* 나도 음악을 듣거나 자는 걸 좋아해!

*집단 리더:* 어떤 대처 기술은 다른 사람들보다 그 기술에 더 잘 맞는 사람들이 있고, 때로는 같은 기술이 여러 사람들에게 도움이 되기도 해. 우리가 방금 만든 이 리스트를 보면, 어떤 대처 기술이 가장 잘 맞을 것 같니? 여기에 정답이나 오답은 없어! 다른 사람의 아이디어라도, 이중에 예전에 생각해본 적 없었지만 괜찮을 것 같은 방법이 있을까?

*케이:* 전 운동이 좋을 거 같아요. 원래 전 그냥 도망가려고 하거든요. 알죠? 소음 속에 숨거나 TV나 컴퓨터 앞에서 멍 때리는 거요. 그런데 달리기가 좋을 거 같아요.

*집단 리더:* 혹시 효과가 없었던 대처 기술을 경험 한 사람은 없니? 그 순간에는 효과가 있었는데 나중에는 오히려 역효과가 났던 게 있었을까?

*메리:* 저한테 도움이 되는 게 있는데…다들 그걸 못하게 해요.

*집단 리더:* 그게 무엇일까?

*메리:* 마리화나요. 긴장될 때 진짜 도움이 돼요, 언제나 절 진정하게 해주거든요.

*집단 리더:* 아, 그렇구나. 불안할 때 너의 자연스러운 반응은 마리화나를 피는 것이구나. 그럼 한번 10년 뒤를 생각해보자. 네가 취업 면접을 봐야하는 데 지금 불안해. 네 생각에는 지금의 대처 기술을 그때에도 쓴다면 네가 뽑힐 것 같니?

*메리:* 아니요.

*집단 리더:* 도움이 되는 대처 기술은 항상 여러 개가 있는 게 좋아. 상황 별로 모든 대처 기술을 쓸 수 있는 건 아니니까. 마르쿠스는 가장 좋아하는 대처 기술이 나가서 운동하거나 뛰는 거라고 했는데, 그걸 수업 중에는 할 수 없잖아. 네가 어떻게 느끼는지 뿐 아니라 어디에 있는가에 따라 맞추려면, 할 수 있는 대처 기술이 다양한 게 더 좋거든. 한번 목록을 더 넓혀보자!

안전 계획은 각 집단 회기를 마무리할 때, 새로운 대처 기술들이나 유발 요인들에 맞춰 수정됩니다. 직원들은 청소년이 머무는 동안 그들의 안전에 대한 계획을 다룰 수 있고, 대처 기술을 연습할 수 있는 곳에 의뢰할 수도 있습니다.

*치료자:* 마르쿠스, 농구 할 시간이 충분하지 않아서 화가 났구나. 오후에 일정이 있으니 지금 다시 되돌아가서 더 놀 수는 없겠지만, 내일 체육관에 갈 수 있을 거야. 네 안전계획을 한번 점검해보자.

*마르쿠스:* 그건 도움이 안돼요.

*치료자:* 예전에 네가 적었던 것들 중 일부는 효과가 있었잖아. 한번 살펴보자.

*마르쿠스:* 효과 없다구요.

*치료자:* 너는 농구를 참 좋아하지. 여기 있네. 안정실 안에서 공을 튕겨보면 어떨까?

*마르쿠스:* 시도해 볼 수는 있겠네요.

*임상:* 해보자! 만약 효과가 없으면, 목록에 있는 다른 걸 해보자. 종종 처음 시도한 게 효과가 없을 때도 있는데, 그러면 그냥 다른 걸 해보면 돼.

## 아동 기술 연습 집단

아동 대상의 기술 연습 집단 프로그램으로는 이스라엘의 심리 트라우마 치료 센터에서 개발한, 기분과 감정 조절 만들기(Building Emotional and Affect Regulation, 이하 BEAR)가 있습니다(Pat-Horenczyk 등. 2004). BEAR는 6회기 진행되는 7-12세 아동 집단 프로그램으로, 신체 및 정서 조절, 대인 관계 조절, 인지-정서 조절 및 사회적 지지 지원을 다룹니다. BEAR는 "마음 챙김 기술, 인지행동치료 및 내러티브 개입"이 통합된 것입니다(METIV 2016).

아동의 정서 스트레스 인식(Children's Awareness Regarding Emotional Stress, 이하 CARES) 프로그램은 외상 사건을 겪은 입원 환경의 7-11세 아동 대상의 구조화된 기술 집단 프로그램으로, 기존의 외상 초점 인지행동치료(Cohen과 Mannarino 1996)와 학교 트라우마 인지행동 개입(Jaycox 등. 2004)의 기본 원칙과 모듈을 중심으로 벨뷰의 다직역 팀이 개발한 것입니다. 청소년 입원 환자 대상의 STAIR-A와 비슷하게, CARES는 직원들에게 트라우마가 아동과 행동에 미친 영향을 알려주고, 지속적으로 트라우마 훈련을 강화합니다. CARES는 5회기로 진행되며, 감정에 대한 안내, 트라우마 심리교육, 이완 및 대처 기술, 호흡법, 요가 및 기본적인 인지행동 기술들을 전달합니다. 아이들은 각 회기 내에서 대처 기술들을 연습하고, 회기 밖에서는 작업치료사들과의 협력으로 개발된 요가와 감각 운동 활동들이 통합된 병동 프로그램을 하며 감각 운동 기술들을 발달시킵니다. 집단은 한 명의 리더가 운영하지만, 아이들마다 그들의 활동을 도와줄 직원이나 자원봉사자를 배정받습니다. 모든 직원들은 집단에 참여하여 아동을 위한 행동과 기술들을 배우게 됩니다.

### CARES의 이완 및 대처 기술 예시

*집단 리더:* 지금까지 우리는 감정과 행동에 대해 배웠어. 우리가 감정을 관리할 수 있는 기술을 배우면, 기분이 좋아지고 더 잘 행동할 수 있게 돼. 나중에 강렬한 감정이 들 때 앞으로 배울 기술들이 도움이 될 거야.

이 방에 있는 우리 모두는 아주 중요한 힘, 즉 *마음의 힘*, 상상의 힘을 갖고 있어. 우리는 이 힘을 써서 기분이 좀더 나아지고 용감해 질 수 있게 해볼 거야. 이제 *행복한 장면*이라는 기술을 배워볼 거야. 이것은 우리가 우리 마음 속 나쁜 생각이나 장면을 행복한 생각이나 장면으로 바꾸어서 기분을 좋게 만드는 거야. 네 기분이 좋아지게 해주는 게 뭐가 있을까?

*데본:* 피자!

*킴:* 스키틀스 젤리 콩요!

*알렉스:* 쉬는 시간이요.

*집단 리더:* 좋은 예들이구나! 의견 고마워. 피자 좋아하는 사람? 와, 다들 좋아하는 것 같네. 좋아. 이제 우리는 우리의 힘을 연습해볼 거야. 눈을 감거나 아래를 보면서 마음 속으로 피자를 떠올려보자. 냄새가 어떠니? 맛은? 치즈가 있을까? 햄은? 빵이 부드럽니? 따뜻하니? 들고 있는 네 손도 따듯해졌니? 한 입 먹어보자. 맛은 어때? 이제 눈을 떠보자. 기분이 어떠니?

*데본:* 배고파요!

*집단 리더:* 그럴 수 있어! 그건 네가 정말로 피자를 상상했다는 것을 의미해. 아주 잘 했어! 다들 피자를 생생히 떠올려볼 수 있었니? 마음 속으로 무언가 행복한 것을 생각하고 떠올릴 수 있을 때, 우리는 그걸 행복한 장면이라고 불러. 만약 피자를 떠올릴 수 없었다고 해도 걱정하지 마. 연습하면 할 수 있게 될 거야. 무섭거나 기분이 안 좋을 때 또 다른 행복한 장면을 시도해볼 수 있어. 우리는 우리를 화나게 하는 것으로부터 잠시 거리를 두고, 행복하게 해주는 것을 생각해볼 수 있어.

*집단 리더:* 행복한 장면으로도 기분이 나아지지 않는다면, 어떻게 해야 할까? 이번엔 우리를 도와줄 이완 기술 몇 가지를 배워볼 거야. 이 기술들은 우리가 신체적으로 강한 감정을 느껴질 때 도움이 돼. 목이나 어깨가 뻣뻣해지거나 주먹을 꽉 쥐게 되기도 하고 어떤 경우는 몸 전체에 뻣뻣하게 힘이 들어갈 수도 있어. 지금 우리 몸의 상태가 어떤 지 잠시 살펴보자. 어딘가 긴장되거나 뻣뻣한 느낌이 있니?

*알렉스:* 머리가 아파요.
*김:* 어깨와 팔이 딱딱한 거 같아요.
*그룹 리더:* 좋아, 이제 다른 기술을 몇 가지 배워보자.
첫 번째는: **젤리 콩 잡기**(팔 뻗기 운동)야! 천장 저편에 무지개색으로 여러 색깔의 젤리 콩들이 있는게 보이고, 너는 그걸 가지려는 거야. 오른 손을 쭉 뻗어 봐 …더더더, 머리 위로 더 쭈욱 뻗어 …젤리 콩에 거의 닿았어 …거의 …좀더 뻗으면 …오, 하나 챙겼어, 맛있겠다, 이제 팔을 쭉 떨어트려, 얼마나 팔의 힘이 잘 풀렸는지를 느껴봐. 오오, 봐봐! 네 왼쪽에도 젤리 콩이 몇 개 더 있다, 왼팔을 뻗어보자, 쭉쭉쭉 …더더더, 머리 위로 쭈욱 뻗어봐 …와아, 또 하나 생겼어 …이제 팔을 떨어뜨리고, 맛있겠다! 팔을 스트레칭 했다가 힘을 푸니까 네 몸의 느낌이 어떠니? 어떤 식으로든 좀 다르게 느껴지니?
*킴:* 팔이 축 늘어진 거 같아요.
*그룹 리더:* 킴, 아까 스트레칭을 하기 전에는 네가 어깨와 팔이 아프다고 했었는데, 그 때보다는 지금 늘어진 느낌이 좀더 나은 거 같니?
*킴:* 네, 그런 거 같아요. 그렇게 아프지는 않네요.
*그룹 리더:* 좋아, 그 얘기는 어깨와 팔이 좀 이완되었다는 뜻이야. 낮 동안, 또는 네가 화가 많이 났을 때 이렇게 스트레칭을 하면 기분이 좀 나아질 수도 있을 거야. 다른 상황에서 다른 식으로 스트레칭 했다가 더 도움이 되는 것을 찾아낼 수도 있으니까, 혹시 바로 효과가 나타나지 않으면 다르게 해보면 돼!
효과가 있었거나 마음에 드는 것을 찾으면, 우리에게도 알려주길 바래.
그럼 우리가 그것을 네 안전 카드에 추가할 수 있어. 만약 네가 너무너무 화가 나거나 도저히 어떻게 하면 기분이 나아질 지 생각조차 떠오르지 않을 때면, 우리가 네 안전 카드를 같이 보고 스트레칭을 도와줄 수 있어. 이건 우리가 같이 연습한 다른 기술들도 마찬가지야. 어떤 기술이든 네게 도움이 되는 것을 찾으면, 너만의 안전 카드에 추가할 수 있어. 네가 여기에서 나갈 때, 기분이 불쾌하거나 힘든 상황을 다루어야 할 때 쓸 수 있는 전체 기술의 목록을 갖고 가게 될 거야.

단축형 STAIR-A 및 CARES은 아동 및 청소년 입원 병동의 트라우마 정보기반 프로그램 중 트라우마 기술 연습 부분을 대표합니다. 트라우마 정보기반 프로그램이 시작된 2008년 이후 눈에 띄는 문화적 변화가 일어났습니다. 아동의 행동들이 트라우마와 발달의 맥락에서 더 잘 이해 받게 되었고, 직원들은 불안정한 감정이나 진정이 필요한 시기에 대처 기술을 확인하고 연습하게 돕는 것을 더 잘 통합하여 다룰 수 있게 되었습니다.

### 20.2.5 트라우마 정보기반 돌봄관리 적용의 지속적인 경과관찰

트라우마 정보기반 돌봄관리에서 흔한 함정 중 하나는, 한번 훈련을 진행하고 프로그램을 적용한 뒤에는 지속적인 경과관찰이 필요하지 않을 것이라고 생각하는 것입니다. 첫 번째로, 보통 많은 입원 및 주거 시설 환경에서 직원들은 주기적으로 바뀝니다. 따라서 신규 직원을 위한 트라우마 기반 훈련이 오리엔테이션 교육에 포함되어 있어야 합니다. 주기적으로 직원들의 트라우마에 대한 지식과 기술 수준을 평가하는 것도 추가적인 훈련의 틀을 만드는 데 도움이 됩니다. 이러한 추가 훈련이나 지속적인 트라우마 기반 교육은 직원 개발과 교육 과정 속에, 일관되고 지속적인 방식으로 구축되어 있어야 합니다.

두번째로, 경험 상 개별적인 경과관찰을 지속할 때 직원들이 청소년들을 잘 다룰 수 있었습니다. 이를 위해 저자들은 매주 치료 회의를 통해 선임 임상 리더가 치료진들과 함께 간단하게 입원 병동 내 모든 사례 상황을 간단히 살펴보는 시간을 가졌습니다. 이 때, 리더는 모든 입원 환자들의 트라우마 선별 검사결과를 바탕으로, 모든 치료진이 이를 치료 계획에 활용할 수 있게 점검합니다.

저자들이 지난 6년간 앞서 다룬 프로그램 요소들을 입원 환자 치료에 포함하여 운영한 결과, 직원과 청소년 모두 트라우마 노출로 유발된 행동 문제들을 효과적으로 다룰 수 있게 해 주는 트라우마 기반 돌봄 체계가 구축되었습니다. 물론 짧은 입원 기간 동안 트라우마를 겪은 청소년을 완전하게 모두 치료할 수는 없습니다. 그러나 많은 경우 입원한 아동청소년들의 행동 문제들의 주요 원인이 외상 사건의 경험 때문이라는 점을 무시할 수는 없습니다. 이를 무시하면 오진과 부적절한 치료 계획으로 이어져, 그들의 삶의 경험과 감정 및 행동 사이의 관계를 이해함으로써 도움을 받아야 할 미성년자들에게 오히려 막대한 해를 끼칠 수 있습니다. 입원 및 시설 환경에서 철저하게 트라우마 기반 돌봄을 적용하면, 직원들이 어려움을 느끼던 청소년을 효과적으로 다룰 수 있고 환경 내 폭력과 긴장도가 낮아집니다. 이것은 치유에 가장 기본이자 필수인, 안전하고 치료적인 환경 조성의 초석이 됩니다.

## 참고문헌

Adam BS, Everett BL, O'Neal E (1992) PTSD in physically and sexually abused psychiatrically hospitalized children. Child Psychiatry Hum Dev 23(1):3–8
Allwood MA, Dyl J, Hunt JI, Spirito A (2008) Comorbidity and service utilization among psychiatrically hospitalized adolescents with posttraumatic stress disorder. J Psychol Trauma 7(2):104–121
Azeem MW, Aujla A, Rammerth M, Binsfeld G, Jones RB (2011) Effectiveness of six core strategies based on trauma informed care in reducing seclusions and restraints at a child and adolescent psychiatric hospital. J Child Adolesc Psychiatr Nurs 24(1):11–15
Beck JS, Beck AT, Jolly JB (2001) Beck youth inventories. San Antonio, TX: Psychological Corporation
Bloom SL (1997) Creating sanctuary: toward the evolution of sane societies. Routledge, New York
Briere, J. (1996) Trauma symptom checklist for children. Psychological Assessment Resources, Odessa, pp 00253–00258
Cohen JA (2010) Practice parameter for the assessment and treatment of children and adolescents with posttraumatic stress disorder (AACAP official action). J Am Acad Child Adolesc Psychiatry 49:414–430
Cohen JA, Mannarino AP (1996) A treatment outcome study for sexually abused preschool children: Initial findings. J Am Acad Child Adolesc Psychiatry 35(1):42–50
Craine LS, Henson CE, Colliver JA, MacLean DG (1988) Prevalence of a history of sexual abuse among

female psychiatric patients is a state hospital system. Hosp Community Psychiatry 39:300–304
Deters PB, Novins DK, Fickenscher A, Beals J (2006) Trauma and posttraumatic stress disorder symptomatology: patterns among American Indian adolescents in substance abuse treatment. Am J Orthopsychiatry 76:335–345
Famularo R, Fenton T, Kinscherff R, Augustyn M (1996) Psychiatric comorbidity in childhood post traumatic stress disorder. Child Abuse Negl 20(10):953–961
Faulstich ME, Carey MP, Ruggiero L, Enyart P, Gresham F (1986) Assessment of depression in childhood and adolescence: an evaluation of the Center for Epidemiological Studies Depression Scale for Children (CES-DC). Am J Psychiatry 143(8):1024–1027
Fehon DC, Grilo CM, Lipschitz DS (2001) Correlates of community violence exposure in hospitalized adolescents. Compr Psychiatry 42(4):283–290
Foa EB, Johnson KM, Feeny NC, Treadwell KR (2001) The child PTSD symptom scale: a preliminary examination of its psychometric properties. J Clin Child Psychol 30(3):376–384
Ford JD (2006) Trauma-focused, present-centered, emotional self-regulation approach to integrated treatment for posttraumatic stress and addiction: trauma adaptive recovery group education and therapy (TARGET). Am J Psychother 60:335–355
Ford JD, Blaustein ME (2013) Systemic self-regulation: a framework for trauma-informed services in residential juvenile justice programs. J Fam Violence 28(7):665–677
Ford JD, Cloitre M (2009) Best practices in psychotherapy for children and adolescents. In: Courtois CA, Ford JD (eds) Treating complex traumatic stress disorders: guide. Guilford, New York, pp 59–81
Ford JD, Connor DF, Hawke J (2009) Complex trauma among psychiatrically impaired children: a cross-sectional, chart-review study. J Clin Psychiatry 70(8):1155–1163
Ford JD, Chapman JC, Connor DF, Cruise KC (2012a) Complex trauma and aggression in secure juvenile justice settings. Crim Justice Behav 39:695–724
Ford JD, Steinberg KL, Hawke J, Levine J, Zhang W (2012b) Randomized trial comparison of emotion regulation and relational psychotherapies for PTSD with girls involved in delinquency. J Clin Child Adolesc Psychol 41(1):27–37
Giaconia RM, Reinherz HZ, Silverman AB, Pakiz B, Frost AK, Cohen E (1995) Traumas and posttraumatic stress disorder in a community population of older adolescents. J Am Acad Child Adolesc Psychiatry 34:1369–1380
Gold SN (2008) The relevance of trauma to general clinical practice. Psychol Trauma Theory Res Pract Pol S(1):114–124
Grasso D, Boonsiri J, Lipschitz D, Guyer AE, Houshyar S, Douglas-Palumberi H et al (2009) Posttraumatic stress disorder: the missed diagnosis. Child Welfare 88(4):157–176
Gudiño OG, Weis R, Havens JF, Biggs EA, Diamond UN, Marr M, Jackson C, Cloitre M (2014) Group trauma-informed treatment for adolescent psychiatric inpatients: a preliminary, uncontrolled trial. J Trauma Stress 27:496–500
Hanson RF, Lang J (2014) Special focus section: a critical look at trauma informed care (TIC) among agencies and systems serving maltreated youth and their families. Child Maltreat 19(3–4):275
Havens J, Ford J, Grasso D, Marr M (2012a) Opening pandora's box: the importance of trauma identification and intervention in hospitalized and incarcerated adolescent populations. Adolesc Psychiatry 2(4):309–312
Havens JF, Gudiño OG, Biggs EA, Diamond UN, Weis JR, Cloitre M (2012b) Identification of trauma exposure and PTSD in adolescent psychiatric inpatients: an exploratory study. J Trauma Stress 25(2):171–178
Hawke JM, Ford JD, Kaminer Y, Burke R (2009) Trauma and PTSD among youths in outpatient treatment for alcohol use disorders. J Child Adolesc Trauma 2:1–14
Jaycox LH, Ebener P, Damesek L, Becker K (2004) Trauma exposure and retention in adolescent substance abuse treatment. J Trauma Stress 17:113–121
Keeshin BR, Strawn JR, Luebbe AM, Saldaña SN, Wehry AM, DelBello MP, Putnam FW (2014) Hospitalized youth and child abuse: a systematic examination of psychiatric morbidity and clinical severity. Child Abuse Negl 38(1):76–83
Klinic Community Health Center, MTIEC Institute (2013) Trauma informed: the trauma toolkit. Mani-

toba Trauma Information and Education Centre, Winnipeg

Knight JR, Sherritt L, Shrier LA, Harris SK, Chang G (2002) Validity of the CRAFFT substance abuse screening test among adolescent clinic patients. Arch Pediatr Adolesc Med 156(6):607-614

Kolko DJ, Hurlburt MS, Zhang J, Barth RP, Leslie LK, Burns BJ (2010) Posttraumatic stress symptoms in children and adolescents referred for child welfare investigation. A national sample of in-home and out-of-home care. Child Maltreat 15(1):48-63

Kovacs M (1992) Children's depression inventory. Multi-Health System, North Tonawanda

Kroenke K, Spitzer RL, Williams JB (2001) The Phq-9. J Gen Intern Med 16(9):606-613

Lipschitz DS, Winegar RK, Hartnick E, Foote B, Southwick SM (1999) Posttraumatic stress disorder in hospitalized adolescents: psychiatric comorbidity and clinical correlates. J Am Acad Child Adolesc Psychiatry 38(4):385-392

Lipschitz DS, Rasmusson AM, Anyan W, Cromwell P, Southwick SM (2000) Clinical and functional correlates of posttraumatic stress disorder in urban adolescent girls at a primary care clinic. J Am Acad Child Adolesc Psychiatry 39:1104-1111

Manitoba Trauma Information and Education Centre (MTIEC), Klinic Community Health Centre (2013). The trauma-informed toolkit, Second edition. Retrieved from http://traumainformed.ca/wpcontent/uploads/2013/10/Trauma-informed_Toolkit.pdf

Marrow M, Benamati J, Decker K, Griffin D, Lott DA (2012a) Think trauma: a training for staff in juvenile justice residential settings. National Center for Child Traumatic Stress, Los Angeles/Durham

Marrow MT, Knudsen KJ, Olafson E, Bucher SE (2012b) The value of implementing TARGET within a trauma-informed juvenile justice setting. J Child Adolesc Trauma 5(3):257-270

METIV, BEAR for Children (2016) Retrieved from http://traumaweb.org/bear-for-children/Mueser KT, Taub JT (2008) Trauma and PTSD among adolescents with severe emotional disorders involved in multiple service systems. Psychiatr Serv 59(6):627-634

Muskett C (2014) Trauma-informed care in inpatient mental health settings: a review of the literature. Int J Ment Health Nurs 23(1):51-59

Opler L, Grennan M, Ford JD (2009) Psychopharmacological treatment of complex traumatic stress disorders. In: Courtois CA, Ford JD (eds) Treating complex traumatic stress disorders: an evidence-based guide. Guilford Press, New York

Pat-Horenczyk R, Berger R, Kaplinsky N, Baum N (2004) The journey to resilence: coping with ongoing stressful situations. Protocol for guidance counselors (adolescents version) Unpublished Manuscript

Rivard JC, Bloom SL, McCorkle D, Abramovitz R (2005) Preliminary results of a study examining the implementation and effects of a trauma recovery framework for youths in residential treatment. Ther Commun Int J Ther Support Organ 26(1):83-96

Silverman WK, Ortiz C, Viserswaran C, Burns BJ, Kolko DJ, Putnam FW, Amaya-Jackson L (2008) Evidence-based psychosocial treatments for children and adolescents exposed to traumatic events. J Clin Child Adolesc Psychol 37:156-183

Steinberg AM, Brymer MJ, Decker KB, Pynoos RS (2004) The University of California at Los Angeles post-traumatic stress disorder reaction index. Curr Psychiatry Rep 6:96-100

Substance Abuse and Mental Health Services Administration (2014) SAMHSA's Concept of Trauma and Guidance for a Trauma-Informed Approach. HHS Publication No. (SMA) 14-4884. Substance Abuse and Mental Health Services Administration, Rockville

Substance Abuse and Mental Health Services Administration (2015) Trauma-informed approach and trauma-specific interventions. Retrieved from http://www.samhsa.gov/nctic/trauma- interventions

The Sanctuary Model: The Sanctuary Model Components of the Sanctuary Model S.E.L.F (2016) Retrieved from http://www.sanctuaryweb.com/TheSanctuaryModel/Componentsof theSanctuary-Model/SELF.aspx

Weissman MM, Orvaschel H, Padian N (1980) Children's symptom and social functioning self- report scales comparison of mothers' and children's reports. J Nerv Ment Dis 168(12):736-740

# 소년원과 사법 체계: TARGET 접근

# 21

Julian D. Ford

## 21.1 서론

소년원 또는 사법 체계에 있는 청소년 중 80% 이상이 일생 동안 적어도 하나 이상의 트라우마 스트레스 요인에 노출된 과거력을 보고하고, 대다수 정서 및 발달 상의 문제뿐 아니라 심각하고 지속적인 행동 및 법적 문제(예: 재범)의 위험성을 높이는 여러 유형의 피해를 보고합니다(Ford 등. 2013b). 또한 청소년은 보호관찰이나 법적 시설에 있는 동안 트라우마 스트레스 요인에 노출될 수 있으며, 트라우마 스트레스 증상들이 복합되어 잠재적으로 다른 청소년과 성인을 위험에 빠뜨릴 수 있는 행동(예: 공격적인 반응)으로 이어집니다(Ford 등. 2012). 트라우마를 입은 소년원의 청소년들은 감정적 둔마의 결과로 "냉담하고 무감각해 보이는 경향"이 있어 소시오패스처럼 보일 수 있으며(Kerig 등. 2012), 이는 그들을 구제 불가능한 대상으로 분류되게 하고 평생 감금이나 폭력적인 죽음의 위험에 처하게 합니다(Teplin 등. 2005).

그러므로 트라우마 스트레스 증상으로 기능이 손상된 청소년에게 적절한 시기에 효과적인 치료적 개입을 하는 것은 그들의 안전, 재활, 심리사회 발달뿐만 아니라 동료, 가족, 지역사회, 학교와 직장, 시민 및 여가 생활에 있어서도 중요합니다. 사법체계에 연루된 청소년들에 대한 치료적 개입은 심각한 해리, 감정 조절 장애, (물질 사용을 포함한) 무모하고 또는 타인에 대한 공격적 행동과 대인 관계와 미래 면에서 자기 개념과 기대의 근본적인 부정적 변화를 포함한 PTSD 증상의 전 범위를 다루어야 합니다. 사법 체계에 연루된 청소년에 대한 PTSD 심리치료 또한 청소년과 가정, 법원, 법정대리인, 청소년 사법부 담당자 등의 문화와 상황에 맞게 세심하게 적용되어야 하며, 이러한 특정 맥락에서 효과가 실증적으로 입증되어야 합니다.

경험적 근거 기반이 확립되었거나 널리 보급된 PTSD 아동 및 청소년을 위한 심리치료 모델(II장 참조)은 사법 체계의 청소년에게 엄격하게 시험되지 않았거나 심각한 외현화 행동 문제를 보이는 청소년의 PTSD 및 기타 내재화 문제(예: 우울증), 혹은 청소년의 외현화 행동 문제(예: 공격성, 비행)의 개선에 상대적으로 비효율적인 것으로 입증되었습니다(de Arellano 등. 2014). 반면에, 행동 조절이 되지 않는 문제 청소년들에게 강력한 근거 기반을 가진 개입은, PTSD 증상 감소 효과가 시험되지 않았거나[예: 다체계 치료(multisystemic therapy, MST) 또는 다차원 가족 치료(multidimensional family therapy, MDFT) (Henggeler와 Sheidow 2012), 더 어린 아동을 대상으로 만들어져[예: 부모-자녀 상호 작용 치료(parent-child interaction therapy, PCIT); 16장 참조] 소년법 체계와 관련된 청소년 대상으로는 개발되고 시험되지 않았습니다.

예외적인 희망 하나는, 최근 가정이 아닌 (다수는 청소년 사법체계에 관련된) 아동 복지 시설에 있는 여자 아이들에게 효과적인 치료 및 사례 관리 프로그램과 외상 초점 인지 행동 치료를 통합한 다차원 치료 위탁 보육(multidimensional treatment foster care, 이하 MTFC; Smith 등. 2012)입니다. MTFC에서는 외상 중심 초점 인지 행동 치료의[잠재적으로 필수인(Lang 등 2010)] 트라우마 기억의 내러티브 처리를 위해, 관계적인 맥락에서의 안전과 안정적인 성인 보호자(개인 및 가족 치료사, 사례관리자, 멘토, 그리고 치료적인 위탁 부모)의 참여가 권장됩니다.

그러나 비행 및 청소년 사법체계에 속한, 트라우마를 입은 많은 청소년들은 트라우마 기반 심리 치료의 서술적 기억 처리 작업에 참여할 수 있는, 신뢰할 수 있고 정서적으로 반응해주는 부모나 다른 주요 보호자들 같은 안전하고 안정적인 관계 지원 체계가 없습니다. 또 대다수는 주요 보호자와 안전한 애착 관계를 경험해 본 적이 없거나, 방임, 보호자의 사망, 유기 또는 정신, 행동, 법적 문제로 인해 이러한 중요한 유대 관계가 반복적이거나 만성적으로 망가졌습니다(Ford 등. 2013b). 사법체계에 연루된 청소년이라는 큰 하위 집합에서, 이러한 근본적인 관계의 모순과 심각한 외현화 행동 및 정서적 둔마의 조합은 PTSD 심리치료에 두 가지 주요 난제를 제기합니다. 첫째, 그들은 감정적으로 고통스러운 트라우마 기억 처리는커녕 공개 자체를 꺼릴 수 있으며, 믿을 수 있는 일차 보호자의 지지가 부재했기 때문에 그들의 입장에서 이는 합리적인 선택일 수 있을 것입니다. 둘째, 그들은 대인관계 상의 트라우마 스트레스 요인에 노출되었을 뿐 아니라 안정적인 애착 대신 감정적으로 학대했을 주 보호자와의 관계로 인해 감정 조절 능력을 개발할 기회가 없었으므로 종종 심각한 감정 조절 장애를 겪습니다(Spinzola 등. 2014).

따라서, PTSD와 내재화 증상을 개선하고 감정 조절과 행동에 대한 자기 통제를 강화하도록 특별히 설계된 트라우마 기반이면서 동시에 현재에 초점을 맞춘present-centered (예를 들어, 트라우마 기억 내러티브 처리를 요하지 않는) 심리 치료는 사법체계와 연루된 청소년의 PTSD 치료에 중요한 선택지가 될 수 있습니다. 성인에서 감정 조절 기술 기반으로 하는 PTSD 정신치료 접근법이 트라우마 기억 처리 치료보다 내담자를 더 잘 끌고 갈 수 있다는 경험적 근거가 늘어나고있습니다(Ford 2016). PTSD에서 트라우마 기억치료에는 종종 감정조절, 스트레스 관리, 효과적 대인관계, 각성조절, 마음챙김, 스트레스 내성, 문제해결, 자기성찰 기술 훈련 등이 내재되어 있습니다. 현재에 초점을 맞춘 치료에서 이러한 개입은 PTSD에 대한 트라우마 기억 처리 없는 치료적 대안을 될 수 있습니다. 현재에 초점을 맞춘 기술 기반 개입은 트라우마 기억 처리를 배제하는 것은 아니지만, 대신 일상에서 나타나는 침습 기억에 대한 감정 처리를 촉진합니다. TARGET은 원래 복잡한 PTSD와 만성 정신 또는 중독성 장애를 가진 성인들을 대상으로 무작위 임상시험을 통해 개발되고 경험적으로 시험된 외상 중심, 현재 초점 심리치료법입니다(Ford 2015). 여기에서는 사법 환경에서 청소년을 위한 TARGET의 적응에 대해 설명하도록 하겠습니다.

## 21.2 트라우마 정서 조절: 교육과 치료 가이드Trauma Affect Regulation: Guide for Education and Therapy (TARGET)

청소년 사법 시스템이 인지되지 않거나 치료되지 않은 PTSD를 찾아내기 위하여 행동 문제 선별을 프로토콜에 포함하기 전이었던 20년 전에는 이 대상 집단에 대한 근거 기반 치료 개입이 없었습니다. TARGET은 비행문제가 있는 PTSD 여자 청소년에 대한 개인 치료(Ford 등. 2012), 소년원(Ford와 Hawke 2012)과 청소년 교정 시설(Marrow 등. 2012)의 남여 청소년 대상의 집단치료로 적용되어 경험적으로 입증되었습니다.

TARGET은 PTSD 증상을 뇌의 스트레스 반응 시스템의 이동으로 설명하는 심리교육으로 시작합니다. TARGET은 청소년, 가족, 시설 직원, 관리자 및 판사들에게 뇌가 생존 모드로 이동한 것이 트라우마 스트레스 반응으로 어떻게 드러나는지를 설명하기 위해 전문적이지는 않지만 과학에 기반을 둔 메타 모델(특정 치료 모델을 이해하기 위한 틀)로써 초등학교 5학년 수준에서 이해할 수 있는 설명과 그림을 사용합니다. 첫째, 뇌에는 "알람" 장치(즉, 편도체, 주로 몸의 말초 자율신경계와 스트레스 호르몬계를 활성화하는 기저외측핵)가 있습니다. 가까운 뇌 부위인 해마는 "기억 저장 중추memory filing center"로 상황의 맥락을 기억하고 관련된 경험에 대한 정보를 저장하고 검색하는 "기억 저장 센터"이자 검색엔진 역할을 합니다. 셋째, 뇌의 "생각 중추thinking center "로 내측, 안와, 그리고 배외측 전전두엽 피질이 있는데 스트레스에 대한 정보의 통합과 해석, 그리고 의식적인 생각, 감정, 목표와 계획에 대하여 어떻게 반응해야 하는지를 관할합니다(Teicher와 Samson 2013). 이 생물학적 메타 모델은 우리의 뇌가 트라우마 스트레스에 노출되어도 살아남도록 어떻게 적응하는지를 솔직하고 편견없이 설명합니다: 뇌의 알람장치는 생명을 위협하는 위급상황이 발생한다는 신호를 보내기 위해 과활성화되고, 이 폭발적인 경고 신호는 뇌의 저장 중추에 전달되어 처리 용량을 초과하는 정보 과부하를 불러옵니다. 따라서 기억 저장 중추는 기존 경험의 정보를 기반으로 즉각적인 감각/지각 정보를 정리하거나, 맥락화하거나, 유용하고 정보를 제공할 수 있는 기억으로 변환할 수 없게 됩니다. 따라서 트라우마 스트레스 요인에 대한 기억은 본질적으로 단편적이고, 체계적이지 않으며, 충격과 괴로움으로 가득 차거나 감정과 단절됩니다. PTSD는 뇌의 알람 중추(그리고 뇌의 기억저장 및 생각 중추를 포함한 나머지 신체 부위)가 생존 모드에 갇혀 있을 때 발생하는 것으로 이해할 수 있습니다.

생물학에 기반을 둔 이 교육적인 메타 모델은 TARGET이 PTSD로부터의 회복을 위해 가르치는 기술 세트skill set로 바로 연결 됩니다. PTSD는 지속적으로 침습적인 재경험, 과각성, 회피와 관련된, 생물학적인 기반의 정서적으로 과부하된 암묵적 인지들을 포함하고, 이러한 암묵적인 위협에 기초한 정보 여과 혹은 왜곡을 인식하는 것은, 다시 적응적으로 기능할 수 있게 하는 기본일뿐 아니라 트라우마 기억을 성공적으로 다루어 명시적으로 처리하는 데 있어 필수적인 전제 요건입니다(예, 회피보다는 접근, 수동적인 재경험보다는 재해석, 과잉 경계보다는 문제해결). 따라서 TARGET은 트라우마에서 살아남은 것에 맞추어 쉽게 떠올릴 수 있는 약어인 "FREEDOM(자유)"로 요약되는 "알람 반응"의 반영적 자기 인식을 위한 7단계 순서를 알려줍니다:

- Focusing 자신의 핵심 가치와 자기인식에 따라 하나의 생각을 선택하고 그것에 **초점**을 맞춥니다.
- Recognizing 외상후 "알람" 반응을 불러 일으키는 찰나의 요소를 **인식**합니다.
- Emotions 알람에 의한 감정("반응적")과 적응적인 ("중심") **감정**을 구분합니다.
- Evaluations 알람에 의한 판단("반응적")과 적응적인 ("중심") **판단**을 구분합니다.
- Defining 알람에 의한 목표("반응적")와 적응적인 ("중심") 목표를 **정의**하고 구분합니다.
- Options 알람에 의한 선택("반응적")과 적응적인 ("중심") **선택지**를 구분합니다. 그리고
- Making 이러한 단계를 사용하여 뇌의 알람장치를 재설정함으로써 긍정적인 역할을 **합니다**.

7단계 과정은 자가 관찰, 회피하지 않는 경험 인식 및 연속 행동에 대한 분석을 돕고자 만들었는데(Follette 등. 2009), 외상과 관련된 스트레스 반응인 감정, 생각, 목표 및 행동의 연쇄반응과 실생활의 자극 요소들 사이의 암묵적인 순차적 연관성을 더 잘 인식하게 하기 위해 사용합니다. FREEDOM 배열은 (경고 신호에 기초한) "반응적"인 외상후 스트레스 반응과 그 사람의 (예를 들면, 핵심 가치, 관계에 대한 투자, 자아 의식 등의) "주요" 감정, 신념, 목표 및 행동 사이의 변증법적 상호 작용에 주의를 끌어서 재처리(즉, 재해석, 문제해결)와 적응적 행동 활성화(즉, 목표 지향적 행동의 개시 및 마무리까지 유지)를 촉진합니다.

초점맞추기는 나머지 모든 FREEDOM 기술의 기초가 되는 메타기술(다른 모든 기술의 틀을 제공하는 핵심 기술)입니다. 초점맞추기는 과각성상태의 과잉 반응 혹은 과소 반응 반응(즉, 트라우마와 관련된 경고반응)에서 주도적인 반영적 자기인식과 자기통제로 전환하게 해줍니다. 위험을 마주하고 도움을 청할 때를 연상시키는, 쉽게 기억하기 위한 약자인 **SOS**는 초점맞추기를 잘 시도할 수 있도록 하는 데 사용됩니다:

- Slow down 속도를 늦춰라: 모든 인식과 생각 속에서 나의 마음을 알아차리고 깨끗하게 쓸어냅니다.

- Orient yourself 스스로 가치있게 생각하고 믿는 것과 한 인간으로서의 나를 바탕으로, 지금 나에게 가장 중요한 것이 무엇인지를 나타내는 (단어, 장면, 소리, 혹은 어떤 감각이든) 하나의 생각을 선택하여 자신에 대한 방향 감각을 갖습니다.
- Self-check 자신에 대해 (a) 스트레스 수준(전혀 없음부터 최악의 상황까지)과 (b) 개인의 조절 정도(전혀 없음부터 가장 잘 하는 수준까지)를 점수(1-10의 척도)로 매겨 스스로 확인합니다.

FREEDOM과 SOS 단계들은 치료자와 내담자가 복잡한 일련의 심리사회적 전략을 단순화하고 조직화하며 유연하게 전개할 수 있도록 도구 모음과 점검목록표를 제공하여 트라우마 관련 생존 양식mode에 갇힌 징후를 인식하고 핵심 감정, 가치, 관계 및 자기 관련 자원을 활용하여 주체적 자기 인식을 회복하게 해줍니다. FREEDOM 단계들은 치료자와의 대화를 통해, 또는 치료 집단이나 환경 프로그램에서 상호작용을 지도받으며 점진적으로 학습되고 실천됩니다. FREEDOM 단계("FREEDOM 연습")를 적용하는 방법을 요약한 유인물은 내담자가 회기내나 회기 사이의 독립적인 숙제 또는 집단 환경(예: 구금 또는 교정 시설, 주거 치료 또는 위탁부모 프로그램)에서의 경험들부터 최근(또는 과거) 경험을 검토하는 데 사용합니다. 내담자가 PTSD 증상을 경험하는 동안 "알람 반응"을 구분하여 태어날 때부터 지니고 있는 자기 조절에 집중하는 기술을 사용하는 능력을 키우도록 실습이 고안되었습니다. 목표는 증상을 제거하는 것(이 경우 역설적으로 증상이 심해짐)이 아니라 PTSD 증상이 알람신호에 기인한 것이며 적응적인 목적이 있다는 것을 인식함으로써 마음챙김의 인식과 수용을 장려하고, 더 많은 자기와 일치되는 다음의(주요) 내부 자원과 행동을 선택하는 데 초점을 맞추는 것입니다: 감정, 생각, 목표, 행동, 그리고 자기 평가 기준.

TARGET은 또한 참가자들이 콜라주, 그림, 시, 글쓰기를 통해 자신의 "인생선lifelines"을 만듦으로써 긍정적이거나 부정적인 감정 인식 능력을 높이기 위한 창의적인 예술 작업을 하게 합니다. 인생선은 트라우마 및 스트레스가 많은 사건을 다루면서도 반복적으로 다시 이야기하는 과정 없이 SOS 및 FREEDOM 단계를 삶의 내러티브 구성에 적용할 수 있는 방법을 제공합니다. TARGET은 트라우마 기억 처리를 필요로 하지 않으며, 대신 현재 또는 과거의 스트레스 사건을 설명하는 내러티브를 체계적으로 재구성하는 방법을 배우도록 내담자와 작업합니다. 인생선 작업의 전제는, 현저히 불쾌하고 분절되며 불완전한 기억을 정서적, 인지적으로 일관되고 완전하게 재구성하는 방법을 알게 함으로써, 과거의 트라우마나 현재의 스트레스 상황으로 인한 힘든 감정을 조절하는 내담자의 능력을 향상시킬 수 있다는 것입니다.

## 21.3 사례들

TARGET 성별 집단 사례를 통하여, 남자 청소년 집단의 치료 시작에서 집단상호작용을 하는 부분과 여자 청소년 집단 치료에서는 무력감, 낙인, 배신, 성 차별의 트라우마를 유발하는 역동(Finkelhor와 Browne 1985)이 어떻게 다루어 졌는지를 강조하여 보여드리려고 합니다. 소년원에 머무는 시간이 짧은 경우가 많아, 4회기로 TARGET 프로그램(four-session TARGET adaptation, 이하 T4)이 기획 되어 최근 10년간 소년원 및 보호 거주 시설 내 (각 성별 집단의) 남녀 청소년 3000명 이상이 참여하였습니다. 집단은 인증된 TARGET 트레이너로부터 훈련 받은 뒤 지속적으로 임상 자문(TARGET 집단 프로그램 충실도 점검목록에 기반한 직접적인 관찰 및 구조화된 피드백)을 받는 석사 또는 학사 수준의 치료자와 소년원 직원이 이끕니다. 집단은 일반적으로 일주일에 두 번 모이고, 가능한 한 많은 청소년이 참여할 수 있도록 수시 모집 방식으로 참석합니다. 집단 진행자들은 가능할 때마다 개별적으로 청소년들과 만나 TARGET 2, 3차 회기에서 보통 다루는 핵심 내용을 요약 제공하고, 4회기는 마지막 회기이기 때문에 일반적으로 폐쇄 집단(즉, 진행 중인 집단 구성원만 참석)으로 진행합니다. TARGET 집단 회기는 진행자가 규칙과 회기의 주제에 대한 간략한 개요를 안내하는 것로 시작하고 SOS의 현재 "스트레스 수준"과 "개인 조절"에 대한 10점 평가 척도를 사용하여 각 구성원이 상태점검check-in을 합니다. 세 번째 회기에서 SOS를 설명하고 나서 집단 구성원들이 주의를 집중하도록 진행자는 최소 3회(회기의 시작, 중간, 종료)에 걸쳐 2분 가량의 SOS를 실시하여 합니다. 지역사회 환경(예: 선도프로그램 또는 정신건강 클리닉)에서 FREEDOM 기술 세트는 10-12회기 집단 또는 개인 치료로 익히게 되지만, 소년원의 청소년 집단에 어떻게 적용되는지 보기 위해 보다 간략한 T4 맞춤형 프로그램을 설명할 것입니다. 개인정보와 비밀 유지를 위해 가명을 사용하고 모든 신상은 실제 개인이 아닌 가상의 인물로 수정하였습니다.

### 21.3.1 소년원에서의 남자 청소년 T4 집단 치료

5명의 소년(알록, 카를로스, 레본, 라힘, 토마스)이 처음으로 T4 집단에 참석했고, 1명(마이클)은 이전의 구금 당시 T4 집단에 참석했었던 적이 있으며 다시 참석한 상태입니다. 이 대화는 T4가 어떻게 시작되는지를 보여줍니다.

*진행자:* TARGET 집단 시간에 만나게 되어서 반갑다. 모두 앉자. 여기 있는 모든 사람들은 서로 다 아는 것 같아. [모든 참석자의 이름을 호명] 이 집단은 4개 의 회기로 되어 있고 이번이 첫 번째에요. 오늘은 뇌의 스트레스 반응이 나를 통제하게 놔두는 대신, 내 뇌를 이용해서 통제할 수 있도록 스트레스가 뇌에 어 떤 영향을 미치는지 알아볼 거야. 그러기 위해서는 집중할 수 있어야 하는 데, 이는 상황에서 가장 중요한 것에 주의를 기울이는 것을 의미해.

*라힘:* 파티하는 장소나, 찐 남자인 토마스가 잘 찾는 여자 같은 거요? (웃음)

*토마스:* 너 까불지마, 헛소리 받아줄 기분 아냐.

*진행자:* 토마스에게 집중하는 좋은 예시를 보여주었구나. 우리가 중요한 목적을 위해 여기 있고 남을 자극하지 않는다는 것을 상기시켜 줘서 고마워. 유머는 우리 모두 함께 웃고 존중한다면 괜찮지만, 무례하고 주의를 산만하게 할 때는 그렇지 않다, 그치, 라힘?

*라힘:* 네, 뭐 상관없어요… 좋아요, 알았어요!

*진행자:* 다시 집중하기 위해 간단히 상태점검하자. 마이클, 너는 전에 TARGET을 해봤으니까, 곤란하게 하고 싶진 않지만 스트레스와 개인 조절 척도에 대해 설명해 줄 수 있을까? (벽에 두 개의 자기 점검 눈금이 있는 SOS 포스터를 가리킴)

*마이클:* 네, 할 수 있어요. 먼저 스트레스 수준을 1에서 10으로 평가해요 1는 스트레스가 없고 10은 심한 거예요. 그래서 지금 제 스트레스는 7이에요 왜냐면 전 여기 있는 게 좋지는 않지만 무섭지도 않거든요. 그리고 자신의 조절력을 점수 매겨요. 1은 정말 낮아요. 마치 조절을 전혀 못 하는 것처럼요. 그리고 10은 완전히 통제가 가능한 거에요. 그러니까 나를 항상 돌아볼 수 있는거죠. 하지만 지금 내 통제력은 8이에요. 가능한 한 여기서 빨리 나가려고요.

*진행자:* 바로 그거야, 마이클, 고마워, 그리고 너의 개인 조절 점수가 높다는 게 좋구나. 완전히 집중하는 10점은 아니지만, 네가 상당히 심한 스트레스를 다루고 있다는 점을 생각하면 이해할 수 있고, 스트레스도 최악인 10점은 아니구나. 다들 지금 자신의 스트레스와 조절력 점수를 살펴보자, 레본은 어때?

*레본:* 글쎄요, 저는 스트레스를 많이 받아 본 적이 없어서 스트레스는 0점 같아요. 내가 조절하는 데 방해가 되는 건 하나도 없으니까 그건 10점이고요.

*진행자:* 레본, 고마워. 1점 이하는 없으니까 1점과 10점으로 볼께. 알겠지?

*알록:* 스트레스 5. 조절력 9. 여기 있고 잘 하고 있고 조절 잘함.

*토마스:* 저는 스트레스는 1이었고… 하지만 아직도 스트레스는 2 밖에 안되고 조절은 9에요.

*카를로스:* 스트레스 없고, 조절은 완전하고…오케이, 그럼 1점과 10점이네.

*라힘:* 나는 여기 있는게 엄청난 스트레스에요. 나는 10점요. 여기 있고 싶지 않아요!

*진행자:* 소년원에 있는 건 누구나 스트레스지, 라힘, 기꺼이 직접 말해줘서 고마워. 그런데 확인하고 싶은데, 네가 말하는게 여기 소년원을 말하는 거니, 아니면 이 집단이니, 아님 둘 다일까? 이 집단이 스트레스를 더하는 게 아니라 서로에게 도움이 되도록 최선을 다하려고 하거든.

*라힘:* 내 말은 소년원이요. 난 모르는 사람들과 갇혀 있는 걸 좋아하지 않아요. 이 집단에도 있고 싶지 않아요. 예전에 많은 집단에 있어봤는데, 나한테 도움이 안 됐어요. 다 구렸어요. 여기서 나가는 것만이 스트레스를 줄여주는 거에요.

*진행자:* 내 생각에는 네가 아마 이런 집단에 대해 남들이 생각하는 것들을 이야기하는 것 같은데, 지금까지 집단이나 상담이 별로 도움이 되지 않았던 것 같다면 그렇

게 회의적으로 보는 게 네가 똑똑해서인 것 같아. 내 말이 맞다면 라힘의 말이 다른 사람에게도 맞는 말이니? (주변을 둘러보며 대다수 동의의 뜻으로 고개를 끄덕이는 것을 본다.) 이 집단이 실제로 도움이 되는 다른 뭔가를 할 수 있는지 한 번 지켜보자. 장담할 수는 없는 거지만 여러분에게 공평하게 기회를 한 번만 달라고 부탁하는 거야. 알겠지?

*카를로스:* 저는 앉아서 어떻게 하면 더 나은 사람이 될 수 있는지에 대해 말도 안 되는 얘기를 하거나 스트레스 받는 이야기만 잔뜩 듣느라 열받게 되는 모임들은 좋아하지 않아요.

*토마스:* 맞아. 우리 모두 우리가 왜 여기 있는지는 알고 있으니, 그냥 그건 각자 알아서들 하고 괜히 죄책감에 사로잡히거나 모든 것이 얼마나 불공평한지 징징대는 것들로 더 나쁘게 만들지 말죠.

*마이클:* 저번에 해보니까, 설교도 안 하고 눈물 짜는 이야기도 아니었어. 미친 소리도 아니고 이게 뭐 여길 나가게 해주는 표도 아니지만, 네가 한번 기회를 주면 뭔가 배울 수 있을 지도 몰라.

*토마스:* 그래, 그래, 그래, 알랑거려봐라. 너 그때는 뭘 배웠길래 다시 온 거야?

*마이클:* 너하고 똑같았어, 이게 바보같다고 했지, 괴짜나 중2병 걸린 놈들만 이런걸 할 거라고 했어. 하지만 사실, 내가 다시 온 건 바로 내가 집단 시간에 집중하지 않아서 모든 실수를 다 했기 때문이야.

*진행자:* 네 뇌에 알람이 울려서 반응모드에 계속 있게 됐던 것 같은데, 마이클. 하지만 넌 지금 뇌에 집중하기 위해 뭔가를 하고 있어. 그게 이 집단에서 하려고 하는 전부야. 서로 상태 점검을 하면, 우리는 뇌에서 무슨 일이 일어나는지 살펴보고 네 의견도 추가할 수 있을 거야.

*라힘:* 내 뇌는 완전 멀쩡하니까 아무도 건드리지 않았으면 좋겠어! (웃음)

*진행자:* 문제 없어, 라힘, 아무도 너나 그 누구의 뇌를 건드리지 않을 거야. 우리는 단지 스트레스를 받을 때 모든 사람의 뇌에서 어떤 일이 일어나는지 살펴볼 거야. 그래서 너희들이 지금 말한 것처럼 스트레스를 많이 받더라도 뇌를 사용하여 스트레스를 해결하고, 소년원에서 나가서 다시 돌아오지 않는 것 같은 목표를 이루고, 네가 원하는 게 무엇이든 인생에서 이루고 싶은 긍정적인 목표도 달성할 수 있어. 뇌는 복잡한 기계이고, 상당히 첨단 기술이기 때문에 그것을 효과적으로 쓰고 최대한 활용하려면 어떻게 작동하는지 알아야 해. 네가 듣고 있는 걸 보니 벌써 너의 뇌를 쓰고 있는 것 같아. 그리고 좋은 유머 감각으로 정곡을 찔렀어. 너의 스트레스 수준이 여전히 10점, 최악이니? 개인적인 조절감은 어때?

*라힘:* 에이, 이건 최악의 스트레스는 아니죠, 더 심한 걸 얼마나 많이 겪었는데요. 음, 스트레스는 단지 6, 7 정도에요. 조절감은 괜찮은데, 8점이나 9점이요. 아직 다 통제하지는 못하니까요!

*진행자:* 그래, 알게 되어서 좋구나. 만약 우리가 만나고 있는 동안이나 회기 사이에 스트

레스 점수가 9, 심지어 10까지 올라가고 개인 조절 점수가 5보다 낮다면, 그 때 이 집단에서 배운 두뇌 사용 기술brain skills은 네가 원하는 것을 이룰 방향으로 어떤 스트레스건 다룰 수 있게 조절력을 다시 얻는데 도움이 될 거야. 그리고 무엇이든 나나 집단 구성원들이 네가 조절력을 얻게 도울 수 있는 일이 있다면, 상태를 점검하고 알려줘. 나는 여러분이 스트레스를 대부분 스스로 해결하거나 알고 신뢰하는 사람들의 도움으로 해결한다는 것을 알고 있어. 그래서 나는 이 집단이 더 낫다고 말하는 것이 아냐. 이미 스트레스를 다루기 위해 네가 이미 하고 있던 기술에 이 집단이나 네가 쓸 만할 가치가 있어서 여기에서 배우고 싶다고 생각하는 기술이면 무엇이든 추가하면 돼. 이것에 회의적이더라도 적어도 집단에게 기회를 한번 주는 건 모두들 괜찮겠니?

*레본:* 전 됐어요. 스트레스도 적고 조절점수도 높다고 말했잖아요. 그러니 이미 내가 잘 다루고 있는데 내 멋진 뇌가 뭘 더 배워야 하나요?

*진행자:* 좋은 질문이야. 너는 네 뇌에 알람 기능이 있다는 거 알고 있었니? 또 너나 나, 또는 우리 중 누구라도 생각없이 행동했다가 후회하거나 문제가 생겼던 경험이 있지? 그건 우리가 똑똑한 선택을 하게 해 줄 뇌의 나머지 부분을 쓰지 않고 알람을 다시 맞추지 않았기 때문이야. 내가 무슨 말 하는지 보여줄께. 여기 여러분이 스트레스를 받을 때 뇌가 어떻게 작동하는지, 그리고 어떻게 재설정해야 할지 모르면 어떻게 뇌 속의 경보가 여러분을 장악하고 납치할 수 있는지 보여주는 사진들이 있어.

### 21.3.2 소년원에서의 여자 청소년 T4 집단

세 명의 여자 청소년이 소년원 프로그램의 TARGET 집단에 참여했습니다. 그들은 도시 중산층 가정에서 온 16세의 백인 및 라틴/아프리카-카리브 계 혼혈인 아리아나, 시골 저소득 한부모 가정에서 온 백인 15세 로니, 레즈비언 커플에게 입양된 16세의 아프리카계 미국인 티샤입니다.

아리아나는 전 남자친구에게 성폭행을 당한 지 6개월 만에 반복적인 절도로 구속되었습니다. 구치소 입소 면담에서 아리아나는 11살 때 여름 몇 주간 사촌 집에 놀러갔다가 삼촌에게 성추행을 당했다고 말했습니다. 집으로 돌아가기 전까지 누군가에게 말하기가 두려웠는데, 부모가 경찰에 성추행 사실을 신고하자 부끄러움과 죄책감이 들었고, 그녀가 재판에서 증언한 후 그는 감옥에 갔습니다. 그녀의 부모님은 비록 그녀의 잘못이 아니라며 계속 그녀를 위로해 주었지만 그 일에 너무 분노하고 속상해 했기 때문에, 그녀는 자신이 부모와 다른 가족들에게 상처를 줄까 봐 걱정했고, 부모님이 다시는 사촌이나 그 가족들을 보거나 말하게 허락하지 않았기 때문에 사촌들도 그녀를 싫어한다고 확신했다고 말했습니다. 아리아나는 그 후 몇 달 동안 치료자를 만나 심리적 대처기술, 이완 기술을 배웠고, 이것이 그녀가 "항상 울지 않고" 속상할 때 더 차분해질 수 있도록 도와주었다고 했습니다. 그녀는 또한 치료자의 도움으로 일어난 일에 대한 이야기를 쓰고 그것을 부모님에게 읽어드렸는데, 모두 울기 시작했지만 부모님이 자신을 믿어주고 화를 내지 않는 것을 보고 기분이 나아졌고 모두 지나간 과거의 일이고 다 끝난 일처럼 느껴졌습니다. 최근 전 남자친구의 폭행 사건 이후, 그녀는 그 기술로 그것에 대한 이야기를 쓰려고 했지만, 머릿속이 하얘지거나, 눈물만 나거나, 너무 화가 나서 벽을 주먹으로 때리게 되었습니다. 그러다 자기도 모르게 물건을 훔치기 시작했습니다. 그녀는 자신에게 정말 문제가 생겼기 때문에 치료가 도움이 될 수 없고 글쓰기와 대처 기술도 더 이상 효과가 없을 것이라고 말했습니다.

로니는 친아버지(로니가 2살 때부터 마약과 가정폭력 등의 강력범죄로 투옥) 없이 술과 약물을 남용하는 어머니의 애인들과 어머니와 함께 거주하며 성장했습니다. 그녀는 5명의 이복 남매가 있었는데, 그 중에는 그녀가 대리 엄마처럼 느끼는 (그러나 어머니의 불안정한 대인관계와 마약 사용의 패턴을 반복하는) 큰 언니와 모성애적 보호본능을 느끼는 (그러나 모두 위탁가정에서 지내고 있기 때문에 정기적으로 만나지 못하는) 4명의 동생들이 있었습니다. 로니의 기억 속에서 그녀는 반복적으로 어머니뿐 아니라 자신을 때리는 어머니의 애인들 때문에 어머니의 집에서 좀처럼 안전하다고 느끼지 못했는데, 그들 중 2명은 그녀를 12세와 13세 때 성추행했습니다. 로니는 친구들과 어울리는 데 어려움을 겪었고, 자신이 항상 다른 사람들을 너무 의심하고 (책을 좋아함에도 불구하고) 학교에 집중하지 못하는 것처럼 느꼈습니다. 그녀는 절망과 무가치감으로부터 벗어나기 위해 술과 마약에 의지했습니다.

티샤는 대가족 사이에서 조부모의 양육 하에 자랐는데, 할아버지가 심장마비로 돌아가신 후 할머니는 무섭게 가혹해져서 티샤에게 "(너에겐) 좋은 점이 없어, 네 엄마 같은 창녀야"라고 말하고 상상 혹은 실제의 잘못에 대하여 체벌을 했습니다. 티샤는 수동적으로 벌을 받으며 할머니의 인정을 얻으려고 노력했고, 할머니외에는 자신을 무시하는 어떤 사람과도 싸우려 들었습니다. 그녀는 폭력적인 신고식을 거쳐 갱단에 가입했고, 도둑질을 할 때 보초를 서거나 다른 갱들과의 대결에서 검투사와 같은 싸움꾼 역할로 소모되었습니다. 티샤는 갱단의 남성 조직원들과 강제로 성관계를 맺게 되었는데, 그녀는 이를 단순히 조직에 가입한 대가로 여겼습니다. 그녀는 자신이 "정신을 놓고" 싸우거나 성폭력 피해를 겪었을 때 기억의 상당 부분을 잃어 버렸다는 것을 인지하였습니다.

**1회기** 소개가 끝난 후 진행자(여성 사회복지사)는 집단 규칙과 기대치를 검토하면서 누구도 과거의 충격적인 경험이나 민감한 사적인 정보를 말할 필요가 없다는 점을 강조했습니다. 진행자는 이 시간이 극심한 스트레스가 뇌를 어떻게 변화시키는지, 그리고 스트레스 반응이 혼란과 문제를 일으킬 때 뇌를 재설정시키는 실용적인 방법들을 배울 수 있는 기회라고 설명했습니다. 진행자는 이것이 그들에게 새로운 내용이 아닐 수도 있지만, 대부분의 사람들은 스트레스를 받을 때 뇌가 어떻게 작동하는지 배우지 못했다고 언급하며, 뇌에는 알람경보가 존재하는데 위기 모드에서는 알람이 켜져 있는 상태로 갇힌다는 사실을 전달하는 것으로 시작했습니다.

각 청소년들이 겪었던 일에 기반하지만 구체적으로 특정하지 않은 사례들을 사용하여, 진행자는 트라우마 경험에서 알람 모드가 작동하는 건강한 위기/생존 반응이, 우리가 알람을 재설정할 줄 모를 때에는 만성적인 과잉 반응 (또는 정지) 상태가 되어 혼란스럽고 좌절감을 느끼고, 다 망한 것 같거나 로봇처럼 움직이는 것 같고, 충동에 따라 또는 멍한 상태로 행동하게 만든다고 설명했습니다. 진행자는 또한 청소년들의 경험과 유사한 예시를 사용해서, 그들이 이 경고알람을 알지 못함에도 그들의 생각중추를 활성화시키고 그들의 핵심 가치(예: 존경, 정직, 충성, 성공)를 근거로 저장된 기억들에 집중하여 어떻게 그들의 뇌를 일시적으로 재설정하는 데 성공할 수 있는지를 제시하였습니다. 진행자는 여자 청소년들에게 주요 뇌 부위의 사진이 있는 유인물을 보여주어 스트레스 반응이 일어나고 그들이 알람을 재설정했을 때 뇌에서 무슨 일이 일어나는지 시각화할 수 있게 했습니다.

여자 청소년들은 한결같이 "어떻게 아무도 이 경고알람이라는 것을 한번도 말해주지 않았지!?"라고 반응했습니다. 그들은 빠르게 반응적인 감정과 행동 사이의 연결을 만들었고, 뇌의 사고중추를 이용하여 그들에게 가장 중요한 것에 집중하는 방법을 몰랐기 때문에 뇌의 트라우마 반응성 경고알람이 결코 재설정되지 않았던 것입니다. 아리아나는 과거에는 통했던 글쓰기와 대처 능력 기술연습이, 최근의 폭행으로 스트레스가 가중되면서 생존모드에서 뇌의 경고알람이 지나치게 공급된 결과, 지금은 통하지 않는 것처럼 되었다는 것을 이해했습니다. 로니는 학교를 빠지고 약에 취하는 것이 자신이 괴롭힘을 당하거나 집이나 학교에서 자신이 쓸모없는 말을 들었을 때 느끼는 알람 반응을 끄는 방법이었지만, 이러한 대처 전술이 그녀의 집중력과 통제력을 증가시키기 보다 오히려 알람을 더 작동시켰다는 것을 깨달았습니다. 티샤는 좀 더 회의적이었지만, 마지못해 "아마도" 다른 갱단의 여자 청소년들과 싸우고, 조직원들이 자신을 신체적으로나 성적으로 폭행하게 둔 것이 그녀의 내부 알람을 켠 뒤 다시 재설정을 하지 않은 것일 수도 있겠다고 인정했습니다.

**2회기** 시작할 때 하는 첫 상태점검에서 진행자가 첫 번째 회기에서 어떤 것이 도움이 되었는지 묻자, 티샤는 다른 아이와 대화 중에 "내게 이상한 표정을 지어보인" 여자 아이를 공격하려고 하다가 어떻게 자제했는지에 대해 말했습니다. 어떻게 싸우지 않는 것을 선택했냐고 묻자, 티샤는 보통은 적인 것 같으면 즉시 공격한다면서 "그 사람을 본 다음 순간이면 내가 그 사람을 때리고 있거든요," 그런데 이번에는 그 "상태"가 되기 전에 "내 뇌에서 알람이 울리는 것을 들었고, 저는 스스로에게 '얘는 그럴 가치가 없어'라고 말하고는 걔가 저에게서 눈을 돌릴 때까지 그냥 노려봤어요. 왜냐하면 전 진짜 소름끼치는 표정을 지을 수 있는데 그러면 아무도 못 버티거든요."라고 말했습니다. 진행자는 티샤의 정신이 그녀의 강한 몸보다 훨씬 더 강력해 보였다고 말했고, 아리아나와 로니는 감탄을 표현했습니다. "대단한데!"

진행자는 만약 그들의 뇌에 알람 신호가 울린다면 그들이 어떻게 "정신력mind power"을 사용할 수 있는지에 대한 예시를 다른 아이들로부터 이끌어냈습니다. 진행자는 생각 없이 반응하는 것 (즉, 충동적이거나 해리 상태) 대신 알람 반응의 징후를 인지하고 주요 목표를 달성하는 데 정신을 집중하는 능력이 그들에게 있다는 것을 강조했습니다. 집단은 그들이 뇌의 경고알람을 켤 수 있는 촉발인자를 인식하도록 제작된 유인물을 검토하고, 그들이 촉발인자를 마주할 때의 상황과 경고 반응을 다루기 위해 그들의 "정신력"을 사용할 수 있는 방법들에 대해 머리를 맞대고 이야기를 나누었습니다. 로니는 어른이나 또래 집단의 괴롭힘에 의해 촉발되었을 때 자신이 어떻게 멈춰 버리고, 그런 일이 일어나 도록 내버려둘 때 얼마나 "패배자처럼, 쓰레기처럼" 느껴지는지 이야기했습니다. 진행자가 다른 아이들에게도 숨길 수 있더라도 그런 식으로 느낀 적이 있었는지 이야기해보자고 했을 때 아리아나와 티샤 둘 다 그런 적이 있다고 답했는데, 로니는 "나는 너희 둘이 항상 정신줄을 잘 잡고 있다고 생각했어, 나처럼 약하지 않잖아."라며 매우 놀라워했습니다. 진행자는 아이들의 솔직한 고백에 대해 로니를 포함한 그들 모두가 "강하고, 약하지 않아. 너희는 고통스러운 감정을 인정하고, 그동안 항상 너희들이 원하는 방식으로 스스로를 지키지 못했다고 느끼더라도 괴롭히는 사람들이 너희를 때려눕히게 두지 않도록 책임질 힘을 가지고 있으니까."라고 재구성하여 주었습니다. 진행자는 "다른 사람들이 너희를 위협하거나 너희 자신에 대해 나쁘게 느끼게 하려고 할 때, 이제 너희는 그들이 자신의 알람을 끄고 남을 다치게 하거나 학대하는 것을 멈출 힘이 없기 때문에 그 알람이 그냥 그들의 삶을 좌지우지하게 내버려두고 있다는 것을 알게 되었어. 너희는 정신력을 사용하여 그들에게 맞서고, 너희가 옳다고 생각하는 것을 선택하고, 너희나 그들의 알람 신호가 너희에게 무엇을 하고, 생각하고, 정의하도록 통제하게 두지 마."라고 말해주었습니다. 아리아나와 티샤도 로니에게 "너는 패배자가 아니야. 나약한 사람은 학대자이고 괴롭히는 사람이야. 그리고 그들은 더 이상 널 망가뜨릴 수 없어!" 라고 덧붙였습니다. 명시적인 편견과 배신의 언급 없이, 알람 신호의 촉발인자에 대한 이번 회기 작업은 청소년들이 트라우마 역동을 잘 이해하고 극복할 수 있다고 느끼게 도와주었습니다.

**3 회기** 진행자는 SOS를 가르치기 위해 알람 반응을 인식하고 처리하는 면에서 청소년들이 경험한 이전과 최근의 성공 사례를 이용했습니다. 진행자는 SOS를 단순 암기하기보다, 촉발인자가 스트레스 반응을 야기하였을 때 그들이 어떻게 잠시 멈추고 "내 인생에서 정말 **내게** 중요한 것이 무엇이고 **한 사람으로서 내가 누구인지**"를 생각해보는 것을 통해 그들의 "정신력"에 접근해서 SOS를 할 수 있었는지 볼 수 있게 했습니다. 신체 운동과의 유사성을 짚으며, 진행자는 그들이 뇌의 생각과 기억 저장 중추에 초점을 맞추고 알람 신호를 재설정하는 것을 규칙적으로 한다면 SOS가 정신의 근력을 만드는 방법이 될 수 있다고 설명했습니다. 아리아나는, "어렸을 때 배운 이완 기술보다 이게 더 좋은 것 같아요, 왜냐하면 긴장을 푸는 것보다 강한 것이 더 낫거든요. 저는 제가 강하게 느껴지고 안전하다는 것을 알 때에만 긴장을 풀 수 있어요."라고 말했습니다.

이 회기에서는 청소년들이 스트레스 반응을 보이기 전, 도중, 또는 후에 자신의 핵심 가치에 접근하기 위해 사용할 수 있는 (또는 이미 해보았던) "생각의 지향orienting thought"을 브레인스토밍했습니다. 지향적인 생각이 꼭 단어일 필요는 없으며 건강한 관계, 안전한 장소, 그들에게 가장 의미 있는 관심사나 재능을 대표하는 사람, 장소, 활동을 시각화하거나 그들의 핵심가치를 음악, 시, 이야기들로 표현할 수 있다는 것을 배우는 것이 도움이 되었습니다. 아리아나는 여기서 한단계 더 나아가, 뇌의 생각과 기억 중추의 힘을 이용하는 방법으로 자신의 삶에 기반을 둔 소설을 쓰고자 했습니다. 그녀는 일기를 쓰는 것이 성적 트라우마 이후 약간의 개인적인 통제감을 유지하는 데 도움이 된다는 것을 깨달았고, 작가가 되는 것이 SOS를 진실하게 하는 중요한 부분이라고 결론 내렸습니다. "나는 한 사람의 인간으로서, 피해자나 도둑이 아닌데도 알람 경보가 나를 그렇게 행동하게 밀어붙이지만, 내가 작가일 때는 내 개인적인 통제력을 되찾아요. 예전에는 그저 자기연민이나 그들이 빼앗아간 것에 대한 보상심리로 글을 썼는데, 지금은 먼저 집중하고 그리고 나서 양쪽 편의 이야기, 스트레스 알람 경보를 쓰고, 개인적인 조절감에 초점을 맞춰요. 등장인물들이 다 곤란해지면, 저는 그들이 알람을 재설정할 수 있도록 SOS를 하게 돕죠!"

**4회기** 진행자는 핵심 가치와 긍정적인 자기감각에 집중하는 것이 단순한 정신적 연습만이 아니라 그러한 가치와 진정한 자신을 표현하는 행동으로 이어질 수 있다는 점을 설명하기 위해 청소년들의 경험에서 다시 예를 들었습니다. 진행자는 비록 사람이 정신적으로 매우 집중되어 있고 대단한 "정신력"을 가지고 있어도, 생각과 기억 중추가 지향하는 생각을 실용적인 목표로 변환하는 데 사용하지 않는다면, 뇌의 경고신호가 여전히 통제권을 가질 수 있다고 주의를 주었습니다. 집단은 (알람 경보에 의한) "반응적" 목표와 (핵심 가치와 자신의 진정한 자아에 근거한) "주요" 목표의 차이와, 어떻게 양 관점을 결합하여, 로니의 말처럼 "괜찮은 척 하지도, 조심하지 않아도 되는 척 하지 말고, 닥치는 대로 하는 게 아니라 진실되게" 가장 효과적인 목표를 설정할 수 있는지 논의했습니다.

세 청소년 모두 성적 트라우마를 겪었기 때문에, 회기의 끝부분에 배신, 낙인, 무력감(예, 성적대상화)에 물든 성적인 오명에 대해 다루었습니다. 진행자가 T4를 사용하여 "정신력"를 강화하고 사용할 때 어떤 문제에 직면할 수 있는지를 묻자, 티샤는 "내가 집중하고 나의 주된 목표를 가지고 있다 해도 무슨 소용이 있겠어요, 다른 사람들의 알람 경보가 나를 강간해도 된다고 할 때 나를 이용한다면요? 그 사람들은 뇌에 알람이 있다는 것도 모르고, 그것을 재설정하는 것도 확실히 알지 못해요. 그러면 그들은 바로 나를 희롱하거나 진짜 강간하거나 그들의 성적 장난감처럼 이용해요. 나는 그들의 뇌에 생각 중추가 **있다고** 생각하지 않고, 그들은 나와 다른 여자애들을 그런 쓰레기처럼 대할 수 있다고 생각해요."라고 대답했습니다. 다른 아이들도 이런 딜레마에 대해 그렇게 대우받는 것은 옳지 않다고 말하며 공감하였습니다. 티샤는 "우리가 할 수 있는 건, 그들은 우리를 이용할 것이고, 우리가 그들을 막으려고 하면 그들은 우리를 더 심하게 해칠 거야!"라고 했습니다. 진행자는 이것이 매우 심각한 딜레마임을 인정하면서, -여자 아이들이 겪은 (또는 티샤의 경우처럼 최근까지 겪고 있는) 피해와 위험을 고려하면 이해되는- (알람경보에 의한) 반응적인 목표("피해자가 되는 것으로부터 자신을 보호하는")와 자신과 그들의 삶에서 건강하고 안전한 일부로서의 성적 활동의 가치를 반영하는 주요 목표의 조합을 강조했습니다. 아이들은 주요 목표가 달성 가능한지에 대해서는 다소 회의적이었지만, 이를 강하게 지지하며 서로를 비롯한 '생각 중추가 있는 사람들'이 이를 지향하도록 하겠다는 결의를 다졌습니다.

## 21.4 소년원에서 PTSD 심리치료를 도입할 때의 특정 상황과 어려움들

청소년 사법 시스템의 청소년들과 그들의 가족, 동료들은 종종 지속되거나 새로운 위험이나 피해(예: 가족, 또래, 공동체 폭력; 정서, 언어, 성적 학대; 괴롭힘; 방임; 우발적 또는 대인관계적 피해로부터의 부적절한 보호)에 직면합니다. 외상후 스트레스 요인에 노출되어 발생한 증상 시기가 트라우마 후[post-traumatic]보다 트라우마 직후[peri-traumatic]인 경우, FREEDOM 자기 조절 기술이 특히 적절하고 가치 있습니다. 소년원이나 법 집행과 사법처리 절차 혹은 지역사회 또는 또래 그룹에서 폭력 행위를 묵인하거나 조장하는 경우(예: 갱단)에는 성인 또는 동료로부터 언어 또는 신체 공격에 노출될 수 있고, 이것이 명백한 트라우마는 아니더라도 과잉 경계, 과각성 또는 트라우마 이미지의 침습 등의 외상성 스트레스 반응을 재활성화시킬 수 있습니다(Ford와 Blaustein 2013). 사례에서 설명한 바와 같이, FREEDOM 기술 세트는 현재의 외상성 스트레스 요인이나 다른 주요 생활 스트레스 요인(예: 가족 해체, 시설 거주, 체포와 구금 또는 감금)에 효과적으로 대처하고 회복을 돕는 선택지들을 개발하고, 이의 반응 처리를 촉진하는 구조를 제공할 수 있습니다. 여기에는 청소년이 잠재적 또는 실제 가해자에 대해 자신을 유용하게 옹호할 수 있도록 돕고, 위험에 처했을 때 청소년의 안전을 직접 대변할 의무 보고자의 책임을 명시하는 것이 들어갑니다.

문화적 감수성은 청소년 사법 환경에서 청소년과 함께 일하는 PTSD 심리치료자에게 중요한 도전 과제입니다. 그들은 소수민족 배경의 청소년과 성적 지향이 이성애자가 아닌 청소년에게 법 집행 기관과 사법 시스템이 부과하는 불균형적인 제재를 인지해야 합니다(Feierman과 Ford 2015). (구어체 또는 공식적) 언어와 문화적 규범, 가치, 기대치의 차이 외에도 이러한 청소년과 그 가족, 그들의 민족문화 및 정체성 기반 공동체, 이전 또는 현재 억압받는 종교적 공동체는 역사적 트라우마(예: 아프리카계 미국인, 아메리카 원주민, 중동 또는 남미 배경의 청소년 또는 조상이 집단 학살이나 인종 기반의 정치적 폭력을 당한 종교 집단; McGregor 등. 2015; Pole 등. 2008)에 의한 세대 간 스트레스를 경험할 수 있습니다. 청소년기의 발달과제, 목표, 문화는 민족문화적 정체성과 무관하게 성인과 상당히 다른 기대치, 규범 및 언어를 양산합니다. 사례 예시에서 볼 수 있듯이, PTSD 치료가 제공하는 언어, 활동, 태도는 매우 다양한 배경을 가진 청소년과 가족에게 의미 있고 존중의 방식으로 전달되도록 조정할 수 있고 또 조정을 해야 합니다.

소년 사법 제도의 청소년은 중기 아동기(9세 또는 10세)에서 청소년기 및 초기 성인기(일부 관할 구역에서는 20대 초반)의 연령에 해당합니다. 10대 이전 또는 잠복기의 아이들은 이 사법 체계에 있는 대다수의 동료보다 신체적으로나 심리사회적으로 발달면에서 훨씬 어리고, 발달 장애 또는 학습 장애가 있는 전기 청소년들과 함께, 부정적인 사회적 학습이나 과거의 외상성 피해의 결과로 냉담하고 감정 없는 페르소나를 갖고 신체적 또는 정신사회적 우위를 위한 도구로 폭력과 과잉경계를 사용하는 후기 청소년에 의한 피해와 비행으로의 사회화에 취약합니다. 반면에, 나이가 많거나 더 성숙한 청소년은 종종 어린 동료들의 존경을 받으며, 청소년에서 성인에 이르는 전환 과정에서 발생할 수 있는 인지 및 도덕적 발달의 발전을 달성한 경우 어린 청소년의 긍정적인 역할 모델 및 보호자가 될 수 있습니다. 따라서 치료자가 모든 형태의 명백하거나 미묘한 괴롭힘, 강압 및 피해를 주의 깊게 관찰하고 막는다면 PTSD 치료 집단은 혼합 연령으로 구성하는 것이 도움이 될 수 있습니다.

여자 청소년들은 소년법 분야에서 독특하고, 불행하게도 증가하고 있는 하위집단입니다(Kerig와 Becker 2012). 여자 청소년들은 종종 가정이나 지역 사회의 갈등 또는 폭력, 성적 트라우마의 결과로 사법 기관과 소년 사법 제도에 들어가게 되며, 그 결과 피해자, 증인 또는 2차/우발적인 공범이 됩니다(예: 폭력, 절도 또는 자기 보호 수단으로서의 매춘). 여러 연구에 따르면 청소년 사법 환경에 있는 여자 청소년들은 남자 청소년보다 가정 폭력에 직접 노출되거나 목격 보고의 가능성이 3배 더 높고 성적 학대를 당할 가능성은 5-10배 더 높습니다(여자 청소년 3명 중 1명에서 성 학대 보고). 성적 학대를 받은 여자 청소년들은 신경호르몬의 변화로 사춘기가 가속화되고(예: 9세 또는 10세에 조기 이차 성징 및 성 욕구 발달) 이에 따라 인신매매로 인한 성 노예를 포함하여 청소년기에 더 많은 성적 피해를 당할 위험이 있습니다(Noll 등. 2003). 이렇게 만연된 성적 트라우마의 매우 개인적인 특성은, 전통적으로 남성에게 의존적인 고정관념에 묶이지 않고 그들의 정체성과 삶의 목표를 설정하도록 여자 아이들을 지원하는 것이 중요하다는 점 외에도 젠더 별 PTSD 치료 집단을 운영해야 하는 매우 강력한 이유들 중 하나입니다.

추가적인 문제는 청소년의 특성보다는 체계와 관련된 것입니다. PTSD 심리 치료는 지속적이고 체계적으로 시행되는 경우에만 청소년 사법 시스템 내에서 트라우마 후 손상을 경험하고 있는 많은 청소년에게 도달될 것입니다. 따라서 TARGET은 대규모 조직 및 서비스 시스템으로 보급할 인프라를 갖추고 있습니다. TARGET은 미국의 여러 대규모 청소년(및 성인) 사법 시스템과 북미 및 유럽의 정신건강, 아동 복지, 청소년 사법, 약물 남용 치료 및 노숙자 서비스를 제공하는 다중 프로그램 기관과 조직에서 시행되었습니다. 프로그램 시행은 코네티컷 대학교 연구소에서 설립한 소규모 업체에서 감독하며, 집중적인 조직 준비 평가, 직접 중재를 구현하는 치료자 및 직원을 위한 교육, 기타 모든 기관/조직 관리자 및 직원을 위한 개요 프레젠테이션  및 다음의 내용이 포함됩니다; 일관된 시행 및 질적 관리를 위한 다년 프로토콜 지원(TARGET 회기의 영상 녹화 트레이너의 독립적인 평가 포함); 충실도를 보장하고 이행 역량 강화를 위한 지속적인 협의; 시행, 협조 및 만족도 측정에서 얻은 자료의 구현 및 분석 지원; TARGET 제공자와 TARGET 트레이너/컨설턴트 모두의 인증 진행. 시행 인프라 및 진행은 미국 보건복지부 약물 남용 및 정신건강 서비스 관리국(US Department of Health and Human Services Substance Abuse and Mental Health Services Administration, 이하 SAMHSA)의 동료 심사를 거친, 국립 근거 기반 프로그램 및 치료 등재에 4.0 척도에서 4.0으로 평가되었습니다(www.nrepp. samhsa.gov). TARGET의 개정 버전을 테스트하는 보급 프로젝트 및 아동 복지 및 소년 사법 시스템의 치료자뿐만 아니라 직원line staff을 위한 트레이너 훈련 프로그램은 SAMHSA 국립 아동 트라우마 스트레스 네트워크(www.nctsn.org)의 치료 및 서비스 적응 센터인 트라우마 회복 및 소년 사법 센터the Center for Trauma Recovery and Juvenile Justice에서 수행합니다.

## 21.5 연구와 근거

복잡한 PTSD를 동반한 정신장애 및/또는 약물 남용 장애가 있는 성인을 대상으로 TARGET을 임상, 과학적으로 먼저 개발하고 시험하였습니다. 4건의 공개된 무작위 임상 시험 연구와 2건의 공개된 준실험 현장 연구에서 TARGET 중재를 경험적으로 평가하였습니다. TARGET 유무에 관계없이 외래 환자 그룹 치료를 비교한 무작위 통제 연구에서, TARGET 군은 PTSD 관련 신념을 줄이고 물질 남용치료 중의 성인의 금주 자기 효능을 유지하는 데 통상적인 치료보다 훨씬 더 효과적인 것으로 나타났습니다(Frisman 등. 2008). 복합 PTSD가 있는 수감 여성을 대상으로 TARGET과 매뉴얼화된 지지적 집단 심리치료를 비교한 후속 무작위 통제 연구에서 두 중재 모두 PTSD 및 관련 증상 중증도를 유의미하게 줄이고 탈락률(< 5%)이 낮았으며 자기 효능감을 높여주었습니다(Ford 등. 2013a). 그러나 TARGET은 과거에 피해를 준 타인에 대한 용서의 정서를 높이는 데 훨씬 더 효과가 있었습니다.

TARGET은 또한 PTSD에 대한 개인 정신치료요법으로도 검증되었습니다. 저소득층의 어린 아이를 돌보고 있는 PTSD 어머니를 대상으로 무작위 통제 연구가 시행되었습니다. 이 연구에서 PTSD에 대한 효과적인 사회적 문제 해결 요법, 현재 초점요법(Present-centered therapy, 이하 PCT; Frost 등. 2014)과 비교하여, TARGET은 PTSD 중증도의 지속적인(3개월 및 6개월 추적 평가에서) 감소와 정서 조절 능력 향상에 점증적 효과가 있는 것으로 나타났습니다(Ford 등. 2011). TARGET과 PCT 모두에서 우울증, 해리, 분노, 불안 증상의 현저한 감소와 대인 관계 및 기능의 개선이 있었습니다.

청소년 사법 및 법적 환경에서 비행에 연루된 여자청소년을 대상으로 한 무작위 통제 연구 1건과 청소년 사법 주거 프로그램에 참여하는 청소년을 대상으로 한 2건의 현장 연구field trial는 TARGET의 효과에 대한 근거를 제시했습니다. 무작위 통제 연구에서 일대일 개인 요법으로 전달된 TARGET은 PTSD 증상(침습적 재경험 및 회피) 및 불안 증상을 줄이고 트라우마 후 인지 및 감정 조절을 개선하는 데 관계 치료보다 더 효과적이었습니다(Ford 등. 2012). 관계 치료는 적극적인 치료법으로, 이 연구에서 TARGET은 여자 청소년의 자가 보고로 측정된 분노를 줄이고 희망감을 높였는데, 관계 치료에서 그 효과가 더 크게 나타났습니다.

두 개의 준실험적 청소년 사법 현장 시험 연구에서 TARGET은 집단 및 환경적 개입으로 전달되었습니다. 평소와 같이 서비스를 받는 구금 또는 수감된 청소년과 짝 지은 집단을 비교할 때, TARGET은 재범(Ford와 Hawke 2012; Marrow 등. 2012)과 폭력 사건 및 징벌적 징계 제재(예: 구속, 격리)가 더 줄어드는 것과 관련이 있었습니다(Ford 와 Hawke 2012). 수감된 청소년이 심각한 정서 장애를 진단받은 경우, TARGET은 우울과 불안의 감소, 낙관주의, 자기 효능감 및 재활 참여의 개선과 관련이 있었습니다(Marrow 등. 2012). 구금 기간에 따라 청소년을 지역 사회로 석방하기 전에 제공할 수 있는 회기 수가 종종 제한될 수 있는 구금 환경에서 TARGET 집단의 각 회기는, 14일의 임시 구금 기간modal stay동안 54% 더 적은 징계 사건과 72분 더 적은 징계 격리와 관련이 있었습니다. 따라서 집단 및 개인 치료 개입으로서 TARGET는 소년법에 관련된 남녀 청소년에게 긍정적인 효과를 보입니다. 또한 어린 자녀를 양육하는 여성과 수감 여성에 대한 TARGET의 효과는 트라우마 피해의 세대 간 전달을 차단하고(Widom 등. 2015) 청소년 사법체계에 연루되는 청소년 수를 줄이는 데 기여할 수 있음을 시사합니다(Ford 등. 2006). 따라서 청소년 사법에 관련된(또는 향후 관련 위험이 있는) 청소년의 부모 및 가족을 대상으로 이 모델의 효과를 검증하는 연구가 필요합니다. TARGET은 청소년 사법 시설의 안전을 강화하고 강압적 제재를 줄이는 것과 관련하여 청소년의 행동과 기능뿐만 아니라 그들이 재활을 위해 배치되는 교정 환경을 개선할 수 있음을 시사합니다. TARGET이 청소년 사법 프로그램 환경의 변화(예: 직원 태도 또는 제도적 관행 및 문화의 변화)로 어떻게 이어지는지, 그리고 이것이 지역사회의 안전 증가(예: 청소년 재범 감소)와 고위험 아동의 건강하고 생산적인 발달로 이어지는지 여부는 청소년기가 발달적으로 성인기로 전환함에 따라 장기간의 전향적 연구와 치료 결과 연구가 필요할 것입니다.

아리아나, 로니, 티샤와 같은 피해 청소년을 지원하기 위해서는 TARGET과 같은 외상후 스트레스 중재의 효과를 확립하고 향상시키는 연구가 중요합니다. 효과적인 개입은 이 청소년들이 외상후 스트레스로부터 회복하는 것을 도울 뿐만 아니라 그들이 청소년 사법 제도를 성공적으로 지나가는 데 필요한 기술과 특성을 개발할 수 있도록 하고 사법 제도에 재진입하지 않게 하기 위해 필요합니다. TARGET과 같은 개입의 영향에 대한 수 년, 십여 년의 체계적인 연구를 통해, 그러한 개입이 취약 청소년이 청소년기와 성인기의 도전들을 성공적으로 대처하도록 할 수 있는지 (또한 어떻게) 그것이 가능한지 배울 수 있었습니다. 또한, 청소년 사법제도에 연루되고 희생되는 비극적인 세대 간 순환에 휘말리는 것으로부터 다음 세대의 아이들을 보호할 수 있는 성인이 될 수 있도록, 외상후 스트레스에 대한 개입이 아리아나, 로니, 티샤와 같은 청소년들과 남자 청소년들을 준비시키는 데 기여하는지와 그렇다면 어떻게 그것이 가능한지에 대한 연구가 필요합니다.

## 참고문헌


Bowes N, McMurran M (2013) Cognitions supportive of violence and violent behavior. Aggress Violent Behav 18(6):660–665. doi:10.1016/j.avb.2013.07.015

de Arellano MA, Lyman DR, Jobe-Shields L, George P, Dougherty RH, Daniels AS, Ghose SS, Huang L, Delphin-Rittmon ME (2014) Trauma-focused cognitive-behavioral therapy for children and adolescents: assessing the evidence. Psychiatr Serv 65(5):591–602. doi:10.1176/appi.ps.201300255

Feierman J, Ford JD (2015) Trauma-informed juvenile justice systems and approaches. In: Heilbrun K, DeMatteo D, Goldstein N (eds) Handbook of psychology and juvenile justice. American Psychological Association, Washington, DC

Finkelhor D, Browne A (1985) The traumatic impact of child sexual abuse: a conceptualization. Am J Orthopsychiatry 55(4):530–41

Follette V, Iverson K, Ford JD (2009) Contextual behavior trauma therapy. In C Courtois, JD Ford (Eds.), Treating complex traumatic stress disorders: An evidence-based guide (pp. 264–285). New York: Guilford

Ford JD (2009) Neurobiological and developmental research: Clinical implications. In C Courtois, JD. Ford (Eds.), Treating complex traumatic stress disorders: An evidence-based guide (pp. 31–58). New York: Gilford

Ford JD (2015) An affective cognitive neuroscience-based approach to PTSD psychotherapy: The TARGET model. J Cog Psychother, 29:69–91

Ford JD (2016) Emotion regulation and skills-based interventions. In: Cook J, Gold S, Dalenberg C (eds) Handbook of trauma psychology. American Psychological Association, Washington, DC

Ford JD, Blaustein ME (2013) Systemic self-regulation: a framework for trauma-informed services in residential juvenile justice programs. J Fam Violence 28:665–677. doi:10.1007/ s10896-013-9538-5

Ford JD, Chapman J, Mack M, Pearson G. (2006) Pathway from traumatic child victimization to delinquency: implications for juvenile and permanency court proceedings and decisions. Juv Fam Court J 57(1):13–26

Ford JD, Hawke J (2012) Trauma affect regulation psychoeducation group and milieu intervention outcomes in juvenile detention facilities. J Aggression Maltreat Trauma 21(4):365–84. doi:10.1080/10926771.2012.673538

Ford JD, Steinberg KL, Zhang W (2011) A randomized clinical trial comparing affect regulation and social problem-solving psychotherapies for mothers with victimization-related PTSD. Behav Ther 42(4), 560–78. doi:10.1016/j.beth.2010.12.005. S0005-7894(11)00048-7 [pii]

Ford JD, Chapman JC, Connor DF, Cruise KC (2012) Complex trauma and aggression in secure juvenile justice settings. Crim Justice Behav 39(5):695–724

Ford JD, Chang R, Levine J, Zhang W (2013a). Randomized clinical trial comparing affect regulation and supportive group therapies for victimization-related PTSD with incarcerated women. Behav Ther 44(2):262–276. doi:10.1016/j.beth.2012.10.003

Ford JD, Grasso DJ, Hawke J, Chapman, JF (2013b). Poly-victimization among juvenile justice- involved youths. Child Abuse Negl 37:788–800. doi:10.1016/j.chiabu.2013.01.005

Frisman LK, Ford JD, Lin H, Mallon S., Chang R (2008) Outcomes of trauma treatment using the TARGET model. J Groups Addict Recovery 3:285–303

Frost ND, Laska KM, Wampold BE (2014) The evidence for present-centered therapy as a treatment for posttraumatic stress disorder. J Trauma Stress 27(1):1–8. doi:10.1002/jts.21881

Haufle J, Wolter D (2015) The interrelation between victimization and bullying inside young offender institutions. Aggress Behav 41(4):335–345. doi:10.1002/ab.21545

Henggeler SW, Sheidow AJ (2012) Empirically supported family-based treatments for conduct disorder and delinquency in adolescents. J Marital Fam Ther 38(1):30–58. doi:10.1111/j.1752-0606.2011.00244.x

Kerig PK, Becker SP (2012) Trauma and girls' delinquency. In: Miller S, Leve LD, Kerig PK (eds) Delinquent girls: contexts, relationships, and adaptation. Springer, New York, pp 119–143

Kerig PK, Bennett DC, Thompson M, Becker SP (2012) "Nothing really matters": emotional numbing as a link between trauma exposure and callousness in delinquent youth. J Trauma Stress 25(3):272–9. doi:10.1002/jts.21700

Lang JM, Ford JD, Fitzgerald MM (2010) An algorithm for determining use of trauma-focused cognitive-behavioral therapy. Psychotherapy 47:554–569. doi:10.1037/a0021184

Marrow M, Knudsen K, Olafson E, Bucher S (2012) The value of implementing TARGET within a trauma-informed juvenile justice setting. J Child Adolesc Trauma 5:257–70

McGregor LS, Melvin GA, Newman LK (2015) Differential accounts of refugee and resettlement experiences in youth with high and low levels of posttraumatic stress disorder (PTSD) symptomatology: a mixed-methods investigation. Am J Orthopsychiatry. 85(4):371–381. doi: 10.1037/ort0000076

Noll JG, Trickett PK, Putnam FW (2003) A prospective investigation of the impact of childhood sexual abuse on the development of sexuality. J Consult Clin Psychol 71(3):575–86.

Palmer EJ., Begum A (2006) The relationship between moral reasoning, provictim attitudes, and interpersonal aggression among imprisoned young offenders. Int J Offender Ther Comp Criminol 50(4):446–57. doi:10.1177/0306624X05281907

Pole N, Gone JP, Kulkarni M (2008) Posttraumatic stress disorder among ethno-racial minorities in the United States. Clin Psychol Sci Pract 15(1):35–61

Smith DK, Chamberlain P, Deblinger E (2012) Adapting Multidimensional Treatment Foster Care for the treatment of co-occurring trauma and delinquency in adolescent girls. J Child Adolesc Trauma 5(3), 224–38

Spenser K, Betts LR, Gupta MD (2015) Deficits in theory of mind, empathic understanding and moral reasoning: a comparison between young offenders and non-offenders. Psychol Crime Law 21(7):1–16

Spinazzola J, Hodgdon H, Liang L, Ford JD, Layne C, Pynoos R, Briggs E, Stolbach B, Kisiel C (2014) Unseen wounds: the contribution of psychological maltreatment child and adolescent mental health and risk outcomes. Psychol Trauma Theory Res Pract Policy 6:518–28

Teicher MH, Samson JA (2013) Childhood maltreatment and psychopathology: a case for ecophenotypic variants as clinically and neurobiologically distinct subtypes. Am J Psychiatr 170(10):1114–1133. doi:10.1176/appi.ajp.2013.12070957

Teplin LA, McClelland GM, Abram KM, Mileusnic D (2005) Early violent death among delinquent youth: a prospective longitudinal study. Pediatrics. 115(6):1586–93. doi:10.1542/ peds.2004–1459

Widom CS, Czaja SJ, DuMont KA (2015) Intergenerational transmission of child abuse and neglect: real or detection bias? Science 347(6229):1480–5. doi: 10.1126/science.1259917

# 학교 기반 개입

22

Thormod Idsoe, Atle Dyregrov 와 Kari Dyregrov

2015년 10월 오리건주 남서부의 한 캠퍼스에서 화재가 발생하여, 최소 9명이 부상을 입고 10명이 사망했습니다(NBC 뉴스 2015). 1999년 콜로라도주 리틀턴에서는 17, 18세의 두 소년이 컬럼바인 고등학교에서 총기로 12명의 학생과 한 명의 교사를 살해하고 자살했습니다(Leary 등. 2003). 2015년 10월, 스타워즈 영화 속 캐릭터인 다스베이더 옷을 입은 21세 남성은 스웨덴 초등학교에 들어가 15세 학생과 21세 조교를 장검으로 살해했습니다. 이들은 전 세계에서 일어난, 학교의 아이들에게 영향을 미친 외상의 비극적인 예시들 중 일부입니다. 어린 시절의 외상성 스트레스는 거의 모든 발달 과정에 영향을 미칠 뿐 아니라 아이들이 많은 외상성 사고들을 겪는다는 점을 고려하여, 학교가 아동기 트라우마에 치유 역할을 해야 할 필요가 있게 되었습니다(예: Jaycox 등. 2014). 학교는 정기적으로 또 장시간에 걸쳐 아이들에게 접근이 가능하기 때문에 정신건강 개입 면에서 최적의 장소이기도 합니다.

이 장에서는 먼저, 학교 기반 개입에 관련된 기본 개념들을 확인하고, 외상 사건을 겪은 아이들을 대할 때 학교가 겪을 수 있는 특정 어려움들을 점검해볼 것입니다. 그리고 효과적인 사례들을 검토한 뒤, 마지막으로 이 개입의 근거에 대해 간략히 살펴보겠습니다.

## 22.1 배경

아동기 트라우마는 교육 및 학업 성취도의 저하와 관련이 있습니다. 학대를 겪은 아이들은 겪지 않은 아이들보다 학교 성적이 상당히 낮은 경향을 보입니다(Veltman과 Browne 2001). 일부 연구의 결과에서는 폭력에 노출되는 것이 평균 성적의 감소와 연관이 있었습니다(Boyraz 등. 2016; Hurt 등. 2001; Mathews 등. 2009).

청소년의 15-20 %에서 임상 범위의 정신건강 문제가 발견되지만(Mathiesen 등. 2009; Rones와 Hoagwood 2000), 이들 중 극히 소수만이 집중적인 개입이나 치료의 도움을 받습니다

(Helland와 Mathiesen 2009; Rones와 Hoagwood 2000; Sund 등. 2011). 즉, 이는 많은 아동청소년들이 필요한 도움을 받지 못하며, 입학부터 졸업할 때까지 어떠한 형태로든 이 많은 수의 "도움을 못 받은" 학생들을 지원하는데 학교가 추가적인 어려움을 감당하게 된다는 뜻이기도 합니다. 정신건강 면에서 위기에 처한 학생들을 더 잘 지원할 방법을 찾으면, 정신건강과 학업성취도 사이의 상관성을 고려할 때 학업 동기부여 면에서도 이득이 될 수 있습니다 (Gustavsson 등. 2010; Masten 등. 2005).

학교는 모든 아이들에게 정기적이고도 장기간 접근이 가능한 곳이기 때문에, 지지적인 개입이 좀더 학교라는 맥락에서 가깝게 제공된다면 더 많은 트라우마 피해 아이들에게 지원이 닿을 수 있습니다. 정신건강 서비스를 잘 이용하지 않는 이민자 학생도 학교 기반 개입에서는 혜택을 얻을 수 있습니다. 집단 개입은 교육 심리서비스, 간호 교사, 또는 학교 상담사/특수 교사 등에 의해 학교에서 잘 진행할 수 있는 형태입니다. 이러한 개입은 최근 사회경제적 수준에 특히 영향을 받는 치료 접근성이 공평하게 향상되도록 할 수 있습니다. 하지만 학교에서의 정신건강 개입은 정신건강과 교육 양 영역에서의 전문가가 필요합니다.

## 22.2 학교 환경의 특징과 특수한 어려움들

학교는 아마도 아동청소년이 가족의 울타리 밖에서 구성된 시간의 대부분을 보내는 장소일 것입니다. 또 학교는 많은 학생들에게 그들의 친구들을 만나는 사회적 장소입니다. 이런 점에서 학교는 외상 사건을 경험한 아이들에게 사회적 지지를 제공하는 면으로 이례적인 위치에 있습니다. 게다가 교사는 가능한 최적의 도움으로 학생 개개인에게 학습을 촉진하고 개별화된 학습 환경을 만들어줄 수 있습니다(Dyregrov와 Dyregrov 2008; Dyregrov 등. 2014). 치료자, 보건 전문가와 교육 인력은 외상 사건에 노출된 아동청소년을 돕는 데 있어 학교가 가진 거대한 잠재력에 주의를 기울일 필요가 있습니다.

대형 재난 또는 개인 사건 등의 트라우마 특성은, 개입의 수준과 대상자들의 선정에 영향을 미칩니다. 발생 가능한 사건들에는 전 학교가 영향을 받는 대형 재난(총기 사건, 화재, 학생의 사망), 학교가 간접적으로 영향을 받는 대형 사건(지역사회 재난, 언론 노출 사건 등), 한 반에 영향을 미치는 사건(해당 교실의 학생이나 교사가 심각하게 다치거나 살해된 경우), 개인적인 사건(부모나 형제를 잃은 학생)과 기타의 상황(성폭력, 학교폭력, 기타 피해자)들이 있을 수 있습니다. 이런 사건들이 발생하면, 어떤 상황이더라도 학교가 어떻게 개입할지 반드시 계획을 세워야 한다는 것이 매우 중요합니다. 이러한 계획에는 모든 교직원과 학생들이 포함되어야 하지만, 참여와 조직의 범위는 외상의 특성에 따라 달라질 수 있습니다. 필요하다면 상황을 종합적으로 이해하고, 조직 내 모든 수준에서 표준화된 절차를 만들기 위해 대규모 회의를 열게 됩니다. 부모 모임 역시 필요할 수 있습니다. 개입의 최적화된 진행을 위해서는 최고 수준의 강력한 리더십이 필요합니다.

아동기 외상과 관련된 지원을 제공하는 데 있어 학교는 여러 단계의 잠재력을 가집니다. 첫째, 학교 차원의 모든 노력을 제공하기 위한 기본적인 틀을 위해, 공감과 지지적인 분위기의 기초 토대가 필요합니다. 학교의 분위기는 위기 상황에서의 회복 인자로 작용할 수 있습니다(Yablon 2015). 두번째로, 학교는 즉각적인 주의가 요구되는 사건에 대한 위기 개입 계획이 있어야 합니다. 셋째, 학교는 안전한 조기 개입 프로그램뿐 아니라, 장기 회복을 위한 전략을 제공할 수 있습니다(Jaycox 등. 2014). 또한 학교는 천천히 나타나는 문제들 역시 발견할 수 있는 곳입니다.

이러한 이유들로, 학교에는 비극적인 사건이나 다른 외상성 상황들 대상의 위기 관리 계획이 필요합니다. 이러한 계획에는 도움이 필요할 것으로 확인되는 모두를 위한 조기 개입과 장기 추적 전략뿐 아니라, 또래, 가족, 교사들, 학교 관리자 및 기타 학교 사회 구성원이 포함되어야 합니다. 계획이 잘 진행되려면 학교의 모든 직원이 참여하는 회의에서 이를 다루고 평가하는 것이 중요합니다. 계획이 효과를 발휘하는 데 있어 이것이 가장 핵심적인 요소입니다.

### 22.2.1 교사의 공감과 참여

트라우마의 유형과 무관하게, 교사는 그 역할의 영향과 위치를 고려할 때 피해 학생들에게 매우 중요한 존재입니다. 첫번째로, 교사의 중요한 임무는 외상 사건 이후 최대한 빨리 아동청소년이 학교로 돌아올 수 있게 돕는 것입니다. 이를 통해 아이들이 학교 일상의 연속성과 안정성을 경험하고, 집에서의 혼란스럽거나 슬픈 분위기로 받은 부정적 영향을 줄일 수 있습니다. 이때 학교는 학생들이 해야 할 것들을 하게 해야 하지만, 학생들은 지치면 휴식을 요청할 수 있다는 것 역시 염두에 두어야 합니다. 교육법에 따라 학교는 결석을 어떻게 처리할 지 빨리 결정해야 하고, 전 직원이 이러한 기준을 잘 알고 있어야 합니다. 교사는 학생들과 대화하고, 때에 따라 각 학생이 할 수 있는 수준에 따라 교육과 필요도를 조정해야 합니다. 이러한 대화는 주기적으로 반복하는 것이 필요합니다. 학교가 "심리적인 타임아웃"을 제공하고 "안전한 피난처"가 될 수 있다는 점 외에도, 교사와 또래들의 지지 역시 도움이 될 수 있습니다. 학생들마다 어떤 형태로 얼마나, 또 누구로부터 지지와 격려가 필요할지는 각각 다를 수 있습니다. 따라서 학생과 가족들의 개별적인 필요도에 따라 상황을 조율하는 것이 중요합니다. 개별 조율과 배려 외에도, 많은 학생들, 또는 모든 학생들이 외상 사건에 노출된 경우라면 학교에서의 종합적인 진행절차를 위해 기본적인 토대를 만들어야 할 수도 있습니다. 앞으로 그러한 상황의 예시 사례를 살펴볼 것입니다.

위기 상황에서 아동청소년을 지원하는 데에는 이중의 목적이 있습니다. 개인적인 관심과 배려를 제공하는 것과 사건의 종합적인 처리 절차에 적합한 틀을 만드는 것이 그것인데, 후자는 더 부정적인 영향을 받은 사람들에게 사회적 지원이 닿을 수 있게 하는 것입니다. 개선의 방법이 효과적이려면 다른 주요 어른들만이 아니라 교사와 학생 간에 믿음, 공감과 만남이 있어야 한다는 전제가 필요합니다. 그리고 학교와 가정 간의 협력 역시 중요합니다(Dyregrov 와 Dyregrov 2008).

트라우마를 경험한 아이들을 최적의 방식으로 잘 지원하려면, 교사와 교직원이 학생의 상황을 탐색하며 배려와 이해의 태도를 전달하는 것이 중요합니다. 이렇게 "지도 만들기 과정mapping process"를 진행한 뒤에는 개인의 필요도에 따라 조정이 필요할 수 있습니다. 학교는 학교, 부모와 학생 간 상호관계 속의 일부로서, 개인별 적응 계획을 수립하는 데 학생과 가족을 참여시킵니다. 외상 사건이 학급 안에 한 명 또는 여러 학생에게 영향을 미쳤다면, 이 사건을 학급 안에서 의논하고 애도, 상실과 위기반응과 연관된 교육과 토론을 격려하는 것이 도움이 될 수 있습니다. 학생들과 학교 공동체에 사건에 대해 알리는 것은, 가장 개인적으로 영향을 받은 학생(들)의 가족들과 상호적인 이해와 협조 하에 이루어져야 합니다.

교사들은 외상 사건 이후 아동들이 취약하고 예민한 상태일 수 있다는 것을 잘 인식하고 있어야 합니다. 위기 상황에서는 교사와 학생들 사이의 상호작용이 상당히 쉽지 않고, 어떤 개입이 긍정적이거나 침입적으로 인식될지를 판단하는 것 역시 매우 어려울 수 있습니다. 개입이 긍정적으로 인식되는 것은, 교사와 학생의 기존 관계의 질과 현재 학생의 기분에 달려 있습니다. 교사는 부드럽게 상황을 진행하고, 학생의 상황을 잘 이해하고 있다는 것을 보여주는 것이 중요합니다. 아이들은 교사로부터의 진정한 공감을 원하지만, 이는 그들이 받아들일 수 있을 때 시도되어야 합니다. 방해 받지 않는 환경에서 앉아서, 충분한 시간을 들여 학생과 이야기를 나누는 것이 중요합니다. 교사가 공감과 신체적 접촉을 "서둘러"서는 안 됩니다. 교사가 학생과 같은 나이대에 정말로 비슷한 경험을 했던 것이 아니라면, 아이가 어떻게 느낄지 이해한다는 말은 현명하지 않습니다. 그보다는 곁에 있어주며 들어주고 관심을 보여주는 것이 낫습니다. 교사가 암시적이고도 명확하게 학생들이 말할 준비가 되거나 도움을 받아들일 수 있을 때를 위하여 그들이 있다는 것을 전달하고, 이것을 시간이 지나도 반복해 전한다면 학생들은 좀더 쉽게 이를 받아들입니다(Dyregrov 2006). 어떤 경우에는 교사가 정기적으로, 시간이 지나도 지속해서 아이들을 배려하는 태도로 어떻게 지내는지 물어보며 관심을 보일 때 가장 격려가 전달되기도 합니다. 하지만 이러한 역할은 가르침과 돌봄의 역할 사이에서 균형을 맞추어야 하기 때문에 그 역할이 상당히 어렵다는 것에 주의가 필요합니다(Alisic 등. 2012; Dyregrov 등. 2013, 2014).

교사가 아이들의 상황에 대해 진정으로 헌신하며 대하는 것이 아이들에게는 매우 중요합니다. 사건으로 인해 학업에 부정적인 영향을 받지 않도록 교사가 최선을 다해 도와줄 것이라는 점을 학생들이 이해하도록, 교사가 이를 명확히 말해주어야 합니다. 교사는 시간이 지나도 그들이 학생을 위해 함께할 것이라고 말해주면서, 학생이 어떻게 학업을 따라가고 있는지, 필요하다면 어떤 조정이 가능할지에 대해 새로운 정보들을 서로 공유하기로 할 수도 있습니다. 학생들의 개별적인 필요에 맞추려면, 일반적으로 상실이나 트라우마를 경험한 아동청소년들이 받는 영향에 대한 지식과 능력이 있어야 합니다. 교사는 위기 상황에서 흔하게 일어나는 반응들과 증상들, 그리고 아이들마다 위기 반응, 슬픔, 집중력 문제 및 학습적인 어려움들 등으로 각기 다른 영향을 받을 수도 있다는 것을 잘 알고 있어야 합니다. 이러한 지식은 아이가 "게으르거나" 일정 시간이 지나면 "과거의 일이니 극복해야" 한다는 오해를 하지 않게 해줍니다. 증상들은 몇 달이 지나도, 교사나 다른 전문가들이 예상하거나 바라는 시기를 넘을 때까지 지속될 수 있습니다. 교사들은 교사용 교육들이나 HEARTS (Healthy Environments and Response to Trauma in Schools) 같은 전체적인 학교 대상 프로그램들을 통해 관련 정보를 얻을 수 있습니다(Dorado 등. 2016).

### 22.2.2 개인적인 외상을 겪은 학생들을 위한 조정

학생에게 효과적인 사회적 지원뿐 아니라 적절한 학업 적응을 위해, 사건에 대해 학교 공동체에게 정확하고도 적절한 정보를 제공해야 합니다. 교사가 주도적으로 사건 피해 당사자나 추가적으로 필요한 지원이나 적응이 필요한 학생(들)을 확인하는 것이 중요합니다. 물론 그 전에 학생과 가족의 동의를 받아야합니다. 아이에게 어떤 일이 일어났을 때, 교사는 아이와 가족에게 다른 아이들에게 어떻게 정보를 전달하기를 원하는 지 물어볼 수 있습니다. 이 전달은 교사가 할 수도, 교사와 아이가 협력해서 할 수도 있습니다. 어린 아이들은 자신이 아니라 교사나 부모가 또래들에게 알려주는 것을 선호할 수 있습니다. 이러한 정보의 전달은 학생들이 질문할 기회, 어른들과 함께 자신들의 반응을 표현할 기회를 줍니다. 이런 방법으로 학교는 오해, 유언비어의 확산 또는 동급생들에게서 너무 민감한, 강렬한 질문들을 오가는 것을 막을 수 있습니다. 교사는 동급생들이 상황을 이해하도록 도우며, 그들이 당사자가 원하고 받아들일 수 있는 방식으로 그를 돕게 유도할 수 있습니다. 어린 아이들이라면 사건에 관련된 따돌림, 무례한 말이나 불쑥 쏟아지는 질문으로부터 교사의 보호가 필요할 수도 있습니다. 또 교사는 다른 교사들에게도 일어난 일과 진행 중인 전략들을 알려주어, 아이와 가족이 받아들일 수 있는 방법으로 그들이 지원해줄 수 있게 합니다. 사건에 대해 누가 알고 있는 지를 피해 아동이 알면 안전과 안정감을 더 느낄 수 있습니다. 아이가 전학을 하는 경우에도 마찬가지로, 새 학교와 교직원들이 정보를 갖고 있어야 합니다.

### 22.2.3 일반적인 조정

외상을 경험한 아이들은 읽기와 학습이 어려울 수 있습니다. 많은 아이들이 피곤해하고 집중하기 힘들어 하지만, 어떤 아이들은 오히려 사건 전보다도 잘 하려고 노력합니다. 하지만 그렇게 애쓰는 경우, 과거보다 뛰어나거나 적어도 유지하려는 노력 역시 탈진을 유발할 수 있습니다. 이런 상황에 대처하는 한 가지 전략은, 아이들이 지치면 쉴 수 있는 곳을 교내에 마련하는 것입니다. 이것은 학생들이 학교에 머물 수 있게 하고, 가능한 빨리 학업에 복귀하게 돕는 이점이 있습니다.

사건 후에는 청소년들에게 주어진 의무로부터 쉬고, 결석에도 일부 유연성을 발휘할 수 있다는 것을 알려주는 것이 매우 중요합니다. 원래의 학교 일정으로 돌아가서 정규과정 대로 지낼 수 있다면 좋겠지만, 휴식 시간을 허용할 수도 있습니다. 첫 학기 동안에는 결석 규정을 완화하여 적용할 수 있고, 일부 학생에게는 이런 유연성이 장기간 이어질 수 있다는 점을 학생들에게 알려주는 것도 매우 중요합니다.

또 수면에 어려움이 있는 아이에게는 종일 극도로 피곤을 느끼는 것보다 학교에 약간 늦게 등교할 수 있게 하는 것이 더 나은 선택일 수 있습니다. 수업시간에 집중이나 학습에 어려움을 보이는 아이들은 수업 중 잠시 휴식시간을 갖거나, 성적에 관련 없이 다소 수동적으로 지내는 것을 허용하는 식으로 유연성을 허용하는 것도 좋습니다. 어떤 경우에는 학생이 수업 대신 실무적인 일(견습생 등)에 참여하도록 권고하거나 단기간 학교를 쉬는 것이 나을 수도 있습니다. 어떤 아이들은 일어났던 일에 너무 신경을 쓰기 때문에, 독립된 교실에서 지내거나 신경을 분산시킬 수 있는 것들(컴퓨터 게임 등)을 하는 것이 도움이 될 수 있습니다. 어떤 경우에는 (일부) 시험을 면제하거나 추가 시간을 주고, 필기나 구술 등 제일 집중이 가능한 형태로 시험 유형을 바꿔 줄 필요가 있을 수 있습니다.

## 22.3 학교 기반 개입을 어떻게 하는가 [1)]

대부분의 학교 기반 개입 프로그램은 집단 형태가 기본으로, 사건 직후 초기에 적용되고 아동 PTSD 치료에 효과가 검증된 CBT 기술로 이루어져 있습니다. 즉 학교의 아동 PTSD 증거기반 개입법들은 대부분 CBT 기술로 구성되어 있습니다(Jaycox 등. 2009; Rolfsnes와 Idsoe 2011).

앞서 지지적인 개입의 중요성을 강조하며 설명했던 기본적인 틀 안에서, 학교는 아이들에게 트라우마로 인한 스트레스에 대처할 수 있게 돕는 개입을 할 수 있습니다. 여기에서는 본 책의 저자 중 한 명이 참여했던 아동과 전쟁 재단the Children and War Foundation (http://www.childrenandwar.org)에서 개발한 프로그램을 예로 들 것입니다. 이 프로그램(**표 22.1의 개요 참조**)은 많은 아이들이 피해를 입은 상황의 학교에서 쓸 수 있습니다. 이 매뉴얼은 다양한 트라우마 상황에 노출된 전 세계의 아이들에게 성공적으로 사용되어왔으며, 개입 전후 기본적으로, 또 체계적으로 평가를 시행합니다. 연구 결과, 프로그램에 참가한 아이들은 증상이 호전되었습니다(결과 참조는 Yule 등. 2013). 여기서 중요한 부분은, 미래의 문제 발생을 예방하기 위해 아이들에게 스트레스를 다루는 법을 초기에 가르치는 조기 개입입니다. 이 과정은 "Children and Disaster: Teaching Recovery Techniques"(Smith 등. 2013)의 매뉴얼에 자세히 설명되어 있습니다. 이 프로그램의 목표는 외상 이후의 증상 대처에 도움이 되는 방법과 기술들을 아이들에게 단계별로 가르치는 것입니다. 우울증이나 두통, 복통과 같은 다른 어려움들도 있을 수 있지만, 매뉴얼은 외상후 스트레스 반응에 초점을 두고 있습니다. 이것이 가장 흔하면서도 심리적 고통과 발달에 파괴적인 문제들을 가장 많이 유발하

1) 다음 내용은 대부분 Smith와 동료들의 연구(2013)를 바탕으로 합니다.

기 때문입니다(Thienkrua 등. 2006).

**표 22.1** 많은 학생이 영향을 받은 상황의 학교에서 사용 가능한 아동과 전쟁 재단 개발 기술 개입 절차 (http://www.childrenandwar.org)

| 영역 1: 침습 |
|---|
| 1회기 |
| 서로 소개하기; 집단 소개, 정상화와 교육, 안전 지대 구축 |
| 2회기 |
| 상상 기법; 청각, 후각, 운동감각 기법; 이중 집중 작업; 꿈 작업; 주의 돌리기; 괴롭히는 생각이나 걱정들; 마무리; 과제 |
| **영역 2: 각성** |
| 3회기 |
| 시작, 숙제 검토, 주제 소개, 근 이완, 호흡 조절, 심상 유도, 자기진술self-statements 교정, 불안 온도계 사용, 회기 중 간단한 이완 및 기술 연습, 수면 위생, 활동 스케줄, 과제, 마무리 |
| **영역 3: 회피** |
| 4회기 |
| 시작, 숙제 검토, 회피와 노출 설명, 트라우마 연상물에 대한 집단 내 브레인스토밍, 개별 연상물 리스트 만들기, 점진적 노출, 개인별 불안 위계 만들기, 실생활 노출 계획, 도움이 되는/도움이 되지 않는 회피 확인 |
| 5회기 |
| 트라우마 기억에 노출하기; 그리기, 쓰기, 말하기, 미래를 바라보기, 과제, 마무리 |

Smith 등. (2013)

개입은 8세 이상의 아동을 대상으로 5주 동안 매회 2시간의 집단 회기로 구성되며, 한 팀에 최대 15명까지 참여할 수 있습니다. 1, 2회기는 나쁜 기억이나 악몽, 플래시백 같은 침입적인 생각과 감정을 다룹니다. 3회기에는 휴식, 집중 및 수면의 어려움 같은 각성 증상을 살펴봅니다. 4, 5회기는 두려움, 사건을 떠올리게 하는 것들을 마주하기 어려움과 같은 회피 증상을 다룹니다. 각 5회기는 기술 이면의 원리와 아이디어를 검토하는 것으로 시작하여 실제적인 지도와 활동 진행의 순서로 시행됩니다. 마지막으로 아이들에게 과제를 줍니다. 부모 회기는 2번 진행됩니다.

이 매뉴얼은 이후의 치료 필요성을 줄이기 위해 만들어졌습니다. 각 회기는 아이들이 다양하고 흔한 외상후 반응을 다룰 수 있는 도구들을 갖추도록 구성되어 있으므로 사건 한달 이내에 시작할 수 있습니다. 하지만 프로그램을 세팅하는 데에는 시간이 걸리기 때문에, 몇 개월이 지난 뒤 시작하게 될 수도 있습니다. 회기를 모두 마친 후에도 심각한 영향을 받은 아이들은 추가적인 도움이 필요한데, 이러한 대상자들을 확인하는 몇 가지 지침도 제공됩니다.

지진과 같은 일부 재해 상황에서는 모든 아이들이 영향을 받아 개입의 대상이 됩니다.

집단은 상황에 따라 형성하게 됩니다. 같은 반 학생들로 구성할 수도 있지만, (일부 학생들이 영향을 받은, 교내 행사에서 발생한 사건 등의 경우) 같은 학교 내 여러 반의 학생들로 구성될 수도 있습니다. 부모 회기는 회기의 시작과 마무리 시점에 한 번씩 진행됩니다. 부모 회기에서는 앞으로 아이들이 배울 것과 각 회기 내용을 간단히 알리고, 회기 사이 아이들이 하게 될 과제를 부모가 격려하도록 동기를 부여합니다. 새로운 부모용 모듈이 최근 개발되어 테스트 중입니다.

집단의 리더가 꼭 정신건강 전문가일 필요는 없으며, 교사 등 다른 전문직군 역시 성공적으로 진행할 수 있습니다(Yule 등, 2013). 여기에서는 두 명의 리더가 집단에서 동등한 역할을 맡습니다. 회기는 일반 수업처럼 일방적인 가르침 형태로 진행되지 않으며, 어렵고 무거운 감정 표현이 동반되는 치료적 집단 형태도 아닙니다. 집단 안에서는 적극적인 태도와 자조 및 상호적인 지지를 장려합니다. 두 공동 리더의 역할은 집단의 속도와 분위기를 만드는 데 매우 중요합니다. 그들은 상대방을 존경하고 이해하는 태도로, 집중하여 들으며 공감을 표현하고 낙관주의적인 시각을 시도하고, 아이들의 문제를 폄하하지 않으면서 적극적인 대처와 자기 효능감을 보이며 적절할 때 유머를 사용하는, 아이들의 역할 모델이 됩니다.

### 영역 1 침습

*1 회기*

침습적인 기억은 예고 없이 떠오르며, 아이들이 잘 알아채지 못하는 주변의 연상물에 의해 유발됩니다. 이들은 악몽으로 나타날 수도 있는데, 이러한 기억들이 매우 생생하고 공포스러워 종종 압도적이기 때문에 많은 아이들이 자신이 미쳐가거나 통제력을 잃고 있는 것이 아닌지 불안을 느끼게 됩니다. 첫 회기의 주요 목표는 이러한 반응들이 정상이라는 것과 기억을 다시 조절할 수 있는 기술들을 알려주는 것입니다. 아이들은 기억을 잊을 수는 없지만, 기억할 때 감정에 압도되지 않고 그것들을 다룰 수 있는 법을 배웁니다. 이 회기에는 5개의 목표가 있습니다:

- **아이들이 서로를 알게 됩니다.** 아이들은 원형으로 앉습니다. 집단 리더들도 원형 안에 앉되, 리더들끼리는 바로 옆에 앉지 않습니다. 몇 분간 워밍업 활동(아이스브레이커)과 집단이 함께하는 것에 익숙해지기 위한 시간을 갖습니다(서로 알고 있는 사이라면 필요성이 감소합니다). 이러한 활동의 예로, 아이들끼리 짝을 짓고 서로에게 간단한 질문들(이름, 좋아하는 음식이나 취미)을 한 뒤 이를 바탕으로 나머지 집단 구성원들에게 짝을 소개할 수 있습니다.
- **집단의 목표와 구조를 설명합니다.** 소개 시간 후 집단이 모인 이유를 안내하고, 아이들에게 앞으로 5번의 모임이 있을 것이라고 알려줍니다. 또 외상 사건에 대해, 그리고 그것이 어떻게 아이들에게 영향을 미치는지에 대해 다루게 될 것이라고 알려줍니다. 리

더들은 아이들에게 때때로 힘들고 불쾌한 순간도 있을 수 있지만, 어려운 감정에 대처할 수 있다는 낙관성과 희망을 강조하여 전달합니다. 일부 핵심 규칙들을 확인시켜준 뒤, 리더들은 아이들이 이런 규칙들을 만드는 데 참여하도록 격려합니다. 비밀 유지, 상호 존중, 말해야 할 의무는 없으나 타인이 무엇이라고 하든 경청하기, 나만의 속도 유지하기, 나에 대해 말할 뿐 타인에 대해 말하지 말 것, 남을 비하하지 말기, 모든 회기에 참석하기 등이 기본적인 규칙에 포함됩니다.

- **흔하게 일어나는 반응의 교육과 정상화** 특정 기술을 배우기 시작하기 전에, 아이들이 트라우마 스트레스 반응을 이해하는 시간이 필요합니다. 여기서의 목적은 3가지로, (a) 외상 사건에 대한 반응에 대해 배움으로써, 자신의 문제가 정의 가능하고 다룰 수 있다는 점을 알려주는 것, (b) 자신이 고립되거나 미친 것이라는 느낌을 받지 않게 그들의 반응을 정상화하는 것, (c) 일부 이야기를 공유하여 집단으로써 함께할 수 있게 하는 것입니다. 사건에 대해 세부 내용은 언급하지 않고, 집단이 함께 의견을 모아 외상 사건들의 목록을 만듭니다. 이 목록은 보통 플립 차트(대형 종이를 넘겨가며 볼 수 있는 형태의 강의자료)에 적습니다. 이 과정에서 외상 사건에 대한 반응들이 흔하면서도 누구에게나 일어날 수 있는 것이라는 것을 구성원들이 듣는 것이 중요합니다. 리더는 이 반응들이 외상후 스트레스 반응이라는 이름으로 불린다는 것과, 우리가 이 반응들을 상대로 어떤 것들을 해볼 것인지 설명합니다. 집단 구성원들의 경험에 따라 새로운 반응들의 목록을 추가하여 적습니다. 다시 한번 강조하지만 여기에 지나치게 자세한 사건 내용은 포함되지 않습니다. 목록이 완성되면, 일반적인 방법으로 그 반응들을 이야기함으로써 정상화 시키고, 아이들에게 이 반응들이 외상 사건 후 흔하게 일어나는 반응이라고 말해줍니다. 리더들은 추가적으로 외상 사건의 연상물 개념을 설명하면서, 구성원들에게 무엇이 그들에게 사건을 상기시키는지 묻고 이를 바탕으로 연상물의 목록을 새로 작성합니다. 연상물, 침습 기억 및 동반되는 고통스러운 감정들 사이의 관계도 연결해줍니다. 그리고 아이들에게 이러한 연상물들은 부분적으로 숨겨져 있으므로 "발굴"해서 다루면 통제감을 만들 수 있다고 알려줍니다. 또 아이들에게 그들이 충분히 도움을 받을 수 있고, 기억을 다룰 방법들을 배울 수 있다는 말을 해주어야 합니다. 아이들은 이를 통해 기억 자체를 없애지는 못하지만, 좀더 자신이 원할 때 생각할 수 있게 될 것입니다. 기술들을 연습하는 것도 중요하지만, 이를 배우기 전에 아이들은 자신의 상상으로 안전한 장소를 **어떻게 만들지 알아야** 합니다.
- **안전한 상상 속의 장소 만들기** 아이들에게 자신들이 차분하고 안전하며 행복하다고 느낄 수 있을 장소를 떠올리거나 상상을 해보도록 질문하여 안전한 장소의 이미지 만들기를 시작합니다. 이 장소는 그들이 가보거나 들어봤거나 또는 자신을 위해 상상으로 만든 곳일 수 있습니다. 리더들은 그 장소 안에서 꽃 향기를 맡거나 친한 친구를 찾아보라고 하는 등 긍정적이고 좋은 것들을 많이 확인해 보게 합니다. 아이들이 연습하고 있을 때, 리더들은 주변을 돌아다니며 아이들을 돕습니다. 그리고 집단 구성원에게 그들이 상상한 것과 느낀 것에 대해 질문하고, 집에서나 회기 중에 몸과 마음을 안정시

킬 필요가 있다고 느낄 때면 이 상상의 안전장소 기술을 써보도록 권장하며 연습을 마무리합니다. 모든 아이들이 회기 중에 해낸 멋진 작업들을 칭찬하고, 또 다른 기술들을 배울 회기가 4번 남았다고 알려주며 회기를 끝냅니다.

- **숙제**; 아이들에게 집에서 안전 장소 기술을 연습해보도록 합니다.

*2회기*

일반적으로 첫 번째 회기 일주일 후에 하는 이 회기의 목표는, 아이들이 고통스러운 침습 기억들을 더 잘 관리할 수 있는 기술을 배우는 것입니다. 적극적인 대처기제를 발달시켜야 하지만, 모든 아이들에게 모든 기술 작업이 효과적인 것은 아니라는 것을 기억해야 합니다. 아이들은 자신의 침습적인 기억들을 의도적으로 꺼내고, 그것들을 다양한 방식으로 바꾸고 더 이상 신경이 쓰이지 않게 만들 수 있는 능력을 키우기 위해 기술을 배우게 됩니다. 그리고 매일 10분간 실제로 연습을 해보도록 합니다.

연습할 기술 중 하나는, 아이들이 자신들의 침습적인 이미지를 텔레비전 스크린 위에 있는 것으로 상상해보게 하는 것입니다. 이 이미지의 색깔을 흑백으로 바꾸거나, 화면이 움직이는 형태라면 정지시키는 등 바꾸어 보다가 마지막에는 흐리고 서서히 사라지게 하는 식으로 화면을 다양하게 조작합니다. 이것은 그들이 자신의 침습적인 이미지를 통제하고 수정하려는 노력의 첫 걸음이 됩니다. 이 이미지 대체 기술 방법은 청각, 후각, 운동감각적인 침습 현상을 위한 기술들과 함께 매뉴얼에 정리되어 있습니다. 이중 시각적 침습이 가장 흔하기 때문에, 나머지 기술들은 본 장에서는 소개하지 않습니다.

이 회기에서는 이중 주의 기술도 가르칩니다. 이 기술은 안구 운동 민감 소실 및 재처리 치료(eye movement desensitization and reprocessing, 이하 EMDR, 13장 참조) 중의 일부로, 위에서 기술한 시각화 기술의 대체 형태입니다. EMDR의 개별 치료 프로토콜에서는 아이들이 눈을 뜬 상태에서 치료자의 손 동작에 따라 눈동자를 좌우로 반복적으로 움직이는 동안, 의도적으로 자신들의 트라우마 장면을 동시에 떠올리며 이중 주의를 기울이게 됩니다. 그러나 연구결과들은 아이들이 이런 이중 주의를 기울이게 하는 데 많은 대체 방법들이 있음을 시사합니다. 매뉴얼에서는 이 중에서 무릎 번갈아 두드리기를 사용합니다. 이 방법은 집단 환경에서 실행하고 가르치기 쉬울 뿐 아니라, 빠르게 자발적인 변화들을 유도해낼 수 있습니다(이러한 EMDR 변형 방법들을 대상으로 시행된 연구는 없습니다). 기본 형태는 리더가 설정한 리듬에 맞춰 아이들이 자신의 트라우마 이미지를 생각하면서 자기 무릎을 번갈아 두드리는 것입니다. 이때 아이들에게 다른 요구 사항 없이, 자연적으로 일어나는 이미지의 변화에만 집중하게 합니다. 처음에는 30초씩 3 세트를 연습합니다. 4번째 세트에서는 집단에게 이미지가 서서히 멀어지도록 시도하게 합니다. 마지막 5번째 세트에서는 아이들에게 트라우마 장면 대신 즐거운 이미지를 상상하게 합니다. 이렇게 2번 더 연습한 뒤 집단 구성원들이 피드백을 공유합니다.

침습적인 기억은 안 좋은 꿈과 악몽으로 나타나기도 합니다. 이의 해결을 위해 시도해 볼 수 있는 기술에는 저녁마다 일정한 순서로 하는 잠자리 의식 만들기, 잠자기 전 (아래에 기술하는) 이완 기술 연습, (앞서 기술한) 안전 지대 기술 연습, 낮 동안 꿈을 다시 떠올려 보기, 꿈 이미지 바꾸기, (앞서 기술한) 이중 주의 기술 연습, 꿈의 새로운 긍정 버전을 그리거나 쓰거나 말하기(Krakow와 Zadra 2006), 꿈을 재구성하거나 새로 만드는 다른 방법들을 시도해 보기 등이 있습니다.

침습 기억에 쓸 수 있는 또 다른 기술로는 주의 돌리기가 있습니다. 물론 회피는 부적응적인 것이지만 이는 그와 달리, 외상성 기억에 의도적으로 신경을 끄는 것입니다. 리더는 집단 구성원들에게 그들이 트라우마를 잊고 싶을 때 어떤 것들을 하는지 묻습니다. 다른 것을 더 자세히 생각하기, 제일 좋아하는 활동하기, 음악을 듣거나 연주하기, 독서, TV 보기, 취미생활 하기, 운동이나 게임 하기 같은 구성원들의 제안을 플립 차트에 목록화할 수 있습니다. 그리고 아이들에게 이러한 방법으로 어떻게 "트라우마 제로 구역"을 만들지 생각해 보게 합니다. 중요하게 쓰이는 마지막 기술은 특히 아이들이 고통스러운 생각에 매달리게 될 때 적용할 수 있는 것으로, 힘든 생각이나 기억을 위해 매일, 예를 들어 딱 10분 등의 특정 시간을 정하는 것입니다. 이런 생각들이 정해 둔 시간 외에 떠오르면, 아이들은 지금 걱정하지 말고 이 생각을 위해 정해진 시간에 하자고 스스로에게 말합니다.

집단 회기의 마무리는 1회기의 절차와 같은 순서로 진행되고 다시 한번 숙제가 배정됩니다. 숙제는 이미지 기술 중 최소 한 가지 이상을 연습하고, 부모에게 꿈에 대해 말하고, 불편한 꿈이 긍정적으로 끝나는 그림을 그려오는 것입니다. 아이들은 여러 기술을 배우지만, 자신에게 제일 잘 맞는 도구를 찾아보고, 한 종류가 효과가 없다면 다른 것을 시도해보도록 격려받습니다.

### **영역2** 각성

*3 회기*

외상 사건을 겪은 아이들은, 사건 후 생리적 각성이 증가되어 초조해하고 신경질적이며 불안 수준이 높아져 매우 쉽게 놀라곤 합니다. 긴장감으로 인해 잠 들기 어렵거나 푹 자는 것이 어려워질 뿐 아니라 집중력에도 문제가 생길 수 있습니다. 따라서 3번째 회기는 이완 기술이 포함된 훈련을 하게 됩니다.

회기는 10-11세 미만의 어린 아이들이라면 서로에게 콩주머니나 가벼운 공을 던지는 것으로 시작할 수 있습니다. 공을 잡은 사람은 지난번 회기 이후 있었던 좋은 일 한가지를 이야기한 뒤 숙제를 검토합니다. 이에 대해 서로 의견을 제시하되, 긍정적인 것이도록 지도합니다. 이것이 끝나면 집단 구성원들이 침습 기억과 동반되는 신체 감각에 대해 예시들을 제시하게 하고 이를 플립 차트에 적습니다. 일반적으로 언급되는 것에는 심박수의 증가, 심장이 빠르게 뛰는 느낌, 두근거림, 빠르거나 얕은 호흡, 가슴 부위의 통증, 어지럽거나 아픈 느낌, 숨 가쁨, 떨리는 느낌, 몸의 떨림, 손 떨림, 손 발의 따끔거리는 느낌, 식은땀 등이 있습니다. 이러한 증상들을 다룬 뒤, 이완 훈련을 시작합니다. 아이들에게 보통 그들이 어떻게 긴장을 푸는 지 묻고, 이런 방식으로 아이들만의 대처 기제를 강화해 줍니다.

훈련을 하기 전에, 모든 구성원은 원형으로 편안한 자세로 둘러 앉습니다. 다양한 이완 방법들이 가능하지만 매뉴얼에는 각 주요 근육마다 긴장과 이완을 번갈아 하는 점진적 이완법이 자세히 기술되어 있습니다. 이 훈련을 마치고 구성원들에게 어땠는지 피드백을 구한 뒤 그에 따라 기술을 반복해볼 수 있습니다.

또 다른 기술은 횡격막 호흡입니다. 리더는 숨을 들이쉬며 그들의 배를 불룩 내밀어 보이고 숨을 내쉴 때 배를 쏙 집어넣는 식으로 기술을 시연합니다. 아이들에게는 배꼽 바로 위 배에 손을 대고 다른 손은 가슴에 댄 상태로 연습하게 합니다. 그리고 마치 파도처럼 호흡에 따라 근육들이 순차적으로 움직이는 것을 확인시켜 줍니다. 아이들에게는 천천히 하나라고 세면서 코로 숨을 들이쉬고, 천천히 내쉬면서 스스로에게 "편안하다"라고 말하게 합니다. 아이들이 익숙해질 때까지 연습을 여러 번 반복합니다.

아이들이 갑자기 불안을 자극하는 상황을 맞닥뜨렸을 때 유용할 단축형 이완 기술 훈련도 권장됩니다(March 등, 1998). 이 때 아이들은 3, 4번 횡경막 호흡을 한 뒤 주먹이나 발에 힘을 주었다 빼기를 5-10번 시도하고, 다시 3, 4번 횡경막 호흡을 하는 순서로 필요한만큼 이를 반복합니다. 아이들은 숨을 내쉴 때마다 "편안하다"라고 스스로에게 말합니다. 아이가 자신의 모든 불안을 주먹 안에 넣어 쥔 뒤, 이완하면서 모든 불안은 내보내고, 약간이라도 남아있는 마지막 긴장은 손을 흔들면서 탈탈 털어내는 상상을 해보게 하는 것도 도움이 됩니다.

아이들에게는 다양한 "비법"들이 있기 때문에 연습이 필요하고 처음에는 쉽게 잘 안될 수 있다고 알려줍니다. 호흡법을 위에서 설명한 상상 이미지 기술과 함께 쓰기도 하며, 보통은 추가적인 자원인 안전지대를 연습하기 전에 이러한 근 이완법과 호흡법을 먼저 합니다. 긍정적인 자기대화도 유용하지만, 먼저 생각과 감정 사이의 연결을 이해하는 것이 중요합니다. 이를 설명해주면 불안을 자극하는 생각들을 알아차리고 그것을 긍정적인 생각으로 대체하는 것에 더 많은 의미를 부여할 수 있습니다. 불안 온도계는 불안 반응을 모니터링하는 또다른 기술로, 뜨거울수록 더 불안한 것을 뜻합니다. 아이들에게 1부터 10까지 쓰여진 온도계의 그림을 보여준 뒤, "네가 불안할 때 그게 얼마나 무서운지 말하고 싶을 수 있어. 이 온도계가 널 도와줄 거야. 바닥의 숫자 1은 전혀 무섭지 않아서, 네가 최대한 편안하게 있을 때를 뜻해. 반대로 가장 꼭대기(10)는 네가 경험한 것 중에 가장 무서울 때를 뜻하는 숫자야."라고 말해줍니다. 그리고 구성원들에게 온도계의 바닥과 가장 꼭대기 각각에 해당하는 감정적 단어들을 말해보도록 합니다. 아이들 각각에게 자신만의 온도계를 나누어 줄 수도 있습니다.

과각성으로 인한 수면 장애는 재난을 겪은 아이들이 흔히 겪는 증상입니다. 수면 개선을 위한 주요 전략으로는, 규칙적인 잠자리 절차 만들기(부모 회기에서도 같은 내용을 다룹니다), (아이들의 전 회기에서 다룬) 꿈 재구조화, (앞에서 기술한) 잠자리에 들기 전 이완 기술 사용하기가 해당합니다. 이 각각의 기술들을 같이 사용할 수도 있습니다. 여기에 추가로 잠들기 위한, 또는 중간에 깼을 때 다시 잠들기 위한 나만의 방법들이 있을 수도 있습니다. 아이들끼리 대화하며 서로를 도울 수 있도록 격려합니다.

이 회기 후의 숙제는 횡격막 호흡과 근육 이완 기술 연습하기 및 온도계 체크해 보기입니다.

## **영역 3** 회피

*4 회기*

회피는 외상 사건을 떠올리게 하는 것을 피하려는 시도로, 인지적인 것이거나, 또는 사건을 떠올리게 하는 장소, 사람 또는 대화를 피하기 위한 행동으로 나타납니다. 이는 개인의 기능을 제한하고 결국 아이의 문제 상태가 유지되게 합니다. 이 회기는 숙제를 검토하는 것으로 시작합니다. 이 회기가 먼저 진행된 두 회기에서 배운 조절과 이완 기술을 기반으로 한다는 점이 중요합니다.

보통 좀더 분명하고 아이들이 이해하기 쉬운 트라우마 연상물과 행동적인 회피 현상을 언급하는 것으로 시작하는 것이 도움이 됩니다. 아이들이 적응과 부적응적인 회피를 구분할 수 있게 하려면 노력이 필요합니다. 우선, 트라우마 연상물을 인식하는 것이 중요합니다. 집단 구성원들에게 그들의 연상물이 무엇인지 다시 한번 묻고 이를 플립 차트로 목록화합니다. 연상물은 흔히 장소와 물건, 사람, 상황, 소리 및 감각들입니다. 리더는 최대한 많은 연상물을 목록에 올리는 것을 목표로 하고, 회피가 적응적일수도(위험한 장소들을 피하는 등) 부적응적일수도(더 이상 위험하지 않은 장소도 피하기 등) 있다는 점을 분명히 확인할 수 있게 합니다. 집단이 함께 브레인스토밍을 한 후, 아이들 각자 자신만의 연상물 목록을 만듭니다. 그런 뒤에 리더는 예시를 통해 점진적 노출 개념을 소개합니다. 대다수의 아이들은 이미, 두려운 상황을 직면하는 것이 공포와 회피를 극복하는 방법일 수 있다는 것을 아마도 알고 있을 것입니다. 연상물에 노출되면 당연히 불안 반응이 일어난다는 점과 그 연상물을 피하면 일시적으로는 불안을 줄어들지만, 동시에 앞으로도 계속 두려움이 지속될 것이라는 의미이기도 하다는 점을 알려줍니다. 처음에는 리더가 예시를 통해 노출의 개념을 소개할 수 있습니다. 비슷한 경험들에 대한 이야기가 집단 구성원들로부터 나오면, 그것을 통해 상호 대화형 회기로 진행해 갑니다. 점진적 노출의 예시는 한 걸음씩, 한 번에 하나의 움직임으로 진행하는 사다리 형태로 설명될 수 있습니다. “우리는 너의 트라우마 연상물과 비슷한 것으로 한번 무언가를 해 볼 거야. 우리가 그것을 직면해야 하긴 하지만, 그것을 한 걸음씩, 마치 차근차근 사다리를 올라가는 것처럼 할 거야. 사다리 위로 한걸음을 옮기기 위해서, 원한다면 너의 도구상자에 있는 모든 것을 사용할 수 있어. 사다리를 올라가는 두려움과 싸우는 데, 도구상자 속 무엇이 도움이 될 것 같니?” (Smith 등. 2013). 아이들마다 도구상자의 다른 기술들을 사용할 수 있습니다. 이완, 호흡법, 안전 지대, 불안 온도계 및 맞설 수 있는 자기 진술. 아이들을 작은 소그룹으로 나뉘어, 공포와 회피를 유발하는 연상물에 대처하기 위한 자신만의 사다리를 만드는 작업을 합니다. 이때 플립 차트에 사다리를 그리고, 노출을 매우 작은 단계들로 나눕니다. 예를 들어 지진이 일어났을 때 머물렀던 방을 피하는 아이라면, 사다리의 첫번째 단계는 먼 거리에서 그

건물을 바라보는 것이고, 다음 단계는 그 건물 근처로 걸어서 정문 근처까지 가보는 것 식으로 진행합니다.

이렇게 사다리를 만든 아이들에게는, 할 수 있을 것 같다면 스스로 그 단계들을 연습할 수 있고 필요하다면 부모님의 도움을 구할 수도 있다고 알려줍니다. 그리고 불안 온도계와 이완 기술의 사용, "나는 할 수 있어", "그게 날 진짜로 다치게 할 수 없어", "내가 대처할 수 있다는 것을 난 알아", "나는 내 두려움을 이길 거야", 그리고 "불안은 곧 사라질 거야" 같은, 불안에 맞설 수 있는 자기 진술의 유용성을 다시 한번 상기시켜 줍니다. 또한, 이러한 자기 진술을 적어 두게 합니다.

노출을 진행하는 기본 단계는 다음과 같습니다:

1. 불안의 위계 순위 정하기.
2. 목표를 선택하고 연상물에 직면하는 것을 준비하기 - 이완.
3. 상황에 머무르기 – 긍정적인 자기 진술.
4. 불안을 견딜 수 있는 수준을 모니터링 하기 – 불안 온도계.
5. 자기 칭찬과 보상.
6. 더 어려운 목표를 대상으로 반복.

여기에서 한 가지 중요한 점은, 모든 회피성 행동이 트라우마 상황에서 부적응적인 것은 아니라는 것입니다. 노출 기술을 가르칠 때 아이들이 기능적, 역기능적인 회피를 구분할 수 있게 하는 것이 필수적입니다. 실제로 많은 장소들이 위험합니다. 아이들이 스스로에게 "이게 정말로 날 다치게 할 수 있을까?", "어른들이 여기에 올 수 있나?", "부모님이나 윗 형제가 여기에 올 수 있을까?"라고 물어볼 수 있습니다. 상황에 따라, 아이들이 실제로 해보기 전에 항상 부모와 함께 점진적 노출을 계획하도록 규칙을 적용할 수도 있습니다.

*5 회기*

외상 기억으로부터 주의를 다른 곳으로 돌리는 기술도 중요하지만, 보통 의도적으로 스스로를 외상 기억에 노출시키는 것도 필요합니다. 이 회기의 목표는 외상성 기억을 바꾸거나 주의를 다른 데로 돌리기보다 그 기억을 상기시키는 활동을 하는 것으로, 아이들이 구조화되고 통제된 방식으로 이러한 재경험을 할 수 있게 하는 것입니다. 이를 위해 아이들의 발달이 나 교육 수준에 따라 적용할 수 있는 몇 가지 기술이 있습니다. 글쓰기는 기억을 처리하는 데 그리기만큼 좋은 방법입니다. 어린 아이들은 보통 자연스럽게 글 쓰기보다 그림 그리기를 선호하는 반면, 청소년은 좀더 글로 쓰려는 경향이 있습니다. 그리기로 시작할 경우에는 각 구성원에게 종이와 연필을 나누어 줍니다. 그리기의 목표는 아이가 자신의 트라우마 기억을 통제된 방식으로 떠올리기 시작할 수 있게 하고, 일어난 일을 말할 수 있는 기초가 되게 하는 것입니다. 그리고 이는 강렬한 노출을 시도하는 대신 아이들이 자신의 기억을 떠올리는 연습이 됩니다. 이를 위해 집단을 소그룹으로 나누어서, 아이들이 개별적으로 완전히 그려낼 수 있도록 충분한 시간을 주고 침습적인 장면이나 기억하는 부분을 그리게 합니다. 아이들이 그림을 그리는 동안, 리더는 주변을 돌면서 격려하고 의견을 제시합니다.

그림 그리기와 마찬가지로 글 쓰기 역시 직접적인 상상 노출의 도구이자 사건에 대해 이야기하는 기초자료로 사용될 수 있습니다. 보통 집단 상황에서는 아이들이 개별 글 쓰기 시간이 충분하지 않기 때문에, 여기에서는 나중에 글을 쓸 때 필요한 조언을 전달하는 것이 목표입니다. 학교 수업이 아니니 문법이나 서체 같은 것들은 중요하지 않다고 알려주는 것이 좋을 수 있습니다. 중요한 점은 일어났던 일들의 모든 세부사항을 담는 것입니다. 플립 차트를 여기에 이용합니다. 순차적인 이야기 형식으로 쓰고, 마음 깊숙한 곳의 생각과 가장 내면의 감정이 담겨야 글 쓰기가 최적의 효과를 발휘할 수 있습니다(Pennebaker 1997). 청소년을 위한 글쓰기 매뉴얼은 http://www.childrenandwar.org를 참조합니다. 부모 회기에서는, 부모들에게 자녀의 글쓰기를 장려하되 아이들이 그 글쓰기가 오직 아이 자신을 위한 것이라는 것을 알아야 더 자유롭게 쓸 수 있다고 전달합니다.

이 과정을 힘들어 하는 아이가 있다면, 리더는 구성원들이 그 아이를 지지해주도록 할 수도 있지만 리더가 두 명일 경우 한 명은 도움이 필요한 아이를 좀 더 돌보는 역할을 맡을 수도 있습니다. 누군가 화를 낸다면, 리더는 그런 사건이 일어난 후 슬프고 화가 날 때는 그것이 정상적인 반응이며, 이러한 반응은 점차 줄어들게 된다고 단순히 설명해주는 것이 상황을 진정시키는 데 도움이 될 수 있습니다. 집단 내에서 일어나는 일을 잘 인지하고 정상화하는 리더가 함께 있다면, 아이들은 안전하다고 느끼고 반응도 길게 이어지지 않습니다.

이 마지막 회기는 주도적인 미래 계획으로 마치게 됩니다. 이는 회기를 좀더 긍정적인 방향으로 마무리한다는 의미입니다. "앞으로 어떤 희망을 갖고 있니? 미래에 너의 가족에게, 나라에 어떤 희망을 갖고 있니? 5년이나 10년 뒤에 네가 어떤 모습일 것 같니?" 같은 개방형 질문으로 대화를 격려합니다. 각 회기의 주요 기술들을 간단히 리뷰하고, 이것이 마지막 시간이며 그동안 참석하고 열심히 노력하며 매우 어려운 일에 대해서도 용감하게 생각하고 말했던 점들에 대해 아이들을 칭찬하는 것으로 회기를 마무리합니다. 각각의 아이들이 칭찬을 받아야 합니다. 그들의 훌륭한 노력을 축하하거나 파티 형식으로 마무리합니다.

## 22.4 연구와 근거

외상성 스트레스에 대한 학교 기반 개입을 다룬 막대한 자료들을 기반으로, Jaycox와 동료들은(2009)은 이 분야에서 이루어진 많은 것들의 개요를 보여주었지만, 또 다른 자료(Jaycox 등. 2014)에서 이러한 학교 기반 프로그램들의 평가가 그들의 실제 적용보다는 상당히 뒤떨어진 상태라는 점을 확인하였습니다. 앞서 언급했던 개입법들은 여러 다른 상황에서 실행이 가능하므로 학교 환경에 한정하여 평가되지는 못했으나, 다른 학교 기반 개입법들이 포함하고 있는 구성 요소들을 갖고 있으며 몇몇 다른 상황에서 평가를 받은 바 있습니다. 이 결과는 Yule 등의 자료에서 확인 가능합니다(2013).

Rolfsnes와 Idsoe (2011)은, 소아 PTSD를 위한 학교 기반 치료 프로그램들을 대상으로 메타 분석을 실시했습니다. 기준을 만족하여 최종 분석에 포함된 연구의 수는 19개로, 이 중 9개는 무작위 설계를 하였고, 10개의 연구는 준실험 설계를 사용하였습니다. 6개의 무작위통제연구를 포함한 16개의 연구는 인지행동치료CBT를 평가했습니다. 나머지는 놀이/예술 치료, 안구운동 둔감화 및 재처리EMDR, 그리고 마음 - 신체 기술mind-body skills을 평가했습니다. CBT 평가에서는 11개의 연구에서 중간-큰 효과가 확인되었고, 4개에서 소-중간 효과가 나타났습니다. 전쟁의 피해를 입은 레바논 아이들을 대상으로 한 대규모 준실험연구에서는 PTSD 증상에 대한 CBT의 효과가 확인되지 않았습니다. 놀이치료와 EMDR을 대상으로 한 2개의 학교 기반 무작위 통제 연구(대기 리스트 대조군)에서는 중간-큰 효과 크기를 보였습니다. 메타 분석에서 매개 변인은 다루지 않았지만, 치료기간, 치료자가 받은 훈련의 강도, 치료자의 배경(정신건강 수련 경험자 vs 비 수련자), 증상의 중증도, 트라우마의 정도(누적 트라우마) 등에서 차이가 확인되었습니다. 전체 19개의 연구결과의 메타분석에서 중간-큰 효과의 평균 가중 효과가 확인되었습니다. 이 결과는 학교 기반 개입이 효과적일 수 있음을 의미하지만, 앞으로 추가적인 무작위 통제 연구가 필요합니다.

최근에는 아동기 외상에 대한 학교 기반 개입을 대상으로 추가적인 연구들이 진행되고 있습니다. 예를 들어, Salloum과 Overstreet (2012)는 애도 및 트라우마 개입Grief and Trauma Intervention (GTI)에서 대처기술 및 트라우마 이야기 처리CN 대 대처기술(C)만 한 경우의 효과 차이에 대해 평가했습니다. 이 학교 기반 접근법에서는 6-12세 아프리카계 미국 아동 70명이 무작위로 GTI-CN 또는 GTI-C 군에 배정되었습니다. 두 치료군 모두 매뉴얼에 따라 11 회기의 개입과 부모시간으로 구성되었습니다. 두 치료 집단의 아이들 모두 심리적 고통과 관련된 증상 및 사회적 지지가 유의미하게 향상되었습니다.

Wolmer와 동료들(2011)은 2006 년 레바논 전쟁 이후 이스라엘 학교에서 학교 기반 접근법을 실행했습니다. 이 개입은 매주 교사가 대처 강화를 기본으로 한 매뉴얼에 따라 45분간 진행하는 교육식 구성으로, 15회기로 구성되어 있습니다. 여기에는 "긍정적, 부정적 경험을 다루기, 스트레스 관리 및 신체 긴장 조절하기, 정서조절 및 처리(슬픔과 분노에 대처하기 등), 주의력 관리, 부정적인 생각의 확인과 교정, 사회-정서적 역량과 다른 대처기제를 포함하여 유머를 사용하기" 같은 주제들이 포함되어 있습니다. 참가한 아이들은 대조군에 비하여 현저하게 증상이 감소하였습니다. 저자들은 이러한 개입에서 교사들이 비용 효과 면에서 귀중한 자원이라고 보았습니다.

## 결론

학사 일정 중 외상 사건을 다룰 필요가 없는 학교는 없습니다. 동시에 학교는 학생들이 유년기의 상당한 부분을 보내는 곳인만큼, 아이들을 개별적으로 또는 집단적으로 도울 수 있는 장이기도 합니다. 공감적인 지지와 함께, 교사는 학생들이 외상 사건 이후 학교로 복귀하도록 계획을 세우고 삶을 정상화하는 데 도움이 될 요구들을 조정할 수 있습니다. 학생들 일부 또는 전 학교에 영향을 미친 사건에 대한 집단 개입은 교사들과 정신건강 전문가들이 함께 진행할 수 있습니다. 배려하는 분위기와 맞춤형 개입은 학생들의 학업 잠재력 성취에 도움이 될 것입니다.

**감사의 말**

줄리아 노먼의 도움에 감사드립니다.

## 참고문헌

Alisic E, Bus M, Dulack W, Pennings L, Splinter J (2012) Teachers' experiences supporting children after traumatic exposure. J Trauma Stress 25(1):98–101

Boyraz G, Granda R, Baker CN, Tidwell LL, Waits JB (2016) Posttraumatic stress, effort regulation, and academic outcomes among college students: a longitudinal study. J Couns Psychol 63:475–86. Retrieved from http://dx.doi.org/10.1037/cou0000102

Dorado JS, Martinez M, McArthur LE, Leibovitz T (2016) Healthy Environments and Response to Trauma in Schools (HEARTS): a whole-school, multi-level, prevention and intervention program for creating trauma-informed, safe and supportive schools. Sch Ment Health 8:163–76

Dyregrov A (2006) Sorg hos barn: en håndbok for voksne. Fagbokforl, Bergen

Dyregrov K, Dyregrov A (2008) Effective grief and bereavement support: the role of family, friends, colleagues, schools and support professionals. Jessica Kingsley Publishers, London

Dyregrov A, Dyregrov K, Idsoe T (2013) Teachers' perceptions of their role facing children in grief. Emotion Behav Diffic 18(2):125–34

Dyregrov K, Endsjø M, Idsøe T, Dyregrov A (2014) Suggestions for the ideal follow up for bereaved students as seen by school personnel. J Emotion Behav Diffic 20:289–301. http:// dx.doi.org/10.1080/13632752.2014.955676

Gustavsson JE, Westling Allodi M, Alin Åkerman B, Eriksson C, Eriksson L, Fischbein S, Granlund M, Gustafsson P, Ljungdahl S, Ogden T, Persson RS (2010) School, learning and mental health: a systematic review. Stockholm: The Royal Swedish Academy of Sciences

Helland MJ, Mathiesen KS (2009) 13–15 åringer fra vanlige familier i Norge: Hverdagsliv og psykisk helse [13–15 year-olds from regular families in Norway: everyday life and mental health]. Norwegian Institute of Public Health, Oslo

Hurt H, Malmud E, Brodsky NL, Giannetta J (2001) Exposure to violence: psychological and academic correlates in child witnesses. Arch Pediatr Adolesc Med 155(12):1351–6. doi:10.1001/archpedi.155.12.1351

Jaycox LH, Stein B, Amaya-Jackson L (2009) School-based treatment for children and adolescents. In: Foa EB, Keane TM, Friedman MJ, Cohen J (eds) Effective treatment for PTSD: practice guidelines from the International Society for Traumatic Stress Studies. Guilford Press, New York, pp. 327–45

Jaycox LH, Stein BD, Wong M (2014) School intervention related to school and community violence. Child Adolesc Psychiatr Clin N Am 23(2):281–93. doi:10.1016/j.chc.2013.12.005

Krakow B, Zadra A (2006) Clinical management of chronic nightmares: imagery rehearsal therapy. Behav Sleep Med 4(1):45–70

Leary MR, Kowalski RM, Smith L, Phillips S (2003) Teasing, rejection, and violence: case studies of the school shootings. Aggress Behav 29(3):202–14

March JS, Amaya-Jackson L, Murray MC, Schulte A (1998) Cognitive-behavioral psychotherapy for children and adolescents with posttraumatic stress disorder after a single-incident stressor. J Am Acad Child Adolesc Psychiatry 37(6):585–93. doi:10.1097/00004583- 199806000-00008

Masten AS, Roisman GI, Long JD, Burt KB, Obradovic J, Riley JR et al (2005) Developmental cascades: linking academic achievement, externalizing and internalizing symptoms over 20 years. Dev Psychol 41:733–746. Retrieved from http://search.ebscohost.com/login.aspx?di rect=true&db=psyhref&AN=DP.DA.GCC.MASTEN.DCLAAE&loginpage=Login. asp&site=ehost-live&scope=site

Mathews T, Dempsey M, Overstreet S (2009) Effects of exposure to community violence on school functioning: the mediating role of posttraumatic stress symptoms. Behav Res Ther 47(7):586–91

Mathiesen KS, Karevold E, Knudsen AK (2009) Psykiske lidelser blant barn og unge i Norge. Folkehelseinstituttet, Oslo

NBCnews (2015) Oregon shooting: umpqua community college gunman talked religion. Retrieved from http://www.nbcnews.com/news/us-news/officers-respond-report-shooting-umpqua-community-college-n437051

Pennebaker JW (1997) Writing about emotional experiences as a therapeutic process. Psychol Sci 8(3):162–6

Rolfsnes ES, Idsoe T (2011) School-based intervention programs for PTSD symptoms: a review and meta-analysis. J Trauma Stress 24(2):155–65. doi:10.1002/jts.20622

Rones M, Hoagwood K (2000) School-based mental health services: a research review. Clin Child Fam Psychol Rev 3:223–241

Salloum A, Overstreet S (2012) Grief and trauma intervention for children after disaster: exploring coping skills versus trauma narration. Behav Res Ther 50(3):169–79

Smith P, Dyregrov A, Yule W, Gupta L, Perrin S, Gjestad R (2013) Children and disaster: teaching recovery techniques. Bergen: Children and War Foundation. http://www.childrenandwar.org/

Sund AM, Larsson B, Wichstrom L (2011) Prevalence and characteristics of depressive disorders in early adolescents in central Norway. Child Adolesc Psychiatry Ment Health 5(1):28

Thienkrua W, Cardozo BL, Chakkraband MS, Guadamuz TE, Pengjuntr W, Tantipiwatanaskul P, Sakornsatian S, Ekassawin S, Panyayong B, Varangrat A (2006) Symptoms of posttraumatic stress disorder and depression among children in tsunami-affected areas in southern Thailand. JAMA 296(5):549–59

Veltman MW, Browne KD (2001) Three decades of child maltreatment research Implications for the school years. Trauma Violence Abuse 2(3):215–239. doi:10.1177/1524838001002003002

Wolmer L, Hamiel D, Barchas JD, Slone M, Laor N (2011) Teacher-delivered resilience-focused intervention in schools with traumatized children following the second Lebanon war. J Trauma Stress 24(3):309–16

Yablon YB (2015) Positive school climate as a resilience factor in armed conflict zones. Psychol Violence 5(4):393

Yule W, Dyregrov A, Raundalen M, Smith P (2013) Children and war: the work of the Children and War Foundation. Eur J Psychotraumatol 4:1–8. doi:10.3402/ejpt.v4i0.18424

# 분쟁지역 아동과 청소년 트라우마의 치료 및 예방

# 23

Anselm Crombach, Sarah Wilker, Katharin Hermenau,
Elizabeth Wieling 과 Tobias Hecker

## 23.1 분쟁 지역에서 심리적 개입의 필요성

2015년, 전 세계의 6천만명 이상이 전쟁과 테러로 살던 곳에서 떠나야했습니다. 이는 UNHCR 기록 이래 역대 최고의 난민 수입니다. 갈등과 위기의 맥락 면에서, 아동과 청소년은 극도로 취약한 인구집단입니다. 트라우마 스트레스의 결과 신체 건강 문제 다음으로 많은 아이들에게 주로 PTSD, 내재화 및 외향성 문제로 나타나는 정신건강 이상의 위험성이 높아져 있습니다. 이 증상들을 치료하지 않는다면 이는 개인, 관계 및 사회적 수준에서 평생 지속되는 결과를 초래할 수 있습니다.

### 23.1.1 전쟁과 분쟁지역의 아동과 청소년 PTSD 유병률

서구의 역학 연구에서 아동 및 청소년의 PTSD 유병률은 0.5-9%(2장 참조)로 다양하지만, 분쟁 후 지역에서 보고된 유병률은 25~44%로 훨씬 더 높습니다(Ertl 등. 2014, Schaal과 Elbert 2006). 외상성 사건이 많아지면 노출 정도에 따라 PTSD의 발병위험은 늘어나므로, 트라우마 노출이 더 많은 것이 이러한 비율이 높아지는 가장 뚜렷한 이유입니다(Catani 등. 2008). 그러나 분쟁 지역에 있는 아동과 청소년에게는 추가적인 위험 요소가 더 존재합니다. 여기에는 강제 이주, 빈곤, 부모 상실 및 가족 붕괴, 지속적인 정치 및 지역 사회 폭력, 낙인이 포함됩니다. 아동에 대한 위험 요소의 중심에는 가정 폭력이 있고 이는 전쟁 트라우마 후유증에 대한 취약성을 악화시킬 수 있습니다(Catani 등. 2008). 지속적인 분쟁과 불리한 생활 조건은 심리적 회복을 방해합니다. 더욱이 심각한 정신과적 증상은 젊은이들이 재건, 화해 및 평화를 쌓아가는 과정에 적극적으로 참여하지 못하게 하는 복수심을 높일 뿐 아니라 일상 기능의 어려움과도 관련이 있습니다. 따라서 분쟁 지역에서 외상성 장애를 효과적으로 치료하는 것은 아동이 잠재력을 개발하고 회복과 안정이 지속 될 수 있도록 하는 데 가장 중요합니다.

## 23.2 분쟁 후 지역에서의 심리 개입

분쟁 지역에서 정신건강 개입을 하는 데에는 몇 가지 다루어야 할 문제가 있습니다. 첫째, 트라우마를 입은 아동과 청소년의 수에 비해 극소수의 정신건강 전문가가 존재하므로, 어떻게 효과적으로 치료를 확산시킬 수 있을지 의문이 제기됩니다. 둘째, 불안한 사회 경제적 상황과 같은 높은 일상 스트레스 요인으로 인해 정신건강이 악화될 수 있습니다. 셋째, 트라우마를 입은 부모는 지속적인 가정 폭력 및 그들의 알코올 남용 등, 바람직한 양육과 양육 환경을 만드는데 어려움을 겪을 수 있으며, 이는 종종 가족 내에서 트라우마 경험이 더 추가되는 결과를 낳습니다. 보호 시설에서 생활하는 아동도 방임이나 가혹한 훈육과 폭력에 노출될 위험이 높습니다. 따라서 지속 가능한 심리 개입 프로그램에서는 아동 및 청소년의 정신건강, 성공적인 통합 및 사회 참여 촉진을 위한 개인의 트라우마 후 정신병리 치료와 가족/제도적 폭력 예방 두 가지를 모두 고려해야 합니다. 이러한 방식으로 자녀 양육 프로그램은 가정 폭력과 심리적 부적응이 악순환 되는 것을 방지하고, 반면 개인 치료는 앞으로의 스트레스 상황에 대처하는 아동의 기능을 향상시킵니다(Catani 등. 2008; Saile 등. 2014). 마지막으로, 아동과 청소년은 폭력의 생존자일 뿐만 아니라 소년병으로 또는 거리에서 생존하기 위해 그들 자신들도 위법행위를 했을 수 있습니다. 따라서 아동 가해자의 성공적인 사회로의 재통합을 위해 전문적인 정신건강 개입이 필요할 수 있습니다.

### 23.2.1 분쟁 지역에서 정신건강 개입을 확산하기

#### 23.2.1.1 심리사회적 및 정신건강 개입의 통합

분쟁 지역의 정신건강 개입에 있어 가장 해결이 시급한 문제는 높은 치료 수요에 대해 소수의 지역 정신건강 전문가가 어떻게 대응할 것인지에 대한 것입니다. 실제로 많은 심리사회적 프로그램은 정신 증상을 악화시키는 일상 스트레스 요인의 감소를 우선시합니다. 따라서 정신건강 개입은 심리 사회적 상태가 나아진 후에도 회복되지 않는 사람들에게 하는 것으로 할 수 있습니다. 그러나 정신건강 문제보다 심리 사회적 상태를 우선시하는 것은 여러 이유로 적절한 전략이 아닐 수 있습니다. 이유로는 (1) PTSD로 고통받는 사람은 상황을 더 괴롭게 인지할 수 있고, (2) 정신 질환이 일상적인 스트레스를 더 유발할 수 있는데, 업무능력 상실로 인한 빈곤이 그 예입니다(Neuner 2010). 또한, (3) 정신 증상이 집중, 학습 및 친구들과 어울리는 것을 어렵게 하므로, 아동 및 청소년은 심리 사회적 개입(예: 빈곤 감소를 목표로 하는 교육 프로그램)이 도움이 되지 않을 수 있습니다. 앞서 언급한 이유들로 비추어 볼 때, 정신건강 개입은 분쟁 상황에서 인도주의적 프로그램의 필수 부분이어야 합니다. 이러한 "패러다임 전환"을 위해, 정신건강에 대한 개입은 (1) 단기적이고, (2) 지역 준전문가들에게 쉽게 훈련이 가능하고, 보급할 수 있어야 하고, (3) 지역 상황과 문화적 신념 체계에 민감해야하고, (4) 재통합센터, 지역 비정부 기구NGO 및 1차 의료 서비스와 같은 기존 지역 조직들과 협력하여 실시해야 하고, (5) 트라우마 중심의 모듈을 포함해야 하고, (6) 면밀한 과학적 평가가 포함되어야 합니다(Schauer와 Schauer 2010). 불행히도 일반적으로 분쟁 후 환경(Neuner와 Elbert 2007), 특히 아동과 청소년을 대상으로 한 정신건강 개입의 효과성 평가에 전념한 연구는 거의 없습니다.

### 23.2.1.2 분쟁 지역에서 외상후 정신병리 치료를 위한 정신건강 개입

분쟁 지역에서 사용할 수 있는 자원은 한정되어 있으므로, 이전부터 활용된 한 가지 접근 방식은 집단으로 정신건강 개입을 하는 것입니다. 아동 및 청소년 치료를 위한 많은 개입이 자연 환경을 활용했고 학교 교실에서 개입을 시행했습니다. 학교 기반 개입은 스트레스 회복력을 향상시키고 트라우마 후 정신병리를 줄이는 것을 목표로 합니다. 여기에는 심리 교육 요소, 인지행동치료, 기술 훈련 및 감정 관리 기술, 예술이나 춤 치료 같은 창의적이고 표현적인 요소와 일부 개입에서는 트라우마 노출이 제한적으로 포함됩니다(Fazel 등. 2014). 일반적으로 분쟁 후 환경에서 학교 기반 개입의 근거는 혼합되어 있어, 일부 연구에서는 정신건강에 긍정적인 영향을 미치는 반면, 다른 연구에서는 하위 그룹에서만 유익한 효과를 보이고 또는 심지어 효과가 없거나 부정적인 영향도 보고된 바 있습니다. 최근의 체계적인 검토에 따르면 검토된 학교 기반 정신건강 개입의 절반만이 유익한 효과를 보였습니다(Fazel 등. 2014). 이렇게 효과가 일관성이 없는 이유 중 하나는 학교 기반 개입 내 트라우마 초점 요소의 유무일 수 있습니다. 일반적으로 PTSD가 있는 아이들에게 효과적인 치료는 트라우마 경험의 노출을 포함합니다(Landolt와 Kenardy 2015). 그러나 이 외상 중심 요소는 한 생존자의 트라우마 내러티브가 다른 집단 구성원의 침습 기억을 자극할 수 있기 때문에 집단에 부정적인 영향을 미칠 수 있습니다(Litwack 등. 2015). 또한 (정신건강 문제가 있거나 없는 아동을 포함하는) 참가자와 전달되는 중재가 다양하여, 어떤 중재 모듈이 어떤 대상에게 유익하거나 위험할 지 결정하기 어렵다는 문제가 있습니다. 따라서 현재 연구 수준에서 학교 기반 개입은 분쟁 지역에서 트라우마 관련 정신건강 질환의 치료로 권장될 수 없습니다(예: Ertl과 Neuner 2014).

Ertl과 Neuner (2014)는 학교 기반 개입의 효과적인 대안으로 선별 후 치료 접근법을 제안했습니다. 이 전략에 따르면 정신 장애의 유병률은 먼저 체계적인 진단 면담에서 결정됩니다. 두 번째 단계로 임상적으로 관련된 증상을 보이는 경우 특정 정신건강 개입을 개별적으로 제공합니다. 분쟁 후 환경에서 트라우마를 입은 아동의 치료를 위해 성공적으로 구현되고 과학적으로 평가된 트라우마 중심 개입은 아동청소년의 내러티브 노출 치료(Narrative Exposure Therapy, NET; Schauer 등. 2011)(KIDNET, 11장 참조, 분쟁 지역 적용, Catani 등. 2009 참조) 및 외상 초점 인지행동치료(TF-CBT, 8장 참조, 분쟁 지역 적용, McMullen 등. 2013 참조)입니다. NET은 다수의 트라우마 경험이 있는 생존자들의 필요를 위해 특별히 개발된 개별 치료 방식입니다. NET은 비전문 상담사의 간단한 훈련 모델이 통합된 것으로, 이후 훈련자 훈련방식으로 프로그램을 보급하는 구성으로 만들어졌습니다(Jacob 등. 2014). 따라서 NET

은 분쟁 지역에서 정신건강의 격차를 좁히는 데 특히 적합할 수 있습니다. 분쟁 지역에서 성공적으로 적용된 TF-CBT 치료는 집단으로 진행되었습니다. 그러나 트라우마 노출 모듈은 개인 회기로 시행되었습니다(McMullen 등. 2013). 즉, 일반적인 감정 관리 기술과 심리교육은 집단에서, 외상 중심 치료는 개별적으로 다룹니다. 이것은 또한 분쟁 지역에서 시간 및 비용 효과적인 전략입니다. 표 23.1은 분쟁 지역에서 연구에 기반하여 선별된 PTSD 치료 및 예방 접근 방식의 개요입니다. TF-CBT 및 NET은 이 책의 8장과 11장에서 살펴보았으므로 여기서는 다루지 않습니다.

### 23.2.1.3 분쟁 지역 생존 아동의 향후 폭력 피해를 예방하기

아동에게 외상 중심 심리치료만 시행하는 것은, 아동이 가혹한 양육과 가족이나 기관에서의 폭력으로 지속적인 트라우마를 겪을 수 있다는 사실을 간과합니다. 이는 아동의 정신병리, 공격 행동 및 학업 문제의 위험성을 높입니다(예: Hermenau 등. 2011; Saile 등. 2014). 따라서 부모는 개입과 부정적인 결과의 예방에서 가장 가까운 자원이기 때문에, 분쟁 후 지역에서 양육 개입의 중요성에 대한 관심이 높아지게 되었습니다(Gewirtz 등. 2008).

**표 23.1** 과학적으로 검증된, 분쟁 후 지역의 아동청소년 트라우마와 폭력 치료 및 예방 개입들

| 초점 | 대상그룹 | 치료적 접근 | 해당 자료 |
|---|---|---|---|
| 트라우마 치료 | 분쟁이나 폭력의 아동 생존자 개인 | 외상초점 인지행동치료 (Trauma-Focused Cognitive Behavioral Therapy, TF-CBT) | 이 책의 8장 |
| 트라우마 치료 | 분쟁이나 폭력의 아동 생존자 개인 | 아동대상 내러티브 노출 치료 (Narrative Exposure Therapy for Children, KIDNET) | 이 책의 11장 |
| 아동 학대 예방 | 부모 | 수정판 오리건 주의 부모 관리 훈련 (Adapted Parent Management Training Oregon, PMTO) | 이 책의 23.3.1 |
| 아동 학대 예방 | 기관의 보육자 | 아동과 상호작용 역량 (Interaction Competences with Children, ICC) | 이 책의 23.3.2 |
| 트라우마 치료와 재건/폭력예방 (Trauma treatment and reintegration/violence prevention) | 트라우마가 있는, 아동의 가해자 | 사법 범죄자 재활을 위한 내러티브 노출 치료 (Narrative Exposure Therapy for Forensic Offender Rehabilitation, FORNET) | 이 책의 23.4 |

분쟁 후 북부 우간다에서 **오리건 주의 부모 관리 훈련** 모델Parent Management Training Oregon을 채택하여 양육 훈련을 시행한 경험은 23.3.1 장에서 소개될 것입니다. 또한 분쟁 후 지역

에 있는 많은 아동들이 시설에서 자랍니다. 힘든 노동 조건과 보육자에 대한 과도한 부담, 충분하지 않은 보육 훈련, 보육에 대한 사회적 규준, 이 모두가 기관 돌봄 상황에서의 가혹한 훈육을 조장합니다. 따라서 아동의 추가 피해 방지에는 시설의 긍정적인 훈육 촉구 개입이 가장 중요합니다. 따라서 저자들은 23.3.2 장에서 아동과 상호 작용 역량Interaction Competences with Children 개입 프로그램을 소개합니다.

#### 23.2.1.4 분쟁 지역에서 트라우마가 있는 가해자에 대한 효과적인 치료들

여러 트라우마 경험에서 살아남는 것 외에도 소년병과 거리의 아이들은 주변의 강요나 속아서, 그리고 생존하기 위해 싸우는 등의 이유로 폭력을 저지를 수 있습니다. 상당수는 공격적인 행동에 대해 긍정적인 기분(예: 자부심, 권력 및 기쁨)을 발전(**탐닉적 공격성** Appetite aggression)시키며 적응하는데, 이는 생존을 위해 중요할 수 있고 물질적 이득이나 존경과 동지애에 의해 강화될 수 있습니다(Crombach와 Elbert 2014). 이 아동들은 트라우마 관련 질환과 폭력에 연관된 흥분과 힘에 대한 느낌 모두에 의해 어려움을 겪기 때문에, 평화로운 사회로 재통합되거나 폭력을 중단하는 것이 어려울 수 있습니다(Hermenau 등. 2013a). 이들은 대체로 좋지않은 환경에서 긍정적인 감정을 얻으려고 애쓰며 공격적인 행동을 통해 통제감과 성취감을 경험할 기회를 찾았을 것입니다. 따라서 성공적인 재활을 위해서는 외상 사건뿐만 아니라 아동 생존자가 가해자였던 사건도 치료에서 다루어야 합니다. 트라우마를 받은 가해자에 대한 치료요구에 대한 NET의 수정 형태인 **사법 범죄자 재활을 위한 내러티브 노출 치료**Narrative Exposure Therapy for Forensic Offender Rehabilitation는 23.4장에서 소개될 것입니다.

## 23.3 아동 학대와 가정 폭력에 대한 예방적 개입

### 23.3.1 수정판 오리건 주의 부모 관리 훈련Adapted Parent Management Training Oregon, PMTO: 분쟁 후 지역에서 가정 폭력을 예방하기 위한 체계적 접근

#### 23.3.1.1 이론적 배경

북부 우간다의 분쟁 후 지역사회에 적용된 개입은 **PMTO**Parent Management Training Oregon 모델을 기반으로 하는데, 사회적 상호작용 학습 이론을 시험하는데 명시적으로 초점을 맞춘, 아동 경과에 간접적으로 영향을 미치는 접근 방식을 사용하는 모델입니다. 이 프로그램은 어머니, 아버지, 두 부모 또는 성인 보호자와 함께 진행됩니다. 아동에게 직접적인 개입은 하지 않습니다. 따라서 아동의 적응 변화는 좀더 직접적으로 부모의 양육 훈련을 통해 일어나게 됩니다. 강압적 훈육(부정적 강화, 부정적 상호관계, 비효율적 훈육)과 긍정적 양육(기술 키우기, 관찰, 긍정적 참여, 문제 해결)의 변화는 대조군의 상태는 악화되나 실험군의 상태는 악화되지 않는, 고전적인 예방 효과를 일관되게 보여주었습니다. 핵심적인 PMTO 구성 요소에는 친사회적 행동을 촉진하기 위한 **긍정적 강화**, 일탈 행동을 줄이기 위한 효과적인 **한계 설정**, 행동의 일관성을 확인하기 위한 **관찰**, 스트레스와 갈등을 예방하고 관리하는 기술을 제공하기 위한 가족 **문제 해결**, 즐거운 활동을 함께하는 시간의 중요성을 강조하는 **긍정적 참여**가 포함됩니다(Forgatch 등. 2013). 다양한 가족 구조와 어려운 가족 상황에서 PMTO를 시행하여 이를 지지하는 근거는 전 세계적으로 수많은 연구에서 입증되었으며, 최근에는 분쟁 후 지역에서 심리적 트라우마의 영향을 받는 가족이 포함된 인구집단에 보급되었습니다(Wieling 등. 2015a).

#### 23.3.1.2 가족의 연결을 강화하기: 내용과 시행

수정판 PMTO는 분쟁 후 환경에서 양육 개입 가능성을 시험 하는 형태로 2012년 북부 우간다에서 처음 시범 운영되었습니다. 이 장에는 교육 구성 요소와 양육 양식의 개요를 간략히 담았습니다.

**훈련:** 표준 PMTO 진행자 훈련 프로그램은 가상 및 실제 사례 시행을 관찰하는 실습과 광범위한 코칭이 포함된, 약 12-18개월에 걸친 5개의 훈련의 참여가 요구됩니다. 인증된 전문가, 코치 및 멘토가 일련의 매뉴얼로 교육을 시행하고, 충실하게 수행하는지 여부를 지속적으로 평가합니다. 훈련생의 숙련도가 인증 기준에 충족할 때 까지 개인 및 집단 코칭은 전화/화상으로 실시간, 또는 서면으로 진행됩니다. 모델을 잘 유지하고 능숙하게 전달하는지를 추적하면서 프로그램 충실도를 강조합니다(자세한 내용은 Knutson 등. 2009 참조).

**PMTO 회기:** 수십 년 동안 여러 연구에서 해당 인구집단에 맞춘 다양한 수의 회기(일반적으로 10-14개 회기)로 일부 수정한 PMTO 매뉴얼을 사용했습니다. 핵심 및 보조 영역을 통합한 PMTO 회기들의 표준 내용 및 순서는 (무엇을 해야 하는지) 능동적인 언어로 가족의 강점과 목표를 찾아내고, 명확한 의사 소통 전략을 가르치고, 아동의 기술을 개발하고 강화하기 위한 사회적 및 도구적 강화물을 사용하고, 특정 감정과 관리 전략을 찾아내고 효과적인 훈육(예: 타임아웃, 좋아하는 것을 제한하기 및 집안일)을 사용하게 합니다. 구체적으로, PMTO 회기의 제목에는 **협력 장려하기, 새로운 행동 가르치기, 감정 관찰 및 관리, 한계 설정, 아동과의 소통, 문제 해결, 갈등 관리, 아동 활동 관찰 및 성공적인 학교생활 장려하기**가 포함됩니다(자세한 PMTO 회기 내용은 Forgatch와 Domench Rodriguez 2015 참조).

PMTO 회기는 일반적으로 90분간 진행하고, 각 회기는 과제에 대해 이야기하기로 시작하여 (능동적인 교육), 다양하게 분화된 역할극 및 전환 활동을 사용하는 새로운 영역소개 후 새 과제를 내는 것으로 끝나는 특정 구조를 따릅니다. 참가자들에게는 부모 매뉴얼이 제공되며, 회기 사이에 과제를 돕는 전화를 받습니다. 집단에 참여하는 부모에게 지지,

칭찬과 격려 대비 부정적인 상호작용의 비율을 5:1로 유지하는 것은, 부모가 PMTO 촉진자로부터 경험하는 것과 자녀가 가정에서 부모로부터 경험하는 것이 같은 형태임을 강조하는 것으로, 이 모델의 핵심에 해당합니다. 양육에 대한 다른 개입에 비해 PMTO의 독특한 강조점은, 변화에 대한 저항을 줄이기 위하여 임상 및 교육 과정을 매우 중요하게 여기는 것입니다. 치료 회기를 직접 관찰한 연구 결과를 보면, 내담자 특성(예: 빈곤, 우울증, 반사회적 특성) 외에도 직면-교육 전략을 주로 사용하는 치료자가 종종 저항을 끌어냅니다. PMTO는 역할극 및 문제 해결과 같은 능동적인 교육을 통합하고 지지적인 임상 과정을 강화하도록 설계되었습니다(Forgatch 등, 2013).

**수정된 PMTO :** 9회기의 단축형 PMTO 매뉴얼은 핵심 구성 요소에 초점을 맞추고 감정 관리를 강조한 모델의 타당성 시험에 사용되었습니다. 또한 (가족 전통과 부적응적 대처 및 관계 패턴을 탐색하기 위해 다세대 가계도 사용하는) 다양한 가족 역학의 세대 간 전달에 초점을 맞춘 내용과 외상 중심 심리 교육 및 지역적 가족 맥락의 관련 주제(예: 부부 가족 역동, 폭력, 약물 남용, 빈곤, 전쟁에 대한 지속적인 두려움)가 모든 회기에 걸쳐 통합되어 있습니다. 수정이 완료된 PMTO 진행자 매뉴얼은 회기 자료, 도입 활동, 시행한 과제 이야기하기, 회기 내용, 특정한 게임 및 역할극, 집에서 연습할 과제 내기, 각 활동의 시간 배분에 대한 지침으로 구성되었습니다. 함께 제공되는 부모 안내서에는 주요 내용 주제와 집에서 연습할 과제가 있습니다(예시 그림은 **그림 23.1** 및 23.2 참조). 저자들은 자부심을 심고 문화적 유산을 알리기 위해 우간다의 예술과 아프리카 가족의 사진을 의도적으로 넣었습니다. 추후 수정된 PMTO 중재 시험에서는 14-회기 모델에 더 근접하도록 확장하려 하며, 양육자 그룹 중재에 있어 아버지와 혹은 추가 양육자가 참여할 것입니다.

흔한 함정들

**그림 23.1** 부모가 나쁜 지시를 하는 PMTO 그림의 예

**그림 23.2** 부모가 좋은 지시를 하는 PMTO 그림의 예

#### 23.3.1.3 시행에서의 흔한 어려움들

근거 기반 개입을 도입하고 보급하는 것을 포함하여, 중개연구의 어려움은 분쟁 지역에서도 수많은 도전을 맞닥뜨리게 합니다. 이러한 도전은 전체 생태계의 모든 수준(미시, 중간, 외적 및 거시 체계)에 복잡한 영향을 미칩니다. 고위험 인구에 근거 기반 개입을 도

입하는 것은 문화적 관련성과 효율성을 입증할 필요성 외에도, 임상 치료 결과 평가와는 다르게 실행의 성공 여부를 평가하게 됩니다(예: Fixsen 등. 2009; Proctor 등. 2009). 최근에는 수행 및 보급에 대한 노력을 포함하여 중개 연구를 구축하는 것의 중요성이 강조되고 있습니다. 이를 발전시키기 위해 여러 과정 및 연동 단계별 모델이 제안되었습니다. Forgatch와 동료들(2013)은 지역 사회 및 공급자 협력체계를 고려하여 (1) 준비, (2) 초기 도입, (3) 실행 및 (4) 지속 가능성의 4단계 동적 구현 과정을 제안했습니다. Curran과 동료들(2012)은 한 걸음 더 나아가 개입 및 실행 전략을 시험하는 "하이브리드 효과성-실행" 설계 사례를 만들었습니다. 이 장에서 설명한 수정판 PMTO의 타당성 프로젝트는 초기 단계의 준비 및 도입 연구로 자리 잡았으며, 이제 동일 지역사회에서 더 큰 하이브리드 효과 실행 연구를 할 것입니다.

**기회와 도전:** 이 프로젝트는 자녀 양육 지원 요청에 대한 응답이 개념화된 것으로, 곧 어머니 집단의 예비 결과가 있을 예정입니다. 이 프로젝트는 안정된 장소, 현지의 탄탄한 NGO 단체의 지원, 프로젝트 시작 당시 양육 개입 회기를 해석하고 공동 진행이 가능하도록 이미 훈련이 되어있는 트라우마 상담사, 문화에 적절한 평가도구와 양육 프로토콜, 개입을 실행할 PMTO 훈련을 받은 치료사들과 연구자로 구성된 팀의 수혜를 받았습니다. 많은 어려움들(예: 언어, 문화의 차이, 빈곤, 문맹, 아이 양육의 기준과 가치, 약물 남용, 가정 폭력)에도 불구하고, 이 개입은 지역에 매우 잘 수용되었습니다(예: 어머니들은 자녀 양육 기술을 배우고 시도하는데 개방적이었습니다). 양육방식의 지속적인 변화와 아동의 경과에 바로 연관되는 모델의 충실도를 유지하면서도, 분쟁 후 지역 사회에 좀더 쉽게 전수 가능한 훈련과 보급 전략을 개발하는 것은 앞으로 해결이 필요한 과제입니다.

#### 23.3.1.4 실현가능성과 첫 경험적 근거

2012년 우간다에서 14명의 어머니들을 대상으로 9회기의 수정판 PMTO 개입을 하고 실현 가능성 면에서 3가지 통합 요소를 평가했습니다. 그것은 (1) 사용 가능성, 물자공급 및 개입 수행의과정, (2) 한정된 효과, 결과의 예비 평가, (3) 수용 가능성, 개입이 내담자들에게 적합하고 만족스러운 정도였습니다. 참가한 대상은 전쟁의 영향을 받고 적어도 한 명 이상의 7세에서 13세 사이의 자녀가 있으며 육아의 어려움을 겪고 있는 어머니들이었습니다.

모든 어머니들이 9번의 부모 교육 회기에 모두 참석했습니다. 타당성 연구의 **사용가능성** 구성 요소의 구체적 내용은, 문화에 맞게 수정된 시각 매뉴얼로 모델의 핵심 구성 요소를 전달하고, 집단 공동 촉진을 보조하는 통역사를 성공적으로 통합하고, 모임에 잘 참석하도록 간단한 음식과 교통비를 지원하는 것입니다(전체 설명은 Wieling 등. 2015b 참조). **한정된 효과** 면에서, 어머니와 아동은 (1) 긍정적 강화, 격려 및 칭찬의 사용(어머니는 친사회적 행동을 알아차리고 전과 다른 방식으로 칭찬한 것을 보고했고, 아동은 어머니 및 자신의 행동 변화를 보고했습니다), (2) 훈육 행동(어머니와 아동은 가혹한 처벌과 구타를 덜 사용하고, 좋아하는 것 제한하기와 같은 대안적 훈육 전략을 더 많이 사용한다고 보고하였습니다), (3) 부모 참여(어머니는 가정에 애정과 안정감이 더 늘어났다고 보고했는데, 이것은 종종 그들이 자신의 감정 관리법을 배우고 자녀와 더 효과적으로 소통하는 기술을 습득하는 것과 관련이 있습니다)와 같은 변화의 증거들을 보였습니다(결과에 대한 전체 설명은 Wieling 등. 2015b 참조).

5개월 뒤의 후속 질적 면담에서 13명의 어머니가 자신과 가족의 여러 변화를 보고하였는데, 이것은 개입의 **수용 가능성**과 상대적 지속 가능성을 시사했습니다. 후속 면담에서 (a) 다른 사람에게 모델 전파, (b) 격려의 사용 증가, (c) 훈육성 구타의 사용 감소, (d) 아동과의 효과적인 대화, (e) 가족간 애정의 증가에 대한 언급들을 포함한 주요 주제들이 추출 되었습니다. 이 연구의 타당성 결과는 중간 정도로, 분쟁 후 지역에서 예방적 개입의 보급 전략을 평가하는 것이 포함된 무작위 통제 연구로 추가 평가가 필요합니다. 그럼에도 이 작업은 전 세계적으로 가장 심각한 영향을 받은 인구 집단의 일부에서 정신건강과 가족 기능을 개선하는 희망의 시작을 보여줍니다.

### 23.3.2 아동과의 상호작용 역량: 보육의 질 향상을 위한 보육자 대상의 예방적 개입 및 시설 돌봄의 학대 방지

#### 23.3.2.1 이론적 배경

예방적 개입 접근 방식인 **아동과의 상호작용 역량**(Interaction Competences with Children, 이하 ICC)은 성인과 아동의 관계 개선과 학대 예방을 목표로 합니다. **만성 스트레스 이론**에 따르면, 전형적인 시설의 돌봄 환경은 분쟁 후 환경의 불안정 때문에 스트레스가 높아져 있는 상황을 누그러뜨릴 수 있는 일관성, 따스함, 민감함을 가진 양육자가 부재하기 때문에 아동에게 스트레스가 됩니다. ICC는 **애착 이론**을 기반으로 합니다. 부모를 잃고 여러 다양한 보육자를 거친 결과, 시설에 있는 아동은 종종 보육자와 안전하고 안정적인 애착이 결핍되어 있습니다. 시설에서 돌봄의 질을 개선하기 위한 개입은 희망적인 결과를 보여주었습니다(McCall 2013). 그럼에도 불구하고 돌봄의 질 개선과 추가 학대 예방을 중점으로 하는 개입은 거의 없습니다. 따라서 우리는 가혹한 훈육 및 기타 형태의 가혹 행위 예방에 추가적으로 중점을 두고자, 사회학습, 인지행동, 발달이론의 요소로 이론적 기반을 확장하였습니다. 돌봄 시설의 보육자를 대상으로 하는 ICC(ICC for caregivers, 이하 ICC-C)는 미국 소아과 학회[American Academy of Pediatrics]의 FairstartGlobal 훈련 개념과 양육 지침에 소개되었습니다(http://www.fairstartglobal.com/).

### 23.3.2.2 시설 보육자를 위한 ICC 훈련 워크샵

ICC-C는 시설 돌봄 기관에서 일하는 보육자를 대상으로 하는 2주(총 12일) 교육 워크샵입니다. ICC-C는 주로 따뜻하고 민감하며 신뢰할 수 있는 보육자-아동 관계와 아동과의 비폭력적이고 따뜻하고 민감한 돌봄 전략에 중점을 둔 필수적인 상호 작용 역량에 대한 기본을 소개합니다. ICC-C는 다음과 같은 주요 원칙을 따릅니다:

- 참여적 접근: 훈련생은 적극적으로 참여하고, 프로그램을 조정하고 훈련 받은 내용을 일상 업무 속에서 어떻게 시행할지에 대해 자신만의 전략을 개발하도록 권고 받습니다.
- 실무 지향: 실습 단위는 배운 이론을 따라, 훈련생이 일상 업무에서 습득한 기술을 사용할 수 있도록 합니다.
- 신뢰할 수 있는 분위기: 비밀이 보장되는, 믿을 수 있고 열린 분위기를 조성하고자 훈련생에게 업무상의 문제점과 가혹한 처벌 및 학대에 대한 자신의 경험을 공개적으로 이야기하도록 격려합니다.
- 지속 가능성: 아래에 설명된 집중적인 연습, 새로운 지식의 반복, 자기 성찰과 훈련 구성 요소인 **팀워크** 및 **지도감독**을 통해 훈련의 지속 가능성을 보장합니다.
- 팀 워크 구축과 놀이시간에 대한 새로운 아이디어: 팀 빌딩을 촉진하고 보육자가 아동과 일상 업무에서 사용할 수 있는 아이디어를 교환하기 위해 지도자들과 훈련생들이 의견을 내며 놀이를 하거나 노래를 부르거나 함께 춤을 춥니다.

ICC-C는 훈련생의 기대, 바람, 관심사를 탐색하는 환영 회기로 시작됩니다. 7개의 핵심 구성 요소가 ICC-C의 내용을 구성합니다. 이는 다음 순서로 수행됩니다:

1. **아동 발달(3회기, 각 90분)**: 첫 번째 구성 요소의 목표는 아동에 대한 공감과 이해를 촉진하고 훈련생이 아동의 능력을 더 잘 평가할 수 있도록 하여 연령에 적합한 기대치를 형성하는 것입니다. 처음에 훈련생들은 소그룹 활동에서 다양한 연령대의 아동들의 필요에 대해 논의합니다. 소그룹에서 나온 주제에 대해 짧게 발표하고 아동 발달의 중요 단계에 대한 이론이 제공됩니다. 이어서 아동 발달에 대한 지식을 여러 연령대의 아이들과 함께 하는 일상의 의미로 어떻게 연결 지을 수 있을지 논의합니다. 소그룹 활동으로 훈련생이 연령에 적합한 기대치를 형성하고 돌보는 접근 방식을 연습하도록 합니다.
2. **보육자-아동 관계(4회기, 각 90분)**: 이 구성 요소는 안전한 애착과 유대감의 중요성 및 어떻게 보육자-아동 관계를 형성하고 개선시킬 것인지에 대한 기본요소를 짚는 목적이 있습니다. 이론 설명을 통해 아이들을 위한 안전한 애착과 유대감의 중요성이 강조됩니다. 그 후, 훈련생은 소그룹에서 보호 시설 생활 아동에게 부모상과 역할 모델이

된다는 것이 의미하는 바(예: 부모가 사망했거나 그들을 돌볼 수 없음)를 상세히 이야기합니다. 따뜻하고 이해심이 깊고 민감한 의사소통 기술을 훈련생과 함께 개발하고 역할극으로 연습합니다. 그리고 훈련생들은 소그룹 토론과 역할극을 통해 명확하게 소통하고 연령에 맞게 지시하는 것을 토론하고 연습합니다.

3. **효율적인 보육 전략(8회기, 각 90분)**: 이 구성 요소는 가혹하고 상처가 되는 훈육 대신에 대안적인 돌봄 전략을 제공하고 무력감을 줄일 방법을 찾습니다. 이 회기는 훈련생이 유용하고 효과적이라고 생각하는 돌봄 전략이 어떤 것인지에 대한 토론으로 시작합니다. 그 후, 좋은 행동을 지속하고 잘못된 행동을 바꾸기 위한 다양한 전략(예: 강화체계, 좋아하는 것을 제한하기, 계약)을 소개하고, 역할극과 같은 상호 작용 요소를 사용하여 소그룹으로 연습합니다. 훈련생은 현장에서 새로운 기술을 적용할 때 발생할 수 있는 어려움을 생각해보고 논의합니다. 훈련생들은 특정 상황에 맞게 비폭력 돌봄 전략을 개발하고 수정하며, 연습하고, 이것을 적극적으로 행동으로 옮길 수 있도록 이 구성 요소를 여러 번 반복합니다.
4. **학대 예방(7회기, 각 90분)**: 이 구성 요소의 목적은 가혹한 처벌 및 기타 형태의 아동 학대의 해로운 결과에 대한 인식을 높이는 것입니다. 이 구성 요소는 새로 배운 효과적인 보육 전략과 밀접하게 연결되어 있습니다. 많은 보육자가 비폭력 기술이 부족하여 가혹한 처벌을 사용하기 때문에, ICC-C에서는 대안 행동을 강조합니다. 앞서 비폭력 돌봄 전략을 개발하면서, 훈련생은 흔하게 사용되는 전략들에 대해 의문을 가지는데 마음이 더 열려 있을 수 있습니다. 이 단계의 시작 부분에서 모든 훈련생에게 어린 시절의 가혹한 처벌과 학대에 대한 자신의 경험을 돌이켜 생각해보고 공유하도록 권유합니다. 신뢰할 수 있는 분위기를 조성하기 위해, 모든 훈련생은 자기를 돌아보는 과정에서 공유되는 모든 내용의 비밀을 보장하고 워크샵 외부의 누구와도 이를 공유하지 않는다는 점에 동의합니다. 이어서 그 나라와 문화에서 흔하게 쓰이는 보육과 훈육 전략을 토론합니다. 자기자신을 돌아보는 것은, 가혹한 처벌 및 기타 형태의 학대의 잠재적 위험과 결과에 대한 사회의 시선에 크게 영향 받지 않고 개인적인 이야기를 나누는 데 종종 도움이 됩니다. 또 자기를 돌아보는 것은 훈련생으로 하여금 자신이 비난 받는다고 느낄 가능성을 낮춰 저항을 줄여줍니다. 이론 강의에서는 가혹한 처벌 및 기타 형태의 학대의 잠재적인 결과들을 짚어줍니다. 그 후, 체벌에 대한 근거 없는 흔한 믿음을 탐색하고 소그룹으로 토의합니다. 태도의 변화를 강화하기 위해 훈련생들에게 그들이 아동을 가혹하게 체벌을 했던 때와 그 때 그들의 감정을 돌이켜보도록 권합니다. 소그룹에서 훈련생은 그들의 일상 업무에서 비폭력 돌봄 전략을 실행하기 위한 아이디어, 기회 및 난점들을 생각해보고 토론합니다.
5. **힘겨운 아동을 지원하기(7회기, 각 90분)**: 이 구성 요소는 시설 보호 아동이 흔하게 보일 수 있는 감정 및 행동 문제에 대한 지식을 제공합니다. 또 이 힘겨운 아동들이 의도적으로 잘못된 행동을 하는 것이 아니라, 그것들이 심리적 문제의 표현일 수 있음을 다룹니다. 또한 이 구성 요소는 보육자의 두려움과 무력감을 줄이는 것을 목표로 합니다.

(외상성) 스트레스 반응, 우울증, 반항적이고 공격적인 행동, 야뇨증, 발달 지연, HIV 양성 등의 흔한 정서 및 행동 문제를 설명합니다. 이러한 문제를 다루기 위한 전략이 도입되고 논의됩니다. 훈련생은 소그룹에서 기관 내에서 특히 힘든 아동을 지원하기 위한 아이디어와 전략을 개발합니다. 이 구성요소는 또한 보육자에게 고위험 아동이 가진 다른 일반적인 어려움을 표현하고 이러한 아동을 지원하기 위한 전략들을 토의하게 합니다.

6. **아동 중심의 기관 보육(7회기, 각 90분)**: 이 구성 요소는 훈련생이 아동의 거주 여건과 보육자의 근무 여건이 개선될 수 있게 직장내 가능한 변화들을 알아볼 수 있도록 하는 것이 목표입니다. ICC-C를 진행할 때 일반적으로 구조적 변화가 일어나지는 않지만, 적절한 보육자-아동 비율; 따뜻하고 민감하며 안정적인 보육자-아동 관계; 가족 같은 집단의 중요성에 대해 설명합니다. 소그룹에서 훈련생은 가족과 있는 것과 시설 보호 환경에서 있는 아동의 상황을 견주어 봅니다. 다음으로, 이론 강의로 아동의 발달, 신체 및 정신건강에 영향을 주는 기관 돌봄 환경의 핵심 요소들을 강조합니다. 또한 건강한 발달을 위한 놀이의 중요성을 강조합니다. 소그룹에서 훈련생은 이러한 핵심 요소를 그들의 일터에 도입하기 위한 아이디어, 어려움 및 전략에 대해 토의합니다. 안전, 구조, 의식 및 규칙과 같은 측면도 소개되고 논의됩니다. 소그룹에서 훈련생은 논의된 것들을 그들의 일터에서 어떻게 적용할지에 대한 아이디어와 전략을 개발합니다.
7. **팀워크 및 지도감독 (2회기, 각 90분)**: 이 구성 요소는 일터에서 바로 업무 여건을 향상시키고 훈련 내용을 시행하는 것이 가능할 지를 다룹니다. 좋은 업무 분위기와 동료를 챙기는 것이 중요하다는 것에 대해 토의합니다. 지도감독의 가능성과 도움을 구할 곳에 대하여 훈련생과 함께 토의합니다.

첫 번째와 두 번째 주의 마지막에 90분의 한 회기 동안, 보육자가 배운 내용을 반복하여 강조하고 자유롭게 의견을 나누기 위한 질문들에 대해 토의하는 시간을 가져야 합니다. 개입은 피드백 및 송별의식ritual을 포함한 수료 회기로 끝납니다.

### 23.3.2.3 시행에서의 흔한 어려움들

ICC-C는 분쟁 후 지역 및 기타 저소득 및 중간 소득 국가에 적용할 수 있도록 설계되었습니다. 그러나 분쟁 후 국가의 제한된 자원으로 인해, 기관의 보호 환경은 종종 기본적인 음식과 피난처 제공에만 국한되고, 민감하고 아동 중심적인 돌봄을 제공하는 데에는 큰 어려움을 겪습니다. 예를 들어, 바람직하지 않은 보육자-아동 비율(예: 20명 이상의 아동을 돌보는 한 명의 보육자)과 제대로 훈련되지 않고 과중한 업무를 수행하는 직원은 아동의 다양한 요구를 충족시킬 수 있는 민감한 돌봄을 거의 할 수가 없습니다. 더 많은 직원을 고용하는 데 필요한 자금을 확보할 수 없는 경우에 ICC-C는 보육자가 특정 환경의 제한된 기회 내에서 구조적 변화를 시도할 수 있도록 도울 수 있습니다(예: 가족-유사 집단

생성, 각 아동을 1차 보호자에게 배정, 가족-유사 집단의 정기 모임 등). 그러나 제안된 변경 사항 중 얼마나 많은 것이 실현될 수 있는지는 기관 보호 환경의 특정 상황에 따라 정해집니다.

많은 보육자들이 누구나 자녀를 키울 수 있다고 추정하기 때문에 아동 보육에 대한 훈련이 부족합니다. 그럼에도 불구하고 시설에서 돌보는 사람이 된다는 것은 종종 다양한 심리적 문제를 안고 있는 아동을 키우는 것을 의미합니다. ICC-C는 아동의 필요에 대한 인식을 높이고 보육자와 아동의 관계를 개선하는 데 기여할 수 있습니다. 그러나 이것은 효과적인 보육에 대한 적절한 교육을 대체하지는 않습니다. 그보다 ICC-C는 요구되는 것과 존재하는 것 사이의 지식의 간격을 줄입니다.

기관의 경영진이 보육자들과 상의하지 않고 ICC-C 시행을 선택할 수 있습니다. 이것은 워크샵의 적극적인 참여에 저항을 초래할 수 있습니다. 외부인이 "자신의" 아동을 대하는 방법에 대해 교육하려 할 때 보육자는 자존감에 위협을 느낄 수 있습니다. 따라서 신뢰를 구축하는 것이 매우 중요합니다. 훈련생의 힘든 근무조건을 인정하고, 훈련생들과 협력하는 열린 자세를 갖는 것이 중요합니다. 팀 워크 구축 활동과 프로그램 설계에 보육자 및 그들의 피드백을 포함하는 것이 개방적이고 신뢰할 수 있는 분위기를 조성하는 데 도움이 됩니다.

특히 전 세계 많은 지역에서 체벌 및 기타 가혹한 징계 조치의 사용이 매우 흔하고 사회적으로 용인되며 전반적으로 효과적인 것으로 간주되기 때문에 오랜 규범을 변경하는 것은 어려운 일입니다. 따라서 훈육 방법을 재고하게 하는 것은 훈련생들의 강한 반발에 부딪힐 수 있습니다. 그러나 변화를 만들고 그들 스스로가 자신들의 훈련을 계획하도록 훈련생을 참여시키는 것이 이 과정 참여를 촉진하는 데 도움이 될 수 있습니다. 가혹한 처벌과 학대에 대한 보육자 자신의 경험을 돌아보고, 아동 학대의 결과를 토의하고, 효과적인 비폭력 보육 전략을 집중적으로 연습하는 것이 해로운 징계 및 학대에 대한 태도의 변화를 촉진할 수 있습니다.

보육 기관 관리자의 지원이 장기적인 지속 가능성에 매우 중요합니다. 경영진은 개입 중에 개발된 아이디어를 지원해야 하며 동료간 지도 감독에 공간을 제공해야 합니다. 훈련생이 ICC-C 훈련 중에 열악한 근무 조건을 깨닫게 되는 경우도 있습니다. 경영진이 근로 조건의 변화에 기여할 의사가 없거나 기여할 수 없는 경우, 이는 새로 배운 전략과 잠재적인 구조적 변화를 실현하려는 의지를 감소시킬 수 있습니다. 따라서 경영진과 보육자가 참여하여 서로 다른 이해 사이의 대화를 촉진하는 것이 장기적인 변화를 보장하는 데 필수적입니다.

#### 23.3.2.4 실현가능성 및 첫 경험적 근거

탄자니아의 보육자를 대상으로 한 최근의 실현가능성 연구(Hermenau 등. 2015)에서 개입 직전, 직후, 개입 3개월 후 ICC-C의 타당성과 효능을 평가했습니다. 훈련을 담당한 사람들은 구성요소의 시행, 보육자의 참여, 이해 및 동기 부여에 대해 높은 만족도를 보였습니다. 마찬가지로, 보육자도 높은 요구, 좋은 실행 가능성, 높은 동기 부여 및 개입에 대한 수용을 보고했습니다. 그들은 보육자-아동 관계 및 아동 행동의 개선을 보고했습니다. 또한, 보육자가 교육을 받은 시설에 있는 모든 아동을 대상으로 가혹한 처벌, 학대 및 정신건강을 평가했습니다. 아동들은 훈련 전 20개월, 훈련 1개월 전, 훈련 후 3개월 시점에 면담을 받았습니다. 아동들은 가혹한 처벌과 신체적 학대가 감소하고 정신건강 문제가 감소했다고 보고했습니다. 이와 같이 ICC-C는 어려운 상황에서도 실현 가능한 것으로 보이며 이 연구에서 그 효과를 처음으로 엿볼 수 있습니다.

### 23.4.1 이론적 토대

사법 범죄자 재활을 위한 내러티브 노출 치료(The Narrative Exposure Therapy for Forensic Offender Rehabilitation, 이하 FORNET; Hecker 등. 2015)는 분쟁과 전쟁 경험이 트라우마 증상으로 이어지는 것뿐 아니라 탐닉적 공격성(즉, 공격적인 행동과 관련된 긍정적인 감정)에도 영향을 미친다는 측면에서 (KID) NET(자세한 내용은 11장 참조)을 바탕으로 하여 수정되었습니다. 이 접근법의 주요 아이디어는 외상 사건 동안 경험한 고도로 고양된 감정적 각성이 포괄적인 자서전적 기억 표상의 형성을 막는다는 것입니다:

외상 관련 인지, (부정적) 감정, 생리 반응 및 감각 신호(예: 혈액, 비명, 총소리)가 맥락적 정보(사건이 언제, 어디서, 어떻게 발생했는지)에 포함되지 않고, 소위 **공포 네트워크**를 구축합니다. 결과적으로 과거와의 맥락적 연관성이 결여되어 쉽게 기억이 촉발되고 현재 임박한 위협을 느낍니다. 폭력적으로 가해하는 것 역시 대개 고도로 고양된 감정의 각성과 관련되므로, 유사한 기억 과정이 탐닉적 공격성 현상을 설명해주는 것으로 생각됩니다. 즉, 통제감을 느끼고 다른 사람들의 숭배를 경험하면서 폭력적인 행위를 하는 것은, 감각 단서와 관련된 (긍정적인) 감정, 인지 및 생리 반응으로 구성된 **사냥 네트워크**의 구축으로 이어질 수 있습니다. 다양한 종류의 폭력적인 행위가 사냥 네트워크를 초래하고 점점 특정 맥락에서 더 분리됩니다. 그 후, 피와 같은 단서에 의해 쉽게 탐닉적 공격성이 촉발되고 폭력적으로 가해하는 것을 즐기게 만듭니다.

(KID) NET의 논리에 따라 FORNET은 특정 사건의 맥락에서 인지, 감정, 생리 반응 및 감각적 인상을 기저에 두고 두려움과 사냥 네트워크를 사라지게 하는 것을 목표로 합니다. 내러티브 노출로 트라우마 기억과 탐닉적 공격성의 기억이 재활성화되고 정교화되면서 정서적 감각 요소와 해당 자전적 맥락 정보를 통합하는 일관된 내러티브를 형성합니다. 저질러진 폭력적 행위에 대해 추가로 상세히 설명하면서 가해자가 공격적 충동을 다시 통제할 수 있게 합니다.

### 23.4.2 아동과 청소년에서의 FORNET 시행

이 장에서는 FORNET에 대해 공격적이고 폭력적인 행동을 다루는 것으로써 간략한 개요를 소개하는 것으로 한정하며[(KID)NET의 핵심 원칙은 11장 참조, FORNET에 대 한 자세한 내용은 Hecker 등. 2015 참조], 미성년자에게 FORNET을 시행할 때의 특정 문제에 초점을 맞출 것입니다. FORNET은 소년병이었던 아동과 거리 아동들의 재통합 과정을 용이하게 하기 위해, 다양한 환경에 맞게 구성 및 수정되었습니다. 그들 중 일부는 재통합 과정의 개입 시기에 젊은 청년이지만, 상당수는 아동과 청소년일 때 들어옵니다. 지금까지 FORNET을 받은 가장 어린 대상은 11세였습니다.

**목표와 중심 원칙:** FORNET은 트라우마 경험과 관련된 부정적인 감정(예: 두려움, 분노, 수치심, 죄책감)과 폭력 행위의 수행과 관련된 긍정적인 감정(예: 흥분, 만족, 지배)을 과거 상황에 재통합하여 자서전적 기억으로 통합하는 것을 목표로 합니다. 이 목표는 내담자가 시간 순서대로 자신의 삶에 대한 내러티브를 만들어 기억을 구조화 하도록 돕는 것입니다. 치료자는 과정이 진행되는 동안 진정성 있고, 공감적이며, 인정하고 이해하는 방식으로 내담자를 돕습니다. 치료 과정에서 치료자가 내담자의 행동을 판단하지 않는 것이 중요합니다.

**시행 전 고려사항:** FORNET은 각각 60-90분 동안 진행되는 회기들로 구성된 단기 개입입니다(일반적으로 5-10회). 가해행위가 자세히 논의됨에 따라 치료자는 치료 기밀에 영향을 미칠 수 있는 특정 법률 규정을 인지하고 이에 대해 내담자와 보호자에게 알릴 필요가 있습니다. 또한, 보호자와 아동/청소년은 치료 과정 참여에 대해 정보에 입각한 결정을 내릴 필요가 있습니다. (KID) NET은 내담자의 외상 이력에서부터 나온 내담자의 개인적인 경험에 대한 내러티브를 서면으로 제공하지만, FORNET은 내담자의 안전을 보장하기 위해 서면 내레이션 없이 수행되어야 하는 경우가 많습니다. 개입에 앞서, 탐닉적 공격성 평가를 포함한 상세한 진단 평가가 시행되어야 합니다.

**첫 회기:** 이 회기에서 내담자는 치료의 근거를 설명하는 심리 교육을 받습니다. (KID) NET에서 진행되는 심리 교육 외에도, 폭력 행위에 대한 이유를 설명/제공하고 이러한 경험들에 대해 이야기할 필요성을 강조하는 것이 중요합니다. 많은 아동/청소년은 다음과 같은 말에 공감할 수 있습니다. “새로운 상황에서, 특히 생각할 시간이 많지 않고 스트레스가 많은 순간에 우리는 종종 과거에 했던 것과 비슷한 방식으로 반응해. 때로는 우리의 반응이 미래에 갈등을 만들거나 또는 후회를 불러오기도 해. 우리는 옛날에 한 경험이 우리를 어떻게 만드는지 모르기 때문에 다른 사람을 공격할 수 있어. 예전의 폭력적인 경험을 잘 살펴보는 것이 네 감정을 더 잘 인식하고 너의 반응에도 더 영향을 미칠 수 있어.” 그

런 다음 치료자와 내담자는 인생선 활동을 하여 내담자의 삶 전반에 걸친 모든 중요한 정서적 사건에 대한 개요를 얻습니다. 내담자는 자신의 삶의 과정을 나타내는 밧줄에 기호를 배치하여 자신에게 정서적으로 중요한 삶의 사건을 출생부터 현재까지 시간순으로 정렬합니다. 꽃은 긍정적인 사건을 나타내고 돌은 트라우마 경험을 포함한 부정적인 사건을 상징합니다. 폭력 행위는 내담자가 그러한 사건에 특정한 가치를 부여하는 것을 피하기 위해 추가 기호인 막대기로 표현됩니다. 그 후 치료자는 좀 더 인생선을 정교하게 만들기 위하여 내담자와 함께 고양된 (부정적 및 긍정적) 정서적 각성과 관련된 가장 중요한 트라우마 사건 및 폭력 행위를 파악할 필요가 있습니다.

**회기 내레이션들:** 이어지는 회기 동안 치료자는 내담자가 가장 감정적으로 각성되었던 삶의 사건(돌과 막대기 포함)에 대해 시간순으로 자세하게 이야기하도록 안내합니다. 이 치료 과정은 (KID) NET의 절차를 면밀히 따릅니다. 이상적으로는 각 중요 사건이 한 회기에 처리됩니다. 트라우마 사건의 내러티브 노출과 유사하게, 치료자는 내담자가 자행한 폭력 행위의 내레이션을 시작할 때 내레이션의 속도를 낮춥니다. 치료자는 사건의 맥락(예: 사건이 발생한 시기, 장소, 생활 기간)이 충분히 자리잡았는지 확인합니다. 그런 다음 내담자가 시작(즉, 사건 이전에 일어난 일)부터 가장 흥분되는 순간을 거쳐 더 이상 흥분하거나 두려워하지 않는 이야기의 끝 시점까지 경험을 이야기하도록 독려합니다. 내레이션 전반에 걸쳐 치료자는 이야기의 적절한 부분에서 감각, 인지, 감정 및 생리 반응에 대해 확실히 명시적 인식 및 언어화하도록 합니다. 특히 내담자는 이야기를 아주 자세하게 말하는 것이 현재의 감정적, 생리적 반응을 불러일으킨다는 것을 깨달을 필요가 있습니다. 이 목적을 달성하기 위해 치료자는 내담자의 신체 반응과 감정을 **지금 여기**에서 안내하고, **그 당시**의 감정과 연결하고 대조해야 합니다. 폭력 행위의 내레이션이 성공하는 핵심 요소는, 무조건적이고 비판단적으로 수용하고 어떤 감정이든지 표현하는 것입니다. 이야기가 끝날 때 치료자는 내러티브 노출을 끝내기 전에 고양된 각성, 특히 탐닉적 공격성과 관련된 각성이 더 이상 존재하지 않는지 확실히 해야 합니다. 마지막으로 내담자에게 지금의 관점에서 폭력 행위를 어떻게 평가하는지 묻습니다. 치료자는 특정 감정을 다시 한번 맥락화합니다. "네가 친구들 사이에게 갑자기 인정을 받게 되었기 때문에 당시에 상대편을 심하게 때린 것을 여전히 자랑스럽게 생각한다는 것을 이해해." 내담자가 오늘 자신이 더 이상 자랑스럽지 않다고 지적한다면 치료자는 내담자가 왜 자신의 관점을 바꿨는지에 대해 집중합니다. 회기 전반에 걸쳐 치료자는 내담자가 표현하고, 맥락화하고, 이해하고, 그에 따라 감정을 적절하게 관리하도록 돕습니다.

**마지막 회기(들):** 내레이션이 현재 날짜에 도달한 후 치료사와 내담자는 인생선을 검토하고 필요한 경우 사건을 재정렬하고 내레이션이 내담자의 현재 안녕에 미치는 영향을 평가합니다. 또한 마지막 회기는 내담자가 미래에 대한 (현실적인) 관점을 개발하고, 자존감을 높이며, 사회적으로 허용되는 활동과 관련된 긍정적인 감정에 쉽게 접근할 수 있도록 돕는 것을 목표로 합니다. 이 회기 동안 치료자는 내담자의 목표와 미래에 대한 희망, 잠재적인 장애물, 성공을 촉진할 수 있는 개인적 강점에 대해 논의합니다. 치료자는 내담자의 자원과 강점을 강조하고 내담자의 미래 계획과 희망을 격려합니다. 자존감을 높이기 위해 내담자는 사회적으로 인정되는 활동 중 긍정적인 감정을 경험한 사건을 이야기하도록 권장합니다. 치료자는 내담자가 그 사건에서 가장 흥미롭고 흥분되는 순간을 경험할 때까지 안내한 다음 내레이션을 중단하고 내담자가 이러한 긍정적인 감정을 충분히 느끼게 합니다. 개별 치료 후 내담자는 역할과 정체성의 변화에 따른 도전에 초점을 맞춘 그룹 회기에 참여하도록 초대됩니다(예: 소년병에서 시민 사회 구성원이 되기까지). 그룹 회기에서 내담자는 사회적 위치, 낙인, 서로를 지원하는 방법을 포함하여 새로운 역할에 대한 적응 과정에 대한 경험을 교환할 수 있습니다.

### 23.4.3 FORNET 시행에 있어 특정상황과 어려움들

분쟁지역에서 아동기 학대, 애착 대상의 상실 및 심각한 폭력을 겪은 아동 및 청소년의 PTSD 증상은 종종 성인에 대한 신뢰 문제와 연관됩니다. 자행된 폭력 범죄에 대해 치료자에게 마음을 열려면 법적 문제, 처벌에 대한 두려움, 거부당하는 것에 대한 두려움 때문에 신뢰가 필요합니다. 개방적이고, 비판단적이며, 무조건적으로 수용하는 치료자의 태도는 그들이 자신의 감정을 이해할 수 있게 하는 데 절대적으로 중요합니다. 치료자가 폭력 행위를 용인할 필요는 없지만, 특정 상황에서 그러한 폭력을 저지른 개인에 대한 이해를 보여주고 재통합 과정에서 그를 지원해야 합니다.

때때로 소년병이었던 아이와 거리의 아이들은 과거의 폭력적인 행동을 유용하다고 평가하고 자랑스러워하는 경향이 있습니다. 사회적 규범이 수치심, 죄책감 같은 감정을 기대하기 때문에, 치료 과정에서 그러한 평가는 치료자로서 받아들이기 어려울 수 있습니다. 그러나 내담자와 말다툼하는 것은 폭력에 대한 적극적인 가담에 대해 공개적으로 이야기하는 데 필요한 신뢰 관계에 영향을 미칠 수 있습니다. 치료자는 비판단적으로 과거의 감정을 맥락화 하기 위해 스스로를 억제해야 할 수 있습니다. 슬픔, 수치심, 죄책감은 종종 탐닉적 공격성 폭력 행위보다 외상 경험과 더 강하게 관련되며 (KID) NET의 논리에 따라 해결되어야 합니다(11장 참조).

내담자가 자살이나 타살 생각을 말할 때, 정신 의료 체계와 적절한 지원의 부족으로 인해 치료자는 종종 어려운 결정에 직면합니다. 이러한 경우는 취약한 아동을 지원하는 기존 구조에 FORNET을 통합하는 것이 중요합니다. 의뢰할 선택지가 부족하기 때문에 치료자는 자살 및 타살의 예방책과 회기 간 긴밀한 연락망을 만들어야 합니다. 좋은 치료 동맹이 최선의 가능한 예방책일 수 있습니다. FORNET을 진행하는 동안 자살이나 복수와 관련된 감정은 보통 성공적으로 줄어들지만 전체 과정, 특히 마지막 회기에서 다루어져야 합니다.

### 23.4.4 경험적 근거

현재까지 3건의 무작위 통제 연구에서 분쟁 지역에서 소년병이었던 아동과 노숙 아동들의 치료에 FORNET이 희망적인 접근 방식임을 시사하였습니다. 이 연구들 모두 FORNET을 제대나 재통합 센터에서의 심리사회적 지원이 포함된 통상적인 치료와 비교하였습니다. 이 연구 중 2개는 DR 콩고에서 소년병이었던 청소년(연령 범위 16-25세)을 포함한 전 전투원을 대상으로 시행되었습니다. 결과는 FORNET이 PTSD 및 동반 질환의 증상을 성공적으로 감소시키고 시민 사회로의 통합을 향상시키는 것으로 나타났습니다(Hermenau 등. 2013b; Köbach 등. 2015). 또한, Köbach과 동료들(2015)은 지역의 일반인 상담가와 함께 훈련자 훈련 모델을 통해 FORNET의 보급이 가능하다는 근거를 제시했습니다. 부룬디의 노숙아동들이었던 청소년(11-23세)을 대상으로 한 연구에서 FORNET은 일상적인 폭력에 말려드는 것을 성공적으로 줄였습니다(Crombach와 Elbert 2015). FORNET의 유익한 효과는 치료 완료 후 최대 12개월까지 관찰되어 오래 지속되는 것으로 보입니다.

## 23.5 분쟁 후 지역의 연구-기반 정신건강 개입: 나아갈 방향

이 장에서 검토된 문헌과 개입은 분쟁 후 지역에서 아동과 청소년을 위한 연구 기반 정신건강 개입의 가능성을 강조합니다. 엄격한 과학적 평가는 현장 실무자가 트라우마 관련 질환에 기대되는 치료를 하도록 이끌 수 있습니다. 영향을 받은 아동 및 청소년의 높은 비율과 가용가능한 정신건강 전문가 사이의 치료적 격차를 고려할 때, 효과적인 치료의 시행과 보급 면에서 지역 일반인 상담사를 훈련시키고 분쟁 영향 국가의 정신건강 역량을 강화해야 할 필요성이 강조됩니다. 트라우마 관련 질환이 아동 청소년을 치료하는 것 외에도 가족 및 시설에서의 높은 비율로 일어나는 아동학대 역시 다루어져야 합니다. 학대를 줄이면 아동과 청소년이 정신 건강 질환을 겪는 것을 방지할 수 있고, 치료 격차와 지속적인 폭력의 순환을 초래할 수 있는 세대 간 트라우마가 줄어들 것입니다. 분쟁 후 지역에서 과학 기반의 엄격한 연구를 실행할 수 있습니다. 그러나 미래 세대가 과거의 분쟁으로 인한 부담을 극복하는 데 필요한 좋은 치료 권고 사항과 지침을 도출하기 위해서는 더 많은 연구가 필요합니다.

## 참고문헌

Catani C, Jacob N, Schauer E, Kohila M, Neuner F (2008) Family violence, war, and natural disaster: a study of the effect of extreme stress on children's mental health in Sri Lanka. BMC Psychiatry 8:33. doi:10.1186/1471-244X-8-33

Catani C, Kohiladevy M, Ruf M, Schauer E, Elbert T, Neuner F (2009) Treating children traumatized by war and Tsunami: a comparison between exposure therapy and meditation-relaxation in North-East

Sri Lanka. BMC Psychiatry 9:22. doi:10.1186/1471-244x-9-22
Crombach A, Elbert T (2014) The benefits of aggressive traits: a study with current and former street children in Burundi. Child Abuse Negl 38(6):1041–1050. doi:10.1016/j.chiabu.2013.12.003
Crombach A, Elbert T (2015) Controlling offensive behavior using narrative exposure therapy: a randomized controlled trial of former street children. Clin Psychol Sci 3:270–282. doi:10.1177/21677026145 34239
Curran GM, Bauer M, Mittman B, Pyne JM, Stetler C (2012) Effectiveness-implementation hybrid designs: combining elements of clinical effectiveness and implementation research to enhance public health impact. Med Care 50(3):217–26. doi:10.1097/MLR.0b013e3182408812
Ertl V, Neuner F (2014) Are school-based mental health interventions for war-affected children effective and harmless? BMC Med 12:84. doi:10.1186/1741-7015-12-84
Ertl V, Pfeiffer A, Schauer-Kaiser E, Elbert T, Neuner F (2014) The challenge of living on: psychopathology and its mediating influence on the readjustment of former child soldiers. PLoS One 9(7):e102786. doi:10.1371/journal.pone.0102786
Fazel M, Patel V, Thomas S, Tol W (2014) Mental health interventions in schools in low-income and middle-income countries. Lancet Psychiatry 1(5):388–398. doi:10.1016/ S2215-0366(14)70357-8
Fixsen DL, Blase K, Naoom S, Wallace F (2009) Core implementation components. Res Soc Work Pract 19(5):531–40. doi:10.1177/1049731509335549
Forgatch MS, Patterson GR, Gewirtz AH (2013) Looking forward: The promise of widespread implementation of parent training programs. Perspect Psychol Sci 8(6):682–694. doi:10.1177/174569161350347
Forgatch MS, Domench Rodriguez M (2015) Interrupting coercion: the interative loops among theory, science, and practice. In: Dishion T, Snyder J (eds) The oxford handbook of coercive relationship dynamics. University Press, Oxford
Gewirtz A, Forgatch M, Wieling E (2008) Parenting practices as potential mechanisms for children's adjustment following mass trauma: literature review and prevention research framework. J Marital Fam Ther 34(2):177–192. doi:10.1111/j.1752-0606.2008.00063.x
Hecker T, Hermenau K, Crombach A, Elbert T (2015) Treating traumatized offenders and veterans by means of narrative exposure therapy. Front Psych 6:80. doi:10.3389/fpsyt.2015.00080
Hermenau K, Hecker T, Mädl A, Schauer M, Elbert T (2013a) Growing up in armed groups: trauma and aggression among child soldiers in DR Congo. Eur J Psychotraumatol 4:21408. doi:10.3402/ejpt.v4i0.21408
Hermenau K, Hecker T, Schaal S, Maedl A, Elbert T (2013b) Addressing post-traumatic stress and aggression by means of narrative exposure – a randomized controlled trial with ex-combatants in the eastern DRC. J Aggress Maltreat Trauma 22(8):916–934. doi:10.1080/10926771.2013.824057
Hermenau K, Hecker T, Ruf M, Schauer E, Elbert T, Schauer M (2011) Childhood adversity, mental ill-health and aggressive behavior in an African orphanage: Changes in response to trauma- focused therapy and the implementation of a new instructional system. Child Adolesc Psychiatry Ment Health 5(1):29. doi:10.1186/1753-2000-5-29
Hermenau K, Kaltenbach E, Mkinga G, Hecker T (2015) Improving care quality and preventing maltreatment in institutional care – a feasibility study with caregivers. Front Psych 6:937. doi:10.3389/fpsyg.2015.00937
Jacob N, Neuner F, Maedl A, Schaal S, Elbert T (2014) Dissemination of psychotherapy for trauma spectrum disorders in postconflict settings: a randomized controlled trial in rwanda. Psychother Psychosom 83(6):354–63. doi:10.1159/000365114
Knutson NM, Forgatch MS, Rains LA, Sigmarsdóttir M (2009) Fidelity of Implementation Rating System (FIMP):the manual for PMTO. Implementation Sciences International, Inc., Eugene
Köbach A, Schaal S, Hecker T, Elbert T (2015) Effectiveness and dissemination of narrative exposure therapy for Forensic Offenders Rehabilitation (FORNET). Clin Psychol Psychother. doi:10.1002/cpp.1986 Advance online publication
Landolt MA, Kenardy JA (2015) Evidence-based treatments for children and adolescents. In: Schnyder U, Cloitre M (eds) Evidence based treatments for trauma-related psychological disorders. Springer, Heidelberg, pp 363–80
Litwack SD, Beck JG, Sloan DM (2015) Group treatment for trauma-related psychological disorders. In:

Schnyder U, Cloitre M (eds) Evidence based treatments for trauma-related psychological disorders. Springer, Heidelberg, pp 443–7

McCall RB (2013) The consequences of early institutionalization: Can institutions be improved? – Should they? Child Adolesc Ment Health 18(4):193–201. doi:10.1111/camh.12025

McMullen J, O'Callaghan P, Shannon C, Black A, Eakin J (2013) Group trauma-focused cognitive- behavioural therapy with former child soldiers and other war-affected boys in the DR Congo: a randomised controlled trial. J Child Psychol Psychiatry 54(11):1231–1241. doi:10.1111/ jcpp.12094

Neuner F (2010) Assisting war-torn populations – should we prioritize reducing daily stressors to improve mental health? Comment on Miller and Rasmussen (2010). Soc Sci Med 71(8):1381– 4. doi:10.1016/j.socscimed.2010.06.030

Neuner F, Elbert T (2007) The mental health disaster in conflict settings: Can scientific research help? BMC Public Health 7:275. doi:10.1186/1471-2458-7-275

Proctor E, Landsverk J, Aarons G, Chambers D, Glisson C, Mittman B (2009) Implementation research in mental health services: an emerging science with conceptual, methodological, and training challenges. Adm Policy Ment Health 36(1):24–34. doi:10.1007/ s10488–008–0197–4

Saile R, Ertl V, Neuner F, Catani C (2014) Does war contribute to family violence against children? Findings from a two-generational multi-informant study in northern uganda. Child Abuse Negl 38(1):135–46. doi:10.1016/j.chiabu.2013.10.007

Schaal S, Elbert T (2006) Ten years after the genocide: trauma confrontation and posttraumatic stress in Rwandan adolescents. J Trauma Stress 19(1):95–105. doi:10.1002/jts.20104

Schauer M, Schauer E (2010) Trauma-focused public mental-health interventions: a paradigm shift in humanitarian assistance and aid work. In: Martz E (ed) Trauma rehabilitation after war and conflict. Springer, New York, pp 389–428

Schauer M, Neuner F, Elbert T (2011) Narrative exposure therapy: a short-term treatment for traumatic stress disorders. Hogrefe & Huber, Toronto

Wieling E, Mehus C, Möllerherm J, Neuner F, Achan L, Catani C (2015a) Assessing the feasibility of providing a parenting intervention for war-affected families in Northern Uganda. Fam Community Health 38(3):253–68. doi:10.1097/FCH.0000000000000064

Wieling E, Mehus C, Yumbul C, Möllerherm J, Ertl V, Laura A, Forgatch M, Neuner F, Catani C (2015b) Preparing the field for feasibility testing of a parenting intervention for war-affected mothers in Northern Uganda. Fam Process. doi:10.1111/famp.12189

# Part IV

# 요약 및 결론

# 아동청소년 트라우마 관련 질환의 치료 24

Markus A. Landolt, Marylène Cloitre 와 Ulrich Schnyder

이 책의 마무리는 아동기 트라우마의 기본 개념, 현재 적용이 가능한 근거 기반, 또는 근거 정보가 있는 치료 접근법들, 외상 사건을 겪은 아이들이 치료를 받는 다양한 환경에 대해 살펴본 뒤, 아동청소년의 트라우마 관련 정신과적 질환에 대한 평가와 최신 치료 정보를 정리하며 맺고자 합니다. 이 책의 첫 파트, 특히 역학 및 공공 건강을 다룬 장에서 아동기 트라우마와 그 영향은 전 세계적으로 중요한 문제임을 분명히 보여주었습니다. 아동청소년이 트라우마 관련 질환을 겪게 되는 사건들은 모든 형태의 아동 학대, 전쟁, 테러, 자연 재해, 사고 및 사랑하는 사람의 갑작스러운 사망이나 심한 부상을 알게 되었을 때 등 다양합니다. 아이나 청소년이 잠재적으로 트라우마가 될 수 있는 사건을 겪는 일은 과거 생각해왔던 것보다 매우 흔하며, 특히 아주 어린 시기에 겪거나 대인관계적인 트라우마, 만성적이고 다양한 사건들이 누적된 경우라면 더욱, 평생에 걸쳐 생리적, 심리적 그리고 사회적 발달에 심각한 영향을 미칩니다.

공중 보건 관점에서 트라우마 노출과 뒤따르는 질병 이환율을 줄이는 가장 중요한 방법은 일차 예방입니다. 아동기 트라우마를 막기 위한 개인, 가족, 지역사회 및 전 사회적 개념에서의 개입안을 제시하고 논의하는 것은 이 책의 범위를 벗어납니다만, 치료자로서 우리는 항상 트라우마 노출을 막는 것이 최고의 "치료"라는 점을 명심해야 합니다. 따라서 우리는 어떤 형태의 외상 사건이건, 노출되는 아이의 수를 줄이려는 목표를 위한 모든 조치를 지지해야 합니다. 만약 이 일차적인 예방이 실패했을 경우, 영향을 받은 아이들을 확인하고 치료하는 것은 해당 개인을 위해서만이 아니라 공공의 건강과 경제적인 면 모두에서 매우 중요합니다. 이 목표의 달성에 가장 최적인 방법으로 현재까지 알려진 지식을 다음 단락에 요약했습니다.

## 24.1 평가

각 아이의 필요에 잘 맞춰 효과적으로 치료하기 위해서는, 철저한 사전 평가가 필요합니다. 이 평가는 여러 정보제공원을 대상으로 하고, 아이와 가족의 상세한 트라우마 사건 과거력을 포함해야 합니다["Maltreatment and Abuse Chronology of Exposure" (MACE) 척도 사용, Teicher와 Parigger. 2015]. 중요한 것은 공존질환이 매우 흔하다는 것을 감안하여 특히 만성적인 대인관계 트라우마를 겪은 아이들의 경우 PTSD 증상에만 집중해서는 안 되고 넓은 범위의 평가가 필요하다는 점입니다. 이 책의 4장에서 설명하였듯이 치료자는 좋은 심리평가적 특성을 겸비한, 경험적으로 검증된 평가 도구를 사용해야 합니다. PTSD의 평가 도구들에 대한 설명과 링크는 미국 국립 아동 트라우마 스트레스 네트워크(US National Child Traumatic Stress Network, NCTSN) (http://www.nctsn.org/resources/ online-research/measures-review)와 국제 트라우마 스트레스 연구회(International Society for Traumatic Stress Studies, ITSTSS) (http://www.istss.org/assessing-trauma.aspx)의 웹사이트에서 얻을 수 있습니다. DSM-IV 평가들 중 많은 것들이 새로운 DSM-5 기준에 맞춰 업데이트되었습니다. 그러나 많은 도구들은 학령기 아이들의 PTSD 대상으로, 아직 아동 청소년의 급성 스트레스장애와 새 기준에 맞는 학령 전기 아동 대상 PTSD 평가에 경험적으로 검증된 DSM-5 기반 도구가 없습니다. 게다가 ICD-11에서 아동청소년의 PTSD와 CPTSD 증상 프로파일을 서술하였지만, 이를 위한 심리검사 평가도구가 개발되지 않은 상태입니다.

## 24.2 트라우마 노출 후 이차 예방을 위한 개입들

이차 예방용 평가는 잠재적인 트라우마 사건 이후 첫 4주 이내, 급성 스트레스 증상과 장기적인 심리학적 질환의 이환율을 줄이기 위해 시행되는 개입입니다(개요는 6장 참조). 우리는 사건 바로 직후의 개입(**급성** 개입)은 사건 2일 후에서 1달 사이에 제공되는 것(**조기** 개입; **그림 24.1**)과 달라야 한다고 봅니다. 급성 개입은 현장에서 개인의 안정화가 목표이고, 조기 개입은 심리교육과 트라우마 처리, 급성 증상들과 장기적인 트라우마성 스트레스 증상의 위험을 낮추기 위한 대처 기술에 집중합니다.

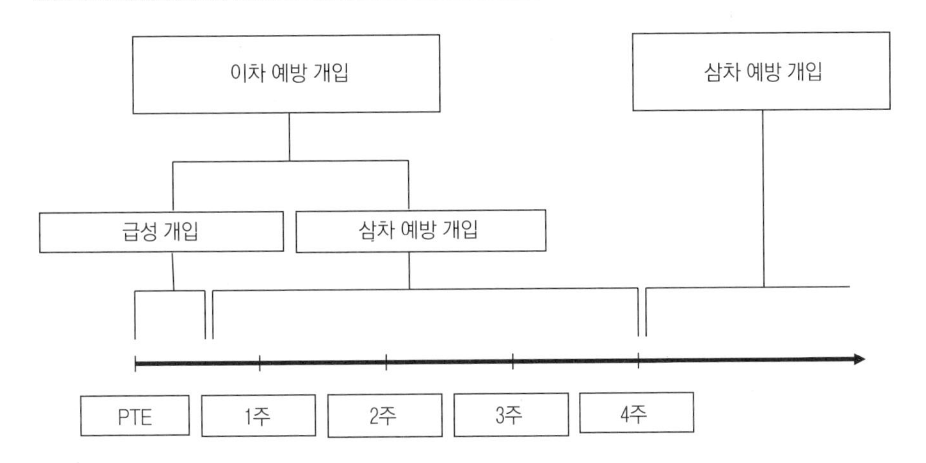


**그림 24.1** 사건 이후의 시간에 따른 이차 예방적 개입 분류 제안. *PTE* 잠재적인 트라우마성 사건 potentially traumatic event

## 급성 개입

급성 개입에 대한 근거는 많지 않지만, 두 개의 표준화된 개입 프로그램이 광범위하게 쓰이고 있습니다:

- *심리적 응급 처치*(Psychological First Aid, 이하 PFA)는 일반적으로 재난 직후, 특히 자연재해의(현장용) 개입에 쓰이는 모듈module식 접근법입니다(Brymer 등. 2006). PFA 현장 가이드는 학교용으로도 있습니다(Brymer 등. 2012).
- *"D-E-F" 프로토콜(Distress를 줄이고 Emotional support 하고 Family를 기억하기)*은 의학적 처치 동안 트라우마 기반 소아 돌봄을 제공하는 근거 기반 가이드라인입니다(Stuber 등. 2006).

이러한 개입 중 아동청소년의 급성 스트레스를 줄이거나 장기적인 외상후 스트레스 예방 효과는 연구된 것이 없어, 이러한 급성기에 현장 개입에 대한 근거가 아직 부족합니다.

## 조기 개입

6, 7장에서 살펴보았듯이, 조기 개입들에 대한 최신 근거들은 초기 외상후 단계에 있는 아이들을 치료하는 데 소위 선별/목표 개입이라고 불리는 단계별 과정을 가장 좋은 접근법으로 제안하고 있습니다(**그림 24.2**). 위험에 처한 아이들을 조기에 식별하는 데 사용 가능한, 경험적으로 검증된 선별 도구들이 있습니다. 학령기 아이들 대상으로는 *아동 외상 선별 설문지*[Child Trauma Screening Questionnaire (CTSQ); Kenardy 등. 2006] 또는 *PTSD의 조기 예측을 위한 선별 질문지*[Screening Tool for Early Predictors of PTSD (STEPP); Winston 등. 2003]가 있

습니다. 미취학 아동의 경우, 위험 선별을 위한 유일한 것으로 *소아 감정적 고통 척도 – 조기 선별*[Pediatric Emotional Distress Scale – Early Screener(PEDS-ES); Kramer 등. 2013]이 있습니다. 이후 위험이 확인된 아동은 *아동 및 가족의 외상 스트레스 개입*[Child and Family Traumatic Stress Intervention (CFTSI), 7장 참조] 등의 표준화된 심리적 개입을 받아야 합니다. 중요한 것은, 현재까지의 연구결과에 따르면 이러한 개입들은 가족과 그들의 일차 돌봄 보호자 모두에게 적용되어야 하고 심리교육과 함께 개별 아동의 특정 증상을 목표로 하는 대처 기술들에 대한 토론이 포함되어야 합니다(Kramer와 Landolt 2011). 자세한 내용의 사건 노출이나 재구성(트라우마 내러티브)이 이러한 개입의 일부로 필요할지에 대해서는 불분명합니다. 장기적인 스트레스 위험성이 낮은 아동과 보호자에게는 서면 형태의 정보(브로셔, 웹 사이트, 앱) 제공이 충분할 수 있습니다. 이러한 단계별 접근은 많은 아이들이 단일 트라우마에는 회복력이 있다는 사실을 고려한 것입니다. 이에 따라 위험성이 낮거나 없는 아이들과 부모들에게는 서면 형태의 심리교육만 제공하고, 장기간의 심리적 위험 가능성이 있는 경우에 좀더 집중적이고 고비용의 치료를 제공합니다.

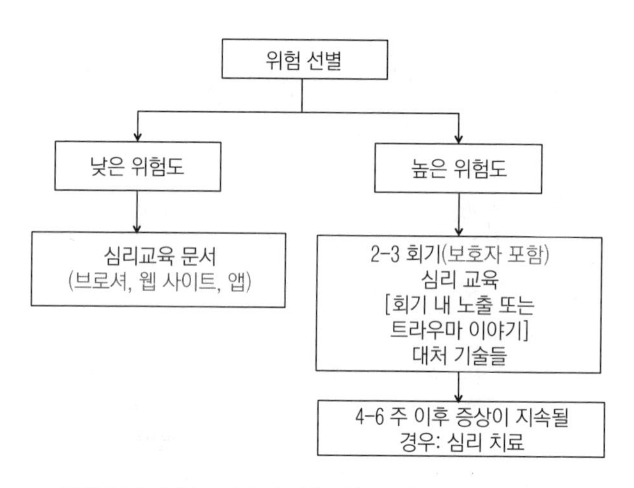


**그림 24.2** 단일 트라우마 이후 위험 기반 단계별 조기 개입

아동청소년 조기 개입의 효과성에 대한 근거는 아직 거의 없으나(Kramer와 Landolt 2011), 현재는 이러한 표적 개입과 단계적 절차가 학령기 아동의 표준 치료로 간주되고 있습니다. 그러나 중요한 것은, 현재 취학 전 아이들 대상의 근거가 없다는 것입니다. 그럼에도 이 연령 집단, 특히 어린 아이들의 경우 검증된 선별검사가 있으므로 위의 단계별 접근이 강하게 권고됩니다(Kramer 등. 2013).

## 24.3 심리 치료

본 책에서 기술했듯이, 아동청소년의 PTSD 및 기타 트라우마 관련 질환은 성공적으로 치료가 가능합니다. 모든 연령대와 다양한 형태의 외상을 대상으로 하는 근거 기반 또는 근거가 있는 치료들이 있고, 이러한 근거들을 볼 때 심리치료가 치료의 1차 선택으로 고려되어야 합니다. 아동기에 적용 가능한 트라우마 치료법들의 효과성에 대한 다양한 지침(예; NICE 가이드라인, AACAP 진료 지침 등), 종설 및 메타 분석(예; Gillies 등. 2012; Gutermann 등. 2016; Leenarts 등. 2013; Miller-Graff와 Campion 2016; Morina 등. 2016)마다 권고 수준은 상당히 일관적이지 않은데, 이는 문헌마다 근거 기준에 대한 정의 및 연구 선택과 배제 기준에서 방법론적인 차이가 있다는 점이 가장 큰 이유인 것으로 보입니다. 모든 가이드라인에서 권고하고 모든 메타분석에서 효과를 보인 심리치료법은 인지행동치료, 특히 외상 초점 인지행동치료(TF-CBT; 8장)입니다. 인지행동치료는 Gutermann과 동료들(2016), Morina와 동료들(2016)이 발표한 가장 최근의 메타 분석에서 PTSD 증상에 대해 중간(통제 연구) - 큰(비통제 분석) 효과 크기를 보였습니다. 더구나 인지행동치료는 우울과 불안증상에도 효과적입니다. 인지 치료(9장), 청소년의 지속 노출치료(10장), 아동청소년의 내러티브 노출치료(KIDNET, 11장)가 모두 동일하거나 매우 비슷한 이론적인 개념을 기반으로 하므로, 비록 무작위 통제연구들의 메타 분석 결과는 없으나 역시 권고할 수 있는 치료법입니다. 안구운동 민감소실 및 재처리 치료(EMDR, 13장), 아동-부모 정신치료(CPP, 15장), 그리고 부모-자녀 상호작용치료(PCIT, 15장)는 TF-CBT보다 근거 수준은 약하나, 경험적인 자료들을 감안할 때 임상 현장에서 권고할 수 있습니다. 그러나 정서 및 대인 관계 조절 기술 훈련STAIR 및 내러티브 요법 – 청소년 버전(SNT-A, 12장), 애착, 자기조절과 역량 치료(ARC, 14장), 트라우마 체계 치료(17장) 같은 다른 치료들은, 아직 그 효과성에 대한 근거 수준을 결정할 만한 자료가 충분하지 않습니다. 이 치료법들은 예비 연구 결과들로 준실험 비교 연구, 비통제 파일럿 연구 및 사례 보고들이 있습니다.

외상의 특정 유형에 따라 어떤 심리치료가 아동청소년에게 더, 또는 덜 효과를 보이는지에 대한 근거는 최근까지 없습니다(Gillies 등. 2012). 다양한 치료적 접근법이나 기술들이 트라우마 피해를 입은 아동청소년에게 적용되어왔습니다. 아동 각각의 필요 및 PTSD 증상의 심각도와 장애 정도를 고려하여, 현장에서는 이 다양한 접근법들과 기술들을 종종 혼합하여 사용합니다multimodal treatment approach. 대다수 효과성이 입증된 치료법들은 심리교육, 행동 및 정서 조절, 대처 기술 훈련과 인지 처리 같은 방법들을 적용하며, 이들은 모두 직접 (대부분 노출이나 또는 트라우마 내러티브 만들기를 통해서) 트라우마 경험을 다룹니다. 성인(Schnyder 와 Cloitre 2015)과 마찬가지로, 최근 들어 모든 연령대의 아이들 역시 직접 트라우마 경험을 다루는 치료적 접근법이 비특이성 치료 방식보다 트라우마 관련 증상들을 줄이는 데 우월하다는 매우 설득력 있는 증거들이 나오고 있습니다. 게다가 역시 성인(Schnyder 등. 2015)과 유사하게, 많은 근거 기반 치료법들의 공통점들이 있으므로 이들을 아동 트라우마 치료의 핵심 구성요소로 볼 수 있습니다(**표 24.1**):

**표 24.1** 아동 트라우마 치료의 구성 요소 제안

| |
|---|
| 필요 및 평가에 따라 적절한 단계별 접근 방식 |
| 치료는 연령에 적절하게, 또한 아동의 가족과 환경의 특수성에 맞는 맞춤형이어야 함 |
| 아동의 회복적 환경을 최적화하기 위해, 보호자와 다른 관련 시스템(학교 등)을 포함 |
| 아동, 보호자 및 기타 관련 시스템 대상의 심리교육 |
| 정서 및 행동 조절 기술 연습 |
| 역기능적인 트라우마 관련 생각들의 인지적 처리 |
| 노출과/또는 트라우마 내러티브 만들기를 통한 트라우마 기억의 재구성과/또는 재통합 |
| 아이의 역량과 미래를 다루기 |

**그림 24.3** 트라우마 치료의 단계별 접근법

- 많은 치료법이 트라우마 피해를 입은 아이들, 특히 어린 나이에 다양한 대인관계 외상 사건에 노출된 아이들의 치료에 암시적 또는 명시적으로 **단계별 접근 방식**을 사용합니다(**그림** 24.3). 개입의 **첫 단계**는 언제나 추가적인 외상의 노출에서 아이를 보호하는 것이어야 합니다. 필요할 경우 아동보호조치로 아이의 안전을 보장해야 합니다. 또 아이가 정서적으로 매우 불안정하거나(급성 자살사고 등) 심각한 손상(극심한 통증 등)이 있는 경우, 입원이나 약물치료 등의 적절한 안정화 조치가 외상 중심 치료의 시작 전에 진행되어야 합니다. 치료의 **두 번째 단계는** 트라우마 기억 처리를 포함합니다. 특정 접근 방식에 따라 이는 좀더 명시적(TF-CBT, 지속노출, 인지 치료, KIDNET 등) 또는 좀더 암시적으로(EMDR 등) 이루어집니다. 마지막 **세 번째 단계**에서는 아이의 재통합과 미래와 관련된 것들을 주요 주제로 다룹니다. 모든 치료법들이 이 마지막 부분을 잘 다루고 개념화한 것은 아닙니다.
- 트라우마 치료는 **발달적인 부분**을 고려해야 합니다. 현재 사용되는 대부분의 치료법들은 특히 학령기 아이들에게 맞게 개발되었으며, 최근의 메타 분석 결과 심리치료들은 좀더 고연령의 아이들에게 효과적인 것으로 나타났습니다(Gutermann 등, 2016). 그러

나 트라우마 피해를 입은 영유아 역시 아동-부모 정신치료(15장), 또는 부모-자녀 상호작용 치료(16장) 등의 적절한 형식을 사용한다면 성공적으로 치료될 수 있다는 충분한 근거들이 있습니다. 이 치료법들은 더 나이가 많은 아이들에게 적용되는 방법들과 상당히 다릅니다. 예를 들어, 아동-부모 정신치료의 개입 순서는 매우 유연하고, 놀이나 신체 접촉과 같은 비언어적 방법이 명시적으로 절차에 통합되어 있습니다. 치료 방법과 **아이의 발달 단계**와의 적합성이 매우 중요하며, 아마도 이것이 특정 치료 방법의 선택에 있어 매우 중요한 기준 중 하나일 것입니다.

- 아동, 특히 어린 아이는 **보호자**에게 매우 의존하기 때문에, 대부분의 치료법들은 가능한 아이의 보호자를 치료에 참여시킵니다. 이 때 아이의 증상을 더 잘 이해하고(심리교육), 보호자가 다루기 어려운 아동의 행동을 관리하는 기술을 배우도록 돕고 양육 기술을 개선시켜 결과적으로 부모-자녀 관계를 개선하는 것이 주요 목표입니다. 연구 결과들은, 실제로 보호자의 치료 참여가 증상이 더 많이 감소되는 것과 연관성을 보인다는 점을 밝혔습니다(Gutermann 등, 2016). 예를 들어 TF-CBT(8장) 및 트라우마 체계 치료(17장)는 보호자(및 기타 관련 시스템)의 참여를 상세하게 개념화했습니다. 반면 아이들을 위한 내러티브 노출 치료(KIDNET; 11장), 안구운동 민감소실 및 재처리 치료(EMDR; 13장)나 정서 및 대인관계 기술 조절 훈련 내러티브 치료 – 청소년형(SNT-A; 12장)은 부모의 참여에 대한 강조 없이, 주로 아동청소년 개인을 대상으로 합니다.
- 트라우마 치료의 핵심은 **심리교육**입니다. 이 책에서 소개된 모든 치료법은 트라우마와 그의 영향에 대해 아동, 보호자 및 기타 관련된 사회 시스템에 정보를 전달하는 것이 중요하다고 강조합니다. 다소 다른 방식으로 정보를 제공하는 다른 치료법들도 있지만, 심리교육은 아이의 증상과 치료 모두의 이해를 돕는 지도 역할을 합니다.
- 아이의 **정서, 행동 조절 기술**의 훈련은 많은 치료법, 특히 CBT적인 접근법에서는 기본적인 부분입니다. 17장에서 이미 기술하였듯이, 외상 사건을 겪은 아이들은 종종 알거나 잘 모르는 트라우마 관련 단서들에 의해 자극을 받습니다. 아이가 이것을 인식하기 시작하고, 자신의 정서와 행동을 더 잘 조절하는 전략을 배우는 것이 중요합니다.
- 인지 치료, TF-CBT 및 기타 CBT의 치료적 접근에서 특히 강조하듯이, 역기능적인 인지("도움이 되지 않는 생각")들이 증상 발달과 유지에 중요한 역할을 합니다. 트라우마로 인한 질환을 겪고 있는 아동청소년들은 종종 근본적인 신념이나 인지 구조(스키마)의 변화(예를 들어 세상과 사람들은 위험한 대상이고 자신은 무력한 존재로 보는 등)를 겪습니다. 따라서 이러한 인지들을 치료에서 다루고, 아동과 보호자들에게 트라우마가 어떻게 자신, 가족, 세상과 미래에 대한 그들의 생각을 바꾸는 지 이해하고, 이러한 점들을 생각할 새로운 방식을 찾도록 도와주어야 합니다. 중요한 것은, 치료를 통해 아이가 스스로를 희생자로 정의하지 않고, 미래가 있는 생존자로 볼 수 있게 해야 합니다.
- 많은 치료적 접근법들이 트라우마 관련 질환에 전형적인, **기억 시스템의 장애**나 심지어 **실패** 현상에 초점을 맞추고 있습니다. 외상 기억의 재건과 재통합은 치료의 성공에 필수적인 부분으로 간주됩니다. 연구들에서는 트라우마 기억을 다시 살펴보는 것이

기억이 업데이트되고 수정되거나 심지어 지워질 수 있는 단기적으로 불안정한 상태를 유도하는 것으로 나타났습니다. 이 과정을 재통합[reconsolidation]이라고 합니다(Lane 등. 2015). 트라우마 기억을 재건하고 문맥에 넣어 완성된 느낌을 다시 줄 필요성은, 트라우마 피해를 겪은 아이들의 편도체가 과반응을 보이고 해마와 내측 전전두엽 피질의 조절기능이 낮아진다는 뇌과학 연구 결과에서 잘 확인할 수 있습니다(5장). 각각의 치료적 접근들은 이 기억의 실패를 다루고 재활성화된 트라우마성 기억을 수정하는 데 상당히 다른 기술들을 사용한다는 점에 주목해 볼 수 있습니다. 트라우마 내러티브를 만들고("단어들에 외상 경험을 넣는 것") 감각이나 실제 노출을 시도하는 것이 CBT적인 접근법에서 필수라면, 반대로 EMDR은 감각적인 노출은 하지만 트라우 마성 기억들을 언어로 처리하는 과정이 필수는 아닙니다. 저자들의 관점상, 트라우마 치료의 효과에는 두 가지 기전이 있는 것으로 보입니다. 그것은 (1) 학습이론을 기반으로(트라우마 내러티브를 만들 필요성 없이) 감각과/또는 실제 노출을 통한 조건화된 공포 반응의 소거, (2) 새로운 정서적 경험의 통합되는 재통합 과정을 통한 트라우마성 기억의 업데이트입니다. 이는 아마도 개인이 트라우마 사건을 정확한 맥락(장소, 시간)에 맞춰 내러티브를 만들게 도우면 가장 잘 달성될 것입니다. Lane과 동료들(2015)이 제안했듯이, 치료적 변화에 필수적인 부분은 다음의 세 단계가 필요합니다. 이 세 단계는 (a) 오래된 기억의 재활성화, (b) 재통합 과정을 통해, 재활성화된 기억에 새로운 정서적 경험을 통합시키기, 그리고 (c) 다양한 맥락에서 세계를 경험하고 새로운 방식의 행동을 연습하며 통합된 기억 구조를 강화하기입니다.

- 마지막으로, 많은 치료적 접근에서 아주 잘 개념화되지는 않았지만, 트라우마 치료에서는 아이들의 **역량**과 그들의 **미래에 대한 관점** 역시 다루어야 합니다. 치료는 증상만이 아니라 일상의 기능, 발달 및 회복력을 증진시키는 데에도 초점을 맞추어야 합니다. 환자의 관점에서 증상의 심각성은 실제 하루하루의 기능보다는 주 관심사가 아닐 수 있습니다. 트라우마를 겪은 아이의 기능 손상 수준이 PTSD 증상의 심각성 변화나 평가만으로는 잘 확인되지 않을 수 있습니다. 또한 여러 차례 대인관계 상의 트라우마 경험을 한 아이들은, 자신들의 미래에 대해 부정적인 믿음과 예상을 많이 하고 있을 수 있습니다. 따라서 치료에서 이 부분들을 다루는 것이 필수입니다.

## 24.4 약물 치료

약물은 여러 상황에서 PTSD 또는 기타 트라우마 관련 질환의 이차적인 치료로 사용될 수 있습니다. 어떤 경우에는 심리 치료, 특히 외상 중심 심리치료가 보건 자원의 부족이나 거주지가 멀어서, 또는 치료자를 방문하기 어려운 신체 질환이나 장애 등의 다른 이유 등으로 어려울 수 있습니다. 더구나 많은 아이들이 안전하고 효과적인 약물 치료가 가능한 질환인 ADHD, OCD 또는 우울증 등의 공존질환을 갖고 있습니다. 아직까지 소아

PTSD의 치료에 충분히 검증된 약물 치료는 없다는 것을 명심해야 합니다. 약물을 처방하는 이유가 무엇이든(18장), 안정적이고 서로 신뢰하는 치료적 관계의 틀 안에서 이루어져야 합니다.

## 24.5 치료의 맥락

이 책에서는 평가와 치료가 외래 클리닉이나 학교 외의 많은 다른 상황에서도 이루어진다는 점 역시 다루고 있습니다. 이 주제에 대한 장에서 병원, 위탁 시설과 사법 시스템의 장소에서 제공되는 서비스들은 효과적인 치료를 위해 추가적인 자원들이 필요하다는 면에서 유용한 정보들을 다루었습니다. 여기에는 직원 교육과 "트라우마 정보기반" 환경 조성을 포함하여, 아동청소년의 행동을 적절한 방식으로 이해하고 반응하는 것이 포함됩니다. 이러한 환경에서 선별 평가의 추가는 적절한 치료법을 정하는 데 필수적인 수단입니다. 마지막으로, 한 서비스에서 다른 것으로 이동할 때(입원 돌봄에서 외래 돌봄 치료로의 이동 등), 아동과 가족에게 필요한 일관되고 지속적인 서비스를 지원하는 연속적인 트라우마 정보기반 돌봄관리를 제공하기 위해 절차를 만들고 자원을 제공하는 것이 중요합니다.

## 24.6 전망

트라우마 관련 정신질환에 대한 근거기반 치료법들이 상당히 많지만, 몇 가지의 중요한 제한점이 존재합니다. 첫번째로, 복합 외상과 공존질환이 있는 아이들을 대상으로 긍정적인 치료적 접근법들이 최근 몇 년간 개발되었지만(ARC, SNT-A, TST 등), 이 치료법들에 대한 근거는 아직 제한적입니다. 두번째로, 미취학 아동, 특히 만 4세 미만의 아동에서는 거의 연구된 바가 없습니다. 이 책의 몇몇 장에서 언급하였듯이 트라우마 피해를 입는 어린 아동의 수가 매우 많고, 이 연령대에서는 장기적 관점에서 트라우마의 영향이 특히 심각합니다. 따라서, 향후 어린 아동들을 위한 근거 기반 치료의 개발과 평가가 매우 필요합니다. 세번째로, Carrion과 Kletter (2012)가 강조하였듯이 미래의 치료 프로토콜은 치료 기술의 개념화 면에서 최근 밝혀진 신경생물학적인 기전들을 더욱 잘 통합하여야 할 것입니다. 특히, 기억의 재통합에 대한 새로운 연구들이 상당히 중요할 수 있습니다(Lane 등, 2015). 또한 트라우마 이후 조기 개입 시 심리적, 그리고 약물학적 개입의 조합이 도움이 될 지 여부를 향후 확인할 수 있을 것입니다. 네번째로 트라우마 관련 질환에 대해 근거 기반 치료를 적용할 수 있지만, 임상 현장에서는 여전히 이들의 사용률이 낮습니다. 다수의 치료자들이 약물 치료를 1차로 고려하는 등, 여전히 근거 기반이 아닌 치료법들을 사용하고 있습니다. 따라서 효과적인 치료법들을 널리 보급시키는 것이 앞으로 매우 중요한 사안입니다. 다섯 번째로, 우리는 특정 증상과 문화, 가족 배경을 가진 개별 아동에게 어떻게 올바른 치료적 접근법을 찾을지에 대해 더 많은 정보가 필요합니다. 연구들은 개별 증상과 치료법 사이에 최적의 적합성과 관련된 요인들을 살펴보아야 합니다. 특히 문화의 역할은 적절히 연구된 것이 없습니다. 치료 전달 방식(놀이 치료, 스토리텔링, 역할 놀이 등)과 형태(집단 및 개인)의 상대적인 수용성과 효과는 문화적 관습에 영향을 받을 가능성이 많으므로 이에 대한 연구가 필요합니다. 여섯 번째로, 트라우마를 겪은 아동의 치료에 원격의료적인 접근, 웹 사이트, 앱, 게임과 소셜 미디어의 활용이 긍정적일 수 있어 더 자세한 연구가 필요합니다. 전 세계적으로 아동 트라우마에 대해 상당히 인식이 개선되었습니다. 이러한 인식의 물결이 지속되어 아동청소년을 위한 매력적이고 적용 가능하며 효과적인 개입의 개발과 보급이 더욱 발전해 나아갈 것입니다.

## 참고문헌


Brymer M, Taylor M, Escudero P, Jacobs A, Kronenberg M, Macy R, Vogel J (2012) Psychological first aid for schools: field operations guide. National Child Traumatic Stress Network, Los Angeles

Brymer MJ, Jacobs A, Layne C, Pynoos RS, Ruzek J, Steinberg A, Watson P (2006) Psychological first aid: field operations guide, 2nd edn: National Child Traumatic Stress Network and National Center for PTSD, Los Angeles, CA

Carrion VG, Kletter H (2012) Posttraumatic stress disorder: shifting toward a developmental framework. Child Adolesc Psychiatr Clin Am 21(3):573–91. doi:10.1016/j.chc.2012.05.004

Gillies D, Taylor F, Gray C, O'Brien L, D'Abrew N (2012) Psychological therapies for the treatment of post-traumatic stress disorder in children and adolescents. Cochrane Database of Syst Rev 12. doi:10.1002/14651858.CD006726.pub2

Gutermann J, Schreiber F, Matulis S, Schwartzkopff L, Deppe J, Steil R (2016) Psychological treatments for symptoms of posttraumatic stress disorder in children, adolescents, and young adults: a meta-analysis. Clin Child Fam Psychol Rev 19(2):77–93. doi:10.1007/s10567-016-0202-5

Kenardy JA, Spence SH, Macleod AC (2006) Screening for posttraumatic stress disorder in children after accidental injury. Pediatrics 118(3):1002–9. doi:10.1542/peds.2006-0406

Kramer DN, Hertli MB, Landolt MA (2013) Evaluation of an early risk screener for PTSD in preschool children after accidental injury. Pediatrics. doi:10.1542/peds.2013-0713

Kramer DN, Landolt MA (2011) Characteristics and efficacy of early psychological interventions in children and adolescents after single trauma: a meta-analysis. Eur J Psychotraumatol 2:7858. doi:10.3402/ejpt.v2i0.7858

Lane RD, Ryan L, Nadel L, Greenberg L (2015) Memory reconsolidation, emotional arousal, and the process of change in psychotherapy: New insights from brain science. Behav Brain Sci 38:e1. doi:10.1017/S0140525X14000041

Leenarts LE, Diehle J, Doreleijers TA, Jansma EP, Lindauer RJ (2013) Evidence-based treatments for children with trauma-related psychopathology as a result of childhood maltreatment: a systematic review. Eur Child Adolesc Psychiatr 22(5):269–83. doi:10.1007/s00787-012-0367-5

Miller-Graff LE, Campion K (2016) Interventions for posttraumatic stress with children exposed to violence: factors associated with treatment success. J Clin Psychol 72(3):226–48. doi:10.1002/jclp.22238

Morina N, Koerssen R, Pollet TV (2016) Interventions for children and adolescents with posttraumatic stress disorder: a meta-analysis of comparative outcome studies. Clin Psychol Rev 47:41–54. doi:10.1016/j.cpr.2016.05.006

Schnyder U, Cloitre M (eds) (2015) Evidence based treatments for trauma-related psychological disorders. A practical guide for clinicians. Springer, Cham/Heidelberg/London/New York

Schnyder U, Ehlers A, Elbert T, Foa EB, Gersons BP, Resick PA et al (2015) Psychotherapies for PTSD: what do they have in common? Eur J Psychotraumatol 6:28186. doi:10.3402/ejpt. v6.28186

Stuber ML, Schneider S, Kassam-Adams N, Kazak AE, Saxe G (2006) The medical traumatic stress toolkit. CNS Spectrum 11:137–42

Teicher MH, Parigger A (2015) The 'maltreatment and abuse chronology of exposure' (MACE) scale for the retrospective assessment of abuse and neglect during development. PLoS One 10(2):e0117423. doi:10.1371/journal.pone.0117423

Winston FK, Kassam-Adams N, Garcia-Espana F, Ittenbach R, Cnaan A (2003) Screening for risk of persistent posttraumatic stress in injured children and their parents. J Am Med Assoc 290:643–9. doi:10.1001/jama.290.5.643